资治通鉴

全本全注全译

第十五册

梁纪　陈纪

［宋］司马光　编著
张大可　韩兆琦　等　注译

浙江人民出版社

图书在版编目（CIP）数据

资治通鉴全本全注全译. 第十五册 /（宋）司马光编著 ；张大可等注译. -- 杭州 ：浙江人民出版社，2024.10（2025. 6重印）. -- ISBN 978-7-213-11680-3

Ⅰ. K204. 3

中国国家版本馆CIP数据核字第20245369DR号

资治通鉴全本全注全译　第十五册

ZIZHI TONGJIAN QUANBEN QUANZHU QUANYI

［宋］司马光　编著　　张大可　韩兆琦　等　注译

出版发行：浙江人民出版社（杭州市环城北路 177 号　邮编　310006）
　　　　　市场部电话：（0571）85061682　85176516
选题策划：胡俊生
项目统筹：潘海林　魏　力
责任编辑：王福群
营销编辑：张紫懿
责任校对：王欢燕　汪景芬　姚建国
责任印务：程　琳　幸天骄
封面设计：北京之江文化传媒有限公司
电脑制版：北京之江文化传媒有限公司
印　　刷：浙江新华数码印务有限公司
开　　本：710 毫米 ×1000 毫米　1/16　　印　　张：44.5
字　　数：869 千字　　插　　页：4
版　　次：2024 年 10 月第 1 版　　印　　次：2025 年 6 月第 2 次印刷
书　　号：ISBN 978-7-213-11680-3
定　　价：124.00 元

目　录

卷第一百五十六　梁纪十二

起昭阳赤奋若（癸丑，公元五三三年），尽阏逢摄提格（甲寅，公元五三四年），凡二年。

【题解】

本卷记事起公元五三三到五三四年，凡二年。时当梁武帝中大通五年、六年，北魏孝武帝永熙二年、三年。此时南朝承平，无事可述，而北魏发生政权更迭的大事变，故本卷内容集中记述北魏命丧权臣的短命皇帝孝武帝一朝的事变，详载北魏分裂为东魏、西魏两朝的始末，为北齐、北周的兴起伏笔。

【原文】

高祖武皇帝十二

中大通五年（癸丑，公元五三三年）

春，正月辛卯①，上祀南郊②，大赦。

魏窦泰③奄至④尔朱兆⑤庭，军人因宴休惰，忽见泰军，惊走，追破之于赤谼岭⑥，众并降散。兆逃于穷山，命左右西河张亮⑦及苍头⑧陈山提⑨斩己首以降，皆不忍。兆乃杀所乘白马，自缢于树。欢⑩亲临，厚葬之。慕容绍宗⑪携尔朱荣⑫妻子及兆余众诣欢降，欢以义故⑬，待之甚厚。兆之在秀容⑭，左右皆密通款⑮于欢，唯张亮无启疏⑯，欢嘉之，以为丞相府参军⑰。

魏罢诸行台⑱。

辛亥⑲，上祀明堂⑳。

【语译】

高祖武皇帝十二

中大通五年（癸丑，公元五三三年）

春，正月初二日辛卯，梁武帝在京城南郊举行祭祀典礼，大赦天下。

北魏都督窦泰偷袭尔朱兆的驻地。尔朱兆的军队因岁首欢宴休假，防范松懈，突然发现魏军，惊慌逃窜。窦泰追击，在赤硔岭大败尔朱兆，部众都溃散投降。尔朱兆逃入深山，吩咐身边的西河人张亮和仆从陈山提割下自己的头颅去投降，两人都不忍下手。尔朱兆就杀了自己所骑的白马，吊死在树下。高欢亲自送葬哭丧，用高规格的礼仪安葬了尔朱兆。慕容绍宗带着尔朱荣的妻子儿女和尔朱兆的残部到高欢那里投降，高欢因为他忠义的缘故，待他很优厚。尔朱兆在秀容时，身边的人都暗中向高欢通好言和，只有张亮没有书信往来，高欢很赞赏他，任用他为丞相府参军。

北魏裁撤各地的行台机构。

正月二十二日辛亥，梁武帝在明堂举行祭祀典礼。

丁巳[21]，魏主[22]追尊其父为武穆帝[23]，太妃冯氏[24]为武穆后，母李氏[25]为皇太妃。

劳州[26]刺史[27]曹凤[28]、东荆州[29]刺史雷能胜[30]等举城降魏。

魏侍中[31]斛斯椿[32]闻乔宁、张子期之死[33]，内不自安，与南阳王宝炬[34]、武卫将军[35]元毗[36]、王思政[37]密劝魏主图丞相欢。毗，遵[38]之玄孙也。舍人[39]元士弼[40]又言欢受诏不敬，帝由是不悦。椿劝帝置阁内都督[41]部曲[42]，又增武直[43]人数，自直阁已下，员别数百[44]，皆选四方骁勇者充之。帝数出游幸，椿自部勒[45]，别为行陈[46]，由是朝政、军谋，帝专与椿决之。帝以关中[47]大行台[48]贺拔岳[49]拥重兵，密与相结。又出侍中[50]贺拔胜[51]为都督三荆等七州诸军事[52]、荆州刺史[1]，欲倚胜兄弟以敌欢，欢益不悦。

侍中、司空[53]高乾[54]之在信都[55]也，遭父丧，不暇终服[56]。及孝武帝即位，表请解职行丧，诏听解侍中，司空如故。乾虽求退，不谓遽[57]见许，既去内侍，朝政多不关预[58]，居常怏怏[59]。帝既贰[60]于欢，冀乾为己用，尝于华林园[61]宴罢，独留乾，谓之曰："司空奕世忠良[62]，今日复建殊效[63]，相与虽则君臣，义同兄弟，宜共立盟约，以敦情契。"殷勤[64]逼之。乾对曰："臣以身许国，何敢有贰？"时事出仓猝，且不谓帝有异图，遂不固辞，亦不以启欢。及帝置部曲，乾乃私谓所亲曰："主上不亲勋贤而招集群小，数遣元士弼、王思政往来关西与贺拔岳计议，又出贺拔胜为荆州，外示疏忌[65]，实欲树党[2]，令其兄弟相近，冀据有西方。祸难将作，必及于我。"乃密启欢。欢召乾诣并州，面论时事，乾因劝欢受魏禅，欢以袖掩其口曰："勿妄言！今令司空复为侍中，门下之事一以相委。"欢屡启请，帝不许。乾知变难将起，密启欢求为徐州[66]。二月辛酉[67]，以乾为骠骑大将军[68]、开府仪同三司[69]、徐州刺史，以咸阳王坦[70]为司空。

癸未[71]，上幸同泰寺[72]，讲《般若经》[73]，七日而罢，会者数万人。

魏正光[74]以前，阿至罗[75]常附于魏。及中原多事，阿至罗亦叛，丞相欢招抚之，阿至罗复降，凡十万户。三月辛卯[76]，诏复以欢为大行

二十八日丁巳，北魏孝武帝追尊他的父亲为武穆帝，太妃冯氏为武穆后，生母李氏为皇太妃。

劳州刺史曹凤、东荆州刺史雷能胜等人率领全城投降北魏。

北魏侍中斛斯椿听说乔宁、张子期被处死，心中不安，与南阳王元宝炬、武卫将军元毗和王思政秘密劝说孝武帝除掉丞相高欢。元毗是元遵的玄孙。中书舍人元士弼又说高欢在接受诏命时不恭敬，孝武帝因此很不高兴。斛斯椿劝说孝武帝设置宫廷都督部曲，并增加守卫宫内的武士人数，从直阁以下，增员达数百人，都是从各地挑选的勇武刚健的人来充任。孝武帝多次外出巡视，斛斯椿亲自部署警卫，另外组织编队。从此，政务、军谋，孝武帝都专与斛斯椿裁决。孝武帝因关中大行台贺拔岳拥有重兵，便与贺拔岳秘密相互联结。又派出侍中贺拔胜担任都督三荆等七州诸军事、荆州刺史，想依靠贺拔胜、贺拔岳兄弟来对抗高欢，高欢对此更加不高兴。

侍中、司空高乾在信都时，遇上父亲去世，没时间满期服丧就去赴任。到孝武帝即位时，他上表请求辞职守丧。孝武帝下诏允许高乾辞去侍中，仍保留司空职位。高乾虽然请求身退，没想到孝武帝会立即批准，既然离开了内侍的职务，朝政大事多不能参与，平日居家常闷闷不乐。孝武帝既然对高欢有了二心，就希望高乾为己所用，曾经在华林园饮宴散席之后，单独留下高乾，对他说："司空家世代忠良，现在又建立了特殊功勋，相互之间虽是君臣，义如兄弟，应当共同订立一个盟约，以便增进情谊。"孝武帝情意恳切地逼高乾答应。高乾回答说："臣以身许国，怎敢有二心？"当时事出突然，高乾也没想到孝武帝别有用心，就没有坚决推辞，也没把这件事报告给高欢。等到孝武帝组建宫中侍卫亲军，高乾才对自己亲近的人说："皇上不亲近功高贤能的大臣，反而招集一群小人，多次派遣元士弼、王思政往来关西与贺拔岳商议，又派贺拔胜出任荆州都督，表面上看是疏远猜疑他，实际上想要培植党羽，让贺拔胜兄弟靠拢亲近，希望他们控制西部地区。祸乱即将发生，一定会牵连到我。"高乾于是秘密地报告高欢。高欢把高乾召到并州，当面讨论时事，高乾趁机劝说高欢接受孝武帝禅位，自己登基。高欢用衣袖掩住高乾的嘴说道："不要胡说！如今就让你做侍中，门下省的事务全部委托给你了。"高欢多次上奏要求恢复高乾侍中之职，孝武帝都不批准。高乾知道祸乱将要发生，秘密致信高欢，请求外出为徐州刺史。二月初三日辛酉，任命高乾为骠骑大将军、开府仪同三司、徐州刺史，任命咸阳王元坦为司空。

二月二十五日癸未，梁武帝驾临同泰寺，讲解《般若经》，七天才结束，与会的有数万人。

在北魏正光年间以前，阿至罗部众经常依附于北魏。等到中原战乱纷繁，阿至罗也反叛了，丞相高欢对他们进行招抚，阿至罗重新投降，总计十万户。三月初三

台[77]，使随宜裁处。欢与之粟帛，议者以为徒费无益，欢不从，及经略河西[78]，大收其用。

高乾将之徐州，魏主闻其漏泄机事，乃诏丞相欢曰："乾邕与朕私有盟约，今乃反覆两端。"欢闻其与帝盟，亦恶之，即取乾前后数启论时事者遣使封上。帝召乾，对欢使责之，乾曰："陛下自立异图，乃谓臣为反覆，人主加罪，其可辞乎？"遂赐死。帝又密敕东徐州[79]刺史潘绍业[80]杀其弟敖曹[81]，敖曹先闻乾死，伏壮士于路，执绍业，得敕书于袍领，遂将十余骑奔晋阳[82]。欢抱其首哭曰："天子枉害司空。"敖曹兄仲密[83]为光州刺史，帝敕青州[84]断其归路，仲密亦间行奔晋阳。仲密名慎，以字行。

魏太师[85]鲁郡王肃[86]卒。

丙辰[87]，南平元襄王伟[88]卒。

丁巳[89]，魏以赵郡王谌[90]为太尉[91]，南阳王宝炬为太保[92]。

魏尔朱兆之入洛也，焚太常乐库[93]，钟磬俱尽。节闵帝[94]诏录尚书事[95]长孙稚[96]、太常卿[97]祖莹[98]等更造之，至是始成，命曰《大成乐》。

魏青州民耿翔[99]聚众寇掠三齐[100]，胶州刺史裴粲[101]专事高谈，不为防御。夏，四月，翔掩袭州城[102]。左右白贼至，粲曰："岂有此理！"左右又言已入州门，粲乃徐曰："耿王[103]来，可引之听事[104]，自余部众，且付城民。"翔斩之，送首来降。

五月，魏东徐州民王早[105]等杀刺史崔庠[106]，以下邳[107]来降。

六月壬申[108]，魏以骠骑大将军[109]樊子鹄[110]为青、胶大使[111]，督济州刺史蔡儁[112]等讨耿翔。秋，七月，魏师至青州，翔弃城来奔，诏以为兖州刺史。

壬辰[113]，魏以广陵王欣[114]为大司马[115]，赵郡王谌为太师。庚戌[116]，以前司徒[117]贺拔允[118]为太尉。

初，贺拔岳遣行台郎[119]冯景[120]诣晋阳，丞相欢闻岳使至，甚喜，曰："贺拔公讵[121]忆吾邪！"与景歃血[122]，约[3]与岳为兄弟。景还，言于岳曰："欢奸诈有余，不可信也。"府司马[123]宇文泰[124]自请使晋阳以

日辛卯，孝武帝下诏再次任用高欢为大行台，授权他对阿至罗随机处置。高欢送给降民一批粮食和布帛，参与议事的人认为是白白耗费财物，没有什么益处，但高欢没有听从。等到整治河西时，这批财物发挥了极大的作用。

高乾即将到徐州上任，孝武帝得知他泄漏了机密，便下诏给丞相高欢说："高乾与朕私下订有盟约，如今又两头反复。"高欢听到高乾与孝武帝结盟，也很厌恶他，立即取出高乾前后写来的几封论及时政的书信，密封后派人送给了孝武帝。孝武帝召见高乾，当着高欢使者的面斥责高乾。高乾说："陛下自己别有图谋，却说我反复无常。皇上要加罪给一个人，他怎能推脱呢？"高乾当即被赐死。孝武帝又秘密地下手诏给东徐州刺史潘绍业，要他杀掉高乾的弟弟高敖曹。高敖曹在这之前听说高乾死了，就在路途中埋伏壮士，捉住了潘绍业，从他衣领里得到了皇上的手书，于是率领十几个骑兵逃往晋阳。高欢抱着高敖曹的头痛哭着说："皇上枉杀了高乾司空。"高敖曹的哥哥高仲密任光州刺史，孝武帝敕令青州切断高仲密回晋阳的道路，高仲密从小道也逃往了晋阳。高仲密名慎，以字行世。

北魏太师鲁郡王元肃去世。

三月二十八日丙辰，梁南平元襄王萧伟去世。

二十九日丁巳，北魏任用赵郡王元谌为太尉，南阳王元宝炬为太保。

北魏尔朱兆当初进入洛阳的时候，烧毁了太常府的乐器库房，钟磬等乐器全被焚毁。节闵帝元恭诏令录尚书事长孙稚、太常卿祖莹等人重新制造，到这时才完成，命名为《大成乐》。

北魏青州平民耿翔聚众攻掠三齐，胶州刺史裴粲只会高谈阔论，不设防备。夏，四月，耿翔偷袭胶州城。裴粲的身边人员报告说贼军到了，裴粲说："岂有此理！"身边的人又报告说已经进入州门，裴粲还不紧不慢地说："耿王来了，可以把他带到公堂来，其他部众，暂且交给城中民众。"耿翔杀了裴粲，把他的首级送到梁朝后投降。

五月，北魏东徐州平民王早等人杀了刺史崔庠，率下邳城向梁朝投降。

六月十五日壬申，北魏任命骠骑大将军樊子鹄为青州、胶州大使，节制济州刺史蔡儁等进剿耿翔。秋，七月，北魏军队到达青州，耿翔丢弃青州城逃往梁朝，梁武帝下诏任命他为兖州刺史。

初六日壬辰，北魏任命广陵王元欣为大司马、赵郡王元谌为太师。二十四日庚戌，任命前司徒贺拔允为太尉。

当初，贺拔岳派遣行台郎冯景到晋阳，丞相高欢听说贺拔岳使者到来，非常高兴，说："贺拔公怎么还想得起我呀！"高欢和冯景歃血为盟，约定和贺拔岳结为兄弟。冯景回去后，对贺拔岳说："高欢奸诈有余，不可信任。"府司马宇文泰自己请

观欢之为人，欢奇其状貌，曰：“此儿视瞻非常。”将留之，泰固求复命。欢既遣而悔之，发驿急追，至关[125]不及而返。泰至长安[126]，谓岳曰：“高欢所以未篡者，正[127]惮公兄弟耳，侯莫陈悦[128]之徒，非所忌也。公但潜为之备，图欢不难。今费也头[129]控弦之骑不下一万，夏州刺史斛拔弥俄突[130]胜兵[131]三千余人，灵州刺史曹泥[132]、河西流民纥豆陵伊利[133]等各拥部众，未有[4]所属。公若移[5]军近陇[134]，扼其要害，震之以威，怀之以惠，可收其士马以资吾军。西辑[135]氐、羌，北抚沙塞[136]，还军长安，匡辅魏室，此桓、文[137]之功[6]也。”岳大悦，复遣泰诣洛阳请事，密陈其状。魏主喜，加泰武卫将军[138]，使还报。八月，帝以岳为都督雍华等二十州[139]诸军事、雍州刺史，又割心前血[140]，遣使者赍以赐之。岳遂引兵西屯平凉[141]，以牧马为名。斛拔弥俄突、纥豆陵伊利及费也头万俟受洛干[142]、铁勒[143]斛律沙门[144]等皆附于岳，唯曹泥附于欢。秦、南秦、河、渭四州[145]刺史同会平凉，受岳节度。岳以夏州[146]被边要重，欲求良刺史以镇之，众举宇文泰，岳曰：“宇文左丞[147]，吾左右手，何可废也！”沉吟累日，卒表用[148]之。

九月癸酉[149]，魏丞相欢表让王爵，不许；请分封邑十万户颁授勋义[150]，从之。

冬，十月庚申[151]，以尚书右仆射[152]何敬容[153]为左仆射[154]，吏部尚书[155]谢举[156]为右仆射。

十一月癸巳[157]，魏以殷州刺史中山邸珍[158]为徐州大都督[159]、东道行台仆射，以讨下邳[160]。

十二月丁巳[161]，魏主狩于嵩高[162]。己巳[163]，幸温汤[164]。丁丑[165]，还宫。

魏荆州刺史贺拔胜寇雍州[166]，拔下迮戍[167]，扇动诸蛮。雍州刺史庐陵王续[168]遣军击之，屡为所败，汉南[169]震骇。胜又遣军攻冯翊、安定、沔阳、酂城[170]，皆拔之。续遣电威将军[171]柳仲礼[172]屯谷城[173]以拒之，胜攻之，不克，乃还。于是沔北[174]荡为丘墟矣。仲礼，庆远[175]之孙也。

魏丞相欢患贺拔岳、侯莫陈悦之强，右丞[176]翟嵩[177]曰：“嵩能间之，使其自相屠灭。”欢遣之。欢又使长史[178]侯景[179]招抚纥豆陵伊利，伊利不从。

求出使晋阳，以便观察高欢的为人。高欢惊奇宇文泰的形貌，说：“这个年轻人仪表非凡。”想把他留下来。宇文泰坚决要求回复使命。高欢遣送宇文泰走了又后悔起来，调动驿马紧急追赶，到达函谷关也没有追上，就回来了。宇文泰到达长安，对贺拔岳说：“高欢之所以没篡夺帝位，只是害怕您兄弟二人，侯莫陈悦之辈，并不是高欢所忌惮的。您只要暗中做好防备，除掉高欢不是难事。现今费也头手下善射骑兵不少于一万人，夏州刺史斛拔弥俄突有精兵三千多人，灵州刺史曹泥、河西流民纥豆陵伊利等人都各自有一帮人马，没有归属哪一边。您若移动军队靠近陇右，控制要害，利用军威来震慑他们，使用恩惠来招抚他们，可以收编他们的兵马来壮大我军的力量。西边和睦氐、羌，北边安抚大漠边塞的胡族，回军长安，辅佐北魏皇室，这是齐桓公、晋文公的功业啊。”贺拔岳非常高兴，又差遣宇文泰到洛阳办事，秘密地向孝武帝奏报情况。孝武帝大喜，加官宇文泰武卫将军，让他回去复命。八月，孝武帝任命贺拔岳为都督雍州华州等二十州诸军事、雍州刺史，又刺取心前的血，派使者带着赐给贺拔岳。贺拔岳便领兵西行，屯驻平凉，以放养军马为借口。斛拔弥俄突、纥豆陵伊利，以及费也头万俟受洛干、铁勒斛律沙门等都依附于贺拔岳。只有曹泥依附高欢。秦州、南秦州、河州、渭州等四州刺史同在平凉会合，接受贺拔岳的指挥调度。贺拔岳认为夏州是边防要地，想找一个优秀的刺史来镇守它，大家举荐宇文泰，贺拔岳说：“宇文左丞是我的左右手，怎能让他离开！”贺拔岳沉默思考了好几天，最终还是上奏孝武帝任用了宇文泰。

九月癸酉日，北魏丞相高欢上表辞王爵，孝武帝没有允许；请求把自己的封邑十万户赏给追随他的有功人员，孝武帝同意了。

冬，十月初五日庚申，梁朝任命尚书省右仆射何敬容为左仆射，吏部尚书谢举为尚书省右仆射。

十一月初九日癸巳，北魏任命殷州刺史中山人邸珍为徐州大都督、东道行台仆射，由他来讨伐下邳。

十二月初三日丁巳，北魏孝武帝在嵩高山狩猎。十五日己巳，临幸温泉。二十三日丁丑，回到宫中。

北魏荆州刺史贺拔胜进犯梁朝雍州，攻克了下迮戍，煽动诸蛮。雍州刺史庐陵王萧续派兵出击，多次被贺拔胜打败，汉水以南地区震恐。贺拔胜又派兵攻打冯翊、安定、沔阳、酂城，全都攻占了。萧续派遣电威将军柳仲礼驻扎谷城，抗击魏军，贺拔胜攻打柳仲礼，没能取胜，这才撤退。这场战争，沔阳以北地区动荡，成为一片废墟。柳仲礼，是柳庆远的孙子。

北魏丞相高欢担心贺拔岳、侯莫陈悦势力强大，尚书右丞翟嵩说：“我能离间两人，让他们自相残杀。”高欢派遣他去办这件事。高欢又派丞相长史侯景招抚纥豆陵伊利，纥豆陵伊利不肯听从。

【段旨】

以上为第一段，着重记载北魏孝武帝内惩高欢亲信高乾，外结贺拔岳、贺拔胜兄弟；高欢优抚阿至罗，拉拢与离间关中诸将，君臣双方明争暗斗，北魏政权危机四伏。

【注释】

①辛卯：正月初二日。②祀南郊：在京城南郊举行祭天之礼。梁制，自天监八年（公元五〇九年）开始，每隔一年的正月上辛日（某月第一次用天干辛配地支的日子，叫作上辛日），在京城建康（今江苏南京）南郊的圜丘祭天。③窦泰（？至公元五三七年）：字世宁，大安捍殊（今山西寿阳北）人，东魏京畿大都督，领御史中尉，爵广阿子。高欢得力战将。传见《北齐书》卷十五、《北史》卷五十四。④奄至：突然冲到。⑤尔朱兆（？至公元五三三年）：复姓尔朱，字万仁，尔朱荣从子。北魏末都督十州诸军事，世袭并州刺史。传见《魏书》卷七十五、《北史》卷四十八。⑥赤谼岭：山名，在今山西离石境内。⑦张亮：字伯德，西河隰城（今山西汾阳）人，初事尔朱兆，拜平远将军。北齐时官至中领军。传见《北齐书》卷二十五、《北史》卷五十五。⑧苍头：奴仆。因汉代奴仆多以青巾裹头而得名。⑨陈山提：本是尔朱兆的奴仆，仕北齐，官至特进、开府、东兖州刺史，封谢阳王。北周灭齐，因女陈月仪为周宣帝皇后，拜大将军，封淅阳郡公。后授上柱国，进封鄅国公。事迹见《北齐书》卷五十《恩幸传》、《周书》卷九《宣帝陈皇后传》、《北史》卷十四《宣帝后陈氏传》。⑩欢：高欢（？至公元五四七年），字贺六浑，祖籍勃海蓨县（今河北景县），后迁居怀朔镇（今内蒙古包头东北）。曾参加杜洛周、葛荣领导的河北大起义，后仕北魏，官至大丞相，爵勃海王。逐走魏孝武帝，扶立孝静帝，垄断东魏朝政长达十六年（公元五三四至五四九年）。其子高洋代魏建北齐，追尊他为高祖神武皇帝。传见《北齐书》卷一、卷二，《北史》卷六。⑪慕容绍宗（？至公元五四九年）：复姓慕容，东魏燕郡公。平定侯景叛乱，别封永乐县子。传见《北齐书》卷二十、《北史》卷五十三。⑫尔朱荣（公元四九二至五二九年）：字天宝，北秀容（山西朔州西北）人。仕北魏，官至大丞相、都督河北畿外诸军事，爵太原王。权倾人主，终为庄帝所杀。传见《魏书》卷七十四、《北史》卷四十八。⑬义故：受过恩惠的故旧。这里指慕容绍宗曾力谏尔朱兆不让高欢握有重兵，前往山东就食。兆死后，绍宗才保护尔朱荣妻子投降高欢。高欢认为他忠义可嘉，所以十分器重他。⑭秀容：郡名，北魏置，治所秀容，在今山西忻州西北，尔朱氏的根据地。⑮通款：向敌对一方表示通好讲和。⑯启疏：信函。⑰参军：官名，北朝时三公、三师、大司马、大将军及各领军府、护军府、刺史府都设有此职，掌谋划，大多由主吏的亲信担任。⑱行台：东晋以来，代表中央处理地方特定行政区军事要务为主

的临时性机构名。首长大多由位高权重的大臣兼领。北魏熙平元年（公元五一六年）初置，正光（公元五二〇至五二五年）末年，遍置各道行台。至永熙二年（公元五三三年）才撤销，但不久又恢复如初。⑲辛亥：正月二十二日。⑳明堂：古代帝王举办朝会、祭祀、庆赏、选士、养老、讲学等大典的殿堂，用来宣扬政教。㉑丁巳：正月二十八日。㉒魏主：此指孝武帝元修（公元五一〇至五三四年），又称“出帝”，北魏第十二任国君，公元五三二至五三四年在位。事详《魏书》卷十一、《北史》卷五。㉓武穆帝：北魏广平王元怀的谥号。传见《魏书》卷二十二、《北史》卷十九。㉔冯氏：名不详。㉕李氏：名不详。㉖劳州：州名，北魏置，州治辖郡不详。㉗刺史：官名，南北朝时期实行州、郡、县三级地方行政机构制度，刺史是州政府长官。㉘曹凤：人名，原梁朝人。生平不详。㉙东荆州：州名，北魏置，治所比阳，在今河南泌阳。㉚雷能胜：原梁朝人。生平不详。㉛侍中：官名，侍从皇帝，出入宫廷，典掌机要，在北魏有“小宰相”之称。㉜斛斯椿（公元四九五至五三七年）：复姓斛斯，字法寿，广牧富昌（今内蒙古鄂尔多斯东胜区）人，北魏权臣，其人好乱乐祸，反复无常。入西魏，官至太傅，封常山郡公。传见《魏书》卷八十、《北史》卷四十九。㉝乔宁、张子期之死：乔宁、张子期，两人皆尔朱仲远部将都督，被高欢处死。事见《魏书》卷八十《斛斯椿传》。㉞宝炬：元宝炬（公元五〇七至五五一年），北魏末，封南阳王，官至太保、尚书令。后随武帝元修到长安，拜太宰，录尚书事。孝武帝死，即位为西魏文帝，公元五三五至五五一年在位，是个由宇文泰控制的傀儡皇帝。事详《北史》卷五。㉟武卫将军：武官名，掌宫中宿卫。北魏从第三品。㊱元毗：字休弼，魏宗室。高欢擅权，毗力主孝武帝出奔长安，封魏郡王。传见《北史》卷十五。㊲王思政：太原祁（今山西祁县）人，西魏大将军，爵太原郡公。传见《周书》卷十八、《北史》卷六十二。㊳遵：元遵，北魏常山王，辅佐拓跋珪建立北魏王朝。传见《魏书》卷十五、《北史》卷十五。㊴舍人：官名，这里实指中书舍人，中书省属官，掌传达诏命。北魏第六品。㊵元士弼：仕魏，官至散骑常侍。因协助斛斯椿夺高欢的权，被高欢灭族。事详《北齐书》卷二《神武帝纪下》。㊶阁内都督：指御仗正副都督、直荡正副都督、直卫正副都督、直突都督等宫中禁卫武官。㊷部曲：部队的编制单位。㊸武直：宫中值勤的武士。㊹员别数百：高欢擅权，魏孝武帝为备不测，扩充禁军编制，武官成百增加。㊺部勒：部署约束。㊻行陈：行，行列。陈，通“阵”。此指护卫孝武帝出巡的军阵。㊼关中：地区名，相当于今陕西中部。旧指北萧关、南武关、东函谷关、西大散关之间的地区。㊽大行台：任职特重的地区行台长官称大行台。关中是仅次于河洛京畿的战略要地，所以行台称大行台。㊾贺拔岳（？至公元五三四年）：复姓贺拔，字阿斗泥，神武尖山（今山西平陆北）人，北魏末，官至骠骑大将军、侍中、尚书左仆射，封清水郡公。后与宇文泰联合对付高欢，被侯莫陈悦所杀。传见《魏书》卷八十、《周书》卷十四、《北史》卷四十九。㊿侍中：官名，见注㉛。51贺拔胜（？至公元五四四年）：字破胡，贺拔岳之兄，魏琅邪郡公，一度降梁，后投奔宇文泰，授太师，加中军大都督。传见《魏书》卷八十、《周书》卷十四、《北史》卷四十九。㉜都督三荆等七州诸军事：三荆，即荆州、北荆州、东荆州。七州，除上述三荆外，还包括南雍州、南襄州、郢州、南郢州。都督诸军事，官名。出征时，总管一路军务的军事长官，北魏置。㉝司空：官名，北魏三公之一，无实权，为荣誉衔。上有侍中，是加官，得以亲近皇帝，参与机密。㉞高乾（公元四九七至五三三年）：字乾邕，勃海蓨（今河北景县南）人，北魏末封长乐郡公，因泄露孝武帝密谋铲除高欢事，被赐死。传见《北齐书》卷二十一、《北史》卷三十一。㉟信都：县名，治所在今河北冀州。㊱终服：服尽丧期。子对父要守三年之丧。㊲不谓遽：不谓，没想到。遽，立即。㊳关预：参与。㊴怏怏：因不满而郁闷不乐。㊵贰：二心，此指不信任。㊶华林园：宫苑名，故址在今河南洛阳东。㊷奕世忠良：代代相续，皆为忠良。自高允辅佐恭宗、高宗以来，勃海高氏代有名臣。详《北史》卷三十一。㊸殊效：特殊功勋。㊹殷勤：情意恳切。㊺疏忌：疏远猜忌。㊻徐州：州名，北魏置，治所彭城，在今江苏徐州。㊼辛酉：二月初三日。㊽骠骑大将军：官名，北魏定制，骠骑将军加“大”字，位在都督中外诸军事下、诸将军之上。㊾开府仪同三司：特许成立府署，自选僚属，与三公同例。当时多以将军或州刺史获此名号，处理军务。㊿坦：元坦，字延和，北魏献文帝之孙。封咸阳王。传见《魏书》卷二十一上、《北齐书》卷二十八、《北史》卷十九。(71)癸未：二月二十五日。(72)上幸同泰寺：梁武帝驾临同泰寺。上，指梁武帝。幸，皇帝驾临称“幸”。同泰寺，寺院名，在京师建康城中。(73)《般若经》：为佛教大乘空宗的经典，全称《大般若波罗蜜多经》。(74)正光：北魏孝明帝年号（公元五二〇至五二五年）。(75)阿至罗：国名，高车人所建，在今新疆吐鲁番西北一带。事详《魏书·高车传》。(76)辛卯：三月初三日。(77)复以欢为大行台：正月刚撤销诸道行台，现重新设置，以便高欢招抚阿至罗。(78)经略河西：经略，开发、整治。河西，地区名，指山西吕梁山以西黄河两岸地区。(79)东徐州：州名，北魏置，治所宿豫，在今江苏宿迁东南。(80)潘绍业（公元四八三至五三八年）：名永基，字绍业，长乐广宗（今河北威县东）人，仕北魏，官至车骑将军，东徐州刺史。东魏元象初卒。传见《魏书》卷七十二、《北史》卷四十五。(81)敖曹：高昂（？至公元五三八年），字敖曹，高乾三弟。骁勇善战，为高欢所倚重，任东魏军司大都督，统七十六都督，封京兆郡公。传见《魏书》卷五十七、《北齐书》卷二十一、《北史》卷三十一。(82)晋阳：县名，县治在今山西太原，为并州州治。(83)仲密：高慎字仲密，东魏时官至御史中尉。出任北豫州刺史时降于西魏，官至太尉。传见《北齐书》卷二十一、《北史》卷三十一。(84)青州：州名，北魏置，治所东阳，在今山东青州。高仲密想从光州州治掖县（今山东莱州）返回渤海老家，必须经过青州，所以孝武帝命令青州刺史截断他的去路。(85)太师：官名，北魏三师之一，一般由功勋卓著、德行高尚的人担任。是一个荣誉崇高但无实权的职位。(86)肃：元肃（？至公元五三三年），北魏宗室南安王元桢之孙。曾官侍中，录尚书事。爵鲁郡王。传见《魏书》卷十九下。⑧⑦ 丙辰：三月二十八日。⑧⑧ 伟：萧伟（公元四七六至五三三年），梁武帝萧衍之弟。封南平王，谥号元襄。传见《梁书》卷二十二、《南史》卷五十一。⑧⑨ 丁巳：三月二十九日。⑨⓪ 谌：元谌（？至公元五三六年），字兴伯，北魏献文帝之孙。性平和，无才识，但屡历高位，封赵郡王。传见《魏书》卷二十一上、《北史》卷十九。⑨① 太尉：官名，北魏三公之一，是荣誉衔，无实权。⑨② 太保：官名，北魏三师之一，位居太师、太傅下，是荣誉衔。⑨③ 太常乐库：太常卿所辖的乐器库，属太乐令管理。⑨④ 节闵帝：元恭（公元四九八至五三二年），北魏第十任国君，公元五三一至五三二年在位。事详《魏书》卷十一、《北史》卷五。⑨⑤ 录尚书事：北魏尚书省长官。总理朝政。多以诸王领此衔，是实际上的宰相。⑨⑥ 长孙稚（？至公元五三五年）：复姓长孙，名稚，原名冀归，字承业，代人。北魏庄帝初，封上党王，寻改冯翊王，后降为郡公。官至太傅，录尚书事。后随孝武帝西迁长安。传见《魏书》卷二十五、《北史》卷二十二。⑨⑦ 太常卿：官名，掌陵庙祭祀、礼乐仪制和天文历算等事。北魏第三品。⑨⑧ 祖莹（？至公元五三四年）：字符珍，范阳遒（今河北涞水县）人，以文学著称，爵文安县伯。传见《魏书》卷八十二、《北史》卷四十七。⑨⑨ 耿翔：人名。⑩⓪ 三齐：地区名，秦汉时指齐、胶东、济北三封国，此借指今山东大部分地区。⑩① 裴粲（公元四六九至五三三年）：字文亮，河东闻喜（今山西闻喜）人。封舒县子，官至骠骑大将军、胶州刺史。为人骄豪，华而不实。传见《魏书》卷七十一、《北史》卷四十五。⑩② 州城：胶州治所东武城，在今山东诸城。⑩③ 耿王：对耿翔的尊称。⑩④ 听事：厅堂。此处指刺史府正堂。⑩⑤ 王早：人名。⑩⑥ 崔庠（？至公元五三三年）：字文序，清河（今山东临清东）人，曾任颍川太守，颇有政绩。封平原伯。传见《魏书》卷六十七、《北史》卷四十四。⑩⑦ 下邳：县名，县治在今江苏睢宁西北。也是下邳郡郡治。⑩⑧ 壬申：六月十五日。⑩⑨ 骠骑大将军：将军名号。地位隆重，仅次于大将军。北魏从一品。⑪⓪ 樊子鹄（？至公元五三五年）：代郡平城（今山西大同）人，官至尚书右仆射，封南阳郡公。曾参与扫除尔朱氏余党有功，忠于孝武帝。传见《魏书》卷八十、《北史》卷四十九。⑪① 大使：官名，是负有特殊使命的出巡官员，非常设。此次任命樊子鹄出巡青、胶二州，目的是督讨耿翔起义。⑪② 蔡儁（公元四九五至五三六年）：广宁石门（今山西寿阳）人，为政有才干而性酷暴。爵乌洛县侯。东魏初，官至扬州刺史。卒于州。传见《北齐书》卷十九、《北史》卷五十三。⑪③ 壬辰：七月初六日。⑪④ 广陵王欣：元欣（？至公元五五四年），字庆乐，爵广陵王。后随孝武帝至长安，是西魏八柱国之一。传见《魏书》卷二十一上、《北史》卷十九。⑪⑤ 大司马：官名，非常设，受委任者大多是亲近权重的大臣，参与军事。北魏第一品。⑪⑥ 庚戌：七月二十四日。⑪⑦ 司徒：官名，北魏三公之一，为无实权的荣誉衔。⑪⑧ 贺拔允（公元四八七至五三四年）：贺拔胜之兄，字可泥，骁勇有谋略，封燕郡王。传见《北史》卷四十九、《魏书》卷八十。⑪⑨ 行台郎：官名，行台的侍从官员，备顾问和差遣。⑫⓪ 冯景：字长明，河间武垣（今河北河间南）人，以迎孝武帝入关功，封高阳县伯，官至散骑常侍、行台尚书。传见《周书》卷二十二、《北史》卷六十三。⑫1 讵：岂。⑫2 歃血：自先秦流传下来的一种立盟仪式。立盟者或口含牲畜血，或以血涂唇，宣誓取信。⑫3 府司马：官名，指贺拔岳关中大行台府中的司马，协助行台处理军府事务。⑫4 宇文泰（公元五〇七至五五六年）：复姓宇文，字黑獭，代郡武川镇（今内蒙古武川）人，贺拔岳部将。岳死后，据有关中。拥立元宝炬为西魏皇帝，任大丞相，总理国政，与高欢相对抗。曾施行均田制，首创府兵制。其子宇文觉代魏建北周，追尊他为太祖文皇帝。事详《周书》卷一、卷二，《北史》卷九。⑫5 关：指函谷关，自先秦以来一直是国内最重要的军事关隘之一。关址在今河南灵宝。⑫6 长安：古都名，当时是雍州州治所在，在今陕西西安。⑫7 正：仅；只。⑫8 侯莫陈悦（？至公元五三四年）：复姓侯莫陈，代郡人，北魏末封白水郡公，时任都督陇右诸军事、秦州刺史。传见《魏书》卷八十、《周书》卷十四、《北史》卷四十九。⑫9 费也头：族名，匈奴别支。⑬0 斛拔弥俄突：人名，一作“斛律弥俄突”，又作“解拔弥俄突”。⑬1 胜兵：精兵。⑬2 曹泥：人名。⑬3 纥豆陵伊利：人名，复姓纥豆陵。⑬4 陇：地区名，又称“陇右”，在今甘肃六盘山以西、黄河以东地区。⑬5 辑：安定；和睦。⑬6 沙塞：大漠中的要塞。指安抚好北方少数民族，就巩固了北方要塞。⑬7 桓、文：即齐桓公、晋文公。春秋前期先后成为挟天子以令诸侯的霸主。⑬8 武卫将军：将军名号。掌宫禁宿卫。北魏从三品。北齐改为左、右卫将军之副将，官品同。此为兼领。⑬9 二十州：指雍、华、东华、岐、南岐、豳、原、河、渭、泾、夏、东夏、秦、南秦、梁、南梁、东梁、巴、益、东益诸州。⑭0 割心前血：刺左胸取血。鲜卑习俗，以明信誓。⑭1 平凉：郡名，北魏置，治所鹑阴，在今甘肃华亭西。⑭2 万俟受洛干：复姓万俟，名洛，字受洛干，太平人，其先匈奴之别种。初随尔朱荣，有战功。后追随高欢，河阴之战，勇却西魏军，当时推为名将。封建昌郡公。传见《北齐书》卷二十七、《北史》卷五十三。⑭3 铁勒：族名，源出丁零人，又称“高车”，或称“敕勒”。⑭4 斛律沙门：复姓斛律。⑭5 四州：指秦、南秦、河、渭四州。秦州，治所上邽城，避北魏道武帝珪讳，改称上封城，在今甘肃天水东。南秦，治所洛谷城，在今甘肃西和。河州，治所袍罕，在今甘肃临夏东北。渭州，治所襄武，在今甘肃陇西东南。⑭6 夏州：州名，治所岩绿，在今陕西靖边。⑭7 宇文左丞：北周文帝宇文泰。贺拔岳任关中大行台时，委泰任行台左丞，领府司马，事无巨细，由泰处理。事详《周书》卷一《文帝上》。以职代名，是表示倚重的意思。⑭8 表用：正式上表奏请任命。⑭9 癸酉：九月丙戌朔，无癸酉。〖按〗《魏书·出帝平阳王纪》作“八月”，癸酉是八月十七日。疑《通鉴》误。⑮0 勋义：指跟随高欢从信都起兵，讨灭尔朱兆及其残余势力有功勋的旧部下。⑮1 庚申：十月初五日。⑮2 尚书右仆射：官名，尚书省副职，常兼领祠部尚书，为实际上的副相。梁十五班。⑮3 何敬容（？至公元五四九年）：字国礼，庐江（今安徽舒城）人，南齐时为驸马都尉。入梁，久在尚书省任要职。侯景之乱，死于台城中。传见《梁书》卷三十七、《南史》卷三十。⑮4 左仆射：官名，尚书省副职，尚书令空缺时，由他处理省内事务。位次略高于右仆射。梁十五班。⑮5 吏部尚书：官名，主尚书省吏部、考功、主爵三曹，掌管全国主要官吏任免、考课、调动、封爵等事。梁十班。⑮6 谢举（？至公元五四八年）：字言扬，陈郡阳夏（今河南太康）人，出身名门，三次出任梁朝吏部尚书，为当时所仅见。死于侯景之乱。传见《梁书》卷三十七、《南史》卷二十。⑮7 癸巳：十一月初九日。⑮8 邸珍：字宝安，中山上曲阳（今河北曲阳）人，初从高欢起义，拜长史。后兼尚书右仆射、大行台。性贪暴，被百姓所杀。传见《北齐书》卷四十七、《北史》卷八十七。⑮9 大都督：官名，本指全国最高军事首脑。此指徐州一州最高军事长官。⑯0 讨下邳：指讨伐王早义军。⑯1 丁巳：十二月初三日。⑯2 嵩高：山名，即嵩山，在今河南登封北。⑯3 己巳：十二月十五日。⑯4 温汤：温泉。此泉当在今河南临汝境内。⑯5 丁丑：十二月二十三日。⑯6 雍州：州名，梁侨置，治所襄阳，在今湖北襄阳。⑯7 下迮戍：梁军事据点，在今襄阳北汉水与唐白河的交汇处。⑯8 续：萧续（公元五〇四至五四七年），梁庐陵王，字世训，梁武帝第五子。骁勇异常，被比作曹操之子曹彰。传见《梁书》卷二十九、《南史》卷五十三。⑯9 汉南：汉水以南地区，即荆襄一带。⑰0 “冯翊”句：皆郡名。冯翊，梁侨置，治所兰水，在今湖北钟祥。安定，梁侨置，治所南漳，在今湖北南漳。沔阳，梁置，治所仙桃，在今湖北沔阳南。酂城，梁置，治所阴城，在今湖北襄阳西北。⑰1 电威将军：官名，梁二百四十号二十四班将军之十一班。⑰2 柳仲礼：封阳泉县侯。初随父在雍州刺史萧纲幕下，父随萧纲入居储宫，仲礼留襄阳。侯景之乱时，抗御有功。后转投梁元帝，江陵失陷，客死于西魏。传见《南史》卷三十八。⑰3 谷城：县名，县治在今湖北谷城。⑰4 沔北：沔水以北。沔水即汉江。⑰5 庆远：柳庆远（公元四五八至五一四年），字文和，河东解（今山西永济东）人，官至雍州刺史，封云杜侯。传见《梁书》卷九、《南史》卷三十八。⑰6 右丞：官名，即尚书右丞，尚书令属官。北魏从第四品。⑰7 翟嵩：人名。⑰8 长史：官名，凡丞相、三公、带将军衔的刺史均设长史，是他们的主要助手之一。侯景所任是丞相长史。⑰9 侯景（？至公元五五二年）：字万景，朔方怀朔镇（今内蒙古包头东北）人，初投尔朱荣，后归附高欢，节制河南。太清元年（公元五四七年）降梁，封为河南王。转年，发动叛乱，攻破建康。大宝二年（公元五五一年）自立为帝，国号汉。次年败亡。传见《梁书》卷五十六、《南史》卷八十。

【校记】

［1］荆州刺史：此四字原无。据章钰校，甲十一行本、乙十一行本、孔天胤本皆有此四字，张瑛《通鉴校勘记》同，今据补。［2］实欲树党：原作“内实树党”。据章钰校，甲十一行本、乙十一行本、孔天胤本皆作“实欲树党”，今据改。［3］约：原误作“绅”。严衍《通鉴补》作“约”，尚不误，今据校正。〖按〗《南史·冯景传》载此事作“托岳为兄弟”。［4］有：原作“知”。据章钰校，甲十一行本、乙十一行本、孔天胤本皆作“有”，张敦仁《通鉴刊本识误》同，今从改。［5］移：原作“引”。据章钰校，甲十一行本、乙

十一行本、孔天胤本皆作“移”，今据改。［6］功：原作“举”。据章钰校，甲十一行本作“公”。乙十一行本、孔天胤本作“功”，张敦仁《通鉴刊本识误》同，胡三省注云：“‘举’一作‘功’。”今据改。

【原文】

六年（甲寅，公元五三四年）

春，正月壬辰⑱，魏丞相欢击伊利于河⑱西，擒之，迁其部落于河东。魏主让之曰：“伊利不侵不叛，为国纯臣，王忽伐之，讵有一介行人⑱先请之乎？”

魏东梁州⑱民夷⑱作乱，二月，诏以行东雍州事⑱丰阳泉企⑱讨平之。企世为商、洛⑱豪族，魏世祖⑱以其曾祖景言⑱为本县令，封丹水侯，使其子孙袭之。

壬戌⑲，魏大赦。

癸亥⑲，上耕藉田⑲，大赦。

魏永宁浮图⑲灾⑲，观者皆哭，声振城阙。

魏贺拔岳将讨曹泥，使都督⑲武川赵贵⑲至夏州与宇文泰谋之，泰曰：“曹泥孤城阻远，未足为忧。侯莫陈悦贪而无信，宜先图之。”岳不听，召悦会于高平⑲，与共讨泥。悦既得翟嵩之言，乃谋取岳。岳数与悦宴语，长史武川雷绍⑲谏，不听。岳使悦前行，至河曲⑲，悦诱岳入营坐，论军事，悦阳称⑳腹痛而起，其婿元洪景⑳拔刀斩岳。岳左右皆散走，悦遣人谕之云：“我别受旨，止取一人，诸君勿怖。”众以为然，皆不敢动。而悦心犹豫，不即抚纳，乃还入陇，屯水洛城⑳。岳众散还平凉，赵贵诣悦，请岳尸葬之，悦许之。岳既死，悦军中皆相贺，行台郎中⑳薛憕⑳私谓所亲曰：“悦才略素寡，辄害良将，吾属今为人虏矣，何贺之有？”憕，真度⑳之从孙也。

【语译】

六年（甲寅，公元五三四年）

春，正月初九日壬辰，北魏丞相高欢在苦水河西攻打纥豆陵伊利，捉住了他，迁徙伊利的部落到苦水河东。北魏孝武帝斥责高欢说："纥豆陵伊利不侵扰不反叛，是魏国的忠臣，你突然攻伐他，曾派一个使者先来请示吗？"

北魏东梁州居民叛乱，二月，孝武帝诏令行东雍州事丰阳人泉企进讨，平定叛乱。泉企世世代代都是商、洛地区的大豪族，魏世祖拓跋焘任用泉企的曾祖泉景言为商洛县令，封为丹水侯，让他的子孙世袭爵位。

二月初九日壬戌，北魏大赦天下。

初十日癸亥，梁武帝亲耕籍田，大赦天下。

北魏永宁寺佛塔失火，看到这场火灾的人都失声痛哭，哭声震动都城。

北魏贺拔岳将讨伐曹泥，派遣都督武川人赵贵到夏州与宇文泰谋划征讨之事。宇文泰说："曹泥据守一座边远的孤城，不值得忧虑。侯莫陈悦贪婪又无信义，应当首先除掉他。"贺拔岳没有听从，宣召侯莫陈悦到高平相会，和他一起讨伐曹泥。侯莫陈悦听了翟嵩的谗言后，就谋划除掉贺拔岳。贺拔岳多次与侯莫陈悦宴会交谈，长史武川人雷绍谏阻，贺拔岳没有听从。贺拔岳让侯莫陈悦为先锋，到达河曲。侯莫陈悦引诱贺拔岳到他的军营中坐下，商议军事。侯莫陈悦假称肚子痛，站起来，他的女婿元洪景抽刀杀了贺拔岳。贺拔岳身边的人四散逃走，侯莫陈悦派人告知他们说："我另受皇上旨令，只杀贺拔岳一人，诸君不要害怕。"众人信以为真，都不敢动。但侯莫陈悦心里犹豫，没有及时安抚收编贺拔岳的部众就回到陇州，驻军水洛城。贺拔岳的部众零散回到平凉，赵贵到侯莫陈悦驻地请求取回贺拔岳的遗体安葬，侯莫陈悦同意了。贺拔岳死后，侯莫陈悦军中都互相庆贺，行台郎中薛憕私下对亲近的人说："侯莫陈悦才能谋略素来低下，随便杀害良将，我们这些人将要成为人家的俘虏了，有什么可庆贺的？"薛憕是薛真度的侄孙。

岳众未有所属，诸将以都督武川寇洛[206]年最长，推使总诸军。洛素无威略，不能齐众，乃自请避位。赵贵曰："宇文夏州[207]英略冠世，远近归心，赏罚严明，士卒用命，若迎而奉之，大事济矣。"诸将或欲南召贺拔胜，或欲东告魏朝，犹豫未[7]决。都督盛乐[208]杜朔周[209]曰："远水不救近火，今日之事，非宇文夏州无能济者，赵将军议是也。朔周请轻骑告哀，且迎之。"众乃使朔周驰至夏州召泰。

泰与将佐宾客共议去留，前太中大夫[210]颍川韩褒[211]曰："此天授也，又何疑乎？侯莫陈悦，井中蛙耳，使君[212]往，必擒之。"众以为："悦在水洛，去平凉不远，若已有贺拔公之众，则图之实难，愿且留以观变。"泰曰："悦既害元帅[213]，自应乘势直据平凉，而退屯[8]水洛，吾知其无能为也。夫难得易失者，时也。若不早赴，众心将离。"

夏州首望[214]都督弥姐元进[215]阴谋应悦，泰知之，与帐下都督高平蔡祐[216]谋执之，祐曰："元进会当反噬，不如杀之。"泰曰："汝有大决[217]。"乃召元进等入计事，泰曰："陇贼逆乱，当与诸人勠力讨之，诸人似有不同者，何也？"祐即被甲持刀直入，瞋目谓诸将曰："朝谋夕异，何以为人？今日必断奸人首！"举坐皆叩头曰："愿有所择。"祐乃叱元进，斩之，并诛其党，因与诸将同盟讨悦。泰谓祐曰："吾今以尔为子，尔其以我为父乎？"

泰与帐下轻骑驰赴平凉，令杜朔周帅众先据弹筝峡[218]。时民间惶惧，逃散者多，军士争欲掠之，朔周曰："宇文公方伐罪吊[9]民，奈何助贼为虐乎？"抚而遣之，远近悦附。泰闻而嘉之。朔周本姓赫连，曾祖库多汗避难改焉，泰命复其旧姓，名之曰达。

丞相欢使侯景招抚岳众，泰至安定[219]遇之，谓曰："贺拔公虽死，宇文泰尚存，卿何为者？"景失色曰："我犹箭耳，唯人所射。"遂还。

泰至平凉，哭岳甚恸，将士皆悲喜。

欢复使侯景与散骑常侍[220]代郡张华原[221]、义宁太守太安王基[222]劳泰，泰不受，欲劫留之，曰："留则共享富贵，不然，命在今日。"华原曰："明公欲胁使者以死亡，此非华原所惧也。"泰乃遣之。基还，

贺拔岳的部众没有了头领，诸将因都督武川人寇洛年龄最长，就推举他统帅诸军。寇洛一向没有威望谋略，不能统一部众，就自动请求让贤。赵贵说："夏州刺史宇文泰，才略当今第一，远近的人都归心于他，赏罚严明，士兵乐意效命，如果请他来，拥戴他为统帅，大事就成功了。"诸将有的想到南方去请贺拔胜，有的想向东报告北魏朝廷，犹豫没有决断。都督盛乐人杜朔周说："远水不救近火，今天的事，没有宇文泰没法成功，赵贵将军的建议是正确的。请允许我杜朔周骑快马去向宇文泰告丧，同时迎接他来。"众人于是派杜朔周驰往夏州去请宇文泰。

宇文泰与部将宾客共同商议是否去平凉，前太中大夫颍川人韩褒说："这是天赐良机，有什么可疑虑的？侯莫陈悦，井底之蛙而已，使君前往，一定能擒获他。"大家认为："侯莫陈悦在水洛城，距离平凉不远，如果他已收编贺拔岳的部众，除掉他就很困难，希望暂时留下观察时局变化。"宇文泰说："侯莫陈悦既然杀害了元帅，自然应乘机直接占据平凉，而他却退屯水洛城，我料定他没有什么作为。难得到而容易丧失的就是时机，如果不早去接收，贺拔岳的部众将会人心涣散。"

夏州第一大户都督羌人弥姐元进密谋响应侯莫陈悦，宇文泰知道这一情况，与军中都督高平人蔡祐商量捉拿元进。蔡祐说："元进肯定会反咬一口，不如干掉他。"宇文泰说："你能决断大事。"于是召元进等人到军帐议事，宇文泰说："陇州逆贼叛乱，我应与各位齐心合力讨伐，各位中好像有人不赞同，这是为什么呢？"蔡祐立即身披铠甲、手执大刀，径直闯进来，睁大眼睛对诸将说："早上谋划的事，傍晚就生异心，还怎么做人？今天一定要砍掉内奸的头！"所有在座的人都磕头说："希望把内奸揪出来。"蔡祐于是呵斥元进，杀了他，并消灭了他的党羽，于是与诸将共同盟誓讨伐侯莫陈悦。宇文泰对蔡祐说："我今天把你当作儿子，你能把我当作父亲吗？"

宇文泰与军中轻骑兵驰赴平凉，令杜朔周率领部众抢先占据弹筝峡。当时平民百姓惶恐不安，逃离的人很多，士兵趁机抢掠。杜朔周说："宇文大人正在讨伐罪人，拯救百姓，怎能助贼为虐呢？"于是安抚百姓，遣送他们回去，远近的人都真心归附。宇文泰得知这一情况，称赞杜朔周。杜朔周本姓赫连，曾祖库多汗避难改姓杜，宇文泰下令恢复他的旧姓，给他取名叫作达。

丞相高欢派侯景招抚贺拔岳的部众，宇文泰到达安定，遇到侯景，对侯景说："贺拔公虽然死了，宇文泰还在，你是干什么的？"侯景变了脸色，说："我好比是一支箭，听凭别人发射罢了。"于是回去了。

宇文泰到了平凉，非常悲痛地哭吊贺拔岳，将士们都又悲又喜。

高欢又派侯景与散骑常侍代郡人张华原、义宁太守太安人王基慰劳宇文泰。宇文泰不接受，想扣留这些人，说："留下来就共享富贵，否则，你们的生命就到今天为止。"张华原说："大人想用死来逼迫使者，这不是我张华原所害怕的。"宇文泰就

言："泰雄杰，请及其未定击灭之。"欢曰："卿不见贺拔、侯莫陈乎？吾当以计拱手取之。"

魏主闻岳死，遣武卫将军元毗慰劳岳军，召还洛阳，并召侯莫陈悦。毗至平凉，军中已奉宇文泰为主，悦既附丞相欢，不肯应召。泰因元毗上表称："臣岳忽罹非命，都督寇洛等令臣权掌[223]军事。奉诏召岳军入京，今高欢之众已至河东[224]，侯莫陈悦犹在水洛，士卒多是西人，顾恋乡邑，若逼令赴阙，悦蹑[225]其后，欢邀[226]其前，恐败国殄民，所损更甚。乞少赐停缓，徐事诱导，渐就东引。"魏主乃以泰为大都督，即统岳军。

初，岳以东雍州刺史李虎[227]为左厢大都督[228]，岳死，虎奔荆州，说贺拔胜使收岳众，胜不从。虎闻宇文泰代岳统众，乃自荆州还赴之，至阌乡[229]，为丞相欢别将所获，送洛阳。魏主方谋取关中，得虎甚喜，拜卫将军[230]，厚赐之，使就泰。虎，歆[231]之玄孙也。

泰与悦书，责以"贺拔公有大功于朝廷。君名微行薄，贺拔公荐君为陇右行台。又高氏专权，君与贺拔公同受密旨，屡结盟约，而君党附国贼，共危宗庙，口血未干[232]，匕首已发。今吾与君皆受诏还阙，今日进退，唯君是视：君若下陇东迈，吾亦自北道同归[233]；若首鼠两端[234]，吾则指日相见"。

魏主问泰以安秦、陇之策，泰表言："宜召悦授以内官[235]，或处以瓜、凉一藩[236]，不然，终为后患。"

原州刺史史归[237]素为贺拔岳所亲任，河曲之变，反为悦守。悦遣其党王伯和、成次安[238]将兵二千助归镇原州[239]，泰遣都督侯莫陈崇[240]帅轻骑一千袭之。崇乘夜将十骑直抵城下，余众皆伏于近路。归见骑少，不设备。崇即入，据城门，高平令[241]陇西李贤[242]及弟远、穆[243]在城中，为崇内应。于是，中外鼓噪，伏兵悉起，遂擒归及次安、伯和等归于平凉。泰表崇行原州事。三月，泰引兵击悦，至原州，众军毕集。

夏，四月癸丑朔[244]，日有食之。

魏南秦州刺史陇西李弼[245]说侯莫陈悦曰："贺拔公无罪而公害之，

遣返了他们。王基回去后，说宇文泰雄勇杰出，请趁他立脚未稳时消灭他。高欢说：“你没看到贺拔岳与侯莫陈悦的下场吗？我定会用计谋，不费力气地取他的性命。”

北魏孝武帝得知贺拔岳已死，派武卫将军元毗慰劳贺拔岳的军众，并召他们回洛阳，同时召回侯莫陈悦。元毗到了平凉，军队里已推举宇文泰为主帅，侯莫陈悦已经依附丞相高欢，不愿意调回洛阳。宇文泰托元毗上奏孝武帝说：“大臣贺拔岳突然遭到谋杀，都督寇洛等人让我暂时掌管军务。奉诏命调贺拔岳军进京，而今高欢的军队已到达河东，侯莫陈悦还在水洛城，贺拔岳的士兵大多是苦水河西部人，留恋自己的故乡，如果逼迫他们进京，侯莫陈悦在后追击，高欢在前面拦截，恐怕会败乱国家，祸害百姓，遭受的损失更大。请允准稍事停留整顿，慢慢进行开导，逐渐将部众引向东部。”北魏孝武帝于是任命宇文泰为大都督，统率贺拔岳的军队。

当初，贺拔岳任用东雍州刺史李虎为左厢大都督，贺拔岳死后，李虎逃奔荆州，劝说贺拔胜使他收编贺拔岳的部众，贺拔胜不听从。李虎得知宇文泰代理贺拔岳统率部众，就从荆州返回，前往投奔宇文泰，到达阌乡县时被丞相高欢的部将抓获，送往洛阳。北魏孝武帝正在谋划夺取关中，使得李虎非常高兴，授予他卫将军之职，优厚赏赐，派他到宇文泰身边。李虎，是李歆的玄孙。

宇文泰致书侯莫陈悦，斥责说：“贺拔岳大人对国家有大功。你名声小，德行薄，贺拔岳大人推荐你为陇右行台。另外高欢专权，你与贺拔岳大人共受皇上密旨，多次订立盟约，而你却勾结国贼，共同危害宗庙，歃血盟誓沾在嘴角的血都没干，匕首就出了手。现今我与你都奉命回京城，今天是进还是退，完全看你自己。你如果撤离陇山东进，我也从北边出发，与你同回京城。假若你犹豫不决，心怀二意，我立即与你兵戎相见。”

北魏孝武帝征询宇文泰安定秦陇地区的策略，宇文泰上表说：“应当召回侯莫陈悦，授予他朝官，要不然就委任到瓜州、凉州做一个藩臣。不这样，终将是祸患。”

原州刺史史归一向被贺拔岳信任，河曲事变，史归反而替侯莫陈悦守卫。侯莫陈悦派他的党羽王伯和、成次安率领两千人协助史归镇守原州。宇文泰派遣都督侯莫陈崇率领一千轻骑兵去袭击原州。侯莫陈崇趁夜色，带领十个骑兵直抵原州城下，其余部众都埋伏在附近路边。史归见骑兵很少，不设防备。侯莫陈崇当即入城，占领城门，高平县令陇西人李贤和他的弟弟李远、李穆在城内，当侯莫陈崇的内应。就这样，城内城外击鼓呐喊，伏兵全部奋起，抓获史归以及成次安、王伯和等，回到平凉。宇文泰上表推荐侯莫陈崇代行原州政务。三月，宇文泰率军进攻侯莫陈悦，到达原州，各路部队齐集。

夏，四月初一日癸丑，发生日食。

北魏南秦州刺史陇西人李弼劝说侯莫陈悦说：“贺拔岳大人没有罪过，而你杀害

又不抚纳其众，今奉宇文夏州以来，声言为主报仇，此其势不可敌也，宜解兵谢之[10]。不然，必及祸。”悦不从。

宇文泰引兵上陇，留兄子导㉖为都督，镇原州。泰军令严肃，秋毫无犯，百姓大悦。军出木峡[11]关㉗，雪深二尺，泰倍道兼行，出其不意。悦闻之，退保略阳㉘，留万人守水洛，泰至，水洛即降。泰遣轻骑数百趣㉙略阳，悦退保上邽㉚，召李弼与之拒泰。弼知悦必败，阴遣使诣泰，请为内应。悦弃州城㉛，南保山险，弼谓所部曰：“侯莫陈公欲还秦州，汝辈何不装束?”弼妻，悦之姨也，众咸信之，争趣上邽。弼先据城门以安集之，遂举城降泰，泰即以弼为秦州刺史。其夜，悦出军将战，军自惊溃。悦性猜忌，既败，不听左右近己，与其二弟并子及谋杀岳者七八人弃军迸走㉜，数日之中，槃桓往来，不知所趣。左右劝向灵州㉝依曹泥，悦从之，自乘骡，令左右皆步从，欲自山中趣灵州。宇文泰使原州都督贺拔颖㉞追之，悦望见追骑，缢死于野。

泰入上邽，引薛憕为记室参军㉟。收悦府库，财物山积，泰秋毫不取，皆以赏士卒。左右窃一银瓮以归，泰知而罪之，即剖赐将士。

悦党豳州㊱刺史孙定儿㊲据州不下，有众数万，泰遣都督中山刘亮㊳袭之。定儿以大军远，不为备。亮先竖一纛㊴于近城高岭，自将二十骑驰入城。定儿方置酒，众[12]猝见亮至，骇愕，不知所为，亮麾兵斩定儿，遥指城外纛，命二骑曰：“出召大军!”城中皆慑服，莫敢动。

先是，故氐王杨绍先㊵乘魏乱，逃归武兴㊶，复称王。凉州刺史李叔仁㊷为其民所执，氐、羌、吐谷浑所在蜂起，自南岐㊸至瓜、鄯㊹，跨州据郡者不可胜数。宇文泰令李弼镇原州，夏州刺史拔也恶蚝㊺镇南秦州，渭州刺史可朱浑道元㊻镇渭州㊼，卫将军赵贵行秦州事，征豳、泾、东秦、岐㊽四州之粟以给军。杨绍先惧，称藩送妻子为质。

夏州长史于谨㊾言于泰曰：“明公据关中险固之地，将士骁勇，土地膏腴。今天子在洛，迫于群凶，若陈明公之恳诚，算时事之利害，请都关右㊿，挟天子以令诸侯，奉王命以讨暴[13]乱，此桓、文之业，千载一时也!”泰善之。

了他，又没有收编他的部众。现今他们推举宇文泰为统帅而来，声言为主子报仇，这样的气势是不可战胜的，你应当交出兵权，向他们谢罪。不这样，一定会大祸临头。”侯莫陈悦不听从。

宇文泰率军向陇山进发，留下侄儿宇文导为都督镇守原州。宇文泰军令严明，秋毫无犯，百姓非常高兴。军队出木峡关后，雪厚二尺，宇文泰日夜兼程，出乎侯莫陈悦意料。侯莫陈悦得到消息，退守略阳，只留一万人守水洛城。宇文泰到达，水洛城立即投降。宇文泰派遣轻骑数百人奔赴略阳，侯莫陈悦退守上邽，调李弼来和自己一同抵抗宇文泰。李弼知道侯莫陈悦必败，暗中遣使到宇文泰那里，请求为内应。侯莫陈悦放弃上邽城，向南扼守山中险要。李弼对自己所属部众说：“侯莫陈悦大人想要回秦州，你们为何不整理行装?”李弼的夫人是侯莫陈悦妻子的姐妹，士兵们都听信李弼，争相赶赴上邽城。李弼抢先守住城门，安定回城士兵，于是全城将士都投降了宇文泰，宇文泰当即委任李弼为秦州刺史。当晚，侯莫陈悦率军将出战，军心惊骇，不战自溃。侯莫陈悦生性猜忌，打了败仗，不让身边亲近的人靠近自己，和两个弟弟、自己的儿子以及谋杀贺拔岳的七八个人丢弃部众，落荒而逃。几天之中，在山中转来转去，不知逃向哪里。身边的人劝他逃向灵州依附曹泥，侯莫陈悦听从了，自己骑骡子，让身边的人步行跟随，想从山中奔赴灵州。宇文泰派原州都督贺拔颖追击他，侯莫陈悦看见追骑，就在荒野中吊死了。

宇文泰进入上邽城，引进薛憕为记室参军。没收侯莫陈悦的府库，财物堆积如山，宇文泰秋毫不取，全部用来赏赐士兵。他身边的人偷了一个银瓮回来，宇文泰知道后严惩了这个人，当即剖开银瓮，分给了将士。

侯莫陈悦的党羽豳州刺史孙定儿据守州城不投降，有部众几万。宇文泰派遣都督中山人刘亮袭击孙定儿。孙定儿因宇文泰的大军离州城尚远，没有设防。刘亮首先在靠近州城的高地上竖起一面大旗，亲自带领二十名骑兵奔驰进城。孙定儿正摆酒宴，大家突然看到刘亮到来，非常惊骇，不知所措。刘亮挥刀杀了孙定儿，遥指城外大旗，命令两个骑兵说：“出城叫大军进城!”城中守军都畏惧威势而屈服，没有人敢妄动。

此前，原来的氐王杨绍先趁北魏混乱时逃回武兴，重新称王。凉州刺史李叔仁被当地平民扣押，氐、羌、吐谷浑各族在所居地纷纷起事，从南岐州到瓜州、鄯州，跨州据郡的反叛者不可胜数。宇文泰命令李弼镇守原州，夏州刺史拔也恶蚝镇守南秦州，渭州刺史可朱浑道元镇守渭州，卫将军赵贵代行秦州政务，征调豳州、泾州、东秦州、岐州四州的粮饷供给军队。杨绍先害怕了，自称藩臣，送老婆、儿子做人质。

夏州长史于谨对宇文泰进言说：“明公据有关中险固之地，将士骁勇，土地肥美。当今皇上在洛阳，被群凶逼迫，如果述说你对皇上的忠诚，计算好目前时局的利害，请求迁都关中，借重天子的威名来号令诸侯，奉行王命讨伐暴乱，这就是齐桓公、晋文公的事业，千载难逢啊!”宇文泰非常赞同。

丞相欢闻泰定秦、陇，遣使甘言厚礼以结之，泰不受，封其书，使都督济北张轨㉑献于魏主。斛斯椿问轨曰："高欢逆谋，行路皆知之，人情所恃，唯在西方，未知宇文何如贺拔？"轨曰："宇文公文足经国，武能定乱。"椿曰："诚如君言，真可恃也。"

魏主命泰发二千骑镇东雍州㉒，助为势援，仍命泰稍引军而东。泰以大都督武川梁御㉓为雍州刺史，使将步骑五千前行。先是，丞相欢遣其都督太安韩轨㉔将兵一万据蒲反㉕以救侯莫陈悦，雍州刺史贾显度㉖以舟迎之。梁御见显度，说使从泰，显度即出迎御，御入据长安。

魏主以泰为侍中、骠骑大将军、开府仪同三司、关西大都督、略阳县公，承制封拜㉗。泰乃以寇洛为泾州刺史，李弼为秦州刺史，前略阳太守张献㉘为南岐州刺史。南岐州刺史卢待伯㉙[14]不受代，泰遣轻骑袭而擒之。

【段旨】

以上为第二段，写宇文泰乘乱崛起，据有关中。

【注释】

⑱壬辰：正月初九日。⑱河：指苦水河，在今宁夏境内，于吴忠入黄河。⑱行人：使者。⑱东梁州：州名，治所金城，在今陕西安康。⑱民夷：汉民与少数民族的合称。《魏书》卷十一作"夷民"，则指当地少数民族。⑱行东雍州事：代行东雍州刺史职事。⑱泉企（？至公元五三七年）：一作"泉企"，字思道，上洛丰阳（今陕西山阳）人，北魏孝武帝初，官至车骑将军。为对抗高欢，魏帝命其为洛州刺史，授车骑大将军。西魏初，进爵上洛郡公。传见《周书》卷四十四、《北史》卷六十六。⑱商、洛：皆县名，商县治在今陕西丹凤，洛县为上洛县之省称，县治在今陕西商洛。⑱魏世祖：太武帝拓跋焘（公元四〇八至四五二年），北魏第三任国君，公元四二四至四五二年在位。事详《魏书》卷四、《北史》卷二。⑱景言：泉景言，人名，曾任北魏建节将军。见《周书》卷四十四《泉企传》。⑲壬戌：二月初九日。⑲癸亥：二月初十日。⑲藉田：专指古代帝王于春耕前，象征性地亲翻农田的典礼，含有劝民务农的意思。籍田上收获的庄

丞相高欢得知宇文泰平定了秦陇，派遣使者用甜言蜜语和厚重礼品结交宇文泰，宇文泰不肯接受，密封了高欢送的书信，派都督济北人张轨送给孝武帝。斛斯椿问张轨说："高欢叛逆朝廷，路人皆知，人们都把希望寄托在西方，不知宇文泰比起贺拔岳来怎么样？"张轨说："宇文泰文足治国，武能定乱。"斛斯椿说："真如你所说，确实可以依靠了。"

北魏孝武帝命令宇文泰派出两千骑兵镇守东雍州，增强救援京都的形势，又命令宇文泰带领军队稍稍东移。宇文泰委派大都督武川人梁御为雍州刺史，让他率领步骑五千人为前锋。在这之前，丞相高欢派遣他的都督太安人韩轨领兵一万人据守蒲反，救援侯莫陈悦，雍州刺史贾显度派船迎接他。梁御见到贾显度，劝他追随宇文泰，贾显度当即出城迎接梁御，梁御就占领了长安。

北魏孝武帝任用宇文泰为侍中、骠骑大将军、开府仪同三司、关西大都督，封略阳县公，可以皇帝名义任命官爵。宇文泰就任命寇洛为泾州刺史，李弼为秦州刺史，前略阳太守张献为南岐州刺史。南岐州刺史卢待伯不接受张献替代自己，宇文泰派遣轻骑袭击并抓获了卢待伯。

稼，供宗庙祭祀用。梁初籍田，依宋齐之旧，时为正月，梁天监十二年（公元五一三年）始改为二月。⑲永宁浮图：洛阳永宁寺塔。⑲灾：此指火灾。⑲都督：官名，军中领兵或管理杂务的军官。⑲赵贵（？至公元五五七年）：字符贵，天水南安（今甘肃西和北）人，北魏时以军功授武贲中郎将。从贺拔岳平关中，赐爵魏平县伯。后为西魏八柱国之一，赐姓乙弗氏。北周时，位至大冢宰，进封楚国公。传见《周书》卷十六、《北史》卷五十九。⑲高平：郡名，魏置，治所在今宁夏固原。⑲雷绍：字道宗，武川镇人，西魏渭州刺史，封昌国伯。传见《北史》卷四十九。⑲河曲：地区名，在今宁夏吴忠至灵武一带黄河多曲之处。⑳阳称：谎称。㉑元洪景：人名。㉒水洛城：城名，在今甘肃庄浪东南。㉓行台郎中：官名，职同行台郎。㉔薛憕：字景猷，故籍河东汾阴（今山西万荣南），至曾祖时，移居襄阳。有文才，西魏孝文帝时，官至中书侍郎，爵夏阳县伯。传见《周书》卷三十八、《北史》卷三十六。㉕真度：薛真度，北魏时曾任大司农卿，封敷西伯。传见《魏书》卷六十一、《北史》卷三十九。㉖寇洛（公元四八七至五三九年）：上谷昌平（今北京昌平）人。父延寿，北魏文成帝和平年间镇武川，因而移居武川。洛仕西魏，爵京兆郡公，任华州刺史。传见《周书》卷十五、《北史》卷五十九。㉗宇文夏州：即北周太祖文皇帝宇文泰，时任夏州刺史。㉘盛乐：古城名，在今内蒙古和林格尔

西北，北魏早期都城，亦是北魏宗室祖先园陵区所在地。㉙杜朔周：即赫连达（？至公元五七三年），字朔周，盛乐人，曾祖库多汗因避难而将赫连姓氏改为姓杜。朔周有勇有谋，东拒高欢，南夺梁朝汉中之地，屡建功勋。位至柱国，晋封乐川郡公。传见《周书》卷二十七、《北史》卷六十五。㉑太中大夫：官名，秦、汉时为皇帝侍从官，掌议论国政。南北朝时多用以安置退免大臣，或为加官、兼官，无职掌。㉑韩褒（？至公元五七二年）：字弘业，其先颍川颍阳（今河南许昌西南）人，徙居昌黎。历任六州刺史，理政有方，颇得民心。封三水县公。传见《周书》卷三十七、《北史》卷七十。㉑使君：对州郡长官的尊称。㉑元帅：军中主帅，此指贺拔岳。㉑首望：当地第一大族。㉑弥姐元进：人名。弥姐，羌族的复姓。㉑蔡祐（公元五〇四至五五七年）：字承先，故籍陈留圉（今河南杞县南），曾祖时迁居高平。官至大将军，封怀宁郡公，赐姓大利稽氏。传见《周书》卷二十七、《北史》卷六十五。㉑大决：能处理大事。㉑弹筝峡：地名，在今宁夏固原境内。因风吹过峡口时水面发出的声响如同弹筝的声音而得名。又叫都卢峡。㉑安定：县名，县治在今甘肃泾川县北。也是泾州和安定郡的治所。㉒散骑常侍：官名，随侍皇帝左右，规谏过失，以备顾问。是一个名誉颇高、又常预国政的职务。北魏从第三品。㉒张华原：字国满，代郡人。高欢亲信，官至兖州刺史。传见《北齐书》卷四十六、《北史》卷八十六。㉒王基（公元四七八至五四二年）：太安狄那（今山西寿阳北）人。高欢平尔朱兆，以基为都督，除义宁太守。传见《北齐书》卷二十五、《北史》卷八十六。㉒权掌：因变故暂且执掌。㉒河东：指苦水河以东。㉒蹑：追踪。㉒邀：设伏阻击。㉒李虎：唐高祖李渊的祖父。西魏八柱国之一，封陇西开国郡公。㉒左厢大都督：官名，魏晋南北朝尚左，此是关中大行台的主要将领。㉒阌乡：县名，县治在今河南灵宝西。㉓卫将军：官名，二品将军，略低于骠骑、车骑将军。㉓歆：李歆（？至公元四二〇年），字士业，陇西狄道（今甘肃临洮）人。西凉王，公元四一七至四二〇年在位。后被沮渠蒙逊所灭。传见《魏书》卷九十九、《北史》卷一百。㉓口血未干：歃血为盟还没完，口角沾的血都没干。㉓自北道同归：宇文泰军驻扎在平凉，即陇山之北。如果奔赴洛阳，必取道泾州，所以称北道。㉓首鼠两端：犹豫不决。喻指侯莫陈悦在魏孝武帝与高欢之间举棋不定，脚踏两条船。㉓授以内官：改任无实权的朝官，含剥夺侯莫陈悦军权之意。㉓处以瓜、凉一藩：安置侯莫陈悦在瓜州、凉州做一个藩臣。瓜、凉，皆州名，瓜州治所在今甘肃敦煌西，凉州治所武威，在今甘肃武威。藩，藩臣。这里指让侯莫陈悦做一个边将，离开西北军事要地，远置边地，即使叛变，也无伤大局。㉓史归：人名。㉓王伯和、成次安：两人名。㉓原州：州名，治所高平城，在今宁夏固原。㉔侯莫陈崇（？至公元五六三年）：字尚乐，代郡武川（今内蒙古武川县）人，入西魏为八柱国之一，封梁国公。传见《周书》卷十六、《北史》卷六十。㉔令：官名，一县行政之长。大县称令，小县称长。㉔李贤（公元五〇二至五六九年）：字贤和，陇西成纪（今甘肃秦安）人，官至大将军，封河西郡公。传见《周书》卷二十五、《北史》卷五十九。㉔③远、穆：两人名，李远、李穆。李远（公元五〇七至五五七年），字万岁，位至柱国大将军，封阳平郡公。传见《周书》卷二十五、《北史》卷五十九。李穆（公元五一九至五八六年），字显庆，入隋为太师，爵申国公。传见《隋书》卷三十七。㉔④癸丑朔：四月初一日。㉔⑤李弼（公元四九四至五五七年）：字景和，本贯辽东襄平（今辽宁辽阳），西魏时改陇西成纪。入西魏为八柱国之一，北周孝闵帝时，晋封赵国公。传见《周书》卷十五、《北史》卷六十。㉔⑥导：宇文导（公元五一一至五五四年），字菩萨，宇文泰兄子。仕西魏，拜大将军，封章武郡公。传见《周书》卷十、《北史》卷五十七。㉔⑦木峡关：关口名，在今甘肃平凉西南。㉔⑧略阳：郡名，治所陇城，在今甘肃秦安陇城镇。㉔⑨趣：同“趋”。趋向。这里是直指目标之意。㉕⓪上邽：县名，县治在今甘肃天水县。该县是秦陇地区的交通枢纽，秦州治所，兵家必争之地。㉕①州城：即上邽。㉕②迸走：落荒而逃。㉕③灵州：州名，治所薄骨律镇，在今宁夏灵武西南。㉕④贺拔颖：人名。㉕⑤记室参军：官名，掌起草文书，参议军事。多设于诸王、三公及高级将领的府中，是主要亲信属吏之一。㉕⑥豳州：州名，治所定安，在今甘肃宁县。㉕⑦孙定儿：人名。㉕⑧刘亮（公元五〇八至五四七年）：本名道德，中山（今河北定州）人，因功被宇文泰赐名亮，并赐姓侯莫陈。仕西魏，官至东雍州刺史，爵长广郡公。传见《周书》卷十七、《北史》卷六十五。㉕⑨纛：黑色大军旗。㉖⓪杨绍先（？至公元五三五年）：氐人首领，魏末自称王，曾于天监五年（公元五〇六年）被北魏军所俘。故此处称他乘魏乱逃归武兴，复称王。传见《魏书》卷一百一、《周书》卷四十九、《北史》卷九十六。㉖①武兴：县名，县治在今陕西略阳。㉖②李叔仁：陇西（今甘肃陇西）人，仕北魏，封陈郡公，官梁州刺史。后企图降东魏被杀。传见《北史》卷三十七。㉖③南岐：州名，治所梁泉，在今陕西宝鸡西南。㉖④鄯：鄯州，州名，治所西都，在今青海乐都。㉖⑤拔也恶蚝：复姓拔也，回纥族人。㉖⑥可朱浑道元（？至公元五五九年）：复姓可朱浑，名元，字道元，自称辽东人，从曾祖护野肱迁居怀朔镇。从小与高欢为友。东魏时官至车骑大将军。入北齐，封扶风王。传见《北齐书》卷二十七、《北史》卷五十三。㉖⑦渭州：州治襄武县，在今甘肃陇西县西南。㉖⑧豳、泾、东秦、岐：皆州名。豳州，见前注。泾州，治所临泾，在今甘肃镇原南。东秦州，后改作北华州，治所杏城，在今陕西黄陵西南。岐州，治所雍城，在今陕西凤翔南。㉖⑨于谨（公元四九三至五六八年）：字思敬，河南洛阳人，入西魏为八柱国之一。入北周，官至大宗伯，与李弼、侯莫陈崇参议朝政，为耆老重臣。封燕国公。传见《周书》卷十五、《北史》卷二十三。㉗⓪关右：地区名，即关中，又称关西。㉗①张轨（公元五〇一至五五五年）：字符轨，济北临邑（今山东东阿）人，西魏末，官至车骑大将军、度支尚书。传见《周书》卷三十七、《北史》卷七十。㉗②东雍州：州名，治所郑县，在今陕西渭南。㉗③梁御（？至公元五三八年）：字善通，祖籍安定，后迁居武川，改姓纥豆陵氏。西魏时，官至尚书右仆射，封广平郡公。传见《周书》卷十七、《北史》卷五十九。㉗④韩轨（？至公元五五三年）：字百年，太安狄那（今山西寿阳）人，仕东魏，官至中书令、司徒。齐受禅，封安德郡王。传见《北齐书》卷十五、《北史》卷五十四。㉗⑤蒲反：县名，县治在今山西永济西。㉗⑥贾显度：中山无极（今河北无极）人。仕北魏，官至尚书左仆射，加骠骑大将军、开府仪同三司。孝武帝末，转雍州刺史。传见《魏书》卷八十、《北史》卷四十九。㉗⑦承制封拜：以皇帝名义直接委任军府和关西地区州、郡、县各级官吏。承制，官制术语，意谓以皇帝名义发号施令。㉗⑧张献：人名。㉗⑨卢侍伯：人名。

【校记】

［7］未：原作“不”。据章钰校，甲十一行本、乙十一行本、孔天胤本皆作“未”，今据改。［8］屯：原作“据”。据章钰校，甲十一行本、乙十一行本皆作“屯”，张敦仁《通

【原文】

侍中封隆之[280]言于丞相欢曰：“斛斯椿等今在京师，必构祸乱。”隆之与仆射孙腾[281]争尚魏主妹平原公主[282]，公主归[283]隆之，腾泄其言于椿，椿以白帝。隆之惧，逃还乡里，欢召隆之诣晋阳。会腾带仗入省[284]，擅杀御史，惧罪，亦逃就欢。领军[285]娄昭[286]辞疾，归晋阳。帝以斛斯椿兼领军，改置都督及河南、关西诸刺史。华山王鸷[287]在徐州，欢使大都督邸珍夺其管钥。建州刺史韩贤[288]、济州刺史蔡儁，皆欢党也。帝省建州[289]以去贤，使御史举儁罪，以汝阳王叔昭[290]代之。欢上言：“儁勋重，不可解夺。汝阳懿德，当受大藩。臣弟永宝[291]，猥任定州[292]，宜避贤路。”帝不听。五月丙子[293]，魏主增置勋府庶子[294]，厢别六百人[295]。又增骑官，厢别二百人。

魏主欲伐晋阳，辛卯[296]，下诏戒严，云“欲自将伐梁”。发河南诸州兵，大阅于洛阳，南临洛水，北际邙山[297]，帝戎服与斛斯椿临观之。六月丁巳[298]，魏主密诏丞相欢，称：“宇文黑獭、贺拔胜颇有异志，故假称南伐，潜为之备，王亦宜共为形援。读讫燔之”。欢表以为：“荆、雍[299]将有逆谋，臣今潜勒兵马三万，自河东[300]渡，又遣恒州刺史库狄

鉴刊本识误》同，今据改。[9] 吊：原作“讨”。据章钰校，甲十一行本、乙十一行本、孔天胤本皆作“吊”，张敦仁《通鉴刊本识误》同，今据改。[10] 宜解兵谢之：原作“宜解兵以谢之”。据章钰校，甲十一行本、乙十一行本、孔天胤本皆无“以”字，张敦仁《通鉴刊本识误》同，今据删。[11] 峡：原作“狭”。据章钰校，胡三省注云“‘狭’当作‘峡’”，孔天胤本同，张敦仁《通鉴刊本识误》同，今据改。〖按〗《新唐书·地理志》，原州平高县西南有木峡关。[12] 众：原无此字。据章钰校，甲十一行本、乙十一行本、孔天胤本皆有此字，今据补。[13] 暴：原作“叛”。据章钰校，甲十一行本、乙十一行本皆作“暴”，今据改。[14] 卢侍伯：原作“卢待伯”。据章钰校，孔天胤本作“卢侍伯”，张敦仁《通鉴刊本识误》同，今据改。〖按〗《周书·文帝纪上》《魏书·卢玄传附卢溥传》《北史·卢玄传附卢叔彪传》皆作“卢侍伯”。

【语译】

侍中封隆之对丞相高欢进言说：“斛斯椿等现在京师，一定会制造祸乱。”封隆之与仆射孙腾争娶孝武帝的妹妹平原公主，公主将嫁给封隆之，孙腾就把封隆之对高欢说的话泄露给斛斯椿，斛斯椿告诉了孝武帝。封隆之害怕了，逃回乡里，高欢就召封隆之到晋阳。正好孙腾带兵器进入台省，擅自杀死御史，害怕被治罪，也逃到高欢那里。领军娄昭以生病为由辞职，投奔晋阳。孝武帝任命斛斯椿兼任领军之职，又更换了都督以及河南、关西各州的刺史。华山王元鸷在徐州，高欢派大都督邸珍夺取了他掌管的城门钥匙。建州刺史韩贤、济州刺史蔡儁，都是高欢的党羽。孝武帝裁建州以免除韩贤的职务，让御史揭发蔡儁的罪过，用汝阳王元叔昭取代蔡儁。高欢上奏说：“蔡儁功勋卓著，不应当解除他的职务。汝阳王德高望重，应当担任大州的长官。臣的弟弟高永宝，忝任定州刺史，应该让位给贤才。”孝武帝不听从。五月丙子日，北魏孝武帝增设勋府庶子，左右厢各六百人。又增设骑官，左右厢各二百人。

北魏孝武帝将讨伐晋阳，五月初十日辛卯，下令戒严，说“要亲自挂帅讨伐梁朝”。征发河南各州的部队，在洛阳进行盛大的检阅，向南临近洛水，向北靠近邙山，孝武帝穿戎装与斛斯椿一起亲临阅兵。六月初六日丁巳，孝武帝密令丞相高欢，假称“宇文黑獭、贺拔胜怀有野心，所以假称南伐，暗中做准备，你也应当一同做好援助的形势。读完诏令立即烧掉它”。高欢上表认为：“荆州贺拔胜、雍州宇文泰将要反叛，我即日暗中调遣兵马三万，从河东西渡，另派恒州刺史库狄干等领兵四万干[300]等将兵四万自来违津[302]渡，领军将军娄昭等将兵五万以讨荆州，冀州刺史尉景[303]等将山东[304]兵七万、突骑五万以讨江左[305]，皆勒所部，伏听处分[306]。”帝知欢觉其变，乃出欢表，命[15]群臣议之，欲止欢军。欢亦集并州僚佐[307]共议，还以表闻，仍云：“臣为嬖佞[308]所间，陛下一旦赐疑，臣若敢负陛下，使身受天殃，子孙殄绝。陛下若垂信赤心，使干戈不动，佞臣一二人愿斟量废出。”

丁卯[309]，帝使大都督源子恭[310]守阳胡[311]，汝阳王暹守石济[312]，又以仪同三司贾显智[313]为济州刺史，帅豫州刺史斛斯元寿[314]东趣济州。元寿，椿之弟也。蔡儁不受代，帝愈怒。辛未[315]，帝复录洛中文武议意以答欢，且使舍人温子昇[316]为敕赐欢曰：“朕不劳尺刃，坐为天子，所谓生我者父母，贵我者高王[317]。今若无事背王，规相攻讨，则使身及子孙，还如王誓[318]。近虑宇文为乱，贺拔应之，故戒严，欲与王俱为声援。今观其所为，更无异迹。东南不宾，为日已久，今天下户口减半，未宜穷兵极武。朕既暗昧，不知佞人为谁。顷高乾之死，岂独朕意？王忽对昂言兄枉死，人之耳目何易可轻！如闻库狄干语王云：‘本欲取懦弱者为主，无事立此长君，使其不可驾御。今但作十五日行[319]，自可废之，更立余者。’如此议论，自是王间勋人[320]，岂出佞臣之口？去岁封隆之叛，今年孙腾逃去，不罪不送，谁不怪王？王若事君尽诚，何不斩送二首？王虽启云‘西去’，而四道俱进[321]，或欲南度洛阳，或欲东临江左，言之者犹应自怪，闻之者宁能不疑？王若晏然居北，在此虽有百万之众，终无图彼之心；王若举旗南指，纵无匹马只轮，犹欲奋空拳而争死。朕本寡德，王已立之，百姓无知，或谓实可。若为他人所图，则彰朕之恶，假令还为王杀，幽辱齑粉[322]，了无遗恨。本望君臣一体，若合符契[323]，不图今日分流[324]至此！”

中军将军[325]王思政言于魏主曰：“高欢之心，昭然可知。洛阳非用武之地，宇文泰乃心王室，今往就之，还复旧京，何虑不克？”帝深然之，遣散骑侍郎[326]河东柳庆[327]见泰于高平，共论时事。泰请奉迎舆驾，庆复命，帝复私谓庆曰：“朕欲向[16]荆州，何如？”庆曰：“关中

从来违津渡河，领军将军娄昭等领兵五万讨伐荆州，冀州刺史尉景等率领山东兵七万、突骑五万讨伐江东，各路都指挥所领部众，恭候皇上吩咐。”孝武帝知道高欢已经觉察了自己的变动，于是拿出高欢的表文，让群臣讨论，想阻止高欢的军队。高欢也集合并州僚属共同商议，仍写成表文上奏，还是说：“我高欢被小人离间，陛下一下子怀疑我。如果我敢辜负陛下，就让我自身受到上天的惩罚，并且断子绝孙。陛下如能信任我的赤胆忠心，免动干戈，希望把那一两个奸臣小人酌量赶走。”

六月十六日丁卯，孝武帝令大都督源子恭守阳胡，汝阳王元暹守石济，又任命仪同三司贾显智为济州刺史，率领豫州刺史斛斯元寿东赴济州。斛斯元寿，是斛斯椿的弟弟。蔡儁不接受贾显智代替自己，孝武帝更加震怒。二十日辛未，孝武帝再次命人抄录洛阳城中文武百官商议的意见回复高欢，并且命舍人温子昇拟写诏令给高欢，说：“朕没有动用一件兵刃，坐当天子，可以说生我的是父母，使我尊贵的是你勃海王高欢。现今如果我无事生非，背离你高王，打算攻伐你，那就让我和子孙受你的誓词一样的惩罚。近来担忧宇文泰作乱，贺拔胜呼应他，所以戒严，想和你互为声援。现今观察宇文泰等人的行动，没有反叛迹象。东南方不顺服，时间已久，现今天下户口减半，不宜滥用武力。朕生性愚昧，不知道你说的奸臣是谁。不久前高乾之死，哪里只是朕的意思？你突然对高昂说他哥哥死得冤枉，人的耳目哪能这样容易被蒙骗！朕还听到库狄干说你高王称：‘本想立一个懦弱的人为皇上，却无意中立了这个比废帝元朗年长的皇上，致使不可控制。现在只需出兵半月，就可废除皇上，另立他人。’像这样的议论，自是你高王身边的勋贵传出的，怎么会是出自奸臣之口？去年封隆之反叛，今年孙腾逃离，你不治罪，不送回，谁不责怪你？你若事君尽忠，为什么不杀掉两人，将首级送到京城？你虽然上奏说是‘西征’，可是四路俱进，有的想南渡向洛阳，有的想东临江南，说话的人自己应感到奇怪，听的人哪能不怀疑？你如果安静地居住在晋阳，朕这里虽然有百万大军，始终不会有算计你的心思；你若带兵南下，朕即使没有一匹马一辆车，仍然想要赤手空拳抗争到死。朕本来德薄，你高王已经拥立了，百姓没有识见，有的还说朕不错。如果朕被别的人赶下台，那就显示朕有罪过；如果朕是被你所杀，即使受尽侮辱，粉身碎骨，也丝毫没有怨恨。本来指望君臣团结，如同一体，若合符契，没料到今天竟疏远到如此的地步！”

中军将军王思政对孝武帝进言说：“高欢的野心，清楚明白，人人知晓。洛阳不是用武的地方，宇文泰心向王室，现今前往依靠他，日后收复洛阳，何愁不成功呢？”孝武帝十分赞同，派遣散骑侍郎河东人柳庆到高平会见宇文泰，共同商量时事。宇文泰请求迎接孝武帝，柳庆回京报告，孝武帝又私下对柳庆说：“朕打算到荆州去依靠贺拔胜，怎么样？”柳庆说：“关中地形险要，宇文泰的才能和胆略可以依

形胜，宇文泰才略可依。荆州地非要害，南迫梁寇，臣愚未见其可。”帝又问阁内都督宇文显和[328]，显和亦劝帝西幸。时帝广征州郡兵，东郡太守河东裴侠[329]帅所部诣洛阳，王思政问曰：“今权臣擅命，王室日卑，奈何？”侠曰：“宇文泰为三军所推，居百二之地[330]，所谓己操戈矛，宁肯授人以柄？虽欲投之，恐无异避汤入火[331]也。”思政曰：“然则如何而可？”侠曰：“图欢有立至之忧，西巡有将来之虑，且至关右，徐思其宜耳。”思政然之，乃进侠于帝，授左中郎将[332]。

初，丞相欢以为[17]洛阳久经丧乱，欲迁都于邺[333]，帝曰：“高祖定鼎河、洛[334]，为万世之基，王既功存社稷，宜遵太和[335]旧事。”欢乃止。至是复谋迁都，遣三千骑镇建兴[336]，益河东及济州兵，拥诸州和籴[337]粟，悉运入邺城。帝又敕欢曰：“王若厌伏人情[338]，杜绝物议[339]，唯有归河东之兵，罢建兴之戍，送相州[340]之粟，追济州之军，使蔡儁受代，邸珍出徐，止戈散马，各事家业。脱须粮廪[341]，别遣转输，则谗人结舌，疑悔不生，王高枕太原，朕垂拱[342]京洛矣。王若马首南向，问鼎轻重[343]，朕虽不武[344]，为社稷宗庙之计，欲止不能。决在于王，非朕能定，为山止篑[345]，相为惜之。”欢上表极言宇文泰、斛斯椿罪恶。

帝以广宁太守广宁任祥[346]兼尚书左仆射加开府仪同三司，祥弃官走，渡河，据郡[347]待欢。帝乃敕文武官北来者任其去留，遂下制书数欢咎恶，召贺拔胜赴行在所[348]。胜以问太保掾[349]范阳卢柔[350]，柔曰：“高欢悖逆，公席卷赴都，与决胜负，生死以之，上策也。北阻鲁阳[351]，南并旧楚[352]，东连兖、豫[353]，西引关中，带甲百万，观衅而动，中策也。举三荆之地，庇身于梁，功名皆去，下策也。”胜笑而不应。

帝以宇文泰兼尚书仆射，为关西大行台，许妻以冯翊长公主[354]，谓泰帐内都督秦郡杨荐[355]曰：“卿归语行台，遣骑迎我。”以荐为直阁将军。泰以前秦州刺史骆超[356]为大都督，将轻骑一千赴洛，又遣荐与长史宇文测[357][18]出关候接。

丞相欢召其弟定州刺史琛使守晋阳，命长史崔暹[358]佐之。暹，挺[359]之族孙[19]也。欢勒兵南出，告其众曰：“孤以尔朱擅命，建大义

靠。荆州不是要害之地，南边靠近梁朝，臣下愚笨，看不到往荆州的好处。”孝武帝又问阁内都督宇文显和。宇文显和也劝孝武帝西入关中。当时孝武帝广为征调州郡军队，东郡太守河东人裴侠率领部众往洛阳，王思政问裴侠说：“当今权臣专断，皇室威望一天天下降，怎么办?”裴侠说：“宇文泰得到全军拥护，占据险固有利的地方，这好比是自己抓住了戈矛，怎么愿意将戈矛的柄交给别人呢？虽然想去靠他，恐怕与避开沸水又投入火坑没有区别。”王思政说：“既然这样，那怎么样才可以呢?”裴侠说：“除掉高欢立刻有祸患，西入关中有将来的忧虑，不如暂且到关中，慢慢考虑下一步怎么做才好。”王思政认为有道理，就把裴侠推荐给孝武帝，孝武帝授予他左中郎将。

当初，丞相高欢认为洛阳久经战乱，想迁都到邺城。孝武帝说：“高祖定都河、洛，为万世的根基。高王既然建立了稳定国家的大功，应当遵守太和年间的规矩。”高欢这才罢休。到了这时，又图谋迁都，派遣三千骑兵镇守建兴，增加河东和济州的守军，聚集各州征集的粮食，全部运进邺城。孝武帝下敕令对高欢说：“高王想要平息民愤，杜绝人们的非议，只有调回河东的兵马，撤除建兴的防务，将邺城的粮食送来京师，追回济州的增援军队，让蔡儁接受调职命令，邸珍离开徐州，放下武器，解散兵马，各自经营自己的家事。如果需要粮食，另外派人转运。这样，说你坏话的人就会闭嘴，怀疑和后悔都不会发生，大王就可在太原高枕无忧，朕也就在京师洛阳安心垂手了。大王如果挥兵向南，图谋篡位，朕虽然不威武，为国家和宗庙考虑，就是想罢休也是不可能的。决定权在于大王你，不是朕能够决定的。这好比垒山，就差一筐土了，朕和你都会很遗憾。”高欢上表极力数说宇文泰、斛斯椿的罪恶。

孝武帝任用广宁太守广宁人任祥兼尚书左仆射加开府仪同三司，任祥弃官逃走，渡过黄河，占据广宁郡城，等待高欢。孝武帝就发布敕令，从北方来的文武百官听凭自愿去留，并颁下诏书列举高欢罪恶，召贺拔胜赴行在所。贺拔胜询问太保掾范阳人卢柔，卢柔说：“高欢叛逆，明公率领全部将士赶往京都，与他决一胜负，献出生命也在所不辞，这是上策。北边据险鲁阳，南边吞并从前楚国的地方，东边联结兖州、豫州，西边结盟关中，百万大军，瞄准机会而动，这是中策。拿整个三荆地盘，去托身梁朝，功业与名誉全都没了，这是下策。”贺拔胜笑而不答。

孝武帝任命宇文泰兼尚书仆射，为关西大行台，许诺把冯翊长公主给他为妻，对宇文泰帐内都督秦郡人杨荐说：“你回去对宇文行台说，派骑兵来迎接我。”任命杨荐为直阁将军。宇文泰任命前秦州刺史骆超为大都督，率领轻骑一千人赶往洛阳，又派遣杨荐与长史宇文测出关等候接驾。

丞相高欢召他的弟弟定州刺史高琛守卫晋阳，命长史崔暹辅佐他。崔暹，是崔挺的族孙。高欢指挥军队向南进发，通告部众说：“我因尔朱氏不受节制，在海内伸

于海内，奉戴主上，诚贯幽明[360]，横为斛斯椿谗构[361]，以忠为逆，今者南迈，诛椿而已。”以高敖曹为前锋。宇文泰亦移檄[362]州郡，数欢罪恶，自将大军发高平，前军屯弘农[363]。贺拔胜军于汝水[364]。

秋，七月己丑[365]，魏主亲勒兵十余万屯河桥[366]，以斛斯椿为前驱，陈于邙山之北。椿请帅精骑二千夜渡河掩其劳弊[367]，帝始然之，黄门侍郎[368]杨宽[369]说帝曰：“高欢以臣伐君，何所不至？今假兵于人，恐生他变。椿若渡河，万一有功，是灭一高欢，生一高欢矣。”帝遂敕椿停行，椿叹曰：“顷荧惑入南斗[370]，今上信左右间构[371]，不用吾计，岂天道乎？”宇文泰闻之，谓左右曰：“高欢数日行八九百里，此兵家所忌，当乘便击之。而主上以万乘[372]之重，不能渡河决战，方缘津[373]据守。且长河万里，捍御为难，若一处得渡，大事去矣。”即以大都督赵贵为别道行台，自蒲坂[20]济，趣并州[374]，遣大都督李贤将精骑一千赴洛阳。

帝使斛斯椿与行台长孙稚、大都督颍川王斌之[375]镇虎牢[376]，行台长孙子彦[377]镇陕[378]，贾显智、斛斯元寿镇滑台[379]。斌之，鉴[380]之弟。子彦，稚之子也。欢使相州刺史窦泰趣滑台，建州刺史韩贤趣石济。窦泰与显智遇于长寿津[381]，显智阴约降于欢，引军退。军司[382]元玄[383]觉之，驰还，请益师。帝遣大都督侯几绍[384]赴之，战于滑台东，显智以军降，绍战死。北中郎将[385]田怙[386]为欢内应，欢潜军至野王[387]，帝知之，斩怙。欢至河北十余里，再遣使口申诚款，帝不报。丙午[388]，欢引军渡河。

魏主问计于群臣，或欲奔梁，或云南依贺拔胜，或云西就关中，或云守洛口[389]死战，计未决。元斌之与斛斯椿争权，弃椿还，绐帝云：“高欢兵已至！”丁未[390]，帝遣使召椿还，遂帅南阳王宝炬、清河王亶[391]、广阳王湛[392]以五千骑宿于瀍西[393]南阳王别舍，沙门[394]惠臻[395]负玺持千牛刀[396]以从。众知帝将西出，其夜，亡者过半，亶、湛亦逃归。湛，深[397]之子也。武卫将军云中独孤信[398]单骑追帝，帝叹曰：“将军辞父母，捐妻子而来，‘世乱识忠臣’，岂虚言也？”戊申[399]，帝西奔长安，李贤遇帝于崤中[400]。己酉[401]，欢入洛阳，舍于永宁寺，遣领军娄昭等追帝，请帝东还。长孙子彦不能守陕，弃城走。高敖曹帅劲骑追帝

张正义，拥立皇上，赤诚之心，人神共知，横遭斛斯椿谗言陷害，忠心被视为叛逆，现今向南进军，只不过是诛除斛斯椿罢了。”命高敖曹为先锋。宇文泰也向各州郡发布文告，列举高欢罪恶，亲自率领大军从高平出发，前锋屯驻弘农。贺拔胜驻军于汝水。

秋，七月初九日己丑，北魏孝武帝亲自指挥十余万大军屯驻河桥，命斛斯椿为前锋，列阵于邙山之北。斛斯椿请求率领精锐骑兵两千人夜晚渡过黄河，袭击疲弊的敌人，孝武帝起初赞同，黄门侍郎杨宽劝说孝武帝：“高欢以臣伐君，哪有不准备周全的？现在把兵权交给别人，恐怕发生其他变故。斛斯椿如果渡过河去，万一有功，那就是灭了一个高欢，又生出另一个高欢了。”孝武帝于是敕令斛斯椿停止行动。斛斯椿叹息说：“近来荧惑星进入南斗，现今皇上听信身边人挑拨离间，不用我的计谋，难道是天道吗？”宇文泰得知这一消息，对身边的人说：“高欢几天行军八九百里，这是兵家最忌讳的，应当趁机袭击他。而皇上因为皇帝的尊贵，不能渡河决战，才凭借渡口据守。况且长河万里，防守很难，如果有一处渡河成功，大事就完了。”立即命大都督赵贵为别道行台，从蒲坂渡河，奔赴并州，派遣大都督李贤率领精骑一千人赶赴洛阳。

孝武帝派斛斯椿与行台长孙稚、大都督颍川王元斌之镇守虎牢关，行台长孙子彦镇守陕城，贾显智、斛斯元寿镇守滑台。元斌之，是元鉴的弟弟。长孙子彦，是长孙稚的儿子。高欢命相州刺史窦泰赶赴滑台，建州刺史韩贤赶赴石济。窦泰与贾显智在长寿津相遇。贾显智暗中与窦泰约定投降高欢，领兵后撤。军司元玄觉察了，飞马返回，请求增援。孝武帝派大都督侯几绍前往，与窦泰在滑台东面交战，贾显智率军投降，侯几绍战死。北中郎将田怙为高欢内应，高欢悄悄率军至野王，孝武帝得知田怙为内奸，处死田怙。高欢到黄河北岸十几里的地方，再次派使者向孝武帝口头申诉他的忠心，孝武帝不回应。七月二十六日丙午，高欢带领军队渡河。

北魏孝武帝向群臣征询对策，有的主张投奔梁朝，有的说往南依靠贺拔胜，有的说西入关中，有的说守住洛口决一死战，计谋没有确定。元斌之与斛斯椿争权，丢下斛斯椿跑了回来，欺骗孝武帝说：“高欢的军队已经到了！”七月二十七日丁未，孝武帝派使者召回斛斯椿，于是率领南阳王元宝炬、清河王元亶、广阳王元湛与五千骑兵留宿在瀍水西岸南阳王的别墅中，僧人惠臻背着玉玺、手提千牛刀随从。大家都知道皇上即将向西出发，当夜，逃亡的人超过半数，元亶、元湛也跑回洛阳。元湛，是元深的儿子。武卫将军云中人独孤信单骑追随孝武帝，孝武帝叹息说：“将军告辞父母，丢下妻儿赶来，‘乱世识忠臣’，哪里是假话啊？”二十八日戊申，孝武帝西奔长安，李贤在崤山中遇到孝武帝。二十九日己酉，高欢进入洛阳，宿于永宁寺，派遣领军娄昭等人追赶孝武帝，请他返回洛阳。长孙子彦没能守住陕城，弃城

至陕西[402]，不及。帝鞭马长骛[403]，糗[404]浆[405]乏绝，三二日间，从官唯饮涧水。至湖城[406]，有王思村民以麦饭壶浆献帝，帝悦，复一村十年[407]。至稠桑[408]，潼关[409]大都督毛鸿宾[410]迎献酒食，从官始解饥渴。

八月甲寅[411]，丞相欢集百官，谓曰："为臣奉主，匡救危乱，若处不谏争，出不陪从，缓则耽宠[412]争荣，急则委之逃窜，臣节安在？"众莫能对，兼尚书左仆射辛雄[413]曰："主上与近习[414]图事，雄等不得预闻。及乘舆西幸，若即追随，恐迹同佞党；留待大王，又以不从蒙责，雄等进退无所逃罪。"欢曰："卿等备位大臣，当以身报国，群佞用事，卿等尝有一言谏争乎？使国家之事一朝至此，罪欲何归？"乃收雄及开府仪同三司叱列延庆[415]、兼吏部尚书崔孝芬[416]、都官尚书[417]刘廞[418]、兼度支尚书[419]天水杨机[420]、散骑常侍元士弼，皆杀之。孝芬子司徒从事中郎[421]猷[422]间行入关，魏主使以本官奏门下事[423]。欢推司徒清河王亶为大司马，承制决事，居尚书省。

宇文泰使赵贵、梁御帅甲骑二[21]千奉迎，帝循河西行，谓御曰："此水东流，而朕西上，若得复见洛阳，亲谒[22]陵庙，卿等功也。"帝及左右皆流涕。泰备仪卫迎帝，谒见于东阳驿[424]，免冠流涕曰："臣不能式遏寇虐[425]，使乘舆播迁[426]，臣之罪也。"帝曰："公之忠节，著于遐迩。朕以不德，负乘致寇[427]，今日相见，深用厚颜。方以社稷委公，公其勉之！"将士皆呼"万岁"。遂入长安，以雍州廨舍[428]为宫，大赦。以泰为大将军[429]、雍州刺史兼尚书令[430]，军国之政，咸取决焉。别置二尚书，分掌机事，以行台尚书[431]毛遐[432]、周惠达[433]为之。时军国草创，二人积粮储，治器械，简士马[434]，魏朝赖之。泰尚冯翊长公主，拜驸马都尉[435]。

先是，荧惑入南斗，去而复还，留止六旬[436]。上以谚云"荧惑入南斗，天子下殿走"，乃跣[437]而下殿以禳[438]之，及闻魏主西奔，惭曰："虏亦应天象邪！"

己未[439]，武兴王杨绍先为秦、南秦二州刺史。

辛酉[440]，魏丞相欢自追迎魏主。戊辰[441]，清河王亶下制大赦。欢至弘农，九月癸巳[442][23]，使行台仆射元子思[443]帅侍官迎帝。己酉[444]，攻潼关，克之，擒毛鸿宾，进屯华阴长城[445]，龙门都督[446]薛崇礼以城降欢。

逃走。高敖曹率领精骑追孝武帝到陕城西边，没有追上。孝武帝快马加鞭，长途跋涉，缺食乏饮，两三天里，随从官员只能喝山涧泉水。到达湖城，王思村有村民拿麦米饭和开水献给孝武帝，孝武帝很高兴，免除这个村十年的赋役。到了稠桑，潼关大都督毛鸿宾迎接并进献酒食，随从官员才解除了饥渴。

八月初四日甲寅，丞相高欢召集百官，对他们说："作为臣子，侍奉君主，拯救危难，如果在朝不谏争，出巡不陪从，和平时就争夺荣宠，危难时抛弃皇帝逃窜，为臣子的节操到哪里去了?"众人无言以对。兼尚书左仆射辛雄说："皇上与宠信的近臣议定大事，我辛雄这样的人无权过问，等到皇上离京西去，如果马上追随，恐怕行迹如同奸臣党羽；留下来等待大王，却又因不随从而蒙受斥责，我们进退都无法逃避罪责。"高欢说："卿等职任大臣，应当以身报国，那些奸臣专权，卿等曾说过一句谏争皇上的话吗？造成朝廷政局一旦到这等地步，想把罪责推给谁?"于是拘捕了辛雄以及开府仪同三司叱列延庆、兼吏部尚书崔孝芬、都官尚书刘廞、兼度支尚书天水人杨机、散骑常侍元士弼，将他们全部处死。崔孝芬的儿子司徒从事中郎崔猷走小道逃入关中，孝武帝让他任原职在门下省办事。高欢推荐司徒清河王元亶为大司马，以皇上名义处理政事，在尚书省办公。

宇文泰派赵贵、梁御率领铁甲骑兵二千人迎接圣驾，孝武帝沿着黄河西行，对梁御说："这水向东流，朕却往西走，如果能重见洛阳，亲往祭奠陵庙，是卿等的功劳啊。"孝武帝及身边的人都流泪了。宇文泰备好仪仗卫队迎接孝武帝，在东阳驿拜见皇上，摘下帽子，流着眼泪说："臣下没能遏止叛贼肆虐，致使皇上颠沛流离，是臣的罪过。"孝武帝说："你的忠贞节操，显扬远近，朕由于寡德，招致贼寇，今天与你相见，十分惭愧。朕正要把国家大事托付给你，你要努力啊!"将士都高呼"万岁"。于是进入长安，以雍州官衙为宫殿，大赦天下。任命宇文泰为大将军、雍州刺史兼尚书令，军国大政都由宇文泰裁决。另设立两个尚书，分别掌管机要之事，由行台尚书毛遐、周惠达两人分任。当时军政庶务刚刚开办，两人储备粮食，修造兵器，精选士卒马匹，北魏政权就靠这两人。宇文泰娶冯翊长公主为妻，被任命为驸马都尉。

先前，荧惑星进入南斗星区，离开又回来，停留了六十天。梁武帝因谚语说"荧惑入南斗，天子下殿走"，就光着脚走下宫殿，用以消灾祈福，等到得知北魏孝武帝西奔，惭愧地说："胡虏也应验天象吗!"

八月初九日己未，武兴王杨绍先担任秦州、南秦州两州刺史。

八月十一日辛酉，北魏丞相高欢亲自赶去迎接孝武帝。十八日戊辰，清河王元亶下令大赦天下。高欢到达弘农。九月十三日癸巳，高欢派行台仆射元子思带领侍从官迎请孝武帝。二十九日己酉，高欢进攻潼关，攻克了潼关，生擒毛鸿宾，进军驻屯华阴长城，龙门都督薛崇礼举城投降高欢。

贺拔胜使长史元颖㊼行荆州事，守南阳㊽，自帅所部西赴关中。至淅阳㊾，闻欢已屯华阴，欲还，行台左丞崔谦㊿曰："今帝室颠覆，主上蒙尘(451)，公宜倍道兼行，朝于行在，然后与宇文行台同心勠力，唱举大义，天下孰不望风响应？今舍此而退，恐人人解体，一失事机，后悔何及。"胜不能用，遂还。

欢退屯河东，使行台尚书[24]长史薛瑜(452)守潼关，大都督库狄温(453)守封陵(454)，筑城于蒲津(455)西岸，以薛绍宗(456)为华州刺史，使守之，以高敖曹行豫州事。欢自发晋阳，至是凡四十启，魏主皆不报。欢乃东还，遣行台侯景等引兵向荆州，荆州民邓诞(457)等执元颖以应景。贺拔胜至，景逆击之，胜兵败，帅数百骑来奔。

魏主之在洛阳也，密遣阁内都督河南赵刚(458)召东荆州刺史冯景昭(459)帅兵入援，兵未及发，魏主西入关。景昭集府中文武议所从，司马(460)冯道和(461)请据州待北方(462)处分。刚曰："公宜勒兵赴行在所。"久之，更无言者。刚抽刀投地曰："公若欲为忠臣，请斩道和；如欲从贼，可速见杀！"景昭感悟，即帅众赴关中。侯景引兵逼穰城(463)，东荆州民杨祖欢(464)等起兵应之[25]，以其众邀景昭于路，景昭战败，刚没蛮(465)中。

冬，十月，丞相欢至洛阳，又遣僧道荣(466)奉表于孝武帝曰："陛下若远赐一制(467)，许还京洛，臣当帅勒文武，式清(468)宫禁；若返正无日，则七庙(469)不可无主，万国须有所归，臣宁负陛下，不负社稷。"帝亦不答。欢乃集百官耆老(470)，议所立，时清河王亶出入已称警跸(471)，欢丑之，乃托以"孝昌(472)以来，昭穆失序(473)，永安(474)以孝文为伯考(475)，永熙(476)迁孝明于夹室，业丧祚短(477)，职此之由"。遂立清河[26]世子善见(478)为帝，谓亶曰："欲立王，不如立王之子。"亶不自安，轻骑南走，欢追还之。丙寅(479)，孝静帝即位于城东北(480)，时年十一，大赦，改元天平(481)。

魏宇文泰进军攻潼关，斩薛瑜，虏其卒七千人，还长安，进位大丞相。东魏行台薛脩义(482)等渡河据杨氏壁(483)。魏司空参军河东薛端(484)纠帅村民击却东魏兵[27]，复取杨氏，丞相泰遣南汾州刺史苏景恕(485)镇之。

贺拔胜派长史元颖代理荆州事务，守卫南阳，自己率领所统部队西赴关中。到达淅阳，得知高欢已屯驻华阴，打算回军，行台左丞崔谦说："现今皇室颠覆，皇上出逃，明公应当日夜兼程，赶到皇上所在的地方朝拜，然后与宇文行台同心协力，高举大义的旗帜，天下的人谁不闻风响应呢？如今要放弃这一义举而撤退，恐怕人人都会离散，一旦失去这机会，后悔哪来得及。"贺拔胜没能采纳，就退还荆州了。

高欢退回河东驻扎，派行台尚书长史薛瑜守潼关，大都督库狄温守封陵，在蒲津西岸筑城，任命薛绍宗为华州刺史，让他驻守这座新城，任命高敖曹代理豫州事务。高欢自从晋阳出发，到这时已向孝武帝上书四十封，孝武帝都没回答。高欢就向东撤回，派遣行台侯景等领兵攻向荆州，荆州平民邓诞等抓获元颖以响应侯景。贺拔胜到达荆州，侯景迎击他，贺拔胜兵败，率领数百骑兵投奔梁朝。

北魏孝武帝在洛阳时，秘密派遣阁内都督河南人赵刚征召东荆州刺史冯景昭率兵入援，兵还没有来得及出发，孝武帝就西入关中了。冯景昭聚集府中文武官员商议投靠谁，司马冯道和请求据守州城，等待高欢处置。赵刚说："明公应当指挥军队赶往皇上所在的地方。"过了很久，再没有说话的人。赵刚抽出战刀丢在地上，说："明公想要做忠臣，请杀冯道和；如果想依附叛贼，赶快杀我赵刚！"冯景昭深受感动，醒悟过来，立即率部赶往关中。侯景领兵逼近穰城，东荆州平民杨祖欢等拉起队伍接应侯景，利用他的部众在半路上截击冯景昭，冯景昭战败，赵刚逃入南蛮。

冬，十月，丞相高欢到达洛阳，又派僧人道荣上表孝武帝说："陛下如果远赐一份诏书给我，答应返回京都洛阳，臣当率领文武百官，清扫宫殿迎接；如果返回遥遥无期，那么七庙不能没有主人，天下诸侯必须有所归附，臣宁愿辜负陛下，也不能辜负国家。"孝武帝仍然不做回答。高欢就召集百官和元老，讨论应当拥立谁为新君。当时清河王元亶出入宫禁已经按皇帝的礼仪戒备，高欢厌恶他，就借口说："从孝昌年间以来，宗庙的辈分乱了秩序，孝庄帝把孝文帝当作伯父祭奠，孝武帝把孝明帝灵位迁入宗庙侧室，皇业沦丧，皇上在位时间短暂，都是皇位继承人辈分不对造成的。"于是拥立清河王元亶的嫡长子元善见为帝，对元亶说："想立大王你为帝，还不如立你儿子。"元亶惶恐不安，轻装快马南逃，高欢把他追了回来。十七日丙寅，孝静帝在洛阳城东北角筑坛即位，时年十一岁。大赦天下，改元天平。

西魏宇文泰进军攻打潼关，杀死薛瑜，俘获他的士卒七千人，回到长安，晋升为大丞相。东魏行台薛脩义等渡过黄河，占领杨氏壁。西魏司空参军河东人薛端率领村民击退东魏军，又夺取杨氏壁。丞相宇文泰派南汾州刺史苏景恕镇守杨氏壁。

丁卯[486]，以信武将军[487]元庆和[488]为镇北将军[489]，帅众伐东魏。

初，魏孝武帝[28]既与丞相欢有隙，齐州刺史侯渊[490]、兖州刺史樊子鹄、青州刺史东莱王贵平[491]阴相连结，以观时变，渊亦遣使通于欢所。及孝武帝入关，清河王亶承制，以汝阳王暹[492]为齐州刺史。暹至城西，渊不时纳。城民刘桃符[493]等潜引暹入城[494]，渊帅骑出走，妻子部曲悉为暹所虏。行及广里[495]，会承制以渊行青州事。欢遗渊书曰："卿勿以部曲单少，惮于东行，齐人浇薄[496]，唯利是从，齐州尚能迎汝阳王，青州岂不能开门待卿也？"渊乃复东，暹归其妻子部曲。贵平亦不受代，渊袭高阳郡[497]，克之，置累重[498]于城中，自帅轻骑游掠于外。贵平使其世子帅众攻高阳，渊夜趣东阳，见州民馈粮者，绐[499]之曰："台军[500]已至，杀戮殆尽。我，世子之人也，脱走还城，汝何为复往？"闻者皆弃粮走。比晓，复谓行人曰："台军昨夜已至高阳，我是前锋，今至此，不知侯公竟在何所。"城民恟惧，遂执贵平出降。戊辰[501]，渊斩贵平，传首洛阳。

庚午[502]，东魏以赵郡王谌[503]为大司马，咸阳王坦为太尉，开府仪同三司高盛[504]为司徒，高敖曹为司空。坦，树[505]之弟也。

丞相欢以洛阳西逼西魏，南近梁境，乃议迁邺，书下三日即行。丙子[506]，东魏主发洛阳，四十万户狼狈就道。收百官马，尚书丞、郎已上非陪从者[507]，尽令乘驴。欢留后部分[508]，事毕，还晋阳。改司州为洛州[509]，以尚书令元弼为洛州刺史，镇洛阳。以行台尚书司马子如[510]为尚书左仆射，与右仆射高隆之[511]、侍中高岳[512]、孙腾[513]留邺，共知朝政[514]。诏以迁民赀产未立，出粟一百三十万石以赈之。

十一月，兖州刺史樊子鹄据瑕丘以拒东魏，南青州刺史大野拔[515]帅众就之。

庚寅[516]，东魏主至邺，居北城相州之廨，改相州刺史为司州牧，魏郡太守为魏尹[517]。是时，六坊[518]之众从孝武帝西行者不及万人，余皆北徙，并给常廪，春秋赐帛以供衣服，乃于常调[519]之外，随丰稔之处，折绢籴粟[520]以供国用。

十月十八日丁卯，梁武帝任命信武将军元庆和为镇北将军，率军讨伐东魏。

当初，北魏孝武帝与丞相高欢有矛盾，齐州刺史侯渊、兖州刺史樊子鹄、青州刺史东莱王元贵平暗中相结，以观时局变化，侯渊还派使者与高欢处联络。等到孝武帝入关，清河王元亶代理朝政，派汝阳王元暹为齐州刺史，元暹到了齐州城西，侯渊不及时接纳。城民刘桃符等悄悄带领元暹进入城中，侯渊率领骑兵逃走，妻儿和部属都被元暹俘虏。侯渊走到广里，刚好碰到元亶任命侯渊代理青州政务。高欢给侯渊写信说："你不要因为手中兵少，害怕东行，齐地的百姓轻浮，唯利是图，齐州人尚且能够迎接汝阳王，青州人岂能不开门等待你?"侯渊才又东行，元暹归还他的妻儿、部属。青州的元贵平不接受替代，侯渊就袭击高阳郡，占领了郡城，把家室及辎重安置在城中，自己则率领轻骑在城外巡逻掳掠。元贵平派他的长子领兵攻打高阳城，侯渊在当夜奔赴东阳，看到运送军粮的州民，就欺骗他们说："朝廷的军队已经来了，把我们的青州兵差不多杀完了。我是元贵平世子的人，侥幸逃了回来，你们为什么还前去?"听到这话的民夫丢下粮食，逃跑了。到天快亮时，侯渊又对行人说："朝廷军队昨夜已进了高阳城，我们是前锋，今天到了这里，不知侯渊究竟在哪里。"东阳城民惶恐害怕，于是绑押着元贵平出来投降。十月十九日戊辰，侯渊杀了元贵平，把他的人头送到洛阳。

十月二十一日庚午，东魏任命赵郡王元谌为大司马，咸阳王元坦为太尉，开府仪同三司高盛为司徒，高敖曹为司空。元坦，是元树的弟弟。

丞相高欢因洛阳西边逼近西魏，南边紧靠梁朝边境，于是建议迁都邺城，命令下达三天就行动。十月二十七日丙子，东魏孝静帝从洛阳出发，四十万户平民仓促上路。收走文武百官的马匹，尚书丞、郎以上官员不是陪侍皇上的人只许骑毛驴。高欢留在后面指挥，迁都事完，才返回晋阳。改司州为洛州，任命尚书令元弼为洛州刺史，镇守洛阳。任命行台尚书司马子如为尚书左仆射，与右仆射高隆之、侍中高岳、孙腾留在邺城，共掌朝政。孝静帝颁布诏书，因洛阳迁到邺城的平民家业还没有恢复，发放一百三十万石粮食救济他们。

十一月，兖州刺史樊子鹄占据瑕丘用以抵抗东魏，南青州刺史大野拔率部投奔了他。

十一月十一日庚寅，东魏孝静帝到达邺城，居住在北城相州官衙，改相州刺史为司州牧，魏郡太守为魏尹。这时，随从孝武帝西行的六坊卫队不到一万人，其余的都迁到邺城，都给予常年的俸禄，春秋两季还要赏赐布帛供他们制作衣服，就在法定的赋调之外，从年成丰收的地方用绸缎折价购买粮食，供给国家使用。

十二月，魏丞相泰遣仪同李虎、李弼、赵贵击曹泥于灵州。

闰月，元庆和克濑乡[521]而据之。

魏孝武帝闺门无礼[522]，从妹不嫁者三人，皆封公主。平原公主明月[523]，南阳王宝炬之同产也，从帝入关，丞相泰使元氏诸王取明月杀之。帝不悦，或时弯弓，或时椎案[524]，由是复与泰有隙。癸巳[525]，帝饮酒遇鸩[526]而殂[527]。泰与群臣议所立，多举广平王赞[528]。赞，孝武之兄子也。侍中濮阳王顺[529]，于别室垂涕谓泰曰：“高欢逼逐先帝，立幼主以专权，明公宜反其所为。广平冲幼[530]，不如立长君而奉之。”泰乃奉太宰[531]南阳王宝炬而立之。顺，素[532]之玄孙[29]也。殡孝武帝于草堂佛寺，谏议大夫[533]宋球[534]恸哭呕血，浆粒不入口者数日，泰以其名儒，不之罪也。

魏贺拔胜之在荆州也，表武卫将军独孤信为大都督。东魏既取荆州，魏以信为都督三荆州诸军事、尚书右仆射、东南道行台、大都督、荆州刺史以招怀之。

蛮酋樊五能[535]攻破淅阳郡以应魏，东魏西荆州[536]刺史辛纂[537]欲讨之，行台郎中李广[538]谏曰：“淅阳四面无民，唯一城之地，山路深险，表里群蛮。今少遣兵则不能制贼，多遣则根本[539]虚弱。脱[540]不如意，大挫威名，人情一去，州城难保。”纂曰：“岂可纵贼不讨？”广曰：“今所忧在心腹，何暇治疥癣[541]？闻台军不久应至，公但约勒属城，使完垒抚民以待之，虽失淅阳，不足惜也。”纂不从，遣兵攻之，兵败，诸将因亡不返。

城民密召独孤信。信至武陶[542]，东魏遣恒农[543]太守田八能[544]帅群蛮拒信于淅阳，又遣都督张齐民[545]以步骑三千出信之后。信谓其众曰：“今士卒不满千人，首尾受敌，若还击齐民，则土民[546]谓[30]我退走，必争来邀我，不如进击八能，破之，齐民自溃矣。”遂击破八能，乘胜袭穰城。辛纂勒兵出战，大败，还趣城，门未及阖，信令都督武川杨忠[547]为前驱，忠叱门者曰：“大军已至，城中有应，尔等求生，何不避走！”门者皆散。忠帅众入城，斩纂以徇[548]，城中慑服。信分兵定三荆。居半岁，东魏高敖曹、侯景将兵奄至城下，信兵少不敌，与杨忠皆来奔。

十二月，西魏丞相宇文泰派遣仪同李虎、李弼、赵贵在灵州攻打曹泥。

闰十二月，梁将元庆和攻占了东魏濑乡。

西魏孝武帝在宫中失礼乱伦，有三个堂妹没有嫁人，都封为公主。平原公主元明月，是南阳王元宝炬的同胞妹妹，跟随孝武帝入关，丞相宇文泰指使元氏诸王把明月抓出宫来杀了。孝武帝心中不满，有时拉弓箭，有时用槌捶击桌子，因此又与宇文泰产生了矛盾。闰十二月十五日癸巳，孝武帝喝酒被毒死。宇文泰与群臣商议拥立谁当新皇帝，多数大臣举荐广平王元赞。元赞，是孝武帝哥哥的儿子。侍中濮阳王元顺在别室流着眼泪对宇文泰说："高欢逼走已故皇帝，拥立幼主以便专权，明公应当与高欢的做法相反。广平王年幼，不如拥立一个年长的皇上。"宇文泰于是拥立太宰南阳王元宝炬为皇帝。元顺，是元素的玄孙。孝武帝的灵柩被安放在草堂佛寺，谏议大夫宋球恸哭吐血，多天水米不沾。宇文泰因宋球是一位有名的儒士，没有加罪于他。

贺拔胜在荆州时，上表推荐武卫将军独孤信为大都督。东魏攻占荆州后，西魏任命独孤信为都督三荆州军政事务、尚书右仆射、东南道行台、大都督、荆州刺史，以便招抚荆州军民。

荆州蛮族酋长樊五能攻破淅阳郡策应西魏军，东魏西荆州刺史辛纂打算征讨樊五能，行台郎中李广谏阻说："淅阳四面没有居民，只有一座孤城，山路幽深艰险，山里山外都是蛮人，现今如果派兵少了，难以制服蛮贼；派兵多了，那么州城空虚。万一出乎意料，大损威名，人心一失去，州城就难保了。"辛纂说："怎么能放任贼寇而不征讨？"李广说："现今忧虑的是心腹之患，哪有工夫去治皮毛疮疥？听说朝廷军队不久就要来到，明公只需责令所属各城，让他们加强壁垒、安抚民众，等待援兵，虽然丢了淅阳，不值得可惜。"辛纂不听从，派兵攻打淅阳，兵败，诸将趁机逃亡不再回来。

荆州城百姓暗中召请独孤信。独孤信到达武陶，东魏派遣恒农太守田八能率领蛮兵在淅阳阻挡独孤信，又派遣都督张齐民率领步骑三千人，绕到独孤信的后面。独孤信对他的部众说："现今我军不满千人，又腹背受敌，如果回过头来攻击张齐民，那么当地土民会认为我们是退走，必定争着来截击我们，还不如进击樊八能，打败了樊八能，张齐民军就自然溃散。"于是进击打败了樊八能，乘胜袭击穰城。辛纂整兵出战，大败，逃往州城，城门还来不及关上，独孤信令都督武川人杨忠为前锋，杨忠呵斥城门卫兵说："大军已到，城中有内应，你们要活命，还不赶快逃走！"守门卫士全都逃散。杨忠率众入城，杀死辛纂，枭首示众。城中军民都吓得服服帖帖。独孤信兵分三路，平定了三荆州。过了半年，东魏高敖曹、侯景率军突然到达州城下，独孤信兵少不敌，和杨忠一起投奔了梁朝。

【段旨】

以上为第三段，详载北魏分裂始末。孝武帝不武，灭狼未果，反落虎口，既丧性命，更葬送了北魏政权。

【注释】

㉘⓪封隆之（公元四八五至五四五年）：字祖裔，小名皮，勃海蓨人，助高欢铲除尔朱氏，因此官拜侍中，封安德郡公，是高欢的主要心腹谋臣之一。四为侍中，官至尚书右仆射。传见《魏书》卷三十二、《北齐书》卷二十一、《北史》卷二十四。㉘①孙腾（公元四八一至五四八年）：字龙雀，咸阳石安（今陕西泾阳）人，高欢心腹。东魏末官至太保。传见《北齐书》卷十八、《北史》卷五十四。㉘②平原公主：魏京兆王元愉女，名明月。魏孝武帝从妹，时寡居。事详《北史》卷五十四《孙腾传》、《北齐书》卷十八同传。㉘③归：古时女子出嫁称归。此处意谓想嫁给封隆之。㉘④带仗入省：指孙腾带着甲杖进入禁省。按制度，除皇帝特许外，臣民一律不许带杖入省。㉘⑤领军：官名，掌禁军，主宿卫宫殿。北魏二品中。㉘⑥娄昭：字菩萨，代郡平城人，高欢娄皇后的弟弟。正直有谋，北魏末授领军将军，封濮阳郡公。死于定州刺史任。传见《北齐书》卷十五、《北史》卷五十四。㉘⑦鸷：元鸷（？至公元五四〇年），字孔雀，北魏华山王。曾助尔朱兆夺取洛阳。东魏时，官至大司马，加侍中。传见《魏书》卷十四、《北史》卷十五。㉘⑧韩贤：字普贤，广宁石门人，北魏孝武帝初累迁中军将军、光禄大夫，出为建州刺史。东魏初，曾任洛州刺史。传见《北齐书》卷十九、《北史》卷五十二。㉘⑨省建州：撤销建州。建州，州名，治所高都，在今山西晋城。是从晋阳到洛阳的必经之地。魏孝武帝此举，既想驱逐高欢党羽，又想切断高欢南下之路。㉙⓪叔昭：元暹，字叔昭，一作“叔照”。北魏景穆帝之孙。庄帝时，封汝阳王，以贪暴著称。东魏孝静帝时，官至侍中、录尚书事。传见《魏书》卷十九上、《北史》卷十七。㉙①永宝：即高琛，字永宝，一作“元宝”。魏南赵郡公，历官骠骑大将军、散骑常侍、御史中丞。传见《北齐书》卷十三、《北史》卷五十一。㉙②定州：州名，治所卢奴，在今河北定州。㉙③丙子：五月壬午朔，无丙子。《魏书》卷十一作“丙戌”，是五月初五日。疑《通鉴》误。㉙④勋府庶子：宫中宿卫，出自勋贵子弟。㉙⑤厢别六百人：禁军以厢为编制单位，此指每厢增勋贵子弟六百人。㉙⑥辛卯：五月初十日。㉙⑦邙山：山名，在今河南洛阳北。㉙⑧丁巳：六月初六日。㉙⑨荆、雍：荆州、雍州之省称，此处用以指代贺拔胜、宇文泰。当时贺拔胜任荆州刺史，宇文泰控制雍州之地。㉚⓪河东：郡名，治所蒲阪，在今山西永济北。㉚①库狄干：复姓库狄，善无（今山西右玉）人，高欢妹夫，官至太师，威重当朝，封章武郡王。传见《北齐书》卷十五、《北史》卷五十四。㉚②来违津：黄河渡口，在今山西大同西。过河后可直指夏州。㉚③尉景：字士真，善无人，高欢姐夫，历官太傅、骠骑大将军，封

长乐郡公。传见《北齐书》卷十五、《北史》卷五十四。㉚④山东：地区名，指崤山以东地区。又称关东。㉚⑤江左：地区名，指芜湖、南京以东，长江以南地区。古人叙地理位置，以东为左，以西为右。此专指梁朝。㉚⑥处分：吩咐；调遣。㉚⑦并州僚佐：时高欢建大丞相府于并州晋阳，此并州僚佐实指丞相府官员。㉚⑧嬖佞：受宠信的善于巧言献媚的人。此指孝武帝身边的亲信。㉚⑨丁卯：六月十六日。㉛⓪源子恭（？至公元五三八年）：字灵顺，西平乐都（今青海乐都）人，北魏孝武帝时，官至吏部尚书，封新城县子。后任高欢府军司。传见《魏书》卷四十一、《北史》卷二十八。㉛①阳胡：城名，在今山西垣曲。㉛②石济：即古棘津，在今河南延津东北。㉛③贾显智：即贾智，贾显度之弟。魏义阳县公，曾擒尔朱世隆兄弟。后投靠高欢。传见《魏书》卷八十、《北史》卷四十九。㉛④斛斯元寿：斛斯椿之弟。北魏孝武帝时爵桑干县公，除豫州刺史。传见《北史》卷四十九。㉛⑤辛未：六月二十日。㉛⑥温子昇（？至公元五四七年）：字鹏举，太原人，博学多闻，文章清婉，北魏末诏书多由他起草。传见《魏书》卷八十五、《北史》卷八十三。㉛⑦高王：即勃海王高欢。㉛⑧王誓：即高欢前文所述“身受天殃，子孙殄绝”的誓词。这里魏孝武帝引用，表示与高欢一样信任对方。㉛⑨十五日行：指从晋阳出兵到洛阳，只需十五天。㉜⓪勋人：有功勋的部下。㉜①四道俱进：指河东、来违津及娄昭、厍景四路兵马。娄昭、厍景两路皆南指洛阳，河东、来违津两路则牵制宇文泰，使其不得东下。㉜②齑粉：粉身碎骨。㉜③若合符契：如验明的符信一样相吻合。符契，即符节。古代朝廷用作凭证的信物。符以竹、木或金属为材料，上书文字，部分为二，各执其一，使用时以两片相合无误为验。㉜④分疏：分离疏远。㉜⑤中军将军：官名，北魏时与镇军、抚军合称三将军，从第二品。㉜⑥散骑侍郎：官名，与散骑常侍共同评判尚书的奏事。北魏第五品上。㉜⑦柳庆（公元五一七至五六六年）：字更兴，解人，随孝武帝西迁，位至尚书左仆射。入北周，任司会中大夫，爵平齐县公。传见《周书》卷二十二、《北史》卷六十四。㉜⑧宇文显和：宇文显和（公元四九八至五五四年），北魏孝武帝时官冠军将军、阁内都督，封城阳县公。迁朱衣直阁、阁内大都督，改封长广县公。西魏时官至车骑大将军，仪同三司。传见《周书》卷四十、《北史》卷五十七。㉜⑨裴侠（？至公元五五九年）：字嵩和，河东解人，西魏时，以清廉奉公著称，号独立君。入周，爵清河县公。传见《周书》卷三十五、《北史》卷三十八。㉝⓪百二之地：形势险要的地方，用兵足以以少胜多。百二，《汉书》苏林注作百分之二解释，以为是秦兵二万可敌诸侯百万之众的意思。㉝①避汤入火：比喻魏孝武帝避开高欢挟制，又入宇文泰笼中。㉝②左中郎将：官名，主左署郎，轮流值勤于殿内。北魏从第四品。㉝③邺：县名，县治在今河北临漳西南。㉝④高祖定鼎河、洛：指北魏孝文帝拓跋宏迁都洛阳事。孝文帝（公元四六七至四九九年），北魏第六代国君，庙号高祖，公元四七一至四九九年在位。初由冯太后临朝，推行了三长制和均田制。亲政后，迁都洛阳，加速鲜卑族的汉化。事详《魏书》卷七、《北史》卷三。定鼎，定都。河、洛，指洛阳，处于黄河之南、洛水之北。㉝⑤太和：

孝文帝年号（公元四七七至四九九年）。㊱建兴：郡名，治所高都，在今山西晋城市西北。㊲和籴：高欢所创征收军粮之制。名为官民议价交易，以充军粮。实则按户摊派，限期逼取。为害百姓，甚于赋税。㊳厌伏人情：使人心信服。㊴物议：众人的评论。㊵相州：州名，治所邺县。㊶脱须粮廪：如果需要粮米。脱，假若、如果。㊷垂拱：垂衣拱手，原意是指无为而治，这里是指不妄动干戈。㊸问鼎轻重：典出《左传》宣公三年，楚子向周定王使者王孙满询问周鼎的轻重大小，隐含取而代之的威胁。以后便用此语比喻篡夺天下的企图。㊹不武：缺少武略。此为谦辞，谓不足以显示威武。㊺为山止篑：典出《论语·子罕》。只差一箩筐的土，不能堆成土山。如果应该停止，我便停止。㊻任祥（公元四九四至五三八年）：字延敬，广宁（今山西沁水）人，北魏西河县公。后追随高欢，历任侍中、大都督、徐州刺史。传见《北齐书》卷十九、《北史》卷五十三。㊼据郡：占据广宁郡，治所在沁水。㊽行在所：帝王所在之地。㊾太保掾：官名，太保属下的文吏。㊿卢柔：字子刚，范阳涿人，西魏时，位至中书监，而常典机密。入周，进位开府仪同三司。传见《魏书》卷四十七、《周书》卷三十二、《北史》卷三十。㉛鲁阳：郡名，治所山北，在今河南鲁山县。㉜旧楚：地区名，指今湖北江陵一带。春秋战国时期是楚郢都所在，所以称旧楚。㉝兖、豫：两州名。兖州，治所瑕丘，在今山东兖州东北。豫州，治所悬瓠，在今河南汝南县。㉞冯翊长公主：冯翊（？至公元五四一年），魏孝武帝之妹。传见《周书》卷九、《北史》卷十四。㉟杨荐：字承略，秦郡宁夷（今陕西礼泉东北）人，西魏骠骑大将军。入周，官至大司徒，封南安郡公。传见《周书》卷三十三、《北史》卷六十九。㊱骆超：人名。㊲宇文测（公元四九九至五四六年）：字澄镜，西魏广川县公。历守汾州、绥州，东魏、突厥不敢犯界。传见《周书》卷二十七、《北史》卷五十七。㊳崔暹（？至公元五五九年）：字季伦，博陵安平（今河北安平）人，历官御史中尉、度支尚书。高欢亲信。传见《魏书》卷五十七、《北齐书》卷三十、《北史》卷三十二。㊴挺：北魏光州刺史崔挺（公元四四五至五〇三年）。《魏书》卷五十七载，崔暹是崔挺族子崔穆之子。《北齐书》《北史》均同。㊵诚贯幽明：一片赤诚，人神共知。幽，暗，指神灵。明，指人间。㊶谗构：以谗言相陷害。㊷移檄：发布声讨高欢的文告。移，将公文发往平行机关。檄，用于征召、晓谕、申讨的文书。㊸弘农：县名，县治在今河南灵宝北。㊹汝水：水名，在河南中部地区。贺拔胜驻军于北汝河附近的河南襄城。㊺己丑：七月初九日。㊻河桥：桥名，约在今河南孟州西南至孟津东北一带的黄河之上，是守卫洛阳的军事要地。㊼掩其劳弊：偷袭远来疲惫的高欢军队。㊽黄门侍郎：官名，侍从皇帝，传达诏命。北魏第四品。㊾杨宽（？至公元五六一年）：字景仁，一作“蒙仁”，弘农华阴（今陕西华阴）人，从魏孝武帝入关，封华山郡公。入周，官至大将军。以清简著称。传见《魏书》卷五十八、《周书》卷二十二、《北史》卷四十一。㊿荧惑入南斗：火星运行到斗宿星区。荧惑，星名，即火星。南斗，星名，即斗宿。古时以荧惑为罚星，斗宿为天庙，火星运行到斗宿星区，以为是“天子下殿走”

的征兆。㊲间构：离间陷害。㊲万乘：周王畿地方千里，可出兵车一万辆。后据此作为帝王的代称。㊲缘津：凭借渡口。㊲趣并州：进逼并州。并州治晋阳，是高欢老巢。宇文泰此举，想攻其必救，断其退路，以减轻洛阳的压力。㊲斌之：元斌之，北魏文成帝之曾孙，爵颍川王。孝武帝入关，斌之降梁，后返长安，位尚书令。传见《魏书》卷二十、《北史》卷十九。㊲虎牢：关名，军事重镇，在今河南荥阳汜水镇。㊲长孙子彦：名俊，字子彦，从魏孝武帝入关，封高平郡公，位仪同三司。仕西魏为尚书令，官至太子太傅。传见《魏书》卷二十五、《北史》卷二十二。㊲陕：县名，县治在今河南三门峡市陕州区。㊲滑台：城名，在今河南滑县东，为河南四镇之一。㊳鉴：元鉴，魏安乐王。字长文。曾官相州刺史、尚书左仆射。传见《魏书》卷二十、《北史》卷十九。㊳长寿津：黄河渡口，在今河南滑县东北。㊳军司：官名，即军师，避司马师讳而改。辅佐主帅统领军队，负责匡正、监察主帅。㊳元玄：人名。北魏宗室常山王遵的后代，字彦道。从孝武帝入关，封陈郡王，位仪同三司。传见《魏书》卷十五、《北史》卷十五。㊳侯几绍：人名，复姓侯几。㊳北中郎将：官名，护军府属将。㊳田怙：人名。㊳野王：县名，县治在今河南沁阳。㊳丙午：七月二十六日。㊳洛口：洛水入黄河河口，在今河南巩义东北。㊴丁未：七月二十七日。㊴亶：元亶，爵清河王。东魏孝静帝元善见之父。事迹略见《魏书》卷二十二《汝南王悦传》。㊴湛：元湛，字士深，魏庄帝初袭爵广阳王。东魏时官至侍中。传见《魏书》卷十八、《北史》卷十六。㊴瀍西：瀍水之西。水源出洛阳西北，东南向流入洛水。㊴沙门：出家修行的僧人。㊴惠臻：僧人法名。㊴千牛刀：天子的防身刀。㊴深：即元渊，唐人避高祖讳而改。字智远，北魏广阳忠武王。被葛荣所杀。传见《魏书》卷十八、《北史》卷十六。㊴独孤信（公元五〇三至五五七年）：本名如愿，字期弥头，云中（今山西原平）人，后移居武川。西魏八柱国之一，北周卫国公。传见《周书》卷十六、《北史》卷六十一。㊴戊申：七月二十八日。㊵崤中：地区名，即崤山之中，主峰在河南灵宝。㊵己酉：七月二十九日。㊵陕西：陕县以西。㊵长骛：长途急驰。㊵糗：将米或麦炒熟或熬熟，再经晾晒而成的干粮。㊵浆：饮料。㊵湖城：县名，县治在今河南灵宝东。㊵复一村十年：免除全村十年的赋税和徭役。㊵稠桑：驿站名，在湖城西。㊵潼关：关名，在今陕西潼关县北。㊶毛鸿宾：北地三原（今陕西三原西北）人。仕北魏，拜西兖州刺史，转南青州刺史。后孝武帝令其镇潼关。传见《北史》卷四十九。㊶甲寅：八月初四日。㊶耽宠：沉溺于争宠。㊶辛雄（？至公元五三四年）：字世宾，陇西狄道（今甘肃临洮）人。仕北魏，累迁度支尚书、吏部尚书，兼侍中。后为高欢所杀。传见《魏书》卷七十七、《北史》卷五十。㊶近习：近身习见之人。指皇帝的宠信近臣。㊶叱列延庆（？至公元五三四年）：复姓叱列，代西部人，魏北海郡公，孝武帝时任中军大都督。后被高欢杀害。传见《魏书》卷八十、《北史》卷四十九。㊶崔孝芬（？至公元五三四年）：字恭梓，博陵安平人，有文才，善谈论。北魏孝武帝初，官至仪同三司，兼吏部尚书。后与辛雄等并为高欢所杀。传见《魏书》卷五十七、《北史》卷三十二。⑰都官尚书：官名，尚书省重要官员，主持都官、二千石、比部、水部、膳部五曹事务。北魏第三品。⑱刘廞（？至公元五三四年）：字景兴，彭城（今江苏徐州）人。北魏孝武帝初，除散骑常侍，迁骠骑大将军、国子祭酒。不久又兼都官尚书。孝武入关，高欢至洛，刘廞被杀。传见《魏书》卷五十五、《北史》卷四十二。⑲度支尚书：官名，尚书省重要官员，主持度支、仓部、左户、右户、金部、库部六曹事务。北魏第三品。⑳杨机（？至公元五三四年）：字显略，天水冀人，北魏孝武帝时，除度支尚书。后与辛雄等并为高欢所杀。传见《魏书》卷七十七、《北史》卷五十。㉑从事中郎：官名，三公僚属，掌纠察及处理文书。北魏第五品。㉒猷：崔猷（？至公元五八四年），字宣猷，博陵安平人，历事北魏、西魏、北周、隋四朝十三帝。传见《魏书》卷五十七、《周书》卷三十五、《北史》卷三十二。㉓以本官奏门下事：凡门下省事，由崔猷以从事中郎的本官身份上奏，以表示孝武帝的优宠。㉔东阳驿：驿站名，在陕西临潼东。㉕式遏寇虐：语出《诗经·大雅·民劳》，意谓阻止坏人作恶为虐。㉖乘舆播迁：皇帝流离失所。乘舆，皇帝所乘的车，代指皇帝。㉗负乘致寇：小人居君子之位，招致盗贼篡夺。此孝武帝自谦之辞。㉘廨舍：官署。此指雍州刺史办公署。㉙大将军：官名，时位在三公之上。多由权臣担任。北魏第一品。㉚尚书令：官名，典掌机密，综理政务。在魏晋南北朝时期是实际上的宰相。北魏第二品。㉛行台尚书：官名，处理行台内机密文书事宜。㉜毛遐：字鸿远，北地三原人，毛鸿宾之兄。任侠有谋，官至西魏骠骑大将军。传见《北史》卷四十九。㉝周惠达（？至公元五四四年）：字怀文，章武文安（河北文安北）人，西魏文安县公，官至尚书右仆射，仪同三司。礼乐仪制多由他改定。传见《周书》卷二十二、《北史》卷六十三。㉞简士马：挑选军士和战马。㉟驸马都尉：官名，与公主成婚者，按例授此职，无实际职责。㊱旬：十天。㊲跣：赤脚。古代请罪时的礼俗。㊳禳：祭祷以求消灾。㊴己未：八月初九日。㊵辛酉：八月十一日。㊶戊辰：八月十八日。㊷癸巳：九月十三日。㊸元子思：字众念，魏安定县子。传见《魏书》卷十四、《北史》卷十五。㊹己酉：九月二十九日。㊺华阴长城：战国时期魏长城遗迹，在华阴境内。旧华阴县治，在今陕西华阴。㊻龙门都督：官名，黄河龙门口的镇守武官，辖地在今山西河津。㊼元颖：人名，《北史》卷十九《汝南王悦传》作“颍”。汝南王元悦的儿子。北魏孝明帝末年，国内大乱，与父俱奔梁，后死于江东。㊽南阳：郡名，治所宛城，在今河南南阳。㊾淅阳：县名，县治在今河南淅川东南。㊿崔谦（？至公元五六九年）：字士逊，博陵安平人。仕西魏，官至骠骑大将军、仪同三司。北周时，迁荆州总管、荆州刺史，爵武康郡公。传见《周书》卷三十五、《北史》卷三十二。(451)蒙尘：蒙受风尘之苦，专指皇帝蒙难，此指孝武帝逃亡于途中。(452)薛瑜：人名，《魏书》卷四十二作“薛长瑜”，《周书》卷一作“薛瑾”，《北史》卷五同《魏书》、卷九同《周书》，卷六则同《北齐书》作“薛瑜”。未详孰是。其人东魏天平中为征东将军、洛州刺史。(453)库狄温：人名。(454)封陵：

关名，即风陵关，在今山西永济南风陵渡。㊺5 蒲津：即蒲阪的黄河渡口。㊺6 薛绍宗：人名。㊺7 邓诞：人名。㊺8 赵刚：字僧庆，河南洛阳人，曾镇守颍川，屡破东魏军。官至骠骑大将军、光禄卿。入周，封浮阳郡公。传见《周书》卷三十三、《北史》卷六十九。㊺9 冯景昭：人名。㊻0 司马：官名，时诸将军府、校尉府、行台内、刺史及边郡郡衙中均设有此职，掌军务谋划。㊻1 冯道和：人名。㊻2 北方：指高欢。㊻3 穰城：县名，县治在今河南邓州，时为荆州治所。㊻4 杨祖欢：人名。㊻5 蛮：族名，泛指南方各族。此指泌阳河流域的蛮族。㊻6 道荣：僧侣的法号。㊻7 一制：一纸制书。㊻8 式清：打扫干净。式，发语词。㊻9 七庙：即天子宗庙，包括太祖及三昭、三穆共七祖的庙位。在此喻指国家。㊼0 耆老：元老。㊼1 警跸：帝王出入时，禁绝行人的戒严仪式。元亶自以为当继承帝位，因此擅自使用此仪。㊼2 孝昌：魏孝明帝年号（公元五二五至五二七年）。㊼3 昭穆失序：古代宗法制度中，确立始祖后，按世系左昭右穆，共七世，列于宗庙祭祀。北魏诸帝多不是嫡系子继承帝位，各尊自己的父祖，所以庙主多变。㊼4 永安：魏孝庄帝年号（公元五二八至五三〇年）。此代指孝庄帝。㊼5 伯考：伯父。孝庄帝尊其父彭城王元勰为文穆皇帝，入七庙，号肃宗。以伯父孝文帝为伯考。㊼6 永熙：魏孝武帝年号（公元五三二至五三四年）。此代指孝武帝。因孝明帝是孝武帝的堂兄，依礼兄弟不得入宗庙，因而迁庙主牌位于侧夹室供奉。㊼7 业丧祚短：大业沦丧，享国日短。㊼8 世子善见：嫡长子元善见。世子，继承爵位的儿子，一般是嫡长子。善见，即元善见（公元五二四至五五一年），清河王元亶之长子东魏孝静帝，公元五三四至五五〇年在位。事详《魏书》卷十二、《北史》卷五。〖按〗元善见是清河王元怿的孙子。元怿和孝明帝父宣武帝同是孝文帝的儿子，所以元善见和孝明帝如同父子。他即位后，明帝庙主可以重入宗庙，这样昭穆的次序就又顺了。㊼9 丙寅：十月十七日。㊽0 城东北：洛阳城东北。㊽1 天平：孝静帝年号（公元五三五至五三七年）。从此东、西魏分立。㊽2 薛脩义（公元四七八至五五四年）：字公让，河东汾阴（今山西万荣西南）人，北齐太子太保，正平郡公。传见《北齐书》卷二十、《北史》卷五十三。㊽3 杨氏壁：胡三省以为是华阴杨氏避乱时所建的壁垒，在今陕西韩城至华阴之间。㊽4 薛端：字仁直，河东汾阴人，本名沙陀。西魏时曾任吏部尚书。入周，封文城郡公。传见《周书》卷三十五、《北史》卷三十六。㊽5 苏景恕：名让，字景恕。宇文泰为丞相，引为府属，甚被亲待，出为卫将军、南汾州刺史。传见《周书》卷三十八、《北史》卷六十三。时汾州在东魏境内，所以宇文泰侨置南汾州于杨氏壁，委任苏景恕镇守。㊽6 丁卯：十月十八日。㊽7 信武将军：官名，南朝梁置，为五德将军之一。梁武帝天监七年（公元五〇八年）定为武职二十四班中的十五班。㊽8 元庆和：景穆帝之子，汝阴王元天赐的孙子。任东豫州刺史时降梁，梁武帝封他为魏王，后以战败流放到合浦（今广西合浦）。传见《魏书》卷十六、《北史》卷十七。㊽9 镇北将军：官名，梁天监七年（公元五〇八年）列为八镇将军之一，定为武职二十四班中之二十二班。是镇守建康以北地区的重要将领。㊾0 侯渊：神武尖山（今山西神池北）人，北魏孝明帝末，六镇饥乱，渊随杜洛周南下寇掠，此后反复无常，而无法在北方立足，死于投奔梁朝的路上。传见《魏书》卷八十、《北史》卷四十九。⑷⑼贵平：元贵平，北魏庄帝初封东莱王，为孝武帝所信任。官至骠骑大将军、青州刺史。传见《魏书》卷十九下。⑷⑵暹：元暹，字叔照，北魏庄帝时封汝阳王，任秦州刺史。治州以凶暴嗜杀著称。东魏孝静帝时，官至侍中、录尚书事。传见《魏书》卷十九上、《北史》卷十七。⑷⑶刘桃符：人名。⑷⑷入城：进入齐州州治历城，在今山东济南。⑷⑸广里：里名，在今山东长清境内。⑷⑹浇薄：风俗浮薄。⑷⑺高阳郡：此指代治所高阳，在今河北高阳东。⑷⑻累重：指侯渊的家属和财产，以及军用物资。⑷⑼绐：欺骗；说谎。⑸⑽台军：东魏政府军。⑸⑾戊辰：十月十九日。⑸⑿庚午：十月二十一日。⑸⒀谌：元谌，字兴伯，北魏赵郡王。东魏初，任大司马。传见《魏书》卷二十一上、《北史》卷十九。⑸⒁高盛（？至公元五三六年）：渤海蓨人，高欢从叔祖。从高欢起兵信都，位至太尉，封广平郡公。传见《魏书》卷三十二、《北齐书》卷十四、《北史》卷五十一。⑸⒂树：元树，字秀和，魏郢王。《梁书》卷三十九《元树传》作“字君立”。北魏近属。投降梁朝，梁武帝任命他为镇西将军、郢州刺史。魏孝武帝时，率军伐魏，失败被俘，死于魏。传见《魏书》卷二十一上、《北史》卷十九。⑸⒃丙子：十月二十七日。⑸⒄非陪从者：不是陪同皇帝的从二品以上的官员。尚书丞郎，从二品。⑸⒅留后部分：留在后面处理善后事宜。部分，部署、处置。⑸⒆改司州为洛州：汉时京都所在称司隶校尉部，所以自晋朝以来，首都所在的州就被称作司州。孝文帝迁都洛阳，于太和十七年（公元四九三年）改洛州为司州。现在迁都到邺城，相州称作司州，洛州于是恢复旧名。⑸⒇司马子如（公元四八八至五五一年）：字遵业，河内温（今河南温县）人，高欢亲信，东魏邺都四贵之一。官至尚书令，封阳平郡公。入齐，任至太尉。传见《北齐书》卷十八、《北史》卷五十四。⑸⑾高隆之（公元四九四至五五四年）：字延兴，本姓徐，高平金乡（今山东金乡）人，高欢亲信，东魏邺都四贵之一，常居尚书省。入齐，封平原王，后被高洋逼死。传见《魏书》卷三十二、《北齐书》卷十八、《北史》卷五十四。⑸⑿高岳（公元五一二至五五五年）：字洪略，高欢从父弟。入齐，封清河王。后遭高归彦陷害而死。传见《魏书》卷三十二、《北齐书》卷十三、《北史》卷五十一。⑸⒀孙腾（公元四八一至五四八年）：字龙雀，咸阳石安（今陕西泾阳）人，东魏邺都四贵之一。屡掌机密，封咸阳郡公。传见《北齐书》卷十八、《北史》卷五十四。⑸⒁共知朝政：指司马子如、高隆之、高岳、孙腾等四人共掌朝政。此四人为高欢亲信，号邺都四贵。⑸⒂大野拔：人名，复姓大野，一作“达野”。⑸⒃庚寅：十一月十一日。⑸⒄魏尹：魏郡太守。从汉制改京都所在郡太守一职为尹。⑸⒅六坊：魏宫中宿卫军士分为六坊。⑸⒆常调：正常额定征收的户调和粟租。户年缴帛二匹、絮二斤、丝一斤、粟二十石。⑸⒇折绢籴粟：用绢折价购买粮食。⑸⑾濑乡：乡名，在今河南鹿邑境内。⑸⑿闺门无礼：指叔伯兄妹间淫乱。⑸⒀明月：元明月，孝武帝堂妹，时封平原公主。⑸⒁椎案：用椎捶击桌案，反映盛怒的样子。⑸⒂癸巳：闰十二月十五日。⑸⒃鸩：毒酒。527 殂：死亡。孝武帝被宇文泰派人毒死。528 赞：元赞，封广平王。529 顺：元顺，字敬叔，西魏濮阳王。以善射著称。位侍中，后出任秦州刺史。传见《北史》卷十五。530 冲幼：年纪幼小。531 太宰：官名，名为百官之长，实为无实权的荣誉衔。532 素：元素，北魏常山王元遵之子。袭父爵。北魏世祖时，拜内都大官。传见《魏书》卷十五、《北史》卷十五。533 谏议大夫：官名，掌侍从劝谏。北魏从四品。534 宋球：人名。535 樊五能：人名，一作"樊大能"。536 西荆州：州名，即荆州，因治所穰城在东荆州之西而得名。537 辛纂（？至公元五三四年）：字伯将，陇西狄道人。东魏初，官至兼尚书、南道行台、西荆州刺史。传见《魏书》卷七十七、《北史》卷五十。538 李广：字弘基，范阳人，有文才。仕东魏，兼御史，修国史，官至侍御史。传见《北齐书》卷四十五、《北史》卷八十三。539 根本：比喻事物的本源或关键部分。此处指州城穰城。540 脱：倘若；如果。541 疥癣：皮肤病。此指淅阳蛮夷叛乱。与州城难保这一心腹大患相比，叛乱就如身上长疥疮长皮癣一样，无足轻重。542 武陶：不详所在。胡三省以为是"武关"之误，是当时关中的南门户，在今陕西丹凤东南。543 恒农：即弘农，魏避拓跋弘讳而改。544 田八能：人名。545 张齐民：人名。546 土民：指淅阳城中的土著居民。547 杨忠（公元五〇七至五六八年）：小名奴奴，弘农华阴人，因先祖杨元寿移居神武郡殊颓县（今山西寿阳北），所以自称武川人氏。隋文帝杨坚之父，北周随国公。传见《周书》卷十九、《北史》卷十一。548 徇：杀人示众。

【校记】

［15］命：原作"令"。据章钰校，甲十一行本、乙十一行本、孔天胤本皆作"命"，今据改。［16］向：据章钰校，孔天胤本作"往"。［17］为：原无此字。据章钰校，甲十一行本、乙十一行本、孔天胤本皆有此字，今据补。［18］宇文测：原作"宇文侧"。据章钰校，甲十一行本、乙十一行本、孔天胤本皆作"宇文测"，今据改。〖按〗《周书·宇文测传》《北史·广川公测传》皆作"宇文测"。［19］族孙：原作"子"。据章钰校，甲十一行本、乙十一行本、孔天胤本皆作"族孙"，张敦仁《通鉴刊本识误》同，今据改。〖按〗《魏书·崔挺传附崔纂传》，纂为挺族子，暹为纂兄穆子，则暹于挺当为族孙。［20］坂：原作"反"。张瑛《通鉴校勘记》作"坂"，当是，今据改。〖按〗《周书·文帝纪上》《北史·太祖文帝纪》皆作"坂"。［21］二：张敦仁《通鉴刊本识误》作"一"。〖按〗《北史·孝武帝纪》作"二"，未知孰是。［22］谒：原作"诣"。据章钰校，甲十一行本、乙十一行本、孔天胤本皆作"谒"，张敦仁《通鉴刊本识误》同，今据改。［23］癸巳：张瑛《通鉴校勘记》作"乙巳"。〖按〗《魏书·出帝纪》："九月癸巳，以卫大将军、河南尹元子思为使持节、行台仆射……率左右侍官迎车驾。"当作"癸巳"。［24］尚书：原无此二字。据章钰校，甲十一行本、乙十一行本、孔天胤本皆有此二字，张敦仁《通鉴刊本识误》同，今据补。〖按〗《北齐书·神武帝纪下》《北史·高

祖神武帝纪》皆有此二字。[25] 应之：原无此二字。据章钰校，甲十一行本、乙十一行本、孔天胤本皆有此二字，张敦仁《通鉴刊本识误》、张瑛《通鉴校勘记》同，今据补。[26] 清河：原作“清河王”。据章钰校，甲十一行本、乙十一行本、孔天胤本皆无“王”字，熊罗宿《胡刻资治通鉴校字记》同，今据删。[27] 兵：原无此字。据章钰校，甲十一行本、乙十一行本、孔天胤本皆有此字，今据补。[28] 帝：原无此字。据章钰校，甲十一行本、乙十一行本、孔天胤本皆有此字，今据补。[29] 玄孙：原作“曾孙”。据章钰校，乙十一行本作“玄孙”，今从改。〖按〗《北史·常山王遵传》：遵子素，素子忠，忠子盛，盛子懋，懋子顺，则顺为素玄孙。[30] 谓：原作“必谓”。据章钰校，甲十一行本、乙十一行本、孔天胤本皆无“必”字，张敦仁《通鉴刊本识误》同，今据删。

【研析】

本卷所记述的公元五三三至五三四年间的主体内容是：统治黄河流域一个世纪的北魏王朝，经过一系列动荡，最终走向末路，分裂为两个对峙的政权。在河北世家大族支持下的高欢，终于消灭了北方部落酋豪尔朱氏，继承了尔朱氏的全部政治遗产，坐镇晋阳，以六镇余众出为军事支撑，遥控洛阳朝廷。他所拥立的北魏皇帝孝武帝元脩，秉承拓跋气质，并非柔弱易与之辈，表示“纵无匹马只轮，犹欲奋空拳而争死”，誓不做傀儡，并着力组建禁卫部队，笼络尔朱氏执政数年间在关陇、河南培育的地方势力人物，以图自保。结果，高欢挟大军渡过黄河，元脩逃奔长安，托庇于关陇军团，《魏书》中称他为“出帝”。高欢另立元善见为皇帝，迁都邺城，均各称“魏”，以示自己为正统政权。南方已年过七十的梁武帝，陶醉于佛教提供的心理安宁，对北方乱局显然无动于衷，不仅没有趁火打劫，向北扩张，而且对于河南、山东愿意投附的地方势力，亦全无接应之举，任其兴灭。新一轮三国鼎立的时代来临之际，南方似乎已决意退出决定华夏命运的竞争。

卷中所述史事，以下两个问题值得思考。

第一，高乾之死的深层原因。

在高欢与孝武帝元脩的政治角力中，最先死去的是位至司空的高乾。如前卷所述，当尔朱荣发动河阴之变，控制洛阳政权后，渤海郡人高乾与其弟高昂等，联合渤海封氏、赵郡李氏等河北汉族世家大族，举兵据冀州，与尔朱氏为敌。后高欢奉尔朱荣之命率部前往镇压，于太行山口停军半年之久，高乾亲自会见高欢，与之达成拥戴皇室、共灭尔朱氏的盟约，使高欢兵不血刃地进入信都，并在韩陵之战中，一举歼灭尔朱氏。韩陵之战，如无高乾之弟高昂率世族武装拼死力战，胜负尚未可知。高欢从尔朱氏的附庸，一跃而成为挟天子以令诸侯的权臣，高乾兄弟功不可没。高欢的族属，史学界还未达成一致的认识，或认为他本出鲜卑，或认为他是高丽国人入魏者，而东魏北齐时，高欢及其后代以渤海高氏自居，亦有不少学者支持。但无论如何，高欢入据河北之初，必须借助高乾兄弟的政治影响与军事支持，则是确定无疑的。而高乾兄弟在河北的政治、军事影响力，以及河北大族武装拥戴洛阳政权的政治取向，对于业已控制洛阳政权并与皇帝元脩发生冲突的高欢来说，又是一种潜在的威胁，也是确定无疑的。

高欢居晋阳遥控朝政，最初以高乾为侍中，作为门下省长官，就近监视皇帝元脩，掌握朝廷一举一动。但当高乾表示要为父亲完成丧事时，高欢居然答应了，高乾因此“郁郁不得志”，亦说明高欢对高乾并不信任。因而元脩打算摆脱高欢的控制时，设私宴相请，不惜自降身份，称“相与虽则君臣，义同兄弟，宜共立盟约，以敦情契”。元脩试图达成的“盟约”，自然针对高欢，高乾竟然未将这一重大情况在第一时间报告给高欢，更属政治上不可靠的行为。他后来给高欢的秘密报告，即所谓“密启”，竟被高欢全部封送元脩，借元脩之手将其处死。高乾之死，是高欢业已掌控全局之后，巧妙清洗河北大族的第一个步骤。因而当高欢与元脩矛盾激化时，元脩在给高欢的文件中称：“顷高乾之死，岂独朕意？王忽对（乾弟高）昂言兄枉死，人之耳目何易可轻！”也就是说，高欢为暂时安抚勇武有力的高昂，并让其在自己与元脩的对抗中出力，称其兄死得冤枉，不过是掩耳盗铃的伎俩，高乾实是死于高欢之手，有目共睹。这预示着后来的高氏政权与河北世家大族的关系，将会十分紧张。

第二，年轻的宇文泰在短短两年间成长为掌政关陇的重臣。

高欢灭尔朱氏、掌控全局后，关陇军团的动向成了最为关切的问题。当时关陇军团主将为贺拔岳，他及其部下将领，基本上出自北魏北方军镇中的武川镇，史学家陈寅恪先生即称之为武川军团。贺拔是当时高欢在北镇当普通士兵时需要仰视的豪族，且贺拔岳在政治、军事资历上，属于高欢的前辈，因而当贺拔岳的使节前来拜会时，高欢会兴奋异常地说：“贺拔公讵忆吾邪！”而通过来使与贺拔岳结为兄弟，以其此时权势则已属低就，目的还是笼络关陇军队以为己用，同时亦希望通过贺拔岳，影响贺拔岳之兄、其时以南道大行台身份主持今河南西南部军政的贺拔胜。而贺拔岳的司马亦即军事参谋宇文泰请求亲自到晋阳观察情况，返回后提出了决定关陇军团命运的意见：挥军陇右，收纳各自为政的部族与地方武装，“西辑氐、羌，北抚沙塞，还军长安，匡辅魏室”。贺拔岳遂主动与洛阳联络，元脩自是大喜过望，委以关陇二十州军政大权，宇文泰出任原州这一“要重”之地的刺史，从一个军事参谋一跃而成主政一方的大员，时年二十六岁。

贺拔岳被侯莫陈悦杀害后，部将群龙无首，赵贵等推举年轻且资历浅的宇文泰为首领，理由是宇文泰“英略冠世，远近归心，赏罚严明，士卒用命”。宇文泰亦能不负众望，拒绝元脩率众至洛阳的命令，挥师陇上，诛杀侯莫陈悦，为贺拔岳复仇。并使这支军队气象一新：“军令严肃，秋毫无犯，百姓大悦。”很快将关陇各地置于自己的控制之下。《周书》卷一《文帝纪上》说宇文泰“身长八尺，方颡广额，美须髯，

发长委地，垂手过膝”，“面有紫光，人望而敬畏之”，虽不无夸张，然自是仪表堂堂。当高欢第一次见到宇文泰时，“奇其状貌”，称“此儿视瞻非常”，俨然以长辈自居。但不到一年时间，高欢便不得不屈尊向“此儿”遣使，“甘言厚礼以结之”，却遭到宇文泰拒绝。年轻的宇文泰，决心与高欢对垒。

宇文泰能够脱颖而出，可人的仪表自然会起一定的作用，而如张轨所称颂:“宇文公文足经国，武能定乱。”具备文武才干才是最为重要的原因。他面对堆积如山的财物，能做到“秋毫不取，皆以赏士卒”，其亲近偷拿一银瓮，竟加以治罪，然后“剖赐将士”。武将不贪财，“赏罚严明”方能治军严整，“军令严肃”而“士卒用命”。这与当时一般武将的行为有别，亦有别于任凭“勋贵”剥夺百姓财物的高欢。宇文泰能做到这一点，与其有相当的文化修养不无关系。《周书》卷十一《宇文护传》记有一事，说北镇骚乱，宇文泰与亲人流落到河北，附于叛军领袖葛荣。在北镇军人对于洛阳朝廷重视文治、重用文人的政策极为反感的背景下，时年十八岁的宇文泰居然请了一个姓成的老师，教侄子宇文护等小儿读儒家经书。他主政关陇后，甚至在军中开办夜校，要求身边工作人员白天办公，晚间入学学习。对文化的重视，是宇文泰与北镇出身的武人最不一致的地方，也应是他谋略超越众人而被推举的重要原因，这也必将影响西魏政权的政治、军事建设。

公元五二三年末，三国鼎立局面形成。南方的梁武帝是一个七十余岁、迷恋佛教的老翁，黄河中下游广大地区的实际统治者是年近四十而喜弄权术的高欢，关陇的执政者则是未到而立之年、治军严明又重视儒学教育的宇文泰。比较而言，东魏地盘最大，梁朝文化上优越，而西魏地小、国穷、文化落后。但优势最终要向宇文泰一方倾斜。

卷第一百五十七　梁纪十三

起旃蒙单阏（乙卯，公元五三五年），尽强圉大荒落（丁巳，公元五三七年），凡三年。

【题解】

本卷记事起公元五三五至五三七年，凡三年，当梁武帝大同元年、二年、三年，西魏文帝大统元年、二年、三年，东魏孝静帝天平二年、三年、四年。南朝梁武帝无所作为，南朝无事，修好北方。本卷主要载述东西魏初分，权臣当政，各立新君傀儡，高欢与宇文泰内修政理，外示用武，两次大战势均力敌的过程。

【原文】

高祖武皇帝十三

大同元年（乙卯，公元五三五年）

春，正月戊申朔①，大赦，改元。

是日，魏文帝即位于城西②，大赦，改元大统③，追尊父京兆王④为文景皇帝，妣杨氏⑤为皇后。

魏渭州刺史可朱浑道元先附侯莫陈悦，悦死，丞相泰攻之，不能克，与盟而罢。道元世居怀朔⑥，与东魏丞相欢善，又母兄皆在邺，由是常与欢通。泰欲[1]击之，道元帅所部三千户西北渡乌兰津⑦抵灵州，灵州刺史曹泥资送至云州⑧。欢闻之，遣资粮迎候，拜车骑大将军⑨。

道元至晋阳，欢始闻孝武帝之丧，启请举哀⑩制服⑪。东魏主使群

【语译】

高祖武皇帝十三

大同元年（乙卯，公元五三五年）

春，正月初一日戊申，梁武帝大赦天下，改年号。

这一天，西魏文帝元宝炬在长安城西即皇帝位，大赦天下，改年号为大统，追尊他的父亲京兆王元愉为文景皇帝，母亲杨氏为皇后。

北魏渭州刺史可朱浑道元先依附侯莫陈悦，悦死后，西魏丞相宇文泰进攻道元，未能攻下渭州，就与道元订立盟约而退军。可朱浑道元祖上世代居住在怀朔，道元与东魏丞相高欢交好，而且母亲、兄长都在邺城，因此经常与高欢联络。宇文泰想攻击他，可朱浑道元率领部属三千户向西北渡过乌兰津进抵灵州，灵州刺史曹泥给他钱粮护送到云州。高欢得到报告，派人带上钱粮前去迎接，授道元为车骑大将军。

可朱浑道元到达晋阳，高欢才知道北魏孝武帝的死讯，随即启奏请求为孝武帝办理丧事、穿孝服。东魏孝静帝召集群臣商议这件事，太学博士潘崇和认为君主对

臣议之，太学博士⑫潘崇和⑬以为“君遇臣不以礼则无反服⑭，是以汤之民不哭桀，周武之民不服纣”。国子博士⑮卫既隆⑯、李同轨⑰议以为“高后⑱于永熙⑲离绝未彰⑳，宜为之服”。东魏从之。

魏骁骑大将军、仪同三司李虎等招谕费也头之众，与之共攻灵州，凡四旬，曹泥请降。

己酉㉑，魏进丞相略阳公泰为都督中外诸军㉒、录尚书事、大行台，封安定王，泰固辞王爵及录尚书，乃封安定公。以尚书令斛斯椿为太保，广平王赞为司徒。

乙卯㉓，魏主立妃乙弗氏㉔为皇后，子钦㉕为皇太子。后仁恕节俭，不妒忌，帝甚重之。

稽胡㉖刘蠡升，自孝昌㉗以来，自称天子，改元神嘉，居云阳谷㉘，魏之边境常被其患，谓之“胡荒㉙”。壬戌㉚，东魏丞相欢袭击，大破之。

勃海世子澄㉛通于欢妾郑氏㉜，欢归，一婢告之，二婢为证，欢杖澄一百而幽㉝之，娄妃㉞亦隔绝不得见。欢纳魏敬宗㉟之后尔朱氏㊱，有宠，生子浟㊲，欢欲立之。澄求救于司马子如。子如入见欢，伪为不知者，请见娄妃，欢告其故，子如曰：“消难㊳亦通子如妾，此事正可掩覆。妃是王结发妇，常以父母家财奉王。王在怀朔被杖，背无完皮，妃昼夜供侍。后避葛贼㊴，同走并州，贫困，妃然马矢，自作靴。恩义何可忘也？夫妇相宜，女配至尊㊵，男承大业㊶。且娄领军㊷之勋，何宜摇动？一女子如草芥，况婢言不必信邪！”欢因使子如更鞫㊸之。子如见澄，尤㊹之曰：“男儿何意畏威自诬？”因教二婢反其辞，胁告者自缢，乃启欢曰：“果虚言也。”欢大悦，召娄妃及澄。妃遥见欢，一步一叩头，澄且拜且进，父子、夫妇相泣，复如初。欢置酒曰：“全我父子者，司马子如也！”赐之黄金百三十斤。

甲子㊺，魏以广陵王欣为太傅，仪同三司万俟寿洛干㊻[2]为司空。

己巳㊼，东魏以丞相欢为相国㊽，假黄钺㊾，殊礼，固辞。

东魏大行台尚书司马子如帅大都督窦泰、太州㊿刺史韩轨等攻

臣下不以礼相待，那么已脱离君臣关系的臣子不必为旧君主服丧，因此，商汤王的百姓不为夏桀王哭丧，周武王的百姓不为纣王穿丧服。国子博士卫既隆、李同轨商议认为，高皇后与孝武帝断绝关系并没有公开，还是应该为孝武帝服丧。东魏孝静帝采纳了他们的意见。

西魏骁骑大将军、仪同三司李虎等招降了费也头的部众，与他们一同攻打灵州，总计四十天，曹泥请求投降。

正月初二日己酉，西魏晋升丞相略阳公宇文泰为都督中外诸军事、录尚书事、大行台，封安定王，宇文泰坚决辞去王爵和录尚书事，于是封为安定公。任命尚书令斛斯椿为太保，广平王元赞为司徒。

正月初八日乙卯，西魏文帝册立妃子乙弗氏为皇后，儿子元钦为皇太子。乙弗皇后仁慈宽厚，节约勤俭，没有妒忌之心，文帝非常敬重她。

稽胡人刘蠡升，自孝昌年间以来就自称天子，改年号为神嘉，居住在云阳谷，东魏的边境经常遭受他的骚扰，人们称为“胡荒”。正月十五日壬戌，东魏丞相高欢袭击他们，大获全胜。

勃海王高欢的世子高澄与高欢的妾郑氏私通，高欢回来后，一个婢女告诉了高欢，两个婢女做证，高欢打了高澄一百棍并把他关押起来，高澄的生母娄妃也被隔绝，不得与高欢相见。高欢收纳北魏敬宗的皇后尔朱氏，非常宠爱，生了儿子高浟，高欢想立他为世子。高澄向司马子如求救。司马子如进王府拜见高欢，装作不知道这事，请求看望娄妃，高欢告诉他原委，司马子如说：“我的儿子司马消难也和我的妾私通，这种事只能掩盖。娄妃是大王的结发妻，曾拿父母家的钱财资助大王。大王在怀朔时遭杖责，背部没有完好的皮肤，娄妃日夜守护你。后来躲避葛荣，一起逃到并州，贫穷困顿，娄妃烧马粪，做饭，亲自制靴子。这恩义哪能忘记呢？你们夫妻天生一对，所生女儿为皇后，男儿继承大业。再说娄妃弟弟娄领军的功勋，哪宜于摇动？一个女人就像一棵小草，何况婢女的话也不一定可信！”高欢就让司马子如重新审问。司马子如见到高澄，责备他说：“男子汉怎么可以畏惧威严就给自己泼脏水呢？”司马子如于是指使做证的两个婢女推翻自己的证词，威逼告发的那个婢女上吊自杀，这才向高欢报告说：“果然是不实之词。”高欢非常高兴，召见娄妃和高澄。娄妃远远看见高欢，走一步磕一次头，高澄边下拜边前行，父子、夫妇哭成一团，和好如初。高欢摆酒宴，说：“成全我父子关系的人，就是你司马子如啊！”赏赐给他黄金一百三十斤。

正月十七日甲子，西魏任命广陵王元欣为太傅，仪同三司万俟寿洛干为司空。

二十二日己巳，东魏任命丞相高欢为相国，可使用黄金装饰的大斧作仪仗，享受特殊的礼仪，高欢坚决推辞。

东魏大行台尚书司马子如率领大都督窦泰、太州刺史韩轨等进攻潼关，西魏丞

潼关，魏丞相泰军于霸上⑤¹。子如与轨回军，从蒲津宵[3]济⑤²，攻华州⑤³。时修城未毕，梯倚城外，比晓，东魏人乘梯而入。刺史王罴⑤⁴卧未起[4]，闻阁外匈匈⑤⁵有声，袒身露髻⑤⁶徒跣，持白梃⑤⁷大呼而出，东魏人见之惊却。罴逐至东门，左右稍集，合战，破之，子如等遂引去。

二月辛巳⑤⁸，上祀明堂。

壬午⑤⁹，东魏以咸阳王坦为太傅，西河王悰⑥⁰为太尉。

东魏使尚书右仆射高隆之发十万夫撤洛阳宫殿，运其材入邺。

丁亥⑥¹，上耕藉田。

东魏仪同三司娄昭等攻兖州，樊子鹄使前胶州刺史严思达守东平⑥²，昭攻拔之。遂引兵围瑕丘，久不下，昭以水灌城。己丑⑥³，大野拔见子鹄计事，因斩其首以降。始，子鹄以众少，悉驱老弱为兵，子鹄死，各散走。诸将劝娄昭尽捕诛之，昭曰："此州不幸，横被残贼，跂望官军以救涂炭，今复诛之，民将谁诉?"皆舍之。

戊戌⑥⁴，司州刺史陈庆之伐东魏，与豫州刺史尧雄⑥⁵战，不利而还。

三月辛酉⑥⁶，东魏以高盛为太尉，高敖曹为司徒，济阴王晖业⑥⁷为司空。

东魏丞相欢伪与刘蠡升约和，许以女妻其太子。蠡升不设备，欢举兵袭之。辛酉，蠡升北部王⑥⁸斩蠡升首以降，余众复立其子南海王⑥⁹。欢进击，擒之，俘其皇后、诸王、公卿以下四百余人，华、夷五万余户。

壬申⑦⁰，欢入朝于邺，以孝武帝后妻彭城王韶⑦¹。

魏丞相泰以军旅未息，吏民劳弊，命所司斟酌古今可以便时适治者，为二十四条新制，奏行之。

泰用武功苏绰⑦²为行台郎中，居岁余，泰未之知也，而台中皆称其能，有疑事皆就决之。泰与仆射周惠达论事，惠达不能对，请出议之。出，以告绰，绰为之区处⑦³，惠达入白之，泰称善，曰："谁与卿为此议者?"惠达以绰对，且称绰有王佐之才，泰乃擢绰为著作郎⑦⁴。

相宇文泰驻军于霸上。司马子如和韩轨调转军队，从蒲津夜渡黄河，进攻华州。当时，修筑华州城没有完工，梯子还倚靠在城墙外，天刚亮时，东魏军人登梯入城。刺史王罴睡觉没有起床，听到官衙外人声嘈杂，来不及穿衣戴帽，光着身子，露着发髻，赤着双脚，拿着白木棍，大叫着出来，东魏军人见到他，惊慌后退。王罴追到东城门，部下也渐渐聚集，双方交战，大败东魏军，司马子如等于是带兵离去。

二月初四日辛巳，梁武帝在明堂举行祭祀典礼。

初五日壬午，东魏任命咸阳王元坦为太傅、西河王元悰为太尉。

东魏委派尚书右仆射高隆之征发十万民夫拆毁洛阳宫殿，将拆下的建筑材料运入邺城。

初十日丁亥，梁武帝举行亲耕籍田典礼。

东魏仪同三司娄昭等进攻兖州，樊子鹄派前任胶州刺史严思达镇守东平，娄昭攻克了东平。于是带兵包围瑕丘，因久攻不下，娄昭引水灌城。二月十二日己丑，大野拔进见樊子鹄商议事务，借机砍了樊子鹄的头颅，出降东魏。当初，樊子鹄因为部众少，驱赶全城老少都当兵，樊子鹄死后，这些人一哄而散。东魏诸将劝娄昭将这些人全部抓来杀掉，娄昭说："这座州城已不幸，横遭摧残伤害，人们都踮起脚尖盼望官兵把他们从水深火热中拯救出来，如今再加以诛杀，那老百姓将向谁诉说呢？"就将他们全部释放了。

二月二十一日戊戌，梁朝司州刺史陈庆之讨伐东魏，与东魏豫州刺史尧雄交战，未能取胜而还。

三月十五日辛酉，东魏任命高盛为太尉，高敖曹为司徒，济阴王元晖业为司空。

东魏丞相高欢假意与稽胡王刘蠡升订盟讲和，许诺把女儿嫁给刘蠡升的太子为妻。刘蠡升不设防备，高欢发兵偷袭他。三月十五日辛酉，刘蠡升的部下北部王砍了刘蠡升的头颅，投降高欢，刘蠡升的残部又立了他的儿子南海王为皇帝。高欢进兵攻击，抓住了南海王，俘虏了他的皇后、诸王、公卿以下共四百多人，华、夷民众五万余户。

三月二十六日壬申，高欢到邺都朝见孝静帝，把孝武帝皇后嫁给彭城王元韶为妻。

西魏丞相宇文泰因战事未息，官民都疲劳穷困，就指示有关部门参考适合于当今政治的古今治国措施，制定成二十四条新法令，上奏给孝静帝批准后执行。

宇文泰任用武功人苏绰为行台郎中，过了一年多，宇文泰还不了解他，可是行台衙门中的人都称赞苏绰的才能，有疑难的事都找苏绰决断。宇文泰与仆射周惠达商议大事，周惠达拿不出对策，就请求外出找人讨论。周惠达走出相府，把事情原委告诉了苏绰，苏绰为他做了分析解答。周惠达进入相府，向宇文泰报告，宇文泰叫好，说："是谁为你做出这样的解答？"周惠达说是苏绰，并且称赞苏绰有辅佐君王

泰与公卿如昆明池⑮观渔，行至汉故仓池⑯，顾问左右，莫有知者。泰召绰问之，具以状对。泰悦，因问天地造化之始，历代兴亡之迹，绰应对如流。泰与绰并马徐行，至池，竟不设网罟⑰而还。遂留绰至夜，问以政事，卧而听之。绰指陈为治之要，泰起，整衣危坐⑱，不觉膝之前席⑲，语遂达曙不厌。诘朝⑳，谓周惠达曰："苏绰真奇士，吾方任之以政。"即拜大行台左丞，参典机密，自是宠遇日隆。绰始制文案程式朱出㉑、墨入㉒及计帐㉓、户籍之法，后人多遵用之。

东魏以封延之㉔为青州刺史，代侯渊。渊既失州任而惧，行及广川㉕，遂反，夜袭青州南郭㉖，劫掠郡县。夏，四月，丞相欢使济州刺史蔡儁讨之。渊部下多叛，渊欲南奔，于道为卖浆者㉗所斩，送首于邺[5]。

元庆和攻东魏城父㉘，丞相欢遣高敖曹帅三万人趣项㉙，窦泰帅三万人趣城父，侯景帅三万人趣彭城㉚，以任祥为东南道行台仆射，节度㉛诸军。

五月，魏加丞相泰柱国㉜。

元庆和引兵逼东魏南兖州㉝，东魏洛州刺史韩贤拒之。

六月，庆和攻南顿㉞，豫州刺史尧雄破之。

秋，七月甲戌㉟，魏以开府仪同三司念贤㊱为太尉，万俟寿洛干为司徒，开府仪同三司越勒肱㊲为司空。

益州刺史鄱阳王范㊳、南梁州刺史樊文炽㊴合兵围晋寿㊵，魏东益州刺史傅敬和㊶来降。范，恢㊷之子。敬和，竖眼㊸之子也。

魏下诏数高欢二十罪，且曰："朕将亲总六军，与丞相扫除凶丑。"欢亦移檄于魏，谓宇文黑獭、斛斯椿为逆徒，且言"今分命诸将，领兵百万，刻期㊹西讨"。

东魏遣行台元晏㊺击元庆和。

或告东魏司空济阴王晖业与七兵尚书㊻薛琡㊼贰于魏，八月辛卯㊽，执送晋阳，皆免官。

甲午㊾，东魏发民七万六千人作新宫于邺，使仆射高隆之与司空胄曹参军㊿辛术[111]共营之，筑邺南城周二十五里。术，琛[112]之子也。

的才干，宇文泰就提拔苏绰为著作郎。宇文泰与公卿大臣到昆明池赏鱼，走到汉代的旧仓池时，宇文泰回头问身边的人，没有人知道仓池的历史。宇文泰召见苏绰询问，苏绰把仓池的兴衰情况一一做了回答。宇文泰非常高兴，接着询问天地万物的来历、历代兴亡的轨迹，苏绰对答如流。宇文泰与苏绰并马缓行，到了昆明池，居然没有撒渔网就返回了。宇文泰便留下苏绰直到夜晚，向他征询军国大事，自己躺在睡榻上听。苏绰分析陈述治理国家的要领，宇文泰起身，整理好衣襟，端正地坐听，不知不觉双膝移到座席前端，靠近了苏绰，两人一直交谈到天亮还不满足。第二天早上，宇文泰对周惠达说："苏绰真是一个奇才，我决定把国家的政事委任给他。"立即任命苏绰为大行台左丞，参掌机密，从这时起，苏绰日益受到宇文泰的宠信。苏绰创制了文书案卷的程序格式，政府批文和下达的文书用红笔书写，下级上报的文书用墨笔书写，以及计账、户籍等方面的法规，后人大多沿用它。

东魏任命封延之为青州刺史，取代侯渊。侯渊失去刺史职位后心里害怕，走到广川就反叛了，连夜袭击青州城南的外城，抢劫掠夺附近的郡县。夏，四月，丞相高欢派济州刺史蔡儁征讨侯渊。侯渊部下大多叛逃，侯渊想南逃梁朝，在半道被卖酒的人杀死，把他的头颅送到了邺城。

梁朝元庆和攻打东魏城父，丞相高欢派高敖曹率领三万人奔赴项城，窦泰率领三万人奔赴城父，侯景率领三万人奔赴彭城，任命任祥为东南道行台仆射，统一指挥各支军队。

五月，西魏加官丞相宇文泰为柱国大将军。

梁朝元庆和率兵进逼东魏南兖州，东魏洛州刺史韩贤抵抗他。

六月，元庆和进攻南顿城，豫州刺史尧雄打败了他。

秋，七月三十日甲戌，西魏任命开府仪同三司念贤为太尉，万俟寿洛干为司徒，开府仪同三司越勒肱为司空。

梁朝益州刺史鄱阳王萧范、南梁州刺史樊文炽合兵包围西魏晋寿城，西魏东益州刺史傅敬和投降梁朝。萧范，是萧恢的儿子。傅敬和，是傅竖眼的儿子。

西魏文帝下诏书列举高欢二十条罪，并且说："朕将亲自率领大军，与宇文泰丞相一起扫除凶恶的群丑。"高欢也向西魏发布讨伐的檄文，称宇文黑獭、斛斯椿为叛逆凶徒，并且说"现今分派各位将领，率兵百万，限定日期向西讨伐"。

东魏派行台元晏反击元庆和。

有人告发东魏司空济阴王元晖业与七兵尚书薛琡有二心，与西魏勾结。八月十七日辛卯，两人被抓到晋阳，都免了职。

八月二十日甲午，东魏征发民夫七万六千人在邺城修筑新皇宫，委派仆射高隆之与司空胄曹参军辛术共同负责营建，修筑邺南城周长二十五里。辛术是辛琛的儿子。

赵刚自蛮中往见东魏东荆州刺史赵郡李愍[113]，劝令附魏，愍从之，刚由是得至长安。丞相泰以刚为左光禄大夫[114]。刚说泰召贺拔胜、独孤信等于梁，泰使刚来请之。

九月丁巳[115]，东魏以开府仪同三司襄城王旭[116]为司空。

冬，十月，魏太师上党文宣王[117]长孙稚卒。

魏秦州刺史王超世，丞相泰之内兄也，骄而黩货[118]，泰奏请加法，诏赐死。

十一月丁未[119]，侍中、中卫将军[120]徐勉[121]卒。勉虽骨鲠[122]不及范云[123]，亦不阿意苟合，故梁世言贤相者称范、徐云。

癸丑[124]，东魏主祀圜丘[125]。

甲午[126]，东魏阊阖门[127]灾。门之初成也，高隆之乘马远望，谓其匠曰："西南独高一寸。"量之果然。太府卿[128]任忻集[129]自矜其巧，不肯改。隆之恨之，至是谮于丞相欢曰："忻集潜通西魏，令人故烧之。"欢斩之。

北梁州刺史兰钦[130]引兵攻南郑[131]，魏梁州刺史元罗[132]举州降。

东魏以丞相欢之子洋[133]为骠骑大将军、开府仪同三司，封太原公。洋内明决而外如不慧[134]，兄弟及众人皆嗤鄙之，独欢异之，谓长史薛琡曰："此儿识虑过吾。"幼时，欢尝欲观诸子意识，使各治乱丝，洋独抽刀斩之，曰："乱者必斩！"又各配兵四出，使都督彭乐[135]帅甲骑伪攻之，兄澄等皆怖桡[136]，洋独勒众与乐相格，乐免胄言情，犹擒之以献。

初，大行台右丞杨愔[137]从兄岐州刺史幼卿[138]，以直言为孝武帝所杀，愔同列郭秀[139]害其能，恐之曰："高王欲送卿于帝所。"愔惧，变姓名逃于田横岛[140]。久之，欢闻其尚在，召为太原公开府司马。顷之，复为大行台右丞。

十二月甲午[141]，东魏文武官量事给禄[142]。

魏以念贤为太傅，河州刺史梁景叡[143]为太尉。

是岁，鄱阳[144]妖贼鲜于琛[145]改元上愿，有众万余人。鄱阳内史[146]吴郡陆襄[147]讨擒之，按治党与，无滥死者。民歌之曰："鲜于平后善恶分，民无枉死赖陆君。"

赵刚从蛮中出发，去见东魏东荆州刺史赵郡人李愍，劝他归附西魏，李愍听从了，赵刚因此得以到达长安。丞相宇文泰任命赵刚为左光禄大夫。赵刚劝说宇文泰从梁朝召回贺拔胜、独孤信等，宇文泰就派赵刚到梁朝召请两人。

九月十四日丁巳，东魏任命开府仪同三司襄城王元旭为司空。

冬，十月，西魏太师上党文宣王长孙稚去世。

西魏秦州刺史王超世，是丞相宇文泰的妻兄，骄横贪污，宇文泰奏请按法律治罪，西魏文帝下诏赐死。

十一月初五日丁未，梁朝侍中、中卫将军徐勉去世。徐勉虽然刚直不如范云，但也从不阿谀奉承，所以在梁代说到贤相，人们就首推范云、徐勉。

十一月十一日癸丑，东魏孝静帝在圜丘举行祭天典礼。

甲午日，东魏邺城皇宫阊阖门发生火灾。这座宫门刚建成的时候，高隆之骑马远望，对修建的工匠说："门的西南角高出了一寸。"丈量它，果然是这样。太府卿任忻集自夸宫门建筑精巧，不肯改动。高隆之怀恨在心，到这时，高隆之对丞相高欢诬陷任忻集说："任忻集暗中勾结西魏，派人故意烧了宫门。"高欢杀了任忻集。

梁朝北梁州刺史兰钦领兵攻打西魏南郑县城，西魏梁州刺史元罗率领州城军民投降。

东魏任命丞相高欢的儿子高洋为骠骑大将军、开府仪同三司，封太原公。高洋内心精明果断而外表愚笨，兄弟以及许多人都嗤笑、看不起他，只有高欢特别器重他，对丞相长史薛琡说："这孩子的见识和能力超过了我。"在孩提时，高欢曾经想考察几个儿子的智商，就让他们各自整理一团乱丝，只有高洋拔出佩刀斩断乱丝，说："混乱的东西就一定斩决！"高欢又给儿子各自配备军队拉出城去，派都督彭乐带领铁甲骑兵假意围攻他们，高洋的哥哥高澄他们都惊慌失措，只有高洋指挥部众与彭乐格斗。彭乐脱下甲胄，说明情况，高洋仍然捉住他，进献高欢。

当初，大行台右丞杨愔的堂兄岐州刺史杨幼卿，因为直言进谏被孝武帝杀害，杨愔同僚郭秀妒忌他的才能，就恐吓杨愔说："高欢王爷想把你送到孝武帝那里。"杨愔害怕，就变姓埋名，逃到田横岛。过了很久，高欢知道杨愔还健在，就把他召回，任命为太原公开府司马。不久，重新任命他为大行台右丞。

十二月二十二日甲午，东魏文武百官依据任职的轻重，给以相应的俸禄。

西魏任命念贤为太傅，河州刺史梁景叡为太尉。

这一年，梁朝鄱阳郡的妖贼鲜于琛改年号上愿，有部众一万多人。鄱阳内史吴郡人陆襄征讨并擒获了他，查处同党，没有滥杀一个人。老百姓歌颂他说："鲜于平后善恶分，民无枉死赖陆君。"

柔然[148]头兵可汗[149]求婚于东魏，丞相欢以常山王[150]妹为兰陵公主[151]，妻之。柔然数侵魏，魏使中书舍人[152]库狄峙[153]奉使至柔然，与约和亲，由是柔然不复为寇。

【段旨】

以上为第一段，记公元五三五年史事，重点载述西魏、东魏巩固政权的军政措施，西魏宇文泰起用苏绰，东魏高欢起用次子高洋，并与柔然结约和亲以安宁北疆。这一年，东魏、西魏与梁朝三方交错发生边境摩擦，但无大的战事。

【注释】

①戊申朔：正月初一日。②魏文帝即位于城西：西魏文帝，即元宝炬，谥号文。城西，长安城西。用北魏登基礼，先于西郊祭天，然后即位。③大统：西魏文帝年号（公元五三五至五五一年）。④京兆王：即元愉。⑤妣杨氏：妣，亡母。杨氏，东郡人，不详所出。⑥怀朔：军镇名，北魏六大军镇之一，在今内蒙古固阳西南。⑦乌兰津：黄河渡口，在今甘肃靖远境内。⑧云州：州名，初名朔州，此时寄治并州，治所在今山西祁县西。⑨车骑大将军：官名，位在都督中外诸军事下，与骠骑大将军同居诸将之上。从第一品。⑩举哀：哭丧。⑪制服：穿孝服。⑫太学博士：官名，掌太学教学。从七品。⑬潘崇和：人名。⑭反服：已脱离君臣关系的臣子为旧君服丧。潘崇和所说不反服的依据，出自《礼记·檀弓》和《孟子》。⑮国子博士：官名，掌国子学的教学。从五品。⑯卫既隆：人名，疑即《北史》中的卫冀隆。⑰李同轨（公元五〇〇至五四六年）：赵郡高邑（今河北高邑东南）人，通经学，明佛理，曾任著作郎。传见《魏书》卷三十六、《北史》卷三十三。⑱高后：高欢长女，魏孝武帝皇后。孝武西奔，高后留在邺都未走。⑲永熙：北魏孝武帝年号，此处用以代指孝武帝。⑳离绝未彰：并未正式解除夫妻关系。㉑己酉：正月初二日。㉒都督中外诸军：官名，全国武装最高首脑。从第一品。㉓乙卯：正月初八日。㉔乙弗氏（公元五一〇至五四〇年）：河南洛阳人，吐谷浑族。后被悼后郁久闾氏逼死。传见《北史》卷十三。㉕钦：元钦，西魏废帝，文帝之长子。公元五五二至五五四年在位。为宇文泰所废。事详《北史》卷五。㉖稽胡：族名，一作“步稽落”，是南匈奴人后裔。㉗孝昌：北魏明帝年号（公元五二五至五二七年）。㉘云阳谷：地区名，地处今东起山西离石，西至陕西子长，约方圆七八百里的山谷地带。㉙胡荒：稽胡人侵扰中原，如同先秦荒服以外不化之民，所以被称作“胡荒”。㉚壬戌：正月十五日。㉛勃海世子澄：即高澄（公元五二〇至五四八

柔然头兵可汗向东魏求婚，丞相高欢封常山王元骘的妹妹为兰陵公主，出嫁头兵可汗为妻。柔然多次侵扰东魏，东魏派中书舍人库狄峙出使到柔然，与柔然结约和亲，从此柔然不再侵扰东魏。

年），勃海王高欢长子。北齐受东魏禅，追谥澄为文襄皇帝。事详《北齐书》卷三、《北史》卷六。㉜郑氏：即冯翊太妃，名大车，原魏广平王妃。东魏都邺后，被高欢纳为妃。传见《北史》卷十四。㉝幽：秘密囚禁。㉞娄妃（公元五〇一至五六二年）：齐神武明皇后，高欢嫡妻，名昭君，性宽厚俭约，明断有识。事详《北齐书》卷九、《北史》卷十四。㉟魏敬宗：北魏孝庄帝元子攸（公元五〇七至五三〇年），庙号敬宗。㊱尔朱氏：尔朱荣之女，一度为尼。入齐，为彭城太妃，被文宣帝所害。事见《北史》卷十四。㊲潋：高潋（公元五三三至五六四年），字子深，高欢第五子。北齐天宝初，封彭城王。传见《北齐书》卷十、《北史》卷五十一。㊳消难：司马消难，司马子如长子，为人反复无常，先后在东魏、北齐、北周、陈、隋诸朝为官。传见《北齐书》卷十八、《周书》卷二十一、《北史》卷五十四。㊴葛贼：指北魏末河北聚众起事的首领葛荣，自号齐王。㊵女配至尊：至尊，最高贵的地位。此处指皇帝。高欢长女是孝武帝皇后，次女是孝静帝皇后，都是娄妃所生。㊶男承大业：指世子高澄，将继承父业。㊷娄领军：即娄妃之弟娄昭，时任领军将军，掌宿卫。传见《北齐书》卷十五。㊸鞫：审讯。㊹尤：责怪。㊺甲子：正月十七日。㊻万俟寿洛干：即万俟受洛干，姓万俟，名洛，字受洛干，随北魏孝武帝入关，除尚书左仆射。东魏初，封建昌郡公，迁领军将军。传见《北史》卷五十三。㊼己巳：正月二十二日。㊽相国：官名，即总领百官的宰辅大臣，魏晋南北朝时期非常设。担任此职的，都是权臣，地位高于丞相。㊾假黄钺：假，特赐。黄钺，用黄金为饰的斧子，是帝王的仪仗。凡特赐拥有黄钺仪仗的大臣，可代表皇帝决定征伐事宜。㊿太州：即泰州，州名，治所蒲阪，在山西永济西。胡三省注以为是“秦州”之误，恐非。(51)霸上：地名，护卫长安的军事要地，在今陕西西安东。(52)宵济：夜渡。(53)华州：州名，治所华山，在今陕西渭南。(54)王罴（？至公元五四一年）：字熊罴，京兆霸城（今陕西西安东北）人，性刚直忠勇，镇守河东，东魏不敢犯界。传见《周书》卷十八、《北史》卷六十二。(55)訇訇：喧哗的声音。(56)露髻：没戴帽子，露出头顶的发结。(57)白梃：大白木杖。(58)辛巳：二月初四日。(59)壬午：二月初五日。(60)悰：元悰，字魏庆，袭爵西河王。东魏孝静帝时累迁太尉、录尚书事、司州牧、青州刺史。传见《魏书》卷十九、《北史》卷十七。(61)丁亥：二月初十日。(62)东平：郡名，治所范县，在今

河南范县。⑥³己丑：二月十二日。⑥⁴戊戌：二月二十一日。⑥⁵尧雄（？至公元五四二年）：字休武，上党长子（今山西长子东）人，屡任豫州刺史，威震西魏，爵平城县公。传见《魏书》卷四十二、《北史》卷二十七。⑥⁶辛酉：三月十五日。⑥⁷晖业：元晖业（？至公元五五一年），爵济阴王。历位司空、太尉，录尚书事。齐初，降封美阳县公，官开府仪同三司、特进。曾撰魏藩王家世为《辨宗室录》一书。传见《魏书》卷十九上、《北史》卷十七。⑥⁸北部王：稽胡刘蠡升所封，名不详。⑥⁹南海王：刘蠡升第三子封号。⑦⁰壬申：三月二十六日。⑦¹彭城王韶：元韶（？至公元五九九年），字世胄，袭父爵彭城王。历位太尉、侍中、录尚书事、司州牧、特进、太傅。齐初降爵为县公。后被高洋饿毙。传见《魏书》卷二十一下、《北齐书》卷二十八、《北史》卷十九。⑦²苏绰（公元四九五至五四六年）：字令绰，京兆武功（今陕西武功）人，官西魏度支尚书，领著作兼司农卿。传见《周书》卷二十三、《北史》卷六十三。⑦³区处：条分缕析，逐一妥善处理。⑦⁴著作郎：官名，掌编纂国史，拟写文书。⑦⁵昆明池：池名，汉武帝在京都长安所造的人工湖，故址在今陕西西安西南。⑦⁶仓池：池名，故址在今陕西西安未央宫遗址西。⑦⁷网罟：捕鱼的网具。⑦⁸整衣危坐：正襟危坐，表示严肃端庄的姿态。⑦⁹膝之前席：宇文泰被苏绰的谈论深深吸引，不知不觉，身子在所坐的席上前移，靠近苏绰。古人跪坐，身向前移，膝盖必先动。⑧⁰诘朝：第二天清早。⑧¹朱出：政府下达的文书用红笔书写。⑧²墨入：指地方或中央官员上呈的文书用墨笔书写。⑧³计帐：地方做出第二年的赋役预算报告，上报度支省，供中央政府制定财政规划时参考，并作为来年年底考核的依据。帐，同“账”。⑧⁴封延之（公元四八七至五四〇年）：字祖业，封隆之的弟弟。仕东魏，封郏城县子，行渤海郡事，除青州刺史。传见《魏书》卷三十二、《北齐书》卷二十一。⑧⁵广川：县名，县治在今河北景县西南广川镇。⑧⁶南郭：州城的南外城。⑧⁷卖浆者：卖酒的人。⑧⁸城父：县名，县治在今安徽亳州东南。⑧⁹项：县名，县治在今河南项城市。⑨⁰彭城：县名，县治在今江苏徐州。⑨¹节度：掌控调度。⑨²柱国：官名，柱国大将军的简称。西魏初最高军事统帅。后成为一种勋望爵衔，授予望实俱重的大臣共八人，号八柱国，以宇文泰为首。⑨³南兖州：州名，治所谯城，在今安徽亳州。⑨⁴南顿：县名，县治在今河南项城西。⑨⁵甲戌：七月三十日。⑨⁶念贤（？至公元五三九年）：字盖卢，初封屯留县伯，北魏孝武帝时进爵安定郡公。西魏文帝时拜太尉，转太师、大将军。官至兼录尚书事。传见《周书》卷十四、《北史》卷四十九。⑨⁷越勒肱：人名，出于鲜卑的越勒部，因以为姓。⑨⁸鄱阳王范：萧范（？至公元五五〇年），梁鄱阳王，字世仪，梁武帝之侄。侯景之乱时，恚饿而死。传见《梁书》卷二十二、《南史》卷五十二。⑨⁹樊文炽：南阳湖阳人。曾任梁散骑常侍、益州刺史，封新蔡县侯。传附见《陈书》卷三十一、《南史》卷六十七。⑩⁰晋寿：县名，县治在今四川广元。⑩¹傅敬和：北魏孝庄帝时曾官益州刺史。传见《魏书》卷七十、《北史》卷四十五。⑩²恢：萧恢（公元四七六至五二六年），梁鄱阳忠烈王，字弘达，梁武帝之弟。传见《梁书》卷二十二、《南史》卷五十二。⑩³竖眼：傅竖眼，清河人，历任北魏益州、梁州、岐州刺史，颇得民心。传见《魏书》卷七十、《北史》卷四十五。⑭ 刻期：限定日期。⑮ 元晏：东魏孝静帝初曾任吏部尚书，后出为瀛洲刺史。家富藏书。传见《北史》卷十五。⑯ 七兵尚书：官名，北魏时置。辖左中兵、右中兵、左外兵、右外兵、骑兵、别兵、都兵七曹。第三品。⑰ 薛琡（？至公元五五〇年）：字昙珍，代人。北魏时累迁吏部郎中。东魏初，官七兵尚书。入周，官至兼尚书右仆射。传见《魏书》卷四十四、《北史》卷二十五。⑱ 辛卯：八月十七日。⑲ 甲午：八月二十日。⑳ 胄曹参军：官名，主治甲胄兵器，是司空属官。㉑ 辛术（公元五〇〇至五五九年）：字怀哲，陇西狄道人，仕东魏，官至东徐州刺史。入齐，曾任吏部尚书。传见《魏书》卷七十七、《北齐书》卷三十八、《北史》卷五十。㉒ 琛：辛琛，字僧贵。仕北魏，官至南梁太守。传见《魏书》卷七十七、《北史》卷五十。㉓ 李愍（？至公元五三五年）：字魔怜，赵郡柏人（河北隆尧西）人。北魏孝武帝初除太府卿。后累官南荆州刺史、东荆州刺史，加散骑常侍。传见《北齐书》卷二十二。㉔ 左光禄大夫：官名，掌顾问应对。二品。㉕ 丁巳：九月十四日。㉖ 襄城王旭：元旭，字显和，北魏庄帝时，封襄城郡王，东魏末，位至大司马。传见《魏书》卷十九下。㉗ 上党文宣王：长孙稚爵上党王，谥号文宣。㉘ 黩货：贪污受贿。㉙ 丁未：十一月初五日。⑳ 中卫将军：官名，梁四中将军之一。地位显要，专授在京城任职的官员，为武职二十四班中的二十三班。㉑ 徐勉（公元四六六至五三五年）：字修仁，东海郯（今山东郯城北）人，仕梁，官至侍中、尚书仆射、中卫将军。屡掌机密。传见《梁书》卷二十五、《南史》卷六十。㉒ 骨鲠：刚直。㉓ 范云（公元四五一至五〇三年）：字彦龙，南乡舞阴（河南泌阳西北）人，久居梁尚书省，官至尚书右仆射，颇有政声。封霄城侯。传见《梁书》卷十三、《南史》卷五十七。㉔ 癸丑：十一月十一日。㉕ 圜丘：祭天之坛。㉖ 甲午：十一月癸卯朔，无甲午。十二月有甲午，已见下文，此不当出。《魏书》作“甲寅”，是十一月十二日。《通鉴》误。㉗ 阊阖门：皇宫正南门。㉘ 太府卿：官名，掌库藏财物及营造等事。三品。㉙ 任忻集：人名，《北齐书》《北史》均作“任集”。⑬ 兰钦：字休明，中山魏昌人。性果决，屡立战功，官至梁安南将军、广州刺史，封曲江县公。传见《梁书》卷三十二、《南史》卷六十一。⑬ 南郑：县名，县治在今陕西汉中南郑区东。⑬ 元罗：字仲纲，北魏道武帝后裔。东魏孝静帝初，降梁，封南郡王。后北还，爵江阳王，改封固道郡公。传见《魏书》卷十六、《北史》卷十六。⑬ 洋：高洋（公元五二九至五五九年），字子进，高欢第二子，北齐第一君文宣帝，公元五五〇至五五九年在位。事详《北齐书》卷四、《北史》卷七。⑬ 外如不慧：表面看好像愚笨。⑬ 彭乐（？至公元五五一年）：字兴，安定人，东魏时，累迁司徒，齐初官太尉，封陈留王，以谋反诛。传见《北史》卷五十三。⑬ 怖挠：恐怖慌乱。⑬ 杨愔（公元五一一至五六〇年）：字遵彦，小名秦王，弘农华阴人，北齐重臣。传见《魏书》卷五十八、《北齐书》卷三十四、《北史》卷四十一。⑬ 幼卿：即杨稚卿，避唐讳改作“幼卿”。传见《魏书》卷五十八。⑬ 郭秀：范阳涿人，事高欢，封寿阳伯。恃宠贪贿。传见《北齐书》卷五十、《北史》卷九十二。⑭⓪田横岛：因汉初田横曾隐居于岛上而得名。在今山东青岛即墨区东北海中。一说在今江苏连云港市东云台山附近。⑭①甲午：十二月二十二日。⑭②量事给禄：根据所任职事的轻重程度发给相应的俸禄。⑭③梁景叡：即梁览，字景叡，金城人。北魏孝明帝时，历凉州、河州刺史，吐谷浑不敢犯境。孝武帝时封安德郡公。传见《北史》卷四十九。⑭④鄱阳：郡名，治所鄱阳，在今江西鄱阳东。⑭⑤鲜于琛：一作"鲜于琮"。因修道法而被称为妖贼。事见《梁书》卷二十七《陆襄传》。⑭⑥内史：官名，诸侯国民政长官，职同郡守。时鄱阳郡为鄱阳国。⑭⑦陆襄（公元四八〇至五四九年）：字师卿，吴郡吴（今江苏苏州）人，梁余干县侯。死于侯景之乱。传见《梁书》卷二十七、《南史》卷四十八。⑭⑧柔然：族名，出于东胡，又称蠕蠕、茹茹、芮芮等。⑭⑨头兵可汗：即阿那瓌，柔然头领。此次为他的儿子庵罗辰求婚。事见《北史》卷九十八《蠕蠕传》。⑮⓪常山王：即元骘。⑮①兰陵公主：原封

【原文】

二年（丙辰，公元五三六年）

春，正月辛亥[154]，魏祀南郊，改用神元皇帝[155]配。

甲子[156]，东魏丞相欢自将万骑袭魏夏州，身不火食[157]，四日而至，缚矟[158]为梯，夜入其城，擒刺史斛拔俄弥突，因而用之，留都督张琼[159]将兵镇守，迁其部落五千户以归。

魏灵州刺史曹泥与其婿凉州刺史普乐刘丰[160]复叛，降东魏，魏人围之，水灌其城，不没者四尺。东魏丞相欢发阿至罗三万骑径度灵州，绕出魏师之后，魏师退。欢帅骑迎泥及丰，拔其遗户[161]五千以归，以丰为南汾州刺史。

东魏加丞相欢九锡[162]，固让而止。

上为文帝[163]作皇基寺以追福，命有司求良材。曲阿[164]弘氏[165]自湘州[166]买巨材东下，南津校尉[167]孟少卿欲求媚于上，诬弘氏为劫而杀之，没其材以为寺。

二月乙亥[168]，上耕藉田。

东魏勃海世子澄，年十五，为大行台、并州刺史，求入邺辅朝政，

乐安公主。⑫ 中书舍人：官名，是中书省属官，主管文书。⑬ 库狄峙（？至公元五七〇年）：本姓段，先祖从辽东迁居到代郡。西魏初，官中书舍人。迁黄门侍郎。以功拜大将军，安丰郡公。入周，官至少师。传见《周书》卷三十三、《北史》卷六十九。

【校记】

［1］欲：据章钰校，乙十一行本作空格。［2］寿洛干：据章钰校，乙十一行本“寿”作“受”，胡三省注云：“‘寿洛干’即‘受洛干’。”下同。［3］宵：据章钰校，甲十一行本、乙十一行本皆作“霄”，张敦仁《通鉴刊本识误》、熊罗宿《胡刻资治通鉴校字记》同。［4］卧未起：原作“卧尚未起”。据章钰校，甲十一行本、乙十一行本、孔天胤本皆无“尚”字，今据删。［5］邺：据章钰校，孔天胤本“邺”下有“下”字。

【语译】

二年（丙辰，公元五三六年）

春，正月初九日辛亥，西魏在长安城南郊举行祭祀典礼，改用远祖神元皇帝拓跋力微配享宗庙。

正月二十二日甲子，东魏丞相高欢亲自率领一万骑兵偷袭西魏夏州，自己带头不烧火做饭，四天就到达了夏州城，捆绑长矛接成云梯，夜晚攻入城中，抓获了刺史斛拔俄弥突，继续留用他，留下都督张琼带兵镇守，迁移了斛拔俄弥突的部落五千户而返回。

西魏灵州刺史曹泥和他的女婿凉州刺史普乐人刘丰再次反叛，投降东魏，西魏人围攻他们，引水灌灵州城，城墙只剩四尺没有淹没。东魏丞相高欢征调阿至罗三万骑兵径直越过灵州，绕到西魏军队的后面，西魏军撤退。高欢率领骑兵迎接曹泥和刘丰，将灵州剩余的五千户民众随军迁回，任命刘丰为南汾州刺史。

东魏给丞相高欢加九锡，高欢坚决推辞而作罢。

梁武帝为先父文帝建造皇基寺祈福，诏令有关部门收购上等木材。曲阿人弘氏从湘州采购了巨大的木材沿江东运，南津校尉孟少卿想向皇上献媚，就诬陷弘氏是强盗，把他杀了，没收了他的木材，献给皇上建造寺庙。

二月初四日乙亥，梁武帝举行亲耕籍田典礼。

东魏勃海王世子高澄，十五岁，任大行台、并州刺史，请求进入邺都辅佐朝政，

丞相欢不许，丞相主簿[169]乐安孙搴[170]为之请，乃许之。丁酉[171]，以澄为尚书令，加领军、京畿大都督。魏朝虽闻其器识，犹以年少期之。既至，用法严峻，事无凝滞，中外震肃。引并州别驾[172]崔暹为左丞、吏部郎[173]，亲任之。

司马子如、高季式[174]召孙搴剧饮，醉甚而卒。丞相欢亲临其丧。子如叩头请罪，欢曰："卿折我右臂，为我求可代[6]者。"子如举中书郎[175]魏收[176]，欢以收为主簿。收，子建[177]之子也。他日，欢谓季式曰："卿饮杀我孙主簿，魏收治文书不如我意，司徒尝称一人谨密者[178]为谁？"季式以司徒记室[179]广宗陈元康[180]对，曰："是能夜中暗书[181]，快吏[182]也。"召之，一见，即授大丞相功曹[183]，掌机密，迁大行台都官郎[184]。时军国多务，元康问无不知。欢或出，临行，留元康在后，马上有所号令九十余条，元康屈指数之，尽能记忆。与功曹平原赵彦深[185]同知机密，时人谓之陈、赵。而元康势居赵前，性又柔谨，欢甚亲之，曰："如此人，诚难得，天赐我也。"彦深名隐，以字行。

东魏丞相欢令阿至罗逼魏秦州刺史万俟普[186]，欢以众应之。

三月戊申[187]，丹杨陶弘景[188]卒。弘景博学多艺能，好养生之术。仕齐[189]为奉朝请[190]，弃官，隐居茅山[191]。上早与之游，及即位，恩礼甚笃，每得其书，焚香虔受。屡以手敕招之，弘景不出。国家每有吉凶、征讨大事，无不先谘之，月中[192]尝有数信，时人谓之"山中宰相"。将没，为诗曰："夷甫[193]任散诞，平叔[194]坐论空[195]。岂悟昭阳殿[196]，遂作单于宫[197]！"时士大夫竞谈玄理，不习武事，故弘景诗及之。

甲寅[198]，东魏以华山王鸷为大司马。

魏以凉州刺史李叔仁[199]为司徒，万俟洛[200]为太宰。

夏，四月乙未[201]，以骠骑大将军、开府同三司之仪[202]元法僧[203]为太尉。

尚书右丞考城江子四[204]上封事，极言政治得失，五月癸卯[205]，诏曰："古人有言，'屋漏在上，知之在下。'朕有过失，不能自觉，江子四等封事所言，尚书可时加检括，于民有蠹患者，宜速详启。"

戊辰[206]，东魏高盛卒。

魏越勒肱卒。

丞相高欢不同意，丞相府主簿乐安人孙搴替高澄请求，高欢才同意了。二月二十六日丁酉，任命高澄为尚书令，加官领军将军、京畿大都督。东魏朝廷虽然听说他很有器量和识见，但仍然认为他还是个少年。高澄上任后，用法严峻，办事干净利落，朝廷内外震惊肃敬。高澄带来并州别驾崔暹为左丞、吏部郎，亲近信任他。

司马子如、高季式召孙搴畅饮，孙搴醉酒过度而死。丞相高欢亲临孙搴丧礼，司马子如磕头请罪，高欢说："你折断了我的右臂，要为我找一个可以代替的人。"司马子如推荐中书郎魏收，高欢任命魏收为主簿。魏收，是魏子建的儿子。有一天，高欢对高季式说："你用饮酒杀了我的孙主簿，魏收处理文书不合我的心意，司徒高敖曹曾经说有个办事谨慎细密的人，是谁?"高季式用高司徒的记室广宗人陈元康来回应，说："这个人能在夜间摸黑写字，是一个办事快捷干练的官吏。"高欢召见陈元康，见一面就授予他大丞相功曹之职，掌管机密事务，升迁为大行台都官郎。当时军国政务繁杂，陈元康有问必答，没有不知道的。高欢有次外出，临走时，留陈元康在后方，高欢在马背上下达九十多条命令，陈元康屈指数来，一条一条全都能记忆。陈元康和功曹平原人赵彦深共同掌管机密，当时人并称两人为"陈赵"。而陈元康的地位在赵彦深之上，他的个性又柔顺谨慎，高欢非常亲近他，说："像这样的人，真是难得，这是上天赐给我的啊。"赵彦深，名叫隐，以表字称呼于世。

东魏丞相高欢派阿至罗进逼西魏秦州刺史万俟普，高欢又另派军队策应他。

三月初七日戊申，梁朝丹杨人陶弘景去世。陶弘景学识渊博，多才多艺，爱好养生之术。在齐朝担任奉朝请，抛弃官职，隐居茅山。梁武帝早就与他交好，等到当了皇帝，对待陶弘景的恩惠和礼遇非常优厚，每次得到陶弘景的书信，都要焚香，恭敬地接受。多次亲笔写信召请陶弘景，陶弘景始终不出山。朝廷每当有吉凶和征讨的大事，没有不事先咨询他的，一个月内往往要通好几次信，当时人称陶弘景为"山中宰相"。陶弘景临死，作诗说："夷甫任散诞，平叔坐论空。岂悟昭阳殿，遂作单于宫!"当时的士大夫竞相谈论玄学义理，不练习军事，因此陶弘景的诗触及这种情况。

三月十三日甲寅，东魏任命华山王元鸷为大司马。

西魏任命凉州刺史李叔仁为司徒，万俟洛为太宰。

夏，四月二十五日乙未，梁朝任命骠骑大将军、开府同三司之仪元法僧为太尉。

梁尚书右丞考城人江子四向皇上上秘密谏章，极力论述国家政治的得失。五月初三日癸卯，梁武帝下诏说："古人有这样的话，'屋漏在上，知之在下。'朕有过错，不能自己觉察，江子四等人密章所说的情况，尚书可时时调查，对百姓有害的事，应该及时详细上报。"

五月二十八日戊辰，东魏高盛去世。

西魏越勒肱去世。

魏秦州刺史万俟普与其子太宰洛、豳州刺史叱干宝乐[207]、右卫将军破六韩常[208]及督将三百人奔东魏，丞相泰轻骑追之，至河北[209]千余里，不及而还。

秋，七月庚子[210]，东魏大赦。

上待魏降将贺拔胜等甚厚，胜请讨高欢，上不许。胜等思归，前荆州大都督抚宁史宁[211]谓胜曰："朱异[212]言于梁主无不从，请厚结之。"胜从之。上许胜、宁及卢柔[213]皆北还，亲饯之于南苑。胜怀上恩，自是见鸟〔7〕兽南向者皆不射之。行至襄城，东魏丞相欢遣侯景以轻骑邀之，胜等弃舟，自山路逃归[214]，从者冻馁，道死者太半。既至长安，诣阙谢罪，魏主执胜手，歔欷[215]曰："乘舆播越，天也，非卿之咎。"丞相泰引卢柔为从事中郎，与苏绰对掌机密。

九月壬寅[216]，东魏以定州刺史侯景兼尚书右仆射、南道行台，督诸将入寇。

魏以扶风王孚[217]为司徒，斛斯椿为太傅。

冬，十月乙亥[218]，诏大举伐东魏。东魏侯景将兵七万寇楚州[219]，虏刺史桓和，进军淮上，南、北司二州刺史陈庆之[220]击破之，景弃辎重走。十一月己亥[221]，罢北伐之师。

魏复改始祖神元皇帝为太祖，道武皇帝为烈祖[222]。

十二月，东魏以并州刺史尉景为太保。

壬申[223]，东魏遣使请和，上许之。

东魏清河文宣王亶卒。

丁丑[224]，东魏丞相欢督诸军伐魏，遣司徒高敖曹趣上洛，大都督窦泰趣潼关。

癸未[225]，东魏以咸阳王坦为太师。

是岁，魏关中大饥，人相食，死者什七八。

西魏秦州刺史万俟普和他的儿子太宰万俟洛、豳州刺史叱干宝乐、右卫将军破六韩常，以及督将三百多人投奔东魏，丞相宇文泰率领轻装骑兵追赶他们，追到黄河以北一千多里，没有追上，就回来了。

秋，七月初一日庚子，东魏大赦天下。

梁武帝对待北魏降将贺拔胜等人十分优厚，贺拔胜请求讨伐高欢，梁武帝不同意。贺拔胜等人想回北方，前荆州大都督抚宁人史宁对贺拔胜说："朱异说的话，梁武帝没有不听从的，请你好好结交他。"贺拔胜听从了。梁武帝允许贺拔胜、史宁，以及卢柔都回到北方，亲自在南苑设宴送行，贺拔胜感念梁武帝的恩德，从此看到向南去的鸟兽都不射杀。贺拔胜等人走到襄城，东魏丞相高欢派侯景用轻骑兵截击他们，贺拔胜等人弃船，从山间小路逃归长安，跟随的人又冻又饿，在路上死的有大半。到了长安后，进宫请罪，西魏文帝拉着贺拔胜的手，流泪叹息说："皇帝逃难，这是天意，不是你的过错。"丞相宇文泰起用卢柔为从事中郎，与苏绰一同掌管机密。

九月初四日壬寅，东魏任命定州刺史侯景兼尚书右仆射、南道行台，统领众将侵犯梁朝。

西魏任命扶风王元孚为司徒，斛斯椿为太傅。

冬，十月初八日乙亥，梁武帝下诏大举讨伐东魏。东魏侯景领兵七万进犯楚州，俘获楚州刺史桓和，进军淮上，梁朝南、北两司州刺史陈庆之打败侯景，侯景丢弃辎重逃走。十一月初二日己亥，梁朝撤回北伐的军队。

西魏又重新把始祖神元皇帝改称为太祖，把道武皇帝改称为烈祖。

十二月，东魏任命并州刺史尉景为太保。

初六日壬申，东魏派使臣到梁朝请求和好，梁武帝同意了。

东魏清河文宣王元亶去世。

十一日丁丑，东魏丞相高欢督率诸将讨伐西魏，又派司徒高敖曹赶赴上洛，大都督窦泰赶赴潼关。

十七日癸未，东魏任命咸阳王元坦为太师。

这一年，西魏关中大饥荒，人吃人，死的人多达七八成。

【段旨】

以上为第二段，记公元五三六年史事。本年着重写东魏高欢势力的勃兴，其大事有高欢用人、亲征西魏、世子高澄初露头角，以及加九锡的预演；南朝梁武帝优礼北方降人，以及梁与东魏的边境战事。

【注释】

⑭ 辛亥：正月初九日。⑮ 神元皇帝：北魏始祖拓跋力微。传见《魏书》卷一、《北史》卷一。北魏自太和十六年（公元四九二年）起，以太祖道武皇帝拓跋珪配祀南郊。至此，西魏改用远祖。⑯ 甲子：正月二十二日。⑰ 身不火食：不埋锅做饭，全吃干粮。⑱ 矟：长矛。⑲ 张琼：字连德，代人。仕北魏，历官汲郡太守、河内太守、济州刺史、汾州刺史。东魏天平中镇夏州。传见《北齐书》卷二十、《北史》卷五十三。⑯ 刘丰（？至公元五四九年）：字丰生，普乐（今宁夏灵武）人，果毅超人，屡立战功。北魏封山鹿县公，入东魏，官至南汾州刺史，后战死于长社。传见《北齐书》卷二十七、《北史》卷五十三。⑯ 拔其遗户：救出曹泥所辖灵州战后余生的民户。⑯ 九锡：古代帝王为尊礼国家重臣所赐的九件物品，即车马、衣服、乐则（编钟等成套乐器）、朱户（红门）、纳陛（登升殿堂的台阶）、虎贲（卫士）、弓矢、斧钺、秬鬯（用于祭祀的黑米酒）。自汉献帝赐曹操九锡以后，成为旧王朝行将衰亡，权臣或其子孙即将篡位的例行程序。⑯ 文帝：萧顺之，梁武帝之父。南齐临湘县侯，历官侍中、卫尉、领军将军、丹杨尹。卒于齐代，梁武帝即位后，追尊为文皇帝。⑭ 曲阿：县名，县治在今江苏丹阳。⑯ 弘氏：姓弘，名不详。⑯ 湘州：州名，治所临湘，在今湖南长沙。⑯ 南津校尉：官名，梁普通六年（公元五二五年）于南州津（今安徽当涂西北）置校尉，以扼守采石矶这一军事要地。⑯ 乙亥：二月四日。⑯ 丞相主簿：官名，典领丞相府文书，参与机要。⑰ 孙搴（？至公元五三六年）：字彦举，乐安人，有才薄行。仕东魏，官至左光禄大夫，加散骑常侍。传见《北齐书》卷二十四、《北史》卷五十五。⑰ 丁酉：二月二十六日。⑰ 别驾：官名，州刺史的佐吏，因常别乘一车随刺史出巡而得名。⑰ 吏部郎：官名，吏部尚书的属官。掌官吏铨选调动事务，四品。⑰ 高季式（？至公元五五三年）：字子通，高乾的四弟。东魏时官王卫尉卿。入周，封乘氏县子。传见《北齐书》卷二十一、《北史》卷三十一。⑰ 中书郎：官名，中书省属官。掌起草诏令，从四品。⑰ 魏收（公元五〇六至五七二年）：字伯起，小字佛助，钜鹿下曲阳（今河北晋州）人，史学家。人轻薄而有史才，历北魏、东魏、北齐三朝，均预修国史，撰成《魏书》凡一百三十卷。传见《魏书》卷一百四、《北齐书》卷三十七、《北史》卷五十五。⑰ 子建：魏子建（公元四七一至五三三年），字敬忠，北魏东益州刺史，官迁至骠骑大将军。传见《魏书》卷一百四、《北史》卷五十六。⑰ 谨密者：谨慎细密的人。⑰ 司徒记室：官名，司徒属官，掌草拟章表文檄等文书事。⑱ 陈元康（公元五〇七至五四九年）：字长猷，广宗人，东魏时，事高欢，屡掌机密，参与决策。高澄遇刺时，同被害。传见《北齐书》卷二十四、《北史》卷五十五。⑱ 暗书：能在黑暗中书写。⑱ 快吏：快捷干练的官吏。⑱ 大丞相功曹：官名，以考察登记丞相府官吏劳绩为主要职责。⑱ 大行台都官郎：官名，辅佐行台督理军事。⑱ 赵彦深（公元五〇七至五七六年）：自称南阳宛人赵熹之后，自高祖起定

居平原（今山东平原南）。本名隐，避齐庙讳，以字行。常典机密，任尚书令，封宜阳王。传见《北齐书》卷三十八、《北史》卷五十五。⑱⑥万俟普：万俟寿洛干之父。东魏河西郡公。官至太尉、朔州刺史。传见《北齐书》卷二十七、《北史》卷五十三。⑱⑦戊申：三月初七日。⑱⑧陶弘景（公元四五六至五三六年）：字通明，丹阳秣陵（今江苏江宁南秣陵关）人，博闻多识，性好著述。后隐居为道士，谥贞白先生。传见《梁书》卷五十一、《南史》卷七十六。⑱⑨齐：南齐。⑲⓪奉朝请：闲散官员，无实职，多由勋戚、名士充任。⑲①茅山：山名，在江苏西南部句容及金坛境内。⑲②月中：一月之中。⑲③夷甫：王衍字夷甫，琅邪临沂人。以清谈著称，西晋重臣。官至太尉，为石勒所害。传见《晋书》卷四十三。⑲④平叔：何晏字平叔，南阳宛人。曹魏正始年间，任中书，掌选举。后为司马宣王所杀。为曹魏著名玄学家。⑲⑤坐论空：尚清谈。⑲⑥昭阳殿：梁朝宫殿名。侯景攻下梁京师建康，居昭阳殿。⑲⑦遂作单于宫：隐指梁朝腐败，京师建康将被北方少数民族之人所占领。⑲⑧甲寅：三月十三日。⑲⑨李叔仁：陇西人，西魏陈郡公、车骑大将军。后密谋降东魏，事发被诛。传见《魏书》卷七十三、《北史》卷三十七。⑳⓪万俟洛：即万俟寿洛干。⑳①乙未：四月二十五日。⑳②开府同三司之仪：官名，梁置，位在开府仪同三司下。⑳③元法僧（公元四五四至五三六年）：北魏江阳王元锺葵之子，普通五年（公元五二四年）降梁，曾一度被立为魏主。传见《梁书》卷三十九。⑳④江子四（？至公元五四八年）：济阳考城（今河南民权东）人，性刚烈。侯景围建康，子四与兄子一、子五冲陷敌营而死。传见《梁书》卷四十三、《南史》卷六十四。⑳⑤癸卯：五月初三日。⑳⑥戊辰：五月二十八日。⑳⑦叱干宝乐：人名，复姓叱干。⑳⑧破六韩常：人名，复姓破六韩，附化人，匈奴单于的后裔。仕东魏，屡迁车骑大将军、开府，封平阳公。官至太保、沧州刺史。⑳⑨河北：指龙门（今山西河津）、西河（今陕西韩城、合阳一带）沿黄河地区之北。㉑⓪庚子：七月初一日。此处疑脱“朔”字。㉑①史宁（？至公元五六三年）：字永和，建康表氏（今甘肃高台西）人，北魏直阁将军，孝武帝入关，一度降梁。归长安后，出任凉州刺史，威服西羌、吐谷浑，大破柔然，封安政郡公。传见《周书》卷二十八、《北史》卷六十一。㉑②朱异（公元四八三至五四九年）：字彦和，吴郡钱塘（今浙江杭州）人，长期执掌机密，为梁武帝宠臣。传见《梁书》卷三十八、《南史》卷六十二。㉑③卢柔：字子刚，范阳涿人。西魏黄门侍郎、中书监。为宇文泰所亲重，与苏绰同掌机密。传见《魏书》卷四十七、《周书》卷三十二、《北史》卷三十。㉑④自山路逃归：胡三省注认为贺拔胜等当从三鸦（今河南南召、鲁山两县交界处）登陆进山，取道武关（今陕西丹凤东南）而入关中。㉑⑤歔欷：抽噎声。㉑⑥壬寅：九月初四日。㉑⑦扶风王孚：元孚，字秀和，北魏太武帝曾孙。从孝武帝入关，位至太傅，封扶风王。传见《魏书》卷十八、《北史》卷十六。㉑⑧乙亥：十月初八日。㉑⑨楚州：州名，治所楚城，在今安徽凤阳。㉒⓪陈庆之（公元四八四至五三九年）：字子云，义兴国山（江苏宜兴西南）人，北魏内乱，庆之曾送元颢北上，夺取洛阳，威震北魏。后败归，封永兴县侯。官至南北司二州刺史。传见《梁书》卷三十二、《南史》卷六十一。㉑己亥：十一月初二日。㉒道武皇帝为烈祖：北魏太祖拓跋珪。孝文帝太和十五年（公元四九一年）改烈祖为太祖，恢复旧庙号。传见《魏书》卷二。㉓壬申：十二月初六日。㉔丁丑：十二月十一日。㉕癸未：十二月十七日。

【原文】

三年（丁巳，公元五三七年）

春，正月，上祀南郊，大赦。

东魏丞相欢军蒲坂，造三浮桥，欲渡河。魏丞相泰军广阳㉖，谓诸将曰："贼掎㉗吾三面，作浮桥以示必渡，此欲缀㉘吾军，使窦泰得西入耳。欢自起兵以来，窦泰常为前锋，其下多锐卒，屡胜而骄，今袭之，必克，克泰，则欢不战自走矣。"诸将皆曰："贼在近，舍而袭远，脱有蹉跌㉙，悔何及也！不如分兵御之。"丞相泰曰："欢再攻潼关㉚，吾军不出灞上，今大举而来，谓吾亦当自守，有轻我之心，乘此袭之，何患不克？贼虽作浮桥，未能径渡，不过五日，吾取窦泰必矣！"行台左丞苏绰、中兵参军㉛代人达奚武㉜亦以为然。庚戌㉝，丞相泰还长安，诸将意犹异同。丞相泰隐其计，以问族子直事郎中㉞深㉟，深曰："窦泰，欢之骁将，今大军攻蒲坂，则欢拒守而泰救之，吾表里受敌，此危道也。不如选轻锐潜出小关㊱，窦泰躁急，必来决战，欢持重未即救，我急击泰，必可擒也。擒泰则欢势自沮，回师击之，可以决胜。"丞相泰喜曰："此吾心也。"乃声言欲保陇右。辛亥㊲，谒魏主而潜军东出，癸丑旦㊳，至小关。窦泰猝闻军至，自风陵渡，丞相泰出马牧泽㊴，击窦泰，大破之，士众皆尽，窦泰自杀，传首长安。丞相欢以河冰薄，不得赴救，撤浮桥而退，仪同代人薛孤延㊵为殿㊶，一日之中[8]斫十五刀折㊷，乃得免。丞相泰亦引军还。

高敖曹自商山㊸转斗而进，所向无前，遂攻上洛㊹。郡人泉岳及

【校记】

［6］代：原作"伐"。据章钰校，甲十一行本、乙十一行本、孔天胤本皆作"代"，熊罗宿《胡刻资治通鉴校字记》同，今据改。［7］乌：原作"禽"。据章钰校，甲十一行本、乙十一行本、孔天胤本皆作"乌"，今据改。

【语译】

三年（丁巳，公元五三七年）

春，正月，梁武帝在南郊举行祭祀典礼，大赦天下。

东魏丞相高欢驻军蒲坂，建造三座浮桥，想要渡过黄河。西魏丞相宇文泰驻军广阳，对诸将说："敌人从三个方面牵制我们，建造浮桥表示必渡黄河，这是想吸引住我军，使窦泰能从西面进攻我军。高欢自从起兵以来，窦泰经常充当前锋，他的部下有很多精锐的士兵，多次打胜仗而骄横，现今偷袭他们，一定能取胜。打败了窦泰，那么高欢就不战自退了。"诸将都说："敌人就在近处，我军舍近而袭击远敌，万一有了失误，后悔哪来得及！不如分兵抵挡他们。"丞相宇文泰说："高欢前两次进攻潼关，我军没有离开灞上，现今大举而来，认为我军仍然自守，有轻视我军的心理，趁这个时机偷袭他，哪能不打胜仗呢？敌人虽然建造了浮桥，但还不能立即渡河，不超过五天时间，我一定能捉获窦泰！"行台左丞苏绰、中兵参军代人达奚武也认为是这样。正月十四日庚戌，丞相宇文泰回到长安，诸将的意见仍然不一致。丞相宇文泰隐瞒自己的计谋，故意询问宗族侄儿直事郎中宇文深，宇文深说："窦泰是高欢的勇将，现今我们大军进攻蒲坂，那么高欢坚守不出，而窦泰救援他，我军腹背受敌，这是最危险的道路。不如挑选轻装的精锐部队，偷偷从小关出去，窦泰骄横急躁，一定来决战，高欢老成持重，不会立即救援，我军迅速攻击窦泰，一定可以抓获他。抓获了窦泰，那么高欢的气势自然衰落，我军回头攻击他，定能取胜。"丞相宇文泰高兴地说："这正是我的主意。"于是扬言要死守陇右。十五日辛亥，宇文泰拜见西魏文帝，然后悄悄率军从东面出发，十七日癸丑凌晨，到达小关。窦泰突然听说西魏军到来，从风陵渡过黄河，丞相宇文泰从马牧泽出击，进攻窦泰，大获全胜，窦泰全军覆没而自杀，他的首级送到长安。丞相高欢因河冰薄，不能赶赴救援，撤浮桥退军，仪同代人薛孤延担任后卫，一天之内砍坏了十五把战刀，才得以逃脱。丞相宇文泰也率军返还长安。

高敖曹从商山且战且进，所向无敌，直攻到上洛城，上洛郡人泉岳和他弟弟泉

弟猛略与顺阳人杜窋等谋翻城应之，洛州刺史泉企知之，杀岳及猛略。杜窋走归敖曹，敖曹以为乡导而攻之。敖曹被流矢，通中者三[245]，殒绝[246]良久，复上马，免胄巡城。企固守旬余，二子元礼、仲遵[247]力战拒之，仲遵伤目，不堪复战，城遂陷。企见敖曹曰："吾力屈，非心服也。"敖曹以杜窋为洛州刺史。敖曹创甚，曰："恨不见高季式[248][9]作刺史。"丞相欢闻之，即以季式为济州刺史。

敖曹欲入蓝田关[249]，欢使人告曰："窦泰军没，人心恐动，宜速还，路险贼盛，拔身可也[250]。"敖曹不忍弃众，力战，全军而还，以泉企、泉元礼自随，泉仲遵以伤重不行。企私戒二子曰："吾余生无几，汝曹才器足以立功，勿以吾在东，遂亏臣节。"元礼于路逃还。泉、杜虽皆为土豪，乡人轻杜而重泉。元礼、仲遵阴结豪右，袭窋，杀之，魏以元礼世袭洛州刺史。

二月丁亥[251]，上耕藉田。

己丑[252]，以尚书左仆射何敬容为中权将军[253]，护军将军[254]萧渊藻[255]为左仆射，右仆射谢举[256]为右光禄大夫[257]。

魏槐里[258]获神玺[259]，大赦。

三月辛未[260]，东魏迁七帝神主[261]入新庙，大赦。

魏斛斯椿卒。

夏，五月，魏以广陵王欣为太宰，贺拔胜为太师。

六月，魏以扶风王孚为太保，梁景叡为太傅，广平王赞为太尉，开府仪同三司武川王盟[262]为司空。

东魏丞相欢游汾阳[263]之天池[264]，得奇石，隐起成文曰"六王三川"。以问行台郎中阳休之[265]，对曰："六者，大王之字[266]；王者，当王天下。河、洛、伊为三川，泾、渭、洛[267]亦为三川。大王若受天命，终应奄有[268]关、洛。"欢曰："世人无事常言我反，况闻此乎？慎勿妄言！"休之，固[269]之子也。行台郎中中山杜弼[270]承间[271]劝欢受禅[272]，欢举杖击走之。

东魏遣兼散骑常侍李谐[273]来聘，以吏部郎卢元明[274]、通直侍郎[275]李业兴[276]副之。谐，平[277]之孙。元明，昶[278]之子也。秋，七月，谐等至

猛略与顺阳人杜窋等商议翻出城去接应高敖曹，洛州刺史泉企知道这件事，就杀了泉岳和泉猛略。杜窋逃走，归附了高敖曹。高敖曹用杜窋为向导，进攻上洛城。高敖曹遇到流矢，三支箭射穿了他的身体，昏死了好长时间，又上马，脱了甲胄巡察州城。泉企坚守州城十多天，他的两个儿子泉元礼、泉仲遵努力抵抗敌军，仲遵伤了眼睛，无法继续战斗，州城于是陷落了。泉企见到高敖曹，说："我兵力衰弱而败，不是内心服你。"高敖曹任命杜窋为洛州刺史。高敖曹伤势转重，说："我遗憾见不到我弟弟高季式做刺史。"丞相高欢得知此事，立即任用高季式为济州刺史。

高敖曹想攻入蓝田关，高欢派人告谕说："窦泰全军覆没，人心恐怕动摇，应当迅速撤回，路途险阻，敌军势盛，你能脱身就可以了。"高敖曹不忍心丢下部队，奋力交战，保全了军队，撤了回来，把泉企、泉元礼带在身边，泉仲遵因为伤势太重，没有随行。泉企私下告诫两个儿子说："我剩下的日子不多了，你们的才能器识足以建立功业，不要因为我在东魏，就丧失了做臣子的节操。"泉元礼在路途中逃回。泉、杜两姓虽然都是上洛的土著大姓，但家乡人都看轻杜氏而敬重泉氏。泉元礼、泉仲遵暗中交结富豪大姓，袭击杜窋，杀了他。西魏让泉元礼世袭洛州刺史。

二月二十二日丁亥，梁武帝举行亲耕籍田典礼。

二十四日己丑，梁朝任命尚书左仆射何敬容为中权将军，护军将军萧渊藻为左仆射，右仆射谢举为右光禄大夫。

西魏槐里县发现神玺，因而大赦天下。

三月辛未日，东魏把七位已故皇帝的灵位移进新庙，大赦天下。

西魏斛斯椿去世。

夏，五月，西魏任命广陵王元欣为太宰，贺拔胜为太师。

六月，西魏任命扶风王元孚为太保，梁景叡为太傅，广平王元赞为太尉，开府仪同三司武川王元盟为司空。

东魏丞相高欢游汾阳的天池，捡到奇石，隐隐约约显现文字"六王三川"。高欢询问行台郎中阳休之，阳休之回答说："'六'就是大王的字，'王'就是应当统治天下。黄河、洛水、伊川为三川，泾水、渭水、洛水也是三川。大王如果秉承天命，最终应该拥有关中、河洛。"高欢说："当世的人没有事就经常说我反叛朝廷，何况听到你这一番话？你千万不要乱说！"阳休之，是阳固的儿子。行台郎中中山人杜弼乘机劝高欢受禅，高欢举起手杖赶走了他。

东魏派遣兼散骑常侍李谐出使梁朝，任命吏部郎卢元明、通直侍郎李业兴两人为副使。李谐，是李平的孙子。卢元明，是卢昶的儿子。秋，七月，李谐等人到达

建康[279]，上引见，与语，应对如流。谐等出，上目送之，谓左右曰："朕今日遇勍敌[280]。卿辈常[10]言北间全无人物，此等何自而来！"是时邺下言风流者，以谐及陇西李神儁[281]、范阳卢元明、北海王元景[282]、弘农杨遵彦[283]、清河崔赡[284]为首。神儁名挺，宝[285]之孙。元景名昕，宪[286]之曾孙也。皆以字行。赡，㥄[287]之子也。

时南、北通好，务以俊乂[288]相夸，衔命[289]接客，必尽一时之选[290]，无才地[291]者不得与焉。每梁使至邺，邺下为之倾动，贵胜子弟盛饰聚观，礼赠优渥，馆门成市[292]。宴日，高澄常使左右觇[293]之，一言制胜，澄为之拊掌[294]。魏使至建康亦然。

独孤信求还北，上许之。信父母皆在山东[295]，上问信所适，信曰："事君者不敢顾私亲而怀贰心。"上以为义，礼送甚厚。信与杨忠皆至长安，上书谢罪。魏以信有定三荆之功，迁骠骑大将军，加侍中、开府仪同三司，余官爵如故。丞相泰爱杨忠之勇，留置帐下。

魏宇文深劝丞相泰取恒农。八月丁丑[296]，泰帅李弼等十二将伐东魏，以北雍州刺史于谨为前锋，攻盘豆[297]，拔之。戊子[298]，至恒农。庚寅[299]，拔之，擒东魏陕州刺史李徽伯[300]，俘其战士八千。

时河北[301]诸城多附东魏，左丞杨檦[302]自言父猛[303]尝为邵郡[304]白水[305]令，知其豪杰，请往说之，以取邵郡，泰许之。檦乃与土豪王覆怜等举兵，收邵郡守程保及县令四人，斩之。表覆怜为郡守，遣谍说谕东魏城堡，旬月之间，归附甚众。东魏以东雍州刺史司马恭镇正平[306]，司空从事中郎闻喜裴邃[307]欲攻之，恭弃城走，泰以杨檦行正平郡事。

上修长干寺阿育王塔[308]，出佛爪发舍利[309]。辛卯[310]，上幸寺，设无碍食[311]，大赦。

九月，柔然为魏侵东魏三堆[312]，丞相欢击之，柔然退走。

行台郎中杜弼以文武在位多贪污，言于丞相欢，请治之。欢曰："弼来，我语尔：天下贪污，习俗已久。今督将家属[313]多在关西，宇文黑獭常相招诱，人情去留未定。江东[314]复有一[11]吴翁[315]萧衍，专事衣冠礼乐，中原士大夫望之以为正朔[316]所在。我若急正纲纪，不相假

建康，梁武帝接见，与他们说话，李谐应答如流。李谐等走出朝堂，梁武帝目送他们，对身边的人说：“朕今天遇上劲敌了。你们经常说北方完全没有有才德的人，这几个人是从哪来的呢！”当时人说到邺城风流人物，都以李谐，以及陇西人李神儁、范阳人卢元明、北海人王元景、弘农人杨遵彦、清河人崔赡为首。李神儁，名挺，是李宝的孙子。王元景，名昕，是王宪的曾孙。他们都以表字称呼于世。崔赡是崔㥄的儿子。

当时，南、北两朝友好往来，竞相以拥有人才而夸耀，奉命出使和接待来宾，定要挑选当时最杰出的人才，没有才气和门地的人是不能参与的。每当梁朝使者到了邺城，邺城都为之轰动，贵族子弟都打扮得非常漂亮，聚在一起观看，赠送礼品十分优厚，使者下榻的客馆，门前成了街市。举行宴会的日子，高澄常派出身边的人观察，有一句妙语占了上风，高澄就为他鼓掌叫好。东魏的使者到了建康，也是这样。

独孤信请求回到北方，梁武帝同意了。独孤信的父母都在东魏，梁武帝问独孤信回到哪里，独孤信说：“侍奉国君的人不敢顾及私亲而有二心。”梁武帝认为独孤信忠义，送给他很贵重的礼品。独孤信与杨忠都回到了长安，上书请罪。西魏因独孤信有安定三荆的功劳，晋升他为骠骑大将军，加官侍中、开府仪同三司，以前担任的官爵照旧不变。丞相宇文泰深爱杨忠的勇敢，把他留在自己身边。

西魏宇文深劝丞相宇文泰夺取恒农郡，八月十四日丁丑，宇文泰率领李弼等十二将讨伐东魏，任命北雍州刺史于谨为前锋，进攻盘豆城，攻下了该城。二十五日戊子，到达恒农。二十七日庚寅，攻下了恒农，抓获东魏陕州刺史李徽伯，还俘虏了他的战士八千人。

当时黄河北岸多数州城都依附东魏，西魏丞相左丞杨檦自称他的父亲杨猛曾经做过邵郡白水县县令，了解当地的豪杰，请求前往游说他们，以便夺取邵郡，宇文泰同意了。杨檦就与土豪王覆怜等拉起一支军队，抓获了邵郡郡守程保以及县令等四人，全都杀了。杨檦上表推荐王覆怜为邵郡郡守，派出间谍游说东魏的城邑，不到一个月的时间，归附的人很多。东魏任命东雍州刺史司马恭镇守正平，西魏司空从事中郎、闻喜人裴邃打算进攻司马恭，司马恭丢下州城逃走了，宇文泰任命杨檦代行正平郡政事。

梁武帝修建长干寺阿育王塔，出土了佛的指甲、头发和身骨舍利子。八月二十八日辛卯，梁武帝到长干寺，举行无遮大会，大赦天下。

九月，柔然为策应西魏而侵犯东魏的三堆，丞相高欢反击柔然，柔然退走。

东魏行台郎中杜弼因在职文武大臣许多人贪污，向丞相高欢禀报，请求惩治他们。高欢说：“杜弼你过来，我告诉你：天下为官的人贪污，成为习俗已经很久了。现今带兵将领的家属大多在关西，宇文黑獭经常引诱招降他们，人心的去留都没有确定。而江东又有一个老头萧衍，成天搞儒家衣冠礼乐，中原的士大夫人心向往，认为那儿才是正统王朝。我们如果急于整肃法纪，毫不宽容，恐怕武将都将归附宇

借，恐督将尽归黑獭，士子悉奔萧衍，人物流散，何以为国？尔宜少待，吾不忘之。”

欢将出兵拒魏，杜弼请先除内贼。欢问内贼为谁，弼曰：“诸勋贵掠夺百姓者是也。”欢不应，使军士皆张弓注矢，举刀，按矟，夹道罗列，命弼冒出[317]其间，弼战栗流汗。欢乃徐谕之曰：“矢虽注不射，刀虽举不击，矟虽按不刺，尔犹亡魄失胆。诸勋人身犯锋镝，百死一生，虽或贪鄙，所取者大，岂可同之常人也？”弼乃顿首谢不及。

欢每号令军士，常令丞相属[318]代郡张华原宣旨，其语鲜卑则曰：“汉民是汝奴，夫为汝耕，妇为汝织，输汝粟帛，令汝温饱，汝何为陵之[319]？”其语华人[320]则曰：“鲜卑是汝作客[321]，得汝一斛粟、一匹绢，为汝击贼，令汝安宁，汝何为疾之？”

时鲜卑共轻华人，唯惮高敖曹。欢号令将士，常鲜卑语，敖曹在列，则为之华言[322]。敖曹返自上洛，欢复以为军司、大都督，统七十六都督。以司空侯景为西道大行台，与敖曹及行台任祥、御史中尉[323]刘贵[324]、豫州刺史尧雄、冀州刺史万俟洛同治兵于虎牢。敖曹与北豫州刺史郑严祖[325]握槊[326]，贵召严祖，敖曹不时遣[327]，枷其使者。使者曰：“枷则易，脱则难。”敖曹以刀就枷刎之，曰：“又何难！”贵不敢校[328]。明日，贵与敖曹坐，外白治河役夫多溺死，贵曰：“一钱汉[329]，随之死[330]。”敖曹怒，拔刀斫贵，贵走出还营。敖曹鸣鼓会兵，欲攻之，侯景、万俟洛共解谕，久之乃止。敖曹尝诣相府，门者不纳，敖曹引弓射之，欢知而不责。

闰月甲子[331]，以武陵王纪[332]为都督益梁等十三州诸军事、益州刺史。

东魏丞相欢将兵二十万自壶口[333]趣蒲津，使高敖曹将兵三万出河南。时关中饥，魏丞相泰所将将士不满万人，馆谷[334]于恒农五十余日，闻欢将济河，乃引兵入关，高敖曹遂围恒农。欢右长史薛琡言于欢曰：“西贼连年饥馑，故冒死来入陕州[335]，欲取仓粟。今敖曹已围陕城，粟不得出，但置兵诸道，勿与野战，比及麦秋[336]，其民自应饿死，宝炬、黑獭何忧不降！愿勿渡河。”侯景曰：“今兹举兵，形势极大，万一不捷，猝难收敛。不如分为二军，相继而进，前军若胜，后军全力；前

文黑獭，文臣士大夫们全都投奔萧衍，文武人才都流失了，用什么治理国家？你应当稍稍等待，我不会忘记这件事。”

高欢准备出兵抗击西魏，杜弼请求先清除内贼。高欢问内贼是谁，杜弼回答说：“那些掠夺百姓的各位功臣贵族就是。”高欢不接话，而让军士们都张满弓箭，举起战刀，握着长矛，夹道排列，命令杜弼突然从中间穿过，杜弼发抖流汗。高欢才慢慢开导他说：“弓箭拉满没射出，战刀高举没砍下，长矛拿着没刺击，你已经失魂丧胆。各位功臣贵族亲身冒犯锋镝，百死一生，虽然有的人贪婪鄙陋，但可取之处是主要方面，岂能等同常人？”杜弼这才磕头谢罪，承认自己的不足。

高欢每次向士兵发布命令，经常让丞相属代郡人张华原传达，他对鲜卑人讲话就说：“汉民是你们的奴仆，男人替你们耕种，妇女替你们纺织，供给你们粮食布帛，让你们穿暖吃饱，你们为什么欺凌他们？”对汉人讲话则说：“鲜卑人是你们的雇工，得了你们一斛粮食、一匹绢帛，替你们打击贼寇，让你们得到安宁，你们为什么恨他们？”

当时鲜卑人普遍看不起汉民，唯独敬畏高敖曹。高欢对将士发布命令，经常用鲜卑语，高敖曹在队列，就为了他而改用汉语。高敖曹从上洛回来，高欢仍任命他为军司、大都督，统领七十六个都督。任命司空侯景为西道大行台，与高敖曹以及行台任祥、御史中尉刘贵、豫州刺史尧雄、冀州刺史万俟洛一起在虎牢训练军队。高敖曹与北豫州刺史郑严祖玩握槊游戏，刘贵召唤郑严祖，高敖曹没有及时让郑严祖离去，还用木枷锁住刘贵的使者。使者说：“给我戴枷容易，脱枷就难了。”高敖曹用战刀在木枷上砍掉了使者的人头，说：“这有什么难处！”刘贵不敢和高敖曹计较。第二天，刘贵与高敖曹共坐，外边报告说，修治黄河的民夫许多人被淹死，刘贵说：“不值一钱的汉民，随他死去。”高敖曹大怒，拔刀砍刘贵，刘贵逃出回到自己的军营。高敖曹击鼓聚集部队，打算进攻刘贵，侯景、万俟洛一起劝说，很长时间才罢休。高敖曹曾经到相府，门卫不让进，高敖曹拉弓射门卫，高欢知道了，但没有责备。

闰九月初二日甲子，梁朝任命武陵王萧纪为都督益州梁州等十三州诸军事、益州刺史。

东魏丞相高欢率军二十万从壶口直奔蒲津，派高敖曹率兵三万到黄河以南。当时关中发生饥荒，西魏丞相宇文泰率领的将士不足一万人，在恒农驻扎就食五十多天，得知高欢将要渡过黄河，于是率兵进入关中，高敖曹趁势包围恒农。高欢右长史薛琡对高欢说：“西魏连年灾荒，所以冒死来进入陕州，想夺取库存粮食。如今高敖曹已经围困了陕城，粮食无法运出，只要我们派兵防守在各处要道，不要与西魏军在旷野作战，等到麦秋时候，西魏民众自然就饿死了，何愁元宝炬、宇文黑獭不投降！希望不要渡过黄河。”侯景说：“这次出兵，规模很大，万一打不了胜仗，匆忙中很难收拾局面，不如分为两军，前后相接行进，前军如果取得胜利，后军全力追

军若败，后军承之。”欢不从，自蒲津济河。

丞相泰遣使戒华州刺史王罴，罴语使者曰：“老罴当道卧，貉子那得过！”欢至冯翊㉝城下，谓罴曰：“何不早降？”罴大呼曰：“此城是王罴冢，死生在此。欲死者来。”欢知不可攻，乃涉洛，军于许原㉞西。

泰至渭南，征诸州兵，皆未会。欲进击欢，诸将以众寡不敌，请待欢更西以观其势。泰曰：“欢若至长安，则人情大扰，今及其远来新至，可击也。”即造浮桥于渭，令军士赍三日粮，轻骑渡渭，辎重自渭南夹渭而西。冬，十月壬辰㊴，泰至沙苑㊵，距东魏军六十里。诸将皆惧，宇文深独贺。泰问其故，对曰：“欢镇抚河北，甚得众心，以此自守，未易可图。今悬师渡河，非众所欲，独欢耻失窦泰，愎谏㊶而来，所谓忿兵㊷，可一战擒也。事理昭然，何为不贺？愿假深一节㊸，发王罴之兵邀其走路㊹，使无遗类。”泰遣须昌县公达奚武觇欢军。武从三骑，皆效欢将士衣服，日暮，去营数百步下马，潜听得其军号，因上马历营，若警夜者，有不如法，往往挞之，具知敌之情状而还。

欢闻泰至，癸巳㊺，引兵会之。候骑告欢军且至，泰召诸将谋之，开府仪同三司李弼曰：“彼众我寡，不可平地置陈，此东十里有渭曲㊻，可先据以待之。”泰从之，背水东西为陈，李弼为右拒，赵贵为左拒，命将士皆偃戈于苇中，约闻鼓声而起。晡时㊼，东魏兵至渭曲，都督太安斛律羌举㊽曰：“黑獭举国而来，欲一死决，譬如猘狗㊾，或能噬人。且渭曲苇深土泞，无所用力，不如缓与相持，密分精锐径掩长安，巢穴既倾，则黑獭不战成擒矣。”欢曰：“纵火焚之，何如？”侯景曰：“当生擒黑獭以示百姓，若众中烧死，谁复信之？”彭乐盛气请斗，曰：“我众贼寡，百人擒一，何忧不克！”欢从之。东魏兵望见魏兵少，争进击之，无复行列。兵将交，丞相泰鸣鼓，士皆奋起，于谨等六军与之合战，李弼等[12]帅铁骑横击之，东魏兵中绝为二，遂大破之。李弼弟檦㊿，身小而勇，每跃马陷陈，隐身鞍甲之中，敌见皆曰：“避此小

击；如果前军打了败仗，后军继续战斗。”高欢不听从，从蒲津渡过黄河。

西魏丞相宇文泰派人告诫华州刺史王罴，王罴告诉使者说：“我老罴在路当中横卧，狐貉哪能通得过！”高欢进军到冯翊城下，对王罴说：“为何不早投降？”王罴大喊着说：“这座城是王罴的坟墓，是死是活都在这里。想死的就上来。”高欢知道不能进攻，就渡过洛水，驻军许原西边。

宇文泰到达渭水南岸，征调各州兵马，都没有集中。宇文泰想进攻高欢，众将认为寡不敌众，请求等高欢再往西进以后，看形势再做决定。宇文泰说：“高欢如果到达长安，就会人心惊慌，如今趁他们从远方刚刚到来，是可以进攻的。”当天就在渭水造浮桥，下令军队带上三天的粮食，用轻装骑兵渡过渭水，辎重沿渭水南岸夹渭水西进。冬，十月初一日壬辰，宇文泰到达沙苑，距离东魏军六十里。西魏军众将领都非常恐惧，只有宇文深一人庆贺。宇文泰问宇文深庆贺的原因，宇文深回答说：“高欢镇抚黄河以北，很得人心，凭着这一优势自保，不容易征服他。如今他孤军渡河，不是他的部众想做的事，只是高欢以损失了窦泰为耻，不听劝谏而来，这正是在气头上出兵，一战就可活捉他。这道理是明摆着的，为什么不庆贺呢？希望丞相授我一个符节，去征调王罴的军队，切断高欢的退路，使他们一个也活不了。”宇文泰派遣须昌县公达奚武侦察高欢军。达奚武带领三个骑兵，都仿效高欢军队的服装，太阳下山的时候，他们行进到离敌营数百步的地方下马，偷听到了敌人的口令，然后上马巡视敌军营垒，就像巡夜的人，遇上不守军规的敌方士兵，往往鞭打一顿，把敌情摸得一清二楚才返回。

高欢得知宇文泰到来，十月初二日癸巳，便领兵与他交战。侦察骑兵报告说，高欢军即将到达，宇文泰召集众将商议对策，开府仪同三司李弼说：“敌众我寡，不能在平地布阵，这里的东边十里有个地方叫渭曲，可以抢先占据，等待敌军到来。”宇文泰听从了，背靠渭水向东西布下阵势，李弼为右阵拒敌，赵贵为左阵拒敌，命令将士都埋伏在芦苇中，约定听到鼓声就奋起杀敌。黄昏时分，东魏兵到达渭曲，都督太安人斛律羌举说：“宇文黑獭率领西魏全国的兵力而来，想决一死战，就像一条疯狗，有时也能咬人。况且渭曲芦苇茂密，地上泥泞，无法施展力量，不如缓慢与他相持，秘密派出一支精锐军队直接偷袭长安，一旦敌人的巢穴摧毁了，那么不用交战，宇文黑獭就成俘虏了。”高欢说：“放火焚烧他，怎么样？”侯景说：“应当活捉宇文黑獭给老百姓看，如果在众人中烧死了，谁还相信呢？”彭乐气盛，请求出战，说：“我众敌寡，一百人抓一个，何愁不胜！”高欢听从了。东魏兵看见西魏兵少，争先攻击西魏兵，乱了队形。双方兵士将要接触，丞相宇文泰擂响战鼓，西魏伏兵都奋起战斗，于谨等众军与他们合战，李弼等人率领铁骑拦腰攻击东魏兵，东魏兵被切断成为两部分，于是大败东魏兵。李弼的弟弟李檦身材矮小而勇猛，每次跃马冲入敌阵，藏身在鞍甲之中，东魏兵见了他都说：“快躲开这小子！”宇文泰赞叹

儿!”泰叹曰:“胆决如此,何必八尺之躯!”征虏将军武川耿令贵㉛杀伤多,甲裳尽赤,泰曰:“观其甲裳,足知令贵之勇,何必数级!”彭乐乘醉深入魏陈,魏人刺之,肠出,内之复战。丞相欢欲收兵更战,使张华原以簿㉜历营点兵,莫有应者,还,白欢曰:“众尽去,营皆空矣!”欢犹未肯去。阜城侯斛律金㉝曰:“众心离散,不可复用,宜急向河东。”欢据鞍未动,金以鞭拂马,乃驰去。夜,度河,船去岸远,欢跨橐驼就船,乃得度。丧甲士八万人,弃铠仗十有八万。丞相泰追欢至河上,选留甲士二万余人,余悉纵归。都督李穆曰:“高欢破胆矣,速追之,可获。”泰不听。还军渭南,所征之兵甫至,乃于战所人植柳一株以旌武功。

侯景言于欢曰:“黑獭新胜而骄,必不为备,愿得精骑二万,径往取之。”欢以告娄妃,妃曰:“设如其言,景岂有还理?得黑獭而失景,何利之有?”欢乃止。

魏加丞相泰柱国大将军,李弼等[13]十二将㉞皆进爵增邑有差。

高敖曹闻欢败,释恒农,退保洛阳。

己酉㉟,魏行台宫景寿等向洛阳,东魏洛州大都督韩贤击走之。州民韩木兰作乱,贤击破之。一贼匿尸间,贤自按检收铠仗,贼欻起㊱斫之,断胫而卒。

魏复遣行台冯翊王季海㊲与独孤信将步骑二万趣洛阳,洛州刺史李显趣三荆,贺拔胜、李弼围蒲坂。

东魏丞相欢之西伐也,蒲坂民敬珍㊳谓其从祖兄祥㊴曰:“高欢迫逐乘舆,天下忠义之士皆欲僔[14]刃㊵于其腹。今又称兵西上,吾欲与兄起兵断其归路,此千载一时也。”祥从之,纠合乡里,数日,有众万余。会欢自沙苑败归,祥、珍帅众邀之,斩获甚众。贺拔胜、李弼至河东,祥、珍帅猗氏㊶等六县十余万户归之。丞相泰以珍为平阳㊷太守,祥为行台郎中。

东魏秦州刺史薛崇礼守蒲坂,别驾薛善㊸,崇礼之族弟也,言于崇礼曰:“高欢有逐君之罪,善与兄忝㊹衣冠绪余㊺,世荷国恩,今大军已临,而犹为高氏固守,一旦城陷,函首送长安,署为逆贼,死有

说："胆量和意志如此，何必要八尺高的身躯！"征虏将军武川人耿令贵杀伤多人，甲胄衣裳都被血染红了。宇文泰说："看他的甲胄衣裳，就足以知道耿令贵的勇敢了，何必计算他取敌首级的数量！"彭乐乘醉冲入敌阵，西魏军刺他，肠子流了出来，他把肠子塞进肚子，继续战斗。丞相高欢想收拢部队重新战斗，派张华原按花名册到各营清点兵士，没有应声的人，就返回向高欢报告说："兵众全跑了，营盘都空了！"高欢仍然不肯撤离。阜城侯斛律金说："士兵的心都涣散了，不可再用，应当尽快去往河东。"高欢坐在马鞍上不动，斛律金用鞭打马，这才奔驰而去。夜晚，渡河，船离岸很远，高欢骑骆驼去上船，才渡过了黄河。损失甲士八万人，丢弃的铠甲兵仗十八万件。西魏丞相宇文泰追击高欢直到黄河边，从俘虏中选留了甲士两万多人，其余的全都放他们回去了。都督李穆说："高欢已经吓破了胆，迅速追击，可以活捉他。"宇文泰没有听从。班师回到渭南，征调的士兵才刚刚到达，于是就在打仗的地方每人栽一棵柳树用以表彰这次胜利。

侯景对高欢说："宇文黑獭刚打了胜仗而骄傲，一定不设防备，我愿率领精锐骑兵两万，直接前去活捉他。"高欢把侯景的话告诉了娄妃，娄妃说："假如真像侯景说的那样，侯景哪有回来的道理？得到宇文黑獭而丢了侯景，有什么好处呢？"高欢于是制止了侯景出兵。

西魏给宇文泰加官柱国大将军，李弼等十二个将领都进封爵位和增加食邑各有等次。

高敖曹得知高欢失败，解除了对恒农的包围，退回洛阳。

十月十八日己酉，西魏行台宫景寿等攻向洛阳，东魏洛州大都督韩贤打退了宫景寿。洛州州民韩木兰趁机叛乱，韩贤打败了韩木兰。有一个叛贼藏在尸体中，韩贤亲自检查收拾铠仗，藏匿的叛贼突然跳起砍杀韩贤，韩贤因小腿被砍断而死。

西魏又派行台冯翊王元季海与独孤信率领步骑两万赶赴洛阳，洛州刺史李显赶赴三荆，贺拔胜、李弼围攻蒲坂。

东魏丞相高欢讨伐西魏的时候，蒲坂平民敬珍对他的族兄敬祥说："高欢逼走了孝武帝，天下忠义的士人都想把刀子刺进他的肚子。如今他又向西魏大举进兵，我想和兄长起兵切断他的归路，这是千载难逢的机会啊。"敬祥听从了，两人聚结乡里，几天就有一万多人。恰遇高欢从沙苑败逃回来，敬祥、敬珍率领兵众截击高欢，杀死和俘虏了高欢的许多将士。贺拔胜、李弼到了河东，敬祥、敬珍率领猗氏等六县十余万户民众归降了他们。丞相宇文泰任用敬珍为平阳太守，敬祥为行台郎中。

东魏秦州刺史薛崇礼镇守蒲坂，别驾薛善，是薛崇礼的堂弟，对薛崇礼说："高欢有驱逐国君的罪行，我薛善与兄长愧为士族的后代，世代蒙受国家恩惠，如今西魏大军已到，我们还在替高欢坚守城池，一旦城破，我们的头颅被砍下，装在匣子

余愧，及今归款，犹为愈也。”崇礼犹豫不决。善与族人斩关纳魏师，崇礼出走，追获之。丞相泰进军蒲坂，略定汾、绛㊱，凡薛氏预开城之谋者，皆赐五等爵。善曰：“背逆归顺，臣子常节，岂容阖门大小俱叨㊲封邑？”与其弟慎㊳固辞不受。

东魏行晋州㊴事封祖业㊵弃城走，仪同三司薛脩义追至洪洞㊶，说祖业还守。祖业不从。脩义还据晋州，安集固守。魏仪同三司长孙子彦㊷引兵至城下，脩义开门伏甲以待之，子彦不测虚实，遂退走。丞相欢以脩义为晋州刺史。

独孤信至新安㊸，高敖曹引兵北渡河。信逼洛阳，洛州刺史广阳王湛弃城归邺，信遂据金墉城㊹。孝武帝[15]之西迁也，散骑常侍河东裴宽㊺谓诸弟曰：“天子既西，吾不可以东附高氏。”帅家属逃于大石岭㊻。独孤信入洛，乃出见之。时洛阳荒废，人士流散，惟河东柳虬㊼在阳城㊽，裴诹之㊾在颍川㊿，信俱征之，以虬为行台郎中，诹之为开府属。

东魏颍州长史贺若统(381)执刺史田迄(382)，举城降魏，魏都督梁回[16]入据其城。前通直散骑侍郎郑伟(383)起兵陈留(384)，攻东魏梁州(385)，执其刺史鹿永吉(386)。前大司马从事中郎崔彦穆(387)攻荥阳(388)，执其太守苏淑(389)，与广州长史刘志(390)皆降于魏。伟，先护(391)之子也。丞相泰以伟为北徐州刺史，彦穆为荥阳太守。

十一月，东魏行台任祥帅督将尧雄、赵育、是云宝(392)攻颍川，丞相泰使大都督宇文贵、乐陵公辽西怡峰(393)将步骑二千救之。军至阳翟(394)，雄等军已去颍川三十里，祥帅众四万继其后。诸将咸以为彼众我寡，不可争锋。贵曰：“雄等谓吾兵少，必不敢进。彼与任祥合兵攻颍川，城必危矣。若贺若统陷没，吾辈坐此何为？今进据颍川，有城可守，又出其不意，破之必矣！”遂疾趋，据颍川，背城为陈以待。雄等至，合战，大破之，雄走，赵育请降，俘其士卒万余人，悉纵遣之。任祥闻雄败，不敢进，贵与怡峰乘胜逼之，祥退保宛陵(395)，贵追及，击之，祥军大败。是云宝杀其阳州刺史那椿，以州(396)降魏。魏以贵为开府仪同三司，是云宝、赵育为车骑大将军。

都督杜陵韦孝宽(397)攻东魏豫州，拔之，执其行台冯邕。孝宽名叔裕，以字行。

里送往长安，定罪名为叛国贼，就是死了也仍有惭愧。趁现在投降，还不算晚啊。”薛崇礼犹豫不决，薛善与族人劈开了城门，接纳西魏军，崇礼出城逃跑，被追捕抓获。丞相宇文泰进兵蒲坂，平定了汾州、绛州，凡是薛氏参与了谋划、打开城门的人，都赐给五等爵。薛善说：“背叛反贼归顺朝廷，是臣子应有的节操，岂能全族大小都蒙受封邑?”他和弟弟薛慎坚决推辞，不肯接受。

东魏代理晋州刺史封祖业弃城逃走，仪同三司薛脩义追到洪洞县，劝说封祖业回到晋州守城。封祖业没有听从。薛脩义回来据有晋州，整顿兵马固守。西魏仪同三司长孙子彦领军到了城下，薛脩义打开城门，埋伏甲士等待他，长孙子彦不知虚实，就撤退了。丞相高欢任命薛脩义为晋州刺史。

独孤信到新安时，高敖曹率兵向北渡过黄河。独孤信逼近洛阳，洛州刺史广阳王元湛丢下洛阳逃回邺城，独孤信于是占据了金墉城。孝武帝向西迁移的时候，散骑常侍河东人裴宽对几个弟弟说：“天子既然西去，我们不可以留在东边依附高氏。”就带着家属逃到了大石岭。独孤信进入了洛阳，这才出来相见。当时洛阳荒废，名人士族都流散了，只有河东人柳虬留在阳城，裴诹之留在颍川，独孤信把他们都征召出来，任用柳虬为行台郎中，裴诹之为开府属。

东魏颍州长史贺若统抓捕了刺史田迄，全城投降西魏，西魏都督梁回进驻颍州城，原通直散骑侍郎郑伟在陈留起兵，攻打东魏的梁州，擒获了梁州刺史鹿永吉。原大司马从事中郎崔彦穆攻打荥阳，擒获了荥阳太守苏淑，与广州长史刘志一同投降西魏。郑伟，是郑先护的儿子。丞相宇文泰任用郑伟为北徐州刺史，崔彦穆为荥阳太守。

十一月，东魏行台任祥率领督将尧雄、赵育、是云宝进攻颍川，丞相宇文泰派大都督宇文贵、乐陵公辽西人怡峰率领步骑两千人救援颍川。援军到阳翟，尧雄等军已距离颍川只有三十里路，而任祥率领四万大军紧随其后。西魏众将领都认为敌众我寡，不可迎敌交战。宇文贵说：“尧雄等认为我军兵少，一定不敢前进。他与任祥合兵攻打颍川，颍川城就危险了。如果贺若统城破身亡，我们停留在这里干什么?现今进据颍川，有城可守，又出其不意，打败东魏兵是肯定的!”于是急速前行，占据了颍川，背靠州城布阵以待。尧雄等到达颍川，两军交战，大败东魏军，尧雄逃走，赵育请求投降，俘获东魏将士一万余人，全部释放了。任祥得知尧雄兵败，不敢进军，宇文贵与怡峰乘胜进逼任祥，任祥退保宛陵。宇文贵追上了任祥，攻击他，任祥军大败。是云宝杀了东魏阳州刺史那椿，带领阳州军民投降西魏。西魏任命宇文贵为开府仪同三司，是云宝、赵育为车骑大将军。

都督杜陵人韦孝宽攻打东魏豫州，占领了豫州，抓获了东魏行台冯邕。韦孝宽，名叔裕，以表字行世。

丙子[398]，东魏以骠骑大将军、仪同三司万俟普为太尉。

司农[399]张乐皋[400]等聘于东魏。

十二月，魏行台杨白驹与东魏阳州刺史段粲战于蓼坞[401]，魏师败绩。

魏荆州刺史郭鸾攻东魏东荆州刺史清都慕容俨[402]，俨昼夜拒战，二百余日，乘间出击鸾，大破之。时河南诸州多失守，唯东荆获全。

河间邢磨纳[403]、范阳卢仲礼[404]、仲礼从弟仲裕[405]等皆起兵海隅[406]以应魏。

东魏济州刺史高季式有部曲千余人，马八百匹，铠仗皆备。濮阳[407]民杜灵椿等为盗，聚众近万人，攻城剽野，季式遣骑三百，一战擒之，又击阳平贼路文徒[408][17]等，悉平之。于是远近肃清。或谓季式曰："濮阳、阳平[409]乃畿内之郡，不奉诏命，又不侵境，何急而使私军[410]远战？万一失利，岂不获罪乎？"季式曰："君何言之不忠也？我与国家同安共危，岂有见贼而不讨乎？且贼知台军猝不能来，又不疑外州有兵击之，乘其无备，破之必矣。以此获罪，吾亦无恨。"

【段旨】

以上为第三段，记公元五三七年史事。本年东西魏两次大规模会战，都是势强的东魏高欢先发制人，进讨西魏，但高欢恃众而骄，均未抓住战机而失败；西魏宇文泰筹策妙算，以弱胜强，以少胜众，积极应战而获胜。西魏扩张，东魏缩小，一涨一消而近于势均力敌。这一年，梁朝通好东魏。

【注释】

㉖广阳：县名，县治在今陕西临潼北。㉗掎：牵制。㉘缀：吸引住。㉙蹉跌：失足跌倒，以比喻出现差错。㉚再攻潼关：此前高欢于永熙三年（公元五三四年）、大统元年（公元五三五年）两攻潼关，这是第三次进攻。㉛中兵参军：官名，王公军府属官，掌本府中兵曹，备府主咨询。㉜达奚武（公元五〇四至五七〇年）：复姓达奚，字成兴，代人，善骑射，屡立战功，西魏文帝时，进位大将军，封高阳郡公。入周，拜柱

十一月十五日丙子，东魏任命骠骑大将军、仪同三司万俟普为太尉。

梁朝司农张乐皋等出使东魏。

十二月，西魏行台杨白驹与东魏阳州刺史段粲在蓼坞交战，西魏军大败。

西魏荆州刺史郭鸾攻打东魏东荆州刺史清都人慕容俨，慕容俨日夜抵御作战，两百多天，抓住机会出击郭鸾，大败西魏军。当时东魏黄河以南各州城大多失守，只有东荆州得到保全。

河间人邢磨纳、范阳人卢仲礼、卢仲礼的堂弟卢仲裕等都在沿海地区起兵响应西魏。

东魏济州刺史高季式有亲兵一千多人、战马八百匹，铠甲兵器齐备。濮阳平民杜灵椿等当强盗，聚众近万人，攻占城池，洗劫乡野，高季式派遣三百骑兵，一战抓获了杜灵椿，又攻击阳平的叛贼路文徒等，全部平定了他们。这样一来，京畿远近都安定了下来。有人对高季式说："濮阳、阳平都是京畿内的郡县，我们没有接到皇帝讨伐的诏令，盗贼又没有侵犯我们济州边境，为什么急急忙忙派出亲兵远出作战？万一打了败仗，岂不招来罪责？"高季式说："你怎么说出这样不忠的话啊？我和主公有福同享有难同当，哪有看到盗贼而不征讨的？况且盗贼明知政府军仓促间来不了，又认为外州的军队不会来征讨，我趁其不备，一定可以打败他。因此获得罪责，我也没有什么遗憾。"

国，进封郑国公。官至太傅。传见《周书》卷十九、《北史》卷六十五。㉝庚戌：正月十四日。㉞直事郎中：官名，即尚书直事郎中，尚书省属官，位在诸曹郎之上。㉟深：宇文深（？至公元五六八年），字奴干，性鲠直，有谋略，受宇文泰器重，常参与筹划军政大事。入周，封安化县公，官至司会中大夫。传见《周书》卷二十七、《北史》卷五十七。㊱小关：关名，在潼关北边。㊲辛亥：正月十五日。㊳癸丑旦：正月十七日凌晨。㊴马牧泽：地名，在潼关北边的古桃林塞，那里水草丰泽，是放牧军马的地方，因而得名。㊵薛孤延：复姓薛孤，一作"萨孤"，代（今河北蔚县）人，骁勇善战，常任前锋。东魏时，以功封平秦郡公。入齐，别赐爵都昌县公，拜太子太傅。传见《北齐书》卷十九、《北史》卷五十三。㊶为殿：押后。㊷十五刀折：拼死抗击宇文泰追兵，接连砍断了十五把刀。㊸商山：山名，在今陕西商州东南。㊹上洛：郡名，治所上洛城，在今陕西商洛。㊺通中者三：有三支箭射穿躯体。㊻殒绝：死亡。此作昏死解。㊼元礼、仲遵：泉元礼，少有志气，好弓马。仕西魏，官至车骑大将军。泉仲遵，一名恭。仕西魏，爵上洛郡公，官至左卫将军、金州刺史。传见《周书》卷四十四、《北史》卷六十

六。㉘高季式：高敖曹的弟弟。㉙蓝田关：关名，即峣关，在今陕西蓝田。㉚拔身可也：一人脱身就可以了。㉛丁亥：二月二十二日。㉜己丑：二月二十四日。㉝中权将军：将军名号，南朝梁天监六年（公元五〇七年）置，仅授予在京师任职的官员，为天监七年（公元五〇八年）所定武职二十四班之二十三班。㉞护军将军：官名，掌监督京师以外诸军，权任颇重。梁十五班。㉟萧渊藻（公元四八三至五四九年）：字靖艺，梁武帝之侄，封西昌县侯，官至尚书左仆射、侍中、中书令，颇受梁武帝器重。侯景之乱，绝食死。传见《梁书》卷二十三、《南史》卷五十一。㊱谢举（？至公元五四八年）：字言扬，陈郡阳夏人，仕梁，官至侍中、尚书令。与何敬容齐名。传见《梁书》卷三十七、《南史》卷二十。㊲右光禄大夫：官名，是散官，无职事，以供顾问。梁十六班。㊳槐里：县名，县治在今陕西兴平东南。㊴神玺：疑是汉代帝王八玺之一。此玺以镇中国，藏而不用。㊵辛未：三月丙申朔，无辛未。《魏书·孝静帝纪》《北史·孝静帝纪》均作"四月辛未"，则是四月初六日。《通鉴》误。㊶七帝神主：道武、明元、太武、文成、献文、孝文、宣武七帝的庙主牌位。㊷武川王盟：武川王元盟（？至公元五四五年），字子仵，祖居乐浪（今朝鲜平壤），后移居武川。西魏长乐郡公、太傅。传见《周书》卷二十、《北史》卷六十一。㊸汾阳：县名，县治在今山西静乐西。㊹天池：在管涔山上，湖面方一里有余。在今山西宁武西南。㊺阳休之（公元五〇七至五八二年）：字子烈，右北平无终（今天津市蓟州区）人，东魏末，官至中军将军兼侍中。仕齐，封燕郡王。入北周，进位上开府，官和州刺史。传见《魏书》卷七十二、《北齐书》卷四十二、《北史》卷四十七。㊻"六者"二句：高欢字贺六浑，有"六"字。㊼洛：此洛水为关中之北洛河，源出陕北白于山，南至华阴入渭水。㊽奄有：拥有。㊾固：阳固，字敬安，北魏洛阳令。性刚直不阿，为官清廉。传见《魏书》卷七十二、《北史》卷四十七。㊿杜弼（公元四九一至五五九年）：字辅弼，中山曲阳（今河北曲阳）人，高欢亲信，典掌机密，封定阳县侯。入齐，以定策功，别封长安县伯。传见《北齐书》卷二十四、《北史》卷五十五。㉗①承间：趁机。㉗②受禅：指接受东魏主禅让帝位。㉗③李谐：字虔和，顿丘人。北魏彭城侯，位至大司农。传见《魏书》卷六十五、《北史》卷四十三。㉗④卢元明：字幼章，范阳涿人。博览群书，性好玄理。东魏孝静帝时，曾官散骑常侍，监修起居注。传见《魏书》卷四十七、《北史》卷三十。㉗⑤通直侍郎：官名，即通直散骑侍郎，集书省官员掌侍从论议。从五品。㉗⑥李业兴：上党长子（今山西长子）人。东魏时官至国子祭酒、太原太守，是有名学者。传见《魏书》卷八十四、《北史》卷八十一。㉗⑦平：李平，字昙定，北魏武邑郡公。历任中书令、吏部尚书，掌处机密十余年，名噪一时。传见《魏书》卷六十五、《北史》卷四十三。㉗⑧昶：卢昶，字叔达，仕北魏，曾任黄门侍郎、散骑常侍、吏部尚书等职，中庸守职，无创见。传见《魏书》卷四十七、《北史》卷三十。㉗⑨建康：梁都城，在今江苏南京。㉘⓪勍敌：劲敌。㉘①李神儁：即李挺（公元四七八至五四一年），小名提，陇西狄道人。北魏千乘县侯，累迁散骑常侍、骠骑大将军、仪同三司。东魏时官至侍中。传见《魏书》卷三十九、《北史》卷一百。㉘² 王元景：即王昕（？至公元五五九年），北海剧（今山东昌乐）人，德行学业，为人师表。北齐时曾任秘书监。传见《魏书》卷三十三、《北齐书》卷三十一、《北史》卷二十四。㉘³ 杨遵彦：即杨愔。㉘⁴ 崔赡（公元五一九至五七二年）：《北齐书》作“崔瞻”，字彦通。仕北齐，袭爵武城公，官至骠骑大将军、银青光禄大夫。传见《北齐书》卷二十三、《北史》卷二十四。㉘⁵ 宝：李宝（公元四〇七至四五九年），魏敦煌公。传见《魏书》卷三十九、《北史》卷一百。㉘⁶ 宪：王宪（公元三七八至四六六年），魏北海公。传见《北史》卷二十四。㉘⁷ 㥄：崔㥄（公元四九四至五五四年），字长孺，清河东武城人，北魏武城县公。传见《魏书》卷六十九、《北齐书》卷二十三、《北史》卷二十四。㉘⁸ 俊乂：有才德的人士。㉘⁹ 衔命：奉命出使。㉙⁰ 尽一时之选：选用当时最杰出的人才。㉙¹ 才地：才干和门第。㉙² 馆门成市：客馆门外，人群攒集，如同集市。㉙³ 觇：窥视。㉙⁴ 拊掌：击掌，含叫好的意思。㉙⁵ 山东：地区名，泛指崤山以东、长江以北地区。又称作“关东”。此指东魏。㉙⁶ 丁丑：八月十四日。㉙⁷ 盘豆：城名，在今河南灵宝境内。㉙⁸ 戊子：八月二十五日。㉙⁹ 庚寅：八月二十七日。㉚⁰ 李徽伯：即李裔（？至公元五三七年），字徽伯，赵郡平棘（今河北赵县）人，东魏固安县伯，陕州刺史。传见《魏书》卷三十六、《北史》卷三十三。㉚¹ 河北：黄河以北。此专指今晋南地区。㉚² 杨檦：字显进，正平高凉（今山西新绛西南）人，西魏肥如侯，建州刺史，镇守正平，屡立战功。后军败降北齐。传见《周书》卷三十四、《北史》卷六十九。㉚³ 猛：杨猛，曾任过县令。㉚⁴ 邵郡：郡名，治所阳胡城，在今山西垣曲。㉚⁵ 白水：县名，县治在今山西垣曲。㉚⁶ 正平：郡名，治所正平，在今山西新绛。㉚⁷ 裴邃：河东闻喜人，西魏澄城县子，安东将军、银青光禄大夫。传见《周书》卷三十七、《北史》卷三十八。㉚⁸ 长干寺阿育王塔：佛寺名，在今江苏南京秦淮河南。㉚⁹ 出佛爪发舍利：出土佛指甲、头发和身骨舍利子。事详《南史》卷七十八《扶南传》。㉛⁰ 辛卯：八月二十八日。㉛¹ 无碍食：即无遮食，意思是开佛法大会，向到场的所有僧众施舍斋饭。㉛² 三堆：县名，县治在今山西静乐。㉛³ 督将家属：指可朱浑道元、万俟普、刘丰生诸部下大将的亲属。㉛⁴ 江东：泛指三国时吴国孙氏政权辖地。㉛⁵ 吴翁：萧衍辖地与孙吴略同，故欢戏称他为“吴翁”。㉛⁶ 正朔：正为一年之始，朔是一月之始，都是夏历的专用语。于此比喻中华正统。㉛⁷ 冒出：突然出现。㉛⁸ 丞相属：官名，丞相府各曹副主管。㉛⁹ 陵之：欺侮他们。㉜⁰ 华人：指汉族人。㉜¹ 作客：雇工。㉜² 华言：汉族语言。㉜³ 御史中尉：官名，原称御史中丞，北魏时置此官，用来督察百官。㉜⁴ 刘贵（？至公元五三九年）：秀容阳曲（今山西阳曲西南）人，尔朱荣亲信，北魏敷城县公。后转投高欢，以严酷著称。传见《北齐书》卷十九、《北史》卷五十三。㉜⁵ 郑严祖：荥阳开封人。轻躁薄行，东魏孝静帝初官鸿胪卿。传见《北史》卷三十五。㉜⁶ 握槊：传自西域少数民族的赌博游戏，如同“双陆”一类。㉜⁷ 不时遣：不立即遣回。㉜⁸ 不敢校：不敢计较。㉜⁹ 一钱汉：说汉族人贱，不值一钱。㉝⁰ 随之死：随便他们死，不必管。㉝¹ 甲子：闰九月初二日。㉜武陵王纪：萧纪（公元五〇八至五五三年），字世询，梁武帝第八子，封武陵王。侯景之乱，纪称帝于蜀。与其兄梁元帝萧绎争国，战败而死。传见《梁书》卷五十五、《南史》卷五十三。㉝壶口：山名，在今山西吉县西。㉞馆谷：旅居就食。㉟陕州：州名，治所陕城，在今河南三门峡。㊱麦秋：指夏历四月。㊲冯翊：郡名，治所高陵，在今陕西西安。㊳许原：地名，在今陕西富平西南。㊴壬辰：十月初一日。㊵沙苑：地名，在今陕西大荔南、渭水与洛水之间。㊶愎谏：不听劝谏。㊷忿兵：因愤怒而草率发兵。㊸一节：一军令凭证。节，符节。㊹走路：退路。㊺癸巳：十月初二日。㊻渭曲：地名，渭水弯道处，在今陕西大荔东南。㊼晡时：黄昏时分。㊽斛律羌举：复姓斛律，名羌举，太安（今山西寿阳西）人，世任部落酋长。仕东魏，历任清州、东夏州刺史，封密县侯。传见《北齐书》卷二十、《北史》卷五十三。㊾猘狗：疯狗。㊿檦：李檦（？至公元五六四年），字灵杰，本贯辽东襄平，西魏时改作陇西成纪人，胆略过人。西魏骠骑大将军，封封山县公。入周，晋爵汝南郡公。传见《周书》卷十五、《北史》卷六十。(351)耿令贵：即耿豪（公元五一六至五五〇年），本名令贵，钜鹿（今河北晋州）人，凶悍狂傲，仕西魏，以军功位至侍中、骠骑大将军、开府仪同三司。宇文泰每优容相待。传见《周书》卷二十九、《北史》卷六十六。(352)簿：花名册。(353)斛律金（公元四五八至五三七年）：字阿六敦，朔州敕勒部（在今内蒙古黑河流域）人，性敦直，善骑射。随高欢起义于信都，屡立战功，封石城郡公。入齐，封咸阳郡王，位左丞相。传见《北齐书》卷十七、《北史》卷五十四。(354)十二将：即李弼、独孤信、梁御、赵贵、于谨、若于惠、怡峰、刘亮、王德、侯莫陈崇、李远、达奚武等人。(355)己酉：十月十八日。(356)欻起：突然跃起。(357)季海：元季海，字符泉，北魏宗室。随孝武帝入关，封冯翊王，位中书令，迁司空。传见《北史》卷十五。(358)敬珍：字国宝，河东蒲坂人，位至绛州刺史。传见《周书》卷三十五。(359)祥：敬祥，拜龙骧将军，领相里防主。传见《周书》卷三十五。(360)倳刃：插入刀子。倳，同“剚”。(361)猗氏：县名，县治在今山西临猗。(362)平阳：郡名，治所白马城，在今山西临汾西南。(363)薛善：字仲良，河东汾阴（今山西万荣西南）人，北魏官至司农少卿，封博平县公。入周，位至少傅。传见《周书》卷三十五、《北史》卷三十六。(364)忝：愧为。自谦之词。(365)衣冠绪余：意为士大夫末尾，谦辞。(366)汾、绛：皆州名。汾，南汾州，治所文城，在今山西吉县。绛，绛州，治所玉壁，在今山西稷山。(367)叨：辱承。谦称。(368)慎：薛慎，字佛护，有文才，擅草书。西魏时任宇文泰行台学师，数年后任礼部郎中，拜膳部下大夫。入周，封淮南县子，出任湖州刺史。传见《周书》卷三十五、《北史》卷三十六。(369)晋州：州名，治所白马城，在今山西临汾。(370)封祖业（公元四八七至五四〇年）：名延之，字祖业，封隆之的弟弟。有吏才。仕东魏，封郏县子，曾官青州刺史。传见《魏书》卷三十二、《北齐书》卷二十一、《北史》卷二十四。(371)洪洞：县名，县治在今山西洪洞。(372)长孙子彦：复姓长孙，本名儁。北魏孝武帝入关，封高平郡公，位仪同三司。西魏大统中，官至太子太傅。传见《北史》卷二十二。373 新安：县名，县治在今河南渑池县东。374 金墉城：城名，在今河南洛阳东，俗称阿斗城。375 裴宽：字长宽，河东闻喜（今山西闻喜）人，西魏车骑大将军。入周，爵夏阳县子。任沔州刺史时，被陈人所擒，死于建康。传见《周书》卷三十四、《北史》卷三十八。376 大石岭：山名，在今河南伊川县西南。377 柳虬（公元五〇一至五五四年）：字仲盘，《周书》本传作“仲蟠”，河东解（今山西运城西南解州镇）人，仕西魏，封美阳县男。官至秘书监，加车骑大将军、仪同三司。传见《周书》卷三十八、《北史》卷六十四。378 阳城：县名，县治在今河南登封东南。379 裴诹之：字士正，河东闻喜人。博闻强记，号“洛阳遗彦”。传见《魏书》卷八十八、《北齐书》卷三十五、《北史》卷三十八。380 颍川：郡名，治所颍阴，在今河南许昌。381 贺若统：复姓贺若，代人，东魏颍州长史，降西魏，拜散骑常侍、兖州刺史，封当阳县公。传见《周书》卷二十八、《北史》卷六十八。382 田迄：《魏书》《北齐书》《周书》均作“田迅”。疑《通鉴》误。383 郑伟（公元五一五至五七一年）：字子直，小名阇提，荥阳开封（今河南开封西南）人，尔朱氏作乱，一度随父降梁。北魏孝武帝西迁，隐居乡里。后归从宇文泰，屡立战功，任中军将军，封襄城郡公。传见《周书》卷三十六、《北史》卷三十五。384 陈留：郡名，治所浚仪，在今河南开封西北。385 梁州：州名，治所大梁城，在今河南开封西北。386 鹿永吉：即鹿悆，字永吉，济阴乘氏（今山东菏泽）人，北魏时爵定陶县侯，官至金紫光禄大夫，兼尚书右仆射。传见《魏书》卷七十九、《北史》卷四十六。387 崔彦穆（？至公元五八一年）：以字行，清河东武城（今河北清河县西）人，有才学，被时人誉为“王佐之才”。投西魏，转入宇文泰幕府，兼掌文翰。入周，位上大将军、襄州总管，爵东郡公。传见《周书》卷三十六、《北史》卷六十七。388 荥阳：县名，县治在今河南荥阳。也是荥阳郡郡治。389 苏淑：字仲和，武邑（今河北武邑）人，东魏晋阳男，历任荥阳、中山太守，是当时著名的循吏。传见《魏书》卷八十八、《北史》卷八十六。390 刘志（？至公元五七〇年）：本名思，宇文泰赐名志，弘农华阴人，入周，封鲁公，任刑部中大夫，执法公允。传见《周书》卷三十六。391 先护：郑先护，北魏平昌郡公。被尔朱仲远所害。传见《魏书》卷五十六、《北史》卷三十五。392 赵育、是云宝：皆人名。赵育，西魏车骑大将军。是云宝，西魏大将军、凉州刺史，封洞城郡公。死于与吐谷浑人的战斗。并见《周书》卷十九《宇文贵传》。393 怡峰（公元五〇〇至五四九年）：原姓默台，字景阜，辽西人，以骁勇闻名。西魏车骑大将军、开府仪同三司，爵乐陵郡公。传见《周书》卷十七、《北史》卷六十五。394 阳翟：县名，县治在今河南禹州。395 宛陵：县名，当作“苑陵”，县治在今河南新郑东北。396 州：即阳州，州名，治所宜阳，在今河南宜阳。397 韦孝宽（公元五〇九至五八〇年）：本名叔裕，以字行，京兆杜陵（今陕西西安东南）人，西魏名将，爵建忠郡公。入周，位柱国，封郧国公。定灭北齐之策。传见《周书》卷三十一、《北史》卷六十四。398 丙子：十一月十五日。399 司农：官名，司农卿之省称，南朝梁置，为十二卿之一，掌国家农业、仓储、宫廷供给事务，十一班。㊵⓪ 张乐皋：梁朝使者。《魏书》卷六十九、卷八十五、卷九十八与《北史》卷八十三、《南史》卷七均作“张皋”。疑“乐”字是衍文。又胡三省注认为“司农”下有脱文，当是。㊵① 蓼坞：坞壁名，在今陕西潼关北。㊵② 慕容俨（？至公元五七〇年）：字恃德，清都成安人，通兵法，工骑射。东魏时以战功除胶州刺史。入北齐，爵义安王，出为光州刺史。传见《北齐书》卷二十、《北史》卷五十三。㊵③ 邢磨纳：人名，一作“摩纳”。㊵④ 卢仲礼：名礼，字仲礼。㊵⑤ 仲裕：《魏书》和《北史》均作“卢景裕，字仲孺”，疑《通鉴》误。景裕小字白头，好经学，世号居士。以《周易》注传世。传见《魏书》卷八十四、《北史》卷三十。㊵⑥ 海隅：沿海地区。此指河间郡，即今河北献县一带，范阳郡即今河北涿州，均属滨海地区。㊵⑦ 濮阳：郡名，治所鄄城，在今山东鄄城北。㊵⑧ 路文徒：人名。㊵⑨ 阳平：郡名，治所馆陶，在今河北馆陶。㊶⓪ 私军：高季式部曲由他私人供衣食军械，对他本人效忠，不用政府粮饷，所以称私军。

【校记】

［8］之中：原无此二字，据章钰校，甲十一行本、乙十一行本、孔天胤本皆有此二字。张敦仁《通鉴刊本识误》、张瑛《通鉴校勘记》同，今据补。［9］高季式：原无“高”字。据章钰校，甲十一行本、乙十一行本、孔天胤本皆有此字，今据补。［10］常：原作“尝”。据章钰校，甲十一行本、乙十一行本、孔天胤本皆作“常”，今据改。［11］一：原无此字。据章钰校，甲十一行本、乙十一行本、孔天胤本皆有此字，今据补。［12］等：原无此字。据章钰校，甲十一行本、乙十一行本、孔天胤本皆有此字，今据补。［13］等：原无此字。据章钰校，甲十一行本、乙十一行本、孔天胤本皆有此字，张敦仁《通鉴刊本识误》同，今据改。［14］俥：原作“剸”。据章钰校，甲十一行本、乙十一行本皆作“俥”，今据改。［15］孝武帝：原无“帝”字。据章钰校，甲十一行本、乙十一行本、孔天胤本皆有此字，今据补。［16］梁回：原作“梁迴”。据章钰校，甲十一行本、乙十一行本、孔天胤本皆作“梁迴”，张敦仁《通鉴刊本识误》同。〖按〗《魏书·孝静帝纪》作“梁迴”，今据改。［17］文徒：严衍《通鉴补》改作“叔文”。〖按〗《北齐书·高乾传附高季式传》作“文徒”。

【研析】

公元五三五至五三七年，南方的梁朝开始行用“大同”年号，这明显带有强烈的文化理想，而非政治、军事追求。南方“士大夫竞谈玄理，不习武事”，在道教领袖陶弘景看来，是相当危险的事情，他担心西晋时士大夫谈玄论道而亡国的悲剧即将重演。不过，在东魏执政者高欢看来，梁武帝萧衍“制礼作乐”，发挥其文化上的优势，“中原士大夫望之以为正朔所在”，杀伤力不可轻视。但对于高欢来说，宇文泰立元宝矩为皇帝，年号“大统”，不仅造成北魏政权事实上的分裂，而且宣示自己政权的正统性，才是首先得解决的问题。他不断拉拢今鄂尔多斯、宁夏乃至青海草原的部族势力，给西魏造成麻烦，并成功地与北方草原主复兴的柔然实现“和亲”。在一切准备妥当之后，关中发生大饥荒，“人相食，死者什七八”，更给高欢提供了难得的机会，于是在公元五三六年底至次年一年时间中，连续发起两次大规模的军事行动，试图将宇文泰的政权扼杀于摇篮之中。

潼关之战、沙苑之战充分显示了宇文泰杰出的军事才能。公元五三七年春天，东魏三路大军西侵，高欢自率主力在山西西南摆出挥兵越过黄河、直下关中的态势，其连襟窦泰率万余人进攻潼关，而勇将高昂率三万人迂回至商洛，兵指蓝田关。任何一路得手，都将会造成长安告急的严重局面。宇文泰采取“任你八方来，我自一面去”的策略，率不足万人的部队，奔袭轻敌冒进的窦泰部，于潼关附近将其全部歼灭，窦泰自杀。结果其他两路卷甲而逃。潼关之战后，宇文泰率部出潼关，攻占弘农，河南西南部地方势力纷纷倒戈投诚，迫使高欢再次率大军西进。宇文泰利用高欢狐疑持重的心理，率部于渭河北岸的沙苑预设伏击阵地，高欢部下轻敌冒进，无复阵列，加上李弼率领的重装骑兵横冲敌阵，将其一分为二。结果高欢“丧甲士八万人，弃铠仗十有八万”，不仅未能消灭宇文泰，反而给他提供了精锐士卒与装备。此后双方的战争围绕洛阳、河东局部地区的争夺而展开，西魏已无亡国之虞，东、西魏对峙局面最终形成。

东、西魏对峙之初，东魏无论在版图、军事与经济实力、文化与人才等方面，相对于西魏，均有压倒性的优势。唐初政治家魏征曾评价说:“控带遐阻，西苞汾、晋，南极江、淮，东尽海隅，北渐沙漠，六国之地，我获其五,九州之境，彼分其四。料甲兵之众寡，校帑藏之虚实，折冲千里之将，帷幄六奇之士，比二方之优劣，无等级以寄言。”但最初强大的高氏政权并没有压服宇文泰集团，反而是宇文氏政权日渐强大，消灭高氏政权，重新统一北方，并为隋朝统一全国奠定基础。本卷叙述的一些史实，可以供我们探寻双方强弱易位的某些因素。

东、西魏创立之初，皇帝尽管都还姓元，但实际的统治者无疑分别是高欢与宇文泰。毫无疑问，政权的创立者也会给这一政权创立之后数代的发展打下深刻的烙印。因而从本卷关于高欢执政方式的一些叙述中，我们可以大体了解东魏政权的基本面貌。

高欢本为怀朔镇一戍兵，后因仪表出众，被当地一个部落首领家的女儿看中，娶得富妻娄氏，“常以父母家财”相奉，才混得像个人物，但仍“被杖，背无完皮”。出身不能决定一切，但毕竟可以影响其看问题的方式。在当时北镇武人当道、教育不兴的大环境下，出身底层的高欢，文化或者说知识大体局限于生活环境习得与个人阅历，治国兴邦之道当无从涉及。他利用富妻提供的财物“结奔走之友”，趁魏末北镇武人暴动的机会，因多谋善变的个人素质，从尔朱氏手中获得六镇余从的支配权，并在河北世家大族的支持下对尔朱氏反戈一击，成功地成为东魏的执政者。但不仅军事上在与势力弱小的宇文泰一方对垒时屡吃败仗，统治策略也乏善可陈。

东魏创立之后，北镇武人成为军政大员，他们被视为新政权的“勋贵”。但除了能在战场上拼命外，大体上都鄙陋无文化。如鲜卑人斛律敦，因“敦”字实在难写，改用笔画较少的“金”字，仍写不好，有人用“筑屋”给他讲解该字的写法，才写得像个样子；敕勒人库狄干，要在公文上签名，“干”字这一竖，总是从下往上写，被人取笑为“逆上穿锥”。这批鲜卑化的“勋贵”，挟北镇时期产生的对于汉人的仇视心理，“共轻华人”。当有人向“勋贵”之一的刘贵报告整治黄河的民夫溺死过多时，他竟然称“一钱汉，随之死”，即是典型事例。对于东魏政权的总人口来说，北镇武人毕竟是极少的一部分，高欢理应严加约束，一视同仁，以实现稳定的统治。但他“号令将士，常鲜卑语，（高）敖曹在列，则为之华言”，情感上更偏爱鲜卑人。“语鲜卑则曰：‘汉民是汝奴，夫为汝耕，妇为汝织，输汝粟帛，令汝温饱，汝何为陵之?’其语华人则曰：‘鲜卑是汝作客，得汝一斛粟、一匹绢，为汝击贼，令汝安宁，汝何为疾之?’”更可笑的是，当杜弼请求对“诸勋贵掠夺百姓者”加以惩治时，他竟让武人在杜弼面前舞刀弄剑，吓杜弼个半死，并称：“诸勋人身犯锋镝，百死一生，虽或贪鄙，所取者大，岂可同之常人也!”一支跋扈嚣张、欺压百姓的军队，打胜仗是偶然的，打败仗则是必然的；一个拥有并借重于这种军队的政权，其难长久也是必然的。

宇文泰出身于武川上层，如我们在上卷分析中所说，他应具有相当的汉文化修养，尽管唐代史家刘知幾在《史通》一书中，反复称说宇文泰对华夏文化的了解可能比高欢还要差，但我们有足够的理据证明刘知幾确实是搞错了。西魏初创时期，对于宇文泰来说，最紧迫的任务是军事上抵御高欢的进攻，保持政权的存在。但就是在这样的局势下，宇文泰也开始认真思考治国方略了，他对苏绰的相知与重用，亦因于此。

苏绰在宇文泰手下做中低级官员已过一年，办事能力人所共知，并被称为“有王佐之才”，即辅佐君王成就大业的人才。或许是宇文泰太过忙乱，或许一个中下级官员还不在他物色人才的视野中，他知道人们的评介，竟未十分注意。在一次捕鱼休闲的途中，因苏绰对于长安城掌故的熟悉而受到他的肯定，“因问天地造化之始，历代兴亡之迹”。苏绰均能对答如流。宇文泰竟因此放弃观赏捕鱼活动，与苏绰深谈。先是“卧而听之”，随着谈话深入，宇文泰起身“整衣危坐，不觉膝之前席，语遂达曙不厌”，遂决心“任之以政”。这一天一夜的深入交谈，其历史影响比刘备与诸葛亮的“隆中对”更为深远。苏绰给宇文泰讲述的具体内容不见记录，其表达的关于为政的核心思想，《通鉴》恰恰忽略不载，《周书》卷二十三《苏绰传》幸而保存，那就是“指陈帝王之道，兼述申韩之要”。也就是说，要以儒家思想作为治国核心，结合法家的治国方略，建设一个道合风同的社会，实现富国强兵。谈话得看对象，否则言者谆谆，听者藐藐。苏绰的谈论能深深地触动宇文泰，当然是因现实的需要，但也表明宇文泰的接受与认知能力极强。否则，不免像杜弼那样，招来一顿羞辱。高欢也在物色人才，并对赵彦深一见心仪，但他要的只是听命于自己、敏于操办具体事务的人，而不是大政方针的制定者。

卷第一百五十八　梁纪十四

起著雍敦牂（戊午，公元五三八年），尽阏逢困敦（甲子，公元五四四年），凡七年。

【题解】

本卷载述公元五三八到五四四年共七年间南北朝史事，当梁武帝大同四年到十年，西魏文帝大统四年到十年，东魏孝静帝元象元年、兴和元年到四年、武定元年到二年。重点仍是写东西两魏争战，势均力敌，进一步巩固了北方的分裂形势。其间东西两魏着手整顿吏治，改革政治，检括户口，休养息民，出现了一些新气象。梁朝无大事记述，梁武帝例行祭天、大赦、亲耕籍田，无所作为，政治腐败，交趾小小豪民的边境反叛，不仅久征不下，而且颠倒是非，枉杀良将，梁朝呈现衰败势头。

【原文】

高祖武皇帝十四

大同四年（戊午，公元五三八年）

春，正月辛酉朔①，日有食之。

东魏砀郡②获巨象，送邺。丁卯③，大赦，改元元象④。

二月己亥⑤，上耕藉田。

东魏大都督善无贺拔仁⑥攻魏南汾州，刺史韦子粲⑦降之，丞相泰灭子粲之族。东魏大行台侯景等治兵于虎牢，将复河南诸州，魏梁回、韦孝宽、赵继宗⑧皆弃城西归。侯景攻广州⑨数旬[1]，未拔，闻魏救兵将至，集诸将议之，行洛州事⑩卢勇⑪请进观形势。乃帅百骑至大隗山⑫，遇魏师。日已暮，勇多置幡旗于树颠，夜，分骑为十队，鸣角直前，擒魏仪同三司程华，斩仪同三司王征蛮而还。广州守将骆超⑬[2]遂以城降东魏，丞相欢以勇行广州事。勇，辩⑭之从弟也。于是南汾、颍、豫、广四州复入东魏。

【语译】

高祖武皇帝十四

大同四年（戊午，公元五三八年）

春，正月初一日辛酉，发生日食。

东魏砀郡猎获一头大象，送到邺城。初七日丁卯，大赦天下，改年号为元象。

二月初十日己亥，梁武帝举行亲耕籍田典礼。

东魏大都督善无人贺拔仁进攻西魏南汾州，南汾州刺史韦子粲投降贺拔仁。西魏丞相宇文泰诛灭韦子粲全族。东魏大行台侯景等在虎牢训练军队，将要收复黄河以南各州。西魏梁迥、韦孝宽、赵继宗等都放弃镇守的州城回西魏。侯景进攻广州数十天，还没有占领，得知西魏援军将要到来，召集众将商议，代理洛州政务卢勇请求前往侦察军情。他率领一百骑兵到达大隗山，遭遇了西魏军。太阳快要下山，卢勇在树梢上插了许多旗帜，夜间，他把骑兵分为十队，吹响号角向前冲锋，活捉了西魏仪同三司程华，砍了仪同三司王征蛮而返回。广州守将骆超于是献出州城投降了东魏，丞相高欢任命卢勇代理广州政务。卢勇，是卢辩的堂弟。这样一来，南汾州、颍州、豫州、广州等四州又重新回到东魏。

初，柔然头兵可汗始得返国，事魏尽礼[15]。及永安[16]以后，雄据北方，礼渐骄倨[17]，虽信使不绝，不复称臣。头兵尝至洛阳，心慕中国，乃置侍中、黄门等官。后得魏汝阳王[18]典签[19]淳于覃，亲宠任事，以为秘书监，使典文翰。及两魏分裂，头兵转不逊，数为边患。魏丞相泰以新都关中，方有事山东，欲结婚以抚之，以舍人元翌[20]女为化政公主，妻头兵弟塔寒。又言于魏主，请废乙弗后，纳头兵之女[21]。甲辰[22]，以乙弗后为尼，使扶风王孚迎头兵女为后。头兵遂留东魏使者元整[23]，不报其使。

三月辛酉[24]，东魏丞相欢以沙苑之败，请解大丞相，诏许之。顷之，复故[25]。

柔然送悼后[26]于魏，车七百乘，马万匹，驼二千头。至黑盐池[27]，遇魏所遣卤簿[28]仪卫。柔然营幕，户席皆东向[29]，扶风王孚请正南面[30]，后曰："我未见魏主，固柔然女也。魏仗南面，我自东向。"丙子[31]，立皇后郁久闾氏。丁丑[32]，大赦。以王盟为司徒。丞相泰朝于长安，还屯华州。

夏，四月庚寅[33]，东魏高欢朝于邺，壬辰[34]，还晋阳。

五月甲戌[35]，东魏遣兼散骑常侍郑伯猷[36]来聘。

秋，七月，东魏荆州刺史王则[37]寇淮南[38]。

癸亥[39]，诏以东冶徒[40]李胤之[41]得如来舍利，大赦。

东魏侯景、高敖曹等围魏独孤信于金墉，太师欢帅大军继之。景悉烧洛阳内外官寺民居，存者什二三。魏主[42]将如洛阳拜园陵[43]，会信等告急，遂与丞相泰俱东，命尚书左仆射周惠达辅太子钦守长安，开府仪同三司李弼、车骑大将军达奚武帅千骑为前驱。

八月庚寅[44]，丞相泰至谷城[45]，侯景等欲整陈以待其至，仪同三司太安莫多娄贷文[46]请帅所部击其前锋，景等固止之。贷文勇而专，不受命，与可朱浑道元以千骑前进，夜，遇李弼、达奚武于孝水[47]。弼命军士鼓噪，曳柴扬尘，贷文走，弼追斩之，道元单骑获免，悉俘其众送恒农。

当初，柔然头兵可汗从北魏刚回到国内，侍奉北魏恪尽臣礼，到了北魏永安年间以后，他称雄北方，对北魏在礼节上日益傲慢，虽然双方使节不断，但不再称臣。头兵可汗曾经到过洛阳，心中羡慕中原文化，于是也设置侍中、黄门等职官。后来得到北魏汝阳王的典签淳于覃，头兵可汗对淳于覃非常亲近信任，任用为秘书监，让他掌管文书。到东魏、西魏分裂的时候，头兵可汗变得不恭顺，多次侵扰边境。西魏丞相宇文泰因刚刚建都关中，又正在与东魏交战，想用和亲的方式来安抚头兵可汗，便将舍人元翌的女儿封为化政公主，嫁给头兵可汗的弟弟塔寒为妻，又劝说魏文帝，请求废掉乙弗后，娶头兵可汗的女儿。二月十五日甲辰，文帝让乙弗皇后当尼姑，派扶风王元孚迎娶头兵可汗的女儿为皇后。头兵可汗于是扣留了东魏的使者元整，也不派使者回访东魏。

三月初二日辛酉，东魏丞相高欢因为在沙苑打了败仗，请求解除大丞相的职务，孝静帝同意了。不久，又官复原职。

柔然头兵可汗送女儿悼后到西魏，陪嫁礼物有车子七百辆，马一万匹，骆驼两千头。到达黑盐池，碰上西魏派遣的迎亲仪仗队和侍卫队伍。柔然人宿营帐篷的门户座席都朝向东边，扶风王元孚请求朝向正南，悼后说："我还没见到西魏皇上，现在仍然是柔然人的女儿。西魏仪仗向正南，我自然仍应向东。"三月十七日丙子，西魏文帝册封头兵可汗的女儿郁久闾氏为皇后。十八日丁丑，大赦天下。任命王盟为司徒。丞相宇文泰到长安朝拜文帝，返回屯驻华州。

夏，四月初二日庚寅，东魏高欢到邺城朝见孝静帝，初四日壬辰，返回晋阳。

五月十六日甲戌，东魏派兼散骑常侍郑伯猷出使梁朝。

秋，七月，东魏荆州刺史王则侵犯梁朝的淮南。

七月初六日癸亥，梁武帝下诏，由于在东冶服劳役的犯人李胤之掘得如来佛的舍利，大赦天下。

东魏侯景、高敖曹等将西魏独孤信围困在洛阳金墉城，太师高欢率领大军为后援。侯景放火烧了洛阳城内外所有的官舍和民宅，残存的仅有十分之二三。西魏文帝将到洛阳去拜谒祖宗陵墓，恰逢独孤信等人告急，于是就和丞相宇文泰一起向东进发，下令尚书左仆射周惠达辅佐皇太子元钦镇守长安，开府仪同三司李弼、车骑大将军达奚武率领一千骑兵为前锋。

八月初三日庚寅，丞相宇文泰到达谷城，东魏侯景等人打算整顿军阵等待宇文泰到来，仪同三司太安人莫多娄贷文请求率领本部人马攻击宇文泰的先锋部队，侯景等坚决制止他。莫多娄贷文勇猛专横，不接受命令，他和可朱浑道元率领一千骑兵向前进发，夜间，在孝水与李弼、达奚武遭遇。李弼下令军士击鼓呐喊，拖曳柴薪扬起烟尘，莫多娄贷文逃跑，李弼追上并杀了他，可朱浑道元单枪匹马保住了性命。东魏骑兵被全部俘获，送到恒农。

泰进军瀍东㊽，侯景等夜解围去。辛卯㊾，泰帅轻骑追景至河上，景为陈，北据河桥㊿，南属邙山[51]，与泰合战。泰马中流矢惊逸[52]，遂失所之[53]。泰坠地，东魏兵追及之，左右皆散，都督李穆下马，以策抶[54]泰背骂曰："笼东[55]军士！尔曹主[3]何在，而独留此？"追者不疑其贵人，舍之而过。穆以马授泰，与之俱逸。

魏兵复振，击东魏兵，大破之。东魏兵北走。京兆忠武公[56]高敖曹，意轻泰，建旗盖[57]以陵陈，魏人尽锐[58]攻之，一军皆没，敖曹单骑走投河阳[59]南城[60]。守将北豫州刺史高永乐[61]，欢之从祖兄子也，与敖曹有怨，闭门不受。敖曹仰呼求绳，不得，拔刀穿阖[62]未彻[63]而追兵至。敖曹伏桥下，追者见其从奴持金带，问敖曹所在，奴指示之。敖曹知不免，奋头[64]曰："来！与汝开国公[65]。"追者斩其首去。高欢闻之，如丧肝胆，杖高永乐二百，赠敖曹太师、大司马、太尉。泰赏杀敖曹者布绢万段，岁岁稍与之，比及周亡，犹未能足。魏又杀东魏西兖州刺史宋显[66]等，虏甲士万五千人，赴河死者以万数。

初，欢以万俟普尊老[67]，特礼之，尝亲扶上马。其子洛免冠稽首[68]曰："愿出死力以报深恩。"及邙山之战，诸军北渡桥，洛独勒兵不动，谓魏人曰："万俟受洛干在此，能来可来也！"魏人畏之而去，欢名其所营地为回洛。

是日，东、西魏置陈既大，首尾悬远[69]，从旦至未[70]，战数十合，氛雾四塞，莫能相知。魏独孤信、李远居右，赵贵、怡峰居左，战并不利。又未知魏主及丞相泰所在，皆弃其卒先归。开府仪同三司李虎、念贤等为后军，见信等退，即与俱去。泰由是烧营而归，留仪同三司长孙子彦守金墉。

王思政下马，举长矟左右横击，一举辄踣[71]数人。陷陈既深，从者尽死，思政被重创，闷绝[72]，会日暮，敌亦收兵。思政每战常著破衣弊甲，敌不知其将帅，故得免。帐下督雷五安于战处哭求思政，会其已苏，割衣裹创，扶思政上马，夜久，始得还营。

平东将军蔡祐[73]下马步斗，左右劝乘马以备仓猝，祐怒曰："丞相

宇文泰进军到瀍水东，侯景等连夜解围退走。八月初四日辛卯，宇文泰率领轻骑追击侯景到达黄河边，侯景布置军阵，北据河桥，南接邙山，与宇文泰交战。宇文泰坐骑被流矢射中，受惊狂奔，便迷失了方向。宇文泰坠落地上，东魏兵追上了他，宇文泰身边的人全都逃散了，都督李穆跳下马，用鞭抽打宇文泰的后背，骂道："你这个怕死的士兵！你们的主帅在哪里，你怎么一个人留在这里？"东魏的追兵没把他当作贵人，丢下他追过去了。李穆把坐骑交给宇文泰，和宇文泰一起逃走了。

西魏兵重新振作起来，攻打东魏兵，把东魏兵打得大败。东魏兵向北逃跑。京兆忠武公高敖曹看不起宇文泰，竖起自己的帅旗冲入西魏军阵。西魏人集中精锐部队进攻高敖曹，高敖曹全军覆没，他单人独骑逃奔河阳南城。河阳南城守将北豫州刺史高永乐是高欢族兄的儿子，与高敖曹有仇，关闭城门不接受高敖曹。高敖曹仰头叫喊，要城上的人放下绳子，没有成功。高敖曹拔刀凿门，还没凿穿，西魏兵追了上来。高敖曹躲到桥下，追兵看到高敖曹的随从奴仆拿着金带，就问高敖曹在什么地方，奴仆指向桥下。高敖曹知道自己不能避免一死，就扬起头来说："来吧！送给你一个开国公。"追兵砍下他的头，走了。高欢听到消息，就像丢了肝胆，打了高永乐两百棍子，追赠高敖曹太师、大司马、太尉。宇文泰赏赐杀高敖曹的人布匹和绢帛一万段，每年发一部分，直到北周灭亡，还没有发完。西魏又杀了东魏西兖州刺史宋显等，俘虏甲士一万五千人，跳下黄河淹死的东魏兵以万计。

当初，高欢因为万俟普爵位高年岁大，特别尊重他，曾经亲自扶他上马。万俟普的儿子万俟受洛干摘下帽子向高欢磕头说："我愿出死力报答你的大恩。"等到邙山大战，各支部队往北渡河桥，万俟受洛干指挥军士毫不动摇，对西魏兵说："我万俟受洛干在这里，敢来的就过来！"西魏人怕他，就撤退了。高欢就把万俟受洛干驻守的营地命名为回洛。

这一天，东魏西魏双方布置的阵地都很庞大，头尾距离很远，从早晨一直到下午，战斗数十个回合，烟雾和尘埃弥漫四方，互相看不清对方。西魏独孤信、李远在右方，赵贵、怡峰在左方，交战并不顺利。又不知西魏文帝和丞相宇文泰在什么地方，都丢下部队首先退回。开府仪同三司李虎、念贤等为后续部队，看到独孤信等撤退，就和他们一起撤退。宇文泰因此烧了营帐撤回，留下仪同三司长孙子彦镇守金墉城。

西魏王思政下马，举起长矛，左右横扫，一抬手就击倒几个人。王思政冲进敌阵很深，随从的人全都死了，他自己也受了重伤，昏死过去，恰好已近黄昏，敌人也收了兵。王思政每次交战都穿破衣服和旧盔甲，敌人不知道他是将领，所以才避免一死。他的帐下都督雷五安在交战的地方哭着找王思政，正赶上他已苏醒，便割下衣服替王思政包扎伤口，扶他上马，深夜时分，才回到军营。

西魏平东将军蔡祐下马步战，身边的人劝他骑马以便紧急时逃跑，蔡祐发怒说：

爱我如子，今日岂惜生乎?”帅左右十余人合声大呼，击东魏兵，杀伤甚众。东魏围之十余重，祐弯弓持满，四面拒之。东魏人募厚甲长刀者直进取之，去祐可三十步，左右劝射之，祐曰:“吾曹之命，在此一矢，岂可虚发?”将至十步，祐乃射之，应弦而倒。东魏兵稍却，祐徐引还。

魏主至恒农，守将⑭已弃城走，所虏降卒⑮在恒农者相与闭门拒守，丞相泰攻拔之，诛其魁首数百人。

蔡祐追及泰于恒农，夜，见泰，泰曰:“承先，尔来，吾无忧矣。”泰惊不得寝，枕祐股，然后安。祐每从泰战，常为士卒先，战还，诸将皆争功，祐终无所言。泰每叹曰:“承先口不言勋，我当代其论叙。”泰留王思政镇恒农，除侍中、东道行台。

魏之东伐也[4]，关中留守兵少，前后所虏东魏士卒散在民间，闻魏兵败，谋作乱。李虎等至长安，计无所出，与太尉王盟、仆射周惠达等奉太子钦出屯渭北。百姓互相剽掠，关中大扰。于是沙苑所虏东魏都督赵青雀、雍州民于伏德等遂反，青雀[5]据长安子城⑯，伏德保咸阳⑰，与咸阳太守慕容思庆各收降卒以拒还兵。长安大城民相帅以拒青雀，日与之战。大都督侯莫陈顺⑱击贼，屡破之，贼不敢出。顺，崇之兄也。

扶风公王罴镇河东，大开城门，悉召军士谓曰:“今闻大军失利，青雀作乱，诸人莫有固志。王罴受委于此，以死报恩。有能同心者可共固守；必恐城陷，任自出城。”众感其言，皆无异志。

魏主留阌乡[6]。丞相泰以士马疲弊，不可速进，且谓青雀等乌合，不能为患，曰:“我至长安，以轻骑临之，必当面缚。”通直散骑常侍⑲吴郡陆通⑳谏曰:“贼逆谋久定，必无迁善之心，蜂虿㉑有毒，安可轻也?且贼诈言东寇将至，今若以轻骑临之，百姓谓为信然㉒，益当惊扰。今军虽疲弊，精锐尚多，以明公之威，总大军以临之，何忧不克?”泰从之，引兵西入。父老见泰至，莫不悲喜，士女相贺。华州刺史宇文导引兵袭[7]咸阳，斩思庆，禽伏德，南渡渭，与泰会，攻青

“宇文泰丞相爱我如亲儿子，今天岂能顾惜生命？”率领身边十多人，齐声大喊，攻击东魏兵，杀死杀伤了许多敌人。东魏兵把他围了十几层。蔡祐拉弓搭箭，四面拒敌。东魏人募集穿着厚厚的铠甲、拿着长刀的士兵向前冲杀他，离蔡祐有三十步远时，左右的人劝他射敌，蔡祐说：“我们的生命系于这一箭，怎么能随便射出去？”东魏兵离他只有十步远时，蔡祐才把箭射出，敌人应弦而倒。东魏兵渐渐退却，蔡祐且战且退，回到营地。

西魏文帝到达恒农，守城将领已弃城逃走，被俘虏而留在恒农的东魏兵集在一起闭门抵抗。丞相宇文泰攻占了恒农，诛杀了带头的几百名俘虏兵。

蔡祐在恒农追上了宇文泰，当夜，见到了宇文泰。宇文泰说：“承先，你来了，我没有什么忧虑了。”宇文泰惊悸不能入睡，枕在蔡祐的大腿上才平静下来。蔡祐每次跟随宇文泰作战，总是身先士卒，战罢回去，各将领争功，蔡祐始终不说话。宇文泰感叹说：“承先不说自己的功劳，我应当替他讲述功劳。”宇文泰留下王思政镇守恒农，任命王思政为侍中、东道行台。

西魏东伐时，在关中留守的兵力少，先前各次战斗抓获的东魏士兵流散在老百姓中间，听到西魏兵打了败仗，就密谋叛乱。李虎等人到了长安，没有想出好的办法，就与太尉王盟、仆射周惠达等请出太子元钦屯驻渭水北岸。老百姓也互相剽窃掠夺，关中大乱。这时候，在沙苑战役被俘虏的东魏都督赵青雀、雍州平民于伏德等趁机造反，赵青雀占据了长安子城，于伏德守护着咸阳，与咸阳太守慕容思庆分头聚集东魏降兵来抵抗撤回来的西魏兵。长安大城的民众则组织起来抵抗赵青雀，每天和他交战。大都督侯莫陈顺攻击叛贼，多次打败叛贼，叛贼不敢出战。侯莫陈顺，是侯莫陈崇的哥哥。

扶风公王罴镇守河东，大开城门，召集全部军队，对他们说：“如今听说东伐大军失利，赵青雀作乱，许多人丧失了信心。我王罴受命在这里，以死报恩。有与我同心的人就留下来共同坚守州城，如果谁担心城池陷落，他可自便出城。”众将士被王罴的话语感动，都没有二心。

西魏文帝留在阌乡。丞相宇文泰因为士马疲困，不能快速前进，并且认为赵青雀等是乌合之众，不可能构成危害，说：“我到达长安，用轻骑兵攻击，他一定会当面束手向我请罪。”通直散骑常侍吴郡人陆通谏阻说：“叛贼谋逆之计早已确定，肯定没有改过从善的思想，蜜蜂和蝎子尚且有毒，怎么可以轻视呢？况且叛贼造谣说东魏兵就要到来，现今如果只用轻骑兵去攻击，老百姓就会相信谣言，将更加惊恐不安。当前我军虽然疲困，精锐兵还不少，凭着丞相的威望，统率大军攻击他，何愁不打胜仗？”宇文泰听从了他的建议，领兵西入关。父老乡亲看到宇文泰来到，无不悲喜交加，男男女女相互庆贺。华州刺史宇文导带兵袭击咸阳，杀死慕容思庆，擒获于伏德，南渡渭水，与宇文泰会合，攻击赵青雀，打败了他。太保梁景睿因病留

雀，破之。太保梁景睿以疾留长安，与青雀通谋，泰杀之。

东魏太师欢自晋阳将七千骑至孟津，未济，闻魏师已遁，遂济河，遣别将追魏师至崤，不及而还。欢攻金墉，长孙子彦弃城走，焚城中室屋俱尽，欢毁金墉而还。

东魏之迁邺也，主客郎中[83]裴让之[84]留洛阳，独孤信之败也，让之弟诹之随丞相泰入关，为大行台仓曹郎中。欢囚让之兄弟五人[85]，让之曰："昔诸葛亮兄弟，事吴、蜀各尽其心，况让之老母在此，不忠不孝，必不为也。明公推诚待物，物亦归心；若用猜忌，去霸业远矣。"欢皆释之。

九月，魏主入长安，丞相泰还屯华州。

东魏大都督贺拔仁击邢磨纳、卢仲礼等，平之。

卢景裕本儒生，太师欢释之，召馆于家[86]，使教诸子。景裕讲论精微，难者[87]或相诋诃[88]，大声厉色，言至不逊，而景裕神采俨然，风调如一[89]，从容往复[90]，无际可寻[91]。性清静，历官屡有进退，无得失之色；弊衣粗食，恬然[92]自安，终日端严，如对宾客。

冬，十月，魏归高敖曹、窦泰、莫多娄贷文之首于东魏。

散骑常侍刘孝仪[93]等聘于东魏。

十二月，魏是云宝袭洛阳，东魏洛州刺史王元轨弃城走。都督赵刚袭广州，拔之。于是自襄[94]、广以西城镇复为魏。

魏自正光[95]以后，四方多事，民避赋役，多为僧尼，至二百万人，寺有三万余区。至是，东魏始诏"牧守、令长，擅立寺者，计其功庸[96]，以枉法论"。

初，魏伊川[97]土豪李长寿[98]为防蛮都督[99]，积功至北华州刺史。孝武帝西迁，长寿帅其徒拒东魏，魏以长寿为广州刺史。侯景攻拔其壁，杀之。其子延孙[100]复收集父兵以拒东魏，魏之贵臣广陵王欣、录尚书长孙稚等皆携家往依之，延孙资遣卫送，使达关中。东魏高欢患之，数遣兵攻延孙，不能克。魏以延孙为京南[101]行台、节度河南诸军事、广州刺史。延孙以澄清伊、洛为己任，魏以延孙兵少，更以长寿之婿京兆韦法保[102]为东洛州刺史，配兵数百以助之。法保名祐，以字行。

在长安，与赵青雀通谋，宇文泰杀了他。

东魏太师高欢从晋阳率领七千骑兵到达孟津，还没有渡河，得知西魏军已经逃遁，于是渡过黄河，派出将领追击西魏军直到崤山，没有追上就回师了。高欢进攻金墉城，长孙子彦弃城逃走，把金墉城的房屋都烧光了，高欢就拆毁金墉城，然后回师。

东魏迁都邺城的时候，主客郎中裴让之留守在洛阳。西魏独孤信从洛阳败退时，裴让之的弟弟裴诹之跟随西魏丞相宇文泰进入关中，担任大行台仓曹郎中。高欢囚禁了裴让之兄弟五人，裴让之说："从前诸葛亮兄弟，一个仕吴，一个仕蜀，各尽其心，何况我裴让之的老母在这里，不忠不孝的事，我们绝对不做。明公诚心待人，人心也必归附，如果随意猜忌人，那就离霸业很远了。"高欢全都释放了他们。

九月，西魏文帝进入长安，丞相宇文泰回到华州驻守。

东魏大都督贺拔仁攻击邢磨纳、卢仲礼等，平定了他们。

卢景裕原本是儒生，太师高欢释放了他，请到家中开学馆，让他教育自己的几个儿子。卢景裕讲解精妙入微，诘难他的人，有的诋毁斥责他，声色都很严厉，甚至出言不逊，而卢景裕仍然神情庄重，风度始终不变，不紧不慢地回答，无懈可击。性情清淡安静，做官多次有升有降，从没有患得患失的表现，破衣粗食，安然自得，整天端庄严肃，如同对待客人。

冬，十月，西魏把高敖曹、窦泰、莫多娄贷文的首级归还东魏。

梁朝散骑常侍刘孝仪等出使东魏。

十二月，西魏是云宝袭击洛阳，东魏洛州刺史王元轨弃城逃走。西魏都督赵刚袭击广州，攻占了州城。这样一来，从襄州、广州以西各城镇重新归属西魏。

北魏从正光年间以后，到处发生事端，平民百姓为了逃避赋税徭役，许多人做了和尚和尼姑，达到两百万人，寺庙有三万多区。到这时，东魏孝静帝才下诏"各州刺史、各县令长，有擅自修建寺庙的人，计算修建寺庙花费的劳工钱粮，按贪污论处"。

当初，北魏伊川人土豪李长寿任防蛮都督，积累功劳升迁到北华州刺史。孝武帝西迁时，李长寿率领部众抵抗东魏，西魏任用李长寿为广州刺史。东魏侯景攻下了他的坞壁，杀了李长寿。李长寿的儿子李延孙重新聚集了父亲的旧部抗拒东魏，北魏的遗老贵臣广陵王元欣、录尚书长孙稚等携家带口投靠李延孙，李延孙出兵出钱护送，使他们到达关中。东魏高欢担心李延孙，多次派兵攻打，不能取胜。西魏任用李延孙为京南行台、节度黄河以南诸军事、广州刺史。李延孙把平定伊、洛看作是自己的责任。西魏因李延孙兵马少，加派李长寿的女婿京兆人韦法保为东洛州刺史，配备了几百名士兵来增援李延孙。韦法保名祐，以表字通行。韦法保到达后，

既至，与延孙连兵置栅[103]于伏流[104]。独孤信之入洛阳也，欲缮修宫室，使外兵郎中[105]天水权景宣[106]帅徒兵三千出采运。会东魏兵至，河南皆叛，景宣间道西走，与李延孙相会，攻孔城[107]，拔之，洛阳以南寻亦西附。丞相泰即留景宣守张白坞[108]，节度东南诸军应关西者。是岁，延孙为其长史杨伯兰[109]所杀，韦法保即引兵据延孙之栅。

东魏将段琛[110]等据宜阳[111]，遣阳州刺史牛道恒诱魏边民。魏南兖州刺史[112]韦孝宽患之，乃诈为道恒与孝宽书，论归款[113]之意，使谍人遗之于琛营，琛果疑道恒。孝宽乘其猜阻[114]，出兵袭之，擒道恒及琛，崤、渑[115]遂清。东道行台王思政以玉壁[116]险要，请筑城自恒农徙镇之，诏加都督汾晋并州诸军事[117]、并州刺史，行台如故。

东魏以高澄摄吏部尚书，始改崔亮[118]年劳之制[119]，铨擢贤能。又沙汰尚书郎，妙选人地[120]以充之。凡才名之士，虽未荐擢，皆引致门下，与之游宴、讲论、赋诗，士大夫以是称之。

【段旨】

以上为第一段，记公元五三八年史事。这一年东魏与西魏进行了最激烈长久的大战，基本奠定了东西魏的疆域。东魏经过半年的整备，于七月进兵洛阳，发起反击；西魏也积极备战，与北方柔然结和亲，无后顾之忧，集中全国兵力东伐，魏文帝御驾亲征，两军在洛阳地区大战七、八、九三个月。西魏军败退，东魏收复洛阳，也无力西进，渑池以西为西魏所有。梁朝仍与东魏通好。

【注释】

①辛酉朔：正月初一日。②砀郡：郡名，治所下邑城，在今安徽砀山县。③丁卯：正月初七日。④元象：东魏孝静帝年号（公元五三八至五三九年）。⑤己亥：二月初十日。⑥贺拔仁（？至公元五七〇年）：字天惠，恒州善无（今山西右玉西）人，曾从高欢破尔朱氏于韩陵。入北齐，封安定郡王，官至右丞相、录尚书事。传见《北史》卷五十三。⑦韦子粲：字晖茂，京兆杜陵人，北魏孝武帝入关，以为南汾州刺史。后入北齐，封西楚县男，任豫州刺史。传见《魏书》卷四十五、《北齐书》卷二十七、《北史》卷二十六。⑧赵继宗：原是颍川百姓，北魏末杀郡太守，自称豫州刺史，兵败奔西

与李延孙合兵在伏流城设置栅栏安营扎寨。独孤信攻入洛阳时，打算修缮洛阳宫殿，派出外兵郎中天水人权景宣率领三千步兵外出采购运送建筑物资。恰逢东魏军到来，河南州城都反叛，权景宣从小道西逃，与李延孙会合，攻打孔城，攻占了这座城，洛阳以南不久又归附西魏。丞相宇文泰当即留下权景宣驻守张白坞，统一指挥崤关东南各支响应西魏的军队。这一年，李延孙被他的长史杨伯兰所杀，韦法保就率兵占据李延孙驻守的营栅。

东魏将领段琛等攻占了宜阳，派出阳州刺史牛道恒招诱西魏的边民。西魏南兖州刺史韦孝宽十分忧虑，于是伪造了一封牛道恒给韦孝宽的信，谈论归降的想法，派间谍把信遗失在段琛的军营中，段琛果然怀疑牛道恒。韦孝宽趁段琛、牛道恒相互猜忌之时，出兵偷袭他们，活捉了牛道恒和段琛，崤山、渑池一带于是安定。西魏东道行台王思政认为玉壁城险要，请求在那里筑城，从恒农迁到玉壁镇守。西魏下诏给王思政加官都督汾州、晋州、并州诸军事、并州刺史，东道行台的职务照旧。

东魏任命高澄代理吏部尚书，他开始改变北魏崔亮制定的按任职年限升迁的制度，选拔提升贤能之士。又淘汰部分尚书省郎官，精选出身高门的才德之士来补充。凡是有才能和有名望的士人，即使没有人推荐提拔，他都聘请到自己的门下，与他们交往宴会，谈论学问、赋诗唱和，士大夫们因此称颂他。

魏。⑨广州：州名，治所襄城，在今河南襄城。⑩行洛州事：行使洛州刺史职权。行，代理。东魏洛州治所在洛阳。⑪卢勇（公元五一三至五四四年）：字季礼，范阳涿（今河北涿州）人，葛荣起义时，封他为燕王。后投奔高欢，累功授仪同三司、阳州刺史。传见《北齐书》卷二十二、《北史》卷三十。⑫大隗山：山名，在今河南禹州北。又作“大瑰山”。⑬骆超：北魏秦州刺史。西魏大都督。⑭辩：卢辩，字景宣，范阳涿人，博通经籍，曾注《大戴礼》。仕于西魏，官至尚书右仆射、大将军，爵范阳公。传见《周书》卷二十四、《北史》卷三十。⑮尽礼：做到完全符合礼节。此指按时朝贡。⑯永安：北魏孝庄帝年号（公元五二八至五三〇年）。⑰骄倨：骄纵傲慢。⑱汝阳王：即元暹，时任秦州刺史。⑲典签：官名，处理文书的官吏。⑳元翌：西魏尚书左仆射。传见《魏书》卷十五、《北史》卷十五。㉑头兵之女：西魏文帝悼皇后郁久闾氏（公元五二五至五四〇年），蠕蠕主阿那瓌长女，在皇后位二年死。传见《北史》卷十三。㉒甲辰：二月十五日。㉓元整（？至公元五三八年）：曾任武卫将军、大都督。本年九月被阿那瓌处死。事见《北史》卷九十八《蠕蠕传》。㉔辛酉：三月初二日。㉕复故：恢复原来职位。㉖悼后：即郁久闾后。十六岁时因生育而亡，所以上谥号悼。《谥法》：“年

中早夭曰悼。”㉗黑盐池：池名，在五原（今陕西定边）境内，又称乌池。㉘卤簿：仪仗队。㉙户席皆东向：郁久闾氏按柔然习俗，营帐门朝东开，座席也坐西朝东。㉚请正南面：按西魏礼制，皇后坐北朝南。所以元孚有此请求。㉛丙子：三月十七日。㉜丁丑：三月十八日。㉝庚寅：四月初二日。㉞壬辰：四月初四日。㉟甲戌：五月十六日。㊱郑伯猷（公元四八六至五四九年）：荥阳开封人，仕北魏，官至护军将军，爵武成子。东魏时，曾任南青州刺史，因暴敛收贿被治罪。传见《魏书》卷五十六、《北史》卷三十五。㊲王则：字符轨，自云太原人。东魏时，以军功累官荆州、洛州、徐州刺史，封太原县伯。传见《北齐书》卷二十、《北史》卷五十三。㊳淮南：指淮水上游的南岸，此指光城（今河南光山县）、弋阳（今河南潢川县西）一带。㊴癸亥：七月初六日。㊵东冶徒：在东冶服劳役的犯人。东冶，梁京师建康有东、西冶，为冶铸之所。东冶在建康城东南。㊶李胤之：上虞县民，时为东冶役徒。事详《广弘明集》卷十五梁武帝《出右育王塔下佛舍利诏》。㊷魏主：此指西魏文帝元宝炬。㊸园陵：指在洛阳的北魏历代帝、后寝庙。㊹庚寅：八月初三日。㊺谷城：县名，在今河南新安东。㊻莫多娄贷文（？至公元五三八年）：复姓莫多娄，太安狄那人，骁勇有胆气，常为先锋，时任车骑大将军。传见《北齐书》卷十九、《北史》卷五十三。㊼孝水：河名，在河南新安境内。㊽瀍东：瀍水的东岸。㊾辛卯：八月初四日。㊿北据河桥：在北边据守黄河桥，保住退往晋阳的路。51南属邙山：军阵从河桥向南，一直排列到邙山脚下，说明侯景军人数众多。52惊逸：马受惊狂窜。53遂失所之：于是迷失方向。54策抶：用马鞭抽打。策，马鞭。抶，抽打。55笼东：形容因战败而失魂落魄的样子。56忠武公：高敖曹死后追赠的谥号。57旗盖：旌旗和伞盖，都是当时主将临阵指挥时的标志。58尽锐：集中全部精锐部队。59河阳：县名，在今河南孟州西，是洛阳北面重镇。60南城：河阳的南城在河桥南岸，北岸称北中城。61高永乐：高欢从祖兄之子。北魏末封阳州县伯，后晋爵为公。迁北豫州刺史，改任济州刺史。传见《魏书》卷三十二、《北齐书》卷十四。又《周书》卷三十六作“高永洛”。62阖：门扇。此指城下木门。63未彻：没有穿透。64奋头：昂起头。65与汝开国公：说得了他的首级向宇文泰请赏，可封开国公爵。66宋显（？至公元五三八年）：字仲华，敦煌效谷（今甘肃瓜州）人。北魏时官征北将军、晋州刺史，后归高欢，拜西兖州刺史。传见《北齐书》卷二十、《北史》卷五十三。67尊老：爵位尊贵而年纪又老。68免冠稽首：脱帽行跪拜礼。古人去冠，表示谢罪。69首尾悬远：军阵的头和尾相隔遥远。70从旦至未：旦，辰时，早上七八点钟，清晨。未，未时，下午一两点钟。71踣：倒毙。72闷绝：昏死过去。73蔡祐：字承先，其先陈留圉人，后徙居高平。西魏初，爵苌乡县侯。从宇文泰战沙苑，有功，授平东将军。西魏末，官至大将军。传见《周书》卷二十七、《北史》卷六十五。74守将：指西魏守将。75所虏降卒：此前捉获的东魏投降的士兵。76子城：附属于大城的内城或月城。此指长安北门外的月城，即瓮城。77咸阳：郡名，治所池阳，在今陕西泾阳。78侯莫陈顺（？至公元五五七年）：姓侯莫陈，名顺，代郡武川人。初从尔朱荣，封木门县子。后投靠宇文泰，先后平定赵青雀和氐人苻安寿的叛乱，拜大将军，封安平郡公。入周，位柱国。传见《周书》卷十九、《北史》卷六十。⑲ 通直散骑常侍：官名，在集书省，掌评议百官，随时进呈建议。四品。⑳ 陆通（？至公元五七二年）：字仲明，吴郡人，曾祖随刘裕北伐，被俘于长安，臣属于北魏。陆通投宇文泰，有谋略，常随侍泰左右。位大司马，封绥德郡公，赐姓步六孤氏。传见《周书》卷三十二、《北史》卷六十九。㉑ 蜂虿：语见《左传》僖公二十二年，是臧文仲劝谏鲁僖公的话。陆通借用来是把赵青雀等比作黄蜂和蝎子等毒虫，以为不可轻视。㉒ 谓为信然：以为东魏前锋来袭的传言是真实可信的。㉓ 主客郎中：官名，尚书省祠部尚书所辖主客曹的长官，负责接待南朝或各少数民族政权的使节，以及其他种种来访者。六品。㉔ 裴让之（？至约公元五五〇年）：字士礼，河东闻喜人，以能诗善赋著称。东魏时官至长兼中书侍郎。入北齐，封宁都县男，除清河太守。传见《魏书》卷八十八、《北齐书》卷三十五、《北史》卷三十八。㉕ 兄弟五人：除裴让之外，还有裴諏之，字士平，历任许昌、伊川太守；裴谋之，字士令，为高湛府参军；裴讷之，字士言，任太子舍人；裴谒之，字士敬，任壶关令。传见《北史》卷三十八。㉖ 召馆于家：召卢景裕到家中设立讲馆。㉗ 难者：质疑的人。多是当朝的名儒。㉘ 诋诃：斥责。㉙ 风调如一：风度和声调一如既往。㉚ 往复：回答。㉛ 无际可寻：无懈可击。㉜ 恬然：心神安宁。㉝ 刘孝仪（公元四八四至五五〇年）：名潜，字孝仪，彭城（今江苏徐州）人，有文才，仕梁，曾任建康令、豫章内史。传见《梁书》卷四十一、《南史》卷三十九。㉞ 襄：襄州，州治襄城，在今湖北襄阳。㉟ 正光：北魏孝明帝年号（公元五二〇至五二五年）。㊱ 计其功庸：计算造寺所耗费的人力和财物，用来作为论罪的依据。㊲ 伊川：郡名，治所陆浑，在今河南嵩县东北。㊳ 李长寿：伊川人，北魏清河郡公，位至卫大将军、北华州刺史。传见《周书》卷四十三、《北史》卷六十六。㊴ 防蛮都督：官名，北魏所置为防止伊阙以南山谷中戎蛮劫掠而专设的官职。⑩ 延孙：李延孙（？至公元五三八年），初为贺拔胜帐下都督，后返伊川，积功至车骑大将军、仪同三司，封华山郡公。传见《周书》卷四十三、《北史》卷六十六。⑩ 京南：指旧京洛阳以南地区。⑩ 韦法保（？至公元五四九年）：名祐，字法保，京兆山北（今陕西蓝田西南）人，仕西魏，屡建战功，位至骠骑大将军、开府仪同三司，封固安县公。传见《周书》卷四十三、《北史》卷六十六。⑩ 栅：木栅栏。在依山傍水之处，多采用这种方法构建营地。⑩ 伏流：县名，时称陆浑，隋时以境内有伏流岭而改名。⑩ 外兵郎中：官名，初置于曹魏。北魏时是尚书省五兵尚书所辖左外兵曹长官，管河南及潼关以东诸州丁户和征兵事宜。⑩ 权景宣（？至公元五六七年）：字晖远，天水显亲（今甘肃秦安西北）人，晓兵法，有谋略，西魏时，官至骠骑大将军、安州刺史。入周，授荆州总管，封千金郡公。传见《周书》卷二十八、《北史》卷六十一。⑩ 孔城：城名，新城郡郡治，在今河南伊川县西南。⑩ 张白坞：土堡名，在今河南宜阳西北。⑽杨伯兰：人名，或误作“杨伯简”。⑾段琛：字怀宝，代人，北齐天保（公元五五〇至五五九年）年间，任光州刺史（一作“兖州刺史”）。传见《北齐书》卷十九、《北史》卷五十三。⑪宜阳：郡名，治所宜阳，在今河南宜阳西。也是阳州州治所在。⑫南兖州刺史：时南兖州治谯城，在东魏境内，所以属虚领。⑬归款：投诚通好。⑭猜阻：疑惑不定。猜，猜疑。阻，疑惑。⑮崤、渑：指崤山、渑池。均在今河南渑池西。⑯玉壁：城名，在今山西稷山县南的稷王山下。⑰诏加都督汾、晋、并州诸军事：时东、西魏在汾州各据险为界，晋、并二州则在东魏手上。此项任命要求王思政在与东魏的对抗中，伺机进取二州。⑱崔亮（公元四五八至五二一年）：字敬儒，清河东武城人，北魏孝文帝改制时，任吏部郎，主持官吏选拔近十年。孝明帝时，再任吏部尚书，制定停年格，不问人才贤愚高下，只按年资深浅选拔官吏，使吏治日趋腐败。传见《魏书》卷六十六、《北史》卷四十四。⑲年劳之制：即停年格。⑳人地：指人的才德和门第。此指出身名门的才学之士。

【原文】

五年（己未，公元五三九年）

春，正月乙卯[121]，以尚书左仆射萧渊藻为中卫将军，丹杨尹[122]何敬容为尚书令，吏部尚书张缵[123]为仆射。缵，弘策[124]之子也。自晋、宋以来，宰相皆以文义自逸[125]，敬容独勤簿领[126]，日旰[127]不休，为时俗所嗤鄙。自徐勉[128]、周舍[129]既卒，当权要者，外朝[130]则何敬容，内省[131]则朱异[132]。敬容质悫无文[133]，以纲维为己任；异文华敏洽，曲营[134]世誉。二人行异而俱得幸于上。异善伺候人主意为阿谀，用事三十年，广纳货赂，欺罔视听，远近莫不忿疾。园宅、玩好、饮膳、声色穷一时之盛。每休下[135]，车马填门，唯王承[136]、王稚[137]及褚翔[138]不往。承、稚，暕[139]之子。翔，渊[140]之曾孙也。

丁巳[141]，御史中丞参礼仪事[142]贺琛[143]奏：“南、北二郊及藉田，往还并宜御辇[144]，不复乘辂[145]。”诏从之，祀宗庙仍乘玉辇。琛，玚[146]之弟子也。

辛酉[147]，东魏以尚书令孙腾为司徒。

辛未[148]，上祀南郊。

【校记】

[1] 数旬：本无此二字。据章钰校，甲十一行本、乙十一行本、孔天胤本皆有此二字。张敦仁《通鉴刊本识误》、张瑛《通鉴校勘记》皆同，今据补。[2] 骆超：张瑛《通鉴校勘记》作“骆越”。[3] 主：原作“王”。据章钰校，甲十一行本、乙十一行本、孔天胤本皆作“主”，熊罗宿《胡刻资治通鉴校字记》同，今据改。[4] 也：原无此字。据章钰校，甲十一行本、乙十一行本、孔天胤本皆有此字。张敦仁《通鉴刊本识误》、张瑛《通鉴校勘记》皆同，今据补。[5] 青雀：原无此二字。据章钰校，甲十一行本、乙十一行本、孔天胤本皆有此二字。张敦仁《通鉴刊本识误》同，今据补。[6] 阌乡：据章钰校，甲十一行本作“閔乡”，乙十一行本作“阒乡”。〖按〗《周书·文帝纪下》《北史·太祖文帝纪》作“阌乡”。[7] 袭：原作“入”。据章钰校，甲十一行本、乙十一行本、孔天胤本皆作“袭”，今据改。

【语译】

五年（己未，公元五三九年）

春，正月初一日乙卯，梁朝任命尚书左仆射萧渊藻为中卫将军，丹杨尹何敬容为尚书令，吏部尚书张缵为仆射。张缵，是张弘策的儿子。自晋、宋以来，南朝宰相都以谈论诗文、义理为乐，唯独何敬容埋头于公文簿籍，整天不休息，被时俗之人嗤笑和鄙视。梁朝自从徐勉、周舍死后，掌握实权的人，外朝要推何敬容，内朝要算朱异。何敬容忠厚而少文才，以维护国家的法纪为己任；朱异才思敏捷而博闻，曲意谋求当世声誉。两人品行不同，但都得到梁武帝的宠信。朱异善于逢迎，顺从皇上的心意阿谀奉承，掌权三十多年，大肆贪污，欺上瞒下，远近的人没有一个不恨他。他的园林住宅、玩赏嗜好的物品、饮食、音乐美女，盛极一时。每当休假回宅，车马盈门，只有王承、王稚以及褚翔不去巴结。王承、王稚，都是王暕的儿子。褚翔，是褚渊的曾孙。

正月初三日丁巳，梁朝御史中丞参礼仪事贺琛上奏说：“皇上到南郊、北郊祭祀天地，以及亲耕籍田典礼，往来都应乘坐御辇，不要再乘坐马车。”梁武帝听从了，祭祀宗庙仍乘坐玉辇。贺琛，是贺玚弟弟的儿子。

正月初七日辛酉，东魏任命尚书令孙腾为司徒。

十七日辛未，梁武帝在京城南郊举行祭祀典礼。

魏丞相泰于行台置学，取丞郎、府佐德行明敏者充学生，悉令旦治公务，晚就讲习。

东魏丞相欢，以徐州刺史房谟⑭⑨、广平太守羊敦、广宗太守窦瑗⑮⓪、平原⑮①太守许惇⑮②有政绩清能，与诸刺史书，褒称谟等以劝之。

夏，五月甲戌⑮③，东魏立丞相欢女为皇后，乙亥⑮④，大赦。

魏以开府仪同三司李弼为司空。

秋，七月，魏[8]以扶风王孚为太尉。

九月甲子⑮⑤，东魏发畿内⑮⑥十万人城邺⑮⑦，四十日罢。

冬，十月癸亥⑮⑧，以新宫成，大赦，改元兴和⑮⑨。

魏置纸笔于阳武门外以求得失。

十一月乙亥⑯⓪，东魏使散骑常侍王元景⑯①、魏收来聘。

东魏人以《正光历》⑯②浸差，命校书郎⑯③李业兴⑯④更加修正，以甲子为元，号曰《兴光历》，既成，行之。

散骑常侍朱异奏："顷来置州稍广，而小大不伦，请分为五品，其位秩高卑，参僚⑯⑤多少，皆以是为差。"诏从之。于是上品二十州，次品十州，次品八州，次品二十三州，下品二十一州。时上方事征伐，恢拓⑯⑥境宇，北逾淮、汝⑯⑦，东距彭城，西开牂柯⑯⑧，南平俚洞⑯⑨建置州郡[9]，纷纶⑰⓪甚众，故异请分之。其下品皆异国之人来归附者[10]，徒有州名而无土地，或因荒徼⑰①之民所居村落置州及郡县，刺史守令皆用彼人⑰②为之，尚书不能悉领，山川险远，职贡⑰③罕通。五品之外，又有二十余州不知处所。凡一百七州。又以边境镇戍，虽领民⑰④不多，欲重其将帅，皆建为郡，或一人领二三郡太守，州郡虽多而户口日耗矣。

魏自西迁以来，礼乐散逸，丞相泰命左仆射周惠达、吏部郎中北海唐瑾⑰⑤损益旧章，至是稍备。

西魏丞相宇文泰在行台府衙开办学馆，选拔丞郎、府佐中品德优秀、思维敏捷的人充当学生，让他们全都白天处理公务，晚上到学馆听讲学习。

东魏丞相高欢认为徐州刺史房谟、广平太守羊敦、广宗太守窦瑗、平原太守许惇有政绩，清廉能干，给各州刺史写信，赞誉房谟等人，用以勉励各州刺史。

夏，五月二十二日甲戌，东魏孝静帝册立丞相高欢之女为皇后。二十三日乙亥，大赦天下。

西魏任命开府仪同三司李弼为司空。

秋，七月，西魏任命扶风王元孚为太尉。

九月十四日甲子，东魏征发京畿内十万人修筑邺城，四十天完工。

冬，十月癸亥日，东魏因新宫殿建成，大赦天下，改年号为兴和。

西魏在京城长安阳武门外摆上纸和笔，征求人们评议朝政得失。

十一月二十六日乙亥，东魏派散骑常侍王元景、魏收出使梁朝。

东魏人因《正光历》逐渐积累了误差，命校书郎李业兴进一步加以修正，以甲子为历元，称为《兴光历》，完成后推行。

梁朝散骑常侍朱异上奏说："近来设置的州郡渐渐多了，大小不一，请分为五等，各州长官俸禄的高低，参佐幕僚的多少，都要按等级来区别。"梁武帝下诏听从。于是第一等有二十个州，第二等十个州，第三等八个州，第四等二十三个州，下等二十一个州。当时梁武帝正要从事征伐，收复失地，拓展疆土，北边要跨过淮水、汝水，东边到达彭城，西边开拓牂柯，南边平定俚洞族并建立州郡，州县多错综复杂，所以朱异上奏建议分类。其中下等州县都是归附梁朝的少数民族控制的地区，空有州县的名称，并没有土地，有的是凭借边远之地的居民所居村寨而设置州及郡县，刺史守令都由土著之民担任，尚书省没能把这些州县管理起来，山川险远，赋税贡品很难收到。在五等之外，还有二十多个州不知在哪里。总共一百零七个州。又因边境地区的防守，虽然管理的民众不多，却有意抬高镇守将帅的地位，一律建置为郡，有的一个人兼职两三个郡的太守，州郡数目虽多，而户口却日益减少。

西魏自迁都以来，礼乐制度散失，丞相宇文泰任命左仆射周惠达、吏部郎中北海人唐瑾修改补充旧的规章制度，到这时才稍稍完备。

【段旨】

以上为第二段，记公元五三九年史事。本年北朝东魏、西魏和南朝梁三方致力于内政，边境无战争。西魏宇文泰办府学，东魏嘉奖贤吏，梁朝整顿州郡建置。

【注释】

㉑ 乙卯：正月初一日。㉒ 丹杨尹：官名，梁京畿地区最高长官，职同郡太守，依西汉京兆尹、东汉河南尹之例而称尹。㉓ 张缵（公元四九八至五四八年）：字伯绪，范阳方城（今河北固安西南）人，梁驸马都尉，封利亭侯。任吏部尚书时，能举荐寒门。侯景之乱时，被萧詧所害。传见《梁书》卷三十四、《南史》卷五十五。㉔ 弘策：张弘策（公元四五六至五〇二年），字真简，梁武帝舅舅。辅佐萧衍建立梁朝，任卫尉，封洮阳县侯。传见《梁书》卷十一、《南史》卷五十六。㉕ 以文义自逸：以讲论文章为乐，不亲理政事。㉖ 勤簿领：亲自处理公务。㉗ 日旰：从早到晚。㉘ 徐勉（公元四六六至五三五年）：字修仁，东海郯（今山东郯城北）人，梁初任尚书右丞，典掌机密。后任吏部尚书，公正无私。进位尚书仆射、中卫将军。虽居显位，家无积蓄。传见《梁书》卷二十五、《南史》卷六十。㉙ 周舍（公元四六九至五二〇年）：字升逸，汝南安城（今河南汝州东南）人，梁初拜尚书祠部郎，礼仪制度多由他所制定，名重一时。传见《梁书》卷二十五、《南史》卷三十四。㉚ 外朝：当时三公、卿、监和尚书为外朝官，是执行机构。㉛ 内省：指中书、门下二省，是典掌机要的机构，也是决策机构。㉜ 朱异（公元四八三至五四九年）：字彦和，吴郡钱塘（今浙江杭州）人，出身寒门，以说经入仕，屡兼中书通事舍人职，参与机密。曾力主接纳侯景归附，侯景叛乱，忧愤发病死。传见《梁书》卷三十八、《南史》卷六十二。㉝ 质悫无文：朴实无华。㉞ 曲营：婉转谋求。㉟ 每休下：每次休假，从省中回到私宅。㊱ 王承：字安期，琅邪临沂（今山东临沂）人，出身名门，独重经学，他继祖父王俭、父王暕之后，出任国子祭酒，三代为国师，一时传为美谈。传见《梁书》卷四十一、《南史》卷二十二。㊲ 王稚：王承之弟。承曾任东阳太守，号“大东阳”，稚即号“小东阳”。㊳ 褚翔（公元五〇五至五四八年）：字世举，河南阳翟（今河南禹州）人，出身名门，以文学著称。历官义兴太守、尚书吏部郎、侍中、散骑常侍、守吏部尚书。传见《梁书》卷四十一、《南史》卷二十八。㊴ 暕：王暕（公元四七七至五二三年），字思晦。仕南齐，官至司徒左长史。入梁，累官侍中、五兵尚书、吏部尚书、尚书左仆射。传见《梁书》卷二十一、《南史》卷二十二。㊵ 渊：褚渊（公元四三五至四八二年），字彦回，刘宋驸马都尉，爵都乡侯，屡掌机要。后助萧道成建立齐朝，居侍中、中书监、尚书令三职，封南康郡公，权重一时。传见《南齐书》卷二十三、《南史》卷二十八。㊶ 丁巳：正月初三日。㊷ 御史中丞参礼仪事：官名，御史中丞是御史台长官，掌督察百官。梁十八班官中之十一班。参礼仪事为加官，是皇帝信任重用的表现。㊸ 贺琛（公元四八一至五四九年）：字国宝，会稽山阴人，精通三《礼》，撰《新谥法》。仕梁，累官御史中丞、给事黄门侍郎、太府卿。侯景之乱时，被劫持而任伪职。遇疾卒。传见《梁书》卷三十八、《南史》卷六十二。㊹ 辇：以人推拉的车。秦汉以

后特指皇帝、皇后所乘的车。⑭⑤辂：本指绑在车辕上供人推拉用的横木。在此指马拉的车。⑭⑥玚：贺玚（公元四五二至五一〇年），字德琏，精于三《礼》，任齐太学博士。入梁为五经博士，撰《五经义》，并创定礼乐。传见《梁书》卷四十八、《南史》卷六十二。⑭⑦辛酉：正月初七日。⑭⑧辛未：正月十七日。⑭⑨房谟：字敬放，河南洛阳人，本姓屋引氏，祖居代郡。曾协助高欢处理丞相府事。不久，先后官兖州、徐州刺史，拜侍中，兼吏部尚书，官终晋州刺史。传见《北史》卷五十五。⑮⓪窦瑗：字世珍，辽西阳乐（今河北抚宁）人，出身寒门，仕北魏，任北道大行台左丞，东魏初，任广宗太守，有清白誉。传见《魏书》卷八十八、《北史》卷八十六。⑮①平原：郡名，北魏时已废，〖按〗《北史·许惇传》，时任阳平太守，以郡近邺都，处理政务又得当，而被评为天下第一。《通鉴》作"平原"，疑误。⑮②许惇（？至公元五七二年）：字季良，高阳新城（今河北保定市徐水区西）人，初任司徒主簿，以明断号"入铁主簿"。入齐，官至尚书右仆射，封万年县子。传见《魏书》卷四十六、《北齐书》卷四十三、《北史》卷二十六。⑮③甲戌：五月二十二日。⑮④乙亥：五月二十三日。⑮⑤甲子：九月十四日。⑮⑥畿内：指京师邺城所在司州辖下的魏尹、阳平、广平、汲郡等十二郡。⑮⑦城邺：扩建邺都城。⑮⑧癸亥：十月辛巳朔，无癸亥日。〖按〗《魏书·孝静纪》，新宫建成在十一月，癸亥是十四日。《北史》同。疑《通鉴》引误。⑮⑨兴和：孝静帝年号（公元五三九至五四二年）。⑯⓪乙亥：十一月二十六日。⑯①王元景（？至公元五五九年）：名昕，字符景，北海剧（今山东昌乐西）人，苻秦丞相王猛之后。好清言，因切谏齐文宣帝高洋，被斩于御前，投尸漳水。传见《魏书》卷三十三、《北齐书》卷三十一、《北史》卷二十四。⑯②《正光历》：北魏孝明帝元诩时，由崔光主持，合张洪、李业兴等九家之说，为一历，于是改元正光，定名《正光历》，颁行天下。事详本书卷一百四十九。⑯③校书郎：官名，北魏太和年间，始置集书省校书郎、秘书校书郎，专门从事图籍校理工作。⑯④李业兴（公元四八四至五四九年）：上党长子（今山西长子）人，好学深思，尤精天文历算。《正光历》即以他的历法为主撰成。官至通直散骑常侍，封屯留县开国子。曾议定五礼，制定《甲子元历》和《九宫行棋历》，预议"麟趾新制"。传见《魏书》卷八十四、《北史》卷八十一。⑯⑤参僚：即参佐，刺史的主要属吏的别称。⑯⑥恢拓：开拓。⑯⑦淮、汝：淮水和汝水流域。主要指皖北蒙城、蚌埠到豫南信阳之间的广大地区。⑯⑧牂柯：郡名，治所且兰，在今贵州凯里附近。⑯⑨俚洞：指俚人居住区。俚人大多数生活在山洞里，所以称俚洞。活动范围大约在今广东西南沿海和广西东南一带。⑰⓪纷纶：杂乱的样子。⑰①荒徼：荒蛮的边境地区。⑰②彼人：土著居民。⑰③职贡：应纳的赋税和贡品。⑰④领民：镇守戍所所管理的民户。⑰⑤唐瑾：字附璘，北海平寿（今山东潍坊南）人，初为宇文泰处理军事文书。以功封姑臧县子。与燕公于谨结为兄弟，赐姓万纽于氏。转吏部尚书，号"六俊"之一。传见《周书》卷三十二、《北史》卷六十七。

【校记】

[8]魏：原无此字。据章钰校，乙十一行本有此字，张瑛《通鉴校勘记》同，今据补。[9]建置州郡：原无此四字。据章钰校，甲十一行本、乙十一行本、孔天胤本皆有

【原文】

六年（庚申，公元五四〇年）

春，正月壬申⑯，东魏以广平公库狄干为太保。

丁丑⑰，东魏主入新宫，大赦。

魏扶风王孚卒。

二月己亥⑱，上耕藉田。

魏铸五铢钱。

东魏大行台侯景出三鸦，将复荆州。魏丞相泰遣李弼、独孤信各将五千骑出武关，景乃还。

魏文后既为尼，居别宫，悼后犹忌之，乃以其子武都王戊⑲为秦州⑳刺史，使文后随之官。魏主虽限[11]大计㉑，而恩好不忘，密令养发，有追还之意。会柔然举国渡河南侵，时颇有言柔然以悼后故兴师者，帝曰："岂有兴百万之众为一女子邪？虽然，致人此言，朕亦何颜以见将帅？"乃遣中常侍曹宠赍手敕赐文后自尽。文后泣谓宠曰："愿至尊千万岁，天下康宁，死无恨也！"遂自杀。凿麦积崖㉒而葬之，号曰寂陵。

夏，丞相泰召诸军屯沙苑以备柔然。右仆射周惠达发士马守京城，堑诸街巷，召雍州刺史王罴议之，罴不应召，谓使者曰："若蠕蠕至渭北者，王罴自帅乡里㉓破之，不烦国家兵马，何为天子城中作如此惊扰？由周家小儿恇怯㉔致此。"柔然至夏州而退。未几，悼后遇疾殂㉕。

五月己酉㉖[12]，魏行台宫延和、陕州刺史宫延庆㉗降于东魏，东魏以河北马场㉘为义州㉙以处之。

东魏阳州武公高永乐卒。

此四字，张敦仁《通鉴刊本识误》同，今据补。［10］来归附者：原无此四字。据章钰校，甲十一行本、乙十一行本、孔天胤本皆有此四字，张敦仁《通鉴刊本识误》、张瑛《通鉴校勘记》同，今据补。

【语译】

六年（庚申，公元五四〇年）

春，正月二十三日壬申，东魏任用广平公库狄干为太保。

二十八日丁丑，东魏孝静帝迁入新宫殿，大赦天下。

西魏扶风王元孚去世。

二月二十一日己亥，梁武帝举行亲耕籍田典礼。

西魏铸造五铢钱。

东魏大行台侯景从三鸦出征，将要收复荆州。西魏丞相宇文泰派李弼、独孤信各领五千骑兵出武关救援，侯景于是退还。

西魏文皇后做了尼姑之后，居住在另外的宫殿，柔然女悼后仍然妒忌她，就让文皇后所生的儿子武都王元戊出任秦州刺史，要文皇后随同儿子赴任。西魏文帝虽然迫于国家大局，这样做了，但并没有忘怀与文皇后的恩爱，密令她蓄起头发，有接她回朝的意思。恰逢柔然集中全国兵力渡过黄河南侵，当时有柔然是为了悼后才出兵的流言，西魏文帝说："哪有为了一个女人而发动百万大军的道理呢？虽然如此，导致这样的流言，朕又有什么脸面见将帅？"就派中常侍曹宠带上手令，赐文皇后自杀。文皇后哭着对曹宠说："祝愿皇上千万岁，天下百姓康乐安宁，我死了也没什么遗憾！"于是自尽。魏文帝开凿麦积崖，安葬了文皇后，命名为寂陵。

夏，西魏丞相宇文泰调集各路兵马屯驻在沙苑用来防备柔然。右仆射周惠达征调兵马守卫京城，在京城大街小巷挖战壕，征召雍州刺史王罴商议对策，王罴不听征召，对使者说："如果柔然攻到渭水北岸，我王罴自会率领乡亲父老去打败敌人，不用烦劳朝廷的兵马，为什么要在天子城中搞得这样的惊扰呢？这都是由姓周的小子胆怯畏缩造成的。"柔然到夏州就撤退了。没多久，悼皇后生病去世了。

五月初二日己酉，西魏行台宫延和、陕州刺史宫延庆投降东魏，东魏在河北马场设置义州，安置他们两人。

东魏阳州武公高永乐去世。

闰月丁丑朔⑲⓪，日有食之。

己丑⑲①，东魏封皇兄景植为宜阳王，皇弟威为清河王，谦为颍川王。

六月壬子⑲②，东魏华山王鸷⑲③卒。

秋，七月丁亥⑲④，东魏使兼散骑常侍李象⑲⑤等来聘。

八月戊午⑲⑥，大赦。

九月[13]戊戌⑲⑦，司空袁昂⑲⑧卒，遗疏不受赠谥，敕诸子勿上行状⑲⑨及立铭志⑳⓪。上不许，赠本官，谥穆正公。

冬，十一月，魏太师念贤卒。

吐谷浑自莫折念生之乱⑳①，不通于魏。伏连筹⑳②卒，子夸吕⑳③立，始称可汗，居伏俟城⑳④。其地东西三千里，南北千余里，官有王、公、仆射、尚书、郎中、将军之号。是岁，始遣使假道柔然，聘于东魏。

【段旨】

以上为第三段，记公元五四〇年史事。本年三方无大事，西魏与柔然因魏文帝悼后失宠发生一次边境战争，柔然与东魏通好。

【注释】

⑰⑥壬申：正月二十三日。⑰⑦丁丑：正月二十八日。⑰⑧己亥：二月二十一日。⑰⑨武都王戊：元戊，废后乙弗氏之子，封武都王。见《北史》卷十三《后妃上·文帝文皇后乙弗氏传》。⑱⓪泰州：州名，治所蒲阪。然《北史·后妃传上》作"秦州"，依下文，乙弗后葬麦积山，正在秦州境。《通鉴》误。⑱①限大计：指魏文帝为利用柔然的势力对付东魏，不得已废乙弗氏而立柔然女为后。⑱②麦积崖：即麦积山，在今甘肃天水市东南。⑱③乡里：等于说同乡，此指京都长安人。王罴是京兆人，所以称长安人为乡里。⑱④恇怯：惊恐畏缩。⑱⑤遇疾殂：因疾病而死。⑱⑥己酉：五月初二日。⑱⑦宫延庆：人名，《魏书》《北史》均作"宫元庆"。⑱⑧河北马场：在汲郡，即今河南卫辉一带。魏孝文帝太和十七年（公元四九三年）建，因地处黄河以北，所以叫河北马场。⑱⑨义州：州名，东魏新置，治所在汲郡陈城，在今河南卫辉。辖五城、泰宁、新安、渑池、恒农、宜阳、金门七郡，主要安置西魏来的吏民。⑲⓪丁丑朔：闰五月初一日。⑲①己丑：闰五月十

闰五月初一日丁丑，发生日食。

十三日己丑，东魏册封皇帝兄长元景植为宜阳王，皇帝弟弟元威为清河王，元谦为颍川王。

六月初六日壬子，东魏华山王元鸷去世。

秋，七月十二日丁亥，东魏派兼散骑常侍李象等出使梁朝。

八月十三日戊午，梁朝大赦天下。

九月二十四日戊戌，梁朝司空袁昂去世，留下奏疏，不接受朝廷赠官和谥号，嘱咐几个儿子不要向朝廷呈送行状，也不要立墓志铭。梁武帝不同意，追赠了袁昂原来担任的官职，谥号为穆正公。

冬，十一月，西魏太师念贤去世。

吐谷浑自莫折念生叛乱以来，不与北魏交通。伏连筹去世后，他的儿子夸吕继位，开始称可汗，居住在伏俟城。领地东西长三千里，南北宽一千多里，设置的官爵有王、公、仆射、尚书、郎中、将军等称号。这一年，开始派使者借道柔然，出使东魏。

三日。⑲² 壬子：六月初六日。⑲³ 鸷：元鸷，爵华山王，时任大司马。⑲⁴ 丁亥：七月十二日。⑲⁵ 李象（？至公元五四一年）：字孟则，勃海蓨人。爵蓨县男，是高澄的亲信，官至兼散骑常侍。传见《魏书》卷七十二、《北史》卷四十五。⑲⁶ 戊午：八月十三日。⑲⁷ 戊戌：九月二十四日。⑲⁸ 袁昂（公元四六一至五四〇年）：字千里，陈郡阳夏人，性正直，梁时历任侍中、吏部尚书、尚书令、中书监等要职。传见《梁书》卷三十一、《南史》卷二十六。⑲⁹ 行状：文体名，官吏去世，子弟或门生故吏书写其生平事迹，上呈朝廷，求赐谥号，以扬名后世的文辞。⑳⁰ 立铭志：在墓前立碑，有碑文记述墓主生平事迹。此风尚起于西汉，盛行于东汉，影响延续至今。⑳¹ 莫折念生之乱：北魏正光五年（公元五二四年），莫折大提据秦州反，自称秦王。不久，莫折念生代立，自称天子，年号天建，设立百官。事详《魏书》卷九、《北史》卷四。⑳² 伏连筹：吐谷浑首领之一。魏孝文帝时，派世子贺鲁朝见于洛阳。于是拜伏连筹使持节、都督西陲诸军事、征西将军、领护西戎中郎将、西海郡开国公、吐谷浑王。传见《魏书》卷一百一、《北史》卷九十六。⑳³ 夸吕：夸吕继立，自号可汗，依中原之制，立王公、仆射、尚书、郎中、将军等官。虽有城郭而不住，仍逐水草而迁徙。一度与西魏通好，后又通使北齐，同西魏屡起战端。隋灭陈后，远遁，不再犯边。传同伏连筹。⑳⁴ 伏俟城：古城名，在今青海青海湖西布哈河河口。

【校记】

[11] 限：原作"限以"。据章钰校，甲十一行本、乙十一行本皆无"以"字，今据删。[12] 己酉：原作"乙酉"。张敦仁《通鉴刊本识误》作"己酉"，当是，今从改。〖按〗

【原文】

七年（辛酉，公元五四一年）

春，正月辛巳⑳⑤，上祀南郊，大赦。辛丑⑳⑥，祀明堂。

宕昌王梁企定⑳⑦[14]为其下所杀，弟弥定⑳⑧立。

二月乙巳⑳⑨，以弥定为河梁二州㉑⓪刺史、宕昌王。

辛亥㉑①，上耕藉田。

魏幽州㉑②刺史顺阳王仲景㉑③坐事赐死。

三月，魏夏州刺史刘平伏㉑④据上郡㉑⑤反，大都督于谨讨禽之。

夏，五月，遣兼散骑常侍明少遐㉑⑥等聘于东魏。

秋，七月己卯㉑⑦，东魏宜阳王景植卒。

魏以侍中宇文测为大都督、行汾州事。测，深之兄也。为政简惠，得士民心。地接东魏，东魏人数来寇抄，测擒获之，命解缚，引与相见，为设酒殽，待以客礼，并给粮饩㉑⑧，卫送出境。东魏人大惭，不复为寇，汾、晋之间遂通庆吊，时论称之。或告测交通境外者，丞相泰怒曰："测为我安边，我知其志，何得间我骨肉！"命斩之。

魏丞相泰欲革易时政，为强国富民之法，大行台度支尚书兼司农卿苏绰尽其智能，赞成其事，减官员，置二长，并置屯田以资军国。又为六条诏书，九月，始奏行之：一曰清心㉑⑨，二曰敦教化，三曰尽地利，四曰擢贤良，五曰恤狱讼，六曰均赋役。泰甚重之，尝置诸坐右，又令百司习诵之，其牧守令长非通六条及计帐者[15]，不得居官。

东魏诏群官于麟趾阁[16]议定法制，谓之麟趾格㉒⓪，冬，十月甲寅㉒①，颁行之。

五月戊申朔，无乙酉。又《魏书·孝静帝纪》《北史·孝静帝纪》皆作“己酉”。[13] 九月：原无此二字。张敦仁《通鉴刊本识误》有此二字，当是，今据补。〖按〗《梁书·武帝纪下》《南史·武帝纪下》述昂卒皆在九月。

【语译】

七年（辛酉，公元五四一年）

春，正月初九日辛巳，梁朝皇上梁武帝在南郊祭天，大赦天下。二十九日辛丑，在明堂举行祭祀典礼。

宕昌王梁企定被他的部属杀害，他的弟弟梁弥定继位。

二月初三日乙巳，梁朝任命梁弥定为河州、梁州两州刺史，宕昌王。

初九日辛亥，皇上梁武帝举行籍田亲耕典礼。

西魏幽州刺史顺阳王元仲景因犯罪被文帝赐死。

三月，西魏夏州刺史刘平伏割据上郡反叛，大都督于谨征讨，抓获了他。

夏，五月，梁朝派兼散骑常侍明少遐等出使东魏。

秋，七月初九日己卯，东魏宜阳王元景植去世。

西魏任命侍中宇文测为大都督、代理汾州政务。宇文测，是宇文深的哥哥。他处理政务简明仁爱，得到士大夫和平民的拥护。汾州与东魏接壤，东魏人多次来侵扰掠夺，宇文测抓获了他们，命令解开绑绳，引进面见，为他们摆下酒宴，待以客礼，还送给他们粮食和牲畜，护送出境。东魏人十分惭愧，不再当盗寇，西魏汾州与东魏晋州之间于是喜庆吊唁互相往来，受到当时舆论的称赞。有人上告宇文测通敌，丞相宇文泰发怒说："宇文测替我安定了边境，我了解他的志向，为何要离间我们的骨肉亲情！"下令杀了诬告的人。

西魏丞相宇文泰想变革时政，推行强国富民的政策法令，大行台度支尚书兼司农卿苏绰竭尽自己的才智，辅助改革，裁减冗官，各部门只设置长官两员，又推行屯田政策，以补助国家政治与军事的开支。苏绰又起草了六条新政的诏书，在九月开始上奏推行。其一，纯洁心灵；其二，促进教化；其三，充分利用土地资源；其四，选拔人才；其五，公正判案；其六，平均赋税徭役。宇文泰十分重视这六条，把它放置在座右，又命令百官学习背诵它，不精通六条和不懂计账的地方行政长官州牧郡守，不得任职。

东魏孝静帝下诏召集百官在麟趾阁讨论制定法制，叫作《麟趾格》。冬季，十月十六日甲寅，颁布施行。

乙巳[222]，东魏发夫五万筑漳滨堰[223]，三十五日罢。

十一月丙戌[224]，东魏以彭城王韶[225]为太尉，度支尚书[226]胡僧敬[227]为司空。僧敬名虔，以字行。国珍[228]之兄孙，东魏主之舅也。

十二月，东魏遣兼散骑常侍李骞[229]来聘。

交趾李贲[230]世为豪右，仕不得志。同郡[17]有并韶[231]者，富于词藻，诣选[232]求官，吏部尚书蔡撙[233]以并姓无前贤，除广阳门[234]郎，韶耻之。贲与韶还乡里谋作乱[18]，会交州刺史武林侯谘[235]以刻暴失众心，时贲监德州[236]，因连结数州豪杰俱反。谘输贿于贲，奔还广州[237]。上遣谘与高州刺史孙冏[238]、新州刺史卢子雄[239]将兵击之。谘，恢[240]之子也。

是岁，魏又益新制十二条[241]。

东魏丞相欢以诸州调绢[242]不依旧式，民甚苦之，奏令悉以四十尺为匹。

魏自丧乱以来[243]，农商失业，六镇之民相帅内徙，就食齐、晋[244]，欢因之以成霸业。东西分裂，连年战争，河南州郡鞠[245]为茂草，公私困竭，民多饿死。欢命诸州滨河及津、梁皆置仓积谷以相转漕[246]，供军旅，备饥馑。又于幽、瀛、沧、青[247]四州傍海煮盐，军国之费，粗得周赡。至是，东方连岁大稔，谷斛至九钱，山东之民稍复苏息[248]矣。

东魏尚书令高澄尚静帝妹冯翊长公主[249]，生子孝琬[250]，朝贵贺之，澄曰："此至尊[251]之甥，先贺至尊。"三日，帝幸其第，赐锦彩布绢万匹。于是诸贵竞致礼遗，货满十室。

东魏临淮王孝友[252]表曰："令制百家为族，二十五家为闾，五家为比。百家之内有帅二十五[253]，征发[254]皆免，苦乐不均，羊少狼多[255]，复有蚕食，此之为弊久矣。京邑诸坊[256]，或七八百家唯一里正[257]、二史[258]，庶事无阙，而况外州乎！请依旧置三正[259]之名不改，而每闾止为二比，计族省十二[19]丁[260]，赀绢[261]、番兵[262]，所益甚多[263]。"事下尚书[264]，寝不行。

安成[265]望族刘敬躬[266]以妖术惑众，人多信之。

十月初七日乙巳，东魏征发民夫五万人修筑漳滨堰，三十五天完工。

十一月十八日丙戌，东魏任命彭城王元韶为太尉，度支尚书胡僧敬为司空。胡僧敬名虔，平时用字号称呼。他是胡国珍哥哥的孙子，东魏孝静帝的舅舅。

十二月，东魏派遣兼散骑常侍李骞出使梁朝。

交趾人李贲世代是豪族，当官不得意。同郡有个叫并韶的人，擅长作诗文，到朝廷尚书吏部曹求官，吏部尚书蔡撙因并姓没有出过贤人，就任命他做广阳门郎，并韶感到耻辱。李贲与并韶一同返回乡里阴谋作乱，正好交州刺史武林侯萧谘因苛刻残暴失去人心，此时李贲正监理德州，因此他们二人联合了几个州的豪族同时反叛。萧谘向李贲送了财物，才逃回广州。梁武帝委派萧谘与高州刺史孙冏、新州刺史卢子雄带兵攻打李贲。萧谘，是萧恢的儿子。

这一年，西魏又增加了新法令十二条。

东魏丞相高欢因各州调绢没有按原来的规定征收，平民感到很痛苦，上奏孝静帝颁令一律以四十尺为一匹。

北魏自从孝昌年间发生动乱以来，农民、工商失业，北方六大重镇的居民相继向内地迁移，到齐州、晋州地区去谋生，高欢凭借这机会成就了霸业。东西魏分裂，连年战争，黄河以南各州郡田野都长满荒草，官民困顿没有一粒粮食，平民大多饿死。高欢命令各州在河岸、渡口、桥梁等要道之处设置粮仓，储备粮食，以便水陆转运，供应军队，防备饥荒。又在幽州、瀛州、沧州、青州四州的靠海地带煮盐，因此军政开支，初步得到保障。到了这时，国家东部地区连年丰收，谷物一斛只值九钱，东魏老百姓稍稍得到了复苏。

东魏尚书令高澄娶孝静帝的妹妹冯翊长公主为妻，生了儿子高孝琬，朝中显贵祝贺高澄，高澄说：“这是皇上的外甥，先祝贺皇上。”第三天，孝静帝临幸高澄府上，赏赐彩锦绸缎一万匹。于是各显贵竞相攀比送重礼，钱财堆满了十间房子。

东魏临淮王元孝友上表说：“现行制度，一百家为一族，二十五家为一闾，五家为一比。一百户人家中就有二十五帅，赋税徭役都免除了，苦乐不均，羊少狼多，还要加上压榨侵吞，这种制度造成的弊端已经很久了。都城的各个街坊，有的七八百户才有一个里正、两个小吏，各种事务都能办得没有缺失，何况地方州郡呢！请求按照旧制设置三正的名称不变，每闾只设两个比长，这样每族减少了十二个比帅，就增加了十一个纳税服役的丁户，国家征收的绸绢和兵员，就会增加很多。”皇上把奏章批交尚书省，被搁置没有实行。

梁朝安成郡大族刘敬躬利用妖术迷惑民众，有许多人都相信他。

【段旨】

以上为第四段，记公元五四一年史事。本年东、西两魏调整内政，休息百姓，抚平连年的战争创伤，初见成效。西魏改革，推行有利民生的新政比东魏步子大，奠定了西魏强于东魏的基础。

【注释】

㉟辛巳：正月初九日。㊱辛丑：正月二十九日。㊲梁佡定（？至公元五四一年）：宕昌（今甘肃宕昌）羌人首领梁勤之后，世代称王。自弥忽起至佡定凡九代，一直与北魏通好。北魏分裂，佡定与吐谷浑勾结，进攻金城。后兵败投降宇文泰，至此因再度叛乱而被部下所杀。传见《周书》卷四十九。㊳弥定：被西魏立为宕昌王。北周保定四年（公元五六四年）反叛，不久即被平灭。北周在他的领地上设立宕州。传见《周书》卷四十九。又《梁书·诸夷传》《南史·夷貊传》均作“弥泰”。㊴乙巳：二月初三日。㊵河、梁二州：从弥定领地出发遥设二州，实为虚职，并未纳入梁朝版图。㊶辛亥：二月九日。㊷幽州：胡三省认为西魏无幽州，当是豳州之误。豳州治定安，在今甘肃宁县。㊸仲景：元仲景（？至公元五四一年），北魏京兆王元子推之后。从孝武帝入关，任尚书右仆射，封顺阳王。西魏大统中，除幽州刺史。传见《魏书》卷十九上、《北史》卷十七。㊹刘平伏：匈奴别种稽胡人，为别帅。事见《周书》卷四十九、《北史》卷九十六。㊺上郡：郡名，属东夏州，领石门、因城二县，郡治不详，约在今陕西延安一带。㊻明少遐：字处默，平原鬲（今山东平原西北）人，梁都官尚书，后拜青州刺史。侯景之乱时，投奔北齐。传见《南史》卷五十。㊼己卯：七月初九日。㊽粮饩：粮食和活牲畜。㊾清心：《周书·苏绰传》作“先治心”，《北史·苏绰传》作“先修心”。㊿麟趾格：格，百官处理政务的法规。类似现在的行政法和官吏惩戒法。西汉张苍制定章程是格的初始，但以“格”命名法规，以麟趾格最早。惜已散失，具体内容无从研讨。㉑甲寅：十月十六日。㉒乙巳：十月初七日。㉓漳滨堰：在漳水边筑堰，以保护邺都免遭水淹。㉔丙戌：十一月十八日。㉕彭城王韶：元韶（？至公元五五九年），字世胄，爵彭城王。高欢女婿，历位侍中、太尉、太傅。北齐高洋诛杀诸元氏时，下地牢，绝食死。传见《魏书》卷二十一下、《北齐书》卷二十八、《北史》卷十九。㉖度支尚书：官名，尚书省六部尚书之一，管理国家财政。北魏三品。㉗胡僧敬（？至公元五四一年）：安定临泾（今甘肃镇原东南）人，曾任泾州刺史，封安阳县侯。东魏孝静帝兴和三年（公元五四一年），以帝元舅超迁司空公。传见《魏书》卷八十三下、《北史》卷八十。㉘国珍：胡国珍（公元四三九至五一八年），字世玉，任侍中，封安定郡公。北魏灵太后之父，所以常出入禁中，参议大政。传见《魏书》卷八十三下、《北史》卷八十。㉙李骞：字希义，赵郡平棘（今河北赵县）人，博涉经史，善于著文，官至尚书

右丞。传见《魏书》卷三十六、《北史》卷三十三。㉚李贲（？至公元五四九年）：交趾（今越南河内东北）人，梁末叛乱，被梁将陈霸先讨灭。事详《梁书》卷三、《南史》卷七。㉛并韶：人名，并姓极罕见。㉜诣选：往尚书省吏部。选，即选部，尚书吏部。㉝蔡撙（公元四六七至五二三年）：字景节，济阳考城（今江苏盱眙西南）人，历任中书令、吴郡太守。传见《梁书》卷二十一、《南史》卷二十九。㉞广阳门：建康南城西边第一座城门。㉟武林侯谘：萧谘，字世恭，封武林侯。曾任卫尉，后被仇人刁戎刺杀。传见《南史》卷五十二。㊱德州：州名，梁置，治所九德，在今越南荣市。㊲广州：州名，治所番禺，在今广东广州。㊳孙冏（？至公元五四二年）：曾任西江督护。一作"孙固"。㊴卢子雄（？至公元五四二年）：讨李贲，因军中流行疫病而退兵，于是以逗留不进罪被处死。㊵恢：萧恢（公元四七六至五二六年），梁武帝弟弟，封鄱阳王。都督荆湘雍梁益宁南北秦八州诸军事，官至骠骑大将军。传见《梁书》卷二十二、《南史》卷五十一。㊶益新制十二条：益，增加。在大统元年（公元五三五年）新制二十四条基础上，宇文泰又增新制十二条。㊷调绢：调，户调。北魏规定凡接受国家授田的民户，上上户出绢五匹，上中户出绢四匹二丈，上下户出绢四匹。中上户出绢三匹二丈，中中户出绢三匹，中下户出绢二匹二丈。下上户出绢二匹，下中户出绢一匹二丈，下下户出绢一匹。东魏时地方官不遵旧制，随意增收，所以高欢做出统一规定。㊸丧乱以来：指孝昌（公元五二五至五二七年）年间，北方六镇起义事件以来。六镇为沃野、怀朔、武川、抚冥、柔玄、怀荒，北魏政权由此走向崩溃。㊹齐、晋：地区名，此沿用春秋国名指称山东、山西地区。齐，指山东地区。晋，指山西和部分河北地区。㊺鞠：阻塞。㊻转漕：从水路转运，以应急需。㊼幽、瀛、沧、青：四州名。幽，幽州，治所蓟县，在今天津市。瀛，瀛州，治所赵都军城，在今河北河间。沧，沧州，治所饶安城，在今河北盐山南。青，青州，治所广固，在今山东青州。㊽苏息：复苏生息。㊾冯翊长公主：后被高洋凌辱至死。传见《北齐书》卷九、《北史》卷十四。㊿孝琬：高孝琬，高澄第三子，以母贵而立为嫡子。封河间王，迁尚书令、并州刺史。后被高洋所杀。传见《北齐书》卷十一、《北史》卷五十二。(251)至尊：指魏孝静帝。(252)孝友：元孝友（？至公元五五一年），曾任沧州刺史，封临淮王。入齐，降爵为公，被高洋所杀。传见《魏书》卷十八、《北齐书》卷二十八、《北史》卷十六。(253)有帅二十五：百户之中置族帅一人，闾帅四人，比帅二十人。(254)征发：征收的赋税和摊派的兵役、徭役。(255)羊少狼多：喻官多于民。羊指百姓，狼指族、闾、比各帅。(256)坊：古代城市的居民单位，俗称街坊、里弄。(257)里正：管理一里的基层小吏。(258)史：里正的助手。(259)三正：即三长，北魏太和十年（公元四八六年），给事中李冲建议，五家为一邻，设邻长；五邻为一里，设里长；五里为一党，设党长。元孝友建议恢复此三长之名。(260)族省十二丁：每闾省三个比长，一族共四闾，即省十二个比长。(261)赀绢：按财产多少缴纳绢。即调绢。(262)番兵：民户男丁轮流当兵。(263)所益甚多：元孝友以为当时东魏有二万余族，每族经减省乡吏，可少减免

十二个丁男的赋税徭役，也就是说可较前多收十二匹绢，多十二个服兵役的男丁。全国每年可多得绢二十四万匹，兵一万六千人。㉖④事下尚书：提案下转到尚书省评论。㉖⑤安成：郡名，治所平都。在今江西安福。㉖⑥刘敬躬（？至公元五四二年）：人名，一作“刘敬宫”。事见《梁书》卷三、《南史》卷七。

【校记】

［14］梁佥定：据章钰校，甲十一行本、乙十一行本皆作“梁企定”，孔天胤本作

【原文】

八年（壬戌，公元五四二年）

春，正月，敬躬据郡反，改元永汉，署官属，进攻庐陵㉖⑦，逼豫章㉖⑧。南方久不习兵，人情扰骇，豫章内史张绾㉖⑨募兵以拒之。绾，缵之弟也。二月戊戌㉗⓪，江州刺史湘东王绎㉗①遣司马王僧辩㉗②、中兵曹子郢讨敬躬，受绾节度。二月戊辰㉗③，擒敬躬，送建康，斩之。僧辩，神念㉗④之子也，该博辩捷，器宇肃然，虽射不穿札㉗⑤，而志气高远。

魏初置六军㉗⑥。

夏，四月丙寅㉗⑦，东魏使兼散骑常侍李绘㉗⑧来聘。绘，元忠㉗⑨之从子也。

东魏丞相欢朝于邺。司徒孙腾坐事免㉘⓪。乙酉㉘①，以彭城王韶录尚书事，侍中广阳王湛为太尉，尚书右仆射高隆之为司徒。初，太傅[20]尉景与丞相欢同归尔朱荣，其妻，欢之姊也，自恃勋戚㉘②，贪纵不法，为有司所劾，系狱。欢三诣阙泣请，乃得免死。丁亥㉘③，降为骠骑大将军、开府仪同三司。欢往造之，景卧不起，大叫曰：“杀我时趣邪！”欢抚而拜谢之。辛卯㉘④，以库狄干为太傅，以领军将军娄昭为大司马，封祖裔㉘⑤为尚书右仆射。六月甲辰㉘⑥，欢还晋阳。

八月庚戌㉘⑦，东魏以开府仪同三司、吏部尚书侯景为兼尚书仆射、河南[21]大行台㉘⑧，随机防讨㉘⑨。

魏以王盟为太保。

“梁仙定”。〖按〗《周书·异域传上·宕昌传》作“梁仚定”。[15]者：原无此字。据章钰校，甲十一行本、乙十一行本、孔天胤本皆有此字，张敦仁《通鉴刊本识误》同，今据补。[16]阁：原作“阁”。据章钰校，甲十一行本、乙十一行本皆作“阁”，今据改。[17]同郡：原无此二字。张敦仁《通鉴刊本识误》有此二字，今据补。[18]谋作乱：原无此三字。据章钰校，甲十一行本、乙十一行本、孔天胤本皆有此三字，张敦仁《通鉴刊本识误》、张瑛《通鉴校勘记》同，今据补。[19]二：原作“一”。据章钰校，甲十一行本、乙十一行本皆作“二”，张敦仁《通鉴刊本识误》同，今据改。

【语译】

八年（壬戌，公元五四二年）

春，正月，梁朝刘敬躬占据所在安成郡造反称帝，改年号永汉，设官置吏，进攻庐陵，逼近豫章。江南长久没有练兵，人心惊慌，豫章内史张绾招募军队抵抗刘敬躬。张绾，是张缵的弟弟。二月初二日戊戌，江州刺史湘东王萧绎派遣司马王僧辩、中兵参军曹子郢讨伐刘敬躬，接受张绾的节制。二月戊辰日，活捉刘敬躬，押送建康斩首。王僧辩，是王神念的儿子，学问渊博，口才敏捷，仪表堂堂，端庄威严，虽然射箭穿不透铠甲，但心气甚高，志向远大。

西魏开始建置六军。

夏，四月丙寅日，东魏派兼散骑常侍李绘出使梁朝。李绘，是李元忠的侄儿。

东魏丞相高欢到邺城朝见孝静帝，司徒孙腾因犯罪被免官。五月二十日乙酉，任命彭城王元韶录尚书事，侍中广阳王元湛为太尉，尚书右仆射高隆之为司徒。当初，太傅尉景与丞相高欢一同归附尔朱荣，他的妻子是高欢的姐姐。他依仗自己是有功勋的皇族亲戚，因贪赃枉法，被有关部门弹劾，囚禁在狱中。高欢多次到朝廷流泪求情，才免去死罪。二十二日丁亥，降职为骠骑大将军、开府仪同三司。高欢上门看望尉景，尉景卧床不起，大声说：“杀我就快些来！”高欢安慰并向他道歉。二十六日辛卯，东魏任命库狄干为太傅，任命领军将军娄昭为大司马，封祖裔为尚书右仆射。六月初十日甲辰，高欢回到晋阳。

八月十六日庚戌，东魏任命开府仪同三司、吏部尚书侯景为兼尚书仆射、河南大行台，有权按实际情况自定防守以及征讨。

西魏任命王盟为太保。

东魏丞相欢击魏，入自汾、绛[290]，连营四十里，丞相泰使王思政守玉壁[291]以断其道。欢以书招思政曰："若降，当授以并州[292]。"思政复书曰："可朱浑道元降，何以不得？"冬，十月己亥[293]，欢围玉壁，凡九日，遇大雪，士卒饥冻，多死者，遂解围去。魏遣太子钦镇蒲坂。丞相泰出军蒲坂，至皂荚[294]，闻欢退渡汾，追之，不及。十一月，东魏以可朱浑道元为并州刺史。

十二月，魏主狩于华阴[295]，大享将士，丞相泰帅诸将朝之。起万寿殿于沙苑北。

辛亥[296]，东魏遣兼散骑常侍杨斐[297]来聘。

孙冏、卢子雄讨李贲，以春瘴[298]方起，请待至秋，广州刺史新渝侯映[299]不许，武林侯谘又趣[300]之。冏等至合浦[301]，死者什六七，众溃而归。映，憺[302]之子也。武林侯谘奏冏及子雄与贼交通，逗留不进，敕于广州赐死。子雄弟子略、子烈，主帅[303]广陵杜天合[304]及弟僧明[305]，新安周文育[306]等帅子雄之众攻广州，欲杀映、谘，为子雄复冤。西江[307]督护[308]、高要太守吴兴陈霸先[309]帅精甲三千救之，大破子略等，杀天合，擒僧明、文育。霸先以僧明、文育骁勇过人，释之，以为主帅。诏以霸先为直阁将军[310]。

魏丞相泰妻冯翊公主，生子觉[311]。

东魏以光州刺史李元忠为侍中。元忠虽处要任，不以物务干怀[312]，唯饮酒自娱。丞相欢欲用为仆射，世子澄言其放达常醉，不可委以台阁[313]。其子搔[314]闻之，请节酒，元忠曰："我言作仆射不胜饮酒乐，尔爱仆射，宜勿饮酒。"

【段旨】

以上为第五段，写梁朝刘敬躬反于内地。平叛交趾的将领卢子雄等蒙冤而死，激起兵变，虽然平息，却警示了梁朝政治的腐败。

东魏丞相高欢进攻西魏，从汾州、绛州进入，营帐连绵四十里，西魏丞相宇文泰派王思政据守玉壁，堵截高欢进攻的道路。高欢致函招诱王思政说："如果投降，授给你并州刺史。"王思政回信说："可朱浑道元投降，为何没有给他？"冬，十月初六日己亥，高欢包围玉壁，共九天，碰上大雪，士兵又饿又冻，死了很多，于是撤军退走。西魏派太子元钦镇守蒲坂。丞相宇文泰率军从蒲坂出发，到达皂荚，得知高欢撤退渡过汾水，宇文泰追击，没能追上。十一月，东魏任命可朱浑道元为并州刺史。

十二月，西魏文帝在华阴狩猎，设盛宴慰劳将士，丞相宇文泰带领诸将朝见魏文帝。在沙苑北面建造万寿殿。

十二月十九日辛亥，东魏派兼散骑常侍杨斐出使梁朝。

梁朝孙冏、卢子雄征讨李贲，因春天瘴气刚升起，请求等到秋天，广州刺史新渝侯萧映不同意，武林侯萧谘又来催促，孙冏等到达合浦，病死的人占了六七成，部众溃散而归。萧映，是萧憺的儿子。武林侯萧谘奏报说孙冏、卢子雄与叛贼勾结，拖延不进兵，梁武帝下令在广州赐孙冏、卢子雄死。卢子雄的弟弟卢子略、卢子烈、主帅广陵人杜天合，以及他的弟弟杜僧明、新安人周文育等率领卢子雄的部众攻打广州，想要杀死萧映、萧谘，为卢子雄报仇。西江督护、高要太守吴兴人陈霸先率领精锐甲士三千人救援广州，大败卢子略等，杀了杜天合，活捉了杜僧明、周文育。陈霸先因杜僧明、周文育骁勇过人，释放了他们，任用为主帅。梁武帝下诏任命陈霸先为直阁将军。

西魏丞相宇文泰妻子冯翊公主生子宇文觉。

东魏任命光州刺史李元忠为侍中。李元忠虽然身处重要的职位，但不把政务放在心上，整天只喝酒自娱。丞相高欢想任用他为尚书仆射，世子高澄说李元忠狂放酗酒，不能将尚书省要职交给他。李元忠的儿子李搔听到这话，就劝李元忠节制饮酒。李元忠说："我认为做仆射没有喝酒快乐，你喜欢仆射，就应当不喝酒。"

【注释】

㉗庐陵：郡名，治所石阳，在今江西吉安东北。㉘豫章：郡名，治所南昌，在今江西南昌。㉙张绾（公元四九二至五五四年）：字孝卿，范阳方城人。仕梁，曾任御史中丞，加通直散骑常侍，官至吏部尚书。梁元帝即位后，征为尚书右仆射。传见《梁书》卷三十四、《南史》卷五十五。㉚戊戌：二月初二日。㉛绎：萧绎（公元五〇八至五五五年），即梁元帝，字世诚，小字七符，梁武帝第七子。在位四年，被西魏俘虏并杀害。事

详《梁书》卷五、《南史》卷二。㉗㉒王僧辩（？至公元五五五年）：字君才，太原祁（今山西祁县）人，萧绎的大将，讨平侯景之乱，以功位司徒，封永宁郡公。元帝亡，被陈霸先袭杀。传见《梁书》卷四十五、《南史》卷六十三。㉗㉓戊辰：二月丁酉朔，无戊辰日。疑为三月之误，是三月初二日，《梁书》即作三月。㉗㉔神念：王神念（公元四五一至五二五年），初任北魏颍川太守。天监七年（公元五〇八年），举家南渡降梁，封南城县侯。传见《梁书》卷三十九、《南史》卷六十三。㉗㉕射不穿札：形容膂力不足，武技较弱。札，铠甲上的叶片。㉗㉖六军：西周天子之制，应设六军。东、西魏分裂之后，西魏第一次按天子之制设立六军。㉗㉗丙寅：四月丙申朔，无丙寅日。据《北齐书》卷二十九、《北史》卷三十三，李绘出使梁朝，在武定元年（公元五四三年）初，也就是梁大同九年初的事。《通鉴》所记误。㉗㉘李绘（？至公元五五〇年）：字敬文，赵郡平棘人，东魏初，曾任丞相司马，北齐天保初，为司徒右长史。曾出使梁朝，梁人重其廉洁。传见《魏书》卷四十九、《北齐书》卷二十九、《北史》卷三十三。㉗㉙元忠：李元忠（公元四八六至五四五年），赵郡柏人（今河北隆尧西）人，东魏初，曾任光州刺史，时州境灾，朝廷允许出万石粮用来赈灾，而元忠动用了十五万石，朝廷嘉许而不降罪。后官至侍中、骠骑大将军、仪同三司。传见《魏书》卷四十九、《北齐书》卷二十二、《北史》卷三十三。㉘⓪坐事免：孙腾早先丢失一个女儿，任司徒后，疑他的女儿已沦为奴婢，所以凡有奴婢投诉，不论虚实，一律免为平民，多达千人，希望从中找到女儿。因此被免职。事见《北齐书》卷十八、《北史》卷五十四。㉘①乙酉：五月二十日。㉘②勋戚：有功劳的皇亲国戚。㉘③丁亥：五月二十二日。㉘④辛卯：五月二十六日。㉘⑤封祖裔：即封隆之。㉘⑥甲辰：六月初十日。㉘⑦庚戌：八月十六日。㉘⑧河南大行台：时以黄河以南的豫州、广州、颍州、荆州、襄州、兖州、南兖州、齐州、东豫州、洛州、扬州、北荆州、北扬州置河南大行台，一并归侯景节制。㉘⑨随机防讨：可以不需请示，根据实际情况，决定对付梁朝或西魏的军事行动，或防御，或进攻。㉙⓪入自汾、绛：从汾州、绛州进入西魏界。㉙①玉壁：城名，在今山西稷山西南，后成为西魏南汾州、北周勋州州治。㉙②授以并州：授予并州刺史职。高欢以晋阳为基地，是并州州治所在，该州刺史地位高于其他诸州。㉙③己亥：十月初六日。㉙④皂荚：地名，今址不详。㉙⑤华阴：县名，县治在今陕西华阴。㉙⑥辛亥：十二月十九日。㉙⑦杨斐：字叔鸾，北平无终（今天津蓟州区）人，北魏时，封方城伯。北齐时任都水使者，曾监修长城，监瀛州事。传见《魏书》卷七十二、《北史》卷四十七。今本二史均作“阳斐”，与《通鉴》所本《魏书》异。㉙⑧春瘴：春天初到，南方山林间常因湿热形成致人生病的地气，称春瘴。㉙⑨新渝侯映：萧映，字文明，梁武帝弟始兴王萧憺之子。封新渝县侯。历官淮南、吴兴太守，北徐州、广州刺史。传见《南史》卷五十二。新渝，《南齐书》卷十四《州郡志上》作“新喻”，县名，在今江西新余。〖按〗《元和郡县志》中，新喻汉代作宜春县，吴孙皓分置新渝县，因县有渝水而命名。唐天宝以后因声变相承而作“喻”。《通鉴》不误。㊿趣：催促。(301)合浦：郡名，治所徐闻，在今广西博白西南。(302)憺：萧憺（公元四七八至五二二年），字僧达，梁武帝弟弟，封始兴王，谥忠武。在荆州刺史任，曾广开屯田，减省徭役，颇有政绩。传见《梁书》卷二十二、《南史》卷五十二。(303)主帅：统军主将。(304)杜天合（？至公元五四二年）：广陵临泽（今江苏高邮东北）人。事迹见《陈书》卷八《周文育传》。(305)僧明：杜僧明（公元五〇九至五五四年），字弘照，人矮小，胆气过人，勇武善射。在平定侯景叛乱中，屡建奇功，封临江县侯。传见《陈书》卷八、《南史》卷六十六。(306)周文育（公元五〇九至五五九年）：字景德，义兴阳羡（今江苏宜兴南）人，本居新安寿昌（今属浙江建德），姓项，名猛奴。后被周荟收养，改姓名。后从陈霸先，讨侯景，屡有功，封南移县侯。又辅弼霸先建立陈朝，出镇江州。后被熊昙朗暗杀。传见《陈书》卷八、《南史》卷六十六。(307)西江：河名，源出广西，黔、郁、桂三水于梧州汇合而成西江，流入广东境内。此指梁广州刺史辖内西江流经地区，以高要郡（今广东肇庆）为中心。(308)督护：官名，广州分西江和南江二大区，江流深远，为便于统治，各设一督护，专门负责征讨叛逆事。(309)陈霸先（公元五〇三至五五九年）：即陈武帝，字兴国，小字法生，吴兴长城（今浙江长兴）人，梁末，率军北上，平定侯景之乱，进位司空。公元五五七年接受禅让，建立陈朝，在位两年余而病逝。事详《陈书》卷一、《南史》卷九。(310)直阁将军：官名，南朝及北魏、北齐置，为皇帝左右侍卫之官，地位重要。梁官班不详，北魏从三品。(311)觉：宇文觉（公元五四二至五五七年），北周节闵帝。事详《周书》卷三、《北史》卷九。(312)物务干怀：指军政事务烦扰于心。(313)台阁：尚书省。(314)搔：李搔（？至公元五五七年），字德况，一作“德沉”。通音律，造八弦乐器。官至尚书仪曹郎。传见《魏书》卷四十九、《北齐书》卷二十二、《北史》卷三十三。

【校记】

［20］太傅：原作“太尉”。据章钰校，甲十一行本、乙十一行本、孔天胤本皆作“太傅”，张敦仁《通鉴刊本识误》同，今据改。〖按〗《北齐书·尉景传》《北史·尉景传》皆作“傅”。［21］河南：原作“河南道”。据章钰校，甲十一行本、乙十一行本、孔天胤本皆无“道”字，今据删。

【原文】

九年（癸亥，公元五四三年）

春，正月壬戌[315]，东魏大赦，改元武定[316]。

东魏御史中尉高仲密取[317]吏部郎崔暹之妹，既而弃之，由是与暹有隙。仲密选用御史，多其亲戚乡党，高澄奏令改选。暹方为[318]澄所宠任，仲密疑其构己，愈恨之。仲密后妻李氏[319]艳而慧，澄见而悦之[320]，李氏不从，衣服皆裂，以告仲密，仲密益怨。寻出为北豫州[321]刺史，阴谋外叛。丞相欢疑之，遣镇城[322]奚寿兴典军事，仲密但知民务。仲密置酒延寿兴，伏壮士，执之。二月壬申[323]，以虎牢叛，降魏。魏以仲密为侍中、司徒。

欢以仲密之叛由崔暹，将杀之，高澄匿暹，为之固请，欢曰："我丐[324]其命，须与苦手[325]。"澄乃出暹，而谓大行台都官郎[326]陈元康曰："卿使崔暹得杖，勿复相见。"元康为之言于欢曰："大王方以天下付大将军，大将军有一崔暹不能免其杖，父子尚尔，况于他人？"欢乃释之。

高季式在永安戍[327]，仲密遣信报之，季式走告欢，欢待之如旧。

魏丞相泰帅诸军以应仲密，以太子少傅[328]李远为前驱，至洛阳，遣开府仪同三司于谨攻柏谷[329]，拔之。三月壬辰[330][22]，围河桥南城。

东魏丞相欢将兵十万至河北[331]，泰退军瀍上，纵火船于上流以烧河桥。斛律金使行台郎中张亮以小艇百余载长锁，伺火船将至，以钉钉之，引锁向岸，桥遂获全。

欢渡河，据邙山为陈，不进者数日。泰留辎重于瀍曲[332]，夜，登邙山以袭欢。候骑白欢曰："贼距此四十余里，蓐食[333]干饭[334]而来。"欢曰："自当渴死。"乃正阵以待之。戊申[335]，黎明，泰军与欢军遇。东魏彭乐以数千骑为右甄[336]，冲魏军之北垂[337]，所向奔溃，遂驰入魏营。人告彭乐叛，欢甚怒。俄而西北尘起，乐使来告捷，虏魏侍中、开府仪同三司、大都督临洮王柬[338]，蜀郡王荣宗，江夏王升，钜鹿王阐，谯郡王亮，詹事赵善[339]及督将僚佐四十八人。诸将乘胜击魏，大破之，斩首三万余级。

【语译】

九年（癸亥，公元五四三年）

春，正月初一日壬戌，东魏大赦天下，改年号为武定。

东魏御史中尉高仲密娶吏部郎崔暹的妹妹为妻，后来又抛弃了她，因此与崔暹有矛盾。高仲密选用御史，多是他的亲戚同乡，高澄奏请孝静帝命令高仲密改选他人。崔暹正受高澄的宠爱和信任，高仲密疑心崔暹陷害自己，更加恨他。高仲密后娶的妻子李氏既漂亮又聪慧，高澄见了非常喜欢，李氏不顺从，衣服都被扯破了，就将此事告诉了高仲密，高仲密愈加怨恨。不久，高仲密出京任北豫州刺史，密谋叛离东魏。丞相高欢怀疑他，派镇城都督奚寿兴掌管北豫州军事，高仲密只管理民政。高仲密设下酒宴请奚寿兴，埋伏武士，抓了奚寿兴。二月十二日壬申，高仲密献出虎牢，投降西魏。西魏任命高仲密为侍中、司徒。

高欢认为高仲密的叛离是崔暹造成的，准备杀掉崔暹。高澄把崔暹藏了起来，替他在高欢面前再三求情，高欢说："我可以饶他一命，但必须痛打一顿。"高澄这才放出崔暹，而对大行台都官郎陈元康说："你如果让崔暹挨了板子，就不要再来见我。"陈元康为了这件事对高欢说："大王正要把国家大事交给大将军，大将军有一个崔暹免不了挨板子，父子之间尚且如此，何况其他的人呢?"高欢于是放过了崔暹。

东魏高季式在永安戍地，高仲密派人给他通报自己叛离东魏。高季式跑到晋阳向高欢报告，高欢像原先一样对待他。

西魏丞相宇文泰率领众军接应高仲密，任用太子少傅李远为前锋，到了洛阳，派开府仪同三司于谨进攻柏谷，攻占了柏谷。三月初二日壬辰，西魏军包围河桥南城。

东魏丞相高欢亲领十万大军到达河桥北城，宇文泰撤军到瀍水岸边，在上游放火船来烧毁河桥。东魏斛律金派行台郎中张亮用一百多艘小船载着长锁链，等待火船将要到达，用钉子钉在小船上，拉长链使火船靠向河岸，河桥于是得到保全。

高欢渡过黄河，占据邙山布下兵阵，好几天不向前推进。宇文泰将辎重留在瀍曲，趁夜，登上邙山偷袭高欢。侦察骑兵告诉高欢说："敌人距离这里有四十余里，大清早吃了干粮就来了。"高欢说："他们当会渴死。"于是摆好阵势等待西魏军。三月十八日戊申，黎明时分，宇文泰军与高欢军相遇。东魏彭乐率领几千骑兵为右翼，攻击西魏军的北面，所向无敌，于是冲入西魏军营。有人报告说，彭乐叛变，高欢震怒。不一会西北方尘土飞扬，彭乐派人来告捷，俘虏了西魏侍中、开府仪同三司、大都督临洮王元柬，蜀郡王元荣宗，江夏王元升，钜鹿王元阐，谯郡王元亮，詹事赵善，以及督将僚佐四十八人。东魏诸将乘胜出击西魏军，大获全胜，斩首三万余级。

欢使彭乐追泰，泰窘，谓乐曰："汝非彭乐邪？痴男子！今日无我，明日岂有汝邪？何不急还营，收汝金宝？"乐从其言，获泰金带一囊以归，言于欢曰："黑獭漏刃，破胆矣。"欢虽喜其胜而怒其失泰，令伏诸地，亲捽㉞其头，连顿之，并数以沙苑之败，举刃将下者三，噤断㉞良久。乐曰："乞五千骑，复为王取之。"欢曰："汝纵之何意，而言复取邪？"命取绢三千匹压乐背，因以赐之。

明日，复战，泰为中军，中山公赵贵为左军，领军若于惠㉞[23]等为右军。中军、右军合击东魏，大破之，悉俘其步卒。欢失马，赫连阳顺下马以授欢。欢上马走，从者步骑七人，追兵至，亲信都督尉兴庆㉞曰："王速去，兴庆腰有百箭，足杀百人。"欢曰："事济，以尔为怀州刺史；若死，用尔子。"兴庆曰："儿小[24]，愿用兄。"欢许之。兴庆拒战，矢尽而死。

东魏军士有逃奔魏者，告以欢所在，泰募勇敢㉞三千人，皆执短兵，配大都督贺拔胜以攻之。胜识欢于行间，执槊与十三骑逐之，驰数里，槊刃垂及，因字之㉞曰："贺六浑，贺拔破胡必杀汝！"欢气㉞殆绝，河州刺史刘洪徽㉞从傍射胜，中其二骑，武卫将军段韶射胜马，毙之，比副马至，欢已逸去。胜叹曰："今日不执弓矢，天也！"

魏南郢州刺史耿令贵，大呼，独入敌中，锋刃乱下，人皆谓已死，俄奋刀而还，如是数四。当令贵前者死伤相继，乃谓左右曰："吾岂乐杀人？壮士除贼，不得不尔。若不能杀贼，又不为贼所伤，何异逐坐人㉞也？"

左军赵贵等五将战不利，东魏兵复振，泰与战，又不利。会日暮，魏兵遂遁，东魏兵追之。独孤信、于谨收散卒自后击之，追兵惊扰，魏诸军由是得全。若于惠夜引去，东魏兵追之，惠徐下马，顾命厨人营食，食毕，谓左右曰："长安死，此中死，有以异乎？"乃建旗鸣角，收散卒徐还，追骑疑有伏兵，不敢逼。泰遂入关，屯渭上。

欢进至陕，泰使[25]开府仪同三司达奚武等拒之。行台郎中封子

高欢派彭乐追击宇文泰，宇文泰十分狼狈，对彭乐说：“你不就是彭乐吗？傻男子！今天没有我，明天难道会有你吗？何不赶快回营，收取你的金银财宝？”彭乐听了他的话，得了宇文泰的一袋金带，返回营地，对高欢说：“宇文黑獭从我刀下漏掉了，已经吓破了胆。”高欢对彭乐获胜感到高兴，而又愤恨他放走了宇文泰，命令他趴在地上，亲手抓住彭乐的发髻，接连往地上撞他的头，还一边以沙苑战败数落他，三次举刀要杀他，气得很久说不出话来。彭乐说：“请给我五千骑兵，再替大王捉拿宇文泰。”高欢说：“你为什么放了他，又说去捉拿他呢？”下令取来三千匹绸绢，压在彭乐背上，随后把这些绸绢赏赐给他。

第二天，重新开战。西魏宇文泰为中军，中山公赵贵为左军，领军若于惠等为右军。中军右军合击东魏，大败东魏军，全部俘获东魏军的步兵。高欢丧失了坐骑，赫连阳顺下马，将自己的战马交给了高欢。高欢上马逃走，随从的步兵骑兵只有七个人，西魏追兵赶到，高欢亲信都督尉兴庆说：“大王快逃，我兴庆腰有一百支箭，足够射杀一百人。”高欢说：“事成之后，用你为怀州刺史；你若死了，就用你的儿子。”兴庆说：“儿子还小，就用我的哥哥吧。”高欢答应了。兴庆阻击追兵，箭射完了被杀死。

东魏军士有投降西魏的人，告知高欢在哪里，宇文泰招募勇士三千人，都拿着短兵器，交给大都督贺拔胜用以攻击高欢。贺拔胜在敌军队伍中认出了高欢，拿着长矛和十三个骑兵一起追杀高欢，奔驰了数里，长矛的刀尖将要刺上高欢了，就叫着高欢的字说：“贺六浑，我贺拔破胡一定要杀死你！”高欢上气不接下气，河州刺史刘洪徽从旁射贺拔胜，射中了他的两个骑兵，武卫将军段韶射贺拔胜的坐骑，射死了，等到备用马牵来，高欢已逃远了。贺拔胜叹息说：“今天没有带弓箭，这是天意啊！”

西魏南郢州刺史耿令贵，大喊着单人独骑冲入敌群，遭到刀刃乱砍，大家都认为他已经死了，不一会他挥刀杀了出来，如此反复多次。挡在耿令贵面前的敌人死的伤的一个接一个，耿令贵对身边的人说：“我哪里是乐意杀人？男子汉杀敌，不得不这样。如果不能杀敌，又不被敌人杀伤，这和坐而论道的文人有什么不同？”

西魏左翼军赵贵等五位将领在战斗中失利，东魏兵士气重新振作，宇文泰与他们交战，也失利。恰好太阳下山，西魏兵于是撤退。东魏兵追击，独孤信、于谨收拢逃散的士兵，从追兵后面向东魏兵攻击，东魏追兵惊慌，西魏众军因此得到保全。若于惠连夜撤退，东魏兵追击他，若于惠不慌不忙跳下了马，回头命令伙夫做饭，吃完饭，他对身边的人说：“在长安死和在这里死有什么不同吗？”于是竖起战旗，吹响号角，收聚逃散的士兵，慢慢撤退，东魏追击的骑兵怀疑有伏兵，不敢进逼。宇文泰于是退入关中，屯驻渭河边。

高欢进兵到陕州，宇文泰派开府仪同三司达奚武等阻击高欢。行台郎中封子绘

绘[349]言于欢曰："混壹东西，正在今日。昔魏太祖[350]平汉中[351]，不乘胜取巴、蜀[352]，失在迟疑，后悔无及。愿大王不以为疑。"欢深然之，集诸将议进止，咸以为野无青草，人马疲瘦，不可远追。陈元康曰："两雄交争，岁月已久。今幸而大捷，天授我也，时不可失，当乘胜追之。"欢曰："若遇伏兵，孤何以济？"元康曰："王前沙苑失利，彼尚无伏；今奔败若此，何能远谋？若舍而不追，必成后患。"欢不从，使刘丰生将数千骑追泰，遂东归。

泰召王思政于玉壁，将使镇虎牢，未至而泰败，乃使守恒农。思政入城，令开门解衣而卧，慰勉将士，示不足畏。后数日，刘丰生至城下，惮之，不敢进，引军还。思政乃修城郭，起楼橹，营农田，积刍粟，由是恒农始有守御之备。

丞相泰求自贬，魏主不许。是役也，魏诸将皆无功，唯耿令贵与太子武卫率[353]王胡仁[354]、都督王文达[355]力战功多。泰欲以雍、岐、北雍三州授之，以州有优劣，使探筹[356]取之，仍赐胡仁名勇，令贵名豪，文达名杰[26]，用彰其功。于是广募关、陇豪右以增军旅。

高仲密之将叛也，阴遣人扇动冀州豪杰[357]，使为内应，东魏遣高隆之驰驿[358]慰抚，由是得安。高澄密书与隆之曰："仲密枝党与之俱西者，宜悉收其家属，以惩将来。"隆之以为恩旨既行，理无追改，若复收治，示民不信，脱致惊扰，所亏不细[359]，乃启丞相欢而罢之[360]。

以太子詹事谢举为尚书仆射。

夏，四月，林邑[361]王攻李贲，贲将范脩破林邑于九德[362]。

清水[363]氐酋李鼠仁[364]乘魏之败，据险作乱。陇右大都督独孤信屡遣军击之，不克。丞相泰遣典签天水赵昶[365]往谕之，诸酋长聚议，或从或否，其不从者欲加刃于昶，昶神色自若，辞气逾厉，鼠仁感悟，遂相帅降。氐酋梁道显叛，泰复遣昶谕降之，徙其豪帅四十[27]余人并部落于华州。泰即以昶为都督，使领之。

泰使谍潜入虎牢，令守将魏光[366]固守，侯景获之，改其书云："宜速去。"纵谍入城，光宵遁。景获高仲密妻子送邺，北豫、洛二州复入

对高欢说："统一东西魏，正在今日。从前魏太祖曹操平定汉中，没有乘胜进取巴、蜀，失策在犹豫不决，后悔都来不及了。希望大王不要迟疑。"高欢非常赞同，召集众将领商议是进军还是退兵，大家都认为野无青草，人马疲瘦，不可远追。陈元康说："两雄斗争，时间已经很久了，现今有幸大捷，这是上天给我们的，时机不能错过，应当乘胜追击敌人。"高欢说："如果遇上伏兵，我怎么办?"陈元康说："大王先前在沙苑战败，对方尚且没有埋伏，现在这样大败溃逃，哪能想得那么深远？如果放过他们不追击，一定成为后患。"高欢没有听从，派刘丰生率领几千骑兵追击宇文泰，于是向东返回。

宇文泰从玉壁召回王思政，想让他镇守虎牢，王思政还没到，宇文泰战败，就让王思政守卫恒农。王思政进入恒农城，下令打开城门，脱衣就寝，安慰鼓励将士，表示东魏不值得害怕。过了几天，东魏刘丰生来到城下，畏惧王思政，不敢进城，率军退走。王思政于是整修城郭，建起瞭望高台，开垦农田，积蓄刍草粮食，从此恒农才有了防卫的设施。

丞相宇文泰自请贬职，西魏文帝不同意。这次战役，西魏诸将都没有功劳，只有耿令贵与太子武卫率王胡仁、都督王文达奋勇作战，功绩多。宇文泰想把雍、岐、北雍三个州分别授给他们三个人。因三个州各有优劣，宇文泰就让三个人用摸筹码的办法来决定，并赐王胡仁叫王勇，耿令贵叫耿豪，王文达叫王杰，以此表彰他们的功劳。随后，西魏广泛招募关陇地区豪强大族的子弟扩充军队。

东魏高仲密准备叛逃的时候，暗中派人煽动冀州的豪杰，让他们做内应。东魏派高隆之乘驿站快马赶去安抚，因此冀州平安无事。高澄写了一封密信给高隆之，说："高仲密的党徒中，凡是和高仲密一起叛逃的，他们的家属应全部逮捕，用以警示将来。"高隆之认为，既然下达了不追究叛逃亲属的恩惠旨意，按理不应该改变，如果又将他们抓起来惩治，那就等于向百姓显示朝廷没有信誉，万一导致人心惶惶，损失就大了，于是向高欢报告，搁置了高澄的意见。

梁朝任命太子詹事谢举为尚书仆射。

夏，四月，林邑王进攻李贲，李贲部将范脩在九德打败了林邑王。

清水县氐人酋长李鼠仁趁西魏失败，占据险要发动叛乱。西魏陇右大都督独孤信多次派兵讨伐他，都没取胜。丞相宇文泰派典签天水人赵昶前往劝谕他们，氐人众酋长聚集商议，有的赞成，有的反对，反对的人想举刀杀死赵昶，赵昶神色自若，言辞更加严厉，李鼠仁深受感动而醒悟，于是和众酋长率领部众投降。氐族酋长梁道显反叛，宇文泰又派赵昶晓谕劝降，迁移氐族豪帅四十多人及其部落到华州。宇文泰就任用赵昶为都督，管理这些氐族部落。

宇文泰派间谍潜入虎牢城，命令守将魏光坚守。侯景抓获了间谍，把书信改为："应赶快撤离。"然后放间谍入城，魏光连夜逃走。侯景抓获了高仲密的妻子儿女送

于东魏。五月壬辰[367]，东魏以克复虎牢，降死罪已下囚，唯不赦高仲密家。丞相欢以高乾有义勋[368]，高昂死王事[369]，季式先自告，皆为之请，免其从坐[370]。仲密妻李氏当死，高澄盛服见之，曰："今日何如?"李氏默然，遂纳之。乙未[371]，以侯景为司空。

秋，七月，魏大赦。以王盟为太傅，广平王赞为司空。

八月乙丑[372]，东魏以汾州刺史斛律金为大司马。

东魏遣兼散骑常侍李浑[373]等来聘。

冬，十一月甲午[374]，东魏主狩于西山[375]，乙巳[376]，还宫。高澄启解侍中，东魏主以其弟并州刺史太原公洋[377]代之。

丞相欢筑长城于肆州[378]北山，西自马陵[379]，东至土墱[380]，四十日罢。

魏诸牧守共谒丞相泰，泰命河北太守裴侠[381]别立[382]，谓诸牧守曰："裴侠清慎奉公，为天下最，有如侠者，可与俱立。"众默然，无敢应者。泰乃厚赐侠，朝野叹服，号为"独立君"。

【段旨】

以上为第六段，写公元五四三年，因东魏高仲密叛降西魏，引发东魏与西魏邙山大战，两军全力交战，高欢与宇文泰各自九死一生，东魏大胜而无力追击，东魏与西魏仍然势均力敌。

【注释】

[315]壬戌：正月初一日。[316]武定：孝静帝年号（公元五四三至五四九年）。[317]取：娶。[318]方为：正被。[319]李氏：赵郡李徽伯的女儿。高仲密投降西魏之后，李氏被押，迫于高澄压力，被纳为昌仪。[320]悦之：挑逗李氏。[321]北豫州：州名，治所虎牢，在今河南荥阳西。[322]镇城：官名，即防城都督，负责守城。[323]壬申：二月十二日。[324]丐：给予。此处意谓不杀而留下性命。[325]与苦手：即痛打。[326]都官郎：官名，主管军事刑狱。[327]永安戍：戍所名，在永安城，亦是永安郡郡治，在今山西霍州。当时高季式被解除晋州刺史职，镇守该戍所。高仲密借机想引诱他一起投降西魏。[328]太子少傅：官名，为加官，是荣誉虚衔。李远当时实授行台尚书。[329]柏谷：城名，在今河南宜阳南。[330]壬辰：三

到了邺城，北豫州、洛州两州重新归属东魏。五月初三日壬辰，东魏因为收复了虎牢，下令死罪以下囚犯予以减刑，唯独不赦免高仲密家属。丞相高欢认为当年高乾在信都追随自己起事，高昂在河阳为国捐躯，高季式自首事先告发高仲密叛逃，于是替这些人的家属说情，不让株连他们。高仲密的妻子李氏应处死刑，高澄穿着华丽的服装去见李氏，说："今天怎么样？"李氏默然不语，高澄于是收娶了她。五月初六日乙未，东魏任命侯景为司空。

秋，七月，西魏大赦天下。任命王盟为太傅，广平王元赞为司空。

八月初八日乙丑，东魏任命汾州刺史斛律金为大司马。

东魏派兼散骑常侍李浑等出使梁朝。

冬，十一月初八日甲午，东魏孝静帝在西山狩猎，十九日乙巳，回到宫廷。高澄上奏请求免去自己侍中的职务，东魏孝静帝任命高澄的弟弟并州刺史太原公高洋代高澄为司空。

丞相高欢在肆州北山上筑长城，西起马陵，东到土墱，四十天完工。

西魏各州郡长官一起晋见丞相宇文泰，宇文泰让河北太守裴侠单独站一边，对其他各州郡长官说："裴侠为国家清廉审慎，是天下第一，有裴侠一样的人，就可以和他站在一起。"众人沉默，没有人敢回答。宇文泰于是重赏裴侠，朝内朝外的人都叹服，称裴侠为"独立君"。

月初二日。㉛河北：指河桥北城，在今河南孟州南富平津渡口北侧。㉜瀍曲：即瀍水西。㉝蓐食：在被窝里吃饭，即还未起床时就吃饭。蓐，同"褥"，被褥。㉞干饭：先蒸或煮而后再晒干的饭。麦子、大米、小米都可以作原料。㉟戊申：三月十八日。㊱右甄：军阵的右翼。㊲北垂：北边的军阵。㊳临洮王柬：元柬，爵临洮王。《魏书》卷十二作"元森"，《北史》卷五十三作"元东"，未知孰是。蜀郡王元荣宗，江夏王元升，钜鹿王元阐，谯郡王元亮，共五王，都是西魏文帝哥哥的儿子。㊴赵善：字僧庆，天水南安人。爵襄城县公，西魏大统三年（公元五三七年），任尚书左仆射，领太子詹事。被俘后，客死于东魏。传见《周书》卷三十四、《北史》卷五十九。㊵捽：揪住。㊶噤龂：咬牙切齿，强忍不言。㊷若于惠（？至公元五四七年）：复姓若于，字惠保，代郡武川人，初从尔朱荣，后拥戴宇文泰，以功晋爵长乐郡公，任中领军，升至司空。传见《周书》卷十七、《北史》卷六十五。㊸尉兴庆：本名兴，字兴庆，因避高欢五世祖高庆的名讳，所以《北齐书》作"尉兴敬"。太安狄那人，便弓马，有武艺。东魏时，封集中县侯。传见《北齐书》卷十九、《北史》卷五十三。㊹勇敢：有勇气、不怕死的人。㊺字之：高呼高欢的字。㊻气：人的气息、生气。㊼刘洪徽：人名，秀容阳曲人，后任北齐

尚书右仆射、领军，助高演夺取帝位。传见《北齐书》卷十九、《北史》卷五十三。㊽逐坐人：指当时舞文弄墨、坐而论事的文官。这是武将对文官的蔑称。这种认识在南北朝武将中十分流行。㊾封子绘（公元五一五至五六四年）：字仲藻，小名搔，封隆之的儿子。明敏干练，深得高欢父子信任。传见《魏书》卷三十二、《北齐书》卷二十一、《北史》卷二十四。㊿魏太祖：指三国时魏曹操。操死，其子曹丕代汉，追赠操为太祖武皇帝。(351)汉中：郡名，汉置，治所南郑，在今陕西汉中东。(352)巴、蜀：两郡名。巴郡，汉末治所在江州，在今重庆市嘉陵江北岸。蜀郡，汉末治所在成都，在今四川成都。三国时二郡控制在刘备手中。(353)太子武卫率：官名，原称东宫武卫将军，掌东宫卫队。(354)王胡仁：代郡武川人，勇力过人，屡立战功。魏恭帝元年（公元五五四年），大败柔然，晋爵新阳郡公，赐姓库汗氏。传见《周书》卷二十九、《北史》卷六十六。(355)王文达（公元五一五至五七九年）：金城直城（今陕西汉阴）人，号万人敌，爵都昌县公。江陵之役，生擒梁元帝，战功居首。入周，以勋望任上柱国。传见《周书》卷二十九、《北史》卷六十六。(356)筹：竹制的筹算用具，记数用。此处是用来抽签，以决定任何州刺史。(357)冀州豪杰：指冀州地区豪强。高仲密的哥哥高乾少任侠，在冀州老家极有影响力。仲密利用这一优势，煽动豪杰叛乱。(358)驰驿：利用驿站人马粮草，加速前进。因封隆之曾任冀州刺史，颇得人心，所以高欢派他去安定当地豪强。封隆之，《通鉴》此处误为“高隆之”。(359)所亏不细：所损失的将会很大。(360)罢之：撤销了高澄的密命。(361)林邑：国名，原属汉代日南郡象林县，在今越南南方岘港一带。(362)九德：郡名，治所九德，在今越南荣市，也是德州州治。(363)清水：县名，县治在今甘肃清水西。(364)李鼠仁：人名。事见《周书·异域传》《北史·氐传》。(365)赵昶（？至公元五五八年）：字长舒，天水南安（今属甘肃）人，西魏文帝末，拜安夷郡守，多次软硬兼施，平定氐人和羌人的叛乱。以功封长道郡公。传见《周书》卷三十三、《北史》卷六十九。(366)魏光：人名，此前任东秦州刺史。(367)壬辰：五月初三日。(368)义勋：指大通三年（公元五三一年）高乾起兵信

【原文】

十年（甲子，公元五四四年）

春，正月，李贲自称越帝，置百官，改元天德[28]。

三月癸巳(383)，东魏丞相欢巡行冀、定(384)二州，校河北户口损益，因朝于邺。

甲午(385)，上幸兰陵(386)，谒建宁陵(387)，使太子入守宫城[29]。辛丑(388)，谒修陵(389)。

都，拥戴高欢事。㊱死王事：指高敖曹战死于河阳事。㊲从坐：通称连坐，指受株连而被判罪。㊳乙未：五月初六日。㊴乙丑：八月初八日。㊵李浑：字季初，赵郡柏人（今河北隆尧西）人，北齐太子少傅，曾删定《麟趾格》。传见《魏书》卷四十九、《北齐书》卷二十九、《北史》卷三十三。㊶甲午：十一月初八日。㊷西山：山名，在河北邯郸西。㊸乙巳：十一月十九日。㊹洋：高洋，北齐文宣帝，时爵太原公。传见《北齐书》卷四、《北史》卷七。㊺肆州：州名，治所九原，在今山西忻州。㊻马陵：地名，在今山西静乐北。㊼土墱：寨名，在今山西原平西北。㊽裴侠（？至公元五五九年）：字嵩和，河东解人，本名协，沙苑一役战功卓著，宇文泰赐名侠，以表彰他的忠勇。入周，封清河县公。传见《周书》卷三十五、《北史》卷三十八。㊾别立：单独设置一个位子。此为古时朝廷对功臣的一种表彰方式。

【校记】

［22］壬辰：原作“壬申”。严衍《通鉴补》改作“壬辰”，当是，今据改。〖按〗三月辛卯朔，无壬申日。又《北齐书·神武帝纪下》《北史·高祖神武帝纪》皆作“壬辰”。［23］若于惠：原作“若干惠”。据章钰校，甲十一行本、乙十一行本、孔天胤本皆作“若于惠”，张敦仁《通鉴刊本识误》、张瑛《通鉴校勘记》同，今据改。〖按〗《魏书·官氏志》有“若干氏”，《周书·若于惠传》《北史·若于惠传》亦皆作“若于惠”。［24］小：原作“少”。据章钰校，甲十一行本、乙十一行本、孔天胤本皆作“小”，今据改。〖按〗《北齐书·神武帝纪下》作“小”。［25］使：原作“遣”。据章钰校，甲十一行本、乙十一行本皆作“使”，今据改。［26］杰：据章钰校，乙十一行本作“信”，张瑛《通鉴校勘记》同。〖按〗《周书·王勇传》《北史·王勇传》皆作“杰”，未知孰是。［27］四十：原作“四千”。据章钰校，甲十一行本、乙十一行本、孔天胤本皆作“四十”，今据改。〖按〗《魏书·赵昶传》亦作“四千”。

【语译】

十年（甲子，公元五四四年）

春，正月，李贲自称越帝，建置百官，改年号为天德。

三月初九日癸巳，东魏丞相高欢巡察冀州、定州两州，检查河北户口增减情况，接着到邺城朝见东魏孝静帝。

三月初十日甲午，梁武帝巡幸兰陵，拜谒建宁陵，派太子进入宫城镇守。十七日辛丑，梁武帝拜谒修陵。

丙午[390]，东魏以开府仪同三司孙腾为太保。

己酉[391]，上幸京口城[392]北固楼[393]，更名北顾。庚戌[394]，幸回宾亭，宴乡里故老及所经近县迎候者，少长数千人，各赉钱二千。

壬子[395]，东魏以高澄为大将军、领中书监，元弼为录尚书事，左仆射司马子如为尚书令，侍中高洋为左仆射。

丞相欢多在晋阳，孙腾、司马子如、高岳、高隆之，皆欢之亲旧[30]，委以朝政，邺中谓之四贵，其权势熏灼中外，率多专恣骄贪。欢欲损夺其权，故以澄为大将军、领中书监，移门下机事总归中书[396]，文武赏罚皆禀于澄。

孙腾见澄，不肯尽敬[397]，澄叱左右牵下于床，筑以刀环，立之门外。太原公洋于澄前拜高隆之，呼为叔父[398]，澄怒，骂之。欢谓群公曰："儿子浸长，公宜避之。"于是公卿以下，见澄无不耸惧。库狄干，澄姑之婿也，自定州来谒，立于门外三日，乃得见。

澄欲置腹心于东魏主左右，擢中兵参军崔季舒[399]为中书侍郎。澄每进书于帝，有所谏请，或文辞繁杂，季舒辄修饰通之。帝报答[31]澄父子之语，常与季舒论之，曰："崔中书，我乳母也。"季舒，挺之从子[400]也。

夏，四月乙卯[401]，上还自兰陵。

五月甲申朔[402]，魏丞相泰朝于长安。

甲午[403]，东魏遣散骑常侍魏季景[404]来聘。季景，收[405]之族叔也。

尚书令何敬容妾弟[406]盗官米，以书属[407]领军河东王誉。丁酉[408]，敬容坐免官。

东魏广阳王湛卒。

魏琅琊贞献公贺拔胜诸子在东者，丞相欢尽杀之，胜愤恨发疾而卒。丞相泰常谓人曰："诸将对敌神色皆动，唯贺拔公临陈如平时，真大勇也！"

秋，七月，魏更权衡度量[409]，命尚书苏绰损益三十六条[410]之制，总为五卷，颁行之。搜简贤才为牧守令长，皆依新制而遣焉。数年之间，百姓便之。

魏自正光以后，政刑弛纵，在位多贪污。丞相欢启以司州中从事[411]宋游道[412]为御史中尉，澄固请以吏部郎崔暹为之，以游道为尚书

二十二日丙午，东魏任命开府仪同三司孙腾为太保。

三月二十五日己酉，梁武帝巡幸京口城的北固楼，改名北顾楼。二十六日庚戌，梁武帝巡幸回宾亭，设宴招待家乡父老，以及巡幸所经过的附近县前来迎驾的人，男女老少数千人，每人赏钱两千。

三月二十八日壬子，东魏任命高澄为大将军、领中书监，元弼为录尚书事，左仆射司马子如为尚书令，侍中高洋为左仆射。

丞相高欢大多时候住在晋阳，孙腾、司马子如、高岳、高隆之，都是高欢的亲旧，高欢把朝政委托给他们，邺城人称他们为四贵，他们的权势在朝廷内外炙手可热，大都专横跋扈，骄恣贪婪。高欢想削减他们的权力，因此任用高澄为大将军、领中书监，转移门下省的机要事务总归中书省，文武百官的赏罚都要向高澄报告。

孙腾见高澄，不肯十分恭敬，高澄喝令手下人把孙腾从床上拉下，用刀背击打他，让他站立在门外。太原公高洋在高澄面前拜见高隆之，称他为叔父，高澄发怒，痛骂高洋。高欢对朝中公卿说："儿子渐渐长大了，你们应回避他。"于是公卿百官见了高澄，无不战栗恐惧。库狄干，是高澄姑姑的女婿，从定州来晋见高澄，站在门外三天，才得到召见。

高澄想在孝静帝身边安插亲信，提升中兵参军崔季舒为中书侍郎。高澄每次上书给孝静帝，有所谏阻和请求，有时文辞烦琐杂乱，崔季舒就润色以后才上呈。孝静帝回复高欢、高澄父子的话，经常与崔季舒讨论，孝静帝说："崔中书就是我的乳母。"崔季舒，是崔挺的侄儿。

夏，四月初一日乙卯，梁武帝从兰陵回宫。

五月初一日甲申，西魏丞相宇文泰到长安朝见魏文帝。

十一日甲午，东魏派散骑常侍魏季景出使梁朝。魏季景，是魏收的堂叔。

梁朝尚书令何敬容小妾的弟弟盗窃公家大米，何敬容写信给领军河东王萧誉说情。五月十四日丁酉，何敬容受牵连被免职。

东魏广阳王元湛去世。

西魏琅琊贞献公贺拔胜留在东魏的几个儿子，被丞相高欢全都杀了，贺拔胜愤恨成疾而去世。丞相宇文泰经常对人说："众将面对敌人时，神色都变了，只有贺拔胜临阵对敌和平时一样。真是英勇无比！"

秋，七月，西魏更改度量衡制度，命令尚书苏绰增减原来制定的三十六条制度，总括为五卷，颁布施行。挑选贤能的人为州郡县的长官，都按新制度派遣，几年以后，老百姓都觉得方便。

北魏从正光年间以来，行政法规松弛，在位的人大多贪污腐败。东魏丞相高欢上奏推荐司州中从事宋游道为御史中尉，高澄坚持请求任用吏部郎崔暹为御史中尉，

左丞。澄谓暹、游道曰："卿一人处南台⑬，一人处北省⑭，当使天下肃然。"暹选毕义云⑮等为御史，时称得人。义云，众敬⑯之曾孙也。

澄欲假⑰暹威势，诸公在坐，令暹后至，通名，高视徐步，两人挈裾⑱而入，澄分庭对揖，暹不让而坐，觞再行⑲，即辞去。澄留之食，暹曰："适受敕在台检校。"遂不待食而去，澄降阶送之。他日，澄与诸公出，之东山⑳，遇暹于道，前驱为赤棒㉑所击，澄回马避之㉒。

尚书令司马子如以丞相欢故人，当重任，意气自高，与太师咸阳王坦贪黩[32]无厌㉓，暹前后弹子如、坦及并州刺史可朱浑道元等罪状，无不极笔㉔。宋游道亦劾子如、坦及太保孙腾、司徒高隆之、司空侯景、尚书元羡等。澄收子如系狱，一宿，发尽白，辞曰："司马子如从夏州策杖投相王㉕，王给露车㉖一乘，觽牸牛犊㉗，犊在道死，唯觽角存，此外皆取之于人。"丞相欢以书敕澄曰："司马令，吾之故旧，汝宜宽之。"澄驻马行街，出子如，脱其锁，子如惧曰："非作事㉘邪?"八月癸酉㉙，削子如官爵。九月甲申㉚，以济阴王晖业为太尉。太师咸阳王坦以王还第㉛，元羡等皆免官，其余死黜㉜者甚众。久之，欢见子如，哀其憔悴，以膝承其首，亲为择虱，赐酒百瓶，羊五百口，米五百石。

高澄对诸贵极言褒美崔暹，且戒属㉝之。丞相欢书与邺下诸贵曰："崔暹居宪台，咸阳王、司马令皆吾布衣之旧，尊贵亲暱，无过二人，同时获罪，吾不能救，诸君其慎之!"

宋游道奏驳尚书违失数百条，省中豪吏㉞王儒之徒并鞭斥之，令、仆已下皆侧目。高隆之诬游道有不臣之言，罪当死。给事黄门侍郎杨愔曰："畜狗求吠，今以数吠杀之，恐将来无复吠狗。"游道竟坐除名㉟。澄谓游道曰："卿早从我向并州，不尔，彼㊱经略㊲杀卿。"游道从澄至晋阳，以为大行台吏部㊳。

己丑㊴，大赦。

东魏以丧乱之后，户口失实，徭赋不均，冬，十月丁巳㊵，以太保

任用宋游道为尚书左丞。高澄对崔暹、宋游道说："你们一人在南台御史府，一人在北台尚书省，定会使天下肃静清廉。"崔暹挑选毕义云等为御史，当时舆论称赞用人得当。毕义云，是毕众敬的曾孙。

高澄想提高崔暹的权威，朝廷诸公聚会时，让崔暹后到，崔暹通报姓名后，昂头慢步前行，高、崔二人提着衣袖进入厅堂，就座时，高澄与诸人分庭对拜行礼，崔暹毫不谦让就落座。饮酒才两轮，崔暹就告辞要离去。高澄挽留他吃饭，崔暹说："刚刚收到皇上敕令，让我回御史台办公。"于是不等开饭就走了，高澄走下厅堂台阶送他。又有一天，高澄与公卿外出前往东山，在路上遇见了崔暹，高澄一行的前卫被崔暹仪仗队卫士的红棒击打，高澄调转马头避让他们。

尚书令司马子如依仗是高欢的老朋友，又身居要职，傲慢自大，与太师咸阳王元坦两人贪污钱财不知满足，崔暹前后多次弹劾司马子如、元坦和并州刺史朱可浑道元等人的罪状，下笔毫不留情。宋游道也弹劾司马子如、元坦，以及太保孙腾、司徒高隆之、司空侯景、尚书元羡等。高澄抓捕司马子如关入监狱，一夜间，司马子如的头发全白了，供词说："我司马子如从在夏州拄杖跋涉追随丞相高王，高王赏给我没有篷盖的牛车一辆，卷角的母牛犊一头，牛犊在路上死了，只有弯牛角留了下来，此外，一切财物都是从别人那里取来的。"丞相高欢写信给高澄说："尚书令司马子如，是我的老朋友，你应当宽容他。"高澄巡视街道停下马车，放出司马子如，打开他的枷锁，司马子如惶恐地说："不是要杀我吧?"八月二十一日癸酉，削夺了司马子如的官爵。九月初三日甲申，任用济阴王元晖业为太尉。太师咸阳王元坦以王的身份回到府第，元羡等全都免官，其他被罢官和杀头的人很多。过了很久，高欢见到司马子如，可怜他形容憔悴，用自己的大腿枕司马子如的头，亲自给他捉虱子，赏赐酒百瓶、羊五百头、米五百石。

高澄对众显贵极力称赞崔暹，并且告诫嘱托他们要接受崔暹的监督。高欢写信给京都邺城的公卿显贵们说："崔暹任职御史台，咸阳王、司马子如尚书令两人都是我的布衣之友，尊贵以及和我的亲密关系没人超过这两人，他们两人同时犯了罪，我救不了，各位要谨慎啊!"

宋游道上奏论辩尚书省违规失误达数百条，尚书省中有权势的官吏王儒等人都被鞭打斥责，尚书令、尚书仆射以下官员都嫉恨宋游道。高隆之诬告宋游道说了大逆不道的话，论罪应当处死。给事黄门侍郎杨愔说："养狗就是要它吠叫，现今叫了几声就要杀狗，恐怕将来再没有吠叫的狗了。"宋游道终究被罢了官。高澄对宋游道说："你尽快和我一起到并州，不这样，他们算计着要杀死你。"宋游道跟随高澄到了晋阳，被任命为大行台吏部郎。

九月初八日己丑，梁武帝大赦天下。

东魏因丧乱之后，户口统计不确实，徭役赋税不均衡。冬，十月初六日丁巳，孙腾、大司徒㊶高隆之为括[33]户大使㊷，分行诸州，得无籍之户六十余万，侨居者皆勒还本属㊸。十一月甲申㊹，以高隆之录尚书事，以前大司马娄昭为司徒。

庚子㊺，东魏主祀圜丘。

东魏丞相欢袭击山胡㊻，破之，俘万余户，分配诸州。

是岁，东魏以散骑常侍魏收兼中书侍郎，修国史㊼。自梁、魏通好，魏书㊽每云："想彼境内宁静，此率土安和。"上复书，去"彼"字而已。收始定书云："想境内清晏㊾，今万里安和。"上亦效之。

【段旨】

以上为第七段，写东魏整顿吏治，检括户口，加重高澄权威。

【注释】

㊳癸巳：三月初九日。㊴定：州名，治所卢奴，在今河北定州。㊵甲午：三月初十日。㊶兰陵：郡名，即南兰陵郡，梁置。治所延陵，在今江苏丹阳南。㊷建宁陵：梁武帝母张皇后的陵墓。在今江苏武进西北的东城里山。〖按〗《梁书》《南史》均作"建陵"。㊸辛丑：三月十七日。㊹修陵：武帝郗皇后的陵墓。也在东城里山。㊺丙午：三月二十二日。㊻己酉：三月二十五日。㊼京口城：城名，在今江苏镇江市，是梁都建康的北门户。㊽北固楼：楼在镇江城北北固山上，三面临长江。㊾庚戌：三月二十六日。㊿壬子：三月二十八日。㊶移门下机事总归中书：原国家机要大事由门下省侍中、给事中分掌。现由高澄领中书监，执掌中书省。机事于是移入中书，以扩大他的权力。㊷尽敬：完全按下属拜见上级的礼节进见，表示恭敬和服从。㊸呼为叔父：高欢认高隆之为弟，所以高洋呼作叔父。高澄骂高隆之，乃是提高威信的手段。㊹崔季舒（？至公元五七三年）：字叔正，博陵安平（今河北安平）人，初为高欢大行台都官郎中，后助高澄典掌中书。北齐后主时，监修《修文殿御览》及国史。传见《魏书》卷五十七、《北齐书》卷三十九、《北史》卷三十二。㊺挺之从子：挺，崔挺。崔季舒是崔挺弟弟崔振的儿子。㊻乙卯：四月初一日。㊼甲申朔：五月初一日。㊽甲午：五月十一日。㊾魏季景：钜鹿下曲阳人。博学有文才，东魏时官至大司农卿、魏郡尹。传见《北史》卷五十六。㊿收：魏收，字伯起，北齐著名文臣，官至开府、中书监，是今传《魏书》的编撰者。传见《北齐书》卷三十七、《北史》卷五十六。㊶妾弟：名费慧明，时任

任命太保孙腾、大司徒高隆之为括户大使，分别到各州去检查，查出无户籍的民户六十多万，侨居他乡的户口勒令回到原籍登记。十一月初四日甲申，任命高隆之录尚书事，任命前大司马娄昭为司徒。

十一月二十日庚子，东魏孝静帝到圜丘祭祀。

东魏丞相高欢袭击山胡部落，打败了山胡，俘虏一万多户，分配到各州。

这一年，东魏任命散骑常侍魏收兼中书侍郎，修撰国史。自从梁魏两朝讲和通使以后，魏国的国书总是说："想彼境内宁静，此率土安和。"梁武帝回书只去掉一个"彼"字而已。魏收这才开始定下国书的用语说："想境内清晏，今万里安和。"梁武帝回信也照样写。

导仓丞。事详《梁书》卷三十七《何敬容传》。⑷⓪⑺ 以书属：写信嘱托河东王萧誉协助开脱费慧明的罪。当时慧明被关押在领军府。408 丁酉：五月十四日。409 更权衡度量：重新制定度量衡的标准。410 三十六条：包括大统元年（公元五三五年）制定的二十四条和大统七年制定的十二条。此时合并加以修订。411 中从事：官名，即治中从事，刺史属吏，主掌文书。412 宋游道：敦煌（今甘肃敦煌）人，性抗直，为朝中权贵所畏忌。仕东魏，官至御史中尉，北齐初，兼太府卿。传见《魏书》卷五十二、《北齐书》卷四十七、《北史》卷三十四。413 南台：御史台办公处，在宫阙的西南方。414 北省：尚书省办公处，在宫阙北方。415 毕义云：东平须昌（今山东东平）人，仕北齐，任职不避权贵。历官御史中丞、度支尚书、兖州刺史。传见《魏书》卷六十一、《北齐书》卷四十七、《北史》卷三十九。416 众敬：毕众敬，小名奈。原是南朝刘宋时的泰山太守。宋明帝时，随徐州刺史薛安都降魏，拜兖州刺史。传见《魏书》卷六十一、《北史》卷三十九。417 假：给予。此处意谓帮助树立、提高。418 挈裾：提着衣袖。419 觞再行：再次敬酒。420 东山：东魏君臣游宴的地方。421 赤棒：执法的红色棍棒。此指御史中尉崔暹仪仗队中在前开路的手执赤棒的士卒。422 回马避之：调转马头，回避御史中丞的巡察队伍。423 贪黩无厌：贪污钱财没有止境。424 无不极笔：下笔毫不留情。425 从夏州策杖投相王：高欢大败尔朱氏之时，司马子如在南岐州任刺史。因华州、雍州道路被阻断，所以他取道夏州，投奔高欢。相王，高欢此时任丞相，爵齐王，所以称作相王。426 露车：民间所用没有篷盖和车厢的车子。427 犞牸牛犊：卷角母牛犊。428 作事：指执行死刑。429 癸酉：八月二十一日。430 甲申：九月初三日。431 以王还第：免去太师官职，仅保留王爵回家，不再参政。432 死黜：或被处死，或被降职。433 戒属：告请嘱托。434 豪吏：有威势的官吏。435 除名：除去官籍，削职为民。436 彼：指高隆之等人。437 经略：策划。438 大行台吏部：胡三省以为下脱一"郎"字，是。439 己丑：九月初八日。440 丁巳：十月初六日。441 大司徒：北魏和东魏

官制中只有司徒一职。胡三省以为"大"字是衍文，是。㊷括户大使：审查户籍的特命巡行官员。㊸勒还本属：勒令返回原籍。㊹甲申：十一月初四日。㊺庚子：十一月二十日。㊻山胡：居住在汾州山中的稽胡人。南匈奴的后裔。㊼修国史：撰写《魏书》，今存。㊽魏书：东魏给梁朝的文书。㊾清晏：原指天气晴朗。于此比喻国家清平安宁。

【校记】

［28］天德：原作"大德"。据章钰校，甲十一行本、乙十一行本、孔天胤本皆作"天德"，熊罗宿《胡刻资治通鉴校字记》同，今据改。〖按〗《南史·武帝纪下》作"天德"。［29］宫城：原作"京城"。据章钰校，甲十一行本、乙十一行本、孔天胤本皆作"宫城"，今据改。［30］亲旧：原作"亲党也"。据章钰校，甲十一行本、乙十一行本、孔天胤本皆作"亲旧"，今据改。［31］答：原无此字。据章钰校，甲十一行本、乙十一行本、孔天胤本皆有此字，今据补。［32］贪黩：原作"黩货"。据章钰校，甲十一行本、乙十一行本、孔天胤本皆作"贪黩"，今据改。［33］括：原作"栝"。据章钰校，甲十一行本、乙十一行本皆作"括"，张瑛《通鉴校勘记》同，今据改。

【研析】

本卷叙事长达七年，主要内容还是东、西魏的史事，可供探讨的问题太多，东、西魏两次争夺洛阳的大战便可圈可点，不过卷中已有详细描述，读者自可细细品味。下面只就东、西魏的政治特点做一些分析，本卷涉及的另一些问题，在合适的卷次再予剖析。

第一，西魏颁布治国纲领。

上一卷曾分析说，宇文泰与苏绰经过一天一夜的长谈，确立了主行"帝王之道"、兼采法家治国之术的治国方针。我们也可以概称之为"杂王霸道而用之"，比汉宣帝所说汉家"杂霸王道而用之"更胜一筹。这一治国方针最后以文告的形式颁行，《通鉴》只罗列了其大纲："一曰清心，二曰敦教化，三曰尽地利，四曰擢贤良，五曰恤狱讼，六曰均赋役。"并称宇文泰对此极为重视，将其作为座右铭，并"令百司习诵之，其牧守令长非通六条及计账者，不得居官"。也就是说，这不只是一纸空文，中央各级官员必须学习背诵的，地方长官如果对这一文件的精神没吃透，没按其原则实行，便要被罢官。其实，这一文件早就制定，并加以实施，只是最初以宇文泰的名义颁布，称"为政之法六条"，至大统七年（公元五四一年）十一月，又以皇帝的名义颁布，以示郑重，故称《六条诏书》。如此重要的文件，《通鉴》省去其内容，实属不当。兹根据《周书》卷二十三《苏绰传》，略加分疏。

第一条"先治心"，第二条"敦教化"，是《六条诏书》的核心。"治心"，是为了"清心"，要求所有官员必须思想纯洁，并强调"清心"不只是不贪财，而是要做到“凡所思念，无不皆得至公之理”。通过“治心”而“清心”，行为上才能无瑕疵，从而做到“心如清水，形如白玉”。在此基础上管理教育百姓，“则彼下民孰不从化？是以称治民之本，先在治心”。官员不只是管理者，还必须是道德高尚、行为端正的教育者。“治心”是为了“治身”，具体方法并不复杂：官员们应“躬行仁义、躬行孝悌、躬行忠信、躬行礼让、躬行廉平、躬行俭约”，还要“继之以无倦”，“加之以明察”，也就是说不只是“秀”上一回便罢，还必须不断地这样做，不断地反省自己是不是做到位了。诏书说“行此八者，以训其民”，以父慈子孝、兄友弟恭、夫和妻顺之类的儒家行为准则教育百姓，如此便能兴行“王道”，天下太平。

第三条讲的是地方长官应督促百姓努力发展生产，不使地有余利，人有余力。第四条阐述了新的选官原则，即放弃只从高门大族子弟中选拔官员的办法，通过实际任官的考察，先取“志行”均佳的人才。也就是只有才干不行，还必须思想、品德好。《六条诏书》解释说，选才是为了“治民”，但只有品德好的才干之士才可能真正治理好百姓，实现政治安定，否则“若有材艺而以奸伪为本者，将由其官而为乱也，何治之可得乎？是故将求材艺，必先择志行。其志行善者，则举之；其志行不善者，则去之”。虽同处乱世，《六条诏书》强调官员道德水平的重要性，比起曹操所谓“治乱尚功能，治平尚德行”的思想，境界上显然又高了一个层次。第五条、第六条分别讲述如何公正地办案，如何公平地收取赋税，此不详述。

以《六条诏书》阐述的原则为基础，苏绰又制定了五卷三十六条具体的实施办法，称作“新制”。“搜简贤才为牧守令长，皆依新制而遣焉。数年之间，百姓便之。”在民族成分复杂、矛盾冲突尖锐的关陇地区，宇文泰、苏绰强调思想与行为规范在儒家伦理道德原则上的统一，强调思想改造与教化的重要性，结合具体制度，最终构建了一个清廉、有效率的官僚队伍，这成为西魏及其后身北周日益强大的根本原因。

第二，高欢玩弄权术、整顿吏治。

上一卷说到东魏执政者高欢认为鲜卑“勋贵”们“所取者大”，对于政权的稳定太过重要，所以“贪鄙”一点也没关系。但作为政权的实际控制者，他不得不考虑政权的稳定，特别是他如果想将元氏的政权最终变成高氏天下，还必须对嚣张的鲜卑勋贵有所压制。但高欢本人似乎抹不开这个面子，于是自己坐镇晋阳遥控，让长子高澄在邺城放手整顿秩序。

高澄首先以“摄吏部尚书”的身份，主持官员选举，“铨擢贤能”，“又沙汰尚书郎，妙选人地以充之。凡才名之士，虽未荐擢，皆引致门下，与之游宴、讲论、赋诗，士大夫以是称之”。实际上就是重用文化底蕴深厚的汉族高门子弟，以之作为执行新政、抑制鲜卑勋贵的基本力量。其次又强化负责纪律监察的御史中尉的地位，挑选敢作敢为的人担任御史，让他们对鲜卑勋贵的不法行为予以检举、惩治。如卷中所说，高澄坚持让崔暹做御史中丞，“欲假暹威势，诸公在坐，令暹后至，通名，高视徐步，两人挈裾而入，澄分庭对揖，暹不让而坐，觞再行，即辞去。澄留之食，暹曰：‘适受敕在台检校。’遂不待食而去，澄降阶送之。他日，澄与诸公出，之东山，遇暹于道，前驱为赤棒所击，澄回马避之”。所说“诸公”就是那些胡作非为的鲜卑勋贵。

在高澄领导的政府部门与纪检部门即所谓“南台”与“北省”通力合作下，一时间让那些曾不可一世的“勋贵”威风扫地。司马子如身为尚书令，相当于总理了，又是高欢的老朋友，原本“意气自高”“贪黩无厌”，结果被御史弹劾，包括他在内的一大批显官被逮捕入狱，“死黜者甚众”。司马子如被捕，“一宿，发尽白”，吓得要死。但高欢确也只是想吓一吓他们，并不打算与他们决裂。尉景是高欢姐夫，高澄的姑父，又曾与高欢一道投奔尔朱荣，属于患难之交，因“贪纵不法”入狱后，高欢假惺惺地“三诣阙泣请”不加处死，后又登门拜访，“抚而拜谢之”。司马子如出狱后，高欢“哀其憔悴，以膝承其首，亲为择虱”，一副慈悲善良的模样。

显然，以高欢的地位，杀与不杀只要一句话，不必“泣请”于傀儡皇帝，他要高澄做恶人加以威慑，自己又出面安抚，以重亲情示人，让他们对自己更俯首帖耳。高澄确也杀了不少小毛贼，但大老虎都被高欢给吓吓就放了，官复原职。这必然会产生两个后果：一是“勋贵”们更有恃无恐，“贪鄙”之风变本加厉；二是高欢的继承人高澄要够威风，确立了政治影响力，同时也树立了强悍的政治对手，这帮人拿高欢没辙，但将会大大不利于高澄。不过，这已是后话。

卷第一百五十九　梁纪十五

起旃蒙赤奋若（乙丑，公元五四五年），尽柔兆摄提格（丙寅，公元五四六年），凡二年。

【题解】

本卷记公元五四五至五四六年两年南北朝史事，当梁朝梁武帝大同十一年、中大同元年，西魏文帝大统十一年、十二年，东魏孝静帝武定三年、四年。北朝东魏高欢委曲求全与柔然和亲，发动了他生前最后一次讨伐西魏的玉壁大战，兵败成疾，走到了他政治的终点。梁武帝昏庸治国，拒谏饰非，刑法松弛，边境不宁，物价飞涨，民不聊生，国势衰微。

【原文】

高祖武皇帝十五

大同十一年（乙丑，公元五四五年）

春，正月丙申[①]，东魏遣兼散骑常侍李奖[②]来聘。

东魏仪同尔朱文畅[③]与丞相司马任胄[④]、都督郑仲礼[⑤]等，谋因正月望夜观打簇戏[⑥]作乱，杀丞相欢，奉文畅为主，事泄，皆死。文畅，荣[⑦]之子也。其姊，敬宗之后，及仲礼姊大车[⑧]，皆为欢妾，有宠，故其兄弟皆不坐。

欢上书言："并州，军器所聚，动须女功[⑨]，请置宫[⑩]以处配没之口[⑪]。又纳吐谷浑之女以招怀之[⑫]。"丁未[⑬]，置晋阳宫。二月庚申[⑭]，东魏主纳吐谷浑可汗从妹为容华[⑮]。

【语译】

高祖武皇帝十五

大同十一年（乙丑，公元五四五年）

春，正月十七日丙申，东魏派遣兼散骑常侍李奖出使梁朝。

东魏仪同尔朱文畅与丞相司马任胄、都督郑仲礼等，谋划趁正月十五日夜晚观看打簇戏的机会叛乱，杀丞相高欢，拥戴尔朱文畅为主帅，事情败露，全被处死。尔朱文畅，是尔朱荣的儿子。他的姐姐，是敬宗皇后，以及郑仲礼的姐姐郑大车，现在都是高欢的小妾，受到宠爱，所以尔朱文畅和郑仲礼的兄弟没有受到株连。

高欢上书孝静帝说："并州是军需武器储备的地方，经常需要女工劳作，请求建造宫殿，用来安置被发配和没入官府的女奴；同时皇上应娶吐谷浑的女子入宫，以便招抚吐谷浑。"正月二十八日丁未，建置晋阳宫。二月十一日庚申，东魏孝静帝娶吐谷浑可汗堂妹为容华。

魏丞相泰遣酒泉胡安诺槃陀⑯始通使于突厥⑰。突厥本西方小国，姓阿史那氏，世居金山⑱之阳，为柔然铁工⑲。至其酋长土门⑳，始强大，颇侵魏西边。安诺槃陀至，其国人皆喜曰："大国使者至，吾国其将兴矣。"

三月乙未㉑，东魏丞相欢入朝于邺，百官迎于紫陌㉒。欢握崔暹手而劳之曰："往日朝廷岂无法官，莫肯举纠[1]。中尉尽心徇国，不避豪强，遂使远迩肃清。冲锋陷阵，大有其人；当官正色，今始见之。富贵乃中尉自取，高欢父子无以相报。"赐暹良马。暹拜，马惊走，欢亲拥之㉓，授以辔。东魏主宴于华林园㉔，使欢择朝廷公直者劝之酒，欢降阶跪曰："唯暹一人可劝，并请以臣所射㉕赐物千段赐之。"高澄退，谓暹曰："我尚畏羡，何况余人？"

然暹中怀㉖颇挟巧诈。初，魏高阳王斌㉗有庶妹㉘玉仪㉙，不为其家所齿，为孙腾妓，腾又弃之。高澄遇诸涂，悦而纳之，遂有殊宠，封琅邪公主。澄谓崔季舒曰："崔暹必造㉚直谏，我亦有以待之。"及暹咨事，澄不复假以颜色㉛。居三日，暹怀刺㉜坠之于前，澄问："何用此为？"暹悚然㉝曰："未得通㉞公主。"澄大悦，把暹臂，入见之。季舒语人曰："崔暹常忿吾佞，在大将军前，每言叔父㉟可杀，及其自作，乃过于吾。"

夏，五月甲辰，东魏大赦。

魏王盟卒。

晋氏㊱以来，文章竞为浮华，魏丞相泰欲革其弊。六月丁巳㊲，魏主飨㊳太庙。泰命大行台度支尚书、领著作㊴苏绰作《大诰》，宣示群臣，戒以政事，仍命"自今文章皆依此体"。

上遣交州刺史杨瞟讨李贲，以陈霸先为司马，命定州㊵刺史萧勃㊶会瞟于西江。勃知军士惮远役，因诡说留瞟。瞟集诸将问计，霸先曰："交趾叛换㊷，罪由宗室㊸，遂使溷乱㊹数州，逋诛㊺累岁。定州欲偷安目前，不顾大计，节下㊻奉辞伐罪，当死生以之，岂可逗桡㊼不进，长寇沮众㊽也？"遂勒兵先发。瞟以霸先为前锋，至交州，贲帅众三万拒之，败于朱鸢㊾，又败于苏历江㊿口，贲奔嘉宁城㊿¹，诸

西魏丞相宇文泰派遣酒泉胡人安诺槃陀第一次出使突厥。突厥原本是西方小国，姓阿史那氏，世世代代居住在金山南麓，替柔然充当打铁工。到了土门当酋长时，开始强大，时常侵扰魏国西部边境。安诺槃陀到达突厥，突厥人都高兴地说："大国的使臣到来，我们国家将要兴盛起来了。"

三月十六日乙未，东魏丞相高欢到邺城朝见孝静帝，公卿百官到城郊紫陌迎接。高欢握着崔暹的手，慰劳他说："从前朝廷哪是没有执法官，是没人肯举报纠察。中尉今日尽忠报国，不回避豪强，才使远近吏治严肃清正。在战场上冲锋陷阵的人很多；当官刚正不阿的人，今天从中尉身上才看到了。荣华富贵是你自己取得的，我高欢父子没有什么可报答你的。"赏赐崔暹一匹好马。崔暹拜谢，那匹马受惊逃跑，高欢亲自拦住惊马，把缰绳交给崔暹。东魏孝静帝在华林园设宴，让高欢选择朝廷中公正廉直的官员劝酒，高欢走下台阶，跪拜孝静帝，说："只有崔暹一人可以劝酒，请皇上把臣在宴会射礼中所得一千段绸绢转赐给崔暹。"高澄退席后对崔暹说："连我都敬畏和羡慕你，何况其他的人呢？"

然而崔暹心中颇怀奸诈。当初，北魏高阳王元斌有一个庶出的妹妹元玉仪，在家里受到歧视，给孙腾做了妓妾，孙腾又抛弃了她。高澄在路上遇见了她，很喜爱，就娶了她，于是受到特殊的宠爱，封为琅邪公主。高澄对崔季舒说："崔暹一定会登门劝阻我，我也有办法对待他。"等到崔暹来商议政事，高澄不再对他和颜悦色。过了三天，崔暹故意让怀里藏的名帖落在高澄面前，高澄问："带上这个干什么？"崔暹胆怯地说："我还没见过公主。"高澄非常高兴，挽着崔暹的手臂，进入内室拜见琅邪公主。崔季舒对人说："崔暹时常愤恨我阿谀奉承，在大将军面前，每每说我这个叔父该杀，而今他自己的行为，已经超过了我。"

夏，五月二十六日甲辰，东魏大赦天下。

西魏王盟去世。

自从西晋以来，人们写文章竞相追求浮华，西魏丞相宇文泰想革除这种弊端，六月初十日丁巳，西魏文帝祭祀太庙。宇文泰命大行台度支尚书、领著作郎苏绰撰写一篇《大诰》，向百官公卿宣示，劝诫大臣们尽心国事，并且下令"从今以后，文章都要按照这种体式撰写"。

梁武帝派遣交州刺史杨瞟征讨李贲，任命陈霸先为司马，下令定州刺史萧勃领兵在西江与杨瞟会合。萧勃知道士兵们害怕远行作战，就编造说辞留住杨瞟。杨瞟召集诸将询问办法，陈霸先说："交趾蛮横，罪过的根源在于萧谘等宗室，于是导致几个州的混乱，讨捕好几年了。萧勃刺史想偷安于现状，不顾全大局，将军奉命征讨叛逆，应当生死不顾，怎么可以拖延不前进，长敌人威风，灭自家士气啊？"于是指挥部队提前进发。杨瞟派陈霸先为先锋，到了交州，李贲率众三万抵抗他们，在朱鸢吃了败仗，又在苏历江口战败，李贲逃到嘉宁城，各路军队进军包围了他。萧

军进[2]围之。勃，昺㊾之子也。

魏与柔然头兵可汗谋连兵伐东魏，丞相欢患之，遣行台郎中杜弼㊿使于柔然，为世子澄求婚。头兵曰："高王自娶则可。"欢犹豫未决。娄妃曰："国家大计，愿勿疑也。"世子澄、尉景亦劝之。欢乃遣镇南将军(54)慕容俨(55)聘之[3]，号曰蠕蠕公主。秋，八月，欢亲迎于下馆(56)。公主至，娄妃避正室(57)以处之，欢跪[4]而拜谢，妃曰："彼将觉之，愿绝勿顾。"头兵使其弟秃突佳来送女，且报聘(58)[5]，仍戒曰："待见外孙乃归。"公主性严毅，终身不肯华言。欢尝病，不得往，秃突佳怨恚，欢舆疾就之(59)。

冬，十月乙未(60)，诏有罪者复听入赎(61)。

东魏遣中书舍人(62)尉瑾(63)来聘。

乙未(64)，东魏丞相欢请释邙山俘囚桎梏，配以民间寡妇。

十二月，东魏以侯景为司徒，中书令韩轨为司空。戊子(65)，以孙腾录尚书事。

魏筑圜丘于城南(66)。

【段旨】

以上为第一段，写东魏高欢委曲求全与柔然和亲以备西魏。

【注释】

①丙申：正月十七日。②李奖：字道休，陇西狄道（今甘肃临洮）人，十六国时凉王李暠的后裔。北魏广平侯。入北齐，兼侍中，后拜魏郡尹。传见《魏书》卷三十九、《北史》卷一百。③尔朱文畅（？至公元五四五年）：尔朱荣第四子，魏昌乐王。时任肆州刺史。后以潜谋害高欢，事发，被杀。传见《魏书》卷七十四、《北齐书》卷四十八、《北史》卷四十八。④任胄：广宁人。东魏初，任东郡太守，因贪污受劾，出为都督守晋州。好纵酒游乐，遭高欢斥责。于是与尔朱文畅谋刺杀高欢。传见《北齐书》卷十九、《北史》卷五十三。⑤郑仲礼：荥阳开封人。因与任胄同饮酒，不理政事，遭到谴责，所以参与行刺密谋。传见《北齐书》卷四十八、《北史》卷三十五。⑥打簇戏：魏国民俗中

勃，是萧昺的儿子。

西魏与柔然头兵可汗密谋联合讨伐东魏，丞相高欢十分忧虑，就派遣行台郎中杜弼出使柔然，替世子高澄求婚。头兵可汗说："高王本人娶亲才可以。"高欢犹豫不决。娄妃说："为了朝廷大局，希望不要迟疑。"世子高澄、尉景也劝说高欢。高欢于是派遣镇南将军慕容俨出使柔然，迎娶头兵可汗的女儿，称为蠕蠕公主。秋，八月，高欢亲到下馆迎接公主。公主到来，娄妃让出正室安置公主，高欢向娄妃下跪拜谢，娄妃说："公主会觉察到我们的关系，希望你和我断绝关系，不要顾念我。"头兵可汗派他的弟弟秃突佳护送女儿，并且回访东魏，还告诫秃突佳说："等到外孙出生后才返回。"蠕蠕公主性格严肃刚毅，终身不肯说汉语。高欢曾经生病，不能到公主那里去，秃突佳气愤怨恨，高欢抱病登车前往公主住处。

冬，十月乙未日，梁武帝下诏，恢复罪人用钱赎罪制度。

东魏派遣中书舍人尉瑾出使梁朝。

闰十月二十日乙未，东魏丞相高欢请求释放邙山战役的俘虏，把民间寡妇许配给他们。

十二月，东魏任命侯景为司徒，中书令韩轨为司空。十四日戊子，任命孙腾录尚书事。

西魏在长安城南建筑祭天的圜丘。

的一种游戏。凡能打中簇的，当场赏给绢帛。任胄让郑仲礼藏刀于裤子中，企图乘高欢来看游戏的机会，杀死高欢。⑦荣：尔朱荣。⑧大车：郑大车，人名。⑨女功：女子的工作。指制作旌旗和军服等。⑩置宫：建立新宫。⑪配没之口：因亲人犯罪而受牵连，遭到发配和籍没为官奴的人。这里指的是女奴。⑫招怀之：招抚安怀吐谷浑。高欢想通过孝静帝娶吐谷浑王之女为妻，来拉拢吐谷浑，让吐谷浑骚扰西魏的后方，使西魏难以全力对付东魏。⑬丁未：正月二十八日。⑭庚申：二月十一日。⑮容华：汉代嫔妃的名号，当时的待遇相当于二千石级别的官吏。⑯安诺槃陀：人名，是出生在酒泉郡的胡人。⑰突厥：古族名，匈奴的别支。⑱金山：山名，即今新疆阿尔泰山南麓。⑲柔然铁工：臣属于柔然，为他们锻造铁器。⑳土门：人名，突厥伊利可汗。事详《北史》卷九十九《突厥传》。㉑乙未：三月十六日。㉒紫陌：地名，在邺城西北五里处。以后专指帝都的道路。㉓亲拥之：亲自拦住惊马，保护崔暹上马。㉔华林园：洛阳宫中的园名，邺都宫中仿洛阳制度，所以也建有华林园。㉕射：燕射，是古代射礼的一种。只在宴饮时进行，凡中靶的有赏赐。既提倡重武习射，又有一定的娱乐性。㉖中怀：胸中。㉗高

阳王斌：元斌（？至公元五五一年），字善集，少袭父爵为高阳王，位侍中、尚书左仆射。入齐，从征契丹，因罪处死。传见《魏书》卷二十一上、《北齐书》卷二十八、《北史》卷十九。㉘庶妹：庶出的妹妹。是元斌父妾所生，所以被人看不起，甚至沦为孙腾的侍伎。㉙玉仪：元玉仪。传见《北史》卷十四。㉚造：登门。㉛假以颜色：和颜悦色地对待。㉜刺：古代削竹木为简，上写姓名，称作“刺”。相当于现今的名片。㉝悚然：战战兢兢的样子。㉞通：通报。先把名刺递进，以争取晋见的机会。㉟叔父：指崔季舒，是崔暹的叔叔。㊱晋氏：指晋朝。疑“氏”是“世”之误。㊲丁巳：六月初十日。㊳飨：用于祭祀的食物。㊴领著作：兼著作郎之职。著作郎，掌撰修国史，也起草政府文稿。时隶属秘书省。㊵定州：州名，指南定州，治所郁林，在今广西桂平。㊶萧勃（？至公元五五七年）：梁曲江乡侯。历任南定州、晋州、广州刺史，梁末位太保。陈霸先将行禅代，勃举兵反，兵败被杀。传见《南史》卷五十一。㊷叛换：联绵词，跋扈，蛮横。㊸罪由宗室：指武林侯萧谘苛酷残暴引起事端。萧谘乃梁宗室。见《南史》卷五十二。㊹溷乱：混乱。㊺逋诛：拖延被消灭。㊻节下：对将领或地方疆吏的敬称。此处指杨瞟。㊼逗桡：逗留阻挠。“桡”与“挠”通用。㊽长寇沮众：助长敌寇气焰，败坏自家军心。㊾朱鸢：县名，县治在今越南河内东南。㊿苏历江：河名，是红河的支流，在宋平郡境，在今越南河内南。51嘉宁城：城名，在今越南越池县。52昺：萧昺，字子昭，梁武帝从父弟。历任南兖州、雍州、扬州、郢州刺史，封吴平县侯。传见《梁书》卷二十四、《南史》卷五十一。53杜弼（公元四九〇至五五八年）：字辅玄，小字辅国，中山曲阳人，博学多闻，常典机密。入齐，以功迁卫尉卿，封长安县伯。传见《北齐书》卷二十四、《北史》卷五十五。54镇南将军：官名，是东南西北四镇将军之一，掌征伐。魏

【原文】

散骑常侍贺琛启陈四事：其一，以为“今北边稽服67，正是生聚68教训69之时，而天下户口减落，关外70弥甚。郡不堪州之控总71，县不堪郡之裒削72，更相呼扰73，惟事征敛，民不堪命，各务流移74，此岂非牧守之过欤？东境75户口空虚，皆由使命繁数，穷幽极远76，无不皆至，每有一使，所属搔扰，驽困邑宰77[6]，则拱手听其渔猎78，桀黠长吏79，又因之重为贪残，纵有廉平，郡犹掣肘。如此，虽年降复业之诏，屡下蠲赋之恩，而民不得反其居也”。其二，以为“今天下守

从二品。㊺慕容俨：字恃德，清都成安（今河北成安）人，历仕北魏、东魏、北齐，先后任东雍州、东荆州、赵州、光州刺史，爵义安王。传见《北齐书》卷二十、《北史》卷五十三。㊻下馆：县名，一说在木井城，是阳曲县治，在今山西定襄。一说在山西代县西北。㊼避正室：娄妃主动让出正妻之位给蠕蠕公主。正室，正妻。㊽报聘：酬答高欢求婚使节的礼仪性回访。㊾舆疾就之：抱病登车前往公主住处。㊿乙未：十月丙午朔，无乙未日，疑为"己未"之误，即十月十四日。《梁书·武帝纪》作"己未"。(61)复听入赎：梁天监三年（公元五〇四年），废除赎罪科。至此重又允许赎罪。(62)中书舍人：中书省属官，掌传宣和起草诏命。(63)尉瑾：字安仁，代郡（今山西大同）人，屡掌机密，曾任吏部尚书、尚书右仆射，为高欢、高澄、高洋三主所信任。传见《魏书》卷二十六、《北齐书》卷四十、《北史》卷二十。(64)乙未：闰十月二十日。(65)戊子：十二月十四日。(66)城南：此指长安城南。

【校记】

［1］纠：原作"劾"。据章钰校，十二行本、乙十一行本、孔天胤本皆作"纠"，张敦仁《通鉴刊本识误》同，今据改。［2］进：原无此字。据章钰校，十二行本、乙十一行本、孔天胤本皆有此字，张敦仁《通鉴刊本识误》同，今据补。［3］聘之：原作"往聘之"。据章钰校，十二行本、乙十一行本、孔天胤本皆无"往"字，今据删。［4］跪：严衍《通鉴补》改作"愧"。《北齐书·后宫·娄后传》《北史·后妃传下·齐武明皇后娄氏传》皆作"愧"，未知孰是。［5］聘：胡三省注云："或云作'聘'。"据章钰校，十二行本、乙十一行本皆作"娉"，疑元刻本作"娉"，胡刻改误。

【语译】

梁朝散骑常侍贺琛上奏，陈述了四件事。第一，认为"现今北边东魏稽首顺服，这正是繁殖人口、积蓄物资和教育训练军民的时候，可是全国的户口却减少了，边关之外更严重。郡不能忍受州繁杂政务的催逼，县不能忍受郡的盘剥，州郡轮番骚扰，只干搜刮之事，平民百姓忍受不了这样的政令，各自谋求流浪迁移，这难道不是州郡长官的过错吗？国家东部地区户口空虚，都是由于征敛使者频繁派出，深入荒僻偏远之乡，没有不到的地方，每当一个使者下到地方，所到之处一定受到骚扰，无能愚笨的地方长官，就拱手任由使者搜刮，而强横狡猾的地方长官，又趁机加重掠夺，贪婪残暴，即使有廉洁公正的官员，也会受到郡守的阻挠和牵制。像这样，虽然皇上年年下恢复生产的诏书，屡次降下减免赋税的恩泽，而平民百姓仍然不能返回自己原来的住所"。第二，认为"现今全国的地方官吏之所以贪婪残暴，完全是

宰[7]所以贪残，良由风俗侈靡使之然也。今之燕喜[80]，相竞夸豪，积果[81]如丘陵，列肴同绮绣[82]，露台之产[83]，不周一燕[84]之资，而宾主之间，裁取满腹，未及下堂，已同臭腐。又，畜妓之夫，无有等秩[85]，为吏牧民者，致赀巨亿，罢归[86]之日，不支数年，率皆尽于燕饮之物、歌谣之具[87]。所费事等丘山，为欢止在俄顷，乃更追恨向所取之少。如复傅翼[88]，增其搏噬[89]，一何悖哉！其余淫侈，著之凡百[90]，习以成俗，日见滋甚，欲使人守廉白，安可得邪？诚宜严为禁制，道以节俭，纠奏浮华，变其耳目。夫失节之嗟[91]，亦民所自患，正耻不能及群，故勉强而为之。苟以淳[8]素为先，足正彫流[92]之弊矣"。其三，以为"陛下忧念四海，不惮勤劳，至于百司，莫不奏事。但斗筲之人，既得伏奏帷扆[93]，便欲诡竞求进[94]，不论国之大体，心存明恕，惟务吹毛求疵，擘肌分理[95]，以深刻为能，以绳逐[96]为务。迹虽似于奉公，事更成其威福，犯罪者多，巧避滋甚，长弊增奸，寔[97]由于此。诚愿责其公平之效，黜其谗慝[98]之心，则下安上谧，无徼幸之患矣"。其四，以为"今天下无事，而犹日不暇给，宜省事、息费，事省则民养，费息则财聚。应内省职掌各检所部：凡京师治、署、邸、肆[99]及国容[100]、戎备[101]，四方屯、传、邸治[102]，有所宜除，除之，有所宜减，减之。兴造有非急者，征求有可缓者，皆宜停省，以息费休民，故畜其财者，所以大用之也，养其民者，所以大役之也。若言小事不足害财，则终年不息矣；以小役不足妨民，则终年不止矣。如此，则难可以语富强而图远大矣"。

启奏，上大怒，召主书[103]于前，口授敕书以责琛。大指以为："朕有天下四十余年，公车[104]谠言[105]，日关听览[106]，所陈之事，与卿不异，每苦倥偬[107][9]，更增惽惑[108]。卿不宜自同阘茸[109]，止取名字，宣之行路，言'我能上事，恨朝廷之不用'。何不分别显言：某刺史横暴，某太守贪残，尚书、兰台某人奸猾，使者渔猎，并何姓名？取与者谁？明言其事，得以诛黜，更择材良。又，士民饮食过差[110]，若加严禁，密房曲

由于奢侈糜烂的风气造成的。当今的宴饮，互相攀比，果品堆积如山，摆在桌上的佳肴美味像绸缎，百两黄金不够一次宴请的费用，而宾客和主人只不过是装满一肚子，还没走下饭厅，剩余的饭菜就如同腐臭的垃圾一样被处理。又，蓄养歌伎的人，没有等级的限制。管理平民百姓的官吏，聚敛亿万的财富，离任回家之后，也开支不了几年，大都花费在吃喝之物和歌舞的道具上。破费的钱财可堆积成山，得到的只是短暂的欢乐，甚至悔恨当年搜刮得太少。如果给吃人的老虎加上翅膀，让它加倍攫取民脂民膏，那是多么违背道义！其他荒淫奢侈的现象，表现在众多方面。积习成为风气，日益严重，想要使人保持廉正清白，怎能办得到呢？确实应当严厉禁止，提倡节俭，纠查浮华，改变社会风气。我对当前失去节制风气的叹息，也是平民百姓所忧虑的，正因为耻于赶不上人家的排场，所以才勉强学人家这样做。假如大力提倡淳朴节俭，就足可以纠正这些邪侈的陋俗"。第三，认为"皇上忧国忧民，不辞劳苦，以至于国家各个部门，无不向皇上奏事。但那些见识短浅的小人，既然得以向皇上奏事，就想用各种诡诈手段求得升迁，他们不顾国家的大局，虽然明察是非，却故意自我宽恕，一味吹毛求疵，刻意找岔子，以严酷苛刻为能事，以抓人把柄斥责为要务。表面看是为国为公，实质是作威作福，结果是犯罪的越来越多，徇私舞弊更加严重。弊端日益增长，奸诈不断增加，实在是由于这个原因。真诚希望朝廷能责成官员办事公正，考察实效，排除官员奸诈邪恶的用心，那么就会上下安宁，没有侥幸取巧的祸患发生"。第四，认为"当今天下太平，却仍然事务繁杂，没有闲暇，应当减少事务，节省开支，事务减少，百姓就能得到休养；开支节省，国家资财就能聚集。朝廷各部门应自查职权范围的工作：凡是京城的治、署、邸、肆，以及国容、军备，地方上的屯、传、邸治，应当撤销的就裁撤，应当精减的就精减。兴造的工程凡是不急迫的，征求的赋税徭役凡是可以缓办的，都一律停下来，以便节省开支，休养民生。因为蓄积财富，是为了派上大用场；休养民生，是为了长远地役使。如果认为办点小事花不了多少钱，那么整年都不会停息；认为小工程不足以妨碍老百姓生活，那么整年都不会停止。这样一来，就很难谈得上国家富强而图谋长远了"。

梁武帝看了贺琛的奏章，大怒，把主书令史召到跟前，口授敕令斥责贺琛。大意是说："朕在位四十余年，公车府呈上的臣民直言每天都耳闻目睹，陈奏的事情，与你说的没有两样，每每被繁忙的政事所苦，增添朕的疑惑。你不应当把自己混同于一介小民，只图虚名，向路人炫耀，说'我能上奏章，只恨朝廷没有采纳'。为什么不分别具体说明：某刺史横行不法，某太守贪婪残暴，尚书、兰台某人奸诈刁滑，某个钦差使者鱼肉人民，他们姓甚名谁？从谁的手中掠夺，又给予了谁？明白地说清楚事情，以便朝廷诛杀罢免，另选贤能的人才。还有，官吏百姓饮食豪华过度，如果要严加禁止，高墙深院，怎能得知？假如挨家挨户去搜查，恐怕更增加对

屋，云何可知？傥家家搜检，恐益增苛扰。若指朝廷，我无此事。昔之牲牢，久不宰杀⑪，朝中会同⑫，菜蔬而已，若复减此，必有《蟋蟀》之讥⑬。若以为功德事⑭者，皆是园中之物，变一瓜为数十种，治一菜为数十味，以变故多，何损于事？我自非公宴，不食国家之食，多历年所，乃至宫人，亦不食国家之食。凡所营造，不关材官及以国匠⑮，皆资雇[10]借以成其事。勇怯不同，贪廉各用，亦非朝廷为之傅翼。卿以朝廷为悖，乃自甘之⑯，当思致悖所以！卿云'宜导之以节俭'，朕绝房室⑰三十余年，至于居处不过一床之地，雕饰之物不入于宫。受生⑱不饮酒，不好音声，所以朝中曲宴⑲，未尝奏乐，此群贤之所见也。朕三更出治事，随事多少，事少午前得竟，事多日昃⑳方食，日常一食，若昼若夜㉑。昔要腹过于十围㉒，今之瘦削裁[11]二尺余，旧带犹存，非为妄说。为谁为之？救物㉓故也。卿又曰'百司莫不奏事，诡竞求进'，今不使外人呈事，谁尸㉔其任？专委之人，云何可得？古人㉕云：'专听生奸，独任成乱。'二世㉖之委赵高㉗，元后㉘之付王莽㉙，呼鹿为马，又可法欤？卿云'吹毛求疵'，复是何人？'擘肌分理'，复是何事？治、署、邸、肆等，何者宜除？何者宜减？何处兴造非急？何处征求可缓？各出其事，具以奏闻。富国强兵之术，息民省役之宜，并宜具列；若不具列，则是欺罔朝廷。伫[12]闻㉚重奏，当复省览，付之尚书，班下海内，庶惟新之美，复见今日。"琛但谢过而已，不敢复言。

上为人孝慈恭俭，博学能文，阴阳、卜筮、骑射、声律、草隶、围碁，无不精妙。勤于政务，冬月四更竟，即起视事，执笔触寒，手为皴裂。自天监中用释氏法㉛，长斋㉜断鱼肉，日止一食，惟菜羹、粝饭㉝而已，或遇事繁，日移中㉞则嗽口以过。身衣布衣，木绵㉟皂帐，一冠三载，一衾㊱二年，后宫贵妃以下，衣不曳地。性不饮酒，非宗庙祭祀、大飨宴及诸法事㊲，未尝作乐。虽居暗室，恒理衣冠，小坐㊳、盛暑，未尝褰袒㊴，对内竖小臣㊵，如遇大宾。然优假㊶士人太过，牧守多浸渔百姓，使者干扰郡县。又好亲任小人，颇伤苛察。多造塔庙，公私

老百姓的骚扰。如果指的是朝廷，朕没有这样的事。从前国君膳食用的六牲，长久以来没有宰杀了，朝廷赐宴百官，素食而已，如果还要节省，一定会遭到《诗经·蟋蟀》那种讥笑。如果指的是供僧供佛的功德事，所用都是菜园中生产的东西，一种瓜做出几十样菜，一种菜做成几十种风味，只不过是变得花样多，于事有何妨害？朕除了出席公宴外，不吃朝廷的粮食，这已很多年了，至于后宫的人，也不吃用朝廷的钱粮。凡是营造塔寺，既没用公家的材料，也没用朝廷的工匠，都是花钱雇人完成的。文武百官，有的勇敢，有的怕死，有的廉洁，有的贪婪，并不是朝廷助长他们这样的。你指责是朝廷的过错，不过是你一厢情愿的结论，你应当认真想想导致过错的原因！你说'应当提倡节俭'，朕不与嫔侍同房已有三十多年，至于居住不过一张床的地方，雕镂装饰之物不允许进入宫中。朕平生不饮酒，不喜好音乐，因此宫中私宴，从没有演奏过音乐，这是满朝百官亲眼所见。朕三更就上朝处理政务，按政务的多少，事少中午前办完，事多到太阳偏西才吃饭，每天经常只吃一顿饭，或者白天吃，或者晚上吃。先前朕的腰超过了十围，如今瘦削得只剩了二尺多，旧的腰带还保存着，不是胡说。到底是为了谁，这样做呢？是为了救护众人。你又说'各部门无不向皇上奏事，使用各种诡诈手段求得升迁'，如果不让臣民上奏言事，那么由谁来主持沟通民情的责任？如果言事只委托给专门的人，到哪里去找这样的人呢？古人说过：'专听一面之词，就要产生奸臣；专委托一人办事，就要酿成祸乱。'秦二世宠信赵高一个人，汉元帝皇后只依靠王莽一个人，指鹿为马，难道可以效法吗？你又说'吹毛求疵'，指的是何人？还有'擘肌分理'，又指的是什么事？治、署、邸、肆等，哪样该裁撤？哪样该精简？哪一样工程不是急需？哪一样征收应当缓办？你要分别举出事实，详细奏报给朕听。有关富国强兵的措施，有关减省劳役、与民休息的办法，也要具体列出；如不能具体列出，那就是蒙蔽朝廷。我等着听听你的重新上奏，一定会认真审读，交付给尚书，颁布天下，但愿除旧布新的兴隆气象，重现于今天。"贺琛接到诏书，只是向皇上认错道歉，不敢再说什么。

梁武帝为人重孝道、慈悲、谨慎、俭朴，博学多才，善写文章，阴阳、卜筮、骑射、音乐、书法、围棋，样样精妙。不辞劳苦处理政务，冬天四更刚过，就起来办事，冒寒执笔的手因而冻裂。自从天监年间开始信奉佛法，长期吃斋，不吃鱼肉，每天只吃一顿饭，不过蔬菜清汤、粗粮米饭罢了。有时事务繁多，忙得午后漱漱口就算吃了饭。身穿布衣，木棉蚊帐，一顶帽子戴三年，一床被子用两年，后宫嫔妃中贵妃以下，不穿拖地的衣裙，生性不饮酒，除非举行宗庙祭祀，大宴群臣和举办佛法大会，从不奏乐。即使处在幽暗房间，也是衣冠楚楚；平时在宫中短暂休息，以及炎热夏季，也从不袒露胸腹。对待宦官小臣，也像对待贵宾一样彬彬有礼。然而对士大夫过于宽待，以致地方州郡长官大都鱼肉百姓，朝廷使者横行霸道干扰地方。又十分亲信小人，办事往往苛酷。又多造佛塔寺庙，耗费了大量国家和民众的财物。江南承平

费损。江南久安，风俗奢靡，故琛启及之。上恶其触实，故怒。

臣光曰："梁高祖之不终⑭也，宜哉！夫人君听纳⑭之失，在于丛脞⑭，人臣献替⑭之病，在于烦碎。是以明主守要道以御万机之本，忠臣陈大体以格⑭君心之非，故身不劳而收功远，言至约而为益大也。观夫贺琛之谏，亦[13]未至于切直，而高祖已赫然震怒，护其所短，矜其所长。诘贪暴之主名⑭，问劳费之条目，困以难对之状，责以必穷之辞。自以蔬食之俭为盛德，日昃之勤为至治，君道已备，无复可加，群臣箴规，举不足听。如此，则自余⑭切直之言过于琛者，谁敢进哉？由是奸佞⑭居前而不见，大谋颠错⑮而不知，名辱身危，覆邦绝祀，为千古所闵笑⑮，岂不哀哉？"

上敦尚文雅，疏简刑法，自公卿大臣，咸不以鞫狱为意。奸吏招权弄法，货赂成市，枉滥者多。大率二岁刑已上岁至五千人。徒[14]居作者具五任⑮，其无任者著升械⑮。若疾病，权⑮解之，是后囚徒或有优、剧⑮。时王侯子弟，多骄淫不法。上年老，厌于万几。又专精佛戒，每断⑮重罪，则终日不怿。或谋反逆，事觉，亦泣而宥之⑮。由是王侯益横，或白昼杀人于都街，或暮夜公行剽掠[15]，有罪亡命者，匿于王家，有司不敢搜捕。上深知其弊，而[16]溺于慈爱，不能禁也。

魏东阳王荣⑮为瓜州⑮刺史，与其婿邓彦⑯偕行。荣卒，瓜州首望⑯表荣子康为刺史，彦杀康而夺其位。魏不能讨，因以彦为刺史，屡征不至，又南通吐谷浑。丞相泰以道远难于动众，欲以计取之，以给事黄门侍郎申徽⑯为河西大使，密令图彦。徽以五十骑行，既至，止于宾馆。彦见徽单使⑯，不以为疑。徽遣人微劝彦归朝，彦不从。徽又使赞成其留计⑯，彦信之，遂来至馆。徽先与州主簿⑯敦煌令狐整⑯等密谋，执彦于坐，责而缚之。因宣诏慰谕吏民，且云"大军续至"，城中无敢动者，遂送彦于长安。泰以徽为都官尚书⑯。

日久，生活习俗奢侈，所以贺琛上奏揭了盖子。梁武帝恼恨贺琛说了实话，所以大怒。

司马光说：“梁高祖武皇帝不得善终是应当的啊！帝王听取意见，最易失误的地方，就是只注意琐碎的小事；臣下上书劝谏容易犯的毛病，也在于烦琐零碎。因此，英明的君主就要抓住关键与要害来指导各种事务，忠贞的大臣就要指明国家的大局来纠正君主的错误，这样，往往不须劳碌而收到长远的功效，说话不多而益处很大。综观贺琛的谏章，也算不上真切直率，而梁高祖就勃然大怒，回护自己的短处，夸耀自己的长处。诘问贪婪残暴官吏的姓名，追问徭役过重、费用铺张的具体条目，用难以回答的问题来刁难臣下，要求臣下写出无法写出的奏章。自以为吃素食的节俭为最大的美德，每天忙到太阳偏西才吃午饭就是最好的治国办法，为君之道已经完美，再不需要增加什么了，臣下的劝谏，全都不值得听，这样一来，那些比贺琛更切中时弊的直言进谏者，谁还敢说话？因此，奸佞之臣就在眼前也看不见，重大决策颠倒错误也不知，最后落得身败名裂，国家败亡，宗祀断绝，被千古怜悯与耻笑，难道不可悲吗？”

梁武帝十分崇尚文雅，刑法松弛宽大，以至于公卿大臣都不重视审判案件，奸猾的官吏擅权枉法，贪污成风，冤假错案很多。大致判处两年以上徒刑的人每年多达五千人。判罚劳役的人按个人的手艺分为五类，没有技艺的刑徒就要戴上枷锁。如果生了重病，就暂时打开枷锁，后来演变为有钱行贿的囚徒不戴枷锁，无钱的囚徒加倍痛苦。当时王侯子弟大多骄横淫逸，不守法度。梁武帝年老以后，厌烦处理政务，又痴迷佛法戒律，每当判决重大罪犯，整天不高兴。有的谋反大逆，事情败露，也流泪宽免。因此，王侯们更加专横不法，有的大白天在街市中杀人，有的在夜间公开抢劫，有的犯罪逃亡，躲藏在王侯家中，主管部门不敢搜查逮捕。梁武帝深知这些弊端，但沉迷于佛教的慈悲为怀，不能禁止。

西魏东阳王元荣为瓜州刺史，他带着女婿邓彦一起赴任。元荣死后，瓜州的头号大族上表推荐元荣的儿子元康继任瓜州刺史，邓彦杀死元康夺了刺史之位。西魏无力征讨，就正式任命邓彦为瓜州刺史，多次征召，他都不进京，又向南面勾结吐谷浑。丞相宇文泰认为路途遥远，难以发动大军征讨，想用计谋智擒邓彦，就任命给事黄门侍郎申徽为河西大使，密令他除掉邓彦。申徽带领五十个骑兵前行，到达瓜州后，住宿在宾馆。邓彦看到申徽人单势孤，没有产生怀疑。申徽派人委婉地劝说邓彦进京朝见，邓彦不听。申徽于是派人向邓彦表示赞成他留在瓜州，邓彦相信了，于是到宾馆来晋见。申徽先与州主簿敦煌人令狐整等人密谋，在邓彦晋见时逮捕他，指责他的罪过后捆绑起来。随后宣读诏书，安抚官吏和百姓，并且声称“大军陆续到来”，瓜州城中没人敢反抗，于是把邓彦押送长安。宇文泰任命申徽为都官尚书。

【段旨】

以上为第二段，详载梁朝贺琛奏事始末，此为梁朝的一个大事件。贺琛谏奏揭示梁朝政治极端腐败的事实：赋徭沉重，户口日减，官吏贪残，浮华成风，刑法松弛而平民犯禁者众。梁武帝拒谏饰非，各种弊端病入膏肓，梁朝衰败之局不可逆转。

【注释】

㊲ 稽服：拜服。此指东魏多次遣使通好，两国相安无事。㊳ 生聚：繁殖人口，积蓄物资。㊴ 教训：教导和训练。典出《左传》哀公元年。吴王不听劝告，接受勾践臣服讲和要求，伍子胥断言越国经过“十年生聚，十年教训”，必将灭亡吴国。贺琛则借用来建议梁武帝利用和平时机，加强国力，做好恢复中原的准备。㊵ 关外：指梁原边界外刚刚收复的淮、汝、潼、泗等州疆土。㊶ 控总：事务纷繁急迫。㊷ 裒削：搜刮。㊸ 更相呼扰：轮番下令，骚扰地方。㊹ 流移：流离失所，避往他乡。㊺ 东境：指梁国东部的三吴之地，即吴郡、吴兴、会稽（或指丹阳）三郡，在今苏南浙北地区。㊻ 穷幽极远：深入荒僻或偏远的地区。㊼ 驽困邑宰：才能愚钝而低下的地方官。㊽ 渔猎：指搜刮。㊾ 桀黠长吏：残暴而狡猾的地方官。㊿ 燕喜：宴饮。(81) 积果：堆积各色果品。(82) 列肴同绮绣：陈列的菜肴色泽艳丽，如同锦绣一般。(83) 露台之产：汉文帝想修一个露台，一问需花费百金，即相当于十家中等家庭一年的收入，于是决定不建。“露台之产”成为百金的代名词。(84) 不周一燕：不够一次宴请。(85) 无有等秩：没有不同等级的限制，指大小官僚争为奢侈，没有节度。(86) 罢归：免官回家。(87) 歌谣之具：乐器、道具和服装。(88) 傅翼：给吃人的老虎加上翅膀。比喻助长恶人。典出《韩非子·难势》。(89) 搏噬：攫取食物。喻指搜刮民财。(90) 凡百：言其多。(91) 失节之嗟：典出《易经·节卦》。原意是说应当节制而不能节制，咎由自取，造成令人叹息的结局。(92) 彫流：陋俗。(93) 帷扆：屏帷。指皇帝的座位。(94) 诡竞求进：不择手段地争着求得升官。(95) 擘肌分理：剖开肌肉以分辨它的纹路。比喻仔细得近乎苛刻。(96) 绳逐：抓住把柄，纠正和斥责过失。(97) 寔：即“实”，古通用。(98) 谗慝：恶言恶意。(99) 治、署、邸、肆：治，办事机构。署，官员休息的场所。邸，诸王侯的宅第，以及各郡为进京朝见官员设立的住所。肆，市场。(100) 国容：礼乐、车旗等仪仗。(101) 戎备：军事器械。(102) 屯、传、邸治：屯，军队驻地。传，驿站。邸治，地方府衙。(103) 主书：官名，即主书令史，梁尚书、秘书诸省皆置，掌起草文书。(104) 公车：汉代公车令掌管殿中司马门的宿卫，同时负责接待臣民的上书和征召。后专指向皇帝上书。(105) 谠言：刚直有益的话。(106) 日关听览：每天都在接受臣下意见。关，接触。听览，当面上奏则听，书面上奏则览。(107) 倥偬：繁忙。(108) 惽惑：疑惑。(109) 阘茸：卑门败草，喻指出身微贱、品格低下的人。(110) 过差：超出应有的等级水平。(111) 久不宰

杀：国君的膳食包括马、牛、羊、猪、犬、鸡六牲。梁武帝信佛，所以停止宰杀。⑫会同：朝廷集会。⑬《蟋蟀》之讥：《蟋蟀》是《诗经·唐风》中的篇章。该诗讽刺晋僖公过于节俭，以致不合礼度。⑭功德事：指梁武帝供奉神佛，供给僧人，举办无遮会、无碍会等佛法事。⑮不关材官及以国匠：不用国家的管理机关及财物工匠。材官，即材官将军，掌管宫廷苑囿的工匠、土木工程。国匠，即大匠卿，位同太仆，掌管国家土木公共工程。⑯乃自甘之：不过是个人一厢情愿得出的结论。⑰绝房室：同"断房室"。意思是说不与嫔侍同房。房室，指男女房事。⑱受生：秉性。⑲曲宴：宫中的私宴。⑳日昃：未时。太阳开始偏西的下午一点至三点。㉑若昼若夜：意谓或者白天吃，或者晚上吃。若，或者。㉒十围：形容腰腹肥壮过人。围，计量圆周的约略单位，指两只胳膊合围起来的长度，也指两只手的拇指和食指合围的长度。㉓物：人。此指众人。㉔尸：主持。㉕古人：此指西汉的邹阳。语见《汉书·邹阳传》，原作"偏听生奸，独任成乱"。㉖二世：秦二世胡亥。㉗赵高：秦宦官，始皇死，他立胡亥为帝，控制朝政。㉘元后：汉元帝王皇后，名政君，王莽的姑姑。㉙王莽：西汉末专朝政的外戚，元后的侄儿。他借元后的信任，乘机独揽朝政，代汉而立，建立新朝。㉚伫闻：久立听闻。㉛释氏法：佛教的规矩。㉜长斋：终年吃素。㉝粝饭：粗米饭。㉞日移中：日过正午。㉟木绵：又名攀枝花、英雄花，主要产于广西、云南、福建等地。果实中有白棉，南北朝时土人用铁杖碾去黑核，用竹制小弓弹棉，然后纺织成布，名为"吉贝"。㊱衾：大被子。㊲法事：供奉佛祖的礼赞活动。㊳小坐：在宫中不涉公务的短暂休息。㊴褰袒：撩起衣服，袒露胸腹。㊵内竖小臣：宦官。㊶优假：厚待。㊷不终：不得善终。㊸听纳：听取和接纳臣下的意见。㊹丛脞：注意细节而不能把握要领。㊺献替：劝善纠过。㊻格：纠正。㊼主名：具体的某某人名。梁武帝责备贺琛在奏章中没有把贪残官吏的名字写上，是一种拒谏的苛求。㊽自余：其他。㊾奸佞：指朱异、周石珍等人。㊿大谋颠错：指接纳侯景，酿成大乱。⑮闵笑：既可怜又可笑。⑯徒居作者具五任：判处服劳役的人有专长的分担五类劳作。五任，指具备木工、铁匠、炮制毛皮、染色、制陶等技艺的人，则利用他们的才能。⑯无任者著升械：没有技术的刑徒则要戴上木制脚镣等刑具服刑。旧用铁制刑具，三国时缺铁，魏武帝改用木制，至南朝仍沿用不变。⑯权：暂时。⑮优、剧：优，指有办法贿赂狱吏的可冒病获得去枷锁的优待。剧，那些没办法的有病的囚徒，不能去刑具而加剧痛苦。⑯断：判定。⑰宥之：指宽赦谋反叛逆的人。如豫章王萧综降魏，梁武帝初命削爵土，绝属籍，改姓为悖氏。但不久又下诏，一切恢复如初，封他的儿子萧直为永新侯。又临贺王萧正德曾降魏，一年后逃回。梁武帝恢复他的爵位，还任命他为征虏将军。⑱东阳王荣：元太荣，又作"元荣"，爵东阳王。魏孝武帝西迁，河西出现混乱，元太荣整顿军伍，稳定了地方。事见《周书》卷三十六及《北史》卷六十七《令狐整传》。⑲瓜州：州名，治所敦煌镇，在今甘肃敦煌。⑯邓彦：人名，《周书》和《北史》的《申徽传》作"刘彦"，《册府元龟》卷六百五十七同。⑯首望：地方望族的首脑。⑯ 申徽：字世仪，魏郡（今河北临漳西南）人，初任宇文泰大行台郎中，主起草文书。后以功封博平侯。历任瓜州、襄州、荆州刺史。传见《周书》卷二十二、《北史》卷六十九。⑯ 单使：率兵不多，单车出使，所以称作“单使”。⑯ 赞成其留计：表面同意邓彦留在敦煌的计划。⑯ 州主簿：官名，处理州中文书和相关事务的官吏，是刺史主要助手之一。⑯ 令狐整（公元五一三至五七三年）：本名延，字延保，敦煌人，出身当地望族，能文能武，颇有谋略。助申徽诛除邓彦，又平定张保等人的叛乱。入齐，爵彭阳县公，进位大将军。传见《周书》卷三十六、《北史》卷六十七。⑯ 都官尚书：官名，尚书省六尚书之一，辖都官、二千石、比部、水部、膳部五曹，掌京畿内外督察、桥船水运和百官礼食。魏三品。

【校记】

［6］邑宰：原作“守宰”。据章钰校，十二行本、乙十一行本皆作“邑宰”，《梁

【原文】

中大同元年（丙寅，公元五四六年）

春，正月癸丑[168]，杨瞟等克嘉宁城，李贲奔新昌[169]獠[170]中，诸军顿于江口[171]。

二月，魏以义州刺史史宁为凉州刺史，前刺史宇文仲和据州不受代，瓜州民张保杀刺史成庆以应之，晋昌[172]民吕兴杀太守郭肆，以郡应保。丞相泰遣太子太保独孤信、开府仪同三司怡峰与史宁讨之。

三月乙巳[173]，大赦。

庚戌[174]，上幸同泰寺，遂停寺省[175]，讲《三慧经》。夏，四月丙戌[176]，解讲，大赦，改元[177]。是夜，同泰寺浮图灾，上曰：“此魔也，宜广为法事。”群臣皆称善。乃下诏曰：“道高魔盛，行善鄣生，当穷兹土木，倍增往日。”遂起十二层浮图，将成，值侯景乱而止。

魏史宁晓谕凉州吏民，率皆归附，独宇文仲和据城不下。五月，独孤信使诸将夜攻其东北，自帅壮士袭其西南，迟明，克之，遂擒仲和。

初，张保欲杀州主簿令狐整，以其人望，恐失众心，虽外相敬，内甚忌之。整阳为[178]亲附，因使人说保曰：“今东军[179]渐逼凉州，彼势

书·贺琛传》亦作“邑宰”，今据改。[7]守宰：原无此二字。据章钰校，十二行本、乙十一行本、孔天胤本皆有此二字，张敦仁《通鉴刊本识误》同，今据补。[8]淳：原作“纯”。据章钰校，十二行本、乙十一行本、孔天胤本皆作“淳”，今据改。[9]倥偬：原作“倥傯”。据章钰校，十二行本、乙十一行本、孔天胤本皆作“倥偬”，今据改。[10]雇：孔天胤本作“顾”。[11]裁：原作“才”。据章钰校，十二行本、乙十一行本、孔天胤本皆作“裁”，今据改。[12]伫：原作“倚”。据章钰校，十二行本、乙十一行本、孔天胤本皆作“伫”，今据改。[13]亦：原无此字。据章钰校，十二行本、乙十一行本、孔天胤本皆有此字，今据补。[14]徒：据章钰校，十二行本、乙十一行本、孔天胤本皆作“徙”，张瑛《通鉴校勘记》同。〖按〗《隋书·刑法志》作“徒”，未知孰是。[15]掠：原作“劫”。据章钰校，十二行本、乙十一行本、孔天胤本皆作“掠”，今据改。[16]而：原无此字。据章钰校，十二行本、乙十一行本、孔天胤本皆有此字，今据补。

【语译】

中大同元年（丙寅，公元五四六年）

春，正月初十日癸丑，杨瞟等攻克嘉宁城，李贲逃奔到新昌獠族人中，杨瞟等各路兵马停驻在江口。

二月，西魏任命义州刺史史宁为凉州刺史，前凉州刺史宇文仲和占据州城，不接受被替代，瓜州平民张保杀了瓜州刺史成庆响应宇文仲和，晋昌平民吕兴杀了太守郭肆，占领郡城，响应张保。丞相宇文泰派遣太子太保独孤信、开府仪同三司怡峰与史宁前往征讨。

三月初三日乙巳，梁朝大赦天下。

三月初八日庚戌，梁武帝到同泰寺，就住在寺中便殿，讲解《三慧经》。夏，四月十四日丙戌，结束讲解，大赦天下，改年号为“中大同”。这一夜，同泰寺佛塔发生火灾，梁武帝说：“这是妖魔作怪，应当大做法事。”百官群臣都赞同。于是下诏书说：“道法虽高，但妖魔昌盛，行善遇到了障碍，应当大兴土木，佛塔建得比先前高大一倍。”于是兴建十二层佛塔，将要建成，遇到侯景叛乱就停止了。

西魏史宁通告凉州吏民，大多归顺了朝廷，只有宇文仲和占据州城不投降。五月，独孤信派众将在夜里攻打州城的东北部，亲自率领精壮的士兵偷袭州城的西南部。天亮时分攻下了州城，于是活捉了宇文仲和。

当初，张保想杀掉瓜州主簿令狐整，因令狐整声望很高，他担心失掉民心，所以虽然表面敬重令狐整，而内心非常忌恨他。令狐整佯装亲附，就指派人劝说张保，

孤危，恐不能敌，宜急分精锐以救之。然成败在于将领，令狐延保兼资文武，使将兵以往，蔑不济矣[180]！”保从之。整行及玉门[181]，召豪杰述保罪状，驰还袭之。先克晋昌，斩吕兴，进击瓜州，州人素信服整，皆弃保来降。保奔吐谷浑。众议推整为刺史，整曰：“吾属以张保逆乱，恐阖州之人俱陷不义，故相与讨诛之。今复见推，是效尤[182]也。”乃推魏所遣使波斯[183]者张道义行州事，具以状闻。丞相泰以申徽为瓜州刺史。召整为寿昌太守，封襄武男。整帅宗族乡里三千余人入朝，从泰征讨，累迁骠骑大将军、开府仪同三司，加侍中。

六月庚子[184]，东魏以司徒侯景为河南大将军、大行台。

秋，七月壬寅[185]，东魏遣散骑常侍元廓[186]来聘。

甲子[187]，诏：“犯罪非大逆，父母、祖父母不坐。”

先是，江东唯建康及三吴、荆、郢、江、湘、梁、益[188]用钱，其余州郡杂以谷帛，交、广[189]专以金银为货[190]。上自铸五铢[191]及女钱[192]，二品并行，禁诸古钱。普通中[193]，更铸铁钱。由是民私铸者多，物价腾踊[194]，交易者至以车载钱，不复计数。又自破岭[195]以东，八十为百，名曰“东钱”；江、郢以上[196]，七十为百，名曰“西钱”；建康以九十为百，名曰“长钱”。丙寅[197]，诏曰：“朝四暮三，众狙皆喜[198]，名实未亏而喜怒为用。顷闻外间多用九陌钱[199]，陌减则物贵，陌足则物贱，非物有贵贱，乃心有颠倒。至于远方，日更滋甚，徒乱王制，无益民财。自今可通用足陌钱。令书行后，百日为期，若犹有犯，男子谪运[200]，女子质作[201]，并同三年。”诏下而人不从，钱陌益少，至于季年[202]，遂以三十五为百云。

上年高，诸子心不相下[203]，互相猜忌[17]，邵陵王纶[204]为丹杨尹，湘东王绎[205]在江州，武陵王纪[206]在益州，皆权侔人主，太子纲[207]恶之，常选精兵以卫东宫。八月，以纶为南徐州刺史。

东魏丞相欢如邺[208]。高澄迁洛阳《石经》[209]五十二碑于邺。

魏徙并州刺史王思政为荆州刺史，使之举诸将可代镇玉壁者。思政举晋州刺史韦孝宽[210]，丞相泰从之。东魏丞相欢悉举山东之众，将

说："如今东方的大军逐渐逼近凉州，凉州形势孤立危险，恐怕难以抵挡，应赶紧分出精兵去救援，然而成败在于带兵的将领，令狐延保文武双全，派他带兵去救，没有不成功的。"张保听从了。令狐整前进到玉门，召集地方豪杰数落张保的罪状，迅速回军袭击张保，首先攻克了晋昌，杀了吕兴，进而攻打瓜州，瓜州人一向信服令狐整，都叛离张保，归降令狐整。张保逃奔吐谷浑。大家商议推举令狐整为瓜州刺史，令狐整说："我们因为张保叛乱，忧虑全州的人都陷于不义，所以相互联合起来讨伐他。如今又推举我当刺史，这是效法张保的错误。"于是推举西魏派遣出使波斯的张道义代行凉州政事，并原原本本地把这件事上报朝廷。丞相宇文泰任命申徽为瓜州刺史，召见令狐整，改任寿昌太守，封为襄武男。令狐整率领宗族乡里三千多人进京朝拜，追随宇文泰征讨，积累功劳，升迁骠骑大将军、开府仪同三司，加官侍中。

六月二十九日庚子，东魏任命司徒侯景为河南大将军、大行台。

秋，七月初一日壬寅，东魏派遣散骑常侍元廓出使梁朝。

二十三日甲子，梁武帝下诏："不是犯大逆不道之罪的罪犯，父母、祖父母不受株连。"

在此之前，梁朝只有京城建康，以及三吴、荆州、郢州、江州、湘州、梁州、益州使用铜钱，其他各州郡夹杂用谷物布帛交易。交州、广州专用金、银为货币。梁武帝自己铸造了五铢钱和女钱，两种铜钱同时使用，禁止使用各种古钱。普通年间，改铸铁钱。从此，民间私自铸钱的多了起来，物价飞涨，交易的人往往用车载钱，不再细数钱的多少。此外，从破岭以东地区，八十文为一百，名叫"东钱"；江州、郢州以上，七十文为一百，名叫"西钱"；建康地区九十文为一百，名叫"长钱"。七月二十五日丙寅，梁武帝下诏说："朝四暮三，众猕猴都高兴，实际没有增减，产生的喜怒却不一样。近来听说市场上多使用九陌钱，陌钱分量不够，物价就贵，陌钱分量足，物价就贱，不是物价有贵贱，而是人们心理上有错觉。至于边远地区，情况日益严重，这只能扰乱国家的制度，不能增加老百姓的财富。从今日开始，可通用分量足的陌钱。命令颁行以后，以一百天为期限，如果还有犯禁的，男子判罚为转运工，女人以身抵押做苦工，刑期都是三年。"诏书颁行以后，人们并不遵行，陌钱一天天减少，直到末年，甚至以三十五文为一百钱。

梁武帝年事已高，几个儿子互不服气，互相猜忌，邵陵王萧纶为丹杨尹，湘东王萧绎任职江州，武陵王萧纪任职益州，权势皆与皇上相等，太子萧纲忌恨他们，经常挑选精兵守卫东宫。八月，任命萧纶为南徐州刺史。

东魏丞相高欢前往邺城。高澄把洛阳《石经》共五十二碑迁移到邺城。

西魏调并州刺史王思政任荆州刺史，让王思政推荐一个可以代替他镇守玉壁城的将领。王思政推荐晋州刺史韦孝宽，丞相宇文泰采纳了。东魏丞相高欢调动东魏

伐魏。癸巳[211]，自邺会兵于晋阳。九月，至玉壁，围之。以挑西师，西师不出。

李贲复帅众二万自獠中出，屯典澈湖[212]，大造船舰，充塞湖中。众军惮之，顿湖口，不敢进。陈霸先谓诸将曰："我师已老[213]，将士疲劳，且孤军无援，入人心腹，若一战不捷，岂望生全？今藉其屡奔，人情未固，夷、獠乌合，易为摧殄。正当共出百死，决力取之，无故停留，时事去矣！"诸将皆默然莫应。是夜，江水暴起七丈，注湖中。霸先勒所部兵乘流先进，众军鼓噪俱前，贲众大溃，窜入屈獠洞中。

冬，十月乙亥[214]，以前东扬州刺史岳阳王詧为雍州刺史。上舍詧兄弟而立太子纲，内尝愧之，宠亚诸子[215]。以会稽人物殷阜，故用詧兄弟迭为[216]东扬州以慰其心。詧兄弟亦内怀不平。詧以上衰老，朝多秕政[217]，遂蓄聚货财，折节下士，招募勇敢，左右至数千人。以襄阳形胜之地，梁业所基[218]，遇乱可以图大功，乃克己为政，抚循士民，数施恩惠，延纳规谏，所部称治。

东魏丞相欢攻玉壁，昼夜不息，魏韦孝宽随机拒之。城中无水，汲于汾[219]，欢使移汾，一夕而毕。欢于城南起土山，欲乘之以入。城上先有二楼，孝宽缚木接之[220]，令常高于土山以御之。欢使告之曰："虽尔缚楼至天，我当穿地取尔。"乃凿地为十道，又用术士李业兴孤虚法[221]，聚攻其北，北，天险也。孝宽掘长堑，邀其地道，选战士屯堑上，每穿至堑[222]，战士辄禽杀之。又于堑外积柴贮火，敌有在地道内者，塞柴投火，以皮排[223]吹之，一鼓皆焦烂[224]。敌以攻车[225]撞城，车之所及，莫不摧毁，无能御者。孝宽缝布为幔，随其所向张之，布既悬空，车不能坏。敌又缚松、麻于竿，灌油加火以烧布，并欲焚楼。孝宽作长钩，利其刃[226]，火竿将至，以钩遥割之，松、麻俱落。敌又于城四面穿地为二十道，其中施梁柱，纵火烧之，柱折，城崩。孝宽随[18]崩处竖木栅以捍之，敌不得入。城外尽攻击之术，而城中守御有余。孝宽又夺据其土山。欢无如之何，乃使仓曹参军祖珽[227]说之曰：

的全部兵力，将要讨伐西魏。八月二十三日癸巳，高欢从邺城出发，到晋阳会合众军。九月，东魏兵到达玉壁，包围了玉壁城，以便挑战西魏军。西魏军没有出战。

李贲再次率领徒众二万人从獠族人居住区出发，驻扎在典澈湖，大造战船，布满湖面。梁朝的各支军队畏惧李贲，屯驻在湖口，不敢前进。陈霸先对诸将说："我军士气低落，将士疲劳，并且孤军无援，进入了敌人的心腹地区，如果交战失败，怎能指望活着回去？现今趁着敌人多次败逃，军心不稳，夷人、獠人拼凑起来的乌合之众，容易被摧毁消灭。大家正应当同心协力，以决死之心奋力打败他们，无故停留，取胜的机会就要丢失！"各位将领都沉默，没有人回应。当天夜里，江水暴涨七丈，注入湖中。陈霸先指挥自己所领的部众趁着水势率先进兵，众军也击鼓呐喊，一起向前，李贲的徒众彻底溃败，逃窜到屈獠洞中。

冬，十月初六日乙亥，梁朝任命前东扬州刺史岳阳王萧詧为雍州刺史。梁武帝舍弃萧詧兄弟而立萧纲为太子，内心常常惭愧，对萧詧兄弟的宠爱仅次于自己的几个皇子。因为会稽地区户口多、物产丰，所以任用萧詧兄弟轮流做东扬州刺史，用以慰抚萧詧兄弟的心。萧詧兄弟也心怀不满。萧詧因皇上年老，朝政失误良多，于是蓄积钱财，礼贤下士，招募豪侠，身边达到了几千人。萧詧因襄阳地势险要，是梁朝帝业的根基，遇到乱世可以谋求重大功业，于是克制自己的欲望，兢兢业业处理政事，安抚士大夫和百姓，多次普施恩惠，听取属下的劝谏，所辖地区治理得很好。

东魏丞相高欢围攻玉壁城，昼夜不停，西魏韦孝宽随机应变，抵抗敌人。玉壁城中无水，从汾河取水，高欢派人改变汾河水道，一夜完成。高欢又在城南垒起土山，想从土山上攻入城中。玉壁城城墙上先有两座高楼，韦孝宽在高楼上绑接木头，让它总是高于东魏兵垒起的土山，用以抵抗东魏兵。高欢派人对韦孝宽说："即使你把木楼接到天上，我会穿地道捉拿你。"于是穿了十处地道，又用术士李业兴的孤虚法，集中军队进攻城北。城北是天然险阻。韦孝宽挖深壕沟，截击高欢挖地道的，挑选战士守在壕沟里，每当东魏兵挖地道到了壕沟时，战士就抓获他、杀死他。又在壕沟外堆积柴火，东魏兵停留在地道内的，守壕战士就向地道口塞进柴草，投入火种，用皮排鼓风，一经皮排鼓风，地道里的东魏兵就被烧焦烧烂。东魏兵又用攻城冲车撞城墙，冲车所到之处没有不摧毁的，没有能够阻挡它的武器。韦孝宽缝布制成帐幔，迎着冲车的撞击点张开，布帐悬空，冲车没法撞坏它。东魏兵在长竹竿上绑上松枝、麻毛，再浇上油，点燃后用来烧帐幔，并想烧毁城墙上的高楼。韦孝宽制作长钩，使刀刃非常锋利，敌人的火燃竹竿刚要接触帐幔，就用长钩远远地割断火头，松枝、麻毛都散落。东魏兵又在城墙四周穿地道二十条，地道中加上支撑的木柱，放火烧木柱，柱断城崩。韦孝宽沿着城墙倒塌的地方竖立木栅来护卫城墙，敌人还是进不了城。城外的敌人想尽了攻城办法，而城中守卫的方法有余。韦孝宽还攻占了东魏兵在城外垒起的土山。高欢一点办法也没有，就派仓曹参军祖珽

"君独守孤城而西方无救，恐终不能全，何不降也?"孝宽报曰:"我城池严固，兵食有余。攻者自劳，守者常逸，岂有旬朔㉘之间已须救援？适忧尔众有不返之危。孝宽关西男子，必不为降将军也!"珽复谓城中人曰:"韦城主受彼荣禄㉙，或复可尔，自外军民，何事相随入汤火中?"乃射募格㉚于城中云:"能斩城主降者，拜太尉，封开国郡公，赏帛万匹。"孝宽手题书背㉛，返射城外云:"能斩高欢者准此。"珽，莹㉜之子也。东魏苦攻凡五十日，士卒战及病死者共七万人，共为一冢。欢智力皆困，因而发疾。有星坠欢营中，士卒惊惧。十一月庚子㉝，解围去。

先是，欢别使侯景将兵趣齐子岭㉞，魏建州刺史杨檦镇车厢㉟，恐其寇邵郡，帅骑御之。景闻檦至，斫木断路六十余里，犹惊而不安，遂还河阳。

庚戌㊱，欢使段韶从太原公洋镇邺。辛亥㊲，征世子澄会晋阳。

魏以韦孝宽为骠骑大将军、开府仪同三司，进爵建忠公。时人以王思政为知人。

十一月[19]己卯，欢以无功，表解都督中外诸军，东魏主许之。

欢之自玉壁归也，军中讹言韦孝宽以定功弩㊳射杀丞相，魏人闻之，因下令曰:"劲弩一发，凶身自陨。"欢闻之，勉坐㊴见诸贵，使斛律金作《敕勒歌》㊵，欢自和之，哀感流涕。

魏大行台度支尚书、司农卿苏绰，性忠俭，常以丧乱未平为己任，荐贤拔能[20]，纪纲庶政㊶，丞相泰推心任之，人莫能间。或出游，常预署㊷空纸以授绰，有须处分，随事施行，及还，启知而已。绰常谓为国之道，当爱人如慈父，训人如严师。每与公卿论议，自昼达夜，事无巨细，若指诸掌，积劳成疾而卒。泰深痛惜之，谓公卿曰:"苏尚书平生廉让，吾欲全其素志㊸，恐悠悠之徒㊹有所未达；如厚加赠谥，又乖宿昔相知之心；何为而可?"尚书令史㊺麻瑶越次㊻进曰:"俭约，所以彰其美也。"泰从之。归葬武功，载以布车㊼一乘，泰与群公步送出同州㊽郭外。泰于车后酹酒㊾言曰:"尚书平生为事，妻子、兄弟所

劝降韦孝宽说："你独力防守一座孤城，西边没有救兵，恐怕终究不能保全，为什么不投降？"韦孝宽回复说："我这座城坚固严实，兵员和粮食都充足有余。进攻的人自己劳苦，防守的人常常逸乐，哪有十天一月之间就要救兵呢？我正担心你们有来而不回的危险，我韦孝宽，是关西堂堂男子汉，绝不会做投降的将军！"祖珽又对城中人说："韦将军接受宇文泰的官爵和俸禄，他或许能不投降，自他以外的军民，何苦跟随他赴汤蹈火呢？"于是把一道悬赏捉拿韦孝宽的告示射入城中，说："能够斩杀韦孝宽来投降的，拜太尉，封开国郡公，赏帛万匹。"韦孝宽亲手在悬赏告示的背面写上："能斩高欢的人照此办理。"用箭射回城外。祖珽，是祖莹的儿子。东魏苦攻了五十天，士兵战死和病死的共七万人，都埋在一个坟墓里。高欢精疲力竭，因而生病。有流星坠落在高欢营帐中，士兵们又惊又怕。十一月初一日庚子，高欢解围退兵。

此前，高欢另派侯景领兵奔赴齐子岭，西魏建州刺史杨㯹镇守车厢城，忧虑东魏兵侵掠邵郡，率领骑兵去抵御他们。侯景得知杨㯹到来，砍伐树木阻断道路六十余里，仍然惊慌不安，于是退还河阳。

十一月十一日庚戌，高欢派段韶随从太原公高洋镇守邺城。十二日辛亥，高欢征召世子高澄到晋阳会合。

西魏任命韦孝宽为骠骑大将军、开府仪同三司，晋爵建忠公。当时的人都称赞王思政慧眼识人才。

十一月己卯日，高欢因为出征无功，上表请求解除都督中外诸军事，东魏孝静帝同意了。

高欢从玉壁城撤回的时候，军中传言韦孝宽用定功弩射死了丞相高欢，西魏人听到后，就发布命令说："劲弩一发，凶人自毙。"高欢听到这话，勉力坐起召见权贵，让斛律金作《敕勒歌》，高欢亲自应和，禁不住悲哀流泪。

西魏大行台度支尚书、司农卿苏绰，生性忠厚俭朴，常常把治平天下祸乱视为自己的责任，推荐和选拔贤能的人才，依法处理各种政务。丞相宇文泰推心置腹信任他，没人能够挑拨离间。宇文泰有时出游，经常预先在空白纸上签署名字交给苏绰，有事需要处理，就根据情况随时办理，到宇文泰回来，让他知道就可以了。苏绰经常说治国之道，应当像慈父那样去爱护百姓，像严师那样去训导百姓。每当与公卿商议政事，从白天到夜晚，事无巨细，了如指掌，积劳成疾去世。宇文泰深深悲痛和惋惜，对公卿们说："苏绰尚书一生廉洁谦让，我想成全他一向的意愿，恐怕平庸的人不理解；如果优厚地加高官美谥，又违背以前我和他相知的情意，该怎么办才好呢？"尚书令史麻瑶越过班次上前说："丧事节俭而简约，是彰显他美德的最好方式。"宇文泰接受了这个建议。用布车一辆运载苏绰的遗体，送回老家武功安葬，宇文泰与公卿大臣步行护送苏绰遗体到同州外城。宇文泰在丧车后面洒酒说："苏绰

不知者，吾皆知之。唯尔知吾心，吾知尔志，方欲[21]共定天下，遽舍吾去，奈何！”因举声恸哭，不觉卮落于手。

东魏司徒、河南大将军、大行台侯景，右足偏短，弓马非其长，而多谋算。诸将高敖曹、彭乐等皆勇冠一时，景常轻之，曰：“此属皆如豕突㉕⓪，势何所至？”景尝言于丞相欢：“愿得兵三万，横行天下，要须济江缚取萧衍老公，以为太平寺主㉕①。”欢使将兵十万，专制河南，杖任㉕②若己之半体。

景素轻高澄，尝谓司马子如曰：“高王在，吾不敢有异；王没，吾不能与鲜卑小儿共事。”子如掩其口。及欢疾笃，澄诈为欢书以召景。先是，景与欢约曰：“今握兵在远，人易为诈，所赐书背[22]请加微点。”欢从之。景得书无点，辞不至。又闻欢疾笃，用其行台郎颍川王伟㉕③计，遂拥兵自固。

欢谓澄曰：“我虽病，汝面更有余忧，何也？”澄未及对，欢曰：“岂非忧侯景叛邪？”对曰：“然。”欢曰：“景专制河南，十四年矣㉕④，常有飞扬跋扈之志，顾我能畜养，非汝所能驾御也。今四方未定，勿遽发哀。库狄干鲜卑老公，斛律金敕勒老公，并性遒直㉕⑤，终不负汝。可朱浑道元、刘丰生远来投我，必无异心。潘相乐㉕⑥本作道人㉕⑦，心和厚，汝兄弟当得其力。韩轨少戆㉕⑧宜宽借㉕⑨之。彭乐心腹难得㉖⓪，宜防护之。堪敌侯景者，唯有慕容绍宗，我故不贵之，留以遗汝。”又曰：“段孝先㉖①忠亮仁厚，智勇兼备，亲戚㉖②之中，唯有此子，军旅大事，宜共筹之。”又曰：“邙山之战，吾不用陈元康之言，留患遗汝，死不瞑目。”相乐，广宁人也。

【段旨】

以上为第三段，记述公元五四六年史事。本年东魏高欢率大军西讨，志在必得而兵挫于西魏边将之手，忧劳羞愧成疾，嘱托后事，走到了他的政治终点。南朝梁武帝年老昏耄，诸子不谐，边境未宁，物价飞涨，国势日衰。

尚书生平办事，他的夫人、儿子、兄弟所不知道的，我都知道。只有你苏绰理解我的心意，我宇文泰了解你的志向。我正要与你共同平定天下，你突然舍我而去，怎么办啊！”于是放声痛哭，不知不觉，酒杯掉在了地上。

东魏司徒、河南大将军、大行台侯景，右脚偏短，骑马射箭不是他的长处，但足智多谋。众将中高敖曹、彭乐等勇猛无比，侯景常常看不起他们，说：“这些人就像野猪乱撞乱冲，能有多大能耐呢？”侯景曾经对丞相高欢说：“我希望领兵三万，横行天下，一定能渡过长江，把萧衍那老头子捆绑过来做太平寺的寺主。”高欢让他领兵十万，全权管理黄河以南，依仗和信任他，好像是自己的半个身体。

侯景一向看不起高澄，曾经对司马子如说：“高王在，我不敢有二心；高王去世，我不能和一个鲜卑小儿共事。”司马子如蒙住他的口。等到高欢病重，高澄伪造高欢的书信宣召侯景。此前，侯景与高欢相约，说：“现今我掌领兵权在远方，人们容易造假，大王给我写书信，都请在信的背面加一个小点儿。”高欢听从了。侯景收到书信，没有看到黑点儿，便推托不来。又听说高欢病情严重，就用行台郎颍川人王伟的计谋，加强对军队的控制，用以巩固自己的地位。

高欢对高澄说：“我虽病重，你的脸上更有忧色，为什么呢？”高澄还没有来得及回答，高欢说：“莫不是忧虑侯景造反吗？”高澄回答说：“是的。”高欢说：“侯景全权管理河南十四年了，时常怀有飞扬跋扈的野心，我还能控制他，但不是你能驾驭的。如今天下没有安定，我死了不要急忙发丧。库狄干是鲜卑的老人，斛律金是敕勒的老人，都生性耿直，始终不会辜负你。可朱浑道元、刘丰生从边远地区来投靠我，一定没有二心。潘相乐原本是个道人，心地善良忠厚，你们兄弟会得到他的助力。韩轨有些木讷愚直，对他应当宽容厚道。彭乐的心机很难猜测，应当提防他。能够匹敌侯景的人，只有慕容绍宗，我故意不尊重他，把机会留着送给你。”高欢接着说：“段孝先忠厚仁慈，智勇双全，亲戚当中，只有他这个人，军机大事，应当和他共同筹划。”又说：“邙山之战，我没有听从陈元康的话，把祸患留给了你，死不瞑目。”潘相乐是广宁人。

【注释】

⑯⑧ 癸丑：正月初十日。⑯⑨ 新昌：郡名，治所嘉宁城，在今越南越池县。⑰⓪ 獠：对当地土著的称呼，可能是对仡佬族的早期称呼。⑰① 江口：苏历江入海口。⑰② 晋昌：郡名，治所冥安，在今甘肃瓜州东南。⑰③ 乙巳：三月初三日。⑰④ 庚戌：三月初八日。⑰⑤ 寺省：设在同泰寺中供梁武帝歇息的便殿。⑰⑥ 丙戌：四月十四日。⑰⑦ 改元：改“大同”为“中大同”，起公元五四六年，迄公元五四七年四月。⑰⑧ 阳为：假装作。⑰⑨ 东军：独孤

信所率从长安而来的西魏军。⑱蔑不济矣：没有不成功的。⑱玉门：县名，县治在今甘肃玉门市玉门镇。⑱效尤：犯同样错误。⑱波斯：古国名，在今伊朗高原，时值萨珊王朝时期。⑱庚子：六月二十九日。⑱壬寅：七月初一日。⑱元廓：人名，与魏恭帝同名。⑱甲子：七月二十三日。⑱荆、郢、江、湘、梁、益：皆州名，梁置。荆，荆州，治所江陵，在今湖北江陵。郢，郢州，治所夏口，在今湖北武汉市武昌区。江，江州，治所湓城，在今江西九江。湘，湘州，治所临湘，在今湖南长沙。梁，梁州，治所南郑，在今陕西南郑。益，益州，治所成都，在今四川成都。⑱交、广：交州、广州。交，交州治所交趾，在今越南河内。⑲为货：作为货币。⑲五铢：梁五铢钱，两面都有内外郭，上有“五铢”二字，一百枚重一斤二两，铜质。⑲女钱：也叫公式女钱，是没有外郭的五铢钱。⑲普通中：普通年间。普通，梁武帝年号（公元五二〇至五二七年）。⑲腾踊：飞涨。⑲破岭：山名，在兰陵，即今江苏开阳东。破岭以东，指建康以东以南徐州为主的地区。⑲江、郢以上：江州、郢州在长江中游，以上指长江上游的荆、益等各州。⑲丙寅：七月二十五日。⑲“朝四暮三”二句：狙，猕猴。“朝四暮三”典出《庄子·齐物论》。说的是一养猴老翁决定早上每只猴喂三粒橡子，晚上喂四粒。群猴十分不满。当老翁将早晚餐数量对调后，群猴竟大喜。⑲九陌钱：指建康地区盛行的以九十当一百的“长钱”。陌，即一百文钱。⑳谪运：罚为转运物资的役徒。⑳质作：以人为抵押而服劳役。⑳季年：末年。⑳心不相下：心中互不甘居他人之下。⑳邵陵王纶：萧纶（公元五一九至五五一年），字世调，梁武帝第六子，爵邵陵王。曾官丹阳尹、扬州刺史、南徐州刺史，进位中卫将军、开府仪同三司。侯景之乱，率军讨伐，兵败。后为西魏军所杀。传见《梁书》卷二十九、《南史》卷五十三。⑳湘东王绎：梁武帝第七子萧绎，爵湘东王，前已有注。⑳武陵王纪：萧纪（公元五〇六至五五一年），字世询，别字大智，梁武帝第八子。益州刺史、征西大将军。侯景之乱时，纪不发兵救援京都，反而称帝于蜀地，改年号为天正。梁元帝萧绎派兵将他消灭，绝了他及其家人的族籍，并改姓为饕餮氏，以示惩戒。传见《梁书》卷五十五、《南史》卷五十三。⑳太子纲：萧纲，即梁简文帝（公元五〇三至五五一年），字世缵，小字六通，梁武帝第三子。中大通三年（公元五三一年）立为太子。太清三年（公元五四九年）五月即位，受侯景辖制。在位仅两年，被侯景党羽王伟杀害。事详《梁书》卷四。⑳如邺：高欢从晋阳到邺都，史文不称“朝邺”，而作“如邺”，是表示高欢的权势已凌驾于孝静帝之上，与孝静帝的关系如同国与国之间的关系。⑳洛阳《石经》：始刻于汉灵帝熹平四年（公元一七五年），所以又称《熹平石经》。碑刻成于光和六年（公元一八三年），立于太学。今存残石有字近万。㉑晋州刺史韦孝宽：晋州时属东魏，韦孝宽是遥领。㉑癸巳：八月二十三日。㉑典澈湖：湖名，通红河，在新昌郡境。㉑我师已老：自去年夏五月出兵，至此已近一年半。拖延时久，士气转衰，所以称“师老”。㉑乙亥：十月初六日。㉑宠亚诸子：萧詧是昭明太子的第三子，梁武帝的孙子。昭明太子去世，本应由萧詧兄弟中的长子继任，由于武帝改立萧纲，所以心中有愧，对萧詧兄弟宠爱有加，仅次于各位叔伯。㉑⑥迭为：相继担任。㉑⑦秕政：坏败不良的政治。㉑⑧梁业所基：梁武帝夺取天下的基础。㉑⑨汾：汾河。㉒⓪缚木接之：楼上再绑上木料，以加高楼的高度。㉒①孤虚法：古代人用天干、地支排列年月日时，用占卜推算日时的办法。当时人以为甲乙称为日，子丑称作辰，日辰不全，事情就办不成。《六甲孤虚法》指出，甲子旬中没有戌亥，戌亥就是孤，而辰巳就是虚。甲戌旬中没有申酉，申酉就是孤，寅卯就是虚。甲寅旬中没有子丑，子丑就是孤，午未就是虚。凡经推算，能做到避孤击虚，事情就能办成。㉒②每穿至堑：每当地道打穿到堑壕中。㉒③皮排：用兽皮做成的鼓风器具。㉒④一鼓皆焦烂：将火气吹入地道中，地道中的敌方就被烧死或被烟熏而死。㉒⑤攻车：高架的攻城楼车。㉒⑥利其刃：磨利长钩的钩刃。㉒⑦祖珽：字孝征，范阳遒（今河北涞水县）人。其人文才出众而性疏率，仕北齐，历官秘书监、海州刺史、侍中、北徐州刺史。传见《北齐书》卷三十九、《北史》卷四十七。㉒⑧旬朔：十天为旬，满一月则改朔。这里指十天到一个月左右时间。㉒⑨受彼荣禄：接受宇文泰授予的官职和俸禄。㉓⓪募格：悬赏韦孝宽人头的告示。㉓①书背：写在悬赏文书的背面。㉓②莹：祖莹，北魏护军将军，以文学才干见重一时。传见《魏书》卷八十二、《北史》卷四十七。㉓③庚子：十一月初一日。㉓④齐子岭：山名，在今河南济源西。㉓⑤车厢：城名，是西魏建州州治，在今山西绛县东南。㉓⑥庚戌：十一月十一日。㉓⑦辛亥：十一月十二日。㉓⑧定功弩：一种大型可以远射的弩弓。㉓⑨勉坐：勉强支撑病体坐着。㉔⓪《敕勒歌》：敕勒部民歌。斛律金出生敕勒部，所以唱该部族人的歌。《古乐府》载有译成汉语的歌词："敕勒川，阴山下，天似穹庐，笼罩四野，天苍苍，野茫茫，风吹草低见牛羊。"㉔①纪纲庶政：有法度地处理政务。㉔②预署：预先签署姓名在空白公文纸上。㉔③素志：以往坚持的志愿。㉔④悠悠之徒：庸俗的人。㉔⑤尚书令史：官名，尚书省中的低级文吏，一般极少有机会在廷议中议事。㉔⑥越次：超越位次。㉔⑦布车：用布作帷子的车。㉔⑧同州：州名，原作华州。西魏改，州治在今陕西大荔。㉔⑨酹酒：以酒泼地，祭奠亡灵。㉕⓪如豕突：像乱冲乱撞的猪。讽刺高敖曹、彭乐等人有勇无谋。㉕①太平寺主：太平寺在东魏京都邺城之中。侯景要把信佛的梁武帝擒来，放在太平寺中当个住持，说明他一直有夺取江南的想法。㉕②杖任：依仗和信任。㉕③王伟：侯景亲信谋士。侯景败亡，王伟被萧绎烹杀。事见《梁书》卷五十六、《南史》卷八十。㉕④十四年矣：从东魏天平元年（公元五三四年）侯景夺取荆州算起，至此实十三年。胡三省以为高欢说此话或许是在第二年开春临死之时，所以说"十四年"。㉕⑤道直：耿直。㉕⑥潘相乐：人名，本名乐，字相贵，或作相乐。㉕⑦道人：僧人的别称。㉕⑧少戆：稍有些愚直。㉕⑨宽借：宽容。㉖⓪心腹难得：心中所想难以摸透。邙山之役中，彭乐放跑宇文泰，高欢一直对他不放心。㉖①段孝先：即段韶，字孝先，姑臧武威人。仕北齐，官至左丞相，封乐陵郡公。传见《北齐书》卷十六、《北史》卷五十四。㉖②亲戚：段韶是高欢娄皇后姐姐的儿子。

【校记】

[17] 互相猜忌：原无此四字。据章钰校，十二行本、乙十一行本、孔天胤本皆有此四字，张敦仁《通鉴刊本识误》、张瑛《通鉴校勘记》同，今据补。[18] 随：原作“于”。据章钰校，十二行本、乙十一行本、孔天胤本皆作“随”，今据改。[19] 十一月：乙十一行本作“十二月”，张敦仁《通鉴刊本识误》同。〖按〗《北齐书·神武帝纪下》《北史·高祖神武帝纪》皆载此事于十一月己卯。[20] 荐贤拔能：原无此四字。据章钰校，十二行本、乙十一行本、孔天胤本皆有此四字，张敦仁《通鉴刊本识误》同，今据补。[21] 欲：原作“与”。据章钰校，十二行本、乙十一行本、孔天胤本皆作“欲”，今从改。[22] 背：原作“皆”。据章钰校，十二行本作“背”，张敦仁《通鉴刊本识误》同，云：“无注本亦作‘皆’。”〖按〗《北齐书·神武帝纪下》《北史·高祖神武帝纪》皆作“背”，今据改。

【研析】

本卷较集中叙述了两件事。其一是南朝梁武帝老来昏庸，佞于佛教，以个人生活俭约为由，拒谏饰非，丧失了一个最高统治者应有的警觉。司马温公对此已做了深入的评析。同时梁武帝让子孙在各地长时期担任一个地区的军政长官，且因在继承人的问题上未妥善处置，子孙之间已矛盾重重，留下了动乱的诱因。其二是西魏通过修筑城堡，强化对今中条山以南地区（当时称为河东）的军事控制，对东魏政治、军事重心所在的晋阳地区构成严重威胁。东魏执政高欢倾全力进攻玉壁城，韦孝宽率部坚守，多方应对，终于使高欢铩羽而归，高欢试图消灭西魏的企图彻底破产。一世枭雄，暮年惆怅，在沧桑悲凉的《敕勒歌》中回想早年草原的快活时光，并开始安排身后之事，而继承人高澄对是否能驾驭高欢纵容已久的“勋贵”心存疑虑。下面就本卷涉及的两个问题加以重点分析。

第一，东魏、西魏拉拢柔然的外交努力。

据史载，柔然始祖原是鲜卑拓跋部早期首领拓跋力微手下的一个逃亡奴隶，名叫木骨闾，他逃至草原，纠合上百个与之类似的逃亡者，渐成部落，称为柔然，其后代以其名为姓氏，音变译作“郁久闾”。约当北魏统治中原之初，柔然已经控制了大漠以北的草原，统治上百万分散的敕勒族人，政治影响力及于今日天山南、北及东北地区，长期与北魏政权敌对。太武帝拓跋焘曾置北镇予以防御，因其文化上落后，比之为无知的虫子，改其名作“蠕蠕”。柔然人入中原者，又往往改其字作“茹茹”。

北魏末动乱，柔然趁机进占原北镇地区。东魏、西魏对峙，为遏制对方，均引以为强援。先是因地理方便，高欢结好柔然，全力进攻西魏。西魏执政者宇文泰急于解散东魏与柔然的和好关系，逼迫西魏皇帝元宝矩迎娶柔然可汗阿那瓌之女为皇

后。原皇后乙弗氏十六岁嫁给元宝炬，至其三十一岁死时，竟生产过十二个儿女，只是大多夭折。乙弗皇后与元宝炬感情甚笃，但迫于国家需要，出宫为尼。元宝炬对乙弗氏念念不忘，暗中要乙弗氏蓄发，“有追还之意”，引起新皇后郁久闾氏的不快。柔然曾一度大军临边，传言说是为了给郁久闾氏撑腰而来。乙弗氏被迫自杀，被谥为“悼后”，意为“可怜的皇后”。这些事儿《通鉴》上卷有所反映。但一年后，年少的郁久闾皇后难产而死，这又给高欢提供了机会，东魏方面大肆宣传，称西魏方面害死了郁久闾皇后，并遣使要求与柔然“和亲”。如本卷所记，高欢原本打算为自己的儿子高澄求娶阿那瓌的小女儿，但阿那瓌要求将只有十三岁的小女儿嫁与年已五十的渤海王高欢。出于国家大计，高欢原配娄氏只好搬出渤海王宫。阿那瓌遣弟弟秃突佳前往送亲，并强调须看到女儿生出儿子才许返回。“公主性严毅，终身不肯华言。欢尝病，不得往，秃突佳怨恚，欢舆疾就之。”柔然因此支持东魏，并有进攻企图，西魏都城长安都不得不开挖壕堑，以防备其骑兵入城横冲直撞。深感危机的宇文泰，只得重新在草原上寻找可以牵制柔然的力量，遂“遣酒泉胡安诺槃陀始通使于突厥”，世代受到柔然奴役的突厥人大喜，称“大国使者至，吾国其将兴矣”。

于是我们看到，中原政治分裂，使草原的势力强烈影响中原政治过程，同时也会影响草原部族的兴亡。后面我们还会读到，这种局面随着柔然之后突厥的兴起，更为严重。

第二，西魏文体改革的时代背景与结果。

卷中记有宇文泰改革时弊所实行的一项措施，说：“晋氏以来，文章竞为浮华，魏丞相泰欲革其弊……泰命大行台度支尚书、领著作苏绰作《大诰》，宣示群臣，戒以政事，仍命‘自今文章皆依此体’。”

汉代还没有我们今天的“文学”概念，往往按其形式与内涵，分别称之为诗、赋、赞、诵等。至汉末魏初，经学衰落，曹操、曹丕、曹植等用民间流行的五字一句，甚至七字一句的民歌形式，撰写了不少传诵至今的诗歌，抒发其现实感受与内心情怀，其政治的影响力与新诗体的冲击力，使之成为中国文学史上津津乐道的“建安文学”。尤其是曹丕，宣称“文章”并非上不得台面的雕虫小技，乃“经国之大业，不朽之盛事”。文章也不再是汉赋那样，为政治的附庸，开始用来表达个体人生的诉求。魏晋以后，五言诗成为文人们创作的主要形式，并且因为汉字音韵学的兴起，这种诗歌在南朝宋齐时期形式上开始格律化，即五言八句中，第三、第四句与第五、第六句必须对仗，同时不能自然押韵，必须按规定的韵脚写诗，而且诗歌里面要用上大量典故，才显得有深度与水平。不仅诗歌，文章也普遍讲求骈偶、用典、押韵，骈体文大行其道，为了形式的需要，一句话往往分成两句说，而简单的意思也要用典故来表达，搞得文化修养不高的人读起来如坠云雾。至于内容，与现实生活无直接联系的玄理、自然山水都相继成为主题，到了梁朝，“宫体”流行，女性、女性用品成了歌颂的主要内容，因而不免带有情色的味道。由于儒学不兴，门阀士族子弟按门第高下任官，文学成为士大夫表现身份与高雅的主要形式之一。

孝文帝迁洛汉化，推行门阀制度，同时也为南方高雅的文化所吸引，对文学着力推动。到北魏末，南方那种形式精美、内容空洞的“浮华”的文学形式已在北方大行其道，能写骈体文才称得上“大才士”，确也出现了温子昇这样让南方文人也赞赏的才士。仍按汉代传统研究儒家经典、一字一句疏通讲解的学者，已被斥责为不入流，甚至有儒者放弃多年所学，努力写作骈体文以求被重视。

这就是宇文泰要求改革文风的时代背景，同时这一改革也服务于宇文泰、苏绰用儒学伦理重新整合社会的政治主张。只是他们并没能像后来韩愈、柳宗元推行“古文运动”那样，创作出一种新的、内容与形式契合的文体，以影响潮流，而是逆潮流而动，用华夏最为古老、韩愈这样的大学者都认为“佶屈聱牙”的《尚书》文体作为推广的模板，实施于文化原本落后的关陇地区，这显然是行不通的。我们确实找不到几篇西魏北周时代的“大诰”体文章。倒是南方的文学风气在北方愈演愈烈，及于唐代，开科举士，诗、赋为主，骈俪之风愈烈。

不过，宇文泰、苏绰唐吉诃德似的努力并非没有意义，这预示着南方高高在上的社会精英们所创造的代表本阶层的精英文化，并不适合统合社会各阶层的现实需要，在时机成熟时，政治力量还会倡导、推动主流文化的重新塑造。

卷第一百六十　梁纪十六

强圉单阏（丁卯，公元五四七年），一年。

【题解】

本卷载公元五四七年一年史事，当梁武帝太清元年，西魏文帝大统十三年，东魏孝静帝武定五年。本年着重记述东魏丞相高欢去世，侯景反叛东魏引发的事变。侯景既臣于西魏，又效顺于梁朝，联结两国以自保。东魏伐叛，西魏、梁朝救援，加上叛军侯景，共四方争战于河南。

【原文】

高祖武皇帝十六

太清元年（丁卯，公元五四七年）

春，正月朔[①]，日有食之，不尽如钩。

壬寅[②]，荆州刺史庐陵威王续[③]卒。以湘东王绎为都督荆、雍等九州诸军事，荆州刺史。续素贪婪，临终有启，遣中录事参军[④]谢宣融献金银器千余件，上方知其富，因问宣融曰："王之金尽此乎？"宣融曰："此之谓多，安可加也？大王之过如日月之食，欲令陛下知之，故终而不隐。"上意乃解。

初，湘东王绎为荆州刺史，有微过[⑤]，续代之，以状闻，自此二王不通书问。绎闻其死，入阁[⑥]而跃，屧为之破[⑦]。

【语译】

高祖武皇帝十六

太清元年（丁卯，公元五四七年）

春，正月初一日己亥，发生日偏食，没被阴影遮住的部分如同弯钩。

正月初四日壬寅，梁朝荆州刺史庐陵威王萧续去世，任命湘东王萧绎为都督荆州、雍州等九州诸军事，荆州刺史。萧续一向贪婪，临死写有一道表章，派中录事参军谢宣融献给梁武帝金银器皿一千多件，皇上才知道他富有，于是问谢宣融说："庐陵王的金银就这么多吗?"谢宣融说:"这已经够多了，哪能还有更多的呢？大王的过错就像日食月食，他想让皇上了解一切，所以临死没有隐瞒。"梁武帝的不满，这才消除了。

当初，湘东王萧绎任荆州刺史，有小过失，萧续接任荆州刺史后，向皇上报告了萧绎的过失，从此两人互不通书信。萧绎听到萧续死去，跨进卧室，高兴得跳了起来，连木鞋都跳破了。

丙午⑧，东魏勃海献武⑨王欢卒。欢性深密⑩，终日俨然，人不能测，机权之际⑪，变化若神。制驭军旅，法令严肃。听断明察，不可欺犯。擢人受任⑫，在于得才，苟其所堪，无问厮养⑬；有虚声无实者，皆不任用。雅尚俭素，刀剑鞍勒无金玉之饰。少能剧饮，自当大任，不过三爵⑭。知人好士，全护勋旧⑮。每获敌国尽节之臣，多不之罪⑯。由是文武乐为之用。世子澄秘不发丧，唯行台左丞陈元康知之。

侯景自念已与高氏有隙，内不自安。辛亥⑰，据河南叛，归于魏，颍州刺史司马世云⑱以城应之，景诱执豫州刺史高元成⑲、襄州刺史李密⑳、广州刺史怀朔暴显㉑等。遣军士二百人载仗暮入西兖州，欲袭取之，刺史邢子才觉之，掩捕，尽获之，因散檄㉒东方诸州，各为之备，由是景不能取。

诸将皆以为[1]景之叛由崔暹㉓，澄不得已，欲杀暹以谢景。陈元康谏曰："今虽四海未清，纲纪已定。若以数将在外，苟悦其心，枉杀无辜，亏废刑典，岂直上负天神，何以下安黎庶？晁错前事㉔，愿公慎之。"澄乃止。遣司空韩轨督诸军讨景。

辛酉㉕，上祀南郊，大赦。甲子㉖，祀明堂。

二月[2]，魏诏："自今应宫刑者，直㉗没官，勿刑。"

魏以开府仪同三司若于惠为司空，侯景为太傅、河南大[3]行台、上谷公。

庚辰㉘，景又遣其行台郎中丁和来，上表言："臣与高澄有隙，请举函谷以东，瑕丘㉙以西，豫、广、颍[4]、荆、襄、兖、南兖、济、东豫、洛、阳、北荆、北扬等十三州内附，惟青、徐数州，仅须折简㉚。且黄河以南，皆臣所职，易同反掌。若齐、宋㉛一平，徐事燕、赵。"上召群臣廷议。尚书仆射谢举等皆曰："顷岁与魏通和，边境无事，今纳其叛臣，窃谓非宜。"上曰："虽然，得景则塞北可清，机会难得，岂宜胶柱㉜？"

是岁，正月乙卯㉝，上梦中原牧守皆以[5]地来降，举朝称庆。旦，见中书舍人朱异，告之，且曰："吾为人少梦，若有梦，必实。"异曰：

正月初八日丙午，东魏勃海献武王高欢去世。高欢性格深沉寡言，整天神情庄重，令人莫测高深，当机遇到来的时候，应对变化有如神明。治理军队，法令严明。听取意见，决断事务，明察秋毫，谁也无法欺瞒他。提拔委任，务求人才，只要才能胜任，不问他的出身门第。有虚名而无真才的人，一律不用。一向爱好节俭朴素，他所用的刀剑、马鞍、缰绳等物都没有金玉装饰。年轻时酒量很大，自从担任要职以后，饮酒不过三杯。明察人才，喜好士人，保全和维护功臣及老部下。每次活捉敌方的尽职尽忠之臣，大多不加处罚。因此，文臣武将都乐意为他效劳。世子高澄秘不发丧，只有行台左丞陈元康知道他死了。

侯景自己认为与高氏有了嫌隙，内心不安。正月十三日辛亥，占据河南背叛东魏，归附西魏，颍州刺史司马世云占据州城响应他。侯景诱捕了豫州刺史高元成、襄州刺史李密、广州刺史怀朔人暴显等人，派军士二百人用车拉着兵器在日落时进入西兖州，想偷袭占领州城。刺史邢子才察觉了这一行动，突然围捕，二百人全被抓获。邢子才于是向东方各州发出檄文，各州加强戒备，因此侯景未能取得这些地方。

东魏各将领都认为侯景的叛变起因于崔暹，高澄不得已，想杀掉崔暹向侯景道歉。陈元康谏阻说："现在虽然天下还没安定，但国家法纪已经确立。如果因为几个将领在外，为了讨得他们高兴，枉杀无辜，破坏刑律，岂是只上负天帝神灵，用什么来安抚黎民百姓？西汉有晁错被枉杀的前事，希望大人慎之又慎。"高澄这才放弃了杀掉崔暹的念头。接着派遣司空韩轨督率诸军去讨伐侯景。

正月二十三日辛酉，梁武帝在南郊举行祭天典礼，大赦天下。二十六日甲子，在明堂祭祀。

二月，西魏文帝下诏："从现在开始，凡是判处宫刑的人，仅收入官府为奴，不要用刑。"

西魏任命开府仪同三司若干惠为司空，侯景为太傅、河南大行台、上谷公。

二月十三日庚辰，侯景又派行台郎中丁和到梁朝，上表说："臣与高澄有嫌隙，请求奉上函谷关以东，瑕丘以西，包括豫州、广州、颍州、荆州、襄州、兖州、南兖州、济州、东豫州、洛州、阳州、北荆州、北扬州等十三个州归附梁朝，唯有青州、徐州等几个州，只需写封信即可归附。况且黄河以南地区，都是臣的管辖范围，劝降易如反掌。如果青州、徐州一旦平定，便可逐步攻取燕赵地区。"梁武帝召集群臣到朝廷商议。尚书仆射谢举等说："近年与东魏通好，边境没有战事，现在接纳东魏叛臣，我们认为不合时宜。"梁武帝说："尽管如此，得到侯景，塞北可以收复，机会难得，怎能拘泥不知变通呢？"

这一年的正月十七日乙卯，梁武帝梦见中原的州郡长官都奉献土地来投降，满朝文武庆贺。天亮后，梁武帝见到中书舍人朱异，告诉他梦中景象，并且说："我这个人很少做梦，如果做梦，一定应验。"朱异说："这是全天下统一的征兆啊。"等到

"此乃宇内[6]混壹之兆也。"及丁和至，称景定计以正月乙卯，上愈神之。然意犹未决，尝独言[34]:"我国家如金瓯[35]，无一伤缺，今忽受景地，讵是事宜[36]？脱致纷纭[37]，悔之何及?"朱异揣知上意，对曰:"圣明御宇，南北归仰，正以事无机会，未达其心。今侯景分魏土之半以来，自非天诱其衷[38]，人赞其谋，何以至此？若拒而不内[39]，恐绝后来之望。此诚易见，愿陛下无疑。"上乃定议纳景。

壬午[40]，以景为大将军，封河南王，都督河南、北诸军事、大行台，承制如邓禹故事[41]。平西[42]谘议参军[43]周弘正[44]善占候[45]，前此谓人曰:"国家数年后当有兵起。"及闻纳景，曰:"乱阶在此矣!"

丁亥[46]，上耕藉田。

三月庚子[47]，上幸同泰寺，舍身如大通故事[48]。

甲辰[49]，遣司州刺史羊鸦仁[50]督兖州刺史桓和[51]、仁州[52]刺史湛海珍[53]等，将兵三万趣悬瓠[54]，运粮食应接侯景。

魏大赦。

东魏高澄虑诸州有变，乃自出巡抚。留段韶守晋阳，委以军事，以丞相功曹赵彦深为大行台都官郎中。使陈元康豫作[55]丞相欢条教[56]数十纸付韶及彦深，在后以次行之。临发，握彦深手泣曰:"以母、弟相托，幸明此心!"夏，四月壬申[57]，澄入朝于邺。东魏主与之宴，澄起舞，识者知其不终[58]。

丙子[59]，群臣奉赎[60]。丁亥[61]，上还宫，大赦，改元[62]，如大通故事。

甲午[63]，东魏遣兼散骑常侍李系[64]来聘。系，绘之弟也。

五月丁酉朔[65]，东魏大赦。

戊戌[66]，东魏以襄城王旭[67]为太尉。

高澄遣武卫将军元柱等将数万众昼夜兼行以袭侯景，遇景于颍川北，柱等大败。景以羊鸦仁等军犹未至，乃退保颍川。

甲辰[68]，东魏以开府仪同三司库狄干为太师，录尚书事孙腾为太傅，汾州刺史贺拔仁为太保，司徒高隆之录尚书事，司空韩轨为司徒，青州刺史尉景为大司马，领军将军可朱浑道元为司空，仆射高洋为尚

丁和来到梁朝，说侯景归附梁朝是定在正月十七日乙卯，梁武帝更加神奇他的梦境。然而梁武帝心里还是犹豫未决，曾经自言自语地说："我的国家如同金瓯，没有一点伤缺，如今突然接受侯景的土地，难道事情恰当吗？倘若招来混乱，后悔怎么来得及？"朱异猜到了梁武帝的想法，回答说："陛下圣明，统治天下，南方北方的人心都归附仰慕，只是找不到机会来表达他们的心愿。如今侯景分了东魏一半的土地送来，如果不是上天诱导他的内心，人们帮助他谋划，哪能到达这个地步？如果拒绝侯景不接纳，恐怕要断绝人们以后归降的希望。这是很容易见到的事情，希望陛下不要再犹豫。"于是梁武帝决定接纳侯景。

二月十五日壬午，梁武帝任命侯景为大将军，封河南王，都督河南、河北诸军事、大行台，像东汉邓禹那样以皇帝名义直接处理管辖区内的事务。平西谘议参军周弘正擅长占候，在这之前对人说："国家几年以后会有战乱发生。"等到他听说接纳侯景，说："祸乱的根源就在这里啊！"

二月二十日丁亥，梁武帝举行亲耕籍田的典礼。

三月初三日庚子，梁武帝临幸同泰寺，像大通元年那样舍身为奴。

三月初七日甲辰，派遣司州刺史羊鸦仁督兖州刺史桓和、仁州刺史湛海珍等，率领三万军队赶赴悬瓠，运送粮食接应侯景。

西魏大赦天下。

东魏高澄忧虑各州反叛，便亲自出行巡视安抚。留段韶镇守晋阳，把军事委托给他，任命丞相功曹赵彦深为大行台都官郎中。让陈元康预先写出丞相高欢处理军政事务的条例几十张，交给段韶和赵彦深，让他们随后按次序施行。高澄临行时紧握赵彦深的手，流着眼泪说："我把母亲、兄弟托付给你，希望你明白我的心思！"夏，四月初六日壬申，高澄到邺城朝见魏孝静帝。孝静帝和他一起宴饮，高澄起舞，有见识的人由此推知他不得善终。

四月初十日丙子，梁朝群臣出钱替梁武帝赎身。二十一日丁亥，梁武帝回到皇宫，大赦天下，改换年号，像大通元年那次一样。

二十八日甲午，东魏派遣兼散骑常侍李系出使梁朝。李系，是李绘的弟弟。

五月初一日丁酉，东魏大赦天下。

初二日戊戌，东魏任命襄城王元旭为太尉。

高澄派遣武卫将军元柱等率领数万军队日夜兼程来袭击侯景，在颍川北与侯景遭遇，元柱等大败。侯景因梁朝羊鸦仁等军还没到达，便退回颍川据守。

五月初八日甲辰，东魏任命开府仪同三司库狄干为太师，录尚书事孙腾为太傅，汾州刺史贺拔仁为太保，司徒高隆之为录尚书事，司空韩轨为司徒，青州刺史尉景为大司马，领军将军可朱浑道元为司空，仆射高洋为尚书令、领中书监，徐州刺史

书令、领中书监，徐州刺史慕容绍宗为尚书左仆射，高阳王斌为右仆射。戊午⑲，尉景卒。

韩轨等围侯景于颍川。景惧，割东荆⑳、北兖州㉑、鲁阳㉒、长社㉓四城赂魏以求救。尚书左仆射于谨曰："景少习兵，奸诈难测，不如厚其爵位以观其变，未可遣兵也。"荆州刺史王思政以为若不因机进取，后悔无及。即以荆州步骑万余从鲁阳关向阳翟㉔。丞相泰闻之，加景大将军兼尚书令，遣太尉李弼、仪同三司赵贵将兵一万赴颍川。

景恐上责之，遣中兵参军柳昕奉启于上，以为："王旅㉕未接，死亡交急，遂求援关中，自救目前。臣既不安于高氏，岂见容于宇文？但螫手解腕㉖，事不得已，本图为国，愿不赐咎。臣获其力，不容即弃，今以四州之地为饵敌之资，已令宇文遣人入守。自豫州以东，齐海以西，悉臣控压，见有之地，尽归圣朝，悬瓠、项城㉗、徐州、南兖，事须迎纳。愿陛下速敕境上，各置重兵，与臣影响㉘，不使差互㉙。"上报之曰："大夫出境，尚有所专㉚，况始创奇谋，将建大业，理须适事而行，随方以应。卿诚心有本，何假词费㉛？"

魏以开府仪同三司独孤信为大司马。

六月戊辰㉜，以鄱阳王范为征北将军㉝，总督汉北㉞征讨诸军事，击穰城㉟。

东魏韩轨等围颍川，闻魏李弼、赵贵等将至，己巳㊱[7]，引兵还邺。侯景欲因会执弼与贵，夺其军，贵疑之，不往。贵欲诱景入营而执之，弼止之。㊲羊鸦仁遣长史㊳邓鸿将兵至汝水㊴，弼引兵还长安。王思政入据颍川。景阳称略地㊵，引军[8]出屯悬瓠。

景复乞兵于魏，丞相泰使同轨㊶防主㊷韦法保㊸及都督贺兰愿德㊹等将兵助之。大行台左丞蓝田王悦㊺言于泰曰："侯景之于高欢，始敦乡党之情㊻，终定君臣之契㊼，任居上将，位重台司。今欢始死，景遽外叛，盖所图甚大，终不为人下故也。且彼既[9]能背德于高氏，岂肯尽节于朝廷？今益之以势，援之以兵，窃恐朝廷[10]贻笑将来也。"泰乃召景入朝。

景阴谋叛魏，事计未成㊽，厚抚韦法保等，冀为己用，外示亲密无猜间。每往来诸军间，侍从至少，魏军中名将，皆身自造诣。同轨防长史裴宽谓法保曰："侯景狡诈，必不肯入关，欲托款㊾于公，恐未

慕容绍宗为尚书左仆射，高阳王元斌为尚书右仆射。二十二日戊午，尉景去世。

东魏韩轨等把侯景包围在颍川。侯景害怕了，割让东荆州、北兖州、鲁阳、长社等四座城给西魏，请求救援。西魏尚书左仆射于谨说：“侯景年少时就学习军事，奸诈难测，不如给他高官爵禄，观察他的变化，不能派兵救援他。”荆州刺史王思政认为如果不趁机进兵取地，后悔就来不及了。随即派出荆州的一万多步骑，从鲁阳关向阳翟进发。丞相宇文泰得到消息，给侯景加官大将军兼尚书令，派太尉李弼、仪同三司赵贵率领一万军队前往颍川。

侯景担心梁武帝责备他，就派中兵参军柳昕奉表启奏梁武帝，认为：“王师没来接应，因生死攸关，情势危急，于是向关中求援，先救眼前。臣既然在高氏手下不能安身，又怎能被宇文氏容纳？但手被毒蛇咬了要断掉手腕，这是迫不得已的事。臣本意是为国效力，希望陛下不要责怪我。臣得到了西魏的帮助，不能马上背弃，现今用四个州的地方作为诱敌的资本，已经让宇文泰派人来守卫。从豫州以东，齐海以西，都是臣控制，现有的地方，全部归附梁朝，悬瓠、项城、徐州、南兖州需要立即接管。希望陛下迅速向各边境地区发布命令，各自布置重兵，与臣呼应，不要让他们发生差错。”梁武帝回答他说：“古时大夫出境，尚有专断的权力，何况你首创奇谋，将建立伟大的事业，理应根据实际情况处置，随机应变。你对国家一片忠诚，何必解释？”

西魏任命开府仪同三司独孤信为大司马。

六月初三日戊辰，梁朝任命鄱阳王萧范为征北将军，总督汉水以北征讨诸军事，进攻穰城。

东魏韩轨等人包围颍川，得知西魏李弼、赵贵等人即将到来，六月初四日己巳，带领军队回邺城。侯景想在两军会合时劫持李弼、赵贵，夺取他们的军队，赵贵起了疑心，不去赴会。赵贵想召诱侯景到自己的军营，然后抓捕侯景，李弼制止了他。梁将羊鸦仁派长史邓鸿率兵到达汝水，李弼带领西魏军回长安。王思政进军占领颍川。侯景假称要攻占东魏之地，带兵退出颍川城，驻屯悬瓠。

侯景再次向西魏乞求援兵，丞相宇文泰派同轨郡的防务长官韦法保和都督贺兰愿德等率兵救援。大行台左丞蓝田人王悦进言宇文泰说：“侯景与高欢，起初是亲密的同乡关系，最后有君臣的约定，任职上将，位重台司。现今高欢刚死，侯景立即外叛，因为他筹谋的事业很大，终究不甘居别人之下。再说他既然能背德高氏，怎么会愿意对朝廷尽节？如今增大他的势力，出兵援助他，我私下担心朝廷会被后人笑话。”宇文泰于是召侯景入朝。

侯景暗中谋划背叛西魏，事情还没有考虑成熟，便对韦法保等人厚加抚慰，希望为自己所用，外表上显示出亲密无间。每次来往于各支军队之间，侍从很少，西魏军中的各将，都亲自去拜访。同轨郡防务长史裴宽对韦法保说：“侯景狡诈，一定

可信。若伏兵斩之，此亦一时之功也。如其不尔，即应深为之防，不得信其诳诱，自贻后悔。”法保深然之，不敢图景，但自为备而已，寻辞还所镇[100]。王思政亦觉其诈，密召贺兰愿德等还，分布诸军，据景七州、十二镇。景果辞不入朝，遗丞相泰书曰：“吾耻与高澄雁行[101]，安能比肩[102]大弟[103]？”泰乃遣行台郎中赵士宪悉召前后所遣诸军援景者。景遂决意来降。魏将任约[104]以所部千余人降于景。

泰以所授景使持节、太傅、大将军、兼尚书令、河南大行台、都督河南诸军事回授王思政，思政并让不受，频使敦谕，唯受都督河南诸军事。

高澄将如晋阳，以弟洋为京畿大都督，留守于邺，使黄门侍郎高德政[105]佐之。德政，颢[106]之子也。丁丑[107]，澄还晋阳，始发丧。

秋，七月，魏长乐武烈公若于惠[108]卒。

丁酉[109]，东魏主为丞相欢举哀，服缌缞[110]，凶礼[111]依汉霍光故事[112]，赠相国、齐王，备九锡殊礼。戊戌[113]，以高澄为使持节、大丞相、都督中外诸军、录尚书事、大行台、勃海王，澄启辞爵位[114]。壬寅[115]，诏太原公洋摄理军国，遣中使[116]敦谕澄。

庚申[117]，羊鸦仁入悬瓠城。甲子[118]，诏更以悬瓠为豫州[119]，寿春为南豫州，改合肥为合州。以鸦仁为司、豫二州刺史，镇悬瓠。西阳[120]太守羊思达[121]为殷州[122]刺史，镇项城。

八月乙丑[123]，下诏大举伐东魏。遣南豫州刺史贞阳侯渊明[124]、南兖州刺史南康王会理[125]分督诸将。渊明，懿[126]之子。会理，续之子[127]也。始，上欲以鄱阳王范为元帅，朱异取急[128]在外，闻之，遽入曰：“鄱阳雄豪盖世，得人死力，然所至残暴，非吊民[129]之材。且陛下昔登北顾亭以望，谓江右[130]有反气，骨肉为戎首，今日之事，尤宜详择。”上默然，曰：“会理何如？”对曰：“陛下得之矣。”会理懦而无谋，所乘襻舆[131]，施版屋[132]，冠以牛皮[133]。上闻，不悦。贞阳侯渊明时镇寿阳，屡请行，上许之。会理自以皇孙，复为都督，自渊明已下，殆不对接[134]。渊明与诸将密告朱异，追会理还，遂以渊明为都督。

不会应召入关。他放下架子想与你亲近，恐怕不可相信。如果埋伏士兵杀掉他，这是当今的一大功劳。如果不这样做，就应当对他严加防备，不要相信他的欺骗和诱惑，给自己带来悔恨。”韦法保很是赞同，但不敢除掉侯景，只是自己加强了防范而已，不久，找借口回到自己的镇所。王思政也觉察了侯景的欺诈，密召贺兰愿德等人撤回，并部署各路军队占领了侯景所属的七个州、十二个镇。侯景果然找借口不入朝，送信给丞相宇文泰说：“我耻于和高澄同列，又哪敢与大弟并肩？”宇文泰于是派行台郎中赵士宪召还前后派出救援侯景的各支军队。侯景便决心投降梁朝。西魏将领任约把自己所领一千余人归降了侯景。

宇文泰把授给侯景的使持节、太傅、大将军、兼尚书令、河南大行台、都督河南诸军事等职位转授王思政，王思政一概推辞不接受。宇文泰多次派出使者敦促劝说，王思政只接受了都督河南诸军事一职。

高澄要往晋阳，任命弟弟高洋为京畿大都督，留守邺城，命黄门侍郎高德政辅佐高洋。高德政，是高颢的儿子。六月十二日丁丑，高澄从邺城回到晋阳，才公布高欢去世的消息。

秋，七月，西魏长乐武烈公若于惠去世。

七月初二日丁酉，东魏孝静帝为丞相高欢举行悼唁仪式，穿缌缞丧服，丧礼按照西汉霍光的规格办理，追赠高欢为相国、齐王，给予九锡的特殊礼遇。初三日戊戌，任命高澄为使持节、大丞相，都督中外诸军事、录尚书事、大行台、勃海王，高澄上表辞去勃海王的爵位。初七日壬寅，孝静帝下诏任命太原公高洋代理军国政务，派中使敦促告谕高澄上任。

七月二十五日庚申，梁将羊鸦仁进入悬瓠城。二十九日甲子，梁武帝下诏把悬瓠改为豫州，寿春改为南豫州，改合肥为合州。任命羊鸦仁为司、豫两州刺史，镇守悬瓠城；西阳太守羊思达为殷州刺史，镇守项城。

八月初一日乙丑，梁武帝下诏大举讨伐东魏。委派南豫州刺史贞阳侯萧渊明、南兖州刺史南康王萧会理分别督率各位将领。萧渊明，是萧懿的儿子。萧会理，是萧绩的儿子。起初，梁武帝想让鄱阳王萧范为元帅，朱异正在外休假，听到消息，急忙入宫，说：“鄱阳王萧范雄略豪迈，超过世人，部下愿效死力，但所到之处残杀暴虐，不是安抚百姓的人才。况且陛下先前曾登上北顾亭远望，说江右地区有反叛之气，骨肉至亲是首领，今天这件事，特别要谨慎选择。”梁武帝沉默了一阵，说：“萧会理怎么样？”朱异回答说：“陛下这才选对了。”萧会理懦弱无谋，他乘坐的轿子，用木板做轿身，用牛皮做轿顶。梁武帝得知后，很不高兴。贞阳侯萧渊明当时镇守寿阳，多次要求出征，梁武帝答应了他。萧会理自以为是皇孙，又担任了都督，自萧渊明以下的人，几乎不来往。萧渊明和各位将领把情况暗中告诉了朱异，梁武帝就把萧会理追回，于是以萧渊明为都督。

辛未⑬⑤，高澄入朝于邺，固辞大丞相，诏为大将军如故，余如前命。

甲申⑬⑥，虚葬⑬⑦齐献武王于漳水之西，潜凿⑬⑧成安⑬⑨鼓山⑭⑩石窟佛顶[11]之旁为穴，纳其柩而塞之，杀其群匠。及齐之亡也，一匠之子知之，发石取金而逃。

戊子⑭①，武州刺史萧弄璋⑭②攻东魏碛泉⑭③、吕梁⑭④二戍，拔之。

或告东魏大将军澄云："侯景有北归之志。"会景将蔡道遵⑭⑤北归，言景颇知悔过。景母及妻子皆在邺，澄乃以书谕之，语以阖门无恙，若还，许以豫州刺史终其身，还其宠妻、爱子，所部文武，更不追摄。景使王伟复书曰："今已引二邦⑭⑥，扬旌北讨，熊豹齐奋，克复中原，幸自取之，何劳恩赐？昔王陵附汉，母在不归⑭⑦，太上囚楚，乞羹自若⑭⑧，矧⑭⑨伊妻子，而可介意？脱谓⑮⑩诛之有益，欲止不能，杀之无损，徒复坑戮，家累⑮①在君，何关仆也？"

戊子⑮②，诏以景录行台尚书事。

【段旨】

以上为第一段，写东魏高欢去世，侯景反叛，西结援西魏，南连梁朝。东魏讨叛，一至八月，以侯景为中心，东西两魏及梁朝卷入，四方兵连祸结，争逐河南。

【注释】

①正月朔：正月初一日，己亥日。②壬寅：正月初四日。③庐陵威王续：萧续，梁武帝第五子，爵庐陵王。因英勇果敢，善于骑射，被梁武帝比作曹操之子曹彰，所以死后谥号为"威"。曾先后任江州、雍州、荆州刺史。传见《梁书》卷二十九、《南史》卷五十三。④中录事参军：梁皇弟、皇子府僚属，掌府阁机密。七班至三班，随府主地位而定。⑤微过：小小过失。指萧绎私纳宫人李桃儿离任。事详《南史》卷五十三《梁武帝诸子·庐陵威王传》。⑥阁：卧室的小门。⑦靡为之破：因计前嫌，不顾兄弟之情，

八月初七日辛未，高澄在邺城朝见孝静帝，坚决辞去大丞相。孝静帝诏命高澄任大将军等职位不变，其他职衔保留原来的任命。

八月二十日甲申，东魏在漳水之西假葬齐献武王高欢，暗中在成安县鼓山石窟佛顶的旁边开凿墓穴，把高欢的灵柩安放在墓穴中封闭起来，杀死凿穴的那群工匠。等到北齐灭亡后，有一个工匠的儿子知道高欢墓穴，打开石洞，取了随葬金器，逃走了。

八月二十四日戊子，梁朝武州刺史萧弄璋进攻东魏碛泉、吕梁两座戍所，攻下了它们。

有人告诉东魏大将军高澄说："侯景有回到北方的心意。"恰好侯景的部将蔡道遵回到河北东魏，说侯景很想悔过。侯景的母亲、老婆、儿女都在邺城，高澄就写信晓谕侯景，信中说侯景全家都安然无恙，如果回头，承诺侯景终身为豫州刺史，归还他的爱妻爱子，所统部属文武官员概不追究。侯景让王伟写回信说："如今已联合了西魏、梁朝两国，举旗北伐，如熊似豹的将士一齐奋进，收复中原，我希望用自己的力量来夺取，哪里要烦劳你恩赐？从前王陵归附汉王，王陵的母亲被项羽扣留，王陵并没有回到项王那里；刘邦的父亲被项羽囚禁，汉王安然自若，要分一杯羹，何况妻子儿女，那就更不在意了！如果说杀灭我全家对你有好处，我想阻止也不可能；杀了我的家属对我没有什么损失，只是白白地被你杀掉。我的家属决定于你，与我有什么关系？"

八月二十四日戊子，梁武帝下诏任命侯景为录行台尚书事。

对萧续之死不仅不悲伤，反而背着人高兴得乱跳，连木鞋下的齿都撞断了。屧，下带齿的木底鞋。⑧丙午：正月初八日。⑨献武：高欢死后的谥号。〖按〗《谥法》中，聪明睿智称作"献"，克定祸乱称作"武"。⑩深密：性格严谨，心中所思深藏不露。⑪机权之际：际遇时运到了转折的关头。⑫受任：胡三省注认为"受"当作"授"。二字通。即委以职权的意思。⑬无问厮养：高欢用人不问地位贵贱，唯才是举。厮养，贱役，如马夫等人。⑭三爵：即三杯。爵，饮酒器。⑮全护勋旧：保全和维护功臣及老部下。如尉景扶助高欢，屡立战功，但性贪财，又曾藏匿逃犯，触犯法律。高欢好意相劝，从宽处理，使尉景的品行有较大改正。⑯多不之罪：指高欢对敌方的忠义之士，大多不给处罚。如泉企效忠西魏，死守洛州。城破被俘之时，仍叮嘱儿子逃归西魏，不要以他在东魏为念。高欢一直善待他，让他在邺都得以善终。⑰辛亥：正月十三日。⑱司马世云：司马子如的侄子，以贪污被追究而随侯景叛变。涡阳之役后，被侯景所杀。传见《北齐书》卷十八、《北史》卷五十四。⑲高元成：人名，又作"高元盛"。见《魏书》卷十二、《北齐

书》卷二。⑳李密：字希邕，平棘（今河北赵县）人，初从高欢，以功封容城县侯，官襄州刺史。曾受侯景劫持，侯景败亡，重返北齐，以旧功授散骑常侍，以医术闻名于世。传见《魏书》卷三十六、《北齐书》卷二十二、《北史》卷三十三。㉑暴显（公元五〇三至五六八年）：字思祖，魏郡斥丘（今河北魏县西）人，祖父暴喟任北魏朔州刺史，于是全家迁居怀朔镇，所以称怀朔暴显。虽受侯景劫持，不久便逃归，随慕容绍宗破侯景于涡阳。封定阳王。传见《北齐书》卷四十一、《北史》卷五十三。㉒散檄：散发告知侯景叛乱的公文。㉓叛由崔暹：崔暹以往纠察权贵毫不留情，诸将怀恨在心，利用侯景叛变事件，将责任归咎于崔暹。㉔晁错前事：汉景帝时采纳晁错建议，实行削藩。吴王刘濞为首的吴楚七国以清君侧、诛晁错为名发动叛乱。景帝听信袁盎等人的劝说，将晁错腰斩，导致忠臣被错杀的冤案。事详《汉书》卷四十九《晁错传》。㉕辛酉：正月二十三日。㉖甲子：正月二十六日。㉗直：仅；只。㉘庚辰：二月十三日。㉙瑕丘：县名，县治在今山东兖州，是东魏兖州州治。㉚"青、徐数州"二句：即随便写上一封书信，青、徐二州便可归降。折简，一折为半的简牍。㉛齐、宋：代指青州、徐州。齐，指青州，原春秋战国时齐国之地。宋，指徐州，原春秋时是宋国之地。㉜胶柱：把瑟的音柱粘牢，便无法调整音的高低。这里比喻拘泥旧规，不知变通。㉝乙卯：正月十七日。㉞尝独言：曾经自言自语。㉟金瓯：盛酒的器皿，此处借用来比喻国土。㊱讵是事宜：难道是恰当的事吗？讵，岂。㊲脱致纷纭：倘若招来混乱。㊳天诱其衷：上天诱导他的内心。㊴内：通"纳"。接纳。㊵壬午：二月十五日。㊶如邓禹故事：邓禹是东汉初名臣。刘秀起兵河北，想与赤眉争夺关中，派邓禹为前将军，命他自选偏裨以下将领，可不经请示处理前方军务。事详《后汉书》卷十六《邓禹传》。梁武帝以同样的方式让侯景自行处理辖区的事务。㊷平西：指平西将军萧纶。㊸谘议参军：官名，王公军府僚属，掌参议军政要事，梁九班至六班。㊹周弘正（公元四九六至五七四年）：字思行，汝南安成（今河南平舆西南）人，通《老子》《周易》，善讲玄理，任国子博士。一度依附侯景，改姓姬氏。后又先后投奔梁元帝、陈武帝，官至尚书右仆射。传见《陈书》卷二十四、《南史》卷三十四。㊺占候：根据天象的变化来预测未来吉凶。㊻丁亥：二月二十日。㊼庚子：三月初三日。㊽如大通故事：大通元年（公元五二七年）三月初八日，梁武帝入同泰寺，舍身事佛，至三月十一日还宫，大赦天下，改原年号"普通"为"大通"。此次梁武帝再次舍身。㊾甲辰：三月初七日。㊿羊鸦仁（？至公元五四九年）：字孝穆，太山巨平（今山东宁阳东北）人，从魏投奔梁朝，封广晋县侯。传见《梁书》卷三十九、《南史》卷六十三。51兖州刺史桓和：《梁书·羊鸦仁传》作"土州刺史桓和"，《南史》卷六十三同，未知孰是。土州，梁置。治所土山，在今湖北随县东北。土山改名龙巢。桓和，人名。52仁州：州名，州治赤坎城，在今安徽灵壁东南。53湛海珍：人名，曾任超武将军。侯景之乱时，任东徐州刺史，以州降东魏。54悬瓠：城名，在今河南汝南县。是豫州和汝南郡的治所所在，为兵家必争之地。55豫作：预先拟出。56条教：教令。因政局不稳，所以在没有把握之前，仍不公布高欢死讯。㊼壬申：四月初六日。㊽识者知其不终：古者以为在亲人丧期，如仍然宴饮歌舞，将遇到恶报。高澄在父丧期间，出席宴会并翩翩起舞，所以有识之士认为他会不得善终。㊾丙子：四月初十日。㊿群臣奉赎：梁武帝三月三日舍身，至此已三十七天。于是公卿共出钱一亿万交给同泰寺，赎出梁武帝之身。61丁亥：四月二十一日。胡三省注认为当是“丁丑”之误，即公卿出钱的第二天。62改元：改年号“中大同”为“太清”。63甲午：四月二十八日。64李系（？至公元五四七年）：字乾经，颇有才学。任尚书主客郎，常应对梁朝来使，颇称职。传见《魏书》卷四十九、《北史》卷三十三。〖按〗二史均作“李纬”，作“李系”是史臣避北齐后主高纬名讳所改。65丁酉朔：五月初一日。66戊戌：五月初二日。67襄城王旭：元旭（？至公元五五四年），字显和，魏庄帝时封襄城郡王。东魏末位至大司马。入齐，位仪同三司，以罪赐死。传见《魏书》卷十九下。68甲辰：五月初八日。69戊午：五月二十二日。70东荆：州名，治所比阳城，在今河南泌阳。71北兖州：东魏无此州，与西魏接壤的有北荆州，治伊阳，在今河南嵩县。胡三省注认为《通鉴》误。72鲁阳：县名，县治在今河南鲁山县，是广州州治。73长社：县名，县治在今河南长葛东，是颍州州治。74阳翟：县名，县治在今河南禹州。75王旅：指羊鸦仁等所率领的梁军。76螫手解腕：毒蛇咬了手掌，为求生存，只能从腕部将手砍断。侯景用此解释把四州之地让给西魏的原因。77悬瓠、项城：这里悬瓠代指豫州，项城代指北扬州。78影响：意思是说如影之随形，响之应声，彼此相应。也就是互相接应。79差互：差错。80尚有所专：《春秋》大义，大夫出境，可以自作主张。此引用是告诉侯景，将在外，可以因事制宜，做出决断。81何假词费：何须借助文函解释。82戊辰：六月初三日。83征北将军：官名，是四征将军之一，位次于镇、卫、骠骑、车骑将军，多为持节都督、出镇方面，地位重要。梁武职二十四班中之二十三班。84汉北：汉水以北。85穰城：县名，县治在今河南邓州。亦是西魏荆州州治。86己巳：六月初四日。87“贵欲诱景入营而执之”二句：李弼认为此举只是捉住侯景，也不可能不战而夺取黄河以南诸州，反而替东魏除去一个心腹大患。不如留下侯景，让他牵制东魏和梁朝。88长史：官名，此指刺史的主要属吏，辅佐刺史，兼掌兵马。89汝水：河名，是洪河支流，源出河南泌阳北，流经汝南、新蔡等县。沿汝水北上，可抵颍川。90阳称略地：伪称到颍川附近攻城略地。91同轨：郡名，在今河南洛宁。92防主：官名，城防主将。93韦法保：即韦祐。94贺兰愿德：人名，复姓贺兰，后曾随大将军达奚武攻取汉中，迫降梁宜丰侯萧循。95王悦（？至公元五六一年）：字众喜，京兆蓝田（今陕西蓝田）人，助宇文泰初定关陇，封蓝田县伯。入周，官拜骠骑大将军，晋爵河北县公。传见《周书》卷三十三、《北史》卷六十九。96乡党之情：高欢与侯景早先共同生活在怀朔镇，有同乡之谊。97契：盟约。98事计未成：计谋策划尚未成熟。99托款：委身投靠。100还所镇：返回原镇守地同轨城。101雁行：如雁并行而飞。喻与晚辈高澄同朝为臣，平起平坐。102比肩：喻两人声望、地位、辈分相当。⑬大弟：对年轻同辈的亲切称呼。此指宇文泰。侯景口气虽谦恭，实自视甚高，不愿向宇文泰俯首臣服。决意降梁，利用武帝昏聩懦弱，一展抱负。⑭任约：人名，随侯景降梁，曾任南豫州刺史。天保六年（公元五五五年），又转投北齐。事见《梁书》卷五十六、《北齐书》卷四。⑮高德政（？至公元五五九年）：字士贞，勃海蓨人，高洋心腹，参掌机密。后助高洋代东魏而建立北齐，出任尚书右仆射，兼侍中，封蓝田公。曾劝高洋诛除东魏元氏诸族。晚年与杨愔争权，受愔暗算而被高洋处死。传见《北齐书》卷三十、《北史》卷三十一。⑯颢：高颢，爵建康子，任辅国将军、朝散大夫。⑰丁丑：六月十二日。⑱长乐武烈公若于惠：若于惠爵长乐公，谥号是“武烈”。⑲丁酉：七月初二日。⑳缌缞：缌，缌麻，是用白细麻粗疏织成的布所做的丧服。缞，披在胸前的麻布条。㉑凶礼：丧礼。㉒依汉霍光故事：指高欢的葬礼仪式即仿照霍光的待遇办理。霍光初事汉武帝，后以大司马大将军辅佐昭、宣二帝，执政长达二十年。死后，宣帝与皇太后亲临灵堂，葬礼用具全与皇帝相同。下葬时，用辒辌车载灵柩，用黄屋左纛等帝王车舆仪仗，沿途由轻车、北军、五校士列军阵护送。置陵园，设官吏管理保护。霍光事，详《汉书》卷六十八。㉓戊戌：七月初三日。㉔辞爵位：高澄辞去所承袭的勃海王爵位。㉕壬寅：七月初七日。㉖中使：宫中派出的使者，多由宦官担任。㉗庚申：七月二十五日。㉘甲子：七月二十九日。㉙以悬瓠为豫州：刘宋时豫州治悬瓠（今河南汝南县），后被北魏所攻占，改治寿阳。后又失守，再移治历阳（今安徽和县）。梁武帝天监年间，不断北进。于是豫州先移治合肥，再徙治寿阳，至此恢复刘宋豫州旧治悬瓠。㉚西阳：郡名，治所西阳，在今湖北黄冈东。㉛羊思达：人名，一作“羊思建”。㉜殷州：州名，改东魏北扬州而设，治项城。㉝乙丑：八月初一日。㉞渊明：萧渊明（？至公元五五六年），字靖通，梁宗室。因率军攻彭城，被东魏慕容绍宗所俘。梁元帝败亡后，北齐送他回建康，称尊号，改元天成。陈霸先杀王僧辩，废渊明，背发疮而死，追谥闵皇帝。传见《南史》卷五十一。因避唐讳，史或称“萧明”，或称“萧深明”。㉟会理：萧会理（？至公元五四八年），字长才，南康简王萧绩之子。年十五即拜车骑将军、湘州刺史，领石头戍军事。侯景破建康，逼梁武帝手诏召他入京。侯景赴晋熙，会理密谋夺取建康，事泄被杀。传见《梁书》卷二十九、《南史》卷五十三。㊱懿：萧懿，字符达，梁武帝之兄。传见《梁书》卷二十三、《南史》卷五十一。㊲续之子：按《梁书》卷二十三，萧续是会理的伯父。会理父萧绩，字世瑾，武帝第四子，曾任南徐州、南兖州、江州刺史，以节俭知名。传同会理。《通鉴》误。㊳取急：有事休假。㊴吊民：安抚百姓。㊵江右：时以江州、郢州、扬州、南徐州等地为江左，即今武昌、九江、南京、镇江为中心的长江以南地区。而称豫州、南豫州、南兖州等州，即今寿县、合肥、扬州为中心的长江以北地区为江右。此次北伐，以江右为基地，握有重兵，诸王中如能以此建功，很可能会染指帝位。⑬¹襻舆：轿子。⑬²施版屋：用木板作轿身。版，通“板”。⑬³冠以牛皮：用牛皮作轿顶。⑬⁴殆不对接：几乎不来往。⑬⁵辛未：八月初七日。⑬⁶甲申：八月二十日。⑬⁷虚葬：伪装埋葬。⑬⁸潜凿：暗地里开凿。⑬⁹成安：县名，县治在今河北成安。⑭⁰鼓山：山名，在成安境内。⑭¹戊子：八月二十四日。⑭²萧弄璋：人名，曾随萧纶攻侯景于钟山，败还。建康失陷后，侯景任命他为北兖州刺史，州民拒绝他到任。⑭³碛泉：戍城名，在彭城郡境，即今江苏徐州附近。⑭⁴吕梁：戍城名，故址在徐州东南。⑭⁵蔡道遵：人名，《北齐书》作“蔡遵道”，或作“蔡遵”，《通鉴》误倒其名。⑭⁶二邦：指梁朝和西魏。⑭⁷母在不归：王陵母被拘在项羽营中，以诱王陵归降。但陵母宁愿自杀，也不愿王陵离开刘邦。事详《汉书》卷四十《王陵传》。⑭⁸乞羹自若：广武之役，项羽想以烹刘邦父亲为威胁，迫使刘邦屈服。不料刘邦却说，你我曾约为兄弟，我父即你父，一定要烹的话，请分我一碗肉羹。项羽无计可施，只好作罢。事详《汉书》卷三十一《项籍传》。⑭⁹矧：何况。⑮⁰脱谓：假如说。⑮¹家累：家属。⑮²戊子：八月二十四日。

【校记】

［1］为：原无此字。据章钰校，十二行本、乙十一行本、孔天胤本皆有此字，今据补。［2］二月：原作“三月”。据章钰校，十二行本、乙十一行本皆作“二月”，张敦仁《通鉴刊本识误》、张瑛《通鉴校勘记》同。〖按〗《北史·西魏文帝纪》亦作“二月”，今据改。［3］大：原作“道”。据章钰校，十二行本、乙十一行本、孔天胤本皆作“大”，张敦仁《通鉴刊本识误》同。〖按〗《北史·西魏文帝纪》作“大”，今据改。［4］颍：原作“郢”。据章钰校，十二行本、乙十一行本、孔天胤本皆作“颍”，张敦仁《通鉴刊本识误》、张瑛《通鉴校勘记》同。〖按〗《梁书·武帝纪下》作“颍”，今据改。［5］以：原作“以其”。据章钰校，十二行本、乙十一行本、孔天胤本皆无“其”字，今据删。［6］宇内：原作“宇宙”。据章钰校，十二行本、乙十一行本、孔天胤本皆作“宇内”，今据改。［7］己巳：原作“乙巳”。据章钰校，十二行本、乙十一行本、孔天胤本皆作“己巳”，张敦仁《通鉴刊本识误》同。〖按〗六月丙寅朔，无乙巳，《北齐书·文襄帝纪》亦作“己巳”，当是，今据改。［8］军：原作“兵”。据章钰校，十二行本、乙十一行本、孔天胤本皆作“军”，今据改。［9］既：原无此字。据章钰校，十二行本、乙十一行本、孔天胤本皆有此字，今据补。［10］朝廷：原无此二字。据章钰校，十二行本、乙十一行本、孔天胤本皆有此二字，今据补。［11］顶：原作“寺”。据章钰校，十二行本、乙十一行本皆作“顶”，《文献通考》卷一二五亦同，今据改。

【原文】

东魏静帝，美容仪，旅力过人，能挟石师子逾宫墙，射无不中，好文学，从容沈雅[153]。时人以为有孝文风烈[154]，大将军澄深忌之。

始，献武王自病逐君之丑[155]，事静帝礼甚恭，事无大小必以闻，可否听旨[156]。每侍宴，俯伏上寿[157]。帝设法会，乘辇行香，欢执香炉步从，鞠躬屏气，承望颜色，故其下奉帝莫敢不恭。

及澄当国，倨慢顿甚[158]，使中书黄门郎[159]崔季舒察帝动静，大小皆令季舒知之。澄与季舒书曰："痴人[160]比复何似？痴势小差[161]未？宜用心检校。"帝尝猎于邺东，驰逐如飞，监卫都督[162]乌那罗受工伐[163]从后呼曰："天子勿走马，大将军嗔！"澄尝侍饮酒，举大觞属帝[164]曰："臣澄劝陛下酒。"帝不胜忿[165]，曰："自古无不亡之国，朕亦何用此生为！"澄怒曰："朕？朕？狗脚朕！"使崔季舒殴帝三拳，奋衣而出。明日，澄使季舒入劳[166]帝，帝亦谢焉，赐季舒绢百匹。

帝不堪忧辱，咏谢灵运[167]诗曰："韩亡子房奋[168]，秦帝仲连耻[169]。本自江海人，忠义动君子。"常侍、侍讲[170]颍川荀济[171]知帝意，乃与祠部郎中[172]元瑾[173]、长秋卿[174]刘思逸[175]、华山王大器[176]、淮南王宣洪[177]、济北王徽[178]等谋诛澄。大器，鸷之子也。帝谬为敕[179]问济曰："欲以何日开讲？"乃诈于宫中作土山，开地道向北城。至千秋门，门者觉地下响，以告澄。澄勒兵入宫，见帝，不拜而坐，曰："陛下何意反？臣父子功存社稷，何负陛下邪？此必左右妃嫔辈所为。"欲杀胡夫人及李嫔。帝正色曰："自古唯闻臣反君，不闻君反臣。王自欲反，何乃责我？我杀王则社稷安，不杀则灭亡无日，我身且不暇惜，况于妃嫔？必欲弑逆，缓速在王！"澄乃下床叩头，大啼谢罪。于是酣饮，夜久乃出。居三日，幽帝于含章堂[180]。壬辰[181]，烹[182]济等于市。

初，济少居江东，博学能文。与上有布衣[183]之旧，知上有大志，然负气不服，常谓人曰："会于盾鼻[184]上磨墨檄之。"上甚不平。及即位，或荐之于上，上曰："人虽有才，乱俗好反，不可用也。"济上书

【语译】

东魏孝静帝有漂亮的容貌，体力超过平常人，能挟住石狮子跳越宫墙，射箭没有不中的，喜好文学，举止庄重文雅。当时人认为他有孝文帝的遗风，大将军高澄非常忌惮他。

起初，献武王高欢感到自己赶走孝武帝有损名声，侍奉孝静帝非常谦恭有礼，事无大小都要上奏，是可是否都听从孝静帝的旨意。高欢每次陪同孝静帝出席宴会，他都弯腰向皇上敬酒祝寿。孝静帝举办法会，乘坐车子去进香，高欢手持香炉步行跟从，弯腰鞠躬，屏气静声，看皇上脸色行事，因此高欢以下的人侍奉孝静帝没人敢不恭敬。

等到高澄当权，傲慢自大顿时很过分，派中书黄门郎崔季舒监视孝静帝的动静，大小事都要让崔季舒知道。高澄给崔季舒写信说："皇上那呆子近来怎么样？他的癫狂病好些没有？你要用心地查核。"孝静帝曾经在邺城东郊打猎，他追逐如飞，监卫都督乌那罗受工伐在后面叫喊说："皇上不要跑马，大将军会生气的！"高澄曾经陪孝静帝饮酒，用大酒杯劝孝静帝，说："臣高澄给陛下敬酒。"孝静帝不胜愤怒说："自古以来没有不灭亡的国家，朕要这条命有什么用！"高澄发怒说："朕？朕？我看是一条长狗脚的朕！"高澄命令崔季舒打了孝静帝三拳，便甩着衣袖走出了宫。第二天，高澄派崔季舒入宫慰问孝静帝，孝静帝也表示了歉意，赏赐崔季舒绢一百匹。

孝静帝忍受不了这样的凌辱与忧愤，吟咏谢灵运的诗，说："韩亡子房奋，秦帝仲连耻。本自江海人，忠义动君子。"常侍、侍讲颍川人荀济知道了皇上的心意，便与祠部郎中元瑾、长秋卿刘思逸、华山王元大器、淮南王元宣洪、济北王元徽等密谋杀高澄。元大器，是元鸷的儿子。孝静帝假意写敕令问荀济，说："打算哪天讲课？"就假装在宫中造土山，暗中挖地道通向北城。地道挖到千秋门，守门人觉察地下有响声，把情况报告高澄。高澄带兵进入皇宫，看见孝静帝，不行跪拜礼就坐了下来，说："陛下为什么要造反？臣父子两代有保全魏国的大功，有哪点对不起陛下？这件事一定是陛下身边的嫔妃们干的。"想杀掉胡夫人和李嫔。孝静帝严正地说："自古以来只听说臣下反叛皇上，不曾听说皇上反叛臣下。大王自己想造反，怎么反来责怪我？我杀了大王则国家安定，不杀大王，国家不知哪一天要灭亡，我连自己的生命都来不及保住，何况嫔妃呢？你一定要弑朕谋篡，是早是晚，决定于你！"高澄只好下床磕头，大哭着向孝静帝谢罪。然后君臣两人一起高兴地喝酒，深夜高澄才出宫。过了三天，高澄把孝静帝囚禁在含章堂。八月二十八日壬辰，在闹市中烹杀了荀济等人。

当初，荀济年轻时居住在江东，知识渊博，善写文章，与梁武帝萧衍结为布衣之友。荀济知道梁武帝有野心，但赌气不服，经常对人说："一定在盾牌的把手上磨墨作檄文讨伐他。"萧衍愤恨不平。等到登上帝位，有人向梁武帝推荐荀济，梁武帝说："这人虽然有才华，但违犯礼俗，爱唱反调，不可任用。"荀济又上书谏阻梁武帝

谏上崇信佛法、为塔寺奢费，上大怒，欲集朝众[185]斩之。朱异密告之，济逃奔东魏。澄为中书监，欲用济为侍读[186]，献武王曰："我爱济，欲全之，故不用济。济入宫，必败[187]。"澄固请，乃许之。及败，侍中杨遵彦[188]谓之曰："衰暮何苦复尔？"济曰："壮气在耳！"因下辨[189]曰："自伤年纪摧颓[190]，功名不立，故欲挟天子诛权臣。"澄欲宥其死，亲问之曰："荀公何意反？"济曰："奉诏诛高澄，何谓反？"有司以济老病，鹿车[191]载诣东市，并焚之。

澄疑谘议[192]温子昇知瑾等谋，方使之作《献武王碑》，既成，饿于晋阳狱，食弊襦[193]而死。弃尸路隅，没其家口，太尉长史宋游道收葬之。澄谓游道曰："吾近书与京师诸贵[194]论及朝士，以卿僻于朋党[195]，将为一病。今乃知卿真是重故旧、尚节义之人，天下人代卿怖者[196]，是不知吾心也。"九月辛丑[197]，澄还晋阳。

【段旨】

以上为第二段，写东魏高澄逼辱孝静帝以树威，八月在邺城用酷刑烧杀反对派于闹市。

【注释】

⑬沈雅：庄重文雅。⑭孝文风烈：有北魏革新国君孝文帝元宏的遗风。⑮逐君之丑：指高欢逼走北魏孝武帝元脩的丑事。⑯可否听旨：有关国家要事的处理办法是批准还是否决，都听从孝静帝旨意。⑰上寿：敬酒。常以祝寿为名。⑱倨慢顿甚：忽然过分傲慢。⑲中书黄门郎：曹魏时，中书属官有黄门郎，即中书侍郎之任。胡三省注认为北齐官制中，黄门侍郎属门下省，侍从皇帝左右；中书侍郎隶中书省，掌诏命文书。高澄为了监视孝静帝一切动静，所以让崔季舒兼任二职。但据《北齐书·崔季舒传》，高澄为中书监时，已移门下机密事归中书管理。所以崔季舒是以中书侍郎兼领黄门侍郎机密事，实为一职，与曹魏时相仿。⑳痴人：指孝静帝。㉑小差：稍有好转。㉒监卫都督：官名，皇帝贴身侍从武官。高氏为监视皇帝而特设。㉓乌那罗受工伐：人名，复姓乌那罗。㉔举大觞属帝：举起大酒杯劝酒，是同辈劝酒的形式。㉕帝不胜忿：高澄举大酒杯劝酒，失君臣之礼，不敬，所以孝静帝气愤难平。㉖入劳：入宫安慰。㉗谢灵运（公

崇信佛法，建造塔寺，奢侈浪费。梁武帝大怒，想召集朝廷众官处死荀济。朱异暗通消息，荀济逃到东魏。高澄担任中书监，想任用荀济为侍读，献武王高欢说："我爱惜荀济，想保全他，所以不用荀济。荀济进宫，一定有杀身之祸。"高澄坚持任用，高欢才允许。等到荀济事情败露，侍中杨遵彦对荀济说："你衰老了，何苦又谋反呢？"荀济说："雄心壮志还在！"于是定下供词说："自己慨叹年纪衰老，功名没有建立，因此想借助皇上诛杀专权的臣子。"高澄想宽宥他，亲自审问他："荀公为何要反叛？"荀济说："我奉皇上诏命诛杀高澄，怎么叫反叛呢？"主管部门因为荀济年老有病，用小车把他送到刑场，连小车一起焚烧了。

高澄怀疑谘议参军温子昇知道元瑾等人的阴谋，正让他作《献武王碑》，碑文完成后，便把温子昇投入晋阳监狱，不给饭吃，温子昇吞吃破短袄而死，弃尸路边，一家老小都被罚为官府奴婢，太尉长史宋游道收尸，埋葬了温子昇。高澄对宋游道说："我最近写信给朝中的当权诸公，讨论到朝官士大夫，认为你喜欢拉帮结派，是一大缺点。如今才知道你是一个注重旧情、崇尚节义的人，天下那些替你担心害怕的人，根本不了解我的心意。"九月初七日辛丑，高澄回到晋阳。

元三八五至四三三年）：陈郡阳夏人，出身世家大族，南朝刘宋的著名文学家。高傲不驯，居官不理政，为有司所纠弹，作诗"秦亡子房奋"云云。后被杀。传见《宋书》卷六十七、《南史》卷十九。⑯⑧ 韩亡子房奋：韩被秦所灭，韩公子张良先于博浪沙椎击秦始皇，后辅佐刘邦推翻秦朝。事详《史记》卷五十五《留侯世家》。⑯⑨ 秦帝仲连耻：秦昭王伐赵，鲁仲连听说魏将新垣衍建议赵王尊秦昭王为帝，以保存赵国。于是鲁仲连求见平原君，力陈此计不可行，并说如果让弃礼义而主赏战功的秦昭王为帝，他宁愿投东海而死。事详《战国策》卷二十《秦围赵之邯郸》。⑰⓪ 侍讲：在汉代原指给皇帝讲学的差事，多由他官兼任，不是正式的官职。但以后逐渐成为实职，南北朝时，各王府中也设此官，为王讲学。⑰① 荀济（？至公元五四七年）：字子通，颍川（今河南许昌）人，以文才见称。初居江左，与梁武帝为布衣交。后因不满武帝为帝而降魏。传见《北史》卷八十三。⑰② 祠部郎中：官名，尚书省祠部尚书下辖祠部曹官员，掌医药和死丧官员将士的赐赠抚恤事务。⑰③ 元瑾：北魏太武帝之子，广阳王元建的后代。传见《魏书》卷十八、《北史》卷十六。⑰④ 长秋卿：官名，掌管诸宫室及宫中的花园、楼阁，大多由宦官担任。⑰⑤ 刘思逸：平原（今山东平原西南）人，以罪受腐刑，入宫为宦官。曾任中侍中。传见《魏书》卷九十四、《北史》卷九十二。⑰⑥ 大器：元大器，北魏宗室后代，爵华山王。传见《魏书》卷十四、《北史》卷十五。⑰⑦ 宣洪：元宣洪，阳平王元熙的后代，爵

淮南王。传见《魏书》卷十六。⑱徽：元徽，高阳王元雍的后代，爵济北王。传见《魏书》卷二十一上。⑲谬为敕：假装写敕令。敕中所言“何日开讲”，实寓“何日动手”的意思。⑳含章堂：宫中内殿之一。㉑壬辰：八月二十八日。㉒烹：死刑的一种。将死囚投入盛水的鼎中煮死。㉓布衣：平民。此指荀济与梁武帝萧衍在早年读书时，结为朋友。㉔盾鼻：盾牌的把手。荀济看出武帝有称帝的志向，因而扬言，如果萧衍起兵夺帝位，他也会起兵，并用盾牌作砚磨墨，起草讨伐檄文。㉕朝众：在朝百官。㉖侍读：与侍讲同，是为皇帝读讲经史的差事，多由他官兼领。㉗必败：指杀身之祸。荀济好做一

【原文】

上命萧渊明堰泗水于寒山[198]以灌彭城，俟得彭城，乃进军与侯景掎角。癸卯[199]，渊明军于寒山，去彭城十八里，断流立堰。侍中羊侃[200]监作堰，再旬而成。东魏徐州刺史太原王则[201]婴城[202]固守，侃劝渊明乘水攻彭城，不从。诸将与渊明议军事，渊明不能对，但云“临时制宜”。

冬，十一月，魏丞相泰从魏主狩于岐阳[203]。

东魏大将军澄使大都督高岳救彭城，欲以金门郡公潘乐为副。陈元康曰：“乐缓于机变，不如慕容绍宗，且先王之命也。公但推赤心于斯人，景不足忧也。”时绍宗在外，澄欲召见之，恐其惊叛[204]；元康曰：“绍宗知元康特蒙顾待[205]，新使人来饷金[206]，元康欲安其意，受之而厚答其书，保无异也。”乙酉[207]，以绍宗为东南道行台，与岳、乐偕行。初，景闻韩轨来，曰：“啖[208]猪肠儿何能为？”闻高岳来，曰：“兵精人凡。”诸将无不为所轻者。及闻绍宗来，叩鞍有惧色，曰：“谁教鲜卑儿解遣绍宗来？若然，高王定未死邪？”

澄以廷尉卿[209]杜弼为军司，摄行台左丞，临发，问以政事之要、可为戒者，使录一二条。弼请口陈之，曰：“天下大务，莫过赏罚。赏一人使天下之人喜，罚一人使天下之人惧，苟二事不失，自然尽美。”澄大悦，曰：“言虽不多，于理甚要。”

绍宗帅众十万据橐驼岘[210]。羊侃劝贞阳侯渊明乘其远来击之，不

些常人不敢做的事，极易触犯法律，招致灭亡。所以高欢不愿重用他，以便保全他的性命，利用他的文才。⑱杨遵彦：杨愔字遵彦。⑲下辨：定下供词。辨，狱辞。⑲摧颓：衰老。⑲鹿车：手推的两轮车，能用布帷作车厢。平民出门，可以载货，也可以躺在里面休息。由于它灵便实用，体积小，仅能容下一只鹿而被称作鹿车。⑲谘议：谘议参军的省称。⑲弊襦：破短袄。⑲诸贵：指司马子如、孙腾等人。⑲僻于朋党：僻，偏结。朋党，因谋私利而互相勾结。⑲代卿怖者：替你害怕担心的人。⑲辛丑：九月初七日。

【语译】

梁武帝命令萧渊明在寒山筑坝引泗水灌彭城，等到占领彭城，就进军与侯景形成犄角互援的形势。九月初九日癸卯，萧渊明驻军寒山，离彭城十八里，筑坝断流。侍中羊侃监督筑坝，用了二十天完成。东魏徐州刺史太原人王则环城固守，羊侃劝萧渊明趁水淹城时进攻彭城，萧渊明不听从。众将领与萧渊明讨论军事，萧渊明不能回答，只是说到时候采取适宜的措施。

冬，十一月，西魏丞相宇文泰随从魏文帝在岐阳狩猎。

东魏大将军高澄派大都督高岳援救彭城，想任用金门郡公潘乐为副将。陈元康说："潘乐对于机会变化反应迟钝，不如慕容绍宗，何况先王有遗命推荐。你只要推心置腹信任这个人，侯景不值得忧虑。"当时慕容绍宗任职在外，高澄想召见他，又怕他受惊造反。陈元康说："慕容绍宗知道我受你的照顾和信任，最近派人来送金钱，我想使他的心情安定下来，就收下了，并写了一封回信厚谢他，我担保他没有二心。"乙酉日，任命慕容绍宗为东南道行台，与高岳、潘乐一同出征。当初，侯景听到韩轨来讨伐，说："这个吃猪肠的小子有什么能耐？"又听到高岳来讨伐，说："兵马精良，而带兵的人却很一般。"东魏诸将没有不被侯景轻视的。等到听说慕容绍宗来征讨，便敲打着马鞍，面露惧色，说："哪一个教鲜卑小儿派慕容绍宗前来？如果是这样，高王一定还没死吧？"

高澄任命廷尉卿杜弼为军司，代理行台左丞，临近出发，高澄问他为政的关键，以及应警惕的事务，让他写出几条来。杜弼请求口头陈述，说："天下最要紧的事务，莫过于赏罚。奖赏一个人让全国的人都高兴，惩罚一个人让全国的人都惧怕，如果这两条没有失误，一切政务自然就尽善尽美了。"高澄非常高兴，说："话说得不多，道理却很精要。"

慕容绍宗率领十万大军占据了橐驼岘。羊侃劝贞阳侯萧渊明趁东魏军远道而来

从，旦日，又劝出战，亦不从，侃乃帅所领出屯堰上。

丙午[211]，绍宗至城下，引步骑万人攻潼州[212]刺史郭凤营，矢下如雨。渊明醉，不能起，命诸将救之，皆不敢出。北兖州刺史胡贵孙谓谯州刺史赵伯超[213]曰："吾属将兵而来，本欲何为，今遇敌而不战乎？"伯超不能对。贵孙独帅麾下与东魏战，斩首二百级。伯超拥众数千不敢救，谓其下曰："虏盛如此，与战必败，不如全军早归，可以免罪[12]。"皆曰："善。"遂遁还。

初，侯景常戒梁人曰："逐北勿[13]过二里。"绍宗将战，以梁人轻悍[214]，恐其众不能支，一一引将卒谓之曰："我当阳退，诱吴儿使前，尔击其背。"东魏兵实败走，梁人不用景言，乘胜深入。魏将卒以绍宗之言为信，争共掩击之，梁兵大败，贞阳侯渊明及胡贵孙、赵伯超等皆为东魏所虏，失亡士卒数万人。羊侃结陈徐还。

上方昼寝，宦者张僧胤[215]白朱异启事，上骇之，遽起升舆，至文德殿[216]阁。异曰："韩山[14]失律[217]。"上闻之，恍然[218]将坠床。僧胤扶而就坐，乃叹曰："吾得无复为晋家乎？"

郭凤退保潼州，慕容绍宗进围之。十二月甲子朔[219]，凤弃城走。

东魏使军司杜弼作檄移梁朝曰："皇家垂统，光配彼天，唯彼吴、越，独阻声教[220]。元首[221]怀止戈之心，上宰[222]薄兵车之命，遂解縶南冠[223]，喻以好睦。虽嘉谋长算[224]，爰自我始，罢战息民，彼获其利。侯景竖子，自生猜贰，远托关、陇，依凭奸伪，逆主定君臣之分，伪相结兄弟之亲，岂曰无恩？终成难养，俄而易虑[225]，亲寻干戈。衅暴恶盈，侧首无托[226]，以金陵逋逃之薮[227]，江南流寓之地，甘辞卑礼，进孰[228]图身[229]，诡言浮说，抑可知矣。而伪朝大小，幸灾忘义，主荒于上，臣蔽于下，连结奸恶，断绝邻好，征兵保境，纵盗侵国。盖物无定方，事无定势，或乘利而受害，或因得而更失。是以吴侵齐境，遂得句践之师[230]，赵纳韩地，终有长平之役[231]。矧乃鞭挞疲民，侵轶[232]徐部[233]，筑垒拥川，舍舟徼利[234]。是以援枹[235]秉麾[236]之将，拔距[237]投

攻击东魏军，萧渊明不听从；第二天早晨，羊侃又劝萧渊明出战，萧渊明仍然不听从，羊侃就带领自己所属的军队外出驻屯在堤坝上。

十一月十三日丙午，慕容绍宗到达彭城城下，率领步骑一万人攻击潼州刺史郭凤的军营，箭矢如雨而下。萧渊明喝得大醉，不能起床，命令诸将救援郭凤，都不敢出战。北兖州刺史胡贵孙对谯州刺史赵伯超说："我们领兵到这里来是干什么呢？今天碰上了敌人，能不出战吗？"赵伯超不能回答。胡贵孙独自率领本部人马与东魏军队交战，杀敌二百多人。赵伯超统领数千人马不敢救援，对部下说："敌人这么强盛，和他们交战一定失败，不如保存全军，早点撤退，可以免罪。"大家都说："好。"于是逃还。

当初，侯景曾告诫梁人说："追击败逃之兵不要超过两里。"慕容绍宗即将交战时，认为梁朝军队轻捷强悍，担心自己的军队承受不住攻击，就把将士一一叫到跟前，对他们说："我会假装败退，引诱梁军深入，你们攻击他们背后。"东魏兵真的败退，梁军不按侯景的话办，乘胜穷追。东魏将士相信了慕容绍宗的话，争相从背后打击梁军，梁兵大败，贞阳侯萧渊明以及胡贵孙、赵伯超等都被东魏兵活捉，死伤和逃散士兵数万人。羊侃率部下列队徐徐退还。

梁武帝正在睡午觉，宦官张僧胤禀告梁武帝说，朱异有急事启奏，梁武帝大惊，迅即起床上轿，赶到文德殿。朱异说："韩山打了败仗。"梁武帝听了，恍恍惚惚差点从床上倒下。张僧胤扶住梁武帝坐下，梁武帝叹息说："我莫非又要像晋朝那样吗？"

郭凤撤退保守潼州，慕容绍宗进军包围潼州城。十二月初一日甲子，郭凤弃城逃走。

东魏命军司杜弼写檄文送到梁朝，说："我魏氏皇家统治天下，光辉如同上天，只有你们吴越之地，阻碍朝廷声威教化。我魏氏皇上怀有停战之心，大丞相也厌恶下达进兵的命令，于是释放南国俘虏，表达睦邻友好。虽然美好的主张，长远的打算，是我们首发其端，但停止战争，休息民众，你们获得实利。侯景小子，自己胡乱猜疑，产生二心，投靠边远的关陇，依托你们奸伪的朝廷，叛逆的西魏之主与侯景定下君臣的名分，僭伪朝廷的丞相宇文泰与侯景约为兄弟，怎能说不是给予侯景恩惠？但侯景终归是一个难以收养的叛逆小人，他不久就改变了主意，亲手挑起了战端。他残暴无比，恶贯满盈，令人侧目，无处存身。由于金陵是逃犯汇聚的渊薮，江南是流放罪人的地方，侯景便甜言蜜语，卑躬屈膝，送上动听的言辞，寻找安身的地方，虚假浮夸之言，显而易见。而你们僭伪的梁朝上上下下，幸灾乐祸，见利忘义，君主在上荒淫无道，臣子在下蒙蔽作恶，勾结侯景奸诈作恶之人，与我断绝邻睦友好，调集兵力，屯驻边境，纵容盗贼侵犯我国。天下万事万物，并不是一成不变，有时看似获利，反而受害，有时看似有得，反而丢失。因此，从前吴国侵犯齐国边境，却引来越王勾践的军队，赵国接收了韩国的土地，终于招致长平之战的大败。何况你们驱赶疲惫之民，侵犯我徐州之地，筑起堤坝，堵塞河川，丢弃舟

石[238]之士，含怒作色，如赴私仇。彼连营拥众，依山傍水，举螳螂之斧，被蛣蜣[239]之甲，当穷辙[240]以待轮，坐积薪而候燎。及锋刃才交，埃尘且接，已亡戟弃戈，土崩瓦解，掬指舟中[241]，衿甲鼓下[242]，同宗[243]异姓[244]，缧绁[245]相望。曲直既殊，强弱不等，获一人而失一国[246]，见黄雀而忘深阱，智者所不为，仁者所不向。诚既往之难逮[247]，犹将来之可追。侯景以鄙俚之夫，遭风云之会，位班三事[248]，邑启万家[249]，揣身量分，久当止足。而周章[250]向背，离披[251]不已，夫岂徒然？意亦可见，彼乃授之以利器[252]，诲之以慢藏[253]，使其势得容奸，时堪乘便。今见南风不竞[254]，天亡有征，老贼奸谋，将复作矣。然推坚强者难为功，摧枯朽者易为力，计其虽非孙、吴猛将[255]，燕、赵精兵，犹是久涉行陈，曾习军旅，岂同剽轻之师[256]，不比危脆之众[257]。拒此则作气[258]不足，攻彼则为势有余，终恐尾大于身，踵粗于股，倔强不掉，狼戾[259]难驯，呼之[260]则反速而衅小，不征则叛迟而祸大。会应遥望廷尉，不肯为臣[261]，自据淮南，亦欲称帝[262]。但恐楚国亡猿，祸延林木[263]，城门失火，殃及池鱼[264]，横使江、淮士子，荆、扬人物，死亡矢石之下，夭折雾露之中。彼梁主[15]，操行无闻，轻险有素，射雀论功[265]，荡舟称力[266]，年既老矣，耄[267]又及之，政散民流，礼崩乐坏。加以用舍乖方[268]，废立失所[269]，矫情动俗[270]，饰智惊愚，毒螫满怀，妄敦戒业[271]，躁竞盈胸，谬治清净。灾异降于上，怨讟兴于下，人人厌苦，家家思乱，履霜有渐，坚冰且至[272]。传险躁之风俗，任轻薄之子孙，朋党路开，兵权在外。必将祸生骨肉，衅起腹心，强弩冲城，长戈指阙。徒探雀鷇[273]，无救府藏[274]之虚，空请熊蹯，讵延晷刻之命[275]。外崩中溃，今实其时，鹬蚌相持，我乘其敝[16]。方使骏骑追风，精甲辉日，四七并列[276]，百万为群，以转石之形[277]，为破竹之势。当使钟山渡江，青盖入洛[278]，荆棘生于建

船、寻求利益。因此，我们击鼓掌旗的指挥将领，跳远投石的勇敢士兵，人人义愤填膺，怒形于色，如同奔赴自己的仇敌。你们连营扎寨，依山傍水，举着像螳螂前背似的大斧，穿着像蜣螂虫一样的铠甲，挡在原有的车辙上等待车轮碾过，坐在堆积柴草上等待大火燃烧。等到两军刚刚交战，征尘即将相接，你们梁军已经丢戟弃戈，土崩瓦解，像当年晋国军队断指舟中一样溃逃，许多将领如同当年齐将穿着甲胄双手被绑一样被俘，同宗的，异姓的，被绳绑索捆的俘虏，在路上络绎不绝。是非分明，强弱悬殊，得到一个叛臣，失去一个与国，只看到头顶上的黄雀，却忘了脚步底下的陷阱，这是聪明的人所不做，仁爱的人不愿看到的。真的是过去的事难以挽回，但将来的事还可以谋求。侯景凭着一个乡野匹夫，碰上风云变幻的机会，位列三公，食邑万户，掂量掂量自己的分量，早就应当满足，可是他钻营顺逆，纷乱不止，这难道是白忙活的吗？他的用意是可以看得出来的，你们却授给他国家权柄，慢藏诲盗，使形势有利于实现他的奸计，时机有利于实现他的野心。现今侯景看到你们梁朝国势衰微，已出现灭亡的征兆，这个老贼的奸谋，恐怕又要重演。而且，推翻坚固强大的东西很难见功效，摧毁枯萎腐朽的东西却容易发挥效力，度量一下侯景这个人，虽然不是孙武、吴起那样的猛将，手下也没有燕国、赵国那样的精兵，但他毕竟是久历战场，曾经研习军事，岂能把他的军队等同于剽悍冒进之师，也不能视作脆弱易亡之众。抗拒我魏国则力量不足，攻击你梁国则军力有余，恐怕终究是尾大于身，小腿粗于大腿，倔强而不听调遣，凶狠暴戾难以驯服，如果叫他回朝，他就反叛得快而为祸小，不征召他，那么他反叛得慢而为祸大。也许会像东晋苏峻那样遥望廷尉不服惩治，也可能会像西汉黥布那样不肯为臣，割据淮南，也想称帝。恐怕会重演楚国亡猿，祸延林木，城门失火，殃及池鱼，使江淮士子，荆扬人物，横死在矢石之下，丧命于雾露之中。你们梁朝君主，没听说有好的德行，倒是一向轻薄阴险，如同晋平公那样自己射不中一只鸟而要杀掉侍从，又似齐桓公那样经不住蔡姬在舟中晃荡就使力休弃了她，如今年老昏耄，政治松散，人民流失，礼坏乐崩。加上对人取舍失准，废立太子失序，装模作样，搅乱民俗，弄巧设诈惊吓愚人，满肚子毒螯般坏主意，虚妄地推崇佛法戒律，权势的欲望满胸膛，却胡说崇尚清静无为。灾异从上而降，怨苦之声起于下，人人叫苦，家家思乱，脚下有霜，坚冰就要到来。倡导浮躁邪异的风俗，任用轻薄无行的子孙，纵容结党营私，外人操纵兵权。这样，一定会导致骨肉中产生祸患，腹心地区出现事端，以至长弩射向京城，长戈指向宫殿。那时一定会像赵武灵王那样，徒劳地捉雏鸟充饥，不能解救腹中的饥饿，也会像楚成王那样，空想乞求吃熊掌而死，没有实现延长片刻生命的愿望。你们梁朝外部分崩离析，内部腐朽不堪，这正是当今的现实。你们鹬蚌相争，我们将乘机取利。我们正在派出追风般的骏马劲骑，精良的铁甲与太阳争辉，良将并列成排，士兵百万为群，如同高山滚石之形，呈现破竹之势。我们会使钟山成为

业之宫，麋鹿游于姑苏之馆㉗⑨。但恐革车㉘⓪之所轥轹㉘①，剑骑之所蹂践，杞梓㉘②于焉倾折，竹箭以此摧残。若吴之王孙，蜀之公子㉘③，归款军门，委命下吏，当即授客卿㉘④之秩，特加骠骑之号㉘⑤。凡百君子，勉求多福。”其后梁室祸败，皆如弼言。

【段旨】

以上为第三段，写梁朝军队救援侯景，讨伐东魏，将懦兵骄，大败于寒山，招致东魏轻视，移檄声讨，国家体面丧尽。

【注释】

⑲⑧堰泗水于寒山：泗水，河名，源出泗水县蒙山南侧，经曲阜、兖州至鲁桥，南折到徐州。梁军筑堰即在徐州段。寒山，地名，在徐州市东南，筑成的堰称寒山堰。⑲⑨癸卯：九月初九日。⑳⓪羊侃（公元四九五至五四八年）：字祖忻，泰山梁甫（今山东泰安南）人，雅爱文史，初仕北魏，后归梁，历任徐州、青冀二州、兖州、衡州刺史，封高昌县侯。侯景之乱时为都官尚书，坚守建康，不久病死城中。传见《梁书》卷三十九、《南史》卷六十三。⑳①王则：字符轨，自云太原（今山西太原）人。仕东魏，历官荆州、洛州、徐州刺史，封太原县伯。传见《北史》卷五十三。⑳②婴城：环城。⑳③岐阳：地名，在岐山南麓，在今陕西岐山县。时有岐阳宫。⑳④恐其惊叛：时众将人人自疑，一旦召见，唯恐失去军权，或被处死，所以接到诏令，容易因惊惧而叛变。⑳⑤顾待：照顾和信任。⑳⑥饷金：赠送金钱。⑳⑦乙酉：十一月甲午朔，无乙酉日。〖按〗《魏书·孝静帝纪》载遣绍宗事在“冬十月乙酉”，破萧渊明在“十有一月”。《北史·东魏孝静帝纪》删简，改“十月”为“十一月”以就破渊明之时，而未删“乙酉”二字，《通鉴》记此事盖从《北史》。然此年十一月朔为甲午日，无乙酉日，而十月乙丑朔，乙酉为二十一日，故当从《魏书》纪日。⑳⑧啖：吞吃。⑳⑨廷尉卿：官名，六卿之一，掌司法。北魏三品。㉑⓪橐驼岘：山名。小而高的山称作岘。在彭城县东（今江苏徐州）。唐时称定国山。㉑①丙午：十一月十三日。㉑②潼州：州名，梁置，治所取虑城，在今江苏睢宁西南。㉑③赵伯超：滑头梁将，多次临阵退逃。侯景之乱时，任侯景东道行台。侯景败亡，饿死江陵狱中。传见《南史》卷八十。㉑④轻悍：轻捷强悍。㉑⑤张僧胤：人名，虽为宦官，但较正直。刘之亨进军南郑，颇有战功，却遭兰钦陷害，未获封赏。张僧胤向梁武帝进言，于是被封临江子。事见《南史》卷五十《刘虬传》附《刘之亨传》。㉑⑥文德殿：

我国的山，梁朝之主将像当年吴王孙晧梦想入洛一样成为囚虏，建业的宫殿长满荆棘，如同吴王夫差的姑苏之宫成为麋鹿游荡之所。只是担心战车碾压之处，刀剑铁骑践踏之地，杞梓遭到折断，竹箭因此摧残。如果梁朝的文武百官、王孙公子，能够到军前投降，把性命交给我们的下级官吏，定会授予如同李斯入秦取得的客卿的俸禄，如同孙秀投晋特加的骠骑将军的称号。各位君子，努力吧，自求多福。”后来梁朝的祸乱和败亡，完全像杜弼说的那样。

建康宫前殿。㉑⑦韩山失律：寒山失败。韩山，即寒山。㉑⑧恍然：因震惊而视野模糊，精神恍惚。㉑⑨甲子朔：十二月初一日。㉒⓪声教：教化。㉒①元首：指东魏孝静帝。㉒②上宰：指大丞相高欢。㉒③解絷南冠：典出《左传》成公九年。初楚伐郑，郑人俘虏了楚国郧公钟仪，并被押送到晋国。钟仪头戴楚国的帽子，被晋侯发现，问明来历后，将他释放回国，通过他与楚国和解，结成同盟。杜弼引此喻指大同三年（公元五三七年）梁与东魏停战通好一事。㉒④长算：目光长远的计划。㉒⑤易虑：改变主意。㉒⑥侧首无托：令人侧目，无处依存。指侯景不能见容于东魏。㉒⑦逋逃之薮：逃亡罪人的聚居地。㉒⑧孰：通“熟”。动听悦耳的话。㉒⑨图身：寻求安身之地。㉓⓪遂得句践之师：吴王夫差北上争霸，在艾陵大败齐军，迫齐、晋等国在黄池约盟，但被句践乘虚攻入吴国，不久即遭灭亡。事详《左传》哀公十三年。㉓①终有长平之役：周赧王五十三年（公元前二六二年），秦攻韩，韩国上党守将冯亭献城给赵国，赵王派平原君接受上党，于是遭秦国忌恨。公元前二六〇年，秦赵战于长平，赵军大败，主将赵括以下四十五万人被杀。事详《史记》卷四十三《赵世家》。㉓②侵轶：侵犯。㉓③徐部：即徐州刺史部。㉓④徼利：求取利益。㉓⑤援枹：手握鼓槌。㉓⑥秉麾：手拿指挥军队的令旗。㉓⑦拔距：古人比较力量的游戏。两人对坐于地，双脚相抵，双手互握，看谁能把对方拉起来。一说是看谁跳得远。㉓⑧投石：古人比较力气的游戏。投掷石块以击人。㉓⑨蛣蜣：一种黑色甲壳虫，俗名屎克螂。翅膀在甲壳之下。㉔⓪穷辙：原有的车辙。此用螳臂当车的典故。㉔①掬指舟中：晋楚邲之战，晋军大败。荀林父不知所措，令晋军中先渡过河者有赏。军士争先逃命，为抢人渡船，不少抓住船帮的士兵手指，被先上船者用刀剁断，落在舱里，随手一掬，便能捧起一把断指。事见《左传》宣公十二年。引此喻梁军伤亡惨重。㉔②衿甲鼓下：晋军为救鲁国，与齐师战于平阴。齐师败逃，齐将殖绰、郭最殿后被俘，穿着甲胄而双臂反绑，跪在晋中军的令鼓之下。事详《左传》襄公十八年。引此喻梁军多名将领被俘。㉔③同宗：指贞阳侯萧渊明，是梁武帝的亲侄子。㉔④异姓：指胡贵孙、赵伯超诸梁将。㉔⑤缧绁：指被囚禁的人。㉔⑥获一人而失一国：典出《左传》庄公十二年。宋臣猛获协助南宫万杀死国君宋

闵公，逃到卫国避难。宋人向卫国要人，石祁子说："得一人而失去一国，与恶人相交而放弃同盟国，不是好办法。"于是卫人将猛获交还宋国。引此是要说明梁朝得到侯景，却失去一个友好的盟国东魏，不是明智之举。㉔⑦难逮：难以挽回。㉔⑧三事：即三公。侯景曾任东魏司徒一职。㉔⑨邑启万家：即万户侯的意思。侯景爵上谷郡公，食邑可称万户。㉕⑩周章：钻营的样子。㉕①离披：纷乱不可收束的样子。㉕②利器：国家的权力。指梁朝以侯景为大将军，封河南王，都督黄河南北诸军事、大行台，给予自专的权力。㉕③诲之以慢藏：语本《周易·系辞》上云："慢藏诲盗。"谓漫不经心地管理物品，等于教诲盗贼来偷取此物品。㉕④南风不竞：典出《左传》襄公十八年。时晋人围齐，楚乘机攻打郑国，晋人有些担心。但师旷说："没有关系。我屡次歌唱南方的歌曲，曲调不强，多有象征死亡的音节，楚国必定不会成功。"事情果然如他所料。这里指梁朝国力衰颓。㉕⑤孙、吴猛将：孙武、吴起一样的猛将。㉕⑥剽轻之师：强悍轻捷的军队。汉代指楚地的士兵多剽勇善战，但常轻敌冒进。杜弼以为梁军也是如此。㉕⑦危脆之众：脆弱得随时会覆亡的军队。也是喻指梁军。㉕⑧作气：力量。㉕⑨狼戾：凶暴。㉖⑩呼之：召回朝廷。㉖①"遥望廷尉"二句：指东晋苏峻叛乱时，对朝廷使者说："我宁山头望廷尉，不能廷尉望山头。"也就是说，他宁肯凭借已有的地盘，让代表国法的廷尉对他无可奈何，也不愿奉诏进京，让庾亮把他下到廷尉狱中，想回历阳而不可得。事见《晋书》卷一百《苏峻传》。㉖②"自据淮南"二句：指汉初英布任淮南王，在韩信、彭越等异姓王被刘邦一一铲除后，利用刘邦病重之机，在淮南发动叛变，而企图夺取帝位。事见《汉书》卷三十四《黥布传》。以上都是说侯景会像苏峻、英布一样祸乱梁朝。㉖③"楚国亡猿"二句：语出《庄子》。说的是楚王丢失了猿猴，为了捉回它，砍坏了大批林木。㉖④"城门失火"二句：《艺文类聚》卷九十六、《太平御览》卷九百三十五引《风俗通义》云，城门失火，烧死了一个叫池仲鱼的人，于是流传出这么一首谣谚。又云城门着了火，人们救火时，取用大量护城河的水，使河中的鱼遭了殃。㉖⑤射雀论功：典出《国语·晋语》。晋平公射鷃鸟，未射中。命内竖叫襄的去捉，也没捉住。平公大怒，要把襄关起来杀掉。叔向得知后，跑来说："过去先君唐叔一箭射死兕，做成一副大铠甲，于是封在晋国。现在国君连个小鸟都射不死，这是宣扬您的耻辱。您既然要杀就快杀，不要叫这件事传出去。"平公十分惭愧，立刻释放了襄。㉖⑥荡舟称力：典出《左传》僖公三年，齐桓公和蔡姬在池沼中划船，蔡姬有意荡船身，把桓公吓得脸色都变了，连叫蔡姬停下，蔡姬不听，于是桓公将她休回蔡国。以上两句主要用来讽刺梁武帝只会在宫中与宦官、姬妾游乐，昏聩无能，无力治理好国家。㉖⑦耄：因年老而昏乱。㉖⑧用舍乖方：指罢免周舍，斥责贺琛，而却宠信朱异。任免官吏，都不合用人之道。㉖⑨废立失所：指昭明太子死后，不立嫡长孙为继承人，而立第三子萧纲为太子，有违旧制。㉗⑩矫情动俗：为了表现自己节俭勤政，四更即起床处理政务，常顾不上吃饭。又长年吃斋，身穿木棉衣，宴会一般也不设乐舞。但多次舍身事佛，多造塔寺，耗费大量公私财物。又亲近小人，放纵牧守。虽表面上赢得一些声誉，实际上乱了国政，乱了民心。㉗①戒业：佛教戒律。㉗②“履霜有渐”二句：语出《周易·坤卦》。即有霜说明寒冬正在到来，随之而来将会出现坚冰。借用来说明由于梁武帝长期治政腐败，败亡的征兆日趋明显，大乱即将到来。㉗③徒探雀鷇：战国时，赵武灵王让位于小儿子何，自号“主父”。但又怜悯长子章，想把赵国一分为二，封章为代王。章乘他出游沙丘之机，发动叛乱。失败后，逃入沙丘宫中。主父收留了他，却同时被困，不久绝粮。只有去抓鸟巢中的雏鸟吃，最终一起被活活饿死。事详《史记》卷四十三《赵世家》。㉗④府藏：即“腑脏”。五脏六腑。㉗⑤讵延晷刻之命：典出《左传》文公元年。楚太子商臣遭废黜，于是发动叛乱，包围王宫。楚成王请求吃了熊掌后再死。熊掌难熟，想借以拖延时间，等待外援。商臣不许，成王只好自缢而死。㉗⑥四七并列：光武帝刘秀任用邓禹、吴汉等二十八将，夺取天下，重兴汉室。后人赞辞有“四七授钺”一句，表彰他善于用人。见《后汉书》卷二十二《马武传论》。此借用来形容东魏良将众多。㉗⑦转石之形:《孙子兵法》说:“作战如转木石，木石的特点安则静，危则动，方则止，圆则行。所以善于作战的人把握有利形势，如同转圆石于高山之上。”这里是说东魏将占据有利位置，展开进攻态势。㉗⑧青盖入洛：吴末帝孙皓夺取晋西陵之地，请术士尚广卜筮。尚广说:“庚子年，青盖当入洛阳。”即吴王将进入洛阳，取得天下。结果庚子年（公元二八〇年），吴国灭亡，孙皓被押入洛阳。详《三国志》卷四十八《孙皓传》。杜弼喻指梁必灭亡。㉗⑨麋鹿游于姑苏之馆：淮南王刘安企图夺取帝位，伍被劝谏他说:“臣听说伍子胥谏吴王，吴王不听，于是他说:‘臣今天见到麋鹿游动于姑苏之台。’现在臣也看见宫中长出荆棘，露水沾湿了衣襟。”事详《汉书》卷四十五《伍被传》。伍子胥和伍被的话，都是指出必然败亡后的悲惨情景。㉘⓪革车：战车。㉘①輣轹：也作“蹦轹”，车轮碾过的意思。㉘②杞梓：杞、梓都是东南地区出产的优质木材，在此比喻杰出的人才。㉘③“吴之王孙”二句：语出晋左思《三都赋》，杜弼用来喻指梁宗室和群臣。㉘④客卿：李斯，楚国上蔡人，入秦为客卿，受秦重用。传见《史记》卷八十七。㉘⑤特加骠骑之号：指孙秀。孙秀为三国吴宗室，初为前将军，后降晋，拜骠骑将军。见《三国志》卷五十一《孙匡传》及《晋书》卷四十《贾充传》。

【校记】

［12］可以免罪：原无此四字。据章钰校，十二行本、乙十一行本、孔天胤本皆有此四字，张敦仁《通鉴刊本识误》、张瑛《通鉴校勘记》同，今据补。［13］勿：原作“不”。据章钰校，十二行本、乙十一行本、孔天胤本皆作“勿”，张敦仁《通鉴刊本识误》同，今据改。［14］韩山：胡三省注云:“‘韩山’即‘寒山’。”据章钰校，乙十一行本“韩山”正作“寒山”。［15］梁主:“主”下原有“者”字。据章钰校，十二行本、乙十一行本皆无“者”字，《通鉴纪事本末》卷二十三同，今据删。［16］敝：原作“弊”。据章钰校，十二行本、乙十一行本、孔天胤本皆作“敝”，今据改。

【原文】

侯景围谯城不下，退攻城父[286]，拔之。壬申[287]，遣其行台左丞王伟等诣建康，说上曰："邺中文武合谋，召臣共讨高澄，事泄，澄幽元善见于金墉，杀诸元六十余人。河北物情，俱念其主，请立元氏一人以从人望，如此，则陛下有继绝之名，臣景有立功之效，河之南北，为圣朝之郑、莒[288]，国之男女，为大梁之臣妾。"上以为然，乙亥[289]，下诏以太子舍人元贞[290]为咸阳王，资以兵力，使还北主魏，须渡江，许即位，仪卫以乘舆之副给之。贞，树[291]之子也。

萧渊明至邺，东魏主升阊阖门受俘，让而释之，送于晋阳，大将军澄待之甚厚。

慕容绍宗引军击侯景，景辎重数千两，马数千匹，士卒四万人，退保涡阳。绍宗士卒十万，旗甲耀日，鸣鼓长驱而进。景使谓之曰："公等为欲送客，为欲定雌雄邪？"绍宗曰："欲与公决胜负。"遂顺风布陈。景闭垒，俟风止乃出。绍宗曰："侯景多诡计，好乘人背[292]。"使备之，果如其言。景命战士皆被短甲，执短刀[293]，入东魏陈，但低视，斫人胫马足。东魏兵遂败，绍宗坠马，仪同三司刘丰生被伤，显州[294]刺史张遵业[295]为景所擒。

绍宗、丰生俱奔谯城，裨将[296]斛律光[297]、张恃显尤之，绍宗曰："吾战多矣，未见如景之难克者也。君辈试犯之！"光等被甲将出，绍宗戒之曰："勿渡涡水。"二人军于水北，光轻骑射之。景临涡水，谓光曰："尔求勋而来，我惧死而去。我，汝之父友[298]，何为射我？汝岂自解不渡水南？慕容绍宗教汝也。"光无以应。景使其徒田迁射光马，洞胸，光易马隐树，又中之，退入于军。景擒恃显，既而舍之。光走入谯城，绍宗曰："今定[299]何如？而尤我也！"光，金之子也。

开府仪同三司段韶夹涡而军，潜于上风纵火，景帅骑入水，出而却走，草湿，火不复然。

魏岐州久经丧乱，刺史郑穆[300]初到，有户三千，穆抚循安集，数年之间，至四万余户，考绩为诸州之最，丞相泰擢穆为京兆尹。

侯景与东魏慕容绍宗相持数月，景食尽，司马世云降于绍宗。

【语译】

侯景围攻谯城，没有攻下，撤军后攻打城父，攻取了城父。十二月初九日壬申，派他的行台左丞王伟等到建康劝说梁武帝，说："邺城中文武官员共同谋划，召臣共同讨伐高澄，事情泄露，高澄把皇帝元善见幽闭在金墉城，杀皇室六十余人。河北地区的人心都怀念他们的君主，请求奉立一个元氏宗室的人为国主，以便顺从民心。如果这样，那么陛下有继绝世的名声，臣侯景有立功建勋的效验，黄河南北，都是梁朝的附庸，那里的男女老少，都是大梁朝的臣民婢妾。"梁武帝认为很对，十二日乙亥，下诏任命太子舍人元贞为咸阳王，给配备军队，让他回到北方去统治魏国，等到渡江后允许他即皇帝位，仪仗卫队按照仅次于梁朝皇帝的规格配给他。元贞，是元树的儿子。

萧渊明到了邺城，东魏孝静帝登上皇城的阊阖门接受战俘，斥责一番之后释放了萧渊明，把他送到晋阳，大将军高澄待他很优厚。

慕容绍宗领兵攻打侯景，侯景辎重数千辆，马数千匹，士卒四万人，撤退守卫涡阳。慕容绍宗士卒十万，旌旗铠甲在阳光下闪耀，擂着战鼓长驱直进。侯景派人对慕容绍宗说："你们是想欢送客人，还是要分个胜负呢？"慕容绍宗说："想和你决一胜负。"于是顺着风向摆开阵势。侯景紧闭营垒大门，等到风停止了才出来。慕容绍宗说："侯景诡计多端，喜欢攻击别人的背后。"让部下防备他。果然如他所说，侯景命令战士都穿短甲，手执短刀，攻入东魏阵地，只低头看，砍人的小腿和马脚。东魏兵于是失败，慕容绍宗落下马来，仪同三司刘丰生被打伤，显州刺史张遵业被侯景活捉。

慕容绍宗、刘丰生都逃到谯城，副将斛律光、张恃显责怪慕容绍宗。慕容绍宗说："我打仗多次了，没见到像侯景那样难以战胜的，你们打他试试看！"斛律光等人穿着铠甲将要出战，慕容绍宗告诫他们说："不要渡过涡水。"二人驻军在涡水北岸，斛律光轻装跃马射侯景。侯景到涡水边，对斛律光说："你们为立功而来，我怕丢命离去。我是你父亲的朋友，为什么射我？你自己哪懂得不要渡过涡水南去？这是慕容绍宗教给你的。"斛律光无言以对。侯景派他的部下田迁射斛律光的马，穿透了马的胸膛，斛律光换了一匹马，藏身大树后面，战马又被射中，退入军中。侯景擒获了张恃显，不久把他释放了。斛律光逃入谯城，慕容绍宗说："今日到底怎么样？还来责备我！"斛律光，是斛律金的儿子。

开府仪同三司段韶在涡水两岸驻军，暗中顺风放火。侯景率领骑兵进入河中，从水中出来后再向后撤退，草湿，火不再燃烧。

西魏岐州久经战乱，刺史郑穆刚到岐州，有三千户，郑穆招抚安集，数年之间，达到四万余户，考核政绩，他在各州之中名列第一，丞相宇文泰提升他为京兆尹。

侯景与东魏慕容绍宗相持了几个月，侯景军粮食用光了，他的部将司马世云投降了慕容绍宗。

【段旨】

以上为第四段，写东魏慕容绍宗征讨侯景，相持数月，侯景军粮尽，士气衰落。

【注释】

㉘⑥城父：县名，县治在今安徽亳州东南。㉘⑦壬申：十二月初九日。㉘⑧为圣朝之邾、莒：邾、莒都是春秋时的小国，于此喻指东魏各州郡，将如同邾、莒一样投靠梁朝。㉘⑨乙亥：十二月十二日。㉙⓪元贞：北魏献文帝拓跋弘的后代。封咸阳王后，被梁武帝礼送到侯景军中。侯景想作乱，元贞获知后，多次请求还朝。武帝不许，于是逃奔东魏。传见《梁书》卷三十九、《魏书》卷二十一上、《北史》卷十九。㉙①树：元树，字君立，北魏近属，降梁，官至侍中、镇北将军。中大通四年（公元五三二年）被北魏将樊子鹄所俘，想再度南逃，被杀。传见《梁书》卷三十九。㉙②好乘人背：好从背后掩击敌人。㉙③“被短甲”二句：这是侯景置之死地而后生之计。士兵只有死战，才能有生还的希望。㉙④显州：州名，北魏永安（公元五二八至五三〇年）年间置，东魏沿置。治所六壁城，在今山西介休西。㉙⑤张遵业（？至公元五四七年）：代人，北魏时，以讨元颢有功，封固安县子。仕东魏，官至安西将军、建州刺史。传见《北齐书》卷二十。㉙⑥裨将：副将。㉙⑦斛律光（公元五一四至五七一年）：字明月，朔州敕勒部人，斛律金之子。善骑射，号落雕都督，爵永乐县伯。入齐，历任晋州、并州刺史，屡败周兵。位至太傅，袭封咸阳王。后因周将韦孝宽使反间计，被北齐后主高纬所杀，并灭族。传见《北齐书》卷十七、《北史》卷五十四。㉙⑧汝之父友：你父亲的朋友。当年侯景与斛律金同事尔朱荣，后又辅佐高欢，交谊很好。㉙⑨定：魏晋南北朝习语，等于说终究、到底。㉚⓪郑穆（公元五〇六至五六五年）：本名道邕，字孝穆，晚年避周武帝讳，以字行，此省作“穆”。荥阳开封人，北魏骠骑将军，随孝武入关，历任岐州刺史、京兆尹。入周，历任宜州、华州、虞州、陕州刺史，有政绩。传见《周书》卷三十五、《北史》卷三十五。

【研析】

公元五四七年，东魏执政者高欢走到了生命的尽头，原本日渐平息的局势因为侯景反叛而风云突变，东魏、西魏、萧梁三方各自调动政治、军事力量，予以应对。东魏成功地消除了政治领袖更替而形成的危机，西魏小心翼翼地避免了陷入新一轮的战事，萧梁方面则进退失据，从而将北方政权内部的政治危机引向江南。下面讨论本卷涉及的史事及其相关问题。

第一，侯景起兵的性质。

侯景最终死于江南，唐代修史，将其传记编入《梁书》。据传，他出身于北魏时北镇戍兵，参与了北镇戍兵在六镇与河北的暴动，后率一支人马投附尔朱荣，与高欢类似。高欢与尔朱氏敌对时，侯景又率部投靠高欢。东魏时位至司徒，任南道行台，“拥众十万，专制河南”，为河南各州最高军政长官，地位仅次于丞相高欢。其人不善弓马，但颇多智谋，且“残忍酷虐，驭军严整。然破掠所得财宝，皆班赐将士，故咸为之用，所向多捷”。

高欢对侯景并不信任，当其病重，高澄面有忧色，他便一语中的：“岂非忧侯景叛邪?”他之所以听任侯景专政河南达十四年之久，一来因西魏是主要敌人，需全力应对；二来因侯景并没有表现出独立的倾向，虽明知其不可靠，如无正当理由而加处置，则“勋贵”们都将产生危机感，导致内部不稳。侯景虽有智谋，高欢亦以权谋见长，“机权之际，变化若神”，加上宠待勋旧，“由是文武乐为之用”，侯景也深为忌惮，故高欢能加以“畜养”“驾驭”。自视甚高的侯景原本瞧不上高澄，高澄在邺城奉命压制过度豪横不法的“勋贵”，亦引起侯景不安。他曾向受到处置的司马子如表示：“高王在，吾不敢有异；王没，吾不能与鲜卑小儿共事!”司马子如“掩其口”，实际上这批“勋贵”可以说人同此心，只不过侯景主政一方，手握大军，更有能力表达自己的态度罢了。

深忧侯景的高澄，在高欢死后，秘不发丧，严守死讯，让陈元康以高欢的名义发布数十道政令，其中一道就是让侯景返京述职。而早先高欢给侯景发指令时，信纸上会记有暗号。侯景收到要自己返京的命令，猜测到高欢已死，拒绝回京，一面暗中派亲信到山东，准备夺取当地不听命于“南道行台”的各州军政大权，一面派人向梁与西魏委地投诚。面对侯景拒不服从朝廷命令的情况，高澄只好按高欢预先布置，派被高欢有意压制而侯景颇为忌惮的慕容绍宗率军开赴河南。

至此，侯景起兵还只是东魏内部的权力斗争。西魏、梁朝方面如何应对，将决定这次事件的性质。

第二，西魏巧与周旋，避免局势失控。

西魏与东魏原本敌对，十四年间，经历过多次大战，而洛阳周围此时已成为双方争夺最为激烈的地区。按理，敌国方面大员主动投诚，以地来附，是求之不得的事情。但我们看到，西魏方面对于这一突发事变，态度异常谨慎，处置非常得体，最初有所行动，见势不妙，及早抽身，置身事外。分析起来，有如下原因。

首先，宇文泰及其主部将，均出自六镇，对于侯景有深入了解。于谨即说：“景少习兵，奸诈难测，不如厚其爵位以观其变，未可遣兵也。”荆州刺史王思政无北镇经历，对侯景了解不多，认为机不可失，主动率所部万余人向侯景防区进发。宇文泰被迫派李弼、赵贵率万余人奔赴侯景所在的颍川，加以策应，同时给侯景以大将军兼尚书令的官衔。西魏出军，包围颍川的东魏部队主动撤退。李弼、赵贵等军进入颍川，拒绝与侯景会面，使侯景没机会下手夺其军。当梁将羊鸦仁率军逼近颍川接应侯景时，李弼等突然率部返回长安，脱离战场。此后，西魏方面不再答应侯景派军队支援的请求，而是要求侯景"入朝"。侯景既然投诚，且给以尚书令的官职，要求其到长安就职理所当然，其原所管辖的地区则可以由西魏军队接管。如其不"入朝"，则只不过是利用西魏而已。侯景当然不会"入朝"，所部已进驻颍川的王思政也终于醒悟，立即命令撤离。宇文泰"悉召前后所遣诸军援景者"，将原授予侯景的官职，改授王思政，以便其相机行事。自此，西魏方面主动摆脱与侯景的任何关系，并取得了根据局势变化而行动的主动权。

其次，西魏暂时无力与东魏展开全面决战。西魏与东魏经过多次大战，互有胜负，对于力量还弱小、兵员补充极为困难的西魏来说，即便是胜利的战役，也是巨大的损失。上卷所记玉壁之战，高欢举全力进攻，西魏方面居然未见有援兵到达，并非玉壁不重要，实心有余而力不足。此时的宇文泰正在推行"广募关陇豪右以增军旅"的政策，新的军队与军队指挥系统正在筹建，要应对牵涉全局的战事，还相当困难。

再次，或许也是主要的原因，如上卷所说，东魏与强大的柔然再次结盟，柔然军队时常威胁着长安，如西魏全力支持侯景，即便夺取河南，也只不过是大战方兴的前奏。若东魏、柔然全力来攻，西魏方面将无以应敌。西魏方面人物在讨论这次事变时，谁也没提及柔然，但背后那支最为强大的敌对力量，谁又可以忽视？可以说，柔然威胁不除，西魏即使新军训练有成，也绝没有开疆拓土的雄心。

不计小利，避免时机不成熟时与东魏的全面战争，虽有任约一部千余人投附侯景，但西魏也趁机占据了一些地区，总的来说，应对策略无疑是成功的。

第三，梁武帝悖于形势，背信弃义，严重失策。

梁武帝接纳侯景，并派十万大军支援，梦想统一全国，无论从哪一方面说，都是昏庸之举。

首先，早在南朝建立之后，南方政权对北方民众已失去吸引力，也就是说，北方华夏民众已不再在心理上认同南方政权。宋文帝元嘉之政，号称江南极盛，但其在元嘉二十七年发起的"北伐"之役，最终"只赢得仓皇北顾"。从此以后，南方无人再提"北伐"的口号，南方不可能战胜北方，日渐成为共识。刘宋后期，周朗甚至主张将从当时南方还控制的淮河以北地区撤出："今空守孤城，徒费财役，亦行见淮北必非境服有矣。"且称："设使胡灭，则中州必有兴者，决不能有奉土地、率民人以归国家矣。"（见《宋书》卷八十二《周朗传》）梁初仍健在的史学家沈约在《宋书》卷九十五《索虏传》末亦称："夫地势有便习，用兵有短长。胡负骏足，而平原悉车骑之地；南习水斗，江湖固舟楫之乡。代马胡驹，出自冀北；楩柟豫章，植乎中土，盖天地所以分区域也。若谓毡裘之民，可以决胜于荆、越，必不可矣；而曰楼船之夫，可以争锋于燕、冀，岂或可乎！"一句话，寄希望于南方水乡的地理条件，阻止北方南进，对南方可以战胜北方，已毫无信心。

其次，战争需要国力支撑。南方极盛时，国家户籍上管理的民户不过九十余万户，五百余万人，而北魏末年，国家户籍上便有五百余万户。南方高门大族人士见了马甚至误以为虎，而骑射乃北方军队之强项。当东晋时，北方十六国时期各民族政权相互厮杀，南方拥有正统的名号，趁北方大乱之际进行“北伐”，成功的也不多。梁朝时，淮河以南重镇合肥已被北方夺占，秦岭以南的汉中已入北方；长江中游，南方基本上孤守襄阳，勉强能在这一南北分界线上阻止北方的深入。梁武帝统治的五十年中，重文化而轻军事，将军们募兵，应募者往往交上点钱，在花名册上登记一下，各自回家，该干啥干啥，以免除被征发劳役。衰弱的国力、不成样子的军队，又怎能与北方经过长期战争洗礼的军队抗衡？谈何统一？

再次，东魏建立后，高欢主动示好，梁与东魏方面结成友好国家，外交使节往来不断，各以文采争雄长，甚至在国书问候语上，东魏方面也由此前的“想彼境内宁静，此率土安和”，改为“想境内清晏，今万国安和”，去掉“彼此”，以“示无外之义”。侯景系叛乱之举，东魏并没有灭亡之兆，作为交好一方，梁本应严守边境，静观事态，相机行事。梁武帝竟纳其叛臣，举兵接应，且“下诏大举伐魏”，自视比北方更文明的梁武帝，所行可谓背信弃义，东魏方面让杜弼写一篇檄文加以痛责，也就可以理解了。被西魏有效阻遏的祸水，遂蔓延东南。梁武帝既然要大举兴兵，而择帅非其人，将无斗志，又希望侥幸成功，当北伐之众全军覆灭，竟无应对之策，“恍然将坠床”，只得哀叹：“吾得无复为晋家乎?”结果确也与西晋亡国、二帝被俘差不多。

卷第一百六十一　梁纪十七

著雍执徐（戊辰，公元五四八年），一年。

【题解】

本卷载述公元五四八年一年的史事，当梁武帝太清二年，西魏文帝大统十四年，东魏孝静帝武定六年。本年北朝东魏、西魏无大事，南朝梁武帝接纳奸人东魏叛将侯景，安置于腹心之地，引狼入室，酿成祸乱，史称太清之祸。

【原文】

高祖武皇帝十七

太清二年（戊辰，公元五四八年）

春，正月己亥[①]，慕容绍宗以铁骑五千夹击侯景。景诳其众曰："汝辈家属，已为高澄所杀。"众信之。绍宗遥呼曰："汝辈家属并完，若归，官勋如旧。"被发向北斗为誓[②]。景士卒不乐南渡，其将暴显等各帅所部降于绍宗。景众大溃，争赴涡水，水为之不流。景与腹心数骑自硖石[③]济淮，稍收散卒，得步骑八百人，南过小城，人登陴[④]诟之曰："跛奴[⑤]！欲何为邪？"景怒，破城，杀诟者而去。昼夜兼行，追军不敢逼。使谓绍宗曰："景若就擒，公复何用？"绍宗乃纵之。

辛丑[⑥]，以尚书仆射谢举为尚书令，守吏部尚书[⑦]王克[⑧]为仆射。

【语译】

高祖武皇帝十七

太清二年（戊辰，公元五四八年）

春，正月初七日己亥，慕容绍宗以铁骑五千人夹击侯景。侯景欺骗部下说："你们的家属，已经被高澄杀害了。"大家都信以为真。慕容绍宗远远地喊话，说："你们的家属全都好好的，如果回来，官爵仍然和以前一样。"他披散着头发，面向北斗星发誓。侯景的部众不乐意向南渡过淮河，部将暴显等各自率领所部人马投降慕容绍宗。侯景的军队大败溃散，争渡涡水，河水因此被阻断不流动。侯景与几个心腹亲将骑马从硖石渡过淮河，渐渐搜集逃散的士卒，共有步骑八百人，往南经过一个小城时，有人登上城上的女墙辱骂侯景，说："跛脚奴才！想干什么呢？"侯景很生气，攻破小城，杀了骂他的人，然后离去。昼夜兼程，东魏追兵不敢逼近。侯景派人对慕容绍宗说："我侯景如果被擒，你还有什么用处？"慕容绍宗便放过了侯景。

正月初九日辛丑，梁武帝任命尚书仆射谢举为尚书令，代理吏部尚书王克为尚书仆射。

甲辰⑨，豫州刺史羊鸦仁以东魏军渐逼，称粮运不继，弃悬瓠，还义阳⑩。殷州刺史羊思达亦弃项城走。东魏人皆据之。上怒，责让鸦仁，鸦仁惧，启申后期⑪，顿军淮上。

侯景既败，不知所适，时鄱阳王范除南豫州刺史，未至⑫。马头⑬戍主刘神茂⑭，素为监州事韦黯⑮所不容，闻景至，故往候之。景问曰："寿阳去此不远，城池险固，欲往投之，韦黯其纳我乎？"神茂曰："黯虽据城，是监州耳。王若驰至近郊，彼必出迎，因而执之，可以集事。得城之后，徐以启闻，朝廷喜王南归，必不责也。"景执其手曰："天教也。"神茂请帅步骑百人先为乡导。壬子⑯，景夜至寿阳城下，韦黯以为贼也，授甲登陴。景遣其徒告曰："河南王战败来投此镇，愿速开门。"黯曰："既不奉敕，不敢闻命。"景谓神茂曰："事不谐矣。"神茂曰："黯懦而寡智，可说下也。"乃遣寿阳徐思玉⑰入见黯曰："河南王为[1]朝廷所重，君所知也。今失利来投，何得不受？"黯曰："吾之受命，唯知守城，河南⑱自败，何预吾事？"思玉曰："国家付君以阃外⑲之略，今君不肯开城，若魏追[2]兵来至，河南为魏所杀，君岂能独存？纵使或存[3]，何颜以见朝廷？"黯然之。思玉出报，景大悦曰："活我者，卿也。"癸丑⑳，黯开门纳景，景遣其将分守四门，诘责黯，将斩之，既而抚手大笑，置酒极欢。黯，叡㉑之子也。

朝廷闻景败，未得审问㉒，或云景与将士尽没。上下咸以为忧。侍中、太子詹事何敬容诣东宫，太子曰："淮北始更有信㉓，侯景定得身免，不如所传。"敬容对[4]曰："得景遂死，深为朝廷之福。"太子失色，问其故，敬容曰："景翻覆叛臣，终当乱国。"太子于玄圃㉔自讲《老》《庄》，敬容谓学士㉕吴孜曰："昔西晋祖尚玄虚，使中原沦于胡、羯。今东宫复尔，江南亦将为戎乎！"

甲寅㉖，景遣仪同三司于子悦㉗驰以败闻，并自求贬削，优诏不许。景复求资给，上以景兵新破，未忍移易。乙卯㉘，即以景为南豫州牧，本官如故，更以鄱阳王范为合州刺史，镇合肥㉙。光禄大夫㉚萧介㉛上表谏曰："窃闻侯景以涡阳败绩，只马归命，陛下不悔前祸，复

正月十二日甲辰，豫州刺史羊鸦仁因为东魏军逼近，就借口军粮运输供应不上，丢弃了悬瓠城，回到义阳。殷州刺史羊思达也丢弃了项城逃走。东魏人占据了这两座城。梁武帝大怒，斥责羊鸦仁，羊鸦仁很害怕，上奏请求宽限收回失地的时日，并把军队驻扎在淮河岸上。

侯景打了败仗后，不知道到哪里为好，当时鄱阳王萧范被任命为南豫州刺史，还没到任。马头戍主刘神茂，一向被南豫州监事韦黯排斥，他听到侯景来到，有意前去迎接。侯景问他说："寿阳离这里不远，城池险固，想去投靠他，韦黯会接纳我吗?"刘神茂说："韦黯虽然守着寿阳城，只不过是个监州罢了。大王如果奔到近郊，他一定出迎，趁机抓住他，事情就可以成功。得了寿阳城之后，慢慢启奏皇上知晓，朝廷高兴大三南归，一定不会责怪你的。"侯景握住刘神茂的手说："上天在开导我啊。"刘神茂请求率领步骑一百人先行为向导。正月二十日壬子，侯景夜间到达寿阳城下，韦黯以为是盗寇，披着铠甲登上城墙。侯景派他的手下告诉韦黯，说："河南王战败来投奔这里，希望尽快打开城门。"韦黯说："我既然没有接到皇上的敕命，不敢答应你的要求。"侯景对刘神茂说："事情办不成了。"刘神茂说："韦黯懦弱又缺少智慧，可以说服他。"于是派寿阳人徐思玉进城见韦黯，说："河南王被朝廷所看重，你是知道的。如今战败来投奔，怎么能不接受呢?"韦黯说："我接受使命时，只知道守城，河南王自己打了败仗，与我有何相干?"徐思玉说："朝廷交给你守卫国门的重任，如今你不肯打开城门，如果东魏的追兵来到，河南王被魏兵杀害，你怎能独自活下来？即使活下来，又有什么脸面见皇上呢?"韦黯认为说得对。徐思玉出城通报，侯景非常高兴地说："让我活下来的是你啊。"二十一日癸丑，韦黯打开城门接纳侯景。侯景派遣他的部将分别防守四个城门，质问斥责韦黯，要杀掉他，过了一会儿又拍手大笑，摆下酒宴，尽情欢乐。韦黯，是韦叡的儿子。

梁朝听说侯景失败，还未得到准确消息，有人说侯景和他的将士全军覆没。朝廷上下都感到忧虑。侍中、太子詹事何敬容到东宫，太子说："淮北刚传来新消息，侯景终究身免于难，不像传言所说的那样。"何敬容回答说："侯景能真的死了，那倒是国家之福。"太子脸色变了，问是什么原因。何敬容说："侯景是个反复无常的叛臣，终究要危害国家。"太子在玄圃园亲自讲解《老子》《庄子》，何敬容对学士吴孜说："从前西晋崇尚玄学，导致中原沦陷于胡羯人。如今东宫又这样，江南也将要沦陷于戎人了吧!"

正月二十二日甲寅，侯景派仪同三司于子悦飞马向梁朝报告失败的消息，并且自己请求降职削爵，梁武帝下诏安慰，不同意。侯景又请求供给物资，梁武帝因侯景刚刚打了败仗，不忍心让他移动驻地。二十三日乙卯，当即任命侯景为南豫州牧，原有的官职不变，改任鄱阳王萧范为合州刺史，镇守合肥。光禄大夫萧介上表谏阻说："我私下听说侯景因涡阳大败，单人匹马来归顺，陛下不仅不后悔前一阵接

赦容纳。臣闻凶人之性不移，天下之恶一也。昔吕布杀丁原以事董卓㉜，终诛董而为贼；刘牢㉝反王恭㉞以归晋，还背晋以构妖㉟。何者？狼子野心，终无驯狎之性，养虎之喻，必见饥噬之祸[5]。侯景以凶狡之才，荷高欢卵翼之遇㊱，位忝台司，任居方伯㊲，然而高欢坟土未干，即还反噬。逆力不逮，乃复逃死关西，宇文不容，故复投身于我。陛下前者所以不逆细流㊳，正欲比属国降胡以讨匈奴㊴，冀获一战之效耳。今既亡师失地，直是境上之匹夫，陛下爱匹夫而弃与国㊵，臣窃不取也[6]。若国家犹待其更鸣之晨[7]，岁暮之效，臣窃惟侯景必非岁暮之臣。弃乡国如脱屣，背君亲如遗芥，岂知远慕圣德，为江、淮之纯臣乎？事迹显然，无可致惑。臣朽老疾侵，不应干预朝政，但楚囊将死，有城郢之忠㊶，卫鱼临亡，亦有尸谏之节㊷。臣忝为宗室遗老，敢忘刘向之心㊸？”上叹息其忠，然不能用。介，思话㊹之孙也。

己未㊺，东魏大将军澄朝于邺。

魏以开府仪同三司赵贵为司空。

魏皇孙生，大赦。

二月，东魏杀其南兖州刺史石长宣㊻，讨侯景之党也，其余为景所胁从者，皆赦之。

东魏既得悬瓠、项城，悉复旧境。大将军澄数遗书移，复求通好，朝廷未之许。澄谓贞阳侯渊明曰：“先王与梁主和好，十有余年。闻彼礼佛文云奉为魏主，并及先王㊼，此乃梁主厚意，不谓一朝失信，致此纷扰，知非梁主本心，当是侯景扇动耳，宜遣使谘论㊽。若梁主不忘旧好，吾亦不敢违先王之意，诸人并即遣还，侯景家属亦当同遣。”渊明乃遣省事㊾夏侯僧辩奉启于上，称“勃海王弘厚长者，若更通好，当听渊明还”。上得启，流涕，与朝臣议之。右卫将军朱异、御史中丞张绾㊿等皆曰：“静寇息民，和实为便。”司农卿(51)傅岐(52)独曰：“高澄何事须和？必是设间(53)，故命贞阳遣使，欲令侯景自疑，景意不安，必图祸乱。若许通好，正堕其计中。”异等固执宜和，上亦厌用兵，乃从异言，赐渊明书曰：“知高大将军礼汝不薄，省启，甚

纳侯景带来的祸患，又下令接纳他。臣听说凶恶人的本性不会改变，天下的恶人都一样。从前吕布杀了主人丁原而侍奉董卓，到头来又杀了董卓，成为叛贼；刘牢之反叛王恭，归附东晋，不久又背叛东晋，制造祸乱。为什么呢？狼子野心，始终没有驯顺的品性，养虎留下后患的比喻，说的是养虎的人一定会被饥饿的虎吃掉。侯景凭他凶狠狡猾的才能，承蒙高欢对他庇护，位至三公，职任诸侯，然而高欢死后，坟土还没干，立马反咬一口。他叛逆的力量不够，就逃命投靠西魏，宇文泰不收容他，所以才转身投靠我朝。陛下从前之所以不嫌弃涓涓细流，只是想像汉代设置属国收纳降人对抗匈奴一样，希望获得侯景来打击东魏的功效罢了。如今侯景丧失了军队，丢失了土地，只不过是边境上的一个匹夫，陛下爱一个匹夫而背弃了友好的邻国，我私下认为这样不可取。如果陛下还寄希望于侯景改过自新，得到他在危难时为国效力，臣私下认为侯景肯定不是国家危难之际效忠的人。侯景背弃家国就像脱掉鞋子一样轻易，反叛君主、亲人如同丢掉草芥一样随便，怎么知道远远地仰慕陛下的圣德，做一个梁朝的忠臣呢？这是明摆着的事实，没什么可疑惑的。臣老朽抱病，不应当过问朝政，但是楚国令尹子囊将死，有建言修缮郢城的忠诚；卫国史鱼将死，也有嘱咐儿子用自己的尸体劝谏卫灵公的节操。臣忝为皇室遗老，怎么敢忘记汉代皇室刘向那样的忠心？”梁武帝感叹他的忠心，但未能采纳他的建议。萧介，是萧思话的孙子。

正月二十七日己未，东魏大将军高澄到邺朝见孝静帝。

西魏任命开府仪同三司赵贵为司空。

西魏文帝孙子诞生，大赦天下。

二月，东魏杀了其南兖州刺史石长宣，表示惩罚侯景的同党，其他被侯景胁迫跟随反叛的人，一律赦免。

东魏占领悬瓠、项城后，全部恢复了原有的土地。大将军高澄多次派使者致书梁朝，要求重新通好，梁朝没有答应他。高澄对贞阳侯萧渊明说：“先王与梁国国主和好，十多年了，听说他的礼佛文书说为魏国国主祈福，并且赐福他的先王，这是梁国国主的深厚情意，想不到一旦失了信任，导致现在这样纷扰的局面。我知道这不是梁国国主的本意，一定是侯景煽动的，应当派出使者来讨论。如果梁国国主不忘旧时的友情，我也不敢违背先王的旨意，立马送各位回国，侯景的家属也一同送归。”萧渊明便派遣省事夏侯僧辩奉启上奏梁武帝，声称“勃海王高澄是一个宽宏大量的长者，如果重新通好，可允许我萧渊明回国”。梁武帝得到启文，流下眼泪，与朝中大臣商议这件事。右卫将军朱异、御史中丞张绾等都说：“平息寇乱，休养百姓，和好实在有利。”司农卿傅岐一人说：“高澄哪里是要和好？一定是设离间计，故意让贞阳侯派使者回朝，想使侯景自己产生猜疑，侯景思想不安定，一定图谋叛乱。如果答应通好，恰恰中了高澄的奸计。”朱异等坚持应该通好，梁武帝也厌恶用兵，就听从了朱异的意见，给萧渊明回信说：“得知高大将军待你不薄，看了你的来信，心

以慰怀。当别遣行人，重敦邻睦。”

僧辩还，过寿阳，侯景窃访知之，摄问[54]，具服。乃写答渊明之书，陈启于上曰：“高氏心怀鸩毒，怨盈北土，人愿天从[55]，欢身殒越。子澄嗣恶，计灭待时，所以昧此一胜[56]者，盖天荡澄心[57]以盈凶毒耳。澄苟行合天心，腹心无疾，又何急急奉璧求和？岂不以秦兵[58]扼其喉，胡骑[59]迫其背，故甘辞厚币，取安大国。臣闻‘一日纵敌，数世之患[60]’，何惜高澄一竖，以弃亿兆[61]之心？窃以北魏安强，莫过天监之始，钟离之役[62]，匹马不归。当其强也，陛下尚伐而取之；及其弱也，反虑而和之。舍已成之功，纵垂死之虏，使其假命强梁[63]，以遗后世，非直[64]愚臣扼腕，实亦志士痛心。昔伍相[65]奔吴，楚邦卒灭；陈平去项[66]，刘氏用兴；臣虽才劣古人，心同往事。诚知高澄忌贾在翟，恶会居秦[67]，求盟请和，冀除其患。若臣死有益，万殒无辞，唯恐千载，有秽良史。”景又致书于朱异，饷金三百两，异纳金而不通其启。

己卯[68]，上遣使吊澄。景又启曰：“臣与高氏，衅隙已深，仰凭威灵，期雪仇耻。今陛下复与高氏连和，使臣何地自处？乞申后战，宣畅皇威。”上报之曰：“朕与公大义已定，岂有成而相纳，败而相弃乎？今高氏有使求和，朕亦更思偃武。进退之宜，国有常制，公但清静自居，无劳虑也。”景又启曰：“臣今蓄粮聚众，秣马潜戈，指日计期，克清赵、魏，不容军出无名，故愿以陛下为主耳。今陛下弃臣遐外[69]，南北复通，将恐微臣之身，不免高氏之手。”上又报曰：“朕为万乘之主，岂可失信于一物？想公深得此心，不劳复有启也。”

景乃诈为邺中书，求以贞阳侯易景，上将许之。舍人[70]傅岐曰：“侯景以穷归义，弃之不祥。且百战之余，宁肯束手就絷？”谢举、朱异曰：“景奔败之将，一使之力耳。”上从之，复书曰：“贞阳旦至，侯景夕返。”景谓左右曰：“我固知吴老公[71]薄心肠！”王伟说景曰：“今坐听亦死，举大事亦死，唯王图之！”于是始为反计：属城居民，悉召募

里很宽慰。当另派使者到魏国去，重新建立深厚的邻国关系。”

夏侯僧辩回国，路过寿阳。侯景私下查访得知这件事，抓夏侯僧辩来审问，都供认了。侯景于是另写了回答萧渊明的信，上表启奏梁武帝说：“高氏心怀狠毒，怨恨之声遍及北方大地，天从人愿，高欢死亡，他的儿子高澄继承了恶毒，他的死亡指日可待，我违心地让高澄取得涡阳战役的胜利，也许是上天要动荡他的心意，使他恶贯满盈罢了。高澄如果行动符合天意，内部稳定没有危机，他又何必急匆匆奉璧求和呢？还不是因为西魏军队卡住了他的咽喉，柔然铁骑紧逼他的背后，所以才用甜言蜜语、丰厚的钱物来换取与大国梁朝的和平安定关系。臣听说‘一天放跑了敌人，是几代人的祸患’，陛下何必要爱惜高澄一个小子，而违背了亿万人民的心愿呢？臣私下认为北魏安定强大，莫过于天监初年，但钟离之役，一匹马都没能回去。当北魏强大时，陛下尚且讨伐，夺取了它的土地；等到它弱小时，反而顾虑重重，与其和好，舍弃已经取得的成就，纵容垂死的敌人，让他们借助凶横苟延残喘，把他们留给后世，不仅仅是我个人扼腕叹息，实在也使有识之士痛心。从前伍子胥逃到吴国，楚国最终破败；陈平离开项羽，刘邦因而兴盛。臣下虽然才能比古人差，但心思和他们是一样的。我深知高澄就像晋人忌恨贾季逃往翟国、随会逃到秦国，向陛下请求结盟讲和，希望除掉他的后患。如果我死对梁国有益，我侯景万死不辞，只怕留下千秋笑柄，有污良史。”侯景又写信给朱异，还送他三百两黄金，朱异收下了黄金，却没有把侯景的这道奏章进呈梁武帝。

二月十七日己卯，梁武帝派出使者吊慰高澄。侯景又上书说：“臣与高氏，怨隙已深，仰赖陛下的威望和福气，希望能够报仇雪恨。如今陛下重新与高氏和好，让我如何做人？乞求让我再次出战，宣扬光大皇威。”梁武帝回答说：“朕与你君臣关系已经确定，哪能成功了就接纳，失败了就抛弃你呢？如今高氏遣使求和，朕也反复考虑不要用武，是进是退，国家自有制度，你只管清静养身，不必劳你忧虑。”侯景又上书说：“臣今蓄积粮草，聚集兵力，喂养战马，修造兵器，确定了进兵的日期，攻克东魏，但不能师出无名，所以希望陛下做主。如今陛下把臣抛在远方，南北重新通好，将来只怕贱臣性命，难逃高氏之手。”梁武帝又回答说：“朕为万乘大国的君主，怎么会失信于一件事？我想你能深知我的这一心意，不劳你再上书了。”

侯景伪造了一封从邺都来的信，要求用贞阳侯萧渊明交换侯景。梁武帝打算同意。舍人傅岐说：“侯景走投无路前来归附，丢弃他是不吉祥的。再说侯景是身经百战存活下来的人，岂肯束手就擒？”谢举、朱异说：“侯景是一个败逃之将，一个使臣的力量就可把他抓来！”梁武帝采纳了，回信说：“贞阳侯萧渊明早晨回到梁朝，侯景晚上返回魏国。”侯景对身边的人说：“我本来就知道吴老头萧衍是个没情义的人！”王伟劝说侯景说：“如今坐着任人摆布是死，造反干大事也是死，由大王决定吧！”于是开始制订造反计划。全城居民，都征召为军士，立即停止征收商税和田租，老百

为军士，辄停责[72]市估[73]及田租，百姓子女，悉以配将士。

三月癸巳[74]，东魏以太尉襄城王旭为大司马，开府仪同三司高岳为太尉。辛亥[75]，大将军澄南临黎阳[76]，自虎牢济河至洛阳。魏同轨防长史裴宽与东魏将彭乐等战，为乐所擒，澄礼遇甚厚，宽得间逃归。澄由太行[77]返晋阳。

屈獠洞斩李贲，传首建康。贲兄天宝遁入九真[78]，收余兵二万，围爱州[79]，交州司马陈霸先帅众讨平之。诏以霸先为西江督护、高要太守、督七郡诸军事。

夏，四月甲子[80]，东魏吏部令史[81]张永和等伪假人官[82]，事觉，纠检[83]、首者[84]六万余人。

甲戌[85]，东魏遣太尉高岳、行台慕容绍宗、大都督刘丰生等将步骑十万，攻魏王思政于颍川。思政命卧鼓偃旗，若无人者。岳恃其众，四面陵城[86]。思政选骁勇开门出战，岳兵败走。岳更筑土山，昼夜攻之，思政随方拒守，夺其土山，置楼堞[87]以助防守。

五月，魏以丞相泰为太师，广陵王欣为太傅，李弼为大宗伯[88]，赵贵为大司寇[89]，于谨为大司空[90]。太师泰奉太子巡抚西境，登陇，至原州，历北长城[91]，东趣五原，至蒲州[92]，闻魏主不豫而还。及至，已愈，泰还华州。

上遣建康令谢挺、散骑常侍徐陵[93]等聘于东魏，复修前好。陵，摛[94]之子也。

六月，东魏大将军澄巡北边。

秋，七月庚寅朔[95]，日有食之。

乙卯[96]，东魏大将军澄朝于邺。以道士多伪滥，始罢南郊道坛[97]。八月庚寅[98]，澄还晋阳，遣尚书辛术帅诸将略江、淮之北，凡获二十三州[99]。

侯景自至寿阳，征求无已，朝廷未尝拒绝。景请娶于王、谢，上曰："王、谢门高非偶，可于朱、张以下[100]访之。"景恚曰："会将吴儿女配奴！"又启求锦万匹为军人作袍，中领军朱异议以青布给之。又以台所给仗多不能精，启请东冶锻工[101]，欲更营造，敕并给之[8]。景以安北将军[102]夏侯夔[103]之子譒[104]为长史，徐思玉为司马，譒遂去"夏"称"侯"，托为族子。

姓的子女，全都用来分配给将士。

三月初二日癸巳，东魏任命太尉襄城王元旭为大司马，开府仪同三司高岳为太尉。二十日辛亥，大将军高澄南巡到黎阳，从虎牢渡河到洛阳。西魏同轨防长史裴宽与东魏将彭乐等交战，被彭乐抓获。高澄对待他很优厚，裴宽找到机会逃回了西魏。高澄经由太行山返回晋阳。

屈獠洞民众杀了李贲，把他的首级送到建康。李贲的哥哥李天宝逃到九真，收聚余众二万人，围攻爱州，交州司马陈霸先率领部众平定了李天宝。梁武帝下诏书任命陈霸先为西江督护、高要太守，督七郡诸军事。

夏，四月初三日甲子，东魏吏部令史张永和等人造假授人官职，事情败露，被清查检举以及自首的共有六万多人。

四月十三日甲戌，东魏派太尉高岳、行台慕容绍宗、大都督刘丰生等率领步骑十万，在颍川攻打西魏王思政。王思政命令军队偃旗息鼓，好像没人一样。高岳仗恃兵多，四面攻城。王思政挑选骁勇善战的士兵开门出战，高岳的军队败逃。高岳又筑土山逼近城墙，昼夜攻城。王思政随即守城抵御，夺占土山，在土山上设置岗楼和短墙，以辅助防守。

五月，西魏任命丞相宇文泰为太师，广陵王元欣为太傅，李弼为大宗伯，赵贵为大司寇，于谨为大司空。太师宇文泰侍奉太子巡抚西魏的西部疆土，登上陇山，到达原州，经过北长城，向东赶赴五原，到达蒲州，听到魏文帝身体欠佳而返回。到达长安时，魏文帝病愈，宇文泰回到华州。

梁武帝派建康令谢挺、散骑常侍徐陵等出使东魏，恢复先前的友好关系。徐陵，是徐摛的儿子。

六月，东魏大将军高澄视察北方边境。

秋，七月初一日庚寅，发生日食。

七月二十六日乙卯，东魏大将军高澄到邺城朝见孝静帝。因为道士大多是冒牌货，开始撤除南郊的道坛。八月初二日庚寅，高澄返回晋阳，派尚书辛术率领诸将侵犯长江、淮河以北地区，一共占领了二十三个州。

侯景自从到了寿阳，不断向朝廷提出要求，朝廷未曾拒绝。侯景请求娶王、谢之女为妻，梁武帝说："王、谢两家门第高贵不适合你婚配，可以在朱、张两族以下选配偶。"侯景恼怒说："我一定要把萧衍的女儿配给奴仆！"又上书要求绸缎一万匹，给军士做战袍。中领军朱异提议供给他青布。侯景又借口朝廷供给的兵器大多不精良，上书要求调配东冶的锻造工匠，想另外营造，梁武帝下诏书同意了。侯景任命安北将军夏侯夔的儿子夏侯譒为长史，徐思玉为司马。夏侯譒把姓氏去掉"夏"字，改为侯譒，依托侯景做同宗侄子。

上既不用景言，与东魏和亲，是后景表疏稍稍悖慢。又闻徐陵等使魏，反谋益甚。元贞知景有异志，累启还朝。景谓曰："河北事虽不果，江南何虑失之，何不小忍？"贞惧，逃归建康，具以事闻。上以贞为始兴[105]内史，亦不问景。

【段旨】

以上为第一段，写梁武帝接纳侯景而与东魏交恶，丧师失众后重修旧好，却又厚待侯景，把他安置在腹心地寿阳，引狼入室，昏耄之至。

【注释】

①己亥：正月初七日。②被发向北斗为誓：披头散发，向着北斗发誓，以证明自己的话绝无谎言。此为鲜卑习俗。③硖石：山名，在今安徽凤台西南，淮河从山中流过。④陴：城墙上的女墙，上有孔穴，可以窥视外面。⑤跛奴：侯景右腿短一截，是个跛子，所以这样骂他。⑥辛丑：正月初九日。⑦守吏部尚书：代理吏部尚书，负责官吏选拔和考课。⑧王克：出身琅邪王氏，在梁任司徒右长史、尚书仆射。侯景摄政时，位太宰、侍中，录尚书事。侯景败亡，迎侯王僧辩入建康，出任尚书右仆射。传见《南史》卷二十三。⑨甲辰：正月十二日。⑩义阳：郡名，治所义阳，在今河南信阳。也是北司州州治。⑪启申后期：上书请求宽限时日，以求进取。⑫未至：太清元年（公元五四七年）八月命萧范代萧渊明镇寿阳，至此仍拖延未到任。⑬马头：戍城名，是南北朝时期淮河边的重要军事据点，在今安徽怀远西南。⑭刘神茂：初从侯景，任东道行台，先后攻杀吴兴太守张嵊、东扬州刺史萧大连。后改投梁元帝，兵败被杀。事见《梁书》卷五十六《侯景传》。⑮韦黯（？至公元五四八年）：字务直，京兆杜陵（今陕西西安东南）人。性强直。曾任太子舍人、太仆卿、太府卿。侯景叛乱初，黯驻守六门，昼夜苦战，病死城中。传见《梁书》卷十二、《南史》卷五十八。⑯壬子：正月二十日。⑰徐思玉：寿阳人，原在东魏任职，现随侯景南奔，时任豫州司马。见《南史》卷八十《贼臣·侯景传》。⑱河南：即河南王，指侯景。⑲阃外：郭门之外。于此引申为受领军事职务。⑳癸丑：正月二十一日。㉑叡：韦叡（公元四四二至五二〇年），字怀文，京兆杜陵（今陕西西安）人，历宋、齐、梁三朝。天监四年（公元五〇五年），督梁师北伐，夺取合肥，有诏还师。天监五年，又取得邵阳大捷，晋爵永昌侯。传见《梁书》卷十二、《南史》卷五十八。㉒审问：确实情报。㉓始更有信：方才又有报告。㉔玄圃：东宫中园名。据说昆仑山有三级，下层叫樊桐，中层叫玄圃，高层叫层城。层城是天帝的仙居，

梁武帝没有采纳侯景的意见，与东魏通好，此后侯景的表疏渐渐傲慢不礼貌。又听到徐陵等出使东魏，反叛的想法更加强烈。元贞知道侯景有野心，多次上书要求回到朝廷。侯景对他说："扫荡河北虽然没有成功，江南何必担心失去，为什么不稍微忍耐一下?"元贞害怕，逃回建康，把侯景反叛的事详细报告给朝廷。梁武帝任命元贞为始兴内史，也不追究侯景。

太子低于天帝，所以命此园为"玄圃"。㉕学士：官名，魏晋南北朝时期，政府广召文学之士，掌礼仪和编纂事宜，通称学士。诸王及持节将帅府也设学士，待若师友，无品秩员数。㉖甲寅：正月二十二日。㉗于子悦：侯景部下。太清三年（公元五四九年），因在吴郡抢掠过甚，激起民变，被侯景下令捉拿回京处死。事详《梁书》卷五十六《侯景传》。㉘乙卯：正月二十三日。㉙合肥：梁置合州，以合肥为治所，在今安徽合肥。㉚光禄大夫：官名，光禄卿属官，掌顾问应对，无定员。梁朝一般由年老有病的资深官吏充任。为十八班中之十三班。㉛萧介：字茂镜，兰陵（今江苏常州西北）人，在职清白，任始兴太守。后位至侍中、都官尚书。因有病请求解职，梁武帝不许，派谒者到介家中授光禄大夫职。传见《梁书》卷四十一、《南史》卷十八。㉜吕布杀丁原以事董卓：吕布，丁原部将。东汉末，丁原为并州刺史，董卓为并州牧，两人奉大将军何进之命带兵入洛阳以诛宦官。董卓入洛，废少帝，改立献帝，专擅朝政。卓诱使吕布杀丁原。事详《三国志》卷七《吕布传》。此以吕布喻侯景，示意侯景也是一个反复无常的人。㉝刘牢：刘牢之（？至公元四〇二年），字道坚，彭城人，东晋精锐北府兵主要将领。淝水之战时，先锋摧敌，迁龙骧将军，封武冈县男。传见《晋书》卷八十四。㉞王恭（？至公元三九八年）：字孝伯，东晋孝武帝王皇后的哥哥。曾任前将军、青兖二州刺史。传见《晋书》卷八十四。㉟背晋以构妖：指刘牢之勾结桓玄叛晋事。㊱卵翼之遇：典出《左传》哀公十六年。白公胜因子西与郑结盟，不替他报郑国杀父之仇，而想杀子西。子西闻讯后说："胜好比是卵，在我的羽翼保护下长大。我要是死了，令尹或司马一职非他莫属，他杀我干什么！"此借用来说明侯景是靠高欢重用而成名。㊲方伯：侯景节制河南，如同一路诸侯。㊳不逆细流：广为收纳，如同江海不嫌弃涓涓细流，汇成滚滚大河，聚为无垠大洋。典出《史记》卷八十七《李斯列传》所载《谏逐客书》。逆，拒绝。㊴比属国降胡以讨匈奴：如同汉代把投靠的少数民族设置属国，加以管理，利用他们侦察、监视和打击匈奴。㊵与国：友好之国。此指东魏。㊶有城郢之忠：典出《左传》襄公十四年，楚令尹子囊伐吴归来，将死时对子庚说："一定要修好郢都的城墙！"作史者赞扬他临终不忘保卫社稷，是个忠臣。㊷尸谏之节：典出《孔子家语》卷五《困誓》。史鱼因卫灵公不用贤臣蘧伯玉，而用佞臣弥子瑕，死前叫儿子置尸于窗下。卫灵公吊唁时，问明情由，

立即下令将史鱼改葬客位，提拔蘧伯玉，革退弥子瑕。孔子对此大加赞赏，认为史鱼虽死仍行尸谏，终于感动国君，是个忠臣。㊸敢忘刘向之心：刘向（？至公元前六年），本名更生，字子政，汉楚元王刘交的后代。元帝时，宦官弘恭、石显专政；成帝时，王凤兄弟擅权。刘向屡次上书切谏，言辞痛切，发于至诚。事见《汉书》卷三十六《楚元王传》附《刘向传》。萧介即效仿刘向。㊹思话：萧思话（公元四〇〇至四五五年），刘宋初袭封封阳县侯。曾平定司马朗之兄弟叛乱。宋孝武帝起兵，思话响应有功，官至中书令。传见《宋书》卷七十八、《南史》卷十八。㊺己未：正月二十七日。㊻石长宣（？至公元五四八年）：北魏洛州刺史石荣之子，侯景党羽。传见《魏书》卷九十四、《北史》卷九十二。㊼"奉为魏主"二句：梁武帝向佛进献是为东魏国君祈福，兼及高澄之父高欢。㊽谘论：征询、商议。㊾省事：官名，是办事吏的一种名称，此是传令吏。㊿张绾（公元四九二至五五四年）：字孝卿，范阳方城（今河北固安）人。大同四年（公元五三八年），兄张缵任尚书仆射，绾任御史中丞，在朝位东西相对，前代未有，传为美谈。侯景之乱，转至江陵，辅佐梁元帝。江陵陷于西魏，不久病死。传见《梁书》卷三十四、《南史》卷五十五。51司农卿：官名，天监七年（公元五〇八年），梁改大司农为司农卿，与太常卿、宗正卿合称春卿。主管农事和仓储。十一班。52傅岐（？至公元五四九年）：字景平，北地灵州（今宁夏灵武）人，常以博学接待东魏使者。侯景之乱，以功封南丰侯。后突围病死家中。传见《梁书》卷四十二、《南史》卷七十。53设间：设离间计。54摄问：捉来审问。55人愿天从：百姓希望高氏败亡，上天依从民愿。56昧此一胜：有意隐忍让高澄取得涡阳战役的胜利。57天荡澄心：天动摇惑乱高澄的心。此语源出《左传》庄公四年。楚武王将伐随国，入告夫人说："我的心跳荡不停。"夫人叹息说："王的福禄快尽了，物满必荡，这是自然之理。先王已经知道了，所以在即将发布征伐命令时，动荡大王的心。"不久，武王死于进军途中。侯景套用此语，说明高澄灭亡在即。58秦兵：指据有原秦国之地的西魏军队。59胡骑：指柔然骑兵。60数世之患：这两句是春秋时晋国大臣先轸在秦晋崤之战前所说的话。见《左传》僖公三十三年。也是上古三代流传下来的名言。61亿兆：犹言亿万民众。62钟离之役：天监六年（公元五〇七年），北魏中山王元英率兵数十万南下进攻钟离城（今安徽凤阳），屡攻不克。梁豫州刺史韦叡从合肥率军驰援，一夜之间，筑起营垒，运用火攻计，大败魏军，毙敌二十余万，生擒五万余人。63强梁：凶横。64非直：非但。65伍相：伍子胥。他的父亲伍奢被楚平王所杀，子胥投奔吴王阖闾，得到重用。后终于举兵破楚，鞭平王尸以复仇。事详《史记》卷六十六《伍子胥列传》。66陈平去项：项指项羽。项羽不用陈平，陈平转投刘邦，屡出奇计，覆灭项楚，统一天下。事见《史记》卷五十六《陈丞相世家》。67"忌贾在翟"二句：事详《左传》文公十三年。晋襄公死后，赵盾请立公子雍为君，贾季请立公子乐。赵盾杀公子乐于陈国，贾季于是逃往北狄（翟）。后赵盾又拒绝秦国送公子雍即位，改立灵公。迎接公子雍的士会只好投奔秦国，成为谋士。贾、会二人都熟悉晋国的底细，成为晋国的大患。当晋六卿相聚在诸浮时，赵盾感叹说："随会（即士会）在秦，贾季在狄，难日至矣，若之何？"侯景用其来说明自身的价值。⑥⑧己卯：二月十七日。⑥⑨遐外：边远之地。⑦⓪舍人：官名，即中书通事舍人。梁时任命此职十分慎重，注重才能，不限资历门第。通常以他官兼领此职，傅岐就是以司农卿兼任舍人。⑦①吴老公：指梁武帝。因梁的疆土与孙吴相仿，同建都建康。这是侯景对武帝的蔑称。⑦②停责：停止收取。⑦③市估：市场中的商业税。⑦④癸巳：三月初二日。⑦⑤辛亥：三月二十日。⑦⑥黎阳：郡名，治所黎阳，在今河南浚县东。⑦⑦太行：山名，北起拒马河谷，南至山西、河南交界的黄河岸边，也是分隔山西与河北的分界岭。⑦⑧九真：郡名，郡境在今越南河内南顺化北。⑦⑨爱州：州名，梁置，治所在九真。⑧⓪甲子：四月初三日。⑧①吏部令史：官名，尚书省吏部尚书所辖吏部曹属吏，处理褒奖、选补官吏事宜。⑧②伪假人官：私自授予他人官职。⑧③纠检：有关官员清查出的私授官员。⑧④首者：自首的伪官。⑧⑤甲戌：四月十三日。⑧⑥陵城：登城。⑧⑦楼堞：战楼和女墙，都建在夺取的土山上。⑧⑧大宗伯：官名，相当于礼部尚书，掌礼仪、祭祀。⑧⑨大司寇：官名，掌司法。⑨⓪大司空：官名，掌公共工程。以上三官都是宇文泰仿西周古官制而设。⑨①北长城：秦时所筑长城，在今宁夏灵武至陕北定边一线。⑨②蒲州：州名，即原泰州，北周以治所在蒲阪（今山西永济西）而改名。⑨③徐陵（公元五〇七至五八三年）：字孝穆，东海郯（今江苏镇江）人，出使东魏，以侯景之乱，不得返国。入陈，历任御史中丞、吏部尚书、尚书左仆射，封建昌县侯。力主吴明彻、裴忌北伐，收复了淮南。传见《陈书》卷二十六、《南史》卷六十二。⑨④摛：徐摛（公元四七二至五四九年），字士秀，初随晋安王萧纲，任记室、谘议参军。萧纲为皇太子，摛转任太子家令，兼管文书，创"宫体"文体。萧纲遭侯景软禁，摛感愤而死。传见《梁书》卷三十、《陈书》卷二十六、《南史》卷六十二。⑨⑤庚寅朔：七月初一日。⑨⑥乙卯：七月二十六日。⑨⑦始罢南郊道坛：北魏太武帝拓跋焘崇信道士寇谦之，于始光年间（公元四二四至四二八年）建天师道坛场于京城东南。太平真君三年（公元四四二年），拓跋焘亲至道坛受符箓，以后各帝每即位都前往礼拜。至此始罢黜。⑨⑧庚寅：八月初二日。⑨⑨凡获二十三州：此是总括辛术南征之所获。七月辛术出征，一直到太清三年（公元五四九年），侯景攻占建康，才乘机夺取淮南二十三州。⑩⓪朱、张以下：即朱异、张绾宗族以下诸门。⑩①东冶锻工：东冶，官署名，掌冶炼铸造，属少府。梁有东、西冶，工匠皆为官奴和刑徒。东冶在京师建康城东南。⑩②安北将军：官名，是八安将军之一，为出镇北方某地区的军事长官，或作刺史兼理军务的加官。梁武职二十四班中之二十一班。⑩③夏侯夔（公元四八三至五三八年）：字季龙，谯郡谯（今安徽亳州）人。梁天监中，攻克广陵，俘获北魏军数万人，控制了义阳北道，封保城县侯。传见《梁书》卷二十八、《南史》卷五十五。⑩④譒：夏侯譒，曾随萧渊明北伐，彭城失利后被捕，转为侯景部下。传见《梁书》卷二十八、《南史》卷五十五。⑩⑤始兴：郡名，治所曲江，在今广东韶关南。

【校记】

［1］为：原无此字。据章钰校，十二行本、乙十一行本、孔天胤本皆有此字。张敦仁《通鉴刊本识误》、张瑛《通鉴校勘记》同，今据补。［2］追：原无此字。据章钰校，十二行本、乙十一行本、孔天胤本皆有此字，张敦仁《通鉴刊本识误》、张瑛《通鉴校勘记》同，今据补。［3］纵使或存：原无此四字。据章钰校，十二行本、乙十一行本、孔天胤本皆有此四字，张敦仁《通鉴刊本识误》、张瑛《通鉴校勘记》同，今据补。［4］对：原无此字。据章钰校，十二行本、乙十一行本、孔天胤本皆有此字，张敦仁《通鉴刊本识误》、

【原文】

临贺王正德所至贪暴不法，屡得罪于上[106]，由是愤恨，阴养死士，储米积货，幸国家有变，景知之。正德在北[107]与徐思玉相知[108]，景遣思玉致笺于正德曰："今天子年尊[109]，奸臣乱国，以景观之，计日祸败。大王属当储贰，中被废黜[110]，四海业业[111]，归心大王。景虽不敏，实思自效，愿王允副苍生，鉴斯诚款！"正德大喜曰："侯公之意，暗与吾同，天授我也！"报之曰："朝廷之事，如公所言。仆之有心，为日久矣。今仆为其内，公为其外，何有不济？机事在速，今其时矣。"

鄱阳王范密启景谋反。时上以边事专委朱异，动静皆关之，异以为必无此理。上报范曰："景孤危寄命，譬如婴儿仰人乳哺，以此事势，安能反乎？"范重陈之曰："不早翦扑[112]，祸及生民。"上曰："朝廷自有处分，不须汝深忧也。"范复请自[9]以合肥之众讨之，上不许。朱异谓范使曰："鄱阳王遂不许朝廷有一客！"自是范启，异不复为通。

景邀羊鸦仁同反，鸦仁执其使以闻。异曰："景数百叛虏，何能为？"敕以使者付建康狱，俄解遣之。景益无所惮，启上曰："若臣事是实，应罹国宪；如蒙照察，请戮鸦仁。"景又上[10]言："高澄狡猾，宁可全信？陛下纳其诡语，求与连和，臣亦窃所笑也。臣宁堪粉骨，投命仇门[113]，乞江西一境[114]，受臣控督。如其不许，即帅甲骑，临江上，

张瑛《通鉴校勘记》同，今据补。[5]祸：原“祸”下有“矣”字。据章钰校，十二行本、乙十一行本、孔天胤本皆无“矣”字，今据删。[6]臣窃不取也：原无此五字。据章钰校，十二行本、乙十一行本、孔天胤本皆有此五字，张敦仁《通鉴刊本识误》、张瑛《通鉴校勘记》同，今据补。[7]晨：原作“辰”。据章钰校，十二行本、乙十一行本、孔天胤本皆作“晨”，张敦仁《通鉴刊本识误》、张瑛《通鉴校勘记》同，今据改。[8]敕并给之：原无此四字。据章钰校，十二行本、乙十一行本、孔天胤本皆有此四字，张敦仁《通鉴刊本识误》、张瑛《通鉴校勘记》同。〖按〗《梁书·侯景传》《南史·侯景传》亦同，今据补。

【语译】

临贺王萧正德每到一地都贪婪残暴不守法度，多次受到梁武帝的斥责，因此怀恨在心，暗中蓄养敢死之士，储备粮食，聚积财货，希望朝廷发生变乱。侯景知道这一情况。萧正德在北魏时与徐思玉有交往，侯景派徐思玉写信给萧正德说：“如今皇上年老，奸臣祸乱国家，依侯景看来，不久就要败亡。大王本是储君，中途被废黜，天下敬畏，一心归附您。侯景虽然不聪明，却真心愿为您效劳，希望大王符合天下黎民的心愿，看清我的一片诚心！”萧正德非常高兴，说：“侯公的想法，与我不谋而合，这真是上天送给我的啊！”回信给侯景说：“朝廷的事，就像你说的那样。我有这种心思，已经很久了。如今我为内应，你在外发动，何愁不成功？机密要事行动在于迅速，现今正是时候。”

鄱阳王萧范秘密上奏侯景谋反。当时梁武帝把边防事务专门托付给朱异，事无大小都要问朱异。朱异认为一定不会有此事。梁武帝回信给萧范说：“侯景孤单势危，投靠我朝，好比一个婴儿靠人喂养，凭这样的情势，哪能造反呢？”萧范再次陈述说：“不趁早铲除，就要祸害百姓。”梁武帝说：“朝廷自有安排，无须你深忧。”萧范又请求亲自率合肥的军队讨伐侯景，梁武帝不答应。朱异对萧范使者说：“鄱阳王终究不允许朝廷有一个客人！”从此萧范上奏，朱异不再替他呈报。

侯景约羊鸦仁一同造反，羊鸦仁逮捕了侯景的使者，上报朝廷。朱异说：“侯景几百个叛兵，能干什么呢？”下令把使者投入建康监狱，不久又释放了。侯景更加肆无忌惮，上书梁武帝说：“如果臣反叛是事实，应当受国家法律惩处；如果皇上查明冤屈，请求诛杀羊鸦仁。”侯景又上书说：“高澄狡猾，怎么可以完全相信？陛下听信了他的谎言，谋求与他和好，我私下也觉得可笑。臣宁愿粉身碎骨，把命交给仇家高氏，乞求江西地区，授予我掌管。如果不同意我的要求，我将率领铁甲骑兵，渡

向闽、越，非唯朝廷自耻，亦是三公旰食[115]。”上使朱异宣语答景使曰：“譬如贫家，畜十客、五客，尚能得意，朕唯有一客，致有忿言，亦朕之失也。”益加赏赐锦彩钱布，信使相望。

戊戌[116]，景反于寿阳，以诛中领军朱异、少府卿[117]徐驎[118]、太子右卫率[119]陆验[120]、制局监[121]周石珍[122]为名。异等皆以奸佞骄贪，蔽主弄权，为时人所疾，故景托以兴兵。驎、验，吴郡人。石珍，丹杨人。驎、验迭为少府丞，以苛刻为务，百贾[123]怨之，异尤与之昵，世人谓之“三蠹”。司农卿傅岐，梗直士也，尝谓异曰：“卿任参国钧，荣宠如此。比日所闻，鄙秽狼籍，若使圣主发悟，欲免，得乎？”异曰：“外间谤黩，知之久矣。心苟无愧，何恤人言？”岐谓人曰：“朱彦和[124]将死矣。恃谄以求容，肆辩[125]以拒谏，闻难而不惧，知恶而不改，天夺其[11]鉴[126]，其能久乎？”

景西攻马头，遣其将宋子仙[127]东攻木栅[128]，执戍主曹璆等。上闻之，笑曰：“是何能为？吾折棰笞之。”敕购斩景者，封三千户公，除州刺史。甲辰[129]，诏以合州刺史鄱阳王范为南道都督，北徐州刺史封山侯正表[130]为北道都督，司州刺史柳仲礼为西道都督，通直散骑常侍裴之高[131]为东道都督，以侍中开府仪同三司邵陵王纶持节董督众军以讨景。正表，宏[132]之子。仲礼，庆远之孙。之高，邃之兄子也。

九月，东魏濮阳武公娄昭卒。

侯景闻台军讨之，问策于王伟，伟曰：“邵陵若至，彼众我寡，必为所困。不如弃淮南[133]，决志东向，帅轻骑直掩建康，临贺[134]反其内，大王攻其外，天下不足定也。兵贵拙速[135]，宜即进路。”景乃留外弟[136]中军大都督[137]王显贵[138]守寿阳。癸未[139]，诈称游猎，出寿阳，人不之觉。冬，十月庚寅[140]，景扬声趣合肥，而实袭谯州[141]，助防董绍先[142]开城降之。执刺史丰城侯泰[143]。泰，范之弟也。先为中书舍人，倾财以事时要[144]，超授谯州刺史。至州，遍发民丁，使担腰舆[145]、扇、伞等物，不限士庶，耻为之者，重加杖责，多输财者，即纵免之，由是人皆思乱。及侯景至，人无战心，故败。

过长江，杀向闽越，不仅朝廷蒙受耻辱，也会使王公大臣们寝食不安。”梁武帝让朱异明确地对侯景的使者说：“即使一个贫穷的家庭，养十个、五个客人，尚且能够使客人满意，朕只有一个客人，招致客人有怨言，也是朕的不是。”增加了许多绸缎钱币的赏赐，使者往来不断。

八月初十日戊戌，侯景在寿阳反叛，以诛杀中领军朱异、少府卿徐驎、太子右卫率陆验、制局监周石珍为借口。朱异等人都因奸诈骄横，蒙蔽皇上，玩弄权术，被当时人痛恨，所以侯景借口杀他们而起兵。徐驎、陆验，都是吴郡人。石珍，丹杨人。徐驎、陆验，相继为少府丞，专干苛酷的事，所有商家都怨恨他们，朱异与他们的关系特别亲密，当时人称他们为“三蠹”。司农卿傅岐，是耿直刚正的人，曾经对朱异说：“你掌管了朝廷的核心权力，得到如此荣誉和宠信。近来听到关于你的传闻，都是些卑鄙龌龊、乱七八糟的事，如果让皇上知晓，你想免罪，可能吗？”朱异说：“外人诽谤，我早就知道了。心里如果无愧，何必怕人们嚼舌根？”傅岐对人说：“朱彦和死到临头了。依靠巴结奉承求得皇上信任，百般巧辩，拒绝别人的谏阻，听到灾难还不惊心，知道自己的罪恶却不思悔改，上天夺走了他的分辨力，他还能活久吗？”

侯景西攻马头，派他的将领宋子仙东攻木栅，抓获了戍主曹璆等人。梁武帝听到后笑着说：“这有什么了不起？我折断一根马棰来抽他。”下令悬赏征求能杀侯景的人，封三千户公，出任州刺史。八月十六日甲辰，下诏任命合州刺史鄱阳王萧范为南道都督，北徐州刺史封山侯萧正表为北道都督，司州刺史柳仲礼为西道都督，通直散骑常侍裴之高为东道都督，任命侍中开府仪同三司邵陵王萧纶持节总统众军讨伐侯景。萧正表，是萧宏的儿子。柳仲礼，是柳庆远的孙子。裴之高，是裴邃哥哥的儿子。

九月，东魏濮阳武公娄昭去世。

侯景听到政府军讨伐他，问计于王伟，王伟说：“邵陵王萧纶如果来到，他们兵多，我们兵少，我们一定被围困。不如放弃淮南，下决心向东，率领轻骑直扑建康，临贺王萧正德在京城内造反，大王在外进攻，天下不难平定。兵贵实用而迅速，应当立即上路。”侯景于是留下表弟中军大都督王显贵守寿阳。九月二十五日癸未，假称到外面打猎，率军出寿阳，人们都未发觉。冬，十月初三日庚寅，侯景扬言赴合肥，而实际偷袭谯州，谯州助防董绍先打开城门，投降侯景。活捉了谯州刺史丰城侯萧泰。萧泰，是萧范的弟弟。萧泰原任中书舍人，拿出全部家财来贿赂当时的权臣，被破格任命为谯州刺史。到任后，到处征发民夫，让这些人给他抬轿子、扇子、雨伞等物品，不论士人还是普通百姓，耻于做这些事的，就要遭到棍棒痛打，多送钱财的人，就宽免他们，因此人人都想为乱。等到侯景到来，人们都没有打仗的想法，所以失败了。

庚子[146]，诏遣宁远将军[147]王质[148]帅众三千巡江防遏。景攻历阳太守庄铁[149]，丁未[150]，铁以城降。因说景曰："国家承平岁久，人不习战，闻大王举兵，内外震骇，宜乘此际速趋建康，可兵不血刃而成大功。若使朝廷徐得为备，内外小安，遣羸兵[151]千人直据采石，大王虽有精甲百万，不得济矣。"景乃留仪同三司田英、郭骆守历阳[152]，以铁为导，引兵临江。江上镇戍相次启闻。上问讨景之策于都官尚书羊侃，侃请以二千人急据采石，令邵陵王袭取寿阳，使景进不得前，退失巢穴，乌合之众，自然瓦解。朱异曰："景必无渡江之志。"遂寝其议。侃曰："今兹败矣。"

戊申[153]，以临贺王正德为平北将军，都督京师诸军事，屯丹杨郡[154]。正德遣大船数十艘，诈称载荻[155]，密以济景。景将济，虑王质为梗，使谍视之。会临川[156]大守陈昕[157]启称："采石急须重镇，王质水军轻弱，恐不能济[158]。"上以昕为云旗将军，代质戍采石，征质知丹杨尹事。昕，庆之[159]之子也。质去采石，而昕犹未下渚[160]。谍告景云："质已退。"景使折江东树枝为验，谍如言而返，景大喜曰："吾事办矣！"己酉[161]，自横江[162]济于采石，有马数百匹，兵八千人。是夕，朝廷始命戒严。

景分兵袭姑孰[163]，执淮南[164]太守文成侯宁[165]。南津校尉[166]江子一[167]帅舟师千余人，欲于下流邀景。其副[168]董桃生，家在江北，与其徒先溃走。子一收余众，步还建康。子一，子四之兄也。

【段旨】

以上为第二段，写侯景反叛，皇室萧正德内应，侯景兵锋南指，顺利渡江。

【注释】

[106] 屡得罪于上：萧正德是临川王萧宏的儿子。初，梁武帝无子，养正德为子。后武帝立昭明太子，正德心怀怨望，在任吴郡太守时，竟公开抢劫，招纳亡命。普通六年（公元五二五年），逃奔北魏。第二年又逃回，但不知悔改。不久随萧综北伐，又弃军脱逃。武帝改封他为临贺王，任丹杨尹。但正德恶习不改，部下多行抢劫。再改任南兖

十月十三日庚子，梁武帝下诏派宁远将军王质率领三千名士兵巡视江防、阻击叛兵。侯景进攻历阳太守庄铁，二十日丁未，庄铁献出城池投降。于是劝告侯景说："梁朝太平多年，人们不熟悉战争，听说大王起兵，朝廷内外惊骇，应当趁此机会迅速奔赴建康，可以不流血而成就大功。如果让朝廷渐渐做好防备，内外人心稍稍安定，派出老弱士兵一千人径直据守采石渡口，大王即使有精兵铁甲一百万，也渡不了长江。"侯景于是留下仪同三司田英、郭骆守历阳，用庄铁做向导，带领军队到达长江边。长江沿岸哨所据点，一个接一个奏报。梁武帝向都官尚书羊侃询问征讨侯景的计策，羊侃请求率领两千名士兵紧急据守采石，令邵陵王萧纶袭击并占领寿阳，使侯景进军不能向前，后退失去巢穴，乌合之众，自然瓦解。朱异说："侯景一定没有渡江的想法。"于是搁置了羊侃的计谋。羊侃说："如此梁朝要败亡了。"

十月二十一日戊申，任命临贺王萧正德为平北将军，都督京师诸军事，屯驻丹杨郡。萧正德派大船数十艘，谎称运载荻草，秘密渡侯景过江。侯景将要渡江，忧虑王质从中作梗，派出间谍侦察情况。正巧临川太守陈昕上奏说："采石急需重兵把守，王质的水军人少势弱，恐怕完成不了任务。"梁武帝任命陈昕为云旗将军，代理王质戍守采石，征调王质掌管丹杨尹的政事。陈昕，是陈庆之的儿子。王质离开了采石，而陈昕还没有去采石接防。间谍向侯景报告说："王质已经退走。"侯景让间谍折断长江南岸的树枝为凭证，间谍遵照侯景的吩咐返回，侯景大喜说："我的大事办妥了！"二十二日己酉，侯景从横江渡江到了采石，有马数百匹、兵士八千人。当夜，朝廷才开始下令戒严。

侯景分兵偷袭姑孰，活捉淮南太守文成侯萧宁。南津校尉江子一率领水军一千余人，想在下游截击侯景。他的副将董桃生家在江北，董桃生和他的部属首先溃散逃走。江子一搜集余众，步行回到建康。江子一，是江子四的哥哥。

州刺史，还是苛刻待民。武帝终于失望，将他免职。事详《梁书》卷五十五《临贺王正德》、《南史》卷五十一《梁宗室上》。⑩⑦ 在北：当年逃奔北魏时。⑩⑧ 相知：通信或通消息。说见周一良《魏晋南北朝史札记·梁书札记》。⑩⑨ 年尊：年老。⑪⓪ 中被废黜：指梁武帝立萧统为太子而未立萧正德。⑪① 业业：敬畏的样子。⑪② 翦扑：消灭。⑪③ 仇门：仇家之门。指高澄。⑪④ 江西一境：即以豫州为中心的长江以西地区，在今安徽、苏北一带。⑪⑤ 旰食：因忧心国事繁重，难以按时进餐，很晚才吃饭。典出《左传》昭公二十年。⑪⑥ 戊戌：八月初十日。⑪⑦ 少府卿：官名，梁天监七年（公元五〇八年）改少府所置，与太府卿、太仆卿同为夏官三卿，掌官府手工业。十一班。⑪⑧ 徐骥（？至公元五四八年）：吴郡吴（今江苏苏州）人。传见《南史》卷七十七。⑪⑨ 太子右卫率：官名，东

宫属官，率崇荣、永吉、崇和、细射四营卫士，守卫东宫。⑫⓪陆验：吴郡吴人。与徐驎并为朱异所亲昵。传见《南史》卷七十七。⑫①制局监：官名，尚书省所辖低级官员，主管兵器制造。多以寒门出身的人任职。⑫②周石珍（？至公元五五二年）：建康城奴仆出身，家世代以贩卖绢帛为生。历位开阳令、直阁将军，封南丰县侯。后降于侯景。景篡位，制度仪仗全由周石珍制定。侯景之乱被平定后，被押至江陵腰斩。传见《南史》卷七十七。⑫③百贾：众商人。⑫④朱彦和：即朱异，字彦和。⑫⑤肆辩：放肆地辩解。⑫⑥天夺其鉴：上天夺走他的识鉴。⑫⑦宋子仙：侯景得力部将。随侯景攻取建康，位至太保。巴陵之役，被王僧辩击败擒获。事见《梁书》卷五十六《侯景传》、《南史》卷八十《贼臣传》。⑫⑧木栅：地名，在荆山西边，即今安徽怀远西南，马头城东北。⑫⑨甲辰：八月十六日。⑬⓪正表：萧正表，字公仪，临川王萧宏之子，梁武帝封之为封山侯。官北徐州刺史。侯景渡江，封他为南郡王。后降东魏。传见《魏书》卷五十九、《南史》卷五十一、《北史》卷二十九。⑬①裴之高：字如山，河东闻喜（今山西闻喜）人。仕梁，历任颍州、谯州、西豫州刺史。侯景之乱，之高率军入援，于青塘被侯景打败后，改投江陵，辅佐梁元帝，拜金紫光禄大夫。传见《梁书》卷二十八、《南史》卷五十八。⑬②宏：萧宏，梁武帝之弟，封临川王。⑬③淮南：指寿阳，曾是淮南郡治所。⑬④临贺：临贺王萧正德，是萧正表的哥哥。⑬⑤拙速：实用而迅速。⑬⑥外弟：表弟。⑬⑦中军大都督：官名，北魏末设置，统领中军，权任很重。⑬⑧王显贵：人名，《陈书》《南史》作“王贵显”，《通鉴》依据《梁书》。⑬⑨癸未：九月二十五日。⑭⓪庚寅：十月初三日。⑭①谯州：即南谯州，州名，梁置，治所新昌，在今安徽滁州。⑭②董绍先（？至公元五五〇年）：此时以临江太守协助谯州刺史守城。后助侯景袭取广陵，迫降萧会理以后，被任命为南兖州刺史。大宝元年（公元五五〇年），被江都令祖皓所杀。⑭③泰：萧泰，字世怡，梁宗室，封丰城侯。传见《南史》卷五十二。⑭④时要：当时的显贵要人。⑭⑤腰舆：便轿，高仅及腰部，常用肩抬，类似四川的滑竿。⑭⑥庚子：十月十三日。⑭⑦宁远将军：官名，在梁二十四班将军中，位列第十三班。⑭⑧王质（公元五一一至五七〇年）：字子贞，梁武帝外甥，封甲口亭侯。曾随萧渊明北伐，失败逃回。侯景破建康，转投梁元帝，任吴州刺史。元帝死，依从陈霸先之子陈蒨。入陈，官至都官尚书。传见《陈书》卷十八、《南史》卷二十

【原文】

太子见事急，戎服入见上，禀受方略，上曰：“此自汝事，何更问为？内外军[12]，悉以付汝。”太子乃停中书省，指授军事，物情⑯⑨惶骇，莫有应募者。朝廷犹不知临贺王正德之情，命正德屯朱雀门，宁

三。⑭⑨庄铁：初降侯景，后改投寻阳王萧大心，不久又归从萧范，引起两藩内讧。⑮⓪丁未：十月二十日。⑮①羸兵：弱兵。⑮②历阳：郡名，治所历阳，在今安徽和县。⑮③戊申：十月二十一日。⑮④丹杨郡：治所建康故城，在今江苏南京。⑮⑤荻：植物名，与芦苇同属禾本科而异种，叶稍宽而柔韧。⑮⑥临川：郡名，治所南城，在今江西南城东南。⑮⑦陈昕（公元五一六至五四八年）：字君章，义兴国山（今江苏宜兴西南）人，骁勇善战，曾败魏将尧雄于悬瓠，又平定王勤宗军。传见《梁书》卷三十二、《南史》卷六十一。⑮⑧恐不能济：恐怕不能抵挡侯景军南下。⑮⑨庆之：陈庆之（公元四八四至五三九年），字子云，梁朝名将。自幼追随梁武帝。大通元年（公元五二七年），夺取北魏涡阳，建西徐州。大通初，奉命送魏北海王元颢北上，仅一百四十天，连克三十二城，夺取洛阳。传见《梁书》卷三十二、《南史》卷六十一。⑯⓪渚：河中的沙洲。此指秦淮渚。在秦淮河入江口不远。⑯①己酉：十月二十二日。⑯②横江：渡口名，在今安徽和县东南，与江南岸的采石隔江相对。⑯③姑孰：一作"姑熟"，城名，故址在今安徽当涂，是建康的西南门户。⑯④淮南：梁郡名，治所姑孰。⑯⑤文成侯宁：萧宁（？至公元五五〇年），梁鄱阳嗣王萧范的弟弟，爵文成侯。吴郡人陆缉推萧宁为梁主，抵抗叛军。失利后，宁藏匿于民间。大宝元年（公元五五〇年）再度起兵于吴郡西乡，兵败被杀。⑯⑥南津校尉：官名，梁普通七年（公元五二六年）置，掌南津关税及检查叛亡、禁物。官班不详。南津，即南州津，在今安徽马鞍山西南采石矶。⑯⑦江子一（？至公元五四八年）：字符贞，济南考城（今河南兰考）人，为人高洁有志操，曾任通直散骑侍郎。侯景围建康，江子一壮烈赴死。传见《梁书》卷四十三、《南史》卷六十四。⑯⑧其副：江子一的副将。

【校记】

［9］自：原无此字。据章钰校，十二行本、乙十一行本、孔天胤本皆有此字。张敦仁《通鉴刊本识误》同，今据补。［10］上：原无此字。据章钰校，十二行本、乙十一行本、孔天胤本皆有此字，张敦仁《通鉴刊本识误》同，今据补。［11］其：原作"之"。据章钰校，十二行本、乙十一行本、孔天胤本皆作"其"。〖按〗《南史·恩幸传·陆验传附徐驎传》同，今据改。

【语译】

皇太子眼看形势危急，穿着戎服进宫见梁武帝，接受战略指示。梁武帝说："这是你自个儿的事，还请示干什么？内外军队，全都交给你了。"皇太子就停留在中书省，指挥部署军事行动。人心惶惶，没有应召的人。朝廷还不知道萧正德与侯景勾

国公大临[170]屯新亭[171]，大府卿韦黯屯六门，缮修宫城，为受敌之备。大临，大器之弟也。

己酉[172]，景至慈湖[173]。建康大骇，御街人更相劫掠，不复通行。赦东、西冶，尚方钱署[174]及建康系囚，以扬州刺史宣城王大器都督城内诸军事，以羊侃为军师将军副之，南浦侯推[175]守东府[176]，西丰公大春[177]守石头[178]，轻车长史[179]谢禧[180]、始兴太守元贞守白下[181]，韦黯与右卫将军柳津[182]等分守宫城诸门及朝堂。推，秀[183]之子。大春，大临之弟。津，仲礼之父也。摄[184]诸寺库公藏钱，聚之德阳堂[185]，以充军实。

庚戌[186]，侯景至板桥[187]，遣徐思玉来求见上，实欲观城中虚实。上召问之，思玉诈称叛景请间陈事[188]，上将屏左右，舍人高善宝曰："思玉从贼中来，情伪难测，安可使独在殿上?"朱异侍坐，曰："徐思玉岂刺客邪?"思玉出景启，言异等弄权，乞带甲入朝，除君侧之恶。异甚惭悚。景又请遣了事舍人[189]出相领解[190]，上遣中书舍人贺季[191]、主书郭宝亮随思玉劳景于板桥。景北面受敕，季曰："今者之举何名?"景曰："欲为帝也。"王伟进曰："朱异等乱政，除奸臣耳。"景既出恶言，遂留季，独遣宝亮还宫。

百姓闻景至，竞入城，公私混乱，无复次第，羊侃区分防拟，皆以宗室间之。军人争入武库，自取器甲，所司[192]不能禁，侃命斩数人，方止。是时，梁兴四十七年[193]，境内无事，公卿在位及闾里士大夫罕见兵甲，贼至猝迫，公私骇震。宿将已尽，后进少年并出在外，军旅指捞[194]，一决于侃，侃胆力俱壮，太子深仗之。

辛亥[195]，景至朱雀桁[196]南，太子以临贺王正德守宣阳门，东宫学士[197]新野庾信[198]守朱雀门，帅宫中文武三千余人营桁北。太子命信开大桁以挫其锋，正德曰："百姓见开桁，必大惊骇，可且安物情。"太子从之。俄而景至，信帅众开桁，始除一舶，见景军皆著铁面[199]，退隐于门。信方食甘蔗，有飞箭中门柱，信手甘蔗，应弦而落，遂弃军走。南塘[200]游军[201]沈子睦，临贺王正德之党也，复闭桁渡景。太子使王质将精兵三千援信，至领军府，遇贼，未陈而走。正德帅众于张侯

结的事情，命令他屯守朱雀门，宁国公萧大临屯守新亭，大府卿韦黯屯守六门，修缮皇城，做好遭受敌人进攻的准备。萧大临，是萧大器的弟弟。

十月二十二日己酉，侯景到达慈湖，建康城内十分惊恐，皇城御街上的行人互相抢劫，不能再通行。朝廷赦免东冶、西冶、尚方钱署的囚徒劳工，以及建康监狱关押的罪犯，任命扬州刺史宣城王萧大器都督京城内诸军事，任命羊侃为军师将军担任萧大器的副手，南浦侯萧推守东府，西丰公萧大春守石头城，轻车将军长史谢禧、始兴太守元贞守卫白下城，韦黯与右卫将军柳津等人分别守卫皇宫诸门及朝堂。萧推，是萧秀的儿子。萧大春，是萧大临的弟弟。柳津，是柳仲礼的父亲。收聚各个府寺仓库中国家积蓄的钱财，集中到德阳堂，用来供应军备。

十月二十三日庚戌，侯景到达板桥，派徐思玉来求见皇上，实际是想打探城中虚实。梁武帝召见并询问了他，徐思玉谎称他背叛了侯景，请求单独向皇上报告情况，梁武帝将要屏退身边的人，舍人高善宝说："徐思玉从反贼中来，真假难辨，怎么可以让他一个人在殿上?"朱异在座，说："徐思玉难道是刺客吗?"徐思玉拿出侯景的书信说，朱异等人玩弄权术，我请求带兵入朝，除掉皇上旁边的恶人。朱异非常惭愧害怕。侯景又请求派明白事理的舍人出朝到自己身边记录还没说完的话，以供皇上分辨是非。梁武帝派中书舍人贺季、主书郭宝亮随着徐思玉到板桥慰劳侯景。侯景面向北跪接了皇上的诏书。贺季说："你今天兴兵有什么名义?"侯景说："想当皇帝。"王伟走上前说："朱异等人扰乱朝政，只不过是除掉奸臣罢了。"侯景口出恶言之后，便扣留了贺季，只让郭宝亮一人回宫。

老百姓听说侯景到来，竞相进城，公私混乱，不再有秩序，羊侃部署城区防务，都用皇室成员间隔开来。军士争相进入武库，自个儿拿走兵器铠甲，主管部门不能禁止，羊侃下令杀了几个人，才制止住。这时，梁朝建立四十七年，境内没有战事，公卿大臣以及乡里士大夫很少见过兵器，叛贼来得突然，朝野惊骇。开国老将已经没有了，后起的年轻将领出守在外，军事指挥策划，全靠羊侃决断。羊侃有胆有识，身体强壮，皇太子全仰仗于他。

十月二十四日辛亥，侯景到达朱雀桁南面，皇太子任命临贺王萧正德守宣阳门，东宫学士新野人庾信守朱雀门，统领皇宫中文武将士三千多人在朱雀桁北扎营。皇太子命令庾信撤除浮桥，削弱敌人的兵势，萧正德说："老百姓看见撤除浮桥，一定大为惊慌，可以暂时不撤，稳定人心。"皇太子听从了。不一会儿，侯景到达，庾信带领士兵撤除浮桥，刚撤开一艘船，看到侯景的士兵都戴着铁面具，就后退躲到城门下。庾信正在吃甘蔗，有飞箭射中门柱，庾信手中的甘蔗随着飞箭的声响落在地上，于是丢弃军队逃走。南塘巡逻军沈子睦是临贺王萧正德的同党，重新闭合了浮桥，使侯景过河。皇太子派王质率领三千精兵增援庾信，到达领军府，碰上敌军，没有摆开阵势就逃跑了。萧正德率领部众在张侯桥迎接侯景，在马背上互相拱手作

桥[202]迎景，马上交揖，既入宣阳门，望阙而拜，歔欷流涕，随景渡淮。景军皆著青袍，正德军并著绛袍，碧里[203]，既与景合，悉反其袍。景乘胜至阙下，城中恟惧，羊侃诈称得射书云："邵陵王[204]、西昌侯[205]援兵已至近路。"众乃少[13]安。西丰公大春弃石头，奔京口，谢禧、元贞弃白下走，津主[206]彭文粲等以石头城降景，景遣其仪同三司于子悦守之。

【段旨】

以上为第三段，写萧正德驻防朱雀门，开门揖盗，侯景兵不血刃破建康。

【注释】

⑯⑨物情：人心。⑰⓪大临：萧大临（公元五二七至五五一年），字仁宣，梁简文帝之子。初封宁国公，大宝元年（公元五五〇年）封南海王，任扬州刺史，领吴郡太守。被侯景派人杀死。传见《梁书》卷四十四、《南史》卷五十四。⑰①新亭：地名，在今江苏南京江宁境。⑰②己酉：十月二十二日。⑰③慈湖：地名，在今安徽当涂境。⑰④尚方钱署：少府卿所属管理铸钱币的部门。所用多是刑徒。⑰⑤南浦侯推：萧推，字智进，梁武帝普通六年（公元五二五年）封南浦侯。先后官淮南、晋陵、吴郡太守。侯景之乱，守东府城，城陷，握节而死。传见《梁书》卷二十二、《南史》卷五十二。⑰⑥东府：城名，梁扬州刺史镇所，在今江苏南京通济门附近。⑰⑦大春：萧大春（公元五三〇至五五一年），字仁经，爵西丰公。在钟山被侯景军所俘。大宝元年（公元五五〇年）封安陆王，转年被杀。传见《梁书》卷四十四、《南史》卷五十四。⑰⑧石头：城名，在今江苏南京西清凉山。其地负山面江，形势险固，为六朝军事要地。⑰⑨轻车长史：轻车将军的长史。⑱⓪谢禧：谢举之子。⑱①白下：城名，在南京金川门外。⑱②柳津（？至公元五四九年）：字符举，封云杜侯，河东解（今山西运城）人。传见《南史》卷三十八。⑱③秀：萧秀（公元四七五至五一八年），字彦达，梁武帝弟弟，封安成王。传见《梁书》卷二十二、《南史》卷五十二。⑱④摄：收取。⑱⑤德阳堂：原名阅武堂，天监六年（公元五〇七年）改今名。在宫城南阙前。⑱⑥庚戌：十月二十三日。⑱⑦板桥：地名，在江宁西南大胜关南。⑱⑧请间

揖，进入宣阳门后，萧正德望着宫门叩拜，叹息流泪，跟随侯景渡过秦淮河。侯景的军队都穿青色战袍，萧正德军队都穿深红色战袍、青绿色里子，与侯景会合后，军士都将战袍翻过来穿。侯景乘胜攻到皇城下，皇城人心惊慌，羊侃假称得到用箭射来的书信，说："邵陵王萧纶、西昌侯萧渊藻的援兵已到附近。"大家这才稍微安定下来。西丰公萧大春丢弃了石头城，逃奔京口，谢禧、元贞丢弃白下城逃走，渡口守将彭文粲等献出石头城投降了侯景，侯景派他的仪同三司于子悦守卫石头城。

陈事：请求单独陈述有关事宜。⑱⑨了事舍人：明白事理的舍人。了事，晓事。⑲⓪领解：记录侯景所想说的事，并予以分判是非。⑲①贺季：会稽山阴（今浙江绍兴）人，明三《礼》，位至中书黄门郎，兼领著作。传见《梁书》卷四十八、《南史》卷六十二。⑲②所司：指武库令及其属吏。⑲③梁兴四十七年：梁武帝于公元五〇二年建立梁朝，建元天监，至太清二年（公元五四八年），凡四十七年。⑲④指㧑：指挥。⑲⑤辛亥：十月二十四日。⑲⑥朱雀桁：浮桥名，又名朱雀桥、大桁，在今江苏南京南秦淮河上。⑲⑦东宫学士：太子宫中的学士。特置文德省，入选学士有徐陵、张长公、傅弘、庾信等人。⑲⑧庾信（公元五一三至五八一年）：字子山，南阳新野（今河南新野）人，初任梁建康令。侯景之乱时，投奔梁元帝。出使西魏被扣留。入周任骠骑大将军、开府仪同三司，封义城县侯。世号"庾开府"。善写诗及骈体文，是南北朝宫廷文学的代表。传见《周书》卷四十一、《北史》卷八十三。⑲⑨铁面：铁面具。⑳⓪南塘：地名，在南京秦淮河北岸朱雀门一侧。⑳①游军：巡逻的军队。⑳②张侯桥：在建康宫城附近。⑳③碧里：青绿色里子。⑳④邵陵王：萧纶的封爵号。时萧纶率军渡江抵达钟离郡，援救京师。⑳⑤西昌侯：萧渊藻的封爵号。当时萧渊藻镇守京口。⑳⑥津主：渡口守将。

【校记】

［12］军：原作"军事"。据章钰校，十二行本、乙十一行本、孔天胤本皆无"事"字，《通鉴纪事本末》卷二三同，今据删。［13］少：原作"小"。据章钰校，十二行本、乙十一行本、孔天胤本皆作"少"。〖按〗《梁书·羊侃传》《南史·羊侃传》亦同，今据改。

【原文】

壬子[207]，景列兵绕台城[208]，幡旗皆黑，射启于城中曰："朱异等蔑弄朝权，轻作威福，臣为所陷，欲加屠戮。陛下若诛朱异等，臣则敛辔北归。"上问太子："有是乎？"对曰："然。"上将诛之。太子曰："贼以异等为名耳，今日杀之，无救于急，适足贻笑将来，俟贼平诛之未晚。"上乃止。

景绕城既匝[209]，百道俱攻，鸣鼓吹唇[210]，喧声震地。纵火烧大司马，东、西华诸门。羊侃使凿门上为窍，下水沃火。太子自捧银鞍，往赏战士。直阁将军朱思帅战士数人逾城出外洒水，久之方灭。贼又以长柯斧[211]斫东掖门，门将开，羊侃凿扇[212]为孔，以槊刺杀二人，斫者乃退。景据公车府[213]，正德据左卫府[214]，景党宋子仙据东宫，范桃棒[215]据同泰寺。景取东宫妓数百，分给军士。东宫近城，景众登其墙射城内。至夜，景于东宫置酒奏乐，太子遣人焚之，台殿及所聚图书皆尽。景又烧乘黄厩[216]、士林馆[217]、太府寺[218]。癸丑[219]，景作木驴[220]数百攻城，城上投石碎之。景更作尖项木驴，石不能破。羊侃使作雉尾炬[221]，灌以膏蜡，丛掷焚之，俄尽[222]。景又作登城楼，高十余丈，欲临射城中。侃曰："车高堑虚[223]，彼来必倒，可卧而观之。"及车动，果倒。

景攻既不克，士卒死伤多，乃筑长围[224]以绝内外，又启求诛朱异等。城中亦射赏格出外曰："有能送景首者，授以景位，并钱一亿万，布绢各万匹。"朱异、张绾议出兵击之，问羊侃，侃曰："不可。今出人若少，不足破贼，徒挫锐气；若多，则一旦失利，门隘桥小，必大致失亡。"异等不从，使千余人出战，锋未及交，退走，争桥赴水死者大半。

侃子鷟，为景所获，执至城下，以示侃，侃曰："我倾宗报主，犹恨不足，岂计一子，幸早杀之！"数日，复持来，侃谓鷟曰："久以汝为死矣，犹在邪？"引弓射之。景以其忠义，亦不之杀。

庄铁虑景不克[225]，托称迎母，与左右数十人趣历阳，先遣书给田英、郭骆曰："侯王已为台军所杀，国家使我归镇。"骆等大惧，弃城

【语译】

十月二十五日壬子，侯景部署军队包围了皇城，军旗都是黑色，用箭射书信到皇城中，说："朱异等人随心玩弄朝廷大权，肆意作威作福，我被他们诬陷，他们想杀害我。皇上如果杀了朱异等人，我就掉转马头北归。"皇上问皇太子："有这事吗？"回答说："是这样。"梁武帝将要杀死朱异等人。皇太子说："叛贼只不过拿朱异等人为借口罢了，今天杀了他们，也救不了急，只会被后人耻笑，等到平定了叛贼再诛杀他们也不晚。"梁武帝这才作罢。

侯景完成对皇城的包围圈后，各处一同攻城，击鼓吹哨喊叫声震地。放火烧大司马、东华、西华等各城门。羊侃让人在门上凿洞，灌水灭火。皇太子亲自捧着银制的马鞍，去奖赏战士。直阁将军朱思率领几个战士翻过城墙到城门外洒水，过了好久才把火扑灭。叛军又用长柄斧砍东掖门，门将被砍开，羊侃在门扇上凿孔，用长槊刺死了两个敌人，砍门的敌人才退去。侯景占据公车府，萧正德占据左卫将军府，侯景的党羽宋子仙占据东宫，范桃棒占据同泰寺。侯景抓来东宫的几百个歌女分配给士兵。东宫靠近皇城，侯景部众登上东宫墙用箭射向皇城内。到了夜晚，侯景在东宫摆酒宴奏乐，皇太子派人放火，台殿以及殿内收藏的图书全都烧光。侯景又烧了乘黄厩、士林馆、太府寺。十月二十六日癸丑，侯景制作木驴数百个攻皇城，城上投下巨石击碎了木驴。侯景又制作尖颈木驴，石头砸不破。羊侃叫人制作雉尾火炬，灌上油脂、白蜡，成捆地投掷下去焚烧尖颈木驴，不一会儿，尖颈木驴被烧光。侯景又造登城楼车，高十多丈，想居高临下用箭射入皇城中。羊侃说："楼车太高，壕沟地面松软，楼车过来必然倒塌，可以躺着看好戏。"等到楼车行动，果然倒塌。

侯景没能攻破皇城，士兵死伤很多，于是筑起一道长长的围墙来隔断城内外，又上书请求诛杀朱异等人。皇城中也射悬赏规格到城外，说："有能够送上侯景人头的人，就授给他侯景的职位，外加赏钱一亿万，布绢各一万匹。"朱异、张绾商议出兵攻打侯景，梁武帝询问羊侃，羊侃说："不行。现在出兵如果人少了，不能破贼，白白挫伤了锐气；如果出兵多了，那么一旦失利，城门狭小，桥面过窄，一定造成大量伤亡。"朱异等不听从，派出一千多人出战，还没有交兵便退回，争桥落水而死的有一大半。

羊侃的儿子羊鹭被侯景抓获，绑着押到城下，让羊侃看。羊侃说："我豁出整个宗族报答皇上，尚嫌不够，怎会吝惜一个儿子，希望你们早点把他杀了！"过了几天，又押到城下，羊侃对羊鹭说："我以为你早就死了，你怎么还活着？"拉弓射羊鹭。侯景因羊侃忠义，也没有杀羊鹭。

庄铁顾虑侯景破不了皇城，假托说迎接母亲，与身边几十个人赶往历阳，预先派人送信骗田英、郭骆说："侯景大王已经被官军杀死，朝廷让我回来镇守历阳。"郭

奔寿阳，铁入城，不敢守，奉其母奔寻阳[226]。

十一月戊午[227]朔，刑白马，祀蚩尤[228]于太极殿前。

临贺王正德即帝位于仪贤堂[229]，下诏称："普通以来，奸邪乱政，上久不豫，社稷将危。河南王景，释位来朝[230]，猥用朕躬，绍兹宝位，可大赦，改元正平。"立其世子见理[231]为皇太子，以景为丞相，妻以女，并出家之宝货悉助军费。

于是景营于阙前，分其兵二千人攻东府，南浦侯推拒之三日，不克。景自往攻之，矢石雨下，宣城王[232]防阁[233]许伯众[234]潜引景众登城。辛酉[235]，克之，杀南浦侯推及城中战士三千人，载其尸聚于杜姥宅[236]，遥语城中人曰："若不早降，正当如此。"

景声言上已晏驾[237]，虽城中亦以为然。壬戌[238]，太子请上巡城，上幸大司马门，城上闻跸声[239]，皆鼓噪流涕，众心粗安。

江子一之败还也，上责之。子一拜谢曰："臣以身许国，常恐不得其死，今所部皆弃臣去，臣以一夫安能击贼？若贼遂能至此，臣誓当碎身[14]以赎前罪，不死阙前，当死阙后。"癸亥[240][15]，子一启太子，与弟尚书左丞子四、东宫主帅[241]子五[242]帅所领百余人开承明门出战。子一直抵贼营，贼伏兵不动。子一呼曰："贼辈何不速出！"久之，贼骑出，夹攻之。子一径前，引槊刺贼，从者莫敢继，贼解其肩[243]而死。子四、子五相谓曰："与兄俱出，何面[244]独旋？"皆免胄赴贼。子四中矟，洞胸而死。子五伤脰[245]，还至堑，一恸而绝。

景初至建康，谓朝夕可拔，号令严整，士卒不敢侵暴。及屡攻不克，人心离沮[246]。景恐援兵四集，一旦溃去。又食石头常平诸仓既尽，军中乏食，乃纵士卒掠夺民米及金帛子女。是后米一升直[16]七八万钱，人相食，饿死者什五六。

乙丑[247]，景于城东、西起土山，驱迫士民，不限贵贱，乱加殴捶，疲羸者因杀以填山，号哭动地。民不敢窜匿，并出从之，旬日间，众至数万。城中亦筑土山以应之。太子、宣城王已下，皆亲负土，执畚

骆等十分惊骇，丢下历阳城逃奔寿阳。庄铁进入历阳城，不敢镇守，侍奉着母亲投奔寻阳。

十一月初一日戊午，梁武帝在太极殿前杀白马祭祀蚩尤。

临贺王萧正德在仪贤堂登上帝位，下诏书说："普通年间以来，奸邪之臣混乱朝政，皇上长久患病，国家面临危亡。河南王侯景放弃在东魏的爵位来到朝廷，辅助我继承了大位，可以大赦天下，改年号正平。"册立世子萧见理为皇太子，任命侯景为丞相，把女儿嫁给侯景为妻，并且拿出家中的全部珍宝钱财资助军费。

这时侯景在皇城宫门外扎营，分兵两千人攻击东府城，南浦侯萧推抵抗他们三天，侯景军队没有攻下东府城。侯景亲自去进攻，箭矢滚石如雨点般落下，宣城王萧大器的防阁将军许伯众暗中引导侯景的军队登上城墙。十一月初四日辛酉，攻下东府城，杀死南浦侯萧推以及城中战士三千人，运载尸体堆积在杜姥宅，远远向皇城中的人说："如果不早早投降，就一定是这样。"

侯景声称皇上已经去世，即使皇城中的将士也这样认为。十一月初五日壬戌，皇太子请求皇上巡视全城，梁武帝登上大司马门，城墙上的守军听到皇上出行清道的吆喝声，全都欢呼流泪，众人的心才稍微安定下来。

江子一战败回到建康时，梁武帝责备他。江子一磕头请罪说："我决心以身报国，时常担心不能为国捐躯，现今我率领的部众丢下我逃跑了，臣一个人怎么能够攻击敌人？如果敌人到了这里，臣发誓撞碎身体以赎前罪，不是战死在皇宫前边，就是战死在皇宫后面。"十一月初六日癸亥，江子一向皇太子请求，与弟弟尚书左丞江子四、东宫主帅江子五率领部下一百余人开承明门出战，江子一直冲到叛军营中，叛军埋伏的士兵没有行动。江子一大声叫喊："叛兵为何不赶快出来！"过了很长时间，敌人骑兵冲过来夹攻江子一。江子一径直向前，举槊刺杀敌人，跟随的人没有一个紧跟上去，敌人砍断了他的肩膀后死去。江子四、江子五相互说："与哥哥一起出战，有何脸面独自回去？"都脱下头盔冲入敌群。江子四被矛刺中，穿透胸膛而死。江子五脖颈受伤，退回到防城堑壕边时，痛哭一声死去。

侯景刚到建康时，认为早晚之间就能攻下，号令严肃、军纪整齐，士兵不敢侵暴百姓。等到多次攻战都没有攻下，军心离散沮丧。侯景害怕援兵从四面聚集，早晚有溃散的一天。又石头城、常平仓积储的粮食已经吃完，军队开始缺粮，于是放纵士兵掠夺民众的粮食以及金钱、子女。此后，一升米值七八万钱，人吃人，饿死的人占十分之五六。

十一月初八日乙丑，侯景在皇城东面和西面垒起土山，驱赶士人平民，不分贵贱，随意殴打捶击，那些疲惫不堪和身体瘦弱的人，被杀死填入土山，哭喊嚎叫，惊天动地。民众不敢逃亡躲藏，全都被驱赶出来垒土山，十天之内，众达数万。皇城中也筑土山来应对。皇太子、宣城王以下都亲自挑土，拿锹镐和畚箕，在土山上

锸[248]，于山上起芙蓉层楼[249]，高四丈，饰以锦罽[250]，募敢死士二千人，厚衣袍铠，谓之“僧腾客”，分配二山[251]，昼夜交战不息。会大雨，城内土山崩，贼乘之，垂入，苦战不能禁。羊侃令多掷火为火城，以断其路，徐于内筑城，贼不能进。

景募人奴降者，悉免为良[252]，得朱异奴，以为仪同三司，异家赀产悉与之。奴乘良马，衣锦袍，于城下仰诟异曰：“汝五十年仕宦，方得中领军；我始事侯王，已为仪同矣！”于是三日之中，群奴出就景者以千数，景皆厚抚以配军，人人感恩，为之致死。

荆州刺史湘东王绎闻景围台城，丙寅[253]，戒严，移檄所督湘州[254]刺史河东王誉、雍州[255]刺史岳阳王詧、江州刺史当阳公大心[256]、郢州刺史南平王恪[257]等，发兵入援。大心，大器之弟。恪，伟[258]之子也。

朱异遗景书，为陈祸福。景报书，并告城中士民，以为：“梁自近岁以来，权幸用事，割剥齐民，以供嗜欲。如曰不然，公等试观：今日国家池苑，王公第宅，僧尼寺塔，及在位庶僚，姬姜[259]百室，仆从数千，不耕不织，锦衣玉食，不夺百姓，从何得之？仆所以趋赴阙庭，指诛权佞，非倾社稷。今城中指望四方入援，吾观王侯、诸将，志在全身，谁能竭力致死，与吾争胜负哉？长江天险，二曹[260]所叹，吾一苇航之[261]，日明气净。自非天人允协，何能如是？幸各三思，自求元吉！”

景又奉启于东魏主，称：“臣进取寿春，暂欲停憩。而萧衍识此运终，自辞宝位，臣军未入其国，已投同泰[262]舍身。去月[263]二十九日，届此建康。江海未苏，干戈暂止，永言故乡，人马同恋。寻当整辔，以奉圣颜。臣之母、弟，久谓屠灭，近奉明敕，始承[264]犹在。斯乃陛下宽仁，大将军恩念，臣之弱劣，知何仰报，今辄赍启迎臣母、弟、妻、儿，伏愿圣慈，特赐裁放。”

己巳[265]，湘东王绎遣司马吴晔[266]、天门[267]太守樊文皎[268]等将兵发江陵。

陈昕为景所擒，景与之极饮，使昕收集部曲，欲用之。昕不可，

筑起几层荷花状的城楼，高四丈，用彩帛和毛布遮饰起来，招募了两千多名敢死士兵，穿上厚厚的战袍和铠甲，称之为“僧腾客”，分配在东、西两座土山上，日夜不停地与叛军交战。这时天下起了大雨，城内的土山崩塌，敌军乘机进攻，即将攻进来，城内将士死战也阻挡不了敌人。羊侃命令士兵多扔火把形成一片火城，以阻断敌人进攻的道路，渐渐在城内筑起了新的城墙，敌军不能前进。

侯景招募那些身为奴婢而愿意投降的人，全都免除奴婢身份为良民，得到朱异的家奴，任命为仪同三司，朱异的家财也全部都送给他。这个家奴骑着好马，穿着锦袍，到皇城下仰头骂朱异说：“你做官五十年，才得了个中领军，我刚侍奉侯景大王，便做到仪同三司了！”这样一来，三天之中，众多家奴出来投靠侯景的数以千计，侯景都给他们优厚的抚慰，把他们分配到军队中，人人感恩戴德，都替侯景效命。

荆州刺史湘东王萧绎听说侯景围攻皇城，十一月初九日丙寅，戒严，发檄文给所督湘州刺史河东王萧誉、雍州刺史岳阳王萧詧、江州刺史当阳公萧大心、郢州刺史南平王萧恪等，发兵进入建康救援。萧大心，是萧大器的弟弟。萧恪，是萧伟的儿子。

朱异写信给侯景，为他陈说祸福。侯景回信，并且告诉皇城中官吏百姓，认为：“梁朝近几年来，奸臣当权，搜刮平民，以满足他们的嗜好贪欲。如果说不是这样，你们就看一看，如今朝廷的园池苑囿，王公的宅第居室，僧尼的佛塔寺庙，以及在位的百官，妻妾成群，奴仆数千，不耕不织，锦衣玉食，若不掠夺百姓，是从哪里来的？我之所以赶赴朝廷，指名杀掉专权的奸佞之臣，不是要颠覆朝廷。如今城中指望四方军队来救援，我看那些王侯众将，一心保全自己，谁能竭力死拼，和我争胜负？长江天险，是曹操、曹丕所感叹的，我用一片苇叶就渡过了它，而且当时青天白日、气象平静，如果不是上应天意下顺民心，哪能这样呢？希望各位三思，自己谋求平安吉祥！”

侯景又上书东魏孝静帝，说：“我进军夺取寿春，想暂时休息一下。但萧衍知道他的皇运已经到头，自己辞去了大位，我的军队还没有进入建康，他已到同泰寺舍身。上月二十九日，我军抵达建康。天下虽没有苏息，战争暂时停止了，一说起故乡，人与马都同样依恋。我不久要整顿队伍，侍奉陛下。我的母亲、弟弟，早就据说被杀了，近来收到皇上敕令，才得知他们还活着。这全是陛下宽大仁爱、大将军恩泽照顾，我能力弱小拙劣，不知怎样来报答，如今特别携带书信，恳请迎接我的母亲、弟弟、妻子、儿女，我伏地希望皇上慈悲，特许释放他们。”

十一月十二日己巳，湘东王萧绎派司马吴晔、天门太守樊文皎等率领军队从江陵出发。

陈昕被侯景擒获，侯景和他开怀畅饮，让他收拢将士，想任用他。陈昕不同意，

景使其仪同三司范桃棒囚之。昕因说桃棒，使帅所部袭杀王伟、宋子仙，诣城降。桃棒从之，潜遣昕夜缒入城。上大喜，敕镌银券[269]赐桃棒曰："事定之日，封汝河南王，即有景众，并给金帛女乐。"太子恐其诈，犹豫不决，上怒曰："受降常理，何忽致疑？"太子召公卿会议，朱异、傅岐曰："桃棒降必非谬。桃棒既降，贼景必惊，乘此击之，可大破也。"太子曰："吾坚城自守以俟外援，援兵既至，贼岂足平？此万全策也。今开门纳桃棒，桃棒之情，何易可知？万一为变，悔无所及，社稷事重，须更详之。"异曰："殿下若以社稷之急，宜纳桃棒，如其犹豫，非异所知。"太子终不能决。桃棒又使昕启曰："今止将所领五百人，若至城门，皆自脱甲，乞朝廷开门赐容。事济之后，保擒侯景。"太子见其恳切，愈疑之。朱异抚膺[270]曰："失此，社稷事去矣！"俄而桃棒为部下所告，景拉杀之。陈昕不知，如期而出，景邀得之，逼使射书城中曰："桃棒且轻将[271]数十人先入。"景欲衷甲随之，昕不肯，期以必死[272]，乃杀之。

景使萧见理与仪同三司卢晖略[273]戍东府。见理凶险，夜，与群盗剽劫于大桁，中流矢而死。

【段旨】

以上为第四段，写侯景重兵攻围皇城，梁将羊侃指挥有方，应对有度，激战两月余，直到年底，叛军未能攻克皇城。

【注释】

[207]壬子：十月二十五日。[208]台城：即梁朝台省（中央政府）和宫殿所在的内城。[209]绕城既匝：绕台城完成包围圈。[210]吹唇：吹口哨，也称啸指。[211]长柯斧：长柄斧子。[212]扇：城门门扇。[213]公车府：公车令衙门，为卫尉属下机构，在台城门外。[214]左卫府：左卫将军衙门。左卫将军是中央禁卫军主要将领，与右卫将军共同负责宫禁宿卫。梁十二班。[215]范桃棒：侯景部将，官拜仪同三司。后密谋降梁，事泄被杀。[216]乘黄厩：皇宫马厩之一。[217]士林馆：在台城西侧，是朱异、顾琛、孔子祛等人轮流讲述经义

侯景让仪同三司范桃棒囚禁陈昕。陈昕趁机劝说范桃棒，让他率领部众袭杀王伟、宋子仙，到皇城投降。范桃棒听从了，暗中派陈昕夜晚用绳子吊上皇城。梁武帝大喜，敕令雕凿银券赐给范桃棒，说："事成之后，封你为河南王，拥有侯景的部众，并赏赐金帛女乐。"皇太子担心范桃棒诈降，犹豫不决，梁武帝生气地说："接受投降是常理，为什么突然生疑？"皇太子召集公卿商议，朱异、傅岐说："范桃棒投降一定不是假的，范桃棒投降后，侯景一定会惊慌，趁此机会攻击他，可以大获全胜。"皇太子说："我们坚守城池，等待外援，援兵到达后，叛贼何愁不平？这是万全之策。如今开门接纳范桃棒，范桃棒的情况，哪容易知道呢？万一有变，后悔莫及，国家存亡事情重大，必须细细考量。"朱异说："殿下如果考虑国家的危急，就应该接纳范桃棒，如果犹豫不决，那就不是朱异所知道的了。"皇太子始终下不了决心。范桃棒又派陈昕上书说："如今只率领我所属的五百人来，如果到了城门，都自动脱了铠甲，请求朝廷开门容纳我们。事成之后，保证擒拿侯景。"皇太子看到范桃棒恳切，更加怀疑他。朱异捶胸说："失掉这次机会，国家大事完蛋了！"不久，范桃棒被部下告发，被侯景分尸处死。陈昕不知道，按约定的时间出城。侯景拦截逮捕了他，逼他把一封写有"范桃棒将轻装带着几十个人先进城"的信射入城中。侯景想穿甲尾随进城，陈昕拒绝，决心一死，侯景就杀死了他。

侯景派萧见理与仪同三司卢晖略戍守东府。萧见理凶恶阴险，夜里和几十个强盗到朱雀桥上偷窃抢劫，被飞来的乱箭射死。

的地方。㉑⑧太府寺：太府卿办事衙门。㉑⑨癸丑：十月二十六日。㉒⓪木驴：攻城器具。木制，下装六脚，高七尺，可以容纳六名战士。上蒙湿牛皮，人在里面推进，可抵城下。后为尽量避免被石块砸碎，改作上尖下宽的形状。㉒①雉尾炬：用芦苇扎成，尾分两歧，如同雉鸡尾巴，灌入油蜡，点燃成火炬。㉒②俄尽：一会儿工夫便把木驴烧光。㉒③堑虚：基础不稳。㉒④筑长围：绕台城夯土成围子。㉒⑤不克：不成功。㉒⑥寻阳：郡名，治所寻阳，在今江西九江西。㉒⑦戊午：十一月初一日。㉒⑧蚩尤：传说中东方九黎族的首领，以铜作兵器。后于涿鹿（在今河北涿鹿东南）被黄帝打败并杀死，黎族退入南方。因蚩尤善造兵器，骁勇善战，所以被尊作战神祭祀，祈求福祥。㉒⑨仪贤堂：原名听讼堂，天监六年（公元五〇七年）改今名，在台城南阙前。㉓⓪释位来朝：《左传》中所指周朝诸侯放弃封国，来辅佐周天子处理政事。萧正德引用来表彰侯景对他的辅助。㉓①见理：萧见理，字孟节，萧正德之子，喜结纳群盗，夜出抢掠，后中流矢死。传见《南史》卷五十一。㉓②宣城王：即萧大器。㉓③防阁：即防阁将军，是诸王府中守卫斋阁的将领。㉓④许伯

众：人名，《梁书》作“许郁华”，时任东府东北楼守将。与《通鉴》异。㉟辛酉：十一月初四日。㊱杜姥宅：住宅名。㊲晏驾：死亡。㊳壬戌：十一月初五日。㊴闻跸声：听到帝王出行的清道声。㊵癸亥：十一月初六日。㊶东宫主帅：官名，值卫于太子殿中。㊷子五：江子五，济阳考城（今河南民权）人。事见《梁书》卷四十三。㊸解其肩：砍断江子一的肩膀。㊹何面：有何脸面。㊺脰：颈项。㊻离沮：离散沮丧。㊼乙丑：十一月初八日。㊽畚锸：畚箕和锸铲。㊾芙蓉层楼：用斗拱和飞柳层层建起的木楼，形状如芙蓉花萼状而得名。㊿锦罽：丝织的彩帛和毛织的毳布。(251)二山：台城中东、西各有一个土山。(252)悉免为良：全都免去奴婢的身份，成为良民百姓。(253)丙寅：十一月初九日。(254)湘州：州名，治所临湘，在今湖南长沙。(255)雍州：州名，治所襄阳，在今湖北襄樊。(256)大心：萧大心（公元五二七至五五一年），字仁恕，初封当阳公。历任郢州、江州刺史。建康失陷后，不久即遭侯景杀害。传见《梁书》卷四十四、《南史》卷五十四。(257)南平王恪：萧恪（？至公元五五二年），字敬则，初任雍州刺史。元帝即位江陵，恪任尚书令、司空。讨平侯景后，死于赴扬州刺史任前夕。传见《南史》卷五十二。(258)伟：萧伟（？至公元五三二年），字文达，梁武帝的弟弟。初封建安王，后改封南平王。先后任南徐州、扬州、江州刺史，官至中书令、大司马。传见《梁书》卷二十二、《南史》卷五十二。(259)姬姜：古代贵族妇女的美称。此指妻妾。(260)二曹：指曹操和曹丕。

【原文】

邵陵王纶行至钟离，闻侯景已渡采石，纶昼夜兼道，旋军(274)入援，济江，中流(275)风起，人马溺者什一二。遂帅宁远将军西丰公大春、新淦[17]公大成、永安侯确、安南侯骏、前谯州刺史赵伯超、武州(276)刺史萧弄璋等，步骑三万自京口西上。大成，大春之弟。确，纶之子。骏，懿之孙也。

景遣军至江乘(277)拒纶军。赵伯超曰：“若从黄城(278)大路，必与贼遇，不如径指钟山(279)，突据广莫门，出贼不意，城围必解矣。”纶从之，夜行失道，迂(280)二十余里，庚辰旦(281)，营于蒋山。景见之大骇，悉送所掠妇女、珍货于石头，具舟欲走。分兵三道攻纶，纶与战，破之。时山巅寒雪，乃引军下爱敬寺(282)。景陈兵于覆舟山(283)北，乙酉(284)，纶进军玄武湖(285)侧，与景对陈，不战。至暮，景更约明日会战，纶许之。安前者败于赤壁，后者于黄初五年（公元二二四年）至广陵，面对长江，叹道："魏虽有武骑千群，无所用也!"于是退兵。事见《三国志》卷一、卷二。㉖一苇航之：语见《诗经·河广》。原意形容河道狭窄。侯景借用来说明，他之所以轻而易举地渡过天险长江，是上顺天意、下应民心的结果。㉖同泰：同泰寺。㉖去月：上个月。㉖始承：才从敕令中得知。㉖己巳：十一月十二日。㉖吴晔：人名。㉖天门：郡名，治所澧阳，在今湖南石门。㉖樊文皎（？至公元五四九年）：梁益州刺史樊文炽的弟弟。㉖镌银券：雕有文字的银制契据。㉗抚膺：捶胸，气愤难平的样子。㉗轻将：少带随从。㉗期以必死：声明必死的决心，绝不屈服。㉗卢晖略：人名，一作"卢辉略"。太宝二年（公元五五一年），以石头城降于陈霸先。

【校记】

［14］身：原作"首"。据章钰校，十二行本、乙十一行本、孔天胤本皆作"身"，《通鉴纪事本末》卷二三同，今据改。［15］癸亥：原作"乙亥"。据章钰校，十二行本、乙十一行本、孔天胤本皆作"癸亥"。〖按〗下文有"乙丑"，则此前不可能有"乙亥"日，当作"癸亥"，今据改。［16］直：原作"至"。据章钰校，十二行本、乙十一行本、孔天胤本皆作"直"，《通鉴纪事本末》卷二三同，今据改。

【语译】

邵陵王萧纶进军到钟离，听到侯景已渡过采石，萧纶昼夜兼程，转向建康救援，渡长江时，船到江中起了大风，人马被淹死了一两成。于是率领宁远将军西丰公萧大春、新淦公萧大成、永安侯萧确、安南侯萧骏、前谯州刺史赵伯超、武州刺史萧弄璋等，步兵骑兵三万人从京口西上。萧大成，是萧大春的弟弟。萧确，是萧纶的儿子。萧骏，是萧懿的孙子。

侯景派兵到江乘抵抗萧纶军。赵伯超说："如果走黄城大路，一定与叛兵遭遇，不如直指钟山，突然占据广莫门，出乎敌人意料，皇城之围一定能解。"萧纶采纳了。夜晚行军迷了路，迂回了二十余里。十一月二十三日庚辰早晨，在蒋山扎营。侯景见了非常惊骇，把所抢掠的妇女、珍宝全部送到石头城，准备舟船打算逃走。侯景分兵三路攻击萧纶，萧纶与侯景交战，打败了侯景军。当时山顶寒冷有雪，就指挥军队下到爱敬寺。侯景把军队部署在覆舟山北面。二十八日乙酉，萧纶进军玄武湖旁，与侯景对阵，没有交战。到了天黑时，侯景又约定明日交战，萧纶答应了

南侯骏见景军退，以为走，即与壮士逐之，景旋军击之，骏败走，趣纶军。赵伯超望见，亦引兵走，景乘胜追击之，诸军皆溃。纶收余兵近千人，入天保寺。景追之，纵火烧寺。纶奔朱方[286]，士卒践冰雪，往往堕足。景悉收纶辎重，生擒西丰公大春、安前司马[287]庄丘慧[288]、主帅霍俊[289]等而还。丙戌[290]，景陈所获纶军首虏铠仗及大春等于城下，使言曰："邵陵王已为乱兵所杀。"霍俊独曰："王小失利，已全军还京口。城中但坚守，援军寻至。"贼以刀殴其背，俊辞色弥厉，景义而释之，临贺王正德杀之。

【段旨】

以上为第五段，写邵陵王萧纶首率勤王之师，进兵建康救援，兵败蒋山。

【注释】

㉗④旋军：回师。时萧纶正率军北上，进攻寿阳。不料侯景避开梁军，名为攻合肥，实取谯州，并渡江直逼建康。纶于是回师救援。㉗⑤中流：江心。此指纶军刚渡到江心。㉗⑥武州：州名，治所武陵，在今湖南常德。㉗⑦江乘：县名，县治在今江苏句容北。㉗⑧黄城：地名，在今南京东。㉗⑨钟山：山名，孙权避祖讳改称蒋山，今名紫金山，在今江苏南京东。㉘⓪迂：曲绕。㉘①庚辰旦：十一月二十三日早晨。㉘②爱敬寺：梁武帝所建的寺院，为敬事他的父亲文皇帝，祈求福祐。在钟山下。㉘③覆舟山：山名，在南京北

【原文】

是日晚，鄱阳王范遣其世子嗣[291]与西豫州[292]刺史裴之高、建安[293]太守赵凤举各将兵入援，军于蔡洲[294]，以待上流诸军，范以之高督江右援军事。景悉驱南岸居民于水北[295]，焚其庐舍，大街已西，扫地俱尽。

北徐州刺史封山侯正表镇钟离，上召之入援，正表托以船粮未集，不进。景以正表为南兖州刺史，封南郡王。正表乃于欧阳[296]立栅以断

他。安南侯萧骏看见侯景军后退，认为是败逃，立即率领精锐兵追击，侯景回军攻击，萧骏败逃，奔向萧纶的军营。赵伯超望见，也带兵逃走，侯景乘胜追击他们，萧纶的各路军队都溃败了。萧纶搜集余兵接近一千人，进入天保寺。侯景追击他们，放火烧寺，萧纶逃往朱方，士兵脚踏冰雪，不少人冻坏了脚。侯景缴获了萧纶的全部辎重，活捉了西丰公萧大春、安前司马庄丘慧、主帅霍俊等然后收兵。二十九日丙戌，侯景把缴获萧纶军的铠甲兵器以及杀死的首级和俘虏的萧大春等排列在皇城城下，派人喊话说："邵陵王萧纶已经被乱兵杀死。"霍俊却说："邵陵王小小失利，已全军回到京口。城中只管坚守，援军不久就到来。"敌兵用刀击打霍俊后背，霍俊声音脸色更加严厉，侯景认为他忠义，释放了他，临贺王萧正德杀了他。

江边。㉘④乙酉：十一月二十八日。㉘⑤玄武湖：湖名，在南京北。㉘⑥朱方：春秋时吴国地名，梁时是南兰陵郡武进县，即今江苏丹徒。㉘⑦安前司马：官名，邵陵王萧纶曾任安前将军，庄丘慧任他的司马，所以称安前司马。㉘⑧庄丘慧：人名，《南史》作"庄丘慧达"，《梁书》作"庄丘惠达"，疑《通鉴》脱"达"字。㉘⑨霍俊：人名，《通鉴考异》说《典略》作"广陵令崔俊"，《南史》作"广陵令霍儁"。可见他是以广陵令的职务成为萧纶军中一名主帅的。㉙⓪丙戌：十一月二十九日。

【校记】

［17］新淦：原作"新涂"。胡三省注云："'新涂'或作'新淦'。"据章钰校，乙十一行本作"新淦"，张瑛《通鉴校勘记》同。〖按〗《梁书·邵陵王纶传》亦作"新淦"，今据改。

【语译】

这天夜晚，鄱阳王萧范派他的世子萧嗣与西豫州刺史裴之高、建安太守赵凤举各自领兵进京救援，驻扎在蔡洲，等待长江上游东下的各路援军。萧范派裴之高督领江西各路援军的军务。侯景驱赶秦淮河南岸的所有居民到北岸，烧毁他们的住房，大街以西一片灰烬。

北徐州刺史封山侯萧正表镇守钟离，梁武帝征召他入京师救援，萧正表借口舟船粮食没有准备好，不进军。侯景任命萧正表为南兖州刺史，封南郡王。萧正表就

援军，帅众一万，声言入援，实欲袭广陵[297]。密书诱广陵令刘询，使烧城为应，询以告南兖州刺史南康王会理。十二月，会理使询帅步骑千人夜袭正表，大破之，正表走还钟离。询收其兵粮，归就会理，与之入援。

癸巳[298]，侍中、都官尚书羊侃卒，城中益惧。侯景大造攻具，陈于阙前，大车高数丈，一车二十轮。丁酉[299]，复进攻城，以虾蟆车[300]运土填堑。

湘东王绎遣世子方等[301]将步骑一万入援建康，庚子[302]，发公安。绎又遣竟陵太守王僧辩将舟师万人，出自汉川[303]，载粮东下。方等有俊才，善骑射，每战，亲犯矢石，以死节自任。

壬寅[304]，侯景以火车焚台城东南楼。材官[305]吴景有巧思，于城内构地为楼，火才灭，新楼即立，贼以为神。景[306]因火起，潜遣人于其下穿城。城将崩，乃觉之。吴景于城内更筑迂城，状如却月[307]以拟之，兼掷火，焚其攻具，贼乃退走。

太子遣洗马[308]元孟恭将千人自大司马门出荡[309]，孟恭与左右奔降于景。

己酉[310]，景土山[18]稍逼城楼，柳津命作地道以取其土，外山崩，压贼且尽。又于城内作飞桥[311]，悬罩[312]二土山。景众见飞桥迥出[313]，崩腾[314]而走。城内掷雉尾炬，焚其东山，楼栅荡尽，贼积死于城下。乃弃土山不复修，自焚其攻具。材官将军宋嶷降于景，教之引玄武湖水以灌台城，阙前皆为洪流。

上征衡州[315]刺史韦粲[316]为散骑常侍，以都督长沙欧阳頠[317]监州事。粲，放[318]之子也。还至庐陵[319]，闻侯景乱，粲简阅部下，得精兵五千，倍道赴援。至豫章[320]，闻景已出横江，粲就内史刘孝仪[321]谋之，孝仪曰：“必如此，当有敕。岂可轻信人言，妄相惊动？或恐不然。”时孝仪置酒，粲怒，以杯抵地曰：“贼已渡江，便逼宫阙，水陆俱断，何暇有报？假令无敕，岂得自安？韦粲今日何情饮酒？”即驰马出部分[322]。将发，会江州刺史当阳公大心遣使邀粲，粲乃驰往见大心曰：“上游藩

在欧阳设立栅寨阻断援军，自己率领一万部众，宣称进京救援，实际是想偷袭广陵。暗中写了一封信诱惑广陵县令刘询，让他焚烧广陵城作为内应，刘询把这情况报告了南兖州刺史南康王萧会理。十二月，萧会理派刘询率领步骑一千人在夜里偷袭萧正表，把萧正表打得大败，萧正表逃回钟离。刘询收拢了萧正表的兵士和粮食，归属萧会理，和他一起进京救援。

十二月初七日癸巳，侍中、都官尚书羊侃去世，皇城中更加恐惧。侯景大造攻城器具，摆放在宫门前面，大车高达数丈，一辆车有二十个轮子。十一日丁酉，重新发动攻城，用蛤蟆车运土填塞护城河。

湘东王萧绎派世子萧方等率领步兵骑兵一万人救援建康。十二月十四日庚子，从公安县出发。萧绎又派竟陵太守王僧辩率领水军一万人，从汉川出发，载运粮食东下。萧方等有突出的才能，擅长骑马射箭，每一次战斗，亲自冲锋陷阵，以献身节义为己任。

十二月十六日壬寅，侯景用火车烧毁了宫城的东南城楼。材官将军吴景有巧妙的思维，在城内地面上搭起城楼，火刚刚熄灭，新楼立即竖起，叛军认为是神灵。侯景趁火烧起，暗中派人在城楼下挖空城墙。城墙快要崩塌，城内才发觉。吴景在城内另筑一道弯曲的城墙，就像弯弯的月亮，加之扔火把烧毁了叛军的攻城器械，叛军才退走。

皇太子派洗马元孟恭率领一千人从大司马门出外冲击叛军，元孟恭却带领身边的人跑去投降了侯景。

十二月二十三日己酉，侯景的土山渐渐逼近城楼，柳津命令挖地道来掏空土山下的土，城外的土山崩塌，敌军几乎全部被掩埋。柳津又在城内制作飞桥，悬罩在叛军的两座土山上。侯景的士兵看见飞桥高高地从城内墙上伸出来，如同土崩一样飞快地逃走。城内抛掷雉尾火炬，焚烧叛军城东面的土山，土山上的城楼和栅栏烧得干干净净，叛军的尸体堆积在城墙下。叛军这才丢弃了土山不再重修，自己烧毁了攻城器具。材官将军宋嶷投降了侯景，教侯景引玄武湖水淹没皇城，宫门前都是洪水。

梁武帝征召衡州刺史韦粲为散骑常侍，任命都督长沙人欧阳頠为衡州监州事。韦粲，是韦放的儿子。韦粲在回京到达庐陵时，听说侯景叛乱，韦粲整顿军队，有精兵五千人，兼程赶赴建康救援。到达豫章时，听说侯景已出动到了横江，韦粲到内史刘孝仪处商议大事，刘孝仪说："如果真是这样，应当有皇帝敕令，怎么可以轻信人们的传言，随意自相惊扰呢？恐怕情况不是这样。"当时刘孝仪摆设酒宴，韦粲大怒，把酒杯扔到地上，说："叛军已经渡江，就要逼近宫阙，水陆交通都已断绝，朝廷哪有闲暇向我们通报？即使没有敕令，你怎能心安理得？韦粲今天哪有心情饮酒？"韦粲立即飞马出来部署救援军务。将要出发时，正碰上江州刺史当阳公萧大心派使者邀请韦粲，韦粲就飞马去见萧大心，说："长江上游的藩镇，江州离京城最近，

镇[323]，江州去京最近，殿下情计诚宜在前。但中流任重，当须应接，不可阙镇。今宜且张声势，移镇湓城，遣偏将赐随[324]，于事便足。”大心然之，遣中兵[325]柳昕帅兵二千人随粲，粲至南洲，外弟司州刺史柳仲礼亦帅步骑万余人至横江，粲即送粮仗赡给之，并散私金帛以赏其战士。

西豫州刺史裴之高自张公洲[326]遣船渡仲礼，丙辰[327]夜，粲、仲礼及宣猛将军[328]李孝钦[329]、前司州刺史羊鸦仁、南陵太守陈文彻[330]合军屯新林[331]王游苑[332]。粲议推仲礼为大都督，报下流众军[333]。裴之高自以年位，耻居其下，议累日不决，粲抗言于众曰：“今者同赴国难，义在除贼。所以推柳司州[334]者，正以久捍边疆，先为侯景所惮，且士马精锐，无出其前。若论位次，柳在粲下，语其年齿，亦少于粲，直以社稷之计，不得复论。今日形势，贵在将和，若人心不同，大事去矣。裴公朝之旧德，岂应复挟私情以沮大计？粲请为诸军解之[335]。”乃单舸至之高营，切让之曰：“今二宫危逼，猾寇滔天，臣子当戮力同心，岂可自相矛楯？豫州[336]必欲立异，锋镝便有所归[337]。”之高垂泣致谢，遂推仲礼为大都督。

宣城内史杨白华[338]遣其子雄将郡兵继至，援军大集，众十余万，缘淮树栅，景亦于北岸树栅以应之。

裴之高与弟之横[339]以舟师一万屯张公洲。景囚之高弟、侄、子、孙，临水陈兵，连锁列于陈前，以鼎镬、刀锯随其后，谓曰：“裴公不降，今即烹之。”之高召善射者使射其子，再发，皆不中。

景帅步骑万人于后渚[340]挑战，仲礼欲出击之。韦粲曰：“日晚我劳，未可战也。”仲礼乃坚壁不出，景亦引退。

湘东王绎将锐卒三万发江陵，留其子绥宁侯方诸[341]居守，谘议参军刘之迡[342]等三上笺请留，答教不许。

鄱阳王范遣其将梅伯龙攻王显贵于寿阳，克其罗城[343]，攻中城，不克而退，范益其众，使复攻之。

东魏大将军澄患民钱滥恶，议不禁民私铸，但悬称市门，钱不重五铢，毋得入市。朝议以为年谷不登，请俟他年，乃止。

魏太师泰杀安定国臣[344]王茂而非其罪[345]。尚书左丞柳庆[346]谏，泰怒

按情理，殿下应当进军在前头。但镇守地处中游的江州责任重大，应当上接下应，不能不留守。现今你应当暂且大张声势，移镇湓城，派副将随我救援建康，这就足够了。”萧大心认为应该这样，派中兵参军柳昕率领二千兵士随同韦粲，韦粲到达南洲，表弟司州刺史柳仲礼也率领步骑一万多人到达横江，韦粲立即派人送粮食器械供给他，还拿出个人的金帛赏赐柳仲礼的士兵。

西豫州刺史裴之高从张公洲派遣舟船摆渡柳仲礼的军队。十二月三十日丙辰夜晚，韦粲、柳仲礼，以及宣猛将军李孝钦、前司州刺史羊鸦仁、南陵太守陈文彻合兵屯驻新林王游苑。韦粲提议推举柳仲礼为大都督，通报下游的各支军队。裴之高自己认为年长位高，耻于在柳仲礼之下，商议整天决定不下来。韦粲激昂地对各将领说：“如今我们是共同去解救国家的危难，大义在消灭叛贼。我之所以推举柳司州，因为他长久捍卫边疆，首先侯景害怕他，其次他的兵马精锐，没有人超过他。如果讲地位次序，柳仲礼在我韦粲之下；讲年岁，柳仲礼也小于我韦粲，只是为了国家的大局，就不能再计较。今天的形势，最要紧的是我们众将领齐心协力，如果人心不一致，国家就危险了。裴公是朝中德高望重的老臣，怎能以个人的私心破坏解除国难的大计呢？我韦粲请求为众将军去劝解裴公。”于是韦粲乘一艘小船，到裴之高军营，坦率地责备裴之高说：“如今皇上太子危在旦夕，狡猾的敌人罪恶滔天，当臣子的应当合力同心，怎能互相闹矛盾？裴豫州一定要另搞一套，我们的刀锋箭矢可就要对准你了。”裴之高流泪道歉，于是推举柳仲礼为大都督。

宣城内史杨白华派遣他的儿子杨雄率领宣城郡的军队随后赶到，各路援军大量聚集，众达十余万。援军沿秦淮河竖起栅栏，侯景也在北岸竖起栅栏对抗他们。

裴之高和他弟弟裴之横率领水军一万人屯驻张公洲。侯景囚禁了裴之高的弟弟、侄儿、儿子、孙子，面对江水部署军队，把他们锁成一串，鼎镬、刀锯放在他们后面，对裴之高说：“裴公不投降，现在就煮杀他们。”裴之高召来善射的弓箭手，让他先射自己的儿子，连发两箭都没射中。

侯景率领步骑一万人在后渚挑战，柳仲礼打算出兵攻击他。韦粲说：“天黑了，我军疲劳，不能够交战。”柳仲礼坚壁不出战，侯景也把军队撤走。

湘东王萧绎率领精锐兵力三万人从江陵出发，留下儿子绥宁侯萧方诸守卫江陵，谘议参军刘之迡等三次上书请求萧绎留守，萧绎作手令回复不同意。

鄱阳王萧范派他的将领梅伯龙在寿阳攻打王显贵，攻下了寿阳外城，攻打寿阳中城，没有攻下，撤退。萧范增派兵力，让他再次攻打寿阳。

东魏大将军高澄忧虑民间私铸的铜钱太多，质地粗劣，提议不禁止民间私铸铜钱，但是要在城镇市场门口悬挂公平秤，铜钱重量不足五铢，不得进入市场。朝廷会议认为当年谷物歉收，请求等到下一年实行，于是没有执行。

西魏太师宇文泰处死安定国臣王茂，罪名不当，尚书左丞柳庆谏阻，宇文泰很曰："卿党罪人，亦当坐！"执庆于前。庆辞色不挠，曰："庆闻君蔽于事为不明，臣知而不争为不忠。庆既竭忠，不敢爱死，但惧公为不明耳。"泰寤，亟使赦茂，不及[347]，乃赐茂家钱帛，曰："以旌吾过。"

丙辰晦[348]，柳仲礼夜入韦粲营，部分众军。旦日，会战，诸将各有据守，令粲顿青塘[349]。粲以青塘当石头中路，贼必争之，颇惮之。仲礼曰："青塘要地，非兄不可，若疑兵少，当更遣军相助。"乃使直阁将军刘叔胤助之。

【段旨】

以上为第六段，写梁朝勤王之师大集，众推柳仲礼为大都督，结营秦淮河。

【注释】

㉙①世子嗣：鄱阳王萧范的王位继承人萧嗣，字长胤，萧范死后，他坚守晋熙，后被侯景将任约所杀。传见《梁书》卷二十二、《南史》卷五十二。㉙②西豫州：州名，梁置，治所晋熙，在今湖北黄冈。㉙③建安：郡名，治所建安，在今福建建瓯。然而胡三省以为是建宁郡之误，在今湖北麻城西南，与治所晋熙的西豫州相近。胡说是。㉙④蔡洲：江心洲，在今江苏南京西南。原为长江中沙洲，今已与江岸陆地相连。㉙⑤水北：秦淮河北岸。㉙⑥欧阳：戍所名，在今江苏仪征东北。㉙⑦广陵：郡名，治所广陵，在今江苏扬州。㉙⑧癸巳：十二月初七日。㉙⑨丁酉：十二月十一日。㉚⓪虾蟆车：古战车名，用来载土，因体积庞大，需三百人才能推动，用来填平堑壕。㉚①世子方等：萧绎长子萧方等（公元五二八至五四九年），字实相，后在麻溪被河东王萧誉攻杀。传见《梁书》卷四十四、《南史》卷五十四。㉚②庚子：十二月十四日。㉚③汉川：即汉水，流经竟陵，王僧辩水师即顺汉水而下。㉚④壬寅：十二月十六日。㉚⑤材官：即材官将军，官名，少府卿属官，负责宫中工匠和土木工程。梁二班。㉚⑥景：此指侯景。㉚⑦却月：弯弯的月亮。㉚⑧洗马：官名，全称太子洗马，入同谒者掌出使和朝会，出则为太子作前导。㉚⑨出荡：出外扫荡。㉛⓪己酉：十二月二十三日。㉛①飞桥：凌空架设的高桥。㉛②悬罩：悬空落向。㉛③迥出：从远处伸出。㉛④崩腾：如土崩一般飞快地逃走。㉛⑤衡州：州名，治所含洭，在今广东英德西。㉛⑥韦粲（公元四九五至五四八年）：字长蒨，京兆杜陵（今陕西西安东南）人，韦叡之孙。曾任步兵校尉，爵永昌县侯。侯景攻建康，率军进援京师，于青塘战死。传见《梁书》卷四十三、《南史》卷五十八。㉛⑦欧阳颜（公元四九八至五六三年）：字

生气，说：“你阿附罪人，也应有罪！”当即逮捕柳庆。柳庆言辞面色都不屈服，说：“柳庆听说，国君被事务蒙蔽叫不明，臣子知道事情的真相而不争叫不忠。柳庆既然竭尽忠心，就不敢爱惜生命。只是担心太师不明罢了。”宇文泰醒悟，赶紧派人去赦免王茂，没有赶上。于是赏赐王茂家钱帛，说：“以此来表明我的过失。”

十二月最后一天三十日丙辰，柳仲礼夜晚进入韦粲军营，商议部署各路援军。第二天早晨与侯景会战，诸将各有据守阵地，令韦粲屯驻青塘。韦粲因青塘正当石头城中路，叛军一定争夺它，颇有些畏惧。柳仲礼说：“青塘要地，非兄长去不可，如果疑虑兵少，我将再派兵助你。”于是派直阁将军刘叔胤协助韦粲。

靖世，长沙临湘（今湖南长沙）人，以入援京师功，后被梁元帝任命为东衡州刺史。元帝死，转投陈霸先。平定岭南，任广州刺史，改封阳山郡公。传见《陈书》卷九、《南史》卷六十六。⑱ 放：韦放（公元四七五至五三三年），字符直，袭封永昌县侯。普通八年（公元五二七年），于涡阳大捷中颇建战功，迁通直散骑常侍。传见《梁书》卷二十八、《南史》卷五十八。⑲ 庐陵：郡名，治所石阳，在今江西吉安东北。⑳ 豫章：郡名，治所南昌，在今江西南昌。㉑ 刘孝仪：即刘潜（公元四八四至五五〇年），字孝仪，彭城（今江苏徐州）人。曾任太子洗马、建康令、都官尚书。传见《梁书》卷四十一、《南史》卷三十九。㉒ 部分：布置安排。㉓ 藩镇：谓握有地方军政大权的诸侯或地方刺史。㉔ 赐随：派遣部下随同。㉕ 中兵：即中兵参军。㉖ 张公洲：即蔡洲。㉗ 丙辰：十二月三十日。㉘ 宣猛将军：官名，与超武、铁骑、楼船、平虏等九将军同班。㉙ 李孝钦：平定侯景后，追随王琳，被陈霸先部将周迪生擒。㉚ 陈文彻：原是广州俚人首领，后被兰钦收服。此时随军驰援京师。㉛ 新林：地名，在江苏江宁西南长江边。㉜ 王游苑：梁朝宫廷园林名，在新林浦。㉝ 下流众军：驻扎在张公洲的裴之高、裴之横等人率领的援军。因韦粲从上游而来，所以称裴军为下流众军。㉞ 柳司州：即柳仲礼，时任司州刺史。㉟ 解之：和解此事。㊱ 豫州：指裴之高，时任西豫州刺史。㊲ 锋镝便有所归：谓刀锋箭矢要对准裴之高，将率军夺了他的兵权。㊳ 杨白华：即杨华，武都仇池（今甘肃成县）人，被北魏胡太后所逼，南投梁朝。官至太仆卿，封益阳县侯。因妻子落在侯景手中，不得不降，因而忧愤死。传见《梁书》卷三十九、《南史》卷六十三。㊴ 之横：裴之横（公元五一五至五五五年），字如岳，随萧范讨伐侯景。萧范死，投奔梁元帝，任东徐州刺史、中护军，封豫宁侯。传见《梁书》卷二十八、《南史》卷五十八。㊵ 后渚：地名，在建康中兴寺前。㊶ 方诸：萧方诸，字智相，封绥宁侯。善谈玄学。被侯景部将宋子仙袭杀。传见《梁书》卷四十四、《南史》卷五十四。㊷ 刘之迡：即刘之迟，南阳涅阳（今河南镇

平南）人。曾任荆州中从事史。传见《南史》卷五十。㉝罗城：为增强防御能力，在城墙外加修的突出的小城。㉞安定国臣：宇文泰封安定公，有封国，所以他的属下可以称作“国臣”。㉟非其罪：并非犯有死罪，罚不当罪。㊱柳庆（公元五一七至五六六年）：字更兴，解（今山西运城）人，善于断案，抗直明辨，深得宇文泰信任，位骠骑大将军。入周，封平齐县公。传见《周书》卷二十二、《北史》卷六十四。㊲不及：赦令下得晚，王茂已被处死。㊳丙辰晦：十二月三十日。㊴青塘：即青溪塘，发源于钟山，在今江苏南京东南秦淮河岸。

【校记】

［18］土山：据章钰校，十二行本、乙十一行本、孔天胤本皆作“土山上”。〖按〗《通鉴纪事本末》卷二三、《通鉴纲目》卷三三皆无“上”字。

【研析】

以王朝兴衰为主要观察对象的《通鉴》，在本卷终于将目光投向了南方。本卷及以下数卷，都将浓墨重彩地叙述南方的历史过程，而动乱则是主题。就公元五四八年《通鉴》记事的主题来说，主要内容是：侯景为东魏平叛军队击败，在率数百人逃亡途中，利用梁将韦黯的怯懦与愚蠢，袭据淮南重镇寿阳；东魏为了全力夺取西魏军队进占的河南诸州镇，主动向梁“示好”，梁武帝年老昏庸，一面纵容侯景在淮南发展势力，一面积极与东魏讲和，激起侯景起兵南攻建康；惨烈的建康“台城”攻围战因而发生，梁朝各地军队纷纷驰援。下面我们就两个问题予以深入分析与介绍。

第一，侯景败而复兴的原因。侯景出于六镇，其所统部众虽勇敢善战，却因思乡念亲，不愿随其南下，阵前哗变。他在南方无任何政治基础，竟能败而复振，究其原因，梁武帝昏庸是一因素，同时仍有其必然性。

从当时国家之间关系上看，历史进入南朝，南、北之间十六国时代那种严重的民族仇视情感逐渐消于无形，特别是北魏孝文帝迁都洛阳之后，南、北双方边界战争不断，但使节往来频繁，南、北之间各以华夏正统相标榜，文化上互争胜负。在这种情况下，南、北政权内部政治斗争的失利者，往往逃往对方。如逃亡者是边界军政要员，接纳一方既可以获得土地、人口，又能充分显示自己政治与文化上的号召力，因而对来奔者着力优抚。如北魏孝文帝时王肃北奔，孝文帝优待有加，让其参与朝政；宣武帝时南齐宗室萧宝夤北逃，亦得娶公主、封王，参与军政。北魏宣武帝时之所以能够在汉中、淮河一线对梁朝展开攻势，正是因为裴叔业、夏侯道迁据地降附。同样，梁朝也厚待北方南逃者，在北魏末动乱时，梁武帝即曾让陈庆之率数千兵拥护北魏宗室元颢北返，一度占据洛阳，后来贺拔胜、独孤信等在河南与高欢敌对中失利，南逃梁朝，也得到梁武帝优抚，以至于贺拔胜因感其厚意，对南飞的大雁也不忍射杀。梁武帝甚至在侯景出言不逊的情况下，还让朱异向侯景来使传达自己的话："譬如贫家，畜十客、五客，尚能得意，朕唯有一客，致有忿言，亦朕之失也。"之所以对侯景百般宠待，原因正在于此。梁武帝错在没认清侯景是一个具有野心的政治流浪者，但他安抚厚待北来降附者并非一无可取，我们知道，建康台城保卫战中恪尽职守的统帅羊侃，也是在十多年前才从北魏逃亡而来。

梁武帝的宠待是侯景得以喘息并重新集聚势力的原因之一。而他终能进入建康，攻围台城，除了另一个野心家萧正德的接应之外，还因为梁朝内部严重的社会矛盾。南朝时期，作为统治上层的世家大族已与社会下层严重脱离，在安宁的外表下，积累了严重的社会问题，这里可参考《通鉴》上卷所记贺琛所陈"四事"所说的情况：梁境"户口减落，关外弥甚。郡不堪州之控总，县不堪郡之哀削，更相呼扰，惟事征敛。民不堪命，各务流移"，建康城中"王侯益横，或白昼杀人于都街，或暮夜公行剽掠，有罪亡命者，匿于王家，有司不敢搜捕"。可以说，这样一个政权早已失去了民心。侯景举兵，以"除君侧之恶"为名，梁朝方面各种势力并未同仇敌忾，甚至乐观其成；前来解围的各支军队，也多作壁上观，任其攻围台城，拼死作战者少。史书虽记录了江子一兄弟前仆后继，以死相拼，以示褒扬，但毕竟只是个别的事例，无关全局胜负。

侯景以散亡之余数百人袭据寿春，渡江南下时有众八千，大多是淮南原梁朝臣属。进入建康后，为扩编部队，"募人奴降者，悉免为良"，结果"三日之中，群奴出就景者以千数，景皆厚抚以配军，人人感恩，为之致死"。《南史》卷八十《侯景传》则记："于是奴僮竞出，尽皆得志。"三日之中，"群奴"可能只有千人附景，而三日以外，长期支持侯景的无疑是源源不断前来的为数众多的"奴僮"。其时王公贵族、高门大姓奴僮甚多，颜之推在《颜氏家训》中称，江东士大夫不少人在东晋初从北方过江南下，至此已历八九代人，未曾起一抔土，耘一株苗，而锦衣玉食，皆因役使僮仆。有人口史学者判定当时江南实际人口中，奴仆之类低贱人口占了百分之七十五，他们成为侯景围攻台城最为积极的支持力量。从这一个角度说，侯景叛乱也意味着南方社会结构的崩溃。侯景在告城中士民书中说："今日国家池苑，王公第宅，僧尼寺塔，及在位庶僚，姬姜百室，仆从数千，不耕不织，锦衣玉食，不夺百姓，从何得之？仆所以趋赴阙庭，指诛权佞，非倾社稷。今城中指望四方入援，吾观王侯、诸将，志在全身，谁能竭力致死，与吾争胜负哉？"这当然不是侯景本人的认识，但为他撰写这一公开信的人，确实抓住了问题的本质。

第二，建康城的状况。侯景过江，围攻六朝都城建康，这里对当时建康城的面貌做一大致介绍，便于读者了解战争过程。

建康城是孙吴时期才开始建设的一个城市。孙权最初在秦淮河入长江口修筑城

垒，六朝时，此城一直以“石头城”为名，后来孙权在秦淮河口上游约百里之地即今南京市区修建新的都城，名为“建业”。至东晋时，因避晋愍帝司马邺名讳，改称建康。东晋南朝，建康历经兵火，城区范围却不断扩大，至梁时达到极盛，史称当时方圆百里，居民多达二十八万户。有学者怀疑户数不可靠，以为是二十八万人之误。但梁朝时，有人称建康城区有佛寺五百余所，僧尼十余万，如只二十八万人，其中有如此多的僧尼，则更难想象。

梁末建康城究竟有多少人口，容可争论，但可以肯定的是，当时建康城已是一个规模巨大、人口众多、商业极其繁荣的都会。建康城同时也可以称得上是一个不设防的城市，整个城市围绕自西南向东北流入长江的秦淮河展开，各类人口不断涌入，城区不断扩张，并没有一个完整的城墙防卫系统，只有竹篱笆标识城区范围。在城区内，皇宫及重要中央机构在秦淮河南岸，有城墙围绕，称作“台城”，官衙亦主要集中在南岸；秦淮河北岸还有一个小城，为扬州刺史府所在地，称为东府城。历史上称今天的南京为“石头城”，其实当时秦淮河口的石头城只是拱卫建康城的一个军事堡垒。也就是说，当时建康城区内，有台城、东府城两个设防的区域，而整个建康城却呈开放状态。当时有民谣说:“白门六道关，篱笆穿不完。”白门为台城正门。民谣是说，台城城墙高大坚固，防卫严密，而整个建康城却可以随意进出，没有防卫。因而侯景叛军可以直接进入建康城区。东府城作为地方政府所在地，防卫相对薄弱，叛军轻易将其攻下；台城因防卫严固，却久攻不下。南、北城区沟通主要依靠船只，相对固定的交通则是利用船只建造的浮桥，当时称作“桁”；台城朱雀门前通往北岸的朱雀桁为官民往来南、北城区的主要通道，当时亦称“大桁”。撤去船只，阻断行旅，称为“开桁”。如卷中所述，侯景军抵达朱雀桁南，太子萧纲命“开大桁以挫其锋”。负责守卫朱雀门的庾信却担心百姓惊骇，而未听从。当叛军夺桁南渡时，“开桁”已来不及，叛军遂顺利地到达南岸，围攻台城。秦淮河同时也可以作为南、北城区间的天然屏障，当梁救援台城的各路军队纷纷前来之际，侯景遂“悉驱南岸居民于水北，焚其庐舍，（南岸朱雀）大街已西，扫地俱尽”。援军十余万“缘淮树栅，景亦于北岸树栅以应之”。

至于梁朝各路援军各不相统，相互观望，以至于坐观台城被攻下，结果瓦解四散，其中缘由，且待下卷解说。

卷第一百六十二　梁纪十八

屠维大荒落（己巳，公元五四九年），一年。

【题解】

本卷载述公元五四九年一年史事，当梁武帝太清三年，西魏文帝大统十五年，东魏孝静帝武定七年。是年，北朝东魏势力扩张，高澄乘梁朝内乱，蚕食梁朝淮南各州镇，又击败西魏名将王思政，全部收复因侯景反叛而丢失的河南疆土。本卷重点仍载述侯景叛乱的太清之祸。侯景兵围皇城，四方勤王之师集于建康，繁华帝京，成为烽烟连绵的大战场，一百余日的激烈大战，建康士民死伤十之八九，数十万生灵遭涂炭，十里长街片瓦不存，变为废墟。宫城破，梁武帝死，宗室诸王不思协力报君国之仇，反而各怀私心，互相攻伐，既使侯景苟延性命于内，又使大片国土丧失于外。梁朝纲纪不张，政治腐败，于兹可见。

【原文】

高祖武皇帝十八

太清三年（己巳，公元五四九年）

春，正月丁巳[①]朔，柳仲礼自新亭徙营大桁。会大雾，韦粲军迷失道，比及青塘，夜已过半，立栅未合，侯景望见之，亟帅锐卒攻粲。粲使军主[②]郑逸逆击之，命刘叔胤以舟师截其后[③]，叔胤畏懦不敢进，逸遂败。景乘胜入粲营，左右牵粲避贼，粲不动，叱子弟力战，遂与子尼及三弟助、警、构，从弟昂皆战死，亲戚死者数百人。仲礼方食，投箸被甲，与其麾下百骑驰往救之，与景战于青塘，大破之，斩首数百级，沈淮水死者千余人。仲礼矟将及景，而贼将支伯仁[④]自后斫仲礼中肩，马陷于淖，贼聚矟刺之，骑将郭山石救之，得免。仲礼被重疮，会稽人惠臶吮疮断血，故得不死。自是景不敢复济南岸，仲礼亦

【语译】

高祖武皇帝十八

太清三年（己巳，公元五四九年）

春，正月初一日丁巳，柳仲礼从新亭移军屯驻朱雀桁。正碰上大雾，韦粲的部队迷了路，等到达青塘，夜已过半，竖立营房的栅栏还没有合拢，侯景远望看到了这个情况，立即率领精锐士兵攻打韦粲。韦粲派军主郑逸还击，命令刘叔胤用水军截断侯景的后路。刘叔胤胆怯懦弱，不敢进攻，郑逸于是战败。侯景乘胜攻入韦粲军营，韦粲身边的人拉着韦粲躲避敌人，韦粲不动，喝令儿子、弟弟全力死战，于是韦粲和儿子韦尼，以及三个弟弟韦助、韦警、韦构，堂弟韦昂全都战死，战死的亲戚有几百人。柳仲礼正在吃饭，立即丢下筷子穿上铠甲，和他的部下一百名骑兵飞奔前去救援韦粲，与侯景在青塘大战，大败侯景，杀死敌人数百人，沉入淮水淹死的有千余人。柳仲礼的长矛正要刺到侯景，侯景的部将支伯仁从背后砍柳仲礼，正中肩膀，战马陷到了泥潭中，敌军集中长矛刺向柳仲礼，骑将郭山石救援柳仲礼，柳仲礼得免于难。柳仲礼受了重伤，会稽人惠臶吸吮伤口，止血治疗，才得以不死。从这以后，侯景不敢渡到

气衰[1]，不复言战矣。

邵陵王纶复收散卒，与东扬州刺史临城公大连⑤、新淦公大成等自东道并至，庚申⑥，列营于桁南，亦推柳仲礼为大都督。大连，大临之弟也。

朝野以侯景之祸共尤朱异，异惭愤发疾，庚申⑦，卒。故事：尚书官不以为赠⑧，上痛惜异，特赠尚书右仆射。

甲子⑨，湘东世子方等及王僧辩军至。

戊辰⑩，封山侯正表以北徐州降东魏，东魏徐州刺史高归彦⑪遣兵赴之。归彦，欢之族弟也。

己巳⑫，太子迁居永福省⑬。高州刺史李迁仕⑭、天门太守樊文皎将援兵万余人至城下。台城与援军信命久绝，有羊车兒献策，作纸鸱⑮，系以长绳，写敕于内，放以从风，冀达众军，题云："得鸱送援军，赏银百两。"太子自出太极殿前乘西北风纵之，贼怪之，以为厌胜⑯，射而下之。援军募人能入城送启者，鄱阳世子嗣左右李朗请先受鞭，诈为得罪，叛投贼，因得入城，城中方知援兵四集，举城鼓噪。上以朗为直阁将军，赐金遣之。朗缘钟山之后，宵行昼伏，积日乃达。

癸未⑰，鄱阳世子嗣、永安侯确、庄铁、羊鸦仁、柳敬礼⑱、李迁仕、樊文皎将兵渡淮，攻东府前栅，焚之，侯景退。众军营于青溪之东，迁仕、文皎帅锐卒五千独进深入，所向摧靡。至菰首桥⑲东，景将宋子仙伏兵击之，文皎战死，迁仕遁还。敬礼，仲礼之弟也。

仲礼神情傲狠，陵蔑诸将，邵陵王纶每日执鞭至门⑳，亦移时弗见，由是与纶及临城公大连深相仇怨。大连又与永安侯确有隙，诸军互相猜阻，莫有战心。援军初至，建康士民扶老携幼以候之，才过淮，即纵兵剽掠。由是士民失望，贼中有谋应官军者，闻之，亦止。

王显贵以寿阳降东魏。

秦淮河南岸，柳仲礼也丧失了斗志，不再说交战了。

邵陵王萧纶重新搜集溃散的士兵，与东扬州刺史临城公萧大连、新淦公萧大成等从东路一起进军到了建康，正月初四日庚申，在朱雀桁南岸扎营，也推举柳仲礼为大都督。萧大连，是萧大临的弟弟。

朝廷内外因侯景之祸，一致怪罪朱异，朱异又惭愧又愤恨，因而生病，在正月初四日庚申死去。按惯例，尚书官衔不用来赠给死者，梁武帝痛惜朱异，特别赠朱异为尚书右仆射。

正月初八日甲子，湘东王世子萧方等以及王僧辩的军队到达建康。

十二日戊辰，封山侯萧正表献出北徐州投降东魏，东魏徐州刺史高归彦派兵接收了北徐州。高归彦，是高欢的同宗弟弟。

正月十三日己巳，梁朝皇太子迁居永福省。高州刺史李迁仕、天门太守樊文皎率领援军一万多人到达皇城附近。皇城与援军长时间没有通信息，有个羊车兒献上一个计策，制作了一个鸱鸟形状的风筝，系上长绳，风筝内写敕令，顺风放出，希望它飞到援军那里，上面题写说："得鸱送援军，赏银百两。"皇太子亲自走到太极殿前，趁着西北风放出风筝，叛军见了感到很奇怪，认为是厌胜物品，用箭射了下来。援军招募能够进皇城送信的人，鄱阳王世子萧嗣身边的李朗请求先受鞭打，假装犯了罪，叛逃投降叛军，因此得以进入皇城。城中才知道援兵四面八方聚集过来，全皇城欢呼鼓舞。梁武帝任命李朗为直阁将军，赏赐黄金，然后送他出城。李朗顺着钟山后坡，昼伏夜行，过了几天才回到军营。

正月二十七日癸未，鄱阳王世子萧嗣、永安侯萧确、庄铁、羊鸦仁、柳敬礼、李迁仕、樊文皎率领军队渡过秦淮河，攻击东府城前面的营栅，放火烧了它，侯景撤退。各路军队在青溪东扎营。李迁仕、樊文皎率领精锐士兵五千人孤军深入，所到之处，敌人溃散。到达菰首桥东面时，侯景将领宋子仙伏兵袭击他们，樊文皎战死，李迁仕逃回。柳敬礼，是柳仲礼的弟弟。

柳仲礼神情傲慢而凶狠，蔑视诸将，邵陵王萧纶每天以执鞭之礼来到他的军营前，也要等半天还不接见，因此柳仲礼与萧纶以及临城公萧大连结下很深的仇怨。萧大连又与永安侯萧确有隔阂，各路援军互相猜忌，谁都没有心思作战。援军刚到时，建康士民扶老携幼迎候慰问他们，可是援军刚过秦淮河，就放纵士兵抢劫掠夺。因此士民失望，叛军中有谋划响应官军的人，听到这种情况，也就打消了响应的念头。

侯景部将王显贵献出寿阳投降了东魏。

【段旨】

以上为第一段，写梁朝勤王之师四集，初战不利后的形势。太清三年（公元五四九年）正月，勤王之师初战失利，韦粲死，军魂夺。援军大都督柳仲礼初战受创，死里逃生而胆寒，坚壁不敢言战，傲慢乖张以树威，诸将离心，士气不振。

【注释】

①丁巳：正月初一日。②军主：军中的主将。南北朝置。其下有军副，所统军力数百人至万人以上不等，多以将军兼领。③截其后：截断退路。④支伯仁：人名，《梁书》卷四十五作“支化仁”，是侯景骑将，兼鲁山城主，后降于王僧辩。而《梁书》卷四《简文帝纪》和卷五十六《侯景传》都作“张化仁”。三名未详孰是。⑤大连：萧大连（公元五三〇至五五一年），字仁靖，封临城公。大宝元年（公元五五〇年），改封南郡王。转年被侯景所害。传见《梁书》卷四十四、《南史》卷五十四。⑥庚申：正月初四日。⑦庚申：《梁书》卷三《武帝纪》下作“乙丑”，是正月初九日，与此异，恐《梁书》为是。⑧尚书官不以为赠：大臣死后追赠官位，始于东汉初年，六朝尤为盛行。但

【原文】

临贺王记室吴郡顾野王㉑起兵讨侯景，二月己丑㉒，引兵来至。初，台城之闭也，公卿以食为念，男女贵贱并出负米，得四十万斛，收诸府藏钱帛五十万亿，并聚德阳堂，而不备薪刍、鱼盐。至是，坏尚书省为薪㉓。撤荐㉔，剉㉕以饲马，荐尽，又食以饭。军士无肴㉖，或煮铠㉗、熏鼠、捕雀而食之。御甘露厨㉘有干苔㉙，味酸咸，分给战士。军人屠马于殿省间，杂以人肉，食者必病。侯景众亦饥，抄掠无所获。东城㉚有米，可支一年，援军断其路。又闻荆州兵将至，景甚患之。王伟曰：“今台城不可猝拔，援兵日盛，吾军乏食，若伪且[2]求和以缓其势，东城之米，足支一年，因求和之际，运米入石头，援军必不得动，然后休士息马，缮修器械，伺其懈怠击之，一举可取也。”

从不追赠尚书官，此为特例。⑨ 甲子：正月初八日。⑩ 戊辰：正月十二日。⑪ 高归彦：字仁英，高欢族弟。北齐时，封平秦王。以讨侯景功，别封长乐郡公，除领军大将军。领军加“大”字，从归彦开始。传见《魏书》卷三十二、《北齐书》卷十四、《北史》卷五十一。⑫ 己巳：正月十三日。⑬ 永福省：在宫禁中。从南朝宋开始，均由太子居住，取永久福祐国家的意思。⑭ 李迁仕（？至公元五五一年）：梁武帝死后，顺从侯景。陈霸先北上，迁仕企图偷袭南康，被霸先派杜僧明所擒杀。事见《陈书》卷八《杜僧明传》。⑮ 纸鸱：鸟形风筝。⑯ 厌胜：古代诅咒、制服他人的一种巫术。⑰ 癸未：正月二十七日。⑱ 柳敬礼：河东解（今山西解州）人。初为扶风太守，侯景渡江，敬礼入援。台城失陷，侯景扣他为人质，胁迫柳仲礼出征。后敬礼与萧会理谋夺建康，事泄被杀。传见《梁书》卷四十二、《南史》卷三十八。⑲ 菰首桥：青溪河上的桥。菰首，即茭白。⑳ 执鞭至门：部将进见主帅之礼。萧纶虽贵为王，但推举柳仲礼为大都督，指挥解围军事，所以也行进见礼。

【校记】

［1］衰：原作“索”。据章钰校，十二行本、乙十一行本、孔天胤本皆作“衰”，今据改。〖按〗《通鉴纪事本末》卷二三、《通鉴纲目》卷三三皆作“衰”。

【语译】

临贺王萧正德的记室参军吴郡人顾野王起兵讨伐侯景。二月初三日己丑，率领军队到达建康。当初，皇城关闭城门时，公卿考虑到了粮食问题，无论男女老少贵贱都出城运米，一共运了四十万斛，搜集各府库存的钱帛共五十万亿，都集中在德阳堂，可是没有储备柴火与饲草、鱼肉和食盐。到了这时，只好拆毁尚书省当柴烧，撤除垫席，剁碎用来喂马，垫席吃完，又用米饭喂马。士兵们没有肉吃，有的煮铠甲，有的熏老鼠、捕鸟来吃。御膳房有一些干海带，味酸咸，分给士兵当盐吃。士兵们在宫殿和省台中屠宰马，掺杂人肉，吃的人没有不得病的。侯景的兵众也饥饿，抢掠没有收获。东府城有粮米，可供一年，援军切断了通路。又听到荆州的援兵就要到达，侯景十分忧虑。王伟说：“现今皇城不能一下子攻克，援兵一天天多起来，我军缺粮，如果假装暂时求和拖延对方的攻势，东府城的粮米可够支撑一年，趁求和的时机，把粮米运到石头城，援军一定不会采取行动。然后休整部队，养好战马，修造好兵器，伺察对方松懈就攻击他们，一战可以成功。”侯景听从了，派他的将领

景从之，遣其将任约、于子悦至城下，拜表求和，乞复先镇㉛。太子以城中穷困，白上，请许之。上怒曰："和不如死！"太子固请曰："侯景围逼已久，援军相仗不战，宜且许其和，更为后图。"上迟回久之，乃曰："汝自图之，勿令取笑千载。"遂报许之。景乞割江右四州㉜之地，并求宣城王大器出送，然后济江。中领军傅岐固争曰："岂有贼举兵围宫阙而更与之和乎？此特欲却援军耳。戎狄兽心，必不可信。且宣城嫡嗣之重，国命所系，岂可为质？"上乃以大器之弟石城公大款㉝为侍中，出质于景。又敕诸军不得复进，下诏曰："善兵不战，止戈为武。可以景为大丞相，都督江西四州诸军事，豫州牧、河南王如故。"己亥㉞，设坛于西华门外，遣仆射王克㉟、上甲侯韶㊱、吏部郎萧瑳㊲与于子悦、任约、王伟登坛共盟。太子詹事柳津出西华门，景出栅门，遥相对，更杀牲歃血为盟。既盟，而景长围不解，专修铠仗，托云无船，不得即发。又云恐南军㊳见蹑，遣石城公还台，求宣城王出送。邀求稍广，了无去志。太子知其诈言，犹羁縻不绝。韶，懿之孙也。

庚子㊴，前南兖州刺史南康王会理、前青冀二州刺史湘潭侯退㊵、西昌侯世子彧㊶众合三万，至于马印洲㊷，景虑其自白下而上，启云："请敕[3]北军㊸聚还南岸㊹，不尔，妨臣济江。"太子即勒会理自白下城移军江潭苑㊺。退，恢之子也。

辛丑㊻，以邵陵王纶为司空，鄱阳王范为征北将军，柳仲礼为侍中、尚书右仆射。景以于子悦、任约、傅士悊皆为仪同三司，夏侯譒为豫州刺史，董绍先为东徐州刺史，徐思玉为北徐州刺史，王伟为散骑常侍。上以伟为侍中。

乙卯㊼，景又启曰："适有西岸㊽信至，高澄已得寿阳、钟离，臣今无所投足，求借广陵并谯州，俟得寿阳，即奉还朝廷。"又云："援军既在南岸，须于京口渡江。"太子并答许之。

癸卯㊾，大赦。

庚戌㊿，景又启曰："永安侯确、直阁赵威方(51)频隔栅见诟云：'天子自与汝盟，我终当破汝。'乞召侯及威方入，即当引路。"上遣吏部

任约、于子悦到皇城下，拜送表章求和，请求回到原先镇守的地方。皇太子因皇城中穷困，就向梁武帝报告，请求答应侯景求和。梁武帝大怒说："讲和，还不如死！"皇太子执意请求说："侯景围逼已经很久，援军互相推脱不肯出战，应当暂且允许他们求和，再想后面的办法。"梁武帝犹豫很久，才说："你自己考虑这事吧，不要让后世取笑千年。"于是回答侯景同意讲和。侯景要求把长江以西南豫州、西豫州、合州、光州四个州的地盘割让给他，还要求宣城王萧大器出皇城来护送他，然后才能渡过长江。中领军傅岐坚决争论说："哪有叛贼起兵围攻皇城，却又与他讲和的道理？这不过是想让援军退却罢了，戎狄人面兽心，一定不可相信。况且宣城王是皇上嫡亲后嗣，关系国家命运，岂能作为人质？"梁武帝就任命萧大器的弟弟石城公萧大款为侍中，出皇城做侯景的人质。又敕令各支援军不得再前进。梁武帝下诏说："善于用兵的人不用交战，'止戈'两字合成'武'。可委任侯景为大丞相，都督江西四州诸军事，原职豫州牧、河南王照旧。"十三日己亥，在西华门外筑坛，派仆射王克、上甲侯萧韶、吏部郎萧瑳与侯景的部将于子悦、任约、王伟登坛共同订立盟约。太子詹事柳津出西华门，侯景出营栅门，两人远远相对，随后屠杀牲畜，歃血盟誓。盟誓以后，侯景不撤包围圈，全力修造铠甲兵器，借口没有船，不能立即撤走。又说害怕援军追击，派石城公萧大款回到皇城，要求宣城王萧大器出宫护送。提出的要求越来越多，完全没有撤离的意思。皇太子知道侯景说谎，但仍然不断地笼络侯景。萧韶，是萧懿的孙子。

二月十四日庚子，前南兖州刺史南康王萧会理，前青州、冀州两州刺史湘潭侯萧退，西昌侯世子萧彧部众共三万人，到达马印洲，侯景担心这支援军从白下沿江而上，上奏说："请下令驻屯马印洲的援军集中撤到南岸，不这样，妨碍我过江。"皇太子立即指挥萧会理从白下城移军到南岸的江潭苑。萧退，是萧恢的儿子。

二月十五日辛丑，梁朝任命邵陵王萧纶为司空，鄱阳王萧范为征北将军，柳仲礼为侍中、尚书右仆射。侯景任命于子悦、任约、傅士悊都为仪同三司，夏侯譒为豫州刺史，董绍先为东徐州刺史，徐思玉为北徐州刺史，王伟为散骑常侍。梁武帝任命王伟为侍中。

二月二十九日乙卯，侯景又上奏说："刚刚有江西使者到来，高澄已经获得了寿阳、钟离，臣现今没有地方立脚，请求暂借广陵和谯州，等臣得到了寿阳，立即奉还朝廷。"又说："援军既然在南岸，我需要在京口渡江。"皇太子全都答应了。

二月十七日癸卯，大赦天下。

二月二十四日庚戌，侯景又上奏说："永安侯萧确、直阁将军赵威方不断隔着栅栏诟骂说：'皇上自己和你订立盟约，我们最终要打败你。'请求皇上宣召萧确和赵威方进入皇城，臣立即撤军上路。"梁武帝派吏部尚书张绾去召回萧确。二十五日辛

尚书张绾召确，辛亥[52]，以确为广州刺史，威方为盱眙[53]太守。确累启固辞，不入，上不许。确先遣威方入城，因欲南奔[54]。邵陵王纶泣谓确曰："围城既久，圣上忧危，臣子之情，切于汤火，故欲且盟而遣之，更申后计。成命已决，何得拒违？"时台使周石珍、东宫主书左法生[55]在纶所，确谓之曰："侯景虽云欲去而不解长围，意可见也。今召仆入城，何益于事？"石珍曰："敕旨如此，郎那得辞？"确意尚坚，纶大怒，谓赵伯超曰："谯州[56]为我斩之，持其首去。"伯超挥刃眄确曰："伯超识君侯，刀不识也。"确乃流涕入城。

上常蔬食，及围城日久，上厨蔬茹[57]皆绝，乃食鸡子。纶因使者暂通，上鸡子数百枚，上手自料简[58]，歔欷哽咽。

湘东王绎军于郢州之武城[59]，湘州刺史河东王誉军于青草湖[60]，信州[61]刺史桂阳王慥[62]军于西峡口[63]，托云俟四方援兵，淹留不进。中记室参军萧贲[64]，骨鲠士也，以绎不早下[65]，心非之，尝与绎双六[66]，食子未下，贲曰："殿下都无下意。"绎深衔之。及得上敕，绎欲旋师，贲曰："景以人臣举兵向阙，今若放兵[67]，未及渡江，童子能斩之矣，必不为也。大王以十万之众，未见贼而退，奈何？"绎不悦，未几，因事杀之[68]。慥，懿之孙[69]也。

东魏河内[70]民四千余家，以魏北徐州刺史司马裔[71]，其乡里也，相帅归之。丞相泰欲封裔，裔固辞曰："士大夫远归皇化，裔岂能帅之？卖义士以求荣，非所愿也。"

侯景运东府米入石头，既毕，王伟闻荆州军退[72]，援军虽多，不相统壹，乃说景曰："王以人臣举兵，围守宫阙，逼辱妃主，残秽宗庙，擢王之发，不足数罪[73]。今日持此，欲安所容身乎？背盟而捷，自古多矣，愿且观其变。"临贺王正德亦谓景曰："大功垂就，岂可弃去？"景遂上启，陈上[4]十失，且曰："臣方事睽违[74]，所以冒陈谠直。陛下崇饰虚诞，恶闻实录，以袄怪为嘉祯，以天谴为无咎。敷演六艺，排摈前儒，王莽之法[75]也。以铁为货，使[5]轻重无常，公孙[76]之制也。烂羊镌印[77]，朝章鄙杂，更始[78]、赵伦[79]之化也。豫章以所天为血雠[80]，邵

亥，任命萧确为广州刺史，赵威方为盱眙太守。萧确多次上书坚决辞去广州刺史，不进入皇城，梁武帝不同意。萧确先派赵威方进入皇城，自己打算南逃。邵陵王萧纶流着眼泪对萧确说："皇城被包围了很久，皇上忧愁危险，作为臣子的心情，比身陷沸水与大火之中还急迫，所以想暂且订盟让叛贼快走，日后再做打算。命令已经下达，怎么能抗拒违背呢？"当时朝廷使者周石珍、东宫主书左法生正在萧纶处，萧确对他们说："侯景虽说要走，却不撤除对皇城的包围，意图是明摆着的，如今把我召入皇城，对事情有什么好处？"周石珍说："皇上的命令是这样，萧郎怎么能够拒绝呢？"萧确的想法仍然很坚定，萧纶大怒，对赵伯超说："赵谯州替我杀了他，让使者带着他的脑袋离开这儿。"赵伯超举刀看着萧确说："我赵伯超认识君侯，刀不认识你。"萧确才流着眼泪进入皇城。

梁武帝日常吃蔬菜，等到皇城被包围时间长了，御膳房的蔬菜都吃完了，就吃鸡蛋。萧纶趁使者暂时通行，献上鸡蛋几百个，梁武帝亲自拣选鸡蛋，唉声叹气，泣不成声。

湘东王萧绎驻军郢州的武城，湘州刺史河东王萧誉驻军青草湖，信州刺史桂阳王萧慥驻军西峡口，借口等待四方援军，滞留原地不前进。湘东王萧绎的中记室参军萧贲是一个刚直的人，因萧绎没有先东下，内心对萧绎很不满，曾经和萧绎玩双六博戏，萧绎食子后举棋不下，萧贲说："殿下全没有下的意思。"萧绎很忌恨萧贲，等得到皇上不进兵的诏令，萧绎就想回军。萧贲说："侯景以臣子之身起兵指向皇宫，如果侯景放弃兵权，不等到他渡江，一个小孩子就能杀掉他，因此侯景肯定是不收兵的。大王手握十万雄兵，没有看到叛贼就退回去，这怎么可以呢？"萧绎很不高兴。不久，就找借口杀了萧贲。萧慥，是萧懿的孙子。

东魏河内郡有民众四千多户，因为西魏北徐州刺史司马裔是他们的同乡，就相约一起归附了司马裔。丞相宇文泰想封赏司马裔，司马裔坚决推辞说："士大夫远道来归附皇朝的教化，我怎能统领他们？出卖义士以求取荣誉，这不是我愿做的。"

侯景运输东府的粮米到石头城，已经运完，王伟听到荆州援军撤退，援军虽然众多，但互相不能统一。于是劝说侯景，说："大王作为人臣起兵，围攻皇城，逼迫侮辱宫妃皇上，摧残玷污宗庙，拔下您的头发也不够计算您的罪行。今天持有这些粮米，想在什么地方安身呢？背弃盟约而获得成功，自古以来有很多，希望您要看事态的发展采取行动。"临贺王萧正德也对侯景说："大功就要告成，怎能丢掉离开？"侯景于是上书，列举梁武帝十大过失，并且说："臣正准备撤离，所以冒昧地陈述忠直之言。陛下推崇粉饰虚无荒诞，不喜欢听到真实的记录，把反常怪异当成吉祥的象征，把上天的谴告说成没有过错。您附会推演六艺，排斥前贤的学说，这是西汉王莽的做法。您用铁铸造货币，使轻重没有标准，这是后汉公孙述的币制。您滥封官职，乱刻官印，朝廷制度鄙陋混杂，这是西汉末更始皇帝刘玄、西晋赵王司马伦

陵以父存而冠布[81]，石虎[82]之风也。修建浮图，百度糜费，使四民饥馁，笮融[83]、姚兴[84]之代也。”又言：“建康宫室崇侈，陛下唯与主书参断万机，政以贿成，诸阉豪盛，众僧殷实。皇太子珠玉是好，酒色是耽，吐言止于轻薄，赋咏不出《桑中》[85]；邵陵所在残破；湘东群下贪纵；南康[86]、定襄[87]之属，皆如沐猴而冠耳。亲为孙侄，位则藩屏，臣至百日，谁肯勤王？此而灵长[88]，未之有也。昔鬻拳兵谏[89]，王卒改善，今日之举，复奚罪乎？伏愿陛下小惩大戒[90]，放谗纳忠，使臣无再举之忧，陛下无婴城之辱，则万姓幸甚！”

上览启，且惭且怒。三月丙辰朔[91]，立坛于太极殿前，告天地，以景违盟，举烽鼓噪。初，闭城之日，男女十余万，擐甲者二万余人，被围既久，人多身肿气急[92]，死者什八九，乘城者不满四千人，率皆羸喘。横尸满路，不可瘗埋[93]，烂汁满沟。而众心犹望外援。柳仲礼唯聚妓妾，置酒作乐，诸将日往请战，仲礼不许。安南侯骏说邵陵王纶曰：“城危如此，而都督不救，若万一不虞[94]，殿下何颜自立于世？今宜分军为三道，出贼不意攻之，可以得志。”纶不从。柳津登城谓仲礼曰：“汝君父在难，不能竭力，百世之后，谓汝为何？”仲礼亦不以为意。上问策于津，对曰：“陛下有邵陵，臣有仲礼，不忠不孝，贼何由平？”

戊午[95]，南康王会理与羊鸦仁、赵伯超等进营于东府城北，约夜渡军。既而鸦仁等晓犹未至，景众觉之，营未立，景使宋子仙击之，赵伯超望风退走。会理等兵大败，战及溺死者五千人。景积其首于阙下，以示城中。

景又使于子悦求和，上使御史中丞沈浚[96]至景所。景实无去志，谓浚曰：“今天时方热，军未可动，乞且留京师立效。”浚发愤责之，景不对，横刀叱之。浚曰：“负恩忘义，违弃诅盟，固天地所不容。沈浚五十之年[97]，常恐不得死所，何为以死相惧邪？”因径去不顾。景以其忠直，舍之。

于是景决石阙前水[98]，百道攻城，昼夜不息。邵陵世子坚[99]屯太阳门[100]，终日蒱饮[101]，不恤吏士，其书佐[102]董勋[103]、熊昙朗[104]恨之。丁

的作风。豫章王萧综视您为不共戴天的血海深仇，邵陵王萧纶以生父健在却穿了别人的丧服，这是后赵石虎的行为。您修建佛塔，百般奢侈浪费，造成士农工商饥饿无食，这是东汉笮融、后秦姚兴的时代。”又说：“建康宫室奢侈豪华，陛下只与主书朱异决断军国大事，政事要有贿赂才能办成，宦官们钱财丰盛，和尚们富裕充实。皇太子爱好珍珠宝玉，沉湎于饮酒女色，说话轻薄，吟咏跳不出《桑中》；邵陵王所到之处就破败不堪；湘东王的部众贪婪放纵；南康王和定襄侯之流，都像是猕猴戴帽而已。这些人，论亲是您的儿孙亲侄，论职位是藩臣，我到京城一百天了，哪一个肯勤王？这种情况还想国运长久，从未有过。从前鬻拳兵谏楚王，楚王终于改恶从善，我今天的举动，又有什么罪过呢？希望陛下通过这次小小的惩罚而获得深刻的教训，放逐进谗言的小人，接纳敢直言的忠臣，使臣不再有发动兵谏的忧虑，陛下也没有被围困在城中的耻辱，那么老百姓也就很幸运了！”

梁武帝看了侯景的奏书，又惭愧又愤怒。三月初一日丙辰，在太极殿前筑坛祭告天地，因侯景违背盟誓，便点燃烽火，擂鼓呐喊。当初，关闭城门的时候，男女十余万口，披甲的有两万多人，被围困了很长时间，人多浮肿气喘，死亡的有十之八九，能登城的不满四千人，大都瘦弱气喘。尸体布满道路，来不及掩埋，尸体腐烂的汁液流满沟渠。然而众人心里还是盼望外援。柳仲礼只是聚集妓妾，摆酒宴，寻欢乐，各路将领每天到他那里请求出战，柳仲礼不允许。安南侯萧骏劝说邵陵王萧纶说：“皇城危急如此，大都督却不救援，如果万一事出意外，殿下有什么脸面活在世上？如今应分军为三路，出其不意地攻击叛军，可以取得成功。”萧纶不听从。柳津登城对柳仲礼说：“你的皇上、父亲都在危难中，你不能尽力，百世之后，怎么评价你？”柳仲礼也不放在心上。梁武帝向柳津询问计谋，柳津回答说：“陛下有邵陵王，臣子有柳仲礼，不忠不孝，叛军怎么可能平定？”

三月初三日戊午，南康王萧会理与羊鸦仁、赵伯超等前移军营到东府城北，相约夜晚把军队渡过秦淮河。约定后，羊鸦仁等天亮还没有到达，侯景的部队发现了，援军还没有扎下军营，侯景派宋子仙攻击援军，赵伯超望风退走，萧会理等军大败，战死和落水淹死的有五千人。侯景把他们的首级堆在宫门前，用来警示城中人。

侯景又派于子悦求和，梁武帝派御史中丞沈浚到侯景处。侯景确实没有撤离的意思，对沈浚说：“如今天气正热，军队不宜行动，请求暂且留在京师效力。”沈浚气愤地斥责侯景，侯景不回答，举刀呵斥沈浚。沈浚说：“忘恩负义，违背发誓的盟约，本是天地所不容。我沈浚活了五十岁了，常常担心死不得其所，为什么拿死来威胁我呢？”说完径直离去，头也不回。侯景因沈浚忠贞正直，放过了他。

于是，侯景挖开玄武湖堤防，引水灌皇城，全线攻城，昼夜不停。邵陵王世子萧坚屯驻太阳门，整天赌博饮酒，不爱惜将士，他的书佐董勋、熊昙朗憎恨他。三

卯[105]，夜向晓，勔、昙朗于城西北楼引景众登城，永安侯确力战，不能却，乃排闼入启上云：“城已陷。”上安卧不动，曰：“犹可一战乎？”确对[6]曰：“不可。”上叹曰：“自我得之，自我失之，亦复何恨！”因谓确曰：“汝速去，语汝父：勿以二宫[106]为念。”因使慰劳在外诸军。

俄而景遣王伟入文德殿奉谒，上命褰帘开户引伟入，伟拜呈景启，称：“为奸佞所蔽，领众入朝，惊动圣躬，今诣阙待罪。”上问：“景何在？可召来。”景入见于太极东堂，以甲士五百人自卫。景稽颡殿下，典仪[107]引就三公榻[108]。上神色不变，问曰：“卿在军中日久，无乃[109]为劳！”景不敢仰视，汗流被面。又曰：“卿何州人，而敢至此，妻子犹在北邪？”景皆不能对。任约从旁代对曰：“臣景妻子皆为高氏所屠，唯以一身归陛下。”上又问：“初渡江有几人？”景曰：“千人。”“围台城几人？”曰：“十万。”“今有几人？”曰：“率土之内，莫非己有。”上俯[110]首不言。

景复至永福省见太子，太子亦无惧容。侍卫皆惊散，唯中庶子[111]徐摛、通事舍人[112]陈郡殷不害[113]侧侍。摛谓景曰：“侯王当以礼见，何得如此？”景乃拜。太子与言，又不能对。

景退，谓其厢公[114]王僧贵曰：“吾常跨鞍对陈，矢刃交下，而意气安缓，了无怖心。今见萧公，使人自慑，岂非天威难犯？吾不可以再见之。”于是悉撤两宫侍卫，纵兵掠乘舆、服御、宫人皆尽。收朝士、王侯送永福省，使王伟守武德殿，于子悦屯太极东堂。矫诏大赦，自加大都督中外诸军、录尚书事。

建康士民逃难四出。太子洗马萧允[115]至京口，端居不行，曰：“死生有命，如何可逃？祸之所来，皆生于利，苟不求利，祸从何生？”

己巳[116]，景遣石城公大款以诏命解外援军。柳仲礼召诸将议之，邵陵王纶曰：“今日之命，委之将军。”仲礼熟视不对。裴之高、王僧辩曰：“将军拥众百万，致宫阙沦没，正当悉力决战，何所多言？”仲礼竟无一言，诸军乃随方各散。南兖州刺史临成公大连[117]、湘东世子方等、鄱阳世子嗣、北兖州刺史湘潭侯退[118]、吴郡太守袁君正[119]、晋陵太

月十二日丁卯，天将亮，董勋、熊昙朗在皇城西北楼引导侯景的军众登城，永安侯萧确奋力作战，没能杀退敌人，于是推开殿门，进去启奏梁武帝说："皇城已经陷落。"梁武帝安卧床上不动，说："还可以决一战吗？"萧确回答说："不能了。"梁武帝叹息说："天下是我亲手取得的，也是我亲手丢失的，又有什么遗憾的！"便对萧确说："你赶快离开，告诉你父亲，不要挂念我和太子。"并让萧确慰劳在城外的各支援军。

不一会儿，侯景派王伟进入文德殿去拜见梁武帝，梁武帝命令揭开帘幕，打开殿门，引导王伟进入。王伟拜见呈上侯景的奏书，说："臣被朝中奸佞陷害，带兵入朝，惊动皇上，如今到宫门请罪。"梁武帝问："侯景在哪里？可召他进来。"侯景进宫，在太极殿东堂拜见皇上，用五百个铁甲战士保卫自己。侯景在殿下磕头，司仪带侯景到三公的坐榻就座。梁武帝神色不变，问侯景说："你在军队中时日长久，怕是很劳苦吧！"侯景不敢仰视，汗流满面。皇上又说："你是哪个州的人，竟敢到这里来，妻子儿女还在北方吗？"侯景都回答不上来。任约在旁边代为回答说："臣侯景的妻子儿女都被高氏杀害，只剩一个人投归陛下。"皇上又问："刚渡江时有多少人？"侯景说："一千人。"又问："包围皇城有多少人？"侯景说："十万人。"又问："现在有多少人？"侯景说："国土之内，都归我所有。"梁武帝低头不再说话。

侯景又到永福省去见皇太子。皇太子也没有恐慌的脸色。侍卫们都害怕逃散了，只有中庶子徐摛、通事舍人陈郡人殷不害陪伴在旁边。徐摛对侯景说："侯景大王您见太子要有礼节，这像什么样子？"侯景这才跪拜皇太子。皇太子与侯景说话，侯景还是不能回答。

侯景退出，对他的厢公王僧贵说："我经常骑马对阵，刀箭齐下，而心情平稳安定，全无惧意。今天拜见萧老头，使人提心吊胆，难道不是天威难犯吗？我不能再见他了。"于是全部撤离皇上、太子原有的侍卫，放纵士兵抢掠皇上的座车、服饰、宫女，洗掠一空。收捕朝中文武大臣、王侯，送到永福省，派王伟守卫武德殿，派于子悦屯驻太极殿东堂，假传皇上诏令大赦天下，给自己加官大都督中外诸军事、录尚书事。

建康的官吏平民出城往四方逃难。太子洗马萧允逃到京口，住下不走了，说："生与死是命中注定的，怎么能逃得掉呢？灾祸到来的原因，都是源自利益，如果不贪利，灾祸从哪里产生？"

三月十四日己巳，侯景派石城公萧大款带上梁武帝的诏令去解散各路援军。柳仲礼召集各路将领商议这事，邵陵王萧纶说："今天的命运，就交给将军了。"柳仲礼长时间看着萧纶不答话。裴之高、王僧辩说："将军您拥有百万兵众，却致使皇宫陷落，眼下正该全力决战，有什么好多说的？"柳仲礼始终不说一句话，于是各路援军随即分散回到各地。南兖州刺史临成公萧大连、湘东王世子萧方等、鄱阳王世子萧

守陆经等各还本镇。君正，昂之子也。邵陵王纶奔会稽。仲礼及弟敬礼、羊鸦仁、王僧辩、赵伯超并开营降，军士莫不叹愤。仲礼等入城，先拜景而后见上，上不与言。仲礼见父津，津恸哭曰："汝非我子，何劳相见？"

湘东王绎使全威将军[120]会稽王琳[121]送米二十万石以馈军，至姑孰，闻台城陷，沈米于江而还。

景命烧台内积尸，病笃未绝者[122]亦聚而焚之。

【段旨】

以上为第二段，梁皇太子懦弱畏敌，在勤王之师大集的形势下，中叛贼奸计许和，丧失战机，灭了自己勤王之师的士气，助长了贼人的威风，导致将士寒心，闻警坐观，皇城于是不守。

【注释】

㉑顾野王（公元五一九至五八一年）：字希冯，吴郡吴县人，熟读经史，通晓天文地理、占候，好丹青，善书法，名噪一时。台城失陷，转投陈霸先，历位大著作、黄门侍郎。传见《陈书》卷三十、《南史》卷六十九。㉒己丑：二月初三日。㉓坏尚书省为薪：拆毁尚书省梁椽作烧柴用。㉔荐：草席。㉕剉：铡碎。㉖脡：本指鱼肉干。此泛指熟肉食。㉗煮铠：当时铠甲多用兽皮制作，所以士兵用来煮着吃。㉘御甘露厨：佛教徒称厨房叫甘露厨，梁武帝信佛，把御膳房改用此称。㉙干苔：晒干的海苔菜，今南方仍多食用。㉚东城：东府城。在台城南。㉛先镇：指寿阳。此时已属东魏。㉜四州：即南豫州、西豫州、合州、光州。㉝大款：萧大款（？至公元五五五年），字仁师，简文帝第三子。初封石城公，简文帝即位，晋封江夏王。后投奔梁元帝，改封临川王。西魏陷江陵，即遇害。传见《南史》卷五十四。㉞己亥：二月十三日。㉟王克：出身琅邪王氏。台城失陷，被侯景任命为太宰、侍中、录尚书事。侯景败亡，入陈，位至尚书右仆射。传见《南史》卷二十二。㊱韶：萧韶，字德茂，爵上甲侯。后投奔梁元帝，改封长沙王。曾撰《梁太清纪》，多失实。传见《南史》卷五十一。㊲萧瑳：兰陵（今江苏常州西北）人，梁武帝太清中，官至吏部郎。台城失陷，避难于东阳（今浙江金华），被强盗所杀。传见《梁书》卷三十五。㊳南军：时援军大都屯扎在秦淮河南岸，所以被称作南军。㊴庚子：二月十四日。㊵退：萧退，封湘潭侯，后投奔东魏。北齐时，位金紫光禄大夫。传见《北齐

嗣、北兖州刺史湘潭侯萧退、吴郡太守袁君正、晋陵太守陆经等各还本镇。袁君正，是袁昂的儿子。邵陵王萧纶逃往会稽。柳仲礼和他弟弟柳敬礼、羊鸦仁、王僧辩、赵伯超一起打开营门投降，军士们无不叹息愤怒。柳仲礼等人进入皇城，先拜见侯景，后去见皇上，梁武帝不和他们说话。柳仲礼去见父亲柳津，柳津痛哭说："你不是我的儿子，何必劳驾你来看我？"

湘东王萧绎派全威将军会稽人王琳送米二十万石供给援军，到达姑孰，听说皇城陷落，把米沉入长江，回去了。

侯景命令焚烧皇城内堆积的尸体，病重还没断气的人也集中在一起焚烧。

书》卷三十三、《北史》卷二十九。㊶彧：萧彧，西昌侯萧渊藻的长子。事见《梁书》卷二十三。㊷马卬洲：长江江心洲之一，在今南京王家沙、老鹳嘴一带。㊸北军：指萧会理等所率兵马。因马卬洲在台城之北，所以称北军。㊹南岸：秦淮河南岸。㊺江潭苑：《梁书》作"兰亭苑"，在秦淮河南岸。㊻辛丑：二月十五日。㊼乙卯：二月二十九日。此下所述事不当置于癸卯日前，疑有误。"乙卯，景又启曰"至"太子并答许之"一节，疑错简，应在"上常蔬食"之前。㊽西岸：指长江西岸的历阳（今安徽和县）。㊾癸卯：二月十七日。㊿庚戌：二月二十四日。(51)赵威方：时任直阁将军。后归顺侯景，任湘州刺史，死于贝几之役。(52)辛亥：二月二十五日。(53)盱眙：郡名，治所盱眙，在今江苏盱眙。(54)南奔：向南奔往荆州、江州二镇。(55)东宫主书左法生：东宫主书，官名，在东宫中掌起草文书。左法生，人名。(56)谯州：赵伯超时任谯州刺史，所以萧纶以谯州代称赵伯超。(57)茹：蔬菜的总称之一。(58)料简：点数验收。(59)武城：又名武口城，在今湖北武汉市黄陂东南。(60)青草湖：湖名，一名巴丘湖，北与洞庭湖相连，在今湖南湘阴北。(61)信州：州名，治所白帝城，在今重庆奉节。(62)桂阳王慥：萧慥，字符贞，梁宗室。初为信州刺史，侯景之乱，赴援京师，后回信州，遭张缵陷害，被萧绎下令处死。传见《南史》卷五十一。(63)西峡口：即西陵峡口，在今湖北巴东。(64)萧贲：字文奂，南齐巴陵王萧昭胄之子。能书善画。仕梁，为湘东王法曹参军，撰《西京杂记》六十卷。传见《南史》卷四十四。(65)不早下：不尽快顺江而下，援救京师。(66)双六：博戏的一种，又称双陆。局如棋盘，左右各有六路，因而得名。每方有马十五枚，以骰子掷采而行马，白马从右到左，黑马从左到右，先走完者为胜。(67)放兵：放弃兵权。(68)因事杀之：因批评萧绎所拟檄文文句不当，被关到狱中饿死，并被下令戮尸。(69)懿之孙：萧慥是长沙宣武王萧懿第九子萧象的儿子，但萧象已过继给桂阳简王萧融，所以应作萧融之孙。(70)河内：郡名，东魏置，治所野王，在今河南沁阳。(71)司马裔（？至公元五七一年）：字遵胤，河南温县人，宋武帝诛除司马氏，他的曾祖司马楚之逃到北魏，重返故乡。魏孝武西迁，裔起义于温县。每与东

魏战，必建功勋。入周，累官至大将军，封琅邪县公。传见《周书》卷三十六、《北史》卷二十九。⑫荆州军退：指湘东王萧绎已回师。⑬“擢王之发”二句：指侯景犯下的罪行之多，拔光侯景的头发来计算都不够用。⑭睽违：分离，此指撤军。⑮王莽之法：王莽字巨君，汉孝元帝王皇后之侄。口头上宣扬儒家六艺，实际上篡汉自立。传见《汉书》卷九十九。⑯公孙：公孙述（？至公元三六年），右扶风茂陵（今陕西兴平）人，西汉末，割据巴蜀，称帝。曾废铜钱，推行铁官钱。后被刘秀所消灭。传见《后汉书》卷十三。⑰烂羊镌印：王莽末年，更始帝刘玄攻入长安，滥授官爵，长安城中传出民谣说：“烂羊胃，骑都尉；烂羊头，关内侯。”说的是卖羊杂碎的小贩，也当了高官，获得爵位。侯景借用来讽刺梁武帝用人不当。⑱更始：即西汉末绿林军首领，在长安称帝的更始帝刘玄（？至公元二五年），字圣公，南阳蔡阳（今湖北枣阳西南）人。传见《后汉书》卷十一。⑲赵伦：晋朝赵王司马伦，司马懿的第九子。永康元年（公元三〇〇年），利用禁军起兵，杀贾皇后、张华等人。转年称帝，引发八王之乱。传见《晋书》卷五十九。⑳豫章以所天为血雠：豫章，即豫章王萧综，由梁武帝娶齐东昏侯宠妃吴淑媛所生。综自疑非武帝亲生，听说滴血在尸骨上，能渗入骨中，便是亲父子。于是他掘开齐东昏侯墓进行试验，竟如同传说。为报所谓亲父东昏侯的血仇，综投降北魏，与梁武帝为敌。传见《梁书》卷五十五、《南史》卷五十三。㉑邵陵以父存而冠布：邵陵指邵陵王萧纶，梁武帝第六子。在南徐州刺史任上，横行不法。一次遇到丧车，萧纶竟夺过孝子的丧服，自己穿起来，伏地号哭。虽遭武帝严责，仍不知悔改。事见《南史》卷五十三。㉒石虎（公元二九五至三四九年）：字季龙，羯人，石勒的侄子。自立为后赵皇帝，在位十五年，以贪婪残暴闻名。生前父子相残，死后诸子相残，后赵迅即灭亡。传见《晋书》卷一百六、卷一百七。㉓笮融：汉献帝兴平初年的下邳相，在郡内大造佛事，招纳旁郡佛教徒五千余户。每办佛事，耗费以亿计。事见《后汉书》卷九《献帝纪》。㉔姚兴：后秦主姚苌之子。即位后，奉鸠摩罗什为国师，亲率群臣听他讲解佛经。又大造佛寺和佛塔，公卿以下百官及州郡士民，十之八九信奉佛教。事见《晋书》卷十《安帝纪》。㉕《桑中》：见《诗经·鄘风》，旧注认为是淫乱之诗。㉖南康：指南康王萧会理，当时镇守广陵（今江苏扬州）。㉗定襄：指定襄侯萧祗，当时镇守淮阴（今江苏淮安市淮阴区）。㉘灵长：国祚长远。㉙鬻拳兵谏：鬻拳强谏楚子，楚子不从。鬻拳拔出兵刃，逼向楚子。楚子害怕了，接受鬻拳的批评。鬻拳认为用兵器威胁国君，犯了大罪，于是用斧子斩断了自己的双脚。楚子认为他忠心为国，任命他为大阍，把守宫门。事详《左传》庄公十九年。㉚小惩大戒：语出《易·系辞下》，文作：“子曰：小人不耻不仁，不畏不义，不见利不劝，不威不惩。小惩而大戒，此小人之福也。”即小人不能长向善，所以要经常给予惩戒，小人也因此可以得福。侯景把梁武帝比作需要经常惩戒的小人。㉛丙辰朔：三月初一日。㉜气急：哮喘病。㉝瘗埋：埋葬。㉞不虞：事出意外。㉟戊午：三月初三日。㊱沈浚：字叔源，吴兴武康（今浙江德清）人，仕梁，历任建康令、尚书左丞。刚直不阿，后被侯景杀害。传见《梁书》卷四十三、《南史》

卷三十六。⑰ 五十之年:《梁书》本传作“六十之年”,《南史》同。《通鉴》恐误。⑱ 石阙前水:即玄武湖的水。⑲ 坚:萧坚,字长白,封汝南侯。传见《梁书》卷二十九、《南史》卷五十三。⑳ 太阳门:台城六门之一。㉑ 蒱饮:蒱,即蒲,也就是摴蒱,一种古代博戏。有子,有马,共有十采。其中卢、雉、犊、白是贵采,其他六种为杂采。流行于整个南北朝时期,有时也成为赌博的通称。所谓蒱饮,是一边赌博,一边饮酒。㉒ 书佐:处理文书的低级佐吏。㉓ 董勋:人名,《梁书》卷二十九、《南史》卷五十三均作“董勋华”。㉔ 熊昙朗:人名,《梁书》《南史》均作“白昙朗”。㉕ 丁卯:三月十二日。㉖ 二宫:指他本人和太子。㉗ 典仪:官名,主持朝见礼节,包括赞唱和安排位次。㉘ 三公榻:太尉、司徒、司空所就的坐榻。㉙ 无乃:岂不是。㉚ 俯:头低下。㉛ 中庶子:即太子中庶子,东宫官名,职比朝中侍中。梁十一班。㉜ 通事舍人:官名,即东宫通事舍人,职比朝中中书通事舍人。㉝ 殷不害(公元五〇五至五八九年):字长卿,陈郡长平(今河南西华)人,后投奔梁元帝,以中书郎兼廷尉卿。入陈官至司农卿、光禄大夫。传见《陈书》卷三十二、《南史》卷七十四。㉞ 厢公:侯景称他的亲信勋贵为左右厢公,是一种尊号。㉟ 萧允(公元五〇六至五八九年):字叔佐,兰陵(今江苏常州西北)人,不慕荣利。陈宣帝即位,任黄门侍郎,迁光禄卿。陈亡,迁徙到关中。传见《梁书》卷四十一、《陈书》卷二十一、《南史》卷十八。㊱ 己巳:三月十四日。㊲ 南兖州刺史临成公大连:胡三省以为此句有脱文,当作“南兖州刺史南康王会理、东扬州刺史临成公大连”。胡说是。㊳ 北兖州刺史湘潭侯退:胡三省以为此句也有脱文,当作“北兖州刺史定襄侯祗、前青冀二州刺史湘潭侯退”。当是。㊴ 袁君正:梁末历任东阳、吴郡太守。侯景将于子悦攻郡,袁君正想息事宁人,开门郊迎。不料子悦纵兵大掠,君正忧急而死。传见《梁书》卷三十一、《南史》卷二十六。㊵ 全威将军:官名,是杂号将军。㊶ 王琳(公元五二六至五七三年):字子珩,会稽山阴(今浙江绍兴)人,平定侯景之乱,功居众将之首,拜湘州刺史。梁元帝死,陈霸先拥立敬帝,王琳不从,兵败投奔北齐,被任命为扬州刺史,封会稽郡公,镇守寿阳。陈将吴明彻北伐,琳城破被杀。传见《南史》卷六十四。㊷ 病笃未绝者:病危但还未死的人。尚书外兵郎中鲍正病重,侯景军卒将他投入火中烧死。事见《梁书》卷五十六。

【校记】

[2] 且:原无此字。据章钰校,十二行本、乙十一行本、孔天胤本皆有此字,今据补。〖按〗《通鉴纪事本末》卷二三有此字。[3] 敕:原无此字。据章钰校,十二行本、乙十一行本、孔天胤本皆有此字,张敦仁《通鉴刊本识误》同,今据补。[4] 上:原作“帝”。据章钰校,十二行本、乙十一行本、孔天胤本皆作“上”,今据改。[5] 使:原无此字。据章钰校,十二行本、乙十一行本、孔天胤本皆有此字,张敦仁《通鉴刊本识误》同,今据补。[6] 对:原无此字。据章钰校,十二行本、乙十一行本、孔天胤本皆有此字,熊罗宿《胡刻资治通鉴校字记》同,今据补。

【原文】

庚午⑫，诏征镇牧守可复本任。景留柳敬礼、羊鸦仁，而遣柳仲礼归司州，王僧辩归竟陵。初，临贺王正德与景约，平城之日，不得全二宫。及城开，正德帅众挥刀欲入，景先使其徒守门，故正德不果入。景更以正德为侍中、大司马，百官皆复旧职。正德入见上，拜且泣。上曰："啜其泣矣，何嗟及矣⑫！"

秦郡⑫、阳平、盱眙三郡皆降景，景改阳平为北沧州⑫，改秦郡为西兖州。

东徐州刺史湛海珍、北青州⑫刺史王奉伯、淮阳太守王瑜[7]并以地降东魏。青州刺史明少遐、山阳⑫太守萧邻弃城走，东魏据其地。

侯景以仪同三司萧邕为南徐州刺史，代西昌侯渊藻镇京口。又遣其将徐相攻晋陵，陆经以郡降之。

初，上以河东王誉为湘州刺史，徙湘州刺史张缵为雍州刺史，代岳阳王詧。缵恃其才望，轻誉少年，迎候有阙。誉至，检括州府付度事⑫，留缵不遣。闻侯景作乱，颇陵蹙缵。缵恐为所害，轻舟夜遁，将之雍部⑬，复虑詧拒之。缵与湘东王绎有旧，欲因之以杀誉兄弟，乃如江陵。及台城陷，诸王各还州镇，誉自湖口⑬归湘州。桂阳王慥以荆州督府⑬留军江陵，欲待绎至拜谒，乃还信州。缵遗绎书曰："河东⑬戴樯⑬上水⑬，欲袭江陵，岳阳⑬在雍，共谋不逞。"江陵游军主⑬朱荣亦遣使告绎云："桂阳留此，欲应誉、詧。"绎惧，凿船，沈米⑬，斩缆，自蛮中步道驰归江陵，囚慥，杀之。

侯景以前临江太守董绍先为江北行台，使赍上手敕，召南兖州刺史南康王会理。壬午⑬，绍先至广陵，众不满二百，皆积日饥疲，会理士马甚盛，僚佐说会理曰："景已陷京邑，欲先除诸藩，然后篡位。若四方拒绝，立当溃败，奈何委全州之地以资寇手？不如杀绍先，发兵固守，与魏连和，以待其变。"会理素懦，即以城授之。绍先既入，众莫敢动。会理弟通理⑭请先还建康，谓其姊曰："事既如此，岂可阖家受毙？前途亦思立效，但未知天命如何耳。"绍先悉收广陵文武部曲、铠仗、金帛，遣会理单马还建康。

【语译】

三月十五日庚午，朝廷下诏各州郡镇守长官可以恢复原职。侯景留下柳敬礼、羊鸦仁，指派柳仲礼回司州，王僧辩回竟陵。当初，临贺王萧正德与侯景约定，平定皇城之日，不得让皇上、皇太子活下来。等到城门打开，萧正德率领兵众挥着刀想进入皇宫，侯景先派他的士兵守住宫门，所以萧正德没能如愿进入。侯景改任萧正德为侍中、大司马，文武百官都恢复原职。萧正德进宫拜见皇上，边拜边哭泣。梁武帝说："哭个不停，后悔哪来得及啊！"

秦郡、阳平、盱眙三郡都投降了侯景，侯景改阳平郡为北沧州，改秦郡为西兖州。

东徐州刺史湛海珍、北青州刺史王奉伯、淮阳太守王瑜都献出土地投降了东魏。青州刺史明少遐、山阳太守萧邻丢弃城池逃走，东魏占领了这些地方。

侯景任命仪同三司萧邕为南徐州刺史，代替西昌侯萧渊藻镇守京口。又派他的部将徐相攻打晋陵，陆经率郡投降了他。

当初，梁武帝任命河东王萧誉为湘州刺史，调湘州刺史张缵为雍州刺史，取代岳阳王萧詧。张缵依仗自己的才干和威望，轻视萧誉年少，迎候礼节不周到。萧誉到任后，检查州府事务办完移交，扣留了张缵，不让他走。萧誉听说侯景作乱，便经常凌辱张缵。张缵害怕被萧誉杀害，驾轻舟乘夜晚逃走，即将到达雍州境内，又担心萧詧拒绝他。张缵与湘东王萧绎有交情，想利用他杀掉萧誉兄弟，于是前往江陵。等到皇城陷落，诸王各自回到州镇，萧誉从湖口回到湘州。桂阳王萧慥因为荆州是督府所在，便把军队停留在江陵，想等萧绎回来时拜见，然后回信州。张缵给萧绎写信说："河东王乘船沿江而上想偷袭江陵，岳阳王在雍州，共谋叛乱。"江陵巡江军主朱荣也派人报告萧绎说："桂阳王留在江陵，打算接应萧誉、萧詧。"萧绎害怕，凿破船只，将大米沉入江中，砍断缆绳，从蛮族人居住区走小路赶回江陵，把萧慥囚禁，后来杀了他。

侯景任命前临江太守董绍先为江北行台，让他带上皇上手令，征召南兖州刺史南康王萧会理。三月二十七日壬午，董绍先到达广陵，他的部众不到二百人，都多天挨饿，疲惫不堪。萧会理甲士战马很强大，幕僚部下劝萧会理说："侯景已经攻破京都，想首先除掉皇室诸王，然后篡夺皇位。如果四面八方都起来反抗拒绝，侯景就会立即溃散败亡，怎么可以把一个州的土地拿出来资助叛贼呢？不如杀了董绍先，派兵防守，与东魏联合，以等待时局的变化。"萧会理一向懦弱，立即把州城交给了董绍先。董绍先进入了州城以后，众人都不敢轻举妄动。萧会理的弟弟萧通理请求先回到建康，对他的姐姐说："事情既然这样，怎么能全家坐着等死？考虑前途，我也想立功效力，只是不知道天命怎么样罢了。"董绍先全部接收了广陵的文武官吏与部众、铠甲兵器、府库财物，派萧会理单枪匹马回建康。

湘潭侯退与北兖州刺史定襄侯祗出奔东魏。侯景以萧弄璋为北兖州刺史，州民发兵拒之，景遣直阁将军羊海将兵助之，海以其众降东魏，东魏遂据淮阴。祗，伟之子也。

癸未⑭，侯景遣于子悦等将羸兵数百东略吴郡。新城戍主戴僧逖有精甲五千，说太守袁君正曰："贼今乏食，台中所得，不支一旬，若闭关拒守，立可饿死。"土豪陆映公等[8]恐不能胜而资产被掠，皆劝君正迎之。君正素怯，载米及牛酒郊迎。子悦执君正，掠夺财物、子女，东人⑭皆立堡拒之。景又以任约为南道行台，镇姑孰。

夏，四月，湘东世子方等至江陵，湘东王绎始知台城不守，命于江陵四旁七里树木为栅⑭，掘堑三重而守之。

【段旨】

以上为第三段，写侯景攻破皇城，勤王之师四散，梁境内藩镇州牧郡守，皆无斗志，侯景遣将四出略地，扩大战果。

【注释】

⑫庚午：三月十五日。⑫"啜其泣矣"二句：出自《诗经·王风·中谷有蓷》。大意是伤心得哭了又哭，想后悔也来不及了。啜，痛哭的样子。⑫秦郡：郡名，梁置，治所尉氏，在今江苏南京六合区。⑫北沧州：州名，侯景置。大宝元年（公元五五〇年），又改入北兖州。不久即被北齐所拥有。⑫北青州：州名，梁置，治所不详，一说在东海郡怀仁县，即今江苏连云港市赣榆区。⑫山阳：郡名，梁置，治所山阳县，在今江苏淮安。⑫付度事：前后任的交接事项。⑬雍部：雍州刺史部。⑬湖口：洞庭湖入长江口，地处巴陵，即今湖南岳阳。⑬荆州督府：太清元年（公元五四七年），湘东王萧绎以荆

【原文】

东魏高岳等攻魏颍川，不克。大将军澄益兵助之，道路相继，逾年犹不下。山鹿忠武公⑭刘丰生建策，堰洧水以灌之，城多崩颓，岳

湘潭侯萧退与北兖州刺史定襄侯萧祗出逃到东魏。侯景任命萧弄璋为北兖州刺史，州城民众起兵拒绝萧弄璋，侯景派直阁将军羊海领兵支援萧弄璋，羊海率领部众投降了东魏，东魏于是占据了淮阴。萧祗，是萧伟的儿子。

三月二十八日癸未，侯景派于子悦等率领几百名老弱兵向东掠夺吴郡。新城戍主戴僧逖有精锐甲士五千人，劝太守袁君正说："叛贼如今缺乏粮食，从皇城获得的，支撑不了十天，如果闭关拒守，立即可以饿死他们。"地方豪绅陆映公等担心不能取胜而财产被掠夺，都劝袁君正迎接于子悦。袁君正素来胆小，载着粮米和牛酒到城郊迎接。于子悦扣押了袁君正，抢掠财物、子女，江东民众都建立城堡，抵抗于子悦。侯景又任命任约为南道行台，镇守姑孰。

夏，四月，湘东王世子萧方等到达江陵，湘东王萧绎才知道皇城陷落，命令在江陵四周七里的地方竖木桩为营栅，挖壕沟三道，加强守备。

州刺史都督荆、雍、湘、司、郢、宁、梁、南秦、北秦九州诸军事。荆州地处建康上游，是梁朝的主要督府之一。⑬③ 河东：指河东王萧誉。⑬④ 戴樯：船已扬帆，喻萧誉水军已整装待发。⑬⑤ 上水：从洞庭湖到江陵，是溯江而上，所以称上水。⑬⑥ 岳阳：指岳阳王萧詧。⑬⑦ 游军主：官名，率领巡逻部队的将领。⑬⑧ 沈米："沈"即"沉"。即前言想送往京师的二十万石米。⑬⑨ 壬午：三月二十七日。⑭⓪ 通理：萧通理，字仲宣，位太子洗马，封祁阳侯。传见《梁书》卷二十九、《南史》卷五十三。⑭① 癸未：三月二十八日。⑭② 东人：泛指江东的百姓。⑭③ 江陵四旁七里树木为栅：在江陵周围七里的地方竖木桩做军营栅栏。

【校记】

[7] 淮阳太守王瑜：原无此六字。据章钰校，十二行本、乙十一行本、孔天胤本皆有此六字，张敦仁《通鉴刊本识误》、张瑛《通鉴校勘记》同，今据补。[8] 等：原无此字。据章钰校，十二行本、乙十一行本、孔天胤本皆有此字，张敦仁《通鉴刊本识误》同，今据补。

【语译】

东魏高岳等攻打西魏颍川郡，没有攻克。大将军高澄增兵援助高岳，通往颍川的道路上，增援军队前后相继，过了一年还没攻下。东魏山鹿忠武公刘丰生献计，在洧水上筑堤坝蓄水灌城，城墙多处崩塌，高岳全军分批轮番休整，不停地进攻。

悉众分休迭进⑮。王思政身当矢石，与士卒同劳苦，城中泉涌，悬釜而炊。太师泰遣大将军赵贵督东南诸州兵救之，自长社以北，皆为陂泽，兵至穰，不得前。东魏人[9]使善射者乘大舰临城射之，城垂陷。燕郡景惠公⑯慕容绍宗与刘丰生临堰视之，见东北尘起，同入舰坐避之。俄而暴风至，远近晦冥，缆断，飘船径向城，城上人以长钩牵船，弓弩乱发，绍宗赴水溺死，丰生游水[10]，向土山，城上人射杀之。

甲辰⑰，东魏进大将军勃海王澄位相国，封齐王，加殊礼⑱。丁未⑲，澄入朝于邺，固辞，不许。澄召将佐密议之，皆劝澄宜膺朝命，独散骑常侍陈元康以为未可，澄由是嫌之，崔暹乃荐陆元规⑳为大行台郎以分元康之权。

湘东王绎之入援也，令所督诸州皆发兵，雍州刺史岳阳王詧遣府司马㉑刘方贵将兵出汉口㉒，绎召詧使自行，詧不从。方贵潜与绎相知，谋袭襄阳，未发，会詧以他事召方贵，方贵以为谋泄，遂据樊城㉓拒命，詧遣军攻之。绎厚资遣张缵使赴镇，缵至大堤㉔，詧已拔樊城，斩方贵。缵至襄阳，詧推迁未去㉕，但以城西白马寺处之，詧犹总军府之政，闻台城陷，遂不受代。助防杜岸㉖绐缵曰："观岳阳势不容使君，不如且往西山㉗以避祸。"岸既襄阳豪族，兄弟九人㉘，皆以骁勇著名。缵乃与岸结盟，著妇人衣，乘青布舆，逃入西山。詧使岸将兵追擒之，缵乞为沙门，更名法缵，詧许之。

荆州长史王冲等上笺于湘东王绎，请以太尉、都督中外诸军事承制主盟，绎不许。丙辰㉙，又请以司空主盟，亦不许。

上虽外为侯景所制，而内甚不平。景欲以宋子仙为司空，上曰："调和阴阳，安用此物？"景又请以其党二人为便殿㉚主帅，上不许。景不能强，心甚惮之。太子入，泣谏，上曰："谁令汝来？若社稷有灵，犹当克复；如其不然，何事流涕？"景使其军士入直省中，或驱驴马，带弓刀，出入宫庭，上怪而问之，直阁将军周石珍对曰："侯丞相甲士。"上大怒，叱石珍曰："是侯景，何谓丞相！"左右皆惧。是后上

王思政自身冒着飞石箭雨，与士兵同甘共苦，城内积水如泉涌，把饭锅吊起来做饭。西魏太师宇文泰派大将军赵贵督东南各州的军队救援王思政，长社以北地区都成了沼泽，援军到达穰城，不能前进。东魏派出善射的人坐着大船驶进城边向城内放箭，颍川城即将陷落。东魏燕郡景惠公慕容绍宗与刘丰生两人到堤坝上视察，看到东北方尘土飞起，两人一起进入船舱避风。不一会儿暴风吹来，远近昏暗，系船的缆绳被扯断，船只直接飘向颍川城。城上人用长钩牵住船，弓箭乱射，慕容绍宗投水被淹死，刘丰生游泳，游向土山，城上的人射死了他。

四月十九日甲辰，东魏加官大将军勃海王高澄为相国，封齐王，还给予他特殊的礼遇。二十二日丁未，高澄进邺城朝拜，再三推辞封爵，孝静帝不答应。高澄召集亲密将领僚属秘密商议，都劝高澄应该服从朝廷的诏命，只有散骑常侍陈元康认为不应接受，高澄因此怀恨陈元康。崔暹便推荐陆元规为大行台郎，用他来分散陈元康的权力。

湘东王萧绎救援建康时，命令所督各州都要发兵，雍州刺史岳阳王萧詧派府司马刘方贵领兵前往汉口，萧绎宣召萧詧要他亲自带兵，萧詧没有听从。刘方贵暗中与萧绎通信息，密谋偷袭雍州镇所襄阳，还没有出发，正好这时萧詧因为别的事情召回刘方贵，刘方贵以为密谋泄漏，于是占据樊城抗拒命令，萧詧派兵攻击他。萧绎给予张缵丰厚的资助派他去赴任。张缵到达大堤，萧詧已经攻取了樊城，杀死了刘方贵。张缵到达襄阳，萧詧拖延没有离开襄阳，只把张缵安置在襄阳城西的白马寺，萧詧还统管着军府的政务，听到皇城陷落，于是不接受张缵取代自己。雍州助防杜岸欺骗张缵说："看岳阳王的架势容不下您，还不如暂且到西山躲避灾祸。"杜岸是襄阳的大豪族，兄弟九个，都因骁勇而闻名。张缵于是与杜岸结盟，穿上妇人的衣服，乘坐青布车帘的车子，逃进西山。萧詧派杜岸带兵追捕他，张缵请求当和尚，改名法缵，萧詧同意了。

荆州长史王冲等人写信给湘东王萧绎，请求他以太尉、都督中外诸军事的身份借皇帝旨意主持藩王会盟，萧绎不同意。五月初二日丙辰，王冲等人又请求萧绎以司空身份主持会盟，萧绎也不同意。

梁武帝表面上被侯景控制，而内心极为不服。侯景想任命宋子仙为司空，梁武帝说："调和阴阳的三公职位，怎么能用这个人？"侯景又请求用他的两个党羽为便殿的主帅，梁武帝不同意，侯景不能强迫，心里很畏惧皇上。皇太子入宫，流着眼泪谏阻，梁武帝说："谁让你来的？如果国家有神灵，梁朝还能重建；如果不是这样，何用流泪？"侯景派他的士兵进入朝廷官衙守卫，有的赶着驴马，带着弓箭战刀，进出宫殿，梁武帝很诧异问是怎么回事，直阁将军周石珍回答说："这是侯景丞相的甲士。"梁武帝大怒，呵斥周石珍说："是侯景，怎么能叫他丞相！"梁武帝身边的人都很恐惧。从这以后，梁武帝所要的东西多半不能得到，饮食也被侯景减少，于是忧

所求多不遂志，饮膳亦为所裁节，忧愤成疾。太子以幼子大圜[161]属湘东王绎，并剪爪发以寄之。五月丙辰[162]，上卧净居殿，口苦，索蜜不得，再曰："荷！荷！"遂殂。年八十六。景秘不发丧，迁殡于昭阳殿，迎太子于永福省，使如常入朝。王伟、陈庆[163]皆侍太子，太子呜咽流涕，不敢泄声，殿外文武皆莫之知。

东魏高岳既失慕容绍宗等，志气沮丧，不敢复逼长社城。陈元康言于大将军澄曰："王自辅政以来，未有殊功，虽破侯景，本非外贼。今颍川垂陷，愿王自以为功。"澄从之。戊寅[164]，自将步骑十万攻长社，亲临作堰，堰三决，澄怒，推负土者及囊并塞之。

辛巳[165]，发高祖丧，升梓宫于太极殿。是日，太子即皇帝位，大赦，侯景出屯朝堂[166]，分兵守卫。

壬午[167]，诏北人在南为奴婢者，皆免之，所免万计，景或更加超擢，冀收其力。

高祖之末，建康士民服食、器用，争尚豪华，粮无半年之储，常资四方委输[168]。自景作乱，道路断绝，数月之间，人至相食，犹不免饿死，存者百无一二。贵戚、豪族皆自出采稆[169]，填委沟壑，不可胜纪。

癸未[170]，景遣仪同三司来亮入宛陵[171]，宣城太守[172]杨白华诱而斩之。甲申[173]，景遣其将李贤明攻之，不克[174]。景又遣中军[175]侯子鉴[176]入吴郡，以厢公苏单于为吴郡太守，遣仪同宋子仙等将兵东屯钱塘[177]，新城戍主戴僧逖据县[11]拒之。御史中丞沈浚避难东归，至吴兴[178]，太守张嵊[179]与之合谋，举兵讨景。嵊，稷[180]之子也。东扬州刺史临城公大连，亦据州不受景命。景号令所行，唯吴郡以西、南陵以北而已。

【段旨】

以上为第四段，写侯景逼死梁武帝，士民离心，梁境内讨逆之声渐起，侯景的号令只在吴郡以西、南陵以北狭小地区施行。

愤成疾。皇太子把小儿子萧大圜托付给湘东王萧绎，并且剪下指甲、头发送给他。五月初二日丙辰，梁武帝躺在净居殿，口苦，索要蜂蜜没有得到，喊了两声："荷！荷！"便断了气，享年八十六岁。侯景秘不发丧，把灵柩移到昭阳殿，从永福省接来皇太子，让他像往常一样进宫朝见。王伟、陈庆都陪侍皇太子，皇太子呜咽流泪，不敢出声，殿外文武百官没有人知道这件事。

东魏高岳失去了慕容绍宗等，灰心丧气，不敢再逼近长社城。陈元康对大将军高澄进言说："大王自辅政以来，没有特殊的功勋，虽然打败了侯景，但侯景不是外部敌人。如今颍川将要陷落，希望大王亲自在这次建立功劳。"高澄听从了。五月二十四日戊寅，亲自率领步骑十万攻打长社，又亲临筑堰现场，堤坝三次决口，高澄很生气，把挑土的人和土袋子一起推入河中堵塞缺口。

五月二十七日辛巳，梁朝为梁高祖发丧，把灵柩抬到太极殿上。这一天，皇太子即皇帝位，大赦天下。侯景退出昭阳殿，驻军朝堂，分兵守卫。

五月二十八日壬午，梁朝下诏在南方为奴婢的北方人，全部免除奴婢身份，获免的奴婢以万计，侯景还从中破格使用了一些人，希望获得他们替自己效力。

梁高祖的晚年，建康官民在服饰、饮食、器用上，争相崇尚奢华，粮食没有半年的储备，经常靠四方向京师输送物资。自从侯景作乱，交通断绝，几个月之间，就到了人吃人的地步，仍然有人饿死，活下来的人不到百分之一二。皇亲贵戚、大户人家都要亲自出城采集野生稻谷，因而死在野地荒郊填满沟壑的人，不知有多少。

五月二十九日癸未，侯景派仪同三司来亮进入宛陵，宣城太守杨白华诱捕来亮并杀了他。三十日甲申，侯景派部将李贤明进攻宛陵，没有攻克。侯景又派中军侯子鉴进入吴郡，任命厢公苏单于为吴郡太守，派仪同宋子仙等领兵东去屯驻钱塘，新城戍主戴僧逷率军据县城抵抗他。御史中丞沈浚避难东归，到了吴兴，吴兴太守张嵊与他合谋，起兵讨伐侯景。张嵊，是张稷的儿子。东扬州刺史临城公萧大连，也占据州城不接受侯景的命令。侯景号令能够执行的地方，只有吴郡以西、南陵以北而已。

【注释】

⑭ 山鹿忠武公：刘丰，字丰生，普乐（今宁夏吴忠）人。仕东魏，官至南汾州刺史，爵山鹿县公，谥号忠武。传见《北齐书》卷二十七、《北史》卷五十三。〖按〗刘丰谥号，《北齐书》作"忠"，《北史》作"武忠"，与《通鉴》异。⑮ 分休迭进：轮流休息，轮番不停地进攻。⑯ 燕郡景惠公：慕容绍宗封燕郡公，谥号景惠。⑰ 甲辰：四月十九日。⑱ 加殊礼：即高澄上朝赞拜可以不称姓名，进见不必趋步而行，可以佩带宝剑和

穿着鞋子上殿。⑭丁未：四月二十二日。⑮陆元规：代（今山西代县）人。东魏武定中，任尚书郎。高洋建北齐，以文才任在中书，掌草拟文书。传见《魏书》卷四十、《北史》卷二十八。⑯府司马：官名，王府司马，掌王国军马。⑰汉口：汉水入长江之处，在今湖北武汉汉口。⑱樊城：县名，县治在今湖北襄阳。⑲大堤：县名，县治在今湖北宜城。⑳推迁未去：拖延时间，不离开。指萧詧不愿应萧绎之召离开州治。⑯杜岸：字公衡，京兆杜陵（今陕西西安东南）人。梁元帝时官至持节、平北将军、北梁州刺史，封江陵县侯，邑一千户。传见《梁书》卷四十六、《南史》卷六十四。⑰西山：指中庐县内的群山，在今湖北襄阳西南。⑱兄弟九人：即杜嵩、杜岑、杜嶷、杜岌、杜巘、杜岸、杜崱、杜嵸、杜幼安九兄弟。其中杜岸、杜巘被萧詧所杀。杜崱投靠梁元帝，历任武州、江州刺史，爵枝江县侯，屡立战功。传见《梁书》卷四十六、《南史》卷六十四。杜幼安降侯景，被杀。杜嶷曾任西荆州刺史。传见《南史》卷六十四。余不详。⑲丙辰：五月初二日。⑳便殿：偏殿。㉑大圜：萧大圜，字仁显，梁简文帝萧纲之子。初封乐梁郡王。侯景之乱平定，往依梁元帝，改封晋熙郡王。西魏攻克江陵，客居长安。入隋拜内史侍郎，出为西河郡守。好著述，撰有《梁旧事》等书。传见《南史》卷五十四、《周书》卷四十二、《北史》卷二十九。㉒丙辰：五月初二日。㉓陈庆：侯景将，拜仪同三司。时防守太极殿。㉔戊寅：五月二十四日。㉕辛巳：五月二十七日。㉖出屯朝堂：从昭阳殿出来改驻朝堂。㉗壬午：五月二十八日。㉘委输：此指全国各地向京城建康输送

【原文】

魏诏："太和中代人改姓[181]者皆复其旧。"

六月丙戌[182]，以南康王会理为侍中、司空。

丁亥[183]，立宣城王大器为皇太子。

初，侯景将使太常卿[184]南阳刘之遴授临贺王正德玺绶，之遴剃发僧服而逃之。之遴博学能文，尝为湘东王绎长史。将归江陵，绎素嫉其才，己丑[185]，之遴至夏口，绎密送药杀之，而自为志铭，厚其赙赠。

壬辰[186]，封皇子大心为寻阳王，大款为江陵王，大临为南海王，大连为南郡王，大春为安陆王，大成为山阳王，大封为宜都王。

长社城中无盐，人病挛肿[187]，死者什八九。大风从西北起，吹水入城，城坏。东魏大将军澄令城中曰："有能生致王大将军者，封侯，若

物资。将物品送置到舟车上叫作“委”，转送到指定地点交卸叫作“输”。⑯⑨采稆：采集野生稻谷。稆，野生稻谷。⑰⓪癸未：五月二十九日。⑰①宛陵：县名，县治在今安徽宣州。⑰②宣城太守：萧大器封宣城王，“太守”当作“内史”。《梁书》卷五十六《侯景传》作“宣城内史”。⑰③甲申：五月三十日。⑰④不克:《梁书》卷五十六《侯景传》作“华以郡降”，与此异。⑰⑤中军：中军都督，官名，是中军主将。⑰⑥侯子鉴：人名，曾任南兖州刺史。事见《梁书》卷五十六《侯景传》。⑰⑦钱塘：县名，县治在今浙江杭州。⑰⑧吴兴：郡名，治所乌程，在今浙江湖州。⑰⑨张嵊（公元四八八至五四九年）：字四山，吴郡（今江苏苏州）人。曾任太府卿、吴兴太守。举兵反侯景，城破而死。传见《梁书》卷四十三、《南史》卷三十一。⑱⓪稷：张稷，字公乔，吴郡人，拥立梁武帝，封江安县侯，官至都官尚书、尚书左仆射、青冀二州刺史。州人与北魏暗通，发动叛乱而杀稷。传见《梁书》卷十六、《南史》卷三十一。

【校记】

［9］人：原无此字。据章钰校，十二行本、乙十一行本、孔天胤本皆有此字，张敦仁《通鉴刊本识误》同，今据补。［10］水：原作“上”。据章钰校，十二行本、乙十一行本、孔天胤本皆作“水”，今据改。［11］据县：原无此二字。据章钰校，十二行本、乙十一行本、孔天胤本皆有此二字，张瑛《通鉴校勘记》同，今据补。

【语译】

西魏发布诏令：“太和年间代郡人改汉姓的全部恢复旧姓。”

六月初二日丙戌，梁朝任命南康王萧会理为侍中、司空。

初三日丁亥，梁朝立宣城王萧大器为皇太子。

当初，侯景将派太常卿南阳人刘之遴授予临贺王萧正德皇帝印章，刘之遴剃了头发，穿着和尚的服装逃走了。刘之遴学识渊博，善写文章，曾经为湘东王萧绎的长史。他将回到江陵，萧绎一向嫉妒他的才能，六月初五日己丑，刘之遴到达夏口，萧绎暗中派人送药毒死了刘之遴，然后亲自给刘之遴写墓志铭，给刘之遴的家属送了很重的礼物。

六月初八日壬辰，梁朝封皇子萧大心为寻阳王，萧大款为江陵王，萧大临为南海王，萧大连为南郡王，萧大春为安陆王，萧大成为山阳王，萧大封为宜都王。

长社城中没有食盐，很多人得了痉挛浮肿病，死的人有十之八九。大风从西北刮来，把洪水吹入城中，城墙崩毁。东魏大将军高澄命令城中的人说：“有能活捉王

大将军身有损伤，亲近左右皆斩。”王思政帅众据土山，告之曰：“吾力屈计穷，唯当以死谢国。”因仰天大哭，西向再拜⑱，欲自刎，都督骆训曰：“公常语训等：‘汝赍我头出降，非但得富贵，亦完一城人。’今高相⑱既有此令⑲，公独不哀士卒之死乎？”众共执之，不得引决。澄遣通直散骑赵彦深就土山遗以白羽扇⑲，执手申意，牵之以下。澄不令拜，延而礼之。思政初入颍川，将士八千人，及城陷，才三千人，卒无叛者。澄悉散配其将卒于远方，改颍川[12]为郑州⑲，礼遇思政甚重。西阁祭酒⑲卢潜⑲曰：“思政不能死节，何足可重？”澄谓左右曰：“我有卢潜，乃是更得一王思政。”潜，度世⑲之曾孙也。

初，思政屯襄城，欲以长社为行台治所，遣使者魏仲启陈于太师泰，并致书于淅州刺史崔猷⑲，猷复书曰：“襄城控带京、洛，实当今之要地，如有动静，易相应接。颍川既邻寇境，又无山川之固，贼若潜来，径至城下。莫若顿兵襄城，为行台之所，颍川置州，遣良将镇守，则表里胶固，人心易安，纵有不虞，岂能为患？”仲见泰，具以启闻⑲。泰令依猷策。思政固请，且约：“贼水攻期年、陆攻三年之内，朝廷不烦赴救。”泰乃许之。及长社不守，泰深悔之。猷，孝芬之子也。

侯景之南叛也，丞相泰恐东魏复取景所部地，使诸将分守诸城。及颍川陷，泰以诸城道路阻绝，皆令拔军还。

【段旨】

以上为第五段，写东魏趁南朝混乱，专力对抗西魏，颍川争夺战，擒西魏名将王思政，收复了因侯景反叛丢失于西魏的全部河南疆土。

思政大将军的人，封为侯，如果大将军的身体有损伤，左右亲近的人全都杀头。”王思政率领部众占据了土山，告诉东魏人说：“我力屈计穷，只有以死向国家谢罪。”说完仰天大哭，面向西两次跪拜，想拔刀自杀。他的都督骆训说：“你经常对我们说：‘你们拿着我的头出城投降，不但可得到富贵，还可以保全一城人。’如今高澄丞相已有要你活下来的命令，你就不痛惜士兵们的生命吗?”众人一起抓住王思政，使他没办法自杀。高澄派通直散骑赵彦深到土山，送给王思政一把白色羽毛扇子，拿在手中表示投降之意，赵彦深牵着王思政的手走下土山。高澄不让王思政下拜，请他上座，以礼相待。王思政当初进入颍川，有将士八千人，等到城被攻陷，只剩三千人，最终没有背叛的人。高澄把西魏投降的将士全都发配到远方，改颍川为郑州，用隆重的礼节对待王思政。西阁祭酒卢潜说：“王思政不能以死殉节，哪里值得看重?”高澄对身边人说：“我有卢潜，这又得到了一个王思政。”卢潜，是卢度世的曾孙。

当初，王思政屯驻襄城，想把长社作为行台治所，派使者魏仲向太师宇文泰报告，又写信给淅州刺史崔猷。崔猷回信说：“襄城控制并连接长安、洛阳，实在是当今的要害地方，如果有大变动，很容易接应。颍川既靠近敌人边境，又没有山川的险固，敌人如果偷偷前来，可直接抵达城下。不如驻兵襄城，为行台治所，在颍川设置州治所，派良将镇守，这就内外牢固，民心容易安定，即使有预料不到的事发生，怎能造成祸害?”魏仲见到宇文泰，把两个方案都做了汇报，宇文泰命令依从崔猷的方案。王思政坚决请求在颍川设置行台，并且约定：“敌人用水攻，一年之内，在陆地上进攻，三年之内，朝廷不需救援。”宇文泰这才同意了。等到长社城破，宇文泰深深后悔。崔猷，是崔孝芬的儿子。

侯景南投梁朝的时候，丞相宇文泰担心东魏重新攻取侯景原有管辖的地方，派诸将分别镇守各城。等到颍川陷落，宇文泰因那几座城到关中的道路已被切断，命令各城守军都撤退回到关中。

【注释】

⑱代人改姓：即北魏孝文帝下诏命鲜卑族人改从汉姓。如拓跋氏改姓元，拔拔氏改姓长孙等。⑱丙戌：六月初二日。⑱丁亥：六月初三日。⑱太常卿：官名，梁春卿之一，管理明堂、二庙、灵台、鼓乐、陵园、国学等事。⑱己丑：六月初五日。⑱壬辰：六月初八日。⑱挛肿：抽搐、浮肿。⑱西向再拜：因西魏在西方，所以向西方再三叩拜，与国君和家国辞别。⑱高相：高澄时任东魏大丞相。⑲此令：指高澄“有能生致”云云之令。⑲白羽扇：代替白旗，举以出降，顾全王思政的面子。⑲郑州：改名后移州治于颍阴，在今河南许昌。⑲西阁祭酒：按北齐制度，太师、太傅、太保三师，太尉、

司徒、司空三公，大司马、大将军二大，他们的府中都设东阁祭酒和西阁祭酒，掌经学谘议。⑲④卢潜（公元五一七至五七三年）：东阳涿（今河北涿州）人，北齐初，曾任黄门侍郎、江州刺史。后代王琳任扬州刺史，在淮南十三年，成为陈朝的劲敌。武平四年（公元五八〇年），被吴明彻所俘，死于建康。传见《魏书》卷四十七、《北齐书》卷四十二、《北史》卷三十。⑲⑤度世：卢度世，字子迁，北魏太武帝时任中书侍郎、太常卿，出任过济州、青州刺史。在朝时常应对宋朝来使。传同卢潜。⑲⑥崔猷（？至公元五八四年）：字宣猷，博陵安平（今河北安平）人，父被高欢所杀，于是入关，投奔孝武帝。初典掌文书，后累迁至骠骑大将军、开府仪同三司，爵固安县公。隋文帝登基，授大将军，晋爵汲郡公。传见《魏书》卷五十七、《周书》卷三十五、《北史》卷三十二。⑲⑦具以启闻：指把王思政的请求和崔猷的意见，一并整理好，转呈宇文泰。

【原文】

上甲侯韶自建康出奔江陵，称受高祖密诏征兵，以湘东王绎为侍中、假黄钺、大都督中外诸军事、司徒、承制，自余藩镇并加位号。

宋子仙围戴僧逖，不克。丙午[198]，吴盗[199]陆缉[200]等起兵袭吴郡，杀苏单于，推前淮南太守文成侯宁[201]为主。

临贺王正德怨侯景卖己，密书召鄱阳王范，使以兵入，景遮得其书，癸丑[202]，缢杀正德。景以仪同三司郭元建[203]为尚书仆射、北道行台、总江北诸军事，镇新秦[204]，封元罗等诸元十余人皆为王。景爱永安侯确之勇，常寘[205]左右。邵陵王纶潜遣人呼之，确曰："景轻佻，一夫力耳，我欲手刃之，正恨未得其便。卿还启家王，勿以确为念。"景与确游钟山，引弓射鸟，因欲射景，弦断，不发，景觉而杀之。

湘东王绎娶徐孝嗣[206]孙女为妃，生世子方等。妃丑而妒，又多失行，绎二三年一至其室。妃闻绎当至，以绎目眇[207]，为半面妆以待之，绎怒而出，故方等亦无宠。及自建康还江陵，绎见其御军和整，始叹其能，入告徐妃，妃不对，垂泣而退。绎怒，疏其秽行，榜于大阁，方等见之，益惧。湘州刺史河东王誉，骁勇得士心，绎将讨侯景，遣

【校记】

［12］颍川：原作“颍州”。据章钰校，十二行本、乙十一行本、孔天胤本皆作“颍川”，张敦仁《通鉴刊本识误》同，今据改。〖按〗《通鉴纪事本末》卷二三、《通鉴纲目》卷三三皆作“颍川”。

【语译】

梁朝上甲侯萧韶从建康出逃江陵，宣称受高祖密诏征调兵马，任命湘东王萧绎为侍中、假黄钺、大都督中外诸军事、司徒、承制，其他藩镇都增加了职位名号。

侯景部将宋子仙率军围攻戴僧逖，没有取胜。六月二十二日丙午，吴郡强盗陆缉等人起兵袭击吴郡，杀了苏单于，推举前淮南太守文成侯萧宁为首领。

临贺王萧正德怨恨侯景出卖了自己，秘密地写信召鄱阳王萧范，让他带兵进入建康，侯景截获了这封信，六月二十九日癸丑，勒死了萧正德。侯景任命仪同三司郭元建为尚书仆射、北道行台、总督江北诸军事，驻守在新秦，又封元罗等诸元氏十多人都为王。侯景喜欢永安侯萧确勇敢，经常把他安置在身边，邵陵王萧纶暗中派人叫来萧确，萧确说：“侯景轻佻，对付他，只要一个人的力量就够了。我想亲手杀死他，只恨还没找到下手的机会。你回去告诉我家王爷，不要挂念我。”侯景与萧确游钟山，拉弓射鸟，趁机想射侯景，弓弦拉断，箭没有射出去。侯景发觉了萧确的意图，杀死了他。

湘东王萧绎娶了徐孝嗣的孙女为妃，生了世子萧方等。徐妃相貌丑陋，而生性嫉妒，行为又多失于检点，萧绎两三年才到徐妃房中一次。徐妃听说萧绎要来，因萧绎有一只眼睛瞎了，就只在半边脸上化了妆，等待萧绎，萧绎很生气，退了出来，所以萧方等也不受宠爱。等到萧方等从建康返回江陵，萧绎看萧方等治军和穆严整，开始称赞他的才能，进入房间告诉徐妃，徐妃不答话，流着眼泪退出了房间。萧绎大怒，就条列徐妃的丑行，在大堂中张贴出来，萧方等看了，更加恐惧。湘州刺史河东王萧誉骁勇深得军心，萧绎将要讨伐侯景，派人去催促萧誉出兵出粮，萧誉说：

使督其粮众[208]，誉曰："各自军府，何忽隶人？"使者三返，誉不与。方等请讨之，绎乃以少子安南侯方矩[209]为湘州刺史，使方等将精卒二万送之。方等将行，谓所亲曰："是行也，吾必死之，死得其所，吾复奚恨！"

侯景以赵威方为豫章太守，江州刺史寻阳王大心遣军拒之，擒威方，系州狱，威方逃还建康。

湘东世子方等军至麻溪[210]，河东王誉将七千人击之，方等军败，溺死。安南侯方矩收余众还江陵，湘东王绎无戚容。绎宠姬王氏，生子方诸[211]。王氏卒，绎疑徐妃为之[212]，逼令自杀，妃赴井死，葬以庶人礼，不听诸子制服。

西江督护陈霸先欲起兵讨侯景，景使人诱广州刺史元景仲[213]，许奉以为主[13]，景仲由是附景，阴图霸先。霸先知之，与成州刺史王怀明等集兵南海，驰檄以讨景仲曰："元景仲与贼合从，朝廷遣曲阳侯勃[214]为刺史，军已顿朝亭[215]。"景仲所部闻之，皆弃景仲而散。秋，七月甲寅[216]，景仲缢于阁下。霸先迎定州刺史萧勃镇广州。

前高州刺史兰裕，钦之弟也，与其诸弟扇诱始兴等十郡，攻监衡州事欧阳𬱟。勃使霸先救之，悉擒裕等，勃因以霸先监始兴郡事。

湘东王绎遣竟陵太守王僧辩、信州刺史东海鲍泉[217]击湘州，分给兵粮，刻日就道。僧辩以竟陵部下未尽至，欲俟众集然后行，与泉入白绎，求申期日[14]。绎疑僧辩观望，按剑厉声曰："卿惮行拒命，欲同贼邪？今[15]唯有死耳！"因斫僧辩，中其左髀[218]，闷绝，久之方苏，即送狱。泉震怖，不敢言。僧辩母徒行流涕入谢，自陈无训，绎意解，赐以良药，故得不死。丁卯[219]，鲍泉独将兵伐湘州。

陆缉等竞为暴掠，吴人不附，宋子仙自钱塘旋军击之。壬戌[220]，缉弃城奔海盐[221]，子仙复据吴郡。戊辰[222]，侯景置吴州[223]于吴郡，以安陆王大春为刺史。

庚午[224]，以南康王会理兼尚书令。

鄱阳王范闻建康不守，戒严，欲入，僚佐或说之曰："今魏人已据寿阳，大王移足，则虏骑必窥合肥。前贼未平，后城失守，将若之何？

"彼此都是军府，我怎么忽然受他管?"使者往返了多次，萧誉就是不给。萧方等请求讨伐萧誉，萧绎就任命小儿子安南侯萧方矩为湘州刺史，派萧方等率领精兵两万人护送萧方矩。萧方等即将出发时，对亲近的人说："这次出兵，我一定会死，死得其所，我有什么遗憾!"

侯景任命赵威方为豫章太守，江州刺史寻阳王萧大心派兵抵抗他，活捉了赵威方，关入州城的监狱，赵威方逃回了建康。

湘东王世子萧方等的军队到达麻溪，河东王萧誉率领七千人攻击他，萧方等的军队战败，萧方等淹死了。安南侯萧方矩收拾残兵返回江陵，湘东王萧绎没有忧伤的表情。萧绎爱妃王氏，生的儿子叫萧方诸。王氏死了，萧绎疑心是徐妃干的，就逼迫徐妃自杀，徐妃投井死，按平民礼安葬了，还不让儿子们穿丧服。

西江督护陈霸先打算起兵讨伐侯景，侯景派人诱惑广州刺史元景仲，答应拥奉他为国主，元景仲因此归附了侯景，阴谋除掉陈霸先。陈霸先得到这消息，与成州刺史王怀明等人在南海集中了兵力，飞马发布檄文声讨元景仲，说："元景仲与叛贼联合，朝廷派曲阳侯萧勃为广州刺史，军队已经屯驻在朝亭。"元景仲率领的军队听到这个消息，都背弃元景仲逃散了。秋，七月初一日甲寅，元景仲吊死在府衙堂下。陈霸先迎接定州刺史萧勃镇守广州。

前高州刺史兰裕，是兰钦的弟弟，兰裕和他的几个弟弟煽动诱骗始兴等十个郡，攻击监衡州事欧阳頠。萧勃派陈霸先救援欧阳頠，把兰裕等全部抓获，萧勃就委任陈霸先监理始兴郡事。

湘东王萧绎派竟陵太守王僧辩、信州刺史东海郡人鲍泉攻打湘州，分给他们兵马和粮食，限定时间上路。王僧辩因竟陵的部队还没有完全到达，想等到部队全部集中以后出发，就和鲍泉一起进入府衙向萧绎报告，请求宽限日期。萧绎疑心王僧辩迟疑不决，就握着剑柄厉声斥责说："你害怕出征，抗拒命令，想和叛贼一伙吗?今天你只有死路一条!"于是就砍王僧辩，砍中了左大腿，王僧辩昏死过去，好长一阵才苏醒，立即被送进监狱。鲍泉震惊恐惧，不敢说话。王僧辩的母亲步行到萧绎府中赔罪，流着泪诉说教子无方，萧绎的怒气才缓解，送上好药，王僧辩才没有死。七月十四日丁卯，鲍泉独自领兵讨伐湘州。

陆缉等人竞相横暴掠夺，吴郡民众不依附他，宋子仙从钱塘回军攻击他。七月初九日壬戌，陆缉丢弃了郡城逃往海盐，宋子仙重新占据了吴郡。十五日戊辰，侯景在吴郡设置吴州，任命安陆王萧大春为刺史。

七月十七日庚午，梁朝任命南康王萧会理兼尚书令。

鄱阳王萧范听到建康失守，戒严，想进入建康，有僚佐劝萧范说："如今东魏人已经占据了寿阳，大王离开，那么东魏骑兵必然窥伺合肥。前面的叛贼没有讨平，后面的城池失守，那将怎么办呢?不如等待各路兵马齐集，派优秀将领率领精兵前

不如待四方兵集，使良将将精卒赴之，进不失勤王，退可固本根。”范乃止。会东魏大将军澄遣西兖州刺史李伯穆[225]逼合肥，又使魏收为书谕范。范方谋讨侯景，藉东魏为援，乃帅战士二万出东关[226]，以合州输伯穆，并遣谘议刘灵议送二子勤、广为质于东魏以乞师。范屯濡须以待上游之军，遣世子嗣将千余人守安乐栅[227]，上游诸军皆不下，范粮乏，采菰稗[228]、菱藕以自给。勤、广至邺，东魏人竟不为出师。范进退无计，乃溯流西上，军于枞阳[229]。景出屯姑孰，范将裴之悌以众降之。之悌，之高之弟也。

东魏大将军澄诣邺，辞爵位、殊礼，且请立太子。澄谓济阴王晖业曰：“比[230]读何书？”晖业曰：“数寻伊、霍之传[231]，不读曹、马之书[232]。”

八月甲申朔[233]，侯景遣其中军都督侯子鉴等击吴兴。

己亥[234]，鲍泉军于石椁寺[235]，河东王誉逆战而败。辛丑[236]，又败于橘洲[237]，战及溺死者万余人。誉退保长沙，泉[16]引军围之。

辛卯[238]，东魏立皇子长仁[239]为太子。

勃海文襄王澄以其弟太原公洋次长[240]，意常忌之。洋深自晦匿，言不出口，常自贬退，与澄言，无不顺从。澄轻之，常曰：“此人亦得富贵，相书[241]亦何可解？”洋为其夫人赵郡李氏[242]营服玩[243]小佳[244]，澄辄夺取之，夫人或恚未与，洋笑曰：“此物犹应可求，兄须，何容吝惜？”澄或愧不取，洋即受之，亦无饰让[245]。每退朝还第，辄闭阁静坐，虽对妻子，能竟日不言。或时袒跣[246]奔跃，夫人问其故，洋曰：“为尔漫戏[247]。”其实盖欲习劳[248]也。

澄获徐州刺史兰钦子京[249]，以为膳奴[250]，钦请赎之，不许。京屡自诉[251]，澄杖之，曰：“更诉，当杀汝！”京与其党六人谋作乱。澄在邺，居北城东柏堂，嬖[252]琅邪公主，欲其往来无间，侍卫者常遣出外。辛卯[253]，澄与散骑常侍陈元康、吏部尚书侍中杨愔、黄门侍郎崔季舒屏左右，谋受魏禅，署拟百官。兰京进食，澄却之[254]，谓诸人曰：“昨夜梦此奴斫我，当急杀之。”京闻之，置刀盘下，冒言进食，澄怒曰：“我未索食，何为遽来？”京挥刀曰：“来杀汝！”澄自投伤足，入于床下，

往，前进不误勤王大义，后退可以保住根基。”萧范才停止了进军。恰好这时东魏大将军高澄派西兖州刺史李伯穆逼近合肥，又派魏收写信劝降萧范。萧范正在谋划讨伐侯景，想凭借东魏为后援，于是率领将士两万人离开合肥出东关，把合州城送给了李伯穆，并派谘议参军刘灵议送自己的两个儿子萧勤、萧广到东魏为人质，用来请求借兵。萧范屯驻濡须，等待长江上游勤王的军队，派世子萧嗣率领一千多人驻守安乐栅。长江上游各路兵马都没有下来，萧范缺粮，只好采集菰米、稗子、菱角、莲藕来充饥。萧勤、萧广到了邺城，东魏人始终不为萧范出兵。萧范进退无策，就逆江流西上，驻军在枞阳。侯景出兵屯驻在姑孰，萧范的部将裴之悌带领自己的部众投降了侯景。裴之悌，是裴之高的弟弟。

东魏大将高澄前往邺城，向孝静帝辞让新增加的爵位、特殊的礼遇，并且请求册立皇太子。高澄对济阴王元晖业说：“近来读什么书？”元晖业说：“多次阅读伊尹、霍光的传记，不读曹操、司马懿的传记。”

八月初一日甲申，侯景派他的中军都督侯子鉴等攻打吴兴。

八月十六日己亥，鲍泉驻军在石椁寺，河东王萧誉迎战失败。十八日辛丑，萧誉又在橘洲战败，战死以及落水淹死的有一万多人。萧誉退守长沙，鲍泉带领大军包围长沙。

八月初八日辛卯，东魏册立皇子元长仁为皇太子。

东魏勃海文襄王高澄因他的弟弟太原公高洋在众兄弟中年龄仅次于自己，内心常常猜忌他。高洋格外小心韬晦，话不出口，常常自我贬退，与高澄说话，无不顺从。高澄看不起他，常常说：“这样的人也得到了富贵，相术书又怎么可以解释？”高洋给自己的夫人赵郡人李氏制作衣服和小玩意稍好一点的，高澄看到了总要夺走，高洋夫人有时气愤不给，高洋笑着说：“这些东西还可以重新制作，兄长需要，你怎能那么小气？”高澄有时也感到惭愧不要了，高洋就接过来，也不做作谦让。每次退朝回家，总是闭门静坐，即使对妻子儿女，也能整天不说话。有时袒胸光脚，又跑又跳，夫人问他为何这样，高洋说：“和你游戏玩耍。”其实是掩盖他锻炼身体。

高澄抓获了徐州刺史兰钦的儿子兰京，把他作为膳食奴仆，兰钦请求赎他，高澄不同意。兰京多次自己请求，高澄鞭打他，说：“再来请求，就杀了你！”兰京和他的同伙共六个人商议作乱。高澄在邺城时，住在宫城北边的东柏堂，宠爱琅邪公主，想让她来往方便，经常把侍卫支出门外。八月初八日辛卯，高澄与散骑常侍陈元康、吏部尚书侍中杨愔、黄门侍郎崔季舒支走身边的侍卫，密谋禅让登位、安排文武百官的人选和职位。兰京送饭进屋，高澄叫他退下，对在座的几个人说：“昨天夜里我梦见这个人砍我，应当赶快杀了他。”兰京听见了这个话，把刀放在菜盘下，假装说送食品进了屋，高澄生气地说：“我没有要吃的，为什么突然进来？”兰京挥着刀说：“来杀你！”高澄自己跳下床伤了脚，躲到床底下，兰京掀开坐床，杀了高澄。杨愔

贼去床，弑之。愔狼狈出[17]走，遗一靴，季舒匿于厕中，元康以身蔽澄，与贼争刀被伤，肠出，库直[255]王纮[256]冒刃御贼，纥奚舍乐[257]斗死。时变起仓猝，内外震骇。太原公洋在城东双堂，闻之，神色[18]不变，指挥部分，入讨群贼，斩而脔之，徐出言[19]曰："奴反，大将军被伤，无大苦也。"内外莫不惊异。洋秘不发丧。陈元康手书辞母[258]，口占[259]使功曹参军祖珽作书陈便宜[260]，至夜而卒。洋殡之第中，诈云出使，虚除[261]元康中书令。以王纮为领左右都督。纮，基之子也。

勋贵以重兵皆在并州，劝洋早如晋阳，洋从之。夜，召大将军督护[262]太原唐邕[263]，使部分将士，镇遏四方，邕支配须臾而毕，洋由是重之。

癸巳[264]，洋讽东魏主以立太子大赦。澄死问[265]渐露，东魏主窃谓左右曰："大将军今死，似是天意，威权当复归帝室矣！"洋留太尉高岳、太保高隆之、开府仪同三司司马子如、侍中杨愔守邺，余勋贵皆自随。甲午[266]，入谒东魏主于昭阳殿，从甲士八千人，登阶者二百余人，皆攘袂[267]扣刃[268]，若对严敌。令主者[269]传奏曰："臣有家事，须诣晋阳。"再拜而出。东魏主失色，目送之曰："此人又似不相容，朕不知死在何日！"晋阳旧臣、宿将素轻洋，及至，大会文武，神彩英畅[270]，言辞敏洽，众皆大惊。澄政令有不便者，洋皆改之。高隆之、司马子如等恶度支尚书崔暹，奏暹及崔季舒过恶，鞭二百，徙边。

侯景以宋子仙为司徒、郭元建[271][20]为尚书左仆射，与领军任约等四十人并开府仪同三司，仍诏："自今开府仪同不须更加将军[272]。"是后开府仪同至多，不可复记矣。

鄱阳王范自枞阳遣信告江州刺史寻阳王大心，大心遣信邀之。范引兵诣江州，大心以湓城处之。

吴兴兵力寡弱，张嵊书生，不闲军旅[273]，或劝嵊效袁君正以郡迎侯子鉴。嵊叹曰："袁氏世济忠贞[274]，不意君正一旦隳之。吾岂不知吴郡既没，吴兴势难久全？但以身许国，有死无贰耳！"九月癸丑[275]朔，子鉴军至吴兴，嵊战败，还府，整服安坐，子鉴执送建康。侯景嘉其守节，欲活之，嵊曰："吾忝任专城，朝廷倾危，不能匡复，今日速死为

狼狈逃走，丢了一只靴，崔季舒藏身厕所，陈元康用身子掩护高澄，与兰京争夺刀子，被刺伤，肠子流了出来，库直王纮迎着刀刃抵抗兰京，纥奚舍乐在搏斗中死去。当时变故起于突然，朝廷内外惊骇。太原公高洋在宫城东双堂，听到消息，神色不变，指挥部署，进入东柏堂诛讨群贼，把他们杀死后剁成肉块，不慌不忙地走出来，说："奴仆造反，大将军受了伤，没大的痛苦。"朝廷内外，无不感到惊恐奇怪。高洋隐瞒高澄死讯。陈元康亲笔写信向母亲告别，又口述让功曹参军祖珽记录他提出的善后建议，到夜晚就死了。高洋把陈元康的灵柩停放在高澄府第中，谎称被派到外面办事去了，还虚假任命陈元康为中书令，任命王纮为领左右都督。王纮，是王基的儿子。

功臣贵戚们因重兵驻扎在并州，劝高洋尽早到晋阳，高洋听从了他们。当天夜里，高洋请来大将军督护太原人唐邕，让他部署将士去控制各地重镇，唐邕安排片刻就完毕了，高洋从此十分器重他。

八月初十日癸巳，高洋暗示东魏孝静帝借册立皇太子发布大赦令。高澄死亡的消息慢慢露了出来，孝静帝偷偷地对身旁的人说："大将军高澄如今死了，好像是天意，威权应当重新回到皇室了！"高洋留下太尉高岳、太保高隆之、开府仪同三司司马子如、侍中杨愔守护邺城，其余功臣贵戚全都跟随自己。十一日甲午，高洋进宫在昭阳殿谒见东魏孝静帝，随从甲士八千人，登上殿堂台阶的有二百多人，全都挽起袖子，手按刀把，如同面对凶猛的敌人。高洋让主持礼仪的官员传达奏章，说："臣有家务事，必须前往晋阳。"拜了两拜就退了出去。孝静帝变了脸色，目送高洋，说："这人又像是容不下朕，朕不知道死在哪一天！"晋阳的旧臣宿将一向看不起高洋，等到高洋来到，大会文武官员，英姿勃发，言行畅达，说话敏捷和谐，大家都大惊。高澄的政令有不合时宜的，高洋全都修改。高隆之、司马子如等厌恶度支尚书崔暹，上奏崔暹和崔季舒的过失，鞭打两百，流放到边疆。

侯景任命宋子仙为司徒，郭元建为尚书左仆射，与领军任约等四十人同时授予开府仪同三司，并下诏书说："从今以后，开府仪同不须再加将军职衔。"从这以后，开府仪同三司极多，没法再计数了。

鄱阳王萧范从枞阳派人报告江州刺史寻阳王萧大心，萧大心派人邀请萧范。萧范带兵前往江州，萧大心让出湓城安置萧范。

吴兴兵力又少又弱，张嵊是书生，不熟悉军事，有人劝张嵊效法袁君正，让出郡城迎接侯子鉴。张嵊叹息说："袁氏世代忠诚坚贞，想不到袁君正一天就把它毁了。我难道不知道吴郡陷落后，吴兴郡难以长久保全吗？我只是要以身殉国，唯有一死，没有二心！"九月初一日癸丑，侯子鉴的军队到了吴兴，张嵊战败，回到郡府，穿好衣冠安静地坐着，侯子鉴把他押送到建康。侯景赞赏他有节操，想让他活着，张嵊说："我有辱专任一方的郡守，朝廷危亡，我不能匡复，今天尽快死去才是幸事。"侯

幸。”景犹欲存[21]其一子，嵘曰：“吾一门已在鬼录，不就尔虏求恩。”景怒，尽杀之，并杀沈浚。

河东王誉告急于岳阳王詧，詧留谘议参军济阳蔡大宝[276]守襄阳，帅众二万、骑二千伐江陵以救湘州。湘东王绎大惧，遣左右就狱中问计于王僧辩，僧辩具陈方略，绎乃赦之，以为城中都督。乙卯，詧至江陵，作十三营以攻之，会大雨，平地水深四尺，詧军气沮。绎与新兴[277]太守杜崱有旧，密邀之。乙丑[278]，崱与兄岌、岸，弟幼安，兄子龛[279]各帅所部降于绎。岸请以五百骑袭襄阳，昼夜兼行，去襄阳三十里，城中觉之，蔡大宝奉詧母龚保林[280]登城拒战。詧闻之，夜遁，弃粮食、金帛、铠仗于湕水[281]，不可胜纪。张缵病足，詧载以随军，及败走，守者[282]恐为追兵所及，杀之，弃尸而去。詧至襄阳，岸奔广平，依其兄南阳太守巘。

湘东王绎以鲍泉围长沙久不克，怒之，以平南将军王僧辩代为都督，数泉十罪，命舍人罗重欢与僧辩偕行。泉闻僧辩来，愕然曰：“得王竟陵来助我，贼不足平。”拂席[283]待之。僧辩入，背泉而坐，曰：“鲍郎，卿有罪，令旨[284]使我锁卿，卿勿以故意[285]见期[286]。”使重欢宣令，锁之床侧。泉为启自申，且谢淹缓[287]之罪，绎怒解，遂释之。

冬，十月癸未朔[288]，东魏以开府仪同三司潘相乐为司空。

初，历阳太守庄铁帅众归寻阳王大心，大心以为豫章内史。铁至郡即叛，推观宁侯永[289]为主。永，范之弟也。丁酉[290]，铁引兵袭寻阳，大心遣其将徐嗣徽[291]逆击，破之。铁走，至建昌[292]，光远将军[293]韦构邀击之，铁失其母弟妻子，单骑还南昌[294]，大心遣构将兵追讨之。

宋子仙自吴郡趣钱塘。刘神茂自吴兴趣富阳[295]，前武州刺史富阳孙国恩以城降之。

十一月乙卯[296]，葬武皇帝于修陵[297]，庙号高祖。

百济[298]遣使入贡，见城关荒圮[299]，异于向来[300]，哭于端门。侯景怒，录[301]送庄严寺[302]，不听出。

壬戌[303]，宋子仙急攻钱塘，戴僧逖降之。

景还想保存他一个儿子，张嵊说："我全家都已登记在录鬼簿上，不向你这个胡虏乞求恩典。"侯景大怒，杀了张嵊全家，一并杀了沈浚。

河东王萧誉向岳阳王萧詧告急，萧詧留下谘议参军济阳人蔡大宝守襄阳城，自己率领部众两万、骑兵两千讨伐江陵以便救援湘州。湘东王萧绎非常害怕，派身边的人到狱中向王僧辩询问办法，王僧辩详细地陈述了策略，萧绎就赦免了王僧辩，任命他为守城都督。九月初三日乙卯，萧詧到达江陵，分兵为十三营进攻江陵城，正碰上大雨，平地水深四尺，萧詧军队士气低落。萧绎与新兴太守杜岸有交情，秘密邀请杜岸。十三日乙丑，杜岸和他哥哥杜岌和杜岸、弟弟杜幼安、侄儿杜龛各自率领部属投降了萧绎。杜岸请求率领五百骑兵偷袭襄阳，昼夜兼程，距离襄阳还有三十里，襄阳城中发觉了杜岸的军队，蔡大宝请出萧詧母亲龚保林，登上城头抵抗作战。萧詧听到消息，连夜逃走，丢弃粮食、金帛、兵器到湕水中，多得无法计算。张缵脚有病，萧詧用车拉着他跟随军队，等到败逃时，看守他的人害怕被追兵追上，杀了张缵，丢下尸体逃走。萧詧回到襄阳，杜岸逃到广平，依附他的哥哥南阳太守杜巘。

湘东王萧绎因为鲍泉围攻长沙长时间不能攻克，便谴责鲍泉，任命平南将军王僧辩取代他为都督，列数鲍泉十条罪状，派舍人罗重欢与王僧辩同行。鲍泉听到王僧辩到来，惊愕地说："得到王竟陵来帮助我，贼军不愁不平定。"打扫干净座席，等待王僧辩。王僧辩进入，背对鲍泉而坐，说："鲍郎，你有罪，湘东王下令让我抓捕你，你不要因我们有旧交情，就期待我放过你。"让罗重欢宣读湘东王的指令，把鲍泉锛在床边。鲍泉写了申诉状，并且对贻误军机认了罪，萧绎的怒气平息下来，于是释放了鲍泉。

冬，十月初一日癸未，东魏任命开府仪同三司潘相乐为司空。

当初，历阳太守庄铁率领部众回归寻阳王萧大心，萧大心任命他为豫章内史。庄铁到达郡城后立即叛变，拥戴观宁侯萧永为首领。萧永，是萧范的弟弟。十月十五日丁酉，庄铁领兵偷袭寻阳，萧大心派部将徐嗣徽迎战，打败了庄铁。庄铁逃走，到了建昌，光远将军韦构截击庄铁，庄铁失去了母亲、弟弟、妻子、儿女，单人独骑逃回南昌，萧大心派韦构领兵追讨他。

宋子仙从吴郡赶赴钱塘，刘神茂从吴兴赶赴富阳，前武州刺史富阳人孙国恩献城投降了刘神茂。

十一月初四日乙卯，安葬梁武帝于修陵，庙号高祖。

百济国派使臣入贡梁朝，看到建康城破败荒芜，和从前大不相同，在端门前大哭。侯景大怒，把百济国使者押送庄严寺，不让他出来。

十一月十一日壬戌，宋子仙急攻钱塘，戴僧逖投降了他。

岳阳王詧使将军薛晖攻广平，拔之，获杜岸，送襄阳。詧拔其舌，鞭其面，支解而烹之。又发其祖父墓㉚④，焚其骸而扬之，以其头为漆碗。

詧既与湘东王绎为敌，恐不能自存，遣使求援于魏，请为附庸㉚⑤。丞相泰令东阁祭酒荣权㉚⑥使于襄阳，绎使司州刺史柳仲礼镇竟陵以图詧，詧惧，遣其妃王氏㉚⑦及世子嶚㉚⑧为质于魏。丞相泰欲经略江、汉，以开府仪同三司杨忠都督三荆等十五州诸军事，镇穰城㉚⑨。仲礼至安陆㉛⑩，安陆太守沈勰[22]以城降之。仲礼留长史马岫与其弟子礼守之，帅众一万趣襄阳，泰遣杨忠及行台仆射长孙俭㉛①将兵击仲礼以救詧。

宋子仙乘胜度浙江㉛②，至会稽。邵陵王纶闻钱塘已败，出奔鄱阳，鄱阳内史开建侯蕃㉛③以兵拒之，范㉛④进击蕃，破之。

魏杨忠将至义阳，太守马伯符以下溠城㉛⑤降之，忠以伯符为乡导。伯符，岫㉛⑥之子也。

南郡王大连为东扬州刺史。时会稽丰沃，胜兵数万，粮仗山积，东土人惩侯景残虐，咸乐为用，而大连朝夕酣饮，不恤军事。司马东阳留异㉛⑦凶狡残暴，为众所患，大连悉以军事委之。十二月庚寅㉛⑧，宋子仙攻会稽，大连弃城走，异奔还乡里，寻以其众降于子仙。大连欲奔鄱阳，异为子仙乡导，追及大连于信安㉛⑨，执送建康，大连犹醉，不之知[23]。帝㉜⑩闻之，引帷自蔽，掩袂而泣。于是三吴尽没于景，公侯在会稽者，俱南度岭㉜①。景以留异为东阳太守，收其妻子为质。

乙酉㉜②，东魏以并州刺史彭乐为司徒。

邵陵王纶进至九江，寻阳王大心以江州让之，纶不受，引兵西上。

始兴太守陈霸先结郡中豪杰欲讨侯景，郡人侯安都㉜③、张偲等各帅众千余人归之。霸先遣主帅杜僧明将二千人顿于岭㉜④上，广州刺史萧勃遣人止之曰："侯景骁雄，天下无敌，前者援军十万，士马精强，犹不能克，君以区区之众，将何所之？如闻岭北王侯又皆鼎沸，亲寻干戈㉜⑤，以君疏外㉜⑥，讵可暗投㉜⑦？未若且留始兴，遥张声势，保太山之安也。"霸先曰："仆荷国恩，往闻侯景渡江，即欲赴援，遭值元、兰㉜⑧，梗我中道。今京都覆没，君辱臣死，谁敢爱命？君侯体则皇

岳阳王萧詧派将军薛晖攻打广平，攻取了广平城，抓获了杜岸，押送襄阳。萧詧拔出杜岸的舌头，鞭打他的脸面，把身子剁成几大块，下锅煮。又挖开杜岸祖父的墓葬，焚烧了尸骨，向空中抛洒，留下头骨作漆碗。

萧詧既然与湘东王萧绎为敌，担心不能生存下去，派使者向西魏求援，请求为西魏的附庸。丞相宇文泰派东阁祭酒荣权出使到襄阳，萧绎派司州刺史柳仲礼镇守竟陵，图谋萧詧。萧詧害怕了，派他的妃子王氏以及世子萧嶚到西魏做人质。丞相宇文泰想占领江汉地区，便委派开府仪同三司杨忠都督三荆等十五州诸军事，镇守穰城。柳仲礼到达安陆，安陆太守沈勰献出城池，投降了他。柳仲礼留下长史马岫与自己的弟弟柳子礼镇守安陆，自己率领一万人赶赴襄阳，宇文泰派杨忠及行台仆射长孙俭领兵抗击柳仲礼，以救援萧詧。

宋子仙乘胜渡过浙江，到达会稽。邵陵王萧纶听到钱塘已经丢失，就出逃到鄱阳，鄱阳内史开建侯萧蕃率兵抵抗他，萧纶进兵攻击萧蕃，打败了他。

西魏杨忠将到达义阳，义阳太守马伯符献出下溠城投降了杨忠，杨忠让马伯符做向导。马伯符，是马岫的儿子。

南郡王萧大连任东扬州刺史。当时会稽郡物产丰富，有战士数万，粮食兵器堆积如山。东部土著居民苦于侯景的凶残暴虐，都乐意为南郡王效力。而萧大连一天到晚花天酒地，不关心军事。司马东阳人留异凶狡残暴，被大家痛恨。萧大连把军务全部委托给他。十二月初九日庚寅，宋子仙攻打会稽，萧大连弃城逃走，留异逃回家乡，不久率领部众投降了宋子仙。萧大连想逃到鄱阳，留异替宋子仙做向导，在信安追上了萧大连，把他抓起来送到建康，萧大连还醉着，并不知道这件事。简文帝听到消息，拉起帷帐遮住自己，掩袖哭泣。这时，三吴地区全部陷落于侯景。公卿王侯在会稽的，都向南翻过了大庾岭。侯景任命留异为东阳太守，把他的妻儿留下做人质。

十二月初四日乙酉，东魏任命并州刺史彭乐为司徒。

邵陵王萧纶进军到九江，寻阳王萧大心把江州城让给他，萧纶不接受，带兵西上。

始兴太守陈霸先联合郡中豪杰打算讨伐侯景，郡人侯安都、张偲等各自率领一千多人归附他。陈霸先派主帅杜僧明率领两千人屯驻在大庾岭上，广州刺史萧勃派人阻止陈霸先说："侯景是一个枭雄，天下无敌，前些时援兵十万，兵强马壮，仍然没有战胜他，你凭这么一点人马，能走到哪一步呢？又听说岭北的王侯们闹得都像一锅开水，骨肉之间互相残杀，你和皇家没有什么关系，怎么可以投向这帮昏暗之主呢？还不如暂且留在始兴，远远地张扬声势，可以保岭南安如泰山。"陈霸先说："我蒙受国家恩惠，先前听说侯景渡过长江，立刻想赶去救援，遭到元景仲、兰裕两人中途阻拦。如今京城覆没，君辱臣死，谁还敢吝惜生命？君侯的身体是皇室

枝[329]，任重方岳，遣仆一军，犹贤乎已[330]，乃更止之乎?”乃遣使间道诣江陵，受湘东王绎节度。时南康[331]土豪蔡路养起兵据郡，勃乃以腹心谭世远为曲江令，与路养相结，同遏霸先。

魏杨忠拔随郡[332]，执太守桓和。

东魏使金门公潘乐等将兵五万袭司州，刺史夏侯强降之。于是东魏尽有淮南之地。

【段旨】

以上为第六段，写东魏突发高澄被害事件，高洋执政掌权。梁朝全境混乱，萧梁诸王自相残杀，导致侯景控制了三吴地区，淮南土地丢失于东魏，江汉西境危于西魏。

【注释】

⑲⑧丙午：六月二十二日。⑲⑨吴盗：此指吴郡郡民。⑳⓪陆缉：海盐（今浙江海盐）人。《梁书》卷二十七与《南史》卷四十八《陆襄传》并作“陆黯”。据《梁书》卷五十六《侯景传》，与陆缉同起者有戴文举等。⑳①宁：萧宁，梁鄱阳嗣王萧范之弟。封爵文成侯。⑳②癸丑：六月二十九日。⑳③郭元建：历任太尉、南兖州刺史。事详《梁书》卷五十六《侯景传》。⑳④新秦：即秦郡。⑳⑤寘：通“置”，安置。⑳⑥徐孝嗣：字始昌，徐聿之的儿子。八岁袭爵为枝江县公。宋孝武帝时为驸马。入南齐官至尚书左仆射。好文学，不贪权势。因谋废东昏侯事泄，被赐死。传见《南齐书》卷四十四、《南史》卷十五。⑳⑦目眇：瞎了一只眼。⑳⑧督其粮众：督催萧詧调出军粮和士兵。⑳⑨方矩：萧方矩，字德规，封安南侯。梁元帝登基后，立为皇太子，改名元良。西魏陷江陵，遇害。传见《梁书》卷八、《南史》卷五十四。⑳⑩麻溪：地名，麻溪水进入湘江的地方，在今湖南长沙县。㉑①方诸：萧方诸，字智相，出任郢州刺史时，被宋子仙所俘，不久即被害。传见《梁书》卷四十四、《南史》卷五十四。㉑②疑徐妃为之：胡三省注认为萧绎怀疑王氏是被徐妃毒死的。㉑③元景仲：元法僧之子，北魏拓跋氏后裔。普通六年（公元五二五年）随父南降梁朝，封枝江县公，拜侍中、右卫将军。传见《梁书》卷三十九。㉑④勃：萧勃，梁宗室。初为定州刺史，爵曲阳侯。历官广州、晋州刺史。敬帝绍泰中，位太保。传见《南史》卷五十一。㉑⑤朝亭：在今广东广州东北。汉初南越王赵佗在岗上筑有朝台，是北面朝拜汉朝的地方。㉑⑥甲寅：七月初一日。㉑⑦鲍泉：字润岳，东海（今山东郯城县）人，

支脉，担任一方的守土重任，分派给我一支军队，还是比无所作为好，怎么反而来阻止我呢?”于是派出使者从小道赶往江陵，接受湘东王萧绎的调度。当时南康郡土豪蔡路养起兵，占据郡城，萧勃就派腹心谭世远为曲江县令，与蔡路养相联合，共同阻拦陈霸先。

西魏杨忠攻取了随郡，抓获了太守桓和。

东魏派金门公潘乐等率领五万兵马袭击司州，司州刺史夏侯强投降潘乐。于是东魏占有了全部淮南土地。

萧绎老部下。在江夏被侯景所杀。传见《梁书》卷三十、《南史》卷六十二。㉘左髀：左大腿。㉙丁卯：七月十四日。㉚壬戌：七月初九日。㉛海盐：县名，县治在今浙江海盐。㉜戊辰：七月十五日。㉝吴州：州名，侯景置。治所在今江苏苏州。㉞庚午：七月十七日。㉟李伯穆：赵郡平棘（今河北赵县）人。东魏武定末，官合州刺史。传见《魏书》卷三十六。㊱东关：城名，在今安徽巢县东南。㊲安乐栅：军营名，在濡须河附近。㊳菰稗：菰是生长在池沼里的多年生植物，即茭白。果实叫“菰米”，或称“雕菰米”，可煮食。稗是稻田的一种杂草。㊴枞阳：县名，县治在今安徽枞阳。㊵比：近来。㊶伊、霍之传：记载伊尹、霍光事迹的传记，指《史记》《汉书》。伊尹辅佐商朝少主太甲，霍光辅佐汉昭帝与宣帝。二人虽总揽朝政，但不篡国。㊷曹马之书：有关曹操、司马昭父子的史书，指《三国志》《晋书》。曹氏篡汉，司马氏篡魏。元晖业以上的话，含有讽刺谏诫高澄不要过分揽权，做个辅弼重臣而不是篡位者。㊸甲申朔：八月初一日。㊹己亥：八月十六日。㊺石椁寺：寺名，在今湖南长沙西北郊。㊻辛丑：八月十八日。㊼橘洲：即橘子洲，是湖南长沙西南湘江上的一个沙洲。㊽辛卯：八月初八日。㊾长仁：元长仁，事见《魏书》卷十二、《北史》卷五。㊿次长：排行第二。(241)相书：古代相面的书。(242)李氏：即齐文宣皇后，名祖娥，赵郡（今河北赵县）人，父李希宗。又号可贺敦皇后。武成帝时，入妙胜寺为尼。隋初回赵郡老家。传见《北齐书》卷九、《北史》卷十四。(243)服玩：穿和玩的物品。(244)小佳：稍微好一些。(245)饰让：假意推让。(246)袒跣：光着身子和脚。(247)漫戏：随便戏耍。(248)习劳：锻炼。(249)京：兰京，一作兰固成，其父兰钦在梁朝任徐州刺史。(250)膳奴：厨房中的奴仆。(251)京屡自诉：兰京多次请求赎身，以便南下与父亲团聚。(252)嬖：宠爱。(253)辛卯：八月初八日。(254)却之：叫他退出去。(255)库直：官名，管理大将军府中的库藏。(256)王纮：字师罗，太安狄那人。善骑射，好文学。以冒死与兰京搏斗功，封平春县男，出任晋阳令。传见《北齐书》卷二十五、《北史》卷五十五。(257)纥奚舍乐：复姓纥奚，时任库直。或云任库直都督。(258)手书辞母：亲手写信向母亲告别。(259)口占：口述成文。(260)陈便宜：向高洋提出善后的建议。(261)虚除：虚假任命。(262)督

护：官名，当时各方镇的主将府中都设此职，是主要部将，处理军府日常事务。㉖③唐邕：字道和，太原晋阳（今山西太原南）人，初任大将军高澄府参军。因精明强干，深受高洋器重，成为诸军总节度、尚书令，封晋昌王。历事北齐六帝。传见《北齐书》卷四十、《北史》卷五十五。㉖④癸巳：八月初十日。㉖⑤死问：死讯。㉖⑥甲午：八月十一日。㉖⑦攘袂：捋起袖子。㉖⑧扣刃：手按刀把。㉖⑨主者：此指主持朝中礼仪的官员。㉗⓪英畅：英姿勃发，言行畅达。㉗①郭元建：侯景部将，历任尚书右仆射、行台、太尉、南兖州刺史。㉗②不须更加将军：梁制，任开府仪同三司要加将军名号，即便任三公也加将军名号，如开国老臣王茂晋位三公，仍领中权将军。至此侯景改制，开府仪同不再加将军。㉗③不闲军旅：不熟悉军事。㉗④世济忠贞：陈郡袁氏宗族中，袁询、袁颉、袁粲、袁昂等三代人都忠于王室。惟袁昂子袁君正因怯弱降景，坏了门风。㉗⑤癸丑：九月初一日。㉗⑥蔡大宝：字敬位，济阳考城（今河南兰考）人，萧詧称帝，任尚书令、荆州刺史，封安丰县侯。萧岿即位，任中书监，领吏部尚书。传见《周书》卷四十八、《北史》卷九十三。㉗⑦新兴：郡名，治所新兴，在今湖北江陵东。㉗⑧乙丑：九月十三日。㉗⑨龛：杜龛，京兆杜陵（今陕西西安东南）人，杜岑的儿子。善用兵，梁元帝时，任郢州刺史，封中卢县侯。先后生擒宋子仙，击败侯子鉴，以功拜东扬州刺史。江陵失陷，追随贞阳侯，投靠北齐。不久被陈霸先于吴兴处死。传见《梁书》卷四十六、《南史》卷六十四。㉘⓪龚保林：龚，姓。保林，宫中女官，位略低于良娣。㉘①湕水：河名，今名建阳河，源出湖北荆门，南流入今江陵境内的长湖。㉘②守者：指押送张缵的士兵。㉘③拂席：掸净座席。㉘④令旨：萧绎给部属下达的命令叫令。旨即内容。㉘⑤故意：旧友的情义。㉘⑥见期：抱有期望。㉘⑦淹缓：滞留迟缓。㉘⑧癸未朔：十月初一日。㉘⑨永：萧永，封观宁侯。㉙⓪丁酉：十月十五日。㉙①徐嗣徽：高平（今山东济宁）人，侯景之乱时，投靠梁元帝，任罗州、秦州刺史。为报王僧辩之仇，与陈霸先对抗，兵败被杀。传见《南史》卷六十三。㉙②建昌：县名，县治在今江西永修。㉙③光远将军：官名，杂号将军。㉙④南昌：县名，县治在今江西南昌。㉙⑤富阳：县名，县治在今浙江杭州市富阳区。㉙⑥乙卯：十一月初四日。㉙⑦修陵：在今江苏丹阳。㉙⑧百济：古国名，在朝鲜半岛的西南部，与高句丽、新罗鼎足而立。㉙⑨荒圮：荒废、破毁。③⓪⓪向来：往日；过去。③⓪①录：拘捕。③⓪②庄严寺：寺名，在建康南郊坛场附近。③⓪③壬戌：十一月十一日。③⓪④祖父墓：杜岸祖父名灵启，任南齐给事中。父怀宝，梁时任过梁州、华州刺史。见《南史》卷六十四。③⓪⑤附庸：依附于大国的臣属国。③⓪⑥荣权：曾任兵部尚书。③⓪⑦王氏（？至公元五六四年）：萧詧称帝，立王氏为皇后。谥号是宣静皇后。③⓪⑧嶚：萧嶚，萧詧长子。③⓪⑨穰城：县名，县治在今河南邓州。③①⓪安陆：郡名，梁置，治所安陆，在今湖北安陆。③①①长孙俭（？至公元五六九年）：本名庆明，河南洛阳人，出身鲜卑拓跋氏，是北魏皇室枝族。孝文帝时，家族改姓长孙。俭历任西夏州、荆州刺史。力主出兵翦除梁元帝，以功封昌宁公，官大将军。传见《周书》卷二十六、《北史》卷二十二。③①②浙江：河名，今名钱塘江。③①③蕃：萧蕃，封开建侯。⑭ 范：胡三省注认为是“纶”之误，即萧纶。当是。⑮ 下溠城：县城名，治所在今湖北随县西北。⑯ 岫：即前留守安陆的长史马岫。⑰ 留异（？至公元五六四年）：东阳长山（今浙江金华）人。投降侯景后，任东阳太守。陈霸先平定会稽，异以接应功，任缙州刺史，领东阳太守，封永兴县侯。陈朝建立，拥兵自重，不听调遣，被剿灭。传见《陈书》卷三十五、《南史》卷八十。⑱ 庚寅：十二月初九日。⑲ 信安：县名，县治在今浙江衢州。⑳ 帝：指梁简文帝萧纲。萧大连是他的儿子。㉑ 岭：五岭。越过五岭就进入今天的两广地区。㉒ 乙酉：十二月初四日。㉓ 侯安都（公元五二〇至五六三年）：字成师，始兴曲江（今广东韶关市曲江区）人，从陈霸先破侯景，擒王僧辩，讨萧勃，战王琳，屡立战功。陈文帝即位，迁司空，任南豫州刺史。后骄纵不遵法度，被赐死。传见《陈书》卷八、《南史》卷六十六。㉔ 岭：指五岭之一的大庾岭。㉕ 亲寻干戈：指萧绎、萧誉、萧詧等王自相残杀。㉖ 疏外：非朝中权贵的亲信，关系比较疏远。㉗ 暗投：虽有大才，难遇明主，如同明珠暗投。㉘ 元、兰：指元景仲、兰裕二人。㉙ 皇枝：萧勃是武帝从弟吴平侯萧昺之子，故云“皇枝”。㉚ 犹贤乎已：意谓还是比什么都不做要好。已，止。㉛ 南康：郡名，治所赣县，在今江西赣州。㉜ 随郡：郡名，梁置，治所随县，在今湖北随州。

【校记】

［13］主：原作“王”。据章钰校，十二行本、乙十一行本皆作“主”，熊罗宿《胡刻资治通鉴校字记》同，今从改。［14］日：原无此字。据章钰校，十二行本、乙十一行本、孔天胤本皆有此字，胡三省注云：“申，重也；重为期日。”今据补。［15］今：原作“今日”。据章钰校，十二行本、乙十一行本、孔天胤本皆无“日”字，今据删。［16］泉：原作“众”。据章钰校，十二行本、乙十一行本、孔天胤本皆作“泉”，张瑛《通鉴校勘记》、熊罗宿《胡刻资治通鉴校字记》同，今据改。［17］出：原无此字。据章钰校，十二行本、乙十一行本、孔天胤本皆有此字，今据补。［18］神色：原作“颜色”。据章钰校，十二行本、乙十一行本皆作“神色”，今据改。〖按〗《北史·显祖文宣帝纪》亦作“神色”。［19］言：原无此字。据章钰校，十二行本、乙十一行本、孔天胤本皆有此字，今据补。［20］郭元建：原作“郭子建”。据章钰校，十二行本、乙十一行本、孔天胤本皆作“郭元建”，《梁书·侯景传》亦作“郭元建”，今据改。［21］存：原作“全”。据章钰校，十二行本、乙十一行本、孔天胤本皆作“存”，今据改。［22］沈勰：原作“柳勰”。据章钰校，十二行本、乙十一行本、孔天胤本皆作“沈勰”，张瑛《通鉴校勘记》同，今据改。〖按〗《通鉴纪事本末》卷二四作“沈勰”。［23］大连犹醉，不之知：原无此七字。据章钰校，十二行本、乙十一行本、孔天胤本皆有此七字，张敦仁《通鉴刊本识误》、张瑛《通鉴校勘记》同，今据补。〖按〗《南史·梁简文帝诸子传·南郡王大连传》载此事云：“宋子仙攻之，大连弃城走，追及于信安县，大连犹醉弗之觉。于是三吴悉为贼有。”

【研析】

本卷所记公元五四九年发生的历史事件，可谓复杂多变，一些事件详细，因果清晰；一些事件则只言片语，隐晦不明。

侯景最终攻下台城，挟持梁武帝，以一纸诏书解散救援诸军，梁武帝在软禁之中郁郁弃世，临终之际，连呼“荷荷”而死。据历史学家唐长孺先生考证，“荷荷”乃汉代以来战士冲锋陷阵时的呼叫之声。如此看来，这位八十六岁的老人，虽受人挟持，生命临终之际，仍以战士的形象示人。侯景攻陷台城之际，指责梁武帝犯有“十失”，《通鉴》只摘要叙述数项，《南史》卷八十《侯景传》录有全文。当代历史学家周一良先生在其名篇《梁武帝及其时代》一文中，对梁武帝一生及其影响有较为全面的分析。总的来说，梁武帝统治的半个世纪，是江南政治稳定、经济发展、文化繁荣的时期，相对来说，梁武帝是那一个时代少见的好皇帝，他在文化上的影响，特别对江南佛教的宣扬，并因此而引发的“神灭论”与“神不灭论”的争论，至今仍被思想史著作反复分析探讨。贺琛上书痛斥时政，他著文申辩；他对范缜所持“神灭论”不满，发动数十人著论反驳，但贺琛、范缜并没因此丢官或被杀，他在文化上的宽容精神，在古代君主中，确实是少见的。

侯景占据台城，暂时维持了梁政权的存在。侯景叛军在建康城的烧杀掳掠，使建康繁荣不再，甚至外国来使见之亦痛哭失声，也使梁各地地方势力不愿听从侯景控制的中央政府的号令。但各地援军救援台城，各自为阵，莫相统一，缺乏一个具有号召力的领袖人物。荆州刺史、湘东王萧绎坐镇荆州，拥有指挥长江中上游各州军事的权力，但他的两个侄儿，即湘州刺史、河东王萧誉与雍州刺史、岳阳王萧詧兄弟，并不听从他的号令。本怀野心的萧绎并没有认真派军支援建康，却严责部下，欲灭萧誉、萧詧而后快，萧詧转而求助于西魏，西魏军队开始染指江汉平原。梁淮南各地军政长官，或降附侯景，或投奔东魏，东魏毫不费力地进占淮南。南方政权从此失去了赖以长期与北方政权抗衡的地理屏障。陈霸先利用岭南地方武装，以平侯景之名北进，在此时还没有形成气候，但最终将与江东抵御侯景的势力结合，在南方创立新局。

侯景控制都城后，梁地方势力各图发展，未能形成统一的政治取向，关键原因在于各地军队由地方军政长官利用本地财政招募组建而成。军镇长官长期驻守一地，如需调换，也往往将自己组建的军队的核心部分带走。各地军队有如私兵武装，他们听命于长官，不存在国家意识，能否为国效力，全看长官个人态度。兹举一例加以说明。在救援建康的各路军队中，韦粲最为忠勇，出于全局考虑，他不顾自己资历深、年齿高，竭力推举柳仲礼为十万援军统帅，以图形成有效的指挥系统，对抗侯景叛军，最后“与子尼及三弟助、警、构，从弟昂皆战死，亲戚死者数百人”。但如上卷所记，他原本为衡州刺史，在赴建康任散骑常侍途中，“至庐陵，闻侯景乱，粲简阅部下，得精兵五千，倍道赴援”。显然，韦粲能以五千精兵驰援建康，正是他从衡州带走的军队，而这支军队日常统领者亦即他的子弟。军队成为地方长官私有性的军队，建康城并没有强大的中央军队加以拱卫，侯景来犯，甚至“赦东、西冶、尚方钱署及建康系囚”，赦免劳改犯的罪行，临时充作军队，即便如此，台城守军亦不过“擐甲者二万余人”。如果没有善于指挥的羊侃勉力指挥，台城早该被攻下。了解梁朝军队如此情形，我们也就可以了解为何侯景以千人过江，收罗奴仆，终能占据建康；亦可明了何以梁十万援军，竟因一纸诏书而烟消云散，各还来处。

侯景之乱，东魏是最大的赢家，不仅趁梁朝无力北顾，占有淮南，同时也攻占长社，俘获冒进轻敌的西魏将领王思政，宇文泰不得不从新占的地区撤出全部军队。长社之战，东魏执政高澄亲临指挥，从而获得战胜“外贼”的功业，于是着手准备代魏称帝，就在密谋策划之际，遇刺而亡，其弟高洋成为东魏新的军政领袖。关于这一变故，《通鉴》记事，主旨是在褒扬高洋先是为人低调，屈从于兄，在兄高澄死后，临危不乱，举措得宜，迅速稳定了局势。细绎相关史实，高洋很有可能就是杀死高澄的元凶，高澄死于政治谋杀，而非厨子兰京一时愤怒。由于司马温公相信高澄死于兰京之怒，许多史实并没有呈现，下面予以分析说明。

上两卷我们已分析到，高澄利用崔暹等汉族大族人士，压制豪横不法的勋贵，是促成侯景叛乱的一个重要因素。在东魏处理侯景事件的过程中，我们看不到勋贵们的态度，但勋贵们对高澄心怀不满是可以肯定的。高澄成功地处理了侯景引发的政治危机，并着手称帝的准备，对于高澄曾经压制的勋贵们来说，却是自身危机的步步逼近。同样面临危机的就是高澄的次弟太原公高洋。高洋长得其貌不扬，《北齐书·方伎·皇甫玉传》称皇甫玉“善相人”，“世宗（即高澄）自颍川振旅而还，显祖从后，玉于道旁纵观，谓人曰：‘大将军不作物，会是道北垂鼻涕者’。”以“垂鼻涕者”指称高洋，也说明其形貌确实不佳。但正是这个长相不佳的高洋，似乎政治呼声颇高。《北齐书》卷九《神武明皇后娄氏传》称：娄氏“孕六男二女，皆感梦，孕文襄（高澄）则梦一断龙，孕文宣（高洋）则梦大龙，首尾属天地，张口动目，势状惊人”云云，在古人看来，龙乃帝王象征，这一梦境表明“断龙”高澄较“大龙”高洋为劣。类似关于高洋政治前途光明的隐晦说法尚有不少，这不能不让其兄高澄警觉，所以高澄才会常说：“此人亦得富贵，相书亦何可解？”而高洋外示温顺退让，暗地里强健其体魄，亦表明其政治野心。

高澄对于高洋的轻慢，不只《通鉴》所说“夺取”高洋为夫人李氏弄到的小物件。《北齐书》卷九《文襄敬皇后元氏传》称，高洋当上皇帝后，强暴高澄之妻元氏，并说：“吾兄昔奸我妇，我今须报！”权力之争、辱妻之恨，高洋杀兄有足够的理由，而同样对高澄不满的勋贵们，则自然成为他依靠的政治基础。《北齐书》卷三《文襄纪》综述高澄死前一段时间种种怪异现象，说高澄心腹之一的崔季舒在事发数日前，“无故于北宫门外诸贵之前诵鲍明远诗曰：‘将军既下世，部曲亦罕存。’声甚凄断，泪不能已”。“诸贵”正是高澄暗中的政治对手，崔季舒“无故”诵诗，悲从中来，自然是邺城中山雨欲来的政治氛围郁闷于心所致。同卷还说兰京请赎还江南，高澄让人将其痛打了一顿，兰京遂与其党六人谋乱。后太史报告“宰辅星甚微，变不出一月”，高澄竟说“小人新杖之，故吓我耳”。天象严重示警，政治家高澄竟与一个厨子挨打联系起来，联系起来又不立即处置，谁能信之？高澄引当时北方的大文豪温子昇为僚属，竟因怀疑他参与于己不利的政治密谋，便将其投进监狱，活活饿死，何况一个小小的厨子！

事发当晚，高澄在邺城北部的东柏堂与陈元康、杨愔、崔季舒“屏左右，谋受魏禅，署拟百官”，如此大事，身为京畿大都督、尚书令的高洋竟不在场！事发之后，在城东双堂的高洋又能实时赶到，善后处理，“指挥部分，入讨群贼，斩而脔之”，且能掩盖高澄死讯数月之久，方予公布。兰京等下人似乎只不过是一场密谋已久的政变的替罪羊。

留在史书上的高澄死因，或许只是高洋的善后说辞。无论如何，高洋成功了，勋贵们也成功了。当高澄死讯公诸天下之时，高澄曾信任的崔暹、崔季舒等人便被发配边地，其后建立的北齐政权，勋贵们更为嚣张，汉人文官受到严重压制确实是事实。

本年五月，西魏下诏：“太和中代人改姓者皆复其旧。”这是一个极其重要的事件，其意义且待下卷综合分析。

卷第一百六十三　梁纪十九

上章敦牂（庚午，公元五五〇年），一年。

【题解】

本卷载述公元五五〇年一年南北朝史事，当梁朝简文帝大宝元年，西魏文帝大统十六年，北齐文宣帝天保元年。东魏禅位高氏，北齐建立。西魏蚕食梁朝西境。南朝梁国仍全境混乱。侯景残虏，以杀人为戏，所统区域，民心反抗，日渐高涨。

【原文】

太宗简文皇帝上

大宝元年（庚午，公元五五〇年）

春，正月辛亥[①]朔，大赦，改元。

陈霸先发始兴，至大庾岭，蔡路养将二万人军于南野[②]以拒之。路养妻侄兰陵萧摩诃[③]，年十三，单骑出战，无敢当者。杜僧明马被伤，陈霸先救之，授以所乘马，僧明上马复战，众军因而乘之，路养大败，脱身走。霸先进军南康，湘东王绎承制授霸先明威将军[④]、交州刺史。

戊辰[⑤]，东魏进太原公高洋位丞相、都督中外诸军、录尚书事、大行台、齐郡王。

庚午[⑥]，邵陵王纶至江夏，郢州刺史南康王[⑦]恪[⑧]郊迎，以州让之，纶不受，乃推纶为假黄钺，都督中外诸军事，承制置百官。

【语译】

太宗简文皇帝上

大宝元年（庚午，公元五五〇年）

春，正月初一日辛亥，梁朝大赦天下，改换年号。

陈霸先从始兴出发，到达大庾岭，蔡路养率领兵马二万人屯驻在南野抵抗陈霸先。蔡路养妻子的侄儿兰陵人萧摩诃，十三岁，单枪匹马出战，没有人敢抵挡。杜僧明的战马受伤，陈霸先救了他，把自己所乘的马交给杜僧明，杜僧明上马再战，大部队趁势冲了过去，蔡路养大败，脱身逃跑。陈霸先向南康进军，湘东王萧绎以皇帝旨意授命陈霸先为明威将军、交州刺史。

正月十八日戊辰，东魏进位太原公高洋为丞相、都督中外诸军事、录尚书事、大行台、齐郡王。

正月二十日庚午，邵陵王萧纶到达江夏，郢州刺史南康王萧恪到城郊迎接，把州城让给他，萧纶不接受，萧恪便推举萧纶为假黄钺，都督中外诸军事，代行皇帝旨意设置百官。

魏杨忠围安陆，柳仲礼驰归救之。诸将恐仲礼至则安陆难下，请急攻之，忠曰："攻守势殊，未可猝拔，若引日劳师，表里受敌，非计也。南人多习水军，不闲野战，仲礼师在近路，吾出其不意，以奇兵袭之，彼怠我奋，一举可克。克仲礼，则安陆不攻自拔，诸城可传檄定也。"乃选骑二千，衔枚夜进，败仲礼于漴头⑨，获仲礼及其弟子礼，尽俘其众。马岫以安陆，别将王叔孙以竟陵，皆降于忠。于是汉东之地尽入于魏。

广陵人来嶷⑩说前广陵太守祖皓⑪曰："董绍先轻而无谋，人情不附，袭而杀之，此壮士之任耳[1]。今欲纠帅义勇，奉戴府君。若其克捷，可立桓、文之勋，必天未悔祸，犹足为梁室忠臣。"皓曰："此仆所愿也。"乃相与纠合勇士，得百余人。癸酉⑫，袭广陵，斩南兖州刺史董绍先。据城，驰檄远近，推前太子舍人萧勔⑬为刺史，仍结东魏为援。皓，暅之之子[2]。勔，勃之兄也。乙亥⑭，景遣郭元建帅众奄至，皓婴城固守。

二月，魏杨忠乘胜至石城⑮，欲进逼江陵，湘东王绎遣舍人庾恪说忠曰："詧来伐叔，而魏助之，何以使天下归心？"忠遂停湕北。绎遣舍人王孝祀等送子方略⑯为质以求和，魏人许之。绎与忠盟曰："魏以石城为封⑰，梁以安陆为界，请同附庸，并送质子，贸迁有无⑱，永敦邻睦。"忠乃还。

宕昌⑲王梁弥定⑳为其宗人獠甘㉑所袭，弥定奔魏，獠甘自立。羌酋傍乞铁悤㉒据渠株川㉓，与渭州㉔民郑五丑合诸羌以叛魏。丞相泰使大将军宇文贵、凉州刺史史宁讨之，擒斩铁悤、五丑。宁别击獠甘，破之，獠甘将百骑奔生羌㉕巩廉玉。宁复纳弥定于宕昌，置岷州㉖于渠株川，进击巩廉玉，斩獠甘，虏廉玉送长安。

侯景遣任约、于庆㉗等帅众二万攻诸藩。

邵陵王纶欲救河东王誉而兵粮不足，乃致书于湘东王绎曰："天时、地利，不及人和，况乎[3]手足肱支，岂可相害？今社稷危耻，创巨痛深，唯应剖心尝胆，泣血枕戈，其余小忿，或宜容贳㉘。若外难未除，家祸仍构，料今访古，未或不亡。夫征战之理，唯求克胜，至

西魏杨忠包围安陆，柳仲礼急行回军救援他。众将担心柳仲礼到达后安陆城更难攻下，请求加紧攻城，杨忠说："进攻与防守，情势不同，不可能很快攻克，如果拖延时日，部队精疲力竭，内外受敌，不是办法。南方人善于水战，不熟悉陆地野战，柳仲礼军队在不远的路上，我们出其不意，用奇兵偷袭他，他们行军疲劳，我军士气高昂，一战可以打败他。打败了柳仲礼，那么安陆不攻自破，其他各城传送一纸檄文就可平定。"于是挑选两千骑兵，让士兵口衔木棍，趁夜色行军，在漴头打败了柳仲礼，抓获了柳仲礼和他弟弟柳子礼，俘获了他的所有部众。马岫献出安陆，别将王叔孙献出竟陵，都投降了杨忠。这样一来，汉水以东土地全部归入了西魏。

广陵人来嶷劝说前广陵太守祖皓说："董绍先轻浮而无谋略，人心不服，偷袭并杀掉他，这是大丈夫的责任。我正想纠集忠义勇敢之士，拥戴你为首领，如果得胜，可以建立齐桓公、晋文公一样的功勋，即使上天不让我们成功，也足以成为梁朝的忠臣。"祖皓说："这正是我的心愿。"于是共同纠合勇敢之士，得到一百多人。正月二十三日癸酉，偷袭广陵，杀了南兖州刺史董绍先。占据了州城，向远近各城镇急速发出檄文，推举前太子舍人萧勔为刺史，仍旧联结东魏以为后援。祖皓，是祖暅之的儿子。萧勔，是萧勃的哥哥。二十五日乙亥，侯景派郭元建率领军队突然来到，祖皓环城固守。

二月，西魏杨忠乘胜到达石城，想进逼江陵，湘东王萧绎派舍人庾恪劝说杨忠，说："萧詧来讨伐他的叔父，而西魏来帮助他，怎么能让天下人心归服你们?"杨忠于是停驻在湕水北边。萧绎又派舍人王孝祀等护送自己的儿子萧方略为人质向西魏求和，西魏答应了他。萧绎与杨忠结盟说："西魏以石城为边界，梁朝以安陆为边界，请求等同附庸国，并送儿子为人质，交换有无，永远保持睦邻友好。"杨忠这才返回。

宕昌王梁弥定被同族人梁獠甘袭击，梁弥定逃到西魏，梁獠甘自立为王。羌人酋长傍乞铁忽盘踞渠株川，与渭州豪民郑五丑联合各部羌人反叛西魏，丞相宇文泰派大将宇文贵、凉州刺史史宁讨伐他们，抓获并杀了傍乞铁忽、郑五丑。史宁转攻梁獠甘，打败了他，梁獠甘带领一百名骑兵投奔境外羌人巩廉玉。史宁重新接纳梁弥定回到宕昌，在渠株川设立岷州，进兵攻击巩廉玉，杀死了梁獠甘，俘虏了巩廉玉押送长安。

侯景派遣任约、于庆等率领两万大军攻打梁朝各藩国。

邵陵王萧纶想救助河东王萧誉而兵粮不足，就写信给湘东王萧绎说："天时、地利，不如人和，何况是手足之情的兄弟，怎么可以互相加害?如今国家危难蒙受耻辱，创伤巨大，痛彻骨髓，只应推心置腹，卧薪尝胆，泣血枕戈以备战，其余的小小恩怨，应当互相容忍化解。如果外患还没解除，又制造家祸，考查古今，没有不灭亡的。凡是战争，只求战胜对方，至于骨肉相残的战争，愈是胜利愈是残酷，打

于骨肉之战，愈胜愈酷，捷则非功，败则有丧，劳兵损义，亏失多矣。侯景之军所以未窥江外㉙者，良为藩屏盘固，宗镇强密。弟若陷洞庭㉚，不戢兵刃，雍州㉛疑迫，何以自安，必引进魏军以求形援。弟若不安，家国去矣。必希解湘州之围，存社稷之计。”绎复书，陈誉过恶㉜不赦，且曰：“詧引杨忠来相侵逼，颇遵谈笑，用却秦军㉝，曲直有在，不复自陈。临湘㉞旦平，暮便即路㉟。”纶得书，投之于案，慷慨流涕曰：“天下之事，一至于斯，湘州若败，吾亡无日矣！”

侯景遣侯子鉴帅舟师八千，自帅徒兵㊱一万，攻广陵，三日克之，执祖皓，缚而射之，箭遍体，然后车裂以徇，城中无少长皆埋之于地，驰马射而杀之。以子鉴为南兖州刺史，镇广陵。景还建康。

丙戌㊲，以安陆王大春为东扬州刺史。省吴州。

乙巳㊳，以尚书仆射王克为左仆射。

庚寅㊴，东魏以尚书令高隆之为太保。

宣城内史杨白华进据安吴㊵，侯景遣于子悦等[4]帅众攻之，不克。

东魏行台辛术将兵入寇，围阳平㊶，不克。

侯景纳上女溧阳公主㊷，甚爱之。三月甲申㊸，景请上禊宴㊹于乐游苑㊺，帐饮㊻三日。上还宫，景与公主共据御床，南面并坐，群臣文武列坐侍宴。

庚申㊼，东魏进丞相洋爵为齐王。

临川内史始兴王毅㊽等击庄铁，鄱阳王范遣其将巴西侯瑱㊾救之，毅等败死。

鄱阳世子嗣与任约战于三章㊿，约败走，嗣因徙镇三章，谓之安乐栅(51)。

夏，四月庚辰朔(52)，湘东王绎以上甲侯韶为长沙王(53)。

丙午(54)，侯景请上幸西州，上御素辇(55)，侍卫四百余人，景浴铁(56)数千，翼卫左右。上闻丝竹，凄然泣下，命景起舞，景亦请上起舞。酒阑坐散(57)，上抱景于床曰：“我念丞相。”景曰：“陛下如不念臣，臣何得至此？”逮夜乃罢。

时江南连年旱蝗，江、扬(58)尤甚，百姓流亡，相与入山谷、江湖，采草根、木叶、菱芡(59)而食之，所在皆尽，死者蔽野。富室无食，皆

赢了算不上功劳，失败了必遭灭亡，劳累将士，有损道义，失去的太多了。侯景叛军之所以没有窥伺长江上游地区，实在是因这些地区藩国互相屏卫，如磐石一样坚固，同宗藩王众多而又强大啊。弟弟你如果攻下湘州，仍不收起武器，萧詧就要怀疑你进逼，怎么能自安，就必然会引来西魏军队作为援助。这样我弟你也就不能安定，梁朝天下彻底完了。恳切希望你解除对湘州的包围，顾全国家生存的大局。”萧绎回信，列举萧誉罪在不赦，还说：“萧詧引来杨忠逼迫我，我效法鲁仲连谈笑迫退秦兵之计，劝退了杨忠。谁是谁非，自有所在，不再陈说了。湘州早上平定，我傍晚就上路回师。”萧纶收到这封回信，把它扔在几案上，激昂流泪说：“天下的事，竟然到这个地步，萧誉如果败亡，我灭亡的日子也就到了！”

侯景派侯子鉴率领水军八千，亲自率领步兵一万，进攻广陵，三天时间攻克了广陵，抓住了祖皓，绑起来用箭射他，箭矢布满全身，然后用车分尸示众，城中无论老少全都半埋在地上，驰马射箭杀死他们。任命侯子鉴为南兖州刺史，镇守广陵，侯景返回建康。

二月初六日丙戌，梁朝任命安陆王萧大春为东扬州刺史，撤销了吴州。

二十五日乙巳，梁朝任命尚书仆射王克为左仆射。

初十日庚寅，东魏任命尚书令高隆之为太保。

梁朝宣城内史杨白华进据安吴县，侯景派于子悦等领兵攻打县城，没有攻克。

东魏行台辛术领兵进犯梁朝，围攻阳平，没有攻克。

侯景娶简文帝之女溧阳公主为妻，十分宠爱。三月甲申日，侯景请简文帝到乐游苑参加祓禊的宴会，搭起帐篷，宴饮了三天。简文帝回到宫中，侯景与溧阳公主一起坐在御床上，面向南并肩坐着，文武百官并列就座，陪侍宴饮。

三月十一日庚申，东魏丞相高洋晋爵齐王。

梁朝临川内史始兴人王毅等进击庄铁，鄱阳王萧范派他的部将巴西人侯瑱救援庄铁，王毅等兵败而死。

鄱阳王萧范的世子萧嗣与任约在三章交战，任约败逃，萧嗣乘胜移兵镇守三章，称它为“安乐栅”。

夏，四月初一日庚辰，湘东王萧绎任命上甲侯萧韶为长沙王。

四月二十七日丙午，侯景请简文帝到西州，简文帝乘坐白色的车，侍卫四百余人，侯景率铁甲卫士数千人分列守卫在两旁。简文帝听到音乐声，凄然落泪，让侯景起舞，侯景也请皇上起舞。酒宴快结束，宾客半数已散，皇上在座床上抱住侯景说：“朕想念丞相。”侯景说：“陛下如果不想念臣，臣怎么会到这里呢？”直到夜晚才结束。

当时江南连年发生旱灾、蝗灾，江州、扬州尤其严重，百姓流亡，一起进入山谷、江湖，采集草根、树叶、菱角和芡米充饥，饥民所到之处，这些东西都一扫而

鸟面鹄形[60]，衣罗绮，怀珠玉，俯伏床帷，待命听终。千里绝烟，人迹罕见，白骨成聚，如丘陇焉。

景性残酷，于石头[61]立大碓，有犯法者捣杀之。常戒诸将曰："破栅平城，当净杀之，使天下知吾威名。"故诸将每战胜，专以焚掠为事，斩刈人如草芥，以资戏笑。由是百姓虽死，终不附之。又禁人偶语[62]，犯者刑及外族[63]。为其将帅者，悉称行台，来降附者，悉称开府，其亲寄隆重者曰左右厢公，勇力兼人者曰库直都督。

魏封皇子儒[64]为燕王，公[65]为吴王。

侯景召宋子仙还京口。

邵陵王纶在郢州，以听事为正阳殿，内外斋阁，悉加题署。其部下陵暴军府[66]，郢州将佐莫不怨之。谘议参军江仲举[67]，南平王恪之谋主也，说恪图纶，恪惊曰："若我杀邵陵，宁静一镇，荆、益兄弟[68]必皆内喜，海内若平，则以大义责我矣。且巨逆未枭，骨肉相残，自亡之道也。卿且息之。"仲举不从，部分诸将，刻日将发，谋泄，纶压杀之。恪狼狈往谢，纶曰："群小所作，非由兄也。凶党已毙，兄勿深忧。"

王僧辩急攻长沙，辛巳[69]，克之。执河东王誉，斩之，传首江陵，湘东王绎反其首而葬之[70]。初，世子方等之死，临蒸周铁虎[71]功最多，誉委遇[72]甚重。僧辩得铁虎，命烹之，呼曰："侯景未灭，奈何杀壮士？"僧辩奇其言而释之，还其麾下[73]。绎以僧辩为左卫将军，加侍中、镇西[74]长史。

绎自去岁闻高祖之丧，以长沙未下，故匿之。壬寅[75]，始发丧，刻檀[76]为高祖像，置于百福殿[77]，事之甚谨，动静必咨焉。绎以为天子制于贼臣，不肯从大宝之号，犹称太清四年。丙午[78]，绎下令大举讨侯景，移檄远近。

鄱阳王范至湓城，以晋熙为晋州[79]，遣其世子嗣为刺史，江州郡县多辄改易[80]。寻阳王大心，政令所行，不出一郡[81]。大心遣兵击庄铁，嗣与铁素善，请发兵救之，范遣侯瑱帅精甲五千助铁。由是二镇互相猜忌，无复讨贼之志。大心使徐嗣徽帅众二千，筑垒稽亭[82]以备范，市

光，死人满山遍野。有钱人家也没有吃的，一个个都鸟面鹄形，穿着绫罗绸缎，怀中抱着珍珠宝玉，俯卧在床上等死。千里无炊烟，人迹罕见，白骨成堆，像小山丘。

侯景生性残酷，在石头城设立大石碓，有犯法的罪犯，就用大石碓捣杀。常常告诫诸将说："攻破栅寨，平定城池，应当杀个干干净净，让天下的人知道我的威名。"所以诸将每次打了胜仗，专门做烧杀抢掠的事，杀人砍头如同割草芥，以此取笑欢乐。因此，百姓虽死，最终也不归附他。侯景还下令禁止两人以上交谈，犯令的人受刑罚还要株连亲戚。当侯景将领的人，一律称为行台，来归降的人，一律称为开府，他所特别亲近和看重的人称左右厢公，勇力过人的人称库直都督。

西魏封皇子元儒为燕王，元公为吴王。

侯景调宋子仙回到京口。

邵陵王萧纶在郢州，把州衙办公署称为正阳殿，州衙内外房舍楼阁都加上省殿的题名。他的部属欺压萧恪的将佐，郢州的原有将佐没有一个不怨恨他。谘议参军江仲举是南平王萧恪的谋主，劝说萧恪除掉萧纶。萧恪大惊说："我如果杀了邵陵王，可以使郢州一镇安静，荆州的萧绎、益州的萧纪内心一定都高兴，天下如果平定，他们就要用大义来追究我了。况且大叛贼还没除掉，骨肉相残，是自取灭亡之路。你还是不要说吧。"江仲举不听从，部署诸将，约定时间将发动兵变，谋划泄漏，萧纶压死了他。萧恪窘迫地前往谢罪。萧纶说："这都是一群小人干的，不是兄长的过错。凶犯们已经除掉，兄长不必忧虑。"

王僧辩加紧围攻长沙。四月初二日辛巳，攻破长沙，抓住了河东王萧誉，把他杀了，割下首级送到江陵，湘东王萧绎把萧誉首级送回长沙安葬了他。当初，萧绎世子萧方等战死，萧誉部将临蒸人周铁虎功劳最多，萧誉信任和看重他。王僧辩抓获了周铁虎，下令烹杀他，周铁虎呼叫说："侯景还没有消灭，为什么要杀害勇士？"王僧辩欣赏周铁虎的壮语，释放了他，把原有的部属交还了他。萧绎任命王僧辩为左卫将军，加官侍中、镇西长史。

萧绎从去年听说梁武帝去世的消息，因为长沙还没有攻下，所以隐瞒了消息。四月二十三日壬寅，才公开为梁武帝举办丧事，用檀木雕刻了高祖的形象，安放在百福殿，奉侍十分恭谨，大小事情一定到像前请示。萧绎认为简文帝受制于侯景，不愿承认大宝年号，仍称大宝元年叫太清四年。二十七日丙午，萧绎下令大举讨伐侯景，向远近各地发出声讨檄文。

鄱阳王萧范到了湓城，改晋熙郡为晋州，派他的世子萧嗣为刺史，江州所属郡县守令多被更换。寻阳王萧大心政令所行，出不了寻阳一郡。萧大心派兵攻击庄铁，萧嗣与庄铁一向交好，请求发兵救援，萧范派侯瑱率领精锐甲兵五千人援助庄铁。由此两个藩王互相猜忌，再没有讨伐叛贼侯景的心思。萧大心派徐嗣徽领兵两千，在稽亭筑起营垒防备萧范，萧范的粮食购买渠道阻断了，萧范几万部队，没有

粜[83]不通，范数万之众，无所得食，多饿死。范愤恚，疽发于背，五月乙卯[84]，卒。其[5]众秘不发丧，奉范弟安南侯恬[85]为主，有众数千人。

丙辰[86]，侯景以元思虔为东道大行台，镇钱唐。丁巳[87]，以侯子鉴为南兖州刺史。

【段旨】

以上为第一段，侯景倒行逆施，残虐百姓，所控长江下游三吴地区，人心不附。梁室诸王同室操戈，长江上游湘东王萧绎血战取胜，中游江州还在残杀。

【注释】

①辛亥：正月初一日。②南野：县名，县治在今江西赣州市南康区。③萧摩诃（公元五三四至六〇四年）：字符胤，兰陵（今江苏常州）人，骁勇善战，随吴明彻北伐，大败北齐军，以功封谯州刺史。又多次遏制北周军南袭，平定始兴王叛乱，助陈后主即位。官至骠骑大将军，封绥建郡公。隋灭陈，被俘。后随同汉王陈谅赴并州，企图南逃，被杀。传见《陈书》卷三十一、《南史》卷六十七。④明威将军：杂号将军，梁二十四班将军之第十三班。⑤戊辰：正月十八日。⑥庚午：正月二十日。⑦南康王：胡三省注认为是“南平王”之误。⑧恪：萧恪，字敬则，梁宗室，嗣父爵南平王。梁武帝太清中，为郢州刺史。传见《南史》卷五十二。⑨漴头：地名，在今湖北安陆西北。⑩来嶷（？至公元五五〇年）：字德山，与祖皓起兵反侯景，被萧纶任命为步兵校尉、秦郡太守，封永宁县侯。后与祖皓一并遇害。传见《南史》卷七十二。⑪祖皓（？至公元五五〇年）：范阳道（今河北涞水县）人，祖冲之之孙。梁武帝大同中为江都令，后拜广陵太守。起兵讨侯景，城陷，被杀。传见《南史》卷七十二。⑫癸酉：正月二十三日。⑬萧勔（？至公元五五〇年）：字文祇，梁武帝从父弟萧昺之子。封东乡侯。传见《南史》卷五十一。又本传任职作“太子洗马”。《通鉴》从《南史》卷七十二《祖皓传》。⑭乙亥：正月二十五日。⑮石城：郡名，梁作长寿县，在今湖北钟祥。北周改置石城郡。⑯方略：萧方略（？至公元五五五年），梁元帝第十子，封始安王。传见《南史》卷五十四。⑰封：疆界。⑱贸迁有无：互通有无，开展贸易。⑲宕昌：国名，地处甘肃宕昌，是西羌人所建，后北周改置宕昌郡。⑳梁弥定：大统七年（公元五四一年），被西魏立为宕昌王。保定四年（公元五六四年）进犯洮州，又与吐谷浑联合进攻石门戍，因此被北周宇文邕派

地方得到粮食，大多饿死了。萧范非常气愤，背上长出毒疮，五月初七日乙卯去世。萧范的部众封锁萧范死亡的消息，推举萧范的弟弟安南侯萧恬为军主，有部众几千人。

五月初八日丙辰，侯景任命元思虔为东道大行台，镇守钱唐。初九日丁巳，任命侯子鉴为南兖州刺史。

兵讨灭。传见《周书》卷四十九。㉑獠甘：人名。㉒傍乞铁怱：人名。㉓渠株川：在今甘肃岷县一带。《周书》卷四十九作“渠林川”。《通鉴》同《周书》卷十九。㉔渭州：州名，西魏置，治所襄武，在今甘肃陇西县。㉕生羌：塞外未曾降服于西魏的羌人。㉖岷州：州名，治所溢乐，在今甘肃岷县。㉗于庆：侯景部将，拜仪同三司，后任太子太师。见《梁书》卷五十六。㉘容贳：容忍和解除敌意。㉙江外：指荆州，时人将江北地区称作江外。㉚洞庭：指湘州，辖地如带环绕洞庭。㉛雍州：指萧詧，时镇雍州。㉜过恶：罪大恶极。㉝“颇遵谈笑”二句：萧绎借用鲁仲连谈笑间说服赵平原君不尊秦昭王为帝，迫退秦军，来吹嘘自己说动杨忠，瓦解西魏与萧詧联盟的举动。㉞临湘：县名，县治在今湖南长沙。是长沙郡和湘州的治所。㉟即路：即上路，指出兵讨伐侯景。㊱徒兵：步兵。㊲丙戌：二月初六日。㊳乙巳：二月二十五日。㊴庚寅：二月初十日。㊵安吴：县名，县治在今安徽泾县。㊶阳平：郡名，梁置，治所安宜，在今江苏宝应西南。㊷溧阳公主：梁简文帝女儿的封号。㊸甲申：三月庚戌朔，无甲申日。既然是祓禊的日子，按礼俗只能是该月上旬的巳日，即“丁巳”，三月初八日。㊹禊宴：古代民俗，每年三月上旬巳日，要到小河边洗濯，以驱逐不祥，并常带饮食在野外聚餐。㊺乐游苑：园苑名，在京师建康玄武湖南岸。㊻帐饮：在搭起的帐篷中宴饮。㊼庚申：三月十一日。㊽王毅：始兴（今广东韶关市）人。《陈书》卷十三、《南史》卷六十七作“梁始兴藩王萧毅”，然而梁始兴王中并无萧毅，当以《通鉴》为是。㊾侯瑱（公元五〇九至五六一年）：字伯玉，巴西充国（今四川南部县西北）人，初从萧范，范死，袭杀庄铁，据有豫章。先后依附侯景、梁元帝。最后称臣于陈霸先，位至太尉。传见《陈书》卷九、《南史》卷六十六。㊿三章：地名，在龙亢县，即今安徽含山县东南。51 安乐栅：沿用驻屯濡须时军营旧名。52 庚辰朔：四月初一日。53 长沙王：当时建康城中，还有一位长沙王萧㕡，为梁武帝兄萧懿的曾孙，受侯景辖制。54 丙午：四月二十七日。55 素辇：白色的车。56 浴铁：铁甲卫士。57 酒阑坐散：酒宴接近尾声，宾客半在半散。58 江、扬：此指以南京为中心的扬州刺史部长江一带。59 菱芡：菱角和芡米（又称鸡头米）。60 鸟面鹄形：形容人因饥饿变得十分消瘦。61 石头：石头城，在南京城西，是六朝军事要

地。⑫偶语：二人以上相聚交谈。⑬外族：指男方的舅家和女方的娘家。⑭儒：元儒，西魏文帝元宝炬的儿子。⑮公：元公，西魏文帝元宝炬的儿子。⑯军府：指郢州刺史南平王萧恪府。⑰江仲举：别号“江千万”。⑱荆、益兄弟：指在荆州的萧绎和在益州的萧纪。⑲辛巳：四月初二日。⑳反其首而葬之：送萧誉首级返回长沙与尸身一起埋葬。㉑临蒸周铁虎：周铁虎（？至公元五五八年）初事河东王萧誉，后随王僧辩征侯景，屡有战功，拜潼州刺史，封沌阳县侯。后转投陈霸先，与王琳战于沌口，失败被杀。传见《陈书》卷十、《南史》卷六十七。据《陈书》本传，不知铁虎籍贯。史称铁虎曾任萧誉的临蒸（今湖南衡阳）县令。胡三省以为“临蒸”下脱“令”字。《通鉴》认为铁虎是临蒸人，恐非。㉒委遇：委任和相待。㉓麾下：部下。㉔镇西：镇西将军。萧绎以此衔都督荆、雍等九州军事。㉕壬寅：四月二十三日。㉖檀：檀香木。㉗百福殿：江陵城中湘东王府内的一座宫殿名。㉘丙午：四月二十七日。㉙晋州：州名，萧范所新置，州治在今安徽潜山。㉚郡县多辄改易：指大量更换郡太守和县令长。㉛不出一郡：政令不出

【原文】

东魏齐王洋之为开府㊳也，勃海高德政为管记㊴，由是亲昵，言无不尽。金紫光禄大夫丹杨徐之才㊵、北平太守广宗宋景业㊶，皆善图谶，以为太岁在午㊷，当有革命，因德政以白洋，劝之受禅。洋以告娄太妃，太妃曰：“汝父如龙，兄如虎，犹以天位不可妄据，终身北面，汝独何人，欲行舜、禹之事乎？”洋以告之才，之才曰：“正为不及父兄，故宜早升尊位耳。”洋铸像卜之而成，乃使开府仪同三司段韶问肆州刺史斛律金，金来见洋，固言不可，以宋景业首陈符命，请杀之。洋与诸贵议于太妃前，太妃曰：“吾儿懦直，必无此心，高德政乐祸，教之耳。”洋以人心不壹，使[6]高德政如邺察公卿之意，未还，洋拥兵而东，至平都城㊸，召诸勋贵议之，莫敢对。长史杜弼曰：“关西，国之勍敌，若受魏禅，恐彼挟天子，自称义兵而东向，王何以待之？”徐之才曰：“今与王争天下者，彼亦欲为王所为，纵其屈强，不过随我称帝

寻阳郡。⑧② 稽亭：即稽亭渚，在湓城以东的长江中。⑧③ 市籴：指从市场购买粮食。⑧④ 乙卯：五月初七日。⑧⑤ 恬：萧恬，封安南侯。⑧⑥ 丙辰：五月初八日。⑧⑦ 丁巳：五月初九日。

【校记】

［1］耳：原作“也”。据章钰校，十二行本、乙十一行本、孔天胤本皆作“耳”，今据改。［2］晅之之子：原作“晅之子”。据章钰校，十二行本、乙十一行本皆作“晅之之子”。〖按〗胡三省注云：“诸本作‘晅之之子’者，衍‘之’字。”然据《陈书·文学传·祖冲之传》，冲之子晅之，晅之子皓。故当作“晅之之子”，今据补。［3］乎：原作“于”。据章钰校，十二行本、乙十一行本、孔天胤本皆作“乎”，今据改。［4］等：原无此字。据章钰校，十二行本、乙十一行本、孔天胤本皆有此字，今据补。［5］其：原作“范”。据章钰校，十二行本、乙十一行本、孔天胤本皆作“其”，熊罗宿《胡刻资治通鉴校字记》同，今据改。

【语译】

东魏齐王高洋任开府时，勃海人高德政任记室参军，因此两人十分亲密，无话不谈。金紫光禄大夫丹杨人徐之才、北平太守广宗人宋景业，都精通图谶，认为太岁星运行到午年，应当改朝换代，通过高德政转告高洋，劝他接受禅让。高洋将此事告知母亲娄太妃。娄太妃说：“你的父亲像龙，你的哥哥像虎，尚且认为皇帝大位，不可妄自据有，终身北面为臣。你是什么样的人，竟想做虞舜、大禹受禅那样的事？”高洋把母亲的话告诉徐之才，徐之才说：“正因为赶不上父兄，所以应当早日登上皇帝大位。”高洋铸了一个神像来占卜，是成功的吉兆，便派开府仪同三司段韶去询问肆州刺史斛律金，斛律金来见高洋，坚持说不可，认为宋景业挑头陈说符命，请求杀了他。高洋与各位勋臣贵族在娄太妃面前商议，娄太妃说：“我儿柔懦憨直，一定没有这个心思，高德政喜欢制造事端，是他教唆的。”高洋因为人心不齐，派高德政到邺城观察公卿们的心意，人还没回来，高洋便率军东进，到达平都城，召集各位勋臣贵戚商议，没有一个人敢应答。长史杜弼说：“潼关西面，是我国的劲敌，如果接受东魏的禅让，恐怕他要挟持天子，自称忠义之师向东挺进，大王用什么办法来对付他们？”徐之才说：“现在和大王争天下的人，他们也想做大王要做的事，纵

耳。”弼无以应。高德政至邺，讽公卿，莫有应者。司马子如逆洋于辽阳⑭，固言未可。洋欲还，仓丞⑮李集曰：“王来为何事，而今欲还？”洋伪使于东门杀之，而别令赐绡十匹，遂还晋阳。自是居常不悦。徐之才、宋景业等日陈阴阳杂占⑯，云宜早受命，高德政亦敦劝不已。洋使术士李密卜之，遇《大横》⑰，曰：“汉文之卦⑱也。”又使宋景业筮之，遇《乾》之《鼎》⑲，曰：“乾，君也。《鼎》，五月卦也。宜以仲夏受禅。”或曰：“五月不可入官⑳，犯之，终于其位。”景业曰：“王为天子，无复下期，岂得不终于其位乎？”洋大悦，乃发晋阳。

高德政录在邺诸事，条进于洋，洋令左右⑩陈山提驰驿赍事条，并密书与杨愔。是月，山提至邺，杨愔即召太常卿邢卲⑩等[7]议撰[8]仪注⑩，秘书监魏收草九锡、禅让、劝进诸文。引魏宗室诸王入北宫，留于东斋。甲寅⑩，东魏进洋位相国，总百揆，备九锡。洋行至前亭⑩，所乘马忽倒，意甚恶之，至平都城，不复肯进。高德政、徐之才苦请曰：“山提先去，恐其漏泄。”即命司马子如、杜弼驰驿续入，观察物情。子如等至邺，众人以事势已决，无敢异言。洋至邺，召夫⑩赍筑具⑩集城南。高隆之请曰：“用此何为？”洋作色曰：“我自有事，君何问为？欲族灭邪？”隆之谢而退。于是作圜丘，备法物。

丙辰⑩，司空潘乐、侍中张亮、黄门郎赵彦深等求入启事，东魏孝静帝在昭阳殿见之。亮曰：“五行递运⑩，有始有终，齐王圣德钦明，万方归仰，愿陛下远法尧、舜。”帝敛容曰：“此事推挹⑩已久，谨当逊避。”又曰：“若尔，须作制书。”中书郎⑪崔劼⑫、裴让之曰：“制已作讫。”使侍中杨愔进之。东魏主既署，曰：“居朕何所？”愔对曰：“北城别有馆宇⑬。”乃下御坐，步就东廊，咏范蔚宗⑭《后汉书》赞⑮曰：“献生不辰⑯，身播⑰国屯⑱，终我四百⑲，永作虞宾⑳。”所司请发㉑，帝曰：“古人念遗簪弊履，朕欲与六宫别，可乎？”高隆之曰：“今日天下犹陛下之天下，况在六宫？”帝步入，与妃嫔已下别，举宫皆哭。赵

然他们不服气，不过也会跟在我们后面称帝。”杜弼无言以对。高德政到邺城，向公卿们暗示要东魏主禅让，却没有附和的人。司马子如在辽阳迎接高洋，坚持说不可以。高洋打算回到晋阳，仓丞李集说：“大王来是干什么的，而今却想回去？”高洋假意派人在东门处死他，而另外传令赏赐他十匹绢，于是回到晋阳。从此高洋平时常常不高兴。徐之才、宋景业等天天讲阴阳杂占有灵验的事，说应该及早接受天命，高德政也不停地敦促劝说。高洋让术士李密占卜这件事，得到卦兆是《大横》。李密说：“这是汉文帝登位卜得的卦兆。”又派宋景业用蓍草占筮，得到《乾卦》向《鼎卦》变化的吉兆。宋景业说：“《乾卦》是象征国君，《鼎卦》是表示五月的卦，应当在五月接受禅位。”有人说：“五月不可以晋升官位，如果违犯了，就要死在职位上。”宋景业说：“大王当天子，天子没有免职的，这难道不就是要死在职位上吗？”高洋大为高兴，便从晋阳出发了。

高德政草拟了到达邺城应当办理的各项事务，一条一条地进呈高洋，高洋派身边的陈山提乘驿站快马，带着高德政草拟的条目和秘密书信，到邺城交给杨愔。当月，陈山提到了邺城，杨愔立即召太常卿邢卲等商议草拟禅让的礼仪制度，秘书监魏收草拟九锡、禅让、劝进等各种文章。杨愔把东魏宗室诸王带入北宫，扣留在东斋。五月初六日甲寅，东魏提升高洋职位为相国，总领百官，配备九锡仪仗。高洋行进到前亭，他骑的马突然倒地，心里很讨厌，到达平都城，不愿再往前走。高德政、徐之才苦苦请求说：“陈山提已先离开到达邺城，恐怕他把事情泄漏出去。”高洋立即派司马子如、杜弼乘驿站快马继陈山提之后进入邺城，观察事态人心。司马子如等到了邺城，大家认为大局已定，没人敢有异议。高洋到达邺城，征调民夫带着筑墙工具集中到邺城南。高隆之请问高洋，说：“用民夫干什么？”高洋变了脸色说：“我当然有事，你问这干什么？想要被灭族吗？”高隆之道歉退走。于是建筑圜丘，备办登基典礼的礼仪器物。

五月初八日丙辰，司空潘乐、侍中张亮、黄门郎赵彦深等人请求入宫奏事，东魏孝静帝在昭阳殿接见他们。张亮说：“五行循环运行，有始就有终，齐王高洋圣明有德，万方钦仰，希望陛下效法远古的尧舜禅让帝位。”孝静帝严肃地说：“这件事推让很久了，朕应当恭敬地退位让贤。”又说：“如果这样，必须撰写禅让诏书。”中书郎崔劼、裴让之说：“禅让诏书已经写好。”让侍中杨愔呈上诏书，孝静帝签署后说：“把朕安排在哪里？”杨愔回答说：“北城另有楼馆屋宇。”孝静帝便走下御座，步行到东厢走廊，吟咏范蔚宗写的《后汉书》中《献帝纪》的赞语说：“汉献帝生不逢时，自身播迁，国家遭难，终结了汉家四百年天下，永远像尧的儿子丹朱一样做虞舜的宾客。”主管的人请孝静帝动身离开宫殿，孝静帝说：“古人尚且怀念掉下的一根簪子和旧鞋，朕想与六宫妃子告别，可以吗？”高隆之说：“今天的天下仍然是陛下的天下，何况是六宫？”孝静帝步入后宫，与妃嫔以下告别，整个后宫都哭泣。赵国人李

国李嫔⑫诵陈思王⑬诗云："王其爱玉体，俱享黄发期⑭。"直长⑮赵道德⑯以故犊[9]车一乘候于东阁，帝登车，道德超上⑰抱之，帝叱之曰："朕自畏天顺人，何物奴敢逼人如此？"道德犹不下。出云龙门，王公百僚拜辞，高隆之洒泣。遂入北城，居司马子如南宅⑱，遣太尉彭城王韶等奉玺绶，禅位于齐。

戊午⑲，齐王即皇帝位于南郊，大赦，改元天保。自魏敬宗以来，百官绝禄，至是始复给之。己未⑳，封东魏主为中山王，待以不臣之礼。追尊齐献武王为献武皇帝，庙号太祖，后改为高祖㉑，文襄王为文襄皇帝，庙号世宗。辛酉㉒，尊王太后娄氏为皇太后。乙丑㉓，降魏朝封爵有差，其宣力霸朝㉔及西、南投化者㉕，不在降限。

文成侯宁起兵于吴，有众万人，己巳㉖，进攻吴郡，行吴郡事侯子荣逆击，杀之。宁，范之弟也。子荣因纵兵大掠郡境。

自晋氏㉗渡江，三吴最为富庶，贡赋商旅，皆出其地。及侯景之乱，掠金帛既尽，乃掠人而食之，或卖于北境，遗民殆尽矣。

是时，唯荆、益所部尚完实，太尉、益州刺史武陵王纪移告征、镇㉘，使世子圆照㉙帅兵三万受湘东王节度。圆照军至巴水㉚，绎授以信州刺史，令屯白帝㉛，未许东下。

六月辛巳㉜，以南郡王大连行扬州事。

江夏王大款、山阳王大成、宜都王大封自信安㉝间道奔江陵。

齐主封宗室高岳等十人㉞、功臣库狄干等七人皆为王㉟。癸未㊱，封弟浚㊲为永安王，淹㊳为平阳王，澈㊴为彭城王，演㊵为常山王，涣㊶为上党王，淯㊷为襄城王，湛㊸为长广王，湝㊹为任城王，湜㊺为高阳王，济㊻为博陵王，凝㊼为新平王，润㊽为冯翊王，洽㊾为汉阳王。

嫔诵读陈思王曹植的诗说："王其爱玉体，俱享黄发期。"直长赵道德备了一辆过去的牛车等候在东阁，孝静帝上车，赵道德跃上车抱住孝静帝，孝静帝斥责他，说："朕自己畏天命，顺民意，你这奴才竟敢如此逼迫我？"赵道德仍然不下车。车子驰出云龙门，王公百官向孝静帝拜辞，高隆之流泪哭泣。车子便进入北城，孝静帝居住在司马子如的南宅，派太尉彭城王元韶等人捧着玉玺印绶禅位给齐王。

五月初十日戊午，齐王高洋在南郊即皇帝位，大赦天下，改年号为天保。北魏自从敬宗以来，百官没有俸禄，到这时才又供给百官俸禄。十一日己未，封孝静帝为中山王，优待他不按臣下的礼仪。追尊齐献武王高欢为献武皇帝，庙号太祖，后改为高祖，文襄王高澄为文襄皇帝，庙号世宗。十三日辛酉，尊王太后娄氏为皇太后。十七日乙丑，把东魏大臣们的封爵，按不同情况分别降级，那些为北齐政权建立出了力，以及从西魏、梁朝来归附的人不在降爵的范围内。

梁朝文成侯萧宁在吴郡起兵，有部众一万人。五月二十一日己巳，进攻吴郡，侯景委任的代行吴郡政事侯子荣迎战，杀了萧宁。萧宁，是萧范的弟弟。侯子荣便放纵士兵在全郡内大肆抢掠。

自从东晋司马氏迁都江东以来，三吴是最富裕、人口最多的地区，朝廷贡品、租赋，以及客商行旅，都出于这里。到侯景作乱时，金帛资财已被抢掠光了，就抢夺人来吃，有的把人卖到北朝，剩下的百姓几乎没有了。

这时，只有荆州、益州管辖的地区基本完好充实。梁朝太尉、益州刺史武陵王萧纪向四征、八镇将军发布移文，派世子萧圆照率领兵士三万接受湘东王的节制调度。萧圆照的军队到达巴水，萧绎任命他为信州刺史，让他驻军白帝城，不允许他东下。

六月初三日辛巳，梁朝任命南郡王萧大连代行扬州政务。

江夏王萧大款、山阳王萧大成、宜都王萧大封从信安走小道逃奔江陵。

北齐国主高洋封宗室高岳等十人、功臣库狄干等七人全部为王。六月初五日癸未，封弟弟高浚为永安王，高淹为平阳王，高浟为彭城王，高演为常山王，高涣为上党王，高淯为襄城王，高湛为长广王，高湝为任城王，高湜为高阳王，高济为博陵王，高凝为新平王，高润为冯翊王，高洽为汉阳王。

【段旨】

以上为第二段，写东魏禅位高洋，北齐建立。

【注释】

⑱洋之为开府：事在东魏天平二年（公元五三五年）。详见本书卷一百五十七。⑲管记：官名，记室参军的别称。⑳徐之才：丹杨（今安徽宣城）人，随南齐豫章王萧综投北魏，封昌安县侯。入北齐官至尚书令，封西阳郡王。传见《魏书》卷九十一、《北齐书》卷三十三、《北史》卷九十。㉑宋景业：广宗（今河北威县）人，明《周易》，善阴阳纬候之学。北齐初，位散骑侍郎。传见《北齐书》卷四十九、《北史》卷八十九。㉒太岁在午：太岁，旧历纪年所用值岁干支的别称。时值庚午年，所以说太岁在午。㉓平都城：城名，在今山西和顺西。㉔辽阳：城名，在今山西左权。㉕仓丞：官名。东魏司农所辖有太仓、梁州水次仓、石济水次仓，都设有丞，不详李集任何仓丞。又《北史》卷七作“尚食丞”，则是中侍中省的中尚食局丞，疑《通鉴》误“尚食丞”为“仓丞”。㉖阴阳杂占：占卜术。㉗《大横》：卦兆名。㉘汉文之卦：汉时周勃等功臣平定诸吕，推举代王刘恒为帝。刘恒疑大臣有诈，以卜筮决吉凶。结果卜兆得《大横》，文作“大横庚庚，余为天王，夏启以光”。卜人解释“王”为“天子”。于是代王决然进京，继承帝位。事见《汉书》卷四《文帝纪》。李密之卦，与汉文卦同。㉙遇《乾》之《鼎》：得到《乾卦》“初九”的“潜龙勿用”和“九五”的“飞龙在天，利见大人”爻辞，经变化而到《鼎卦》，有去旧更新、相反相成的意思。⑩五月不可入官：按阴阳家的说法，上等官吏忌讳正月、五月、九月。⑩左右：近侍。⑩邢卲：字子才，河间鄚（今河北任丘北）人，东魏时曾任著作佐郎、中书侍郎，颇有文才。入北齐，以太常卿兼中书监和国子祭酒。传见《魏书》卷六十五、《北齐书》卷三十六、《北史》卷四十三。⑩仪注：此指有关禅让的礼仪制度。⑩甲寅：五月初六日。⑩前亭：地名，在今太原西南偏东一带。⑩召夫：召集民夫。⑩赍筑具：携带杵等版筑工具。⑩丙辰：五月初八日。⑩五行递运：古代方士以木、火、水、土、金五种物质相生相克的道理，来附会政权的兴替。⑩推挹：推让。⑪中书郎：官名，即中书侍郎，是中书省中协助令、监处理朝政、诏命的官员。从四品。⑫崔劼：字彦玄，出身清河崔氏，贝丘（今山东临清）人，东魏末，以秘书丞修撰起居注。北齐初，以黄门侍郎值内省，典掌机密。后官至中书令。传见《魏书》卷六十七、《北齐书》卷四十二、《北史》卷四十四。⑬别有馆宇：即下文所说司马子如在邺都的住宅。⑭范蔚宗：即范晔（公元三九八至四四五年），字蔚宗，顺阳（今河南淅川县）人，南朝宋著名史学家，撰《后汉书》。官至左卫将军、太子詹事，以谋反罪被杀。传见《宋书》卷六十九、《南史》卷三十三。⑮《后汉书》赞：指《后汉书》卷九《献帝纪赞》。⑯生不辰：生不逢时。⑰身播：被董卓逼迫，从洛阳播迁到长安。⑱国屯：国家处于艰难之中。⑲四百：两汉延续了四百多年，此言四百，取其整数。⑳虞宾：尧不能传位给子丹朱，而推举虞舜为君，让丹朱据于宾位。孝静帝以此说明国家让给他姓，自己成为新朝的宾臣。㉑所司请发：执掌有关禅代事宜的杨愔等官员，

请孝静帝出宫，前往别馆。⑫ 李嫔：孝静帝的妃子，赵国（今河北赵县）人。⑬ 陈思王：即曹植（公元一九二至二三二年），曹操之子。封陈王，谥号思。传见《三国志》卷十九。⑭ 黄发期：古人以黄发比喻高寿。此指同享高年。诗出自《赠白马王彪》，见《三国志》曹植本传注及《文选》卷二十四。⑮ 直长：胡三省注认为是尚乘直长，执掌宫中车舆。⑯ 赵道德：原为高欢的仓头奴，后成为高氏安插在宫中的耳目。传见《北史》卷九十二。⑰ 超上：跃上车，防止孝静帝做出不良举动。⑱ 南宅：司马子如在北方的晋阳有宅，所以称邺都的住宅为南宅。⑲ 戊午：五月初十日。⑳ 己未：五月十一日。㉑ 后改为高祖：天统元年（公元五六五年），高湛让位于后主高纬，自称太上皇，下诏改高欢谥号为神武皇帝，庙号高祖。㉒ 辛酉：五月十三日。㉓ 乙丑：五月十七日。㉔ 宣力霸朝：指追随高欢征战的所有勋贵。霸朝，指高欢执政时期。㉕ 西、南投化者：指过去从西魏和南朝前来投奔的受封者。㉖ 己巳：五月二十一日。㉗ 晋氏：指晋朝皇族司马氏。㉘ 征、镇：征指征东、征西、征南、征北等四征将军；镇指镇东、镇西、镇南、镇北、镇左、镇右、镇前、镇后等八镇将军。这里指上述诸将中仍忠于梁朝、抗击侯景的将领。㉙ 圆照：萧圆照，字明周，萧纪世子。萧纪称帝，立圆照为皇太子。后被萧绎派兵俘获，饿死于狱中。传见《南史》卷五十三。㉚ 巴水：河名，时在巴郡巴县，即今重庆市巴南区。㉛ 白帝：城名，是信州州治，在今重庆市奉节。㉜ 辛巳：六月初三日。㉝ 信安：县名，县治在今湖北麻城。㉞ 封宗室高岳等十人：即封宗室高岳为清河王，高隆之为平原王，高归彦为平秦王，高思宗为上洛王，高长弼为广武王，高普为武兴王，高子瑗为平昌王，高显国为襄乐王，高叡为赵郡王，高孝绪为修城王。㉟ 功臣库狄干等七人皆为王：即封库狄干为章武王，斛律金为咸阳王，贺拔仁为安定王，韩轨为安德王，可朱浑道元为扶风王，彭乐为陈留王，潘相乐为河东王。以上封宗室及功臣事，见《北齐书》卷四《文宣帝纪》。㊱ 癸未：六月初五日。㊲ 浚：高浚（？至公元五五八年），字定乐，高欢第三子。高洋晚年贪酒好色，浚多次劝谏，激怒高洋，被置于铁笼中活活烧死。传见《北齐书》卷十、《北史》卷五十一。㊳ 淹：高淹（？至公元五六四年），字子邃，高欢第四子。初封平阳郡公，任尚书左仆射。入北齐，历任尚书令、太尉、太宰。传见《北齐书》卷十、《北史》卷五十一。㊴ 浟：高浟（公元五三三至五六四年），字子深，高欢第五子。初封长乐郡公，曾任沧州刺史。入北齐，历任尚书令、太保。传见《北齐书》卷十、《北史》卷五十一。㊵ 演：高演（公元五三五至五六一年），字延安，高欢第六子。北齐孝昭帝，公元五六〇至五六一年在位。事详《北齐书》卷六、《北史》卷七。㊶ 涣：高涣（公元五三三至五五八年），字敬寿，高欢第七子，材武超群。入北齐，任中书令、尚书左仆射。被高洋所畏忌，与高浚一同被烧死。传见《北齐书》卷十、《北史》卷五十一。㊷ 淯：高淯（？至公元五五一年），高欢第八子。初封章武郡公。传见《北齐书》卷十、《北史》卷五十一。㊸ 湛：高湛（公元五三七至五六八年），高欢第九子。北齐武成帝，公元五六一至五六五年在位。晚年让位于后主高纬，称太上皇。事详《北齐书》卷

七、《北史》卷八。⑭ 湝：高湝（？至公元五七八年），高欢第十子。入北齐，历任司徒、太尉，录尚书事。北齐后主时，任大丞相。北周灭北齐，命他随后主到长安，后赐死。传见《北齐书》卷十、《北史》卷五十一。⑮ 湜：高湜（？至公元五五九年），高欢第十一子。入北齐，官至尚书令。在高洋丧礼期间行为不检，被太后杖责而死。传见《北齐书》卷十、《北史》卷五十一。⑯ 济：高济（？至公元五六九年），高欢第十二子。入北齐，历任太尉、定州刺史。后主立，口出怨言，被杀。传见《北齐书》卷十、《北史》卷五十一。⑰ 凝：高凝，高欢第十三子。入北齐，后改封安定王、华山王，位至中书令。传见《北齐书》卷十、《北史》卷五十一。⑱ 润：高润，字子泽，高欢第十四子。曾任太尉、太保，死于定州刺史任。传见《北齐书》卷十、《北史》卷五十一。⑲ 洽：高洽（公元五四二至五五四年），字敬延，高欢第十五子。传见《北齐书》卷十、《北史》卷五十。

【原文】

鄱阳王范既卒，侯瑱往依庄铁，铁忌之。瑱不自安，丙戌[160]，诈引铁谋事，因杀之，自据豫章。

寻阳王大心遣徐嗣徽夜袭湓城，安南侯恬、裴之横等击走之。

齐主娶赵郡李希宗[161]之女，生子殷[162]及绍德[163]。又纳段韶之妹。及将建中宫，高隆之、高德政欲结勋贵之援，乃言："汉妇人不可为天下母，宜更择美配。"帝不从。丁亥[164]，立李氏为皇后，以段氏为昭仪[165]，子殷为皇太子。庚寅[166]，以库狄干为太宰，彭乐为太尉，潘相乐为司徒，司马子如为司空。辛卯[167]，以清河王岳为司州牧。

侯景以羊鸦仁为五兵尚书。庚子[168]，鸦仁出奔江西[169]，将赴江陵，至东莞[170]，盗疑其怀金，邀杀之。

魏人欲令岳阳王詧发哀嗣位，詧辞，不受。丞相泰使荣权册命詧为梁王，始建台[171]，置百官。

陈霸先修崎头[172]古城，徙居之。

初，燕昭成帝奔高丽[173]，使其族人冯业[174]以三百人浮海奔宋，因留新会[175]。自业至孙融，世为罗州刺史，融子宝[176]为高凉[177]太守。高凉冼氏，世为蛮酋，部落十余万家，有女[178]，多筹略，善用兵，诸洞皆服其

【校记】

［6］使：原作“遣”。据章钰校，十二行本、乙十一行本、孔天胤本皆作“使”，今据改。［7］等：原无此字。据章钰校，十二行本、乙十一行本、孔天胤本皆有此字，张敦仁《通鉴刊本识误》同，今据补。［8］撰：原作“造”。据章钰校，十二行本、乙十一行本、孔天胤本皆作“撰”，今据改。〖按〗《北齐书·高德政传》《北史·高祐传附高德正传》皆作“撰”。［9］故犊：原无此二字。据章钰校，十二行本、乙十一行本、孔天胤本皆有此二字，张敦仁《通鉴刊本识误》同，今据补。〖按〗《魏书·孝静帝纪》有此二字。

【语译】

鄱阳王萧范死后，侯瑱前去投靠庄铁，庄铁猜忌他。侯瑱心里不安稳，六月初八日丙戌，假称请庄铁商议事情，趁机杀了庄铁，自己占据了豫章郡。

寻阳王萧大心派徐嗣徽乘夜偷袭湓城，安南侯萧恬、裴之横等人打跑了徐嗣徽。

北齐国主高洋娶了赵郡人李希宗之女，生下儿子高殷和高绍德。又娶了段韶的妹妹。等到高洋将要建立中宫立皇后时，高隆之、高德政想交结功臣贵戚为后援，就说：“汉族妇人不能做天下之母，应当另选美好的婚配。”高洋不听从。六月初九日丁亥，册立李氏为皇后，段氏为昭仪，皇子高殷为皇太子。十二日庚寅，任命库狄干为太宰，彭乐为太尉，潘相乐为司徒，司马子如为司空。十三日辛卯，任命清河王高岳为司州牧。

侯景任命羊鸦仁为五兵尚书。六月二十二日庚子，羊鸦仁出逃到江西，将要前往江陵，到达东莞，强盗怀疑他怀有金子，截杀了他。

西魏想让岳阳王萧詧为梁武帝发丧举哀，即皇帝位，萧詧推辞，不接受。丞相宇文泰派荣权册命萧詧为梁王，开始建立行台，设置百官。

陈霸先修缮崎头古城，移居到那里。

当初，北燕昭成帝冯弘逃到高句丽，派他的族人冯业带领三百人渡海逃到南朝宋国，因而留居新会。从冯业到他的孙子冯融世袭罗州刺史，冯融儿子冯宝为高凉太守。高凉大姓冼氏，世代为蛮族首领，部落民众有十多万家。冼氏首领有一个女儿，足智多谋，善于用兵，各蛮洞都钦服她的信义，冯融聘她做儿子冯宝的妻子。

信义，融聘以为宝妇。融虽累世为方伯[179]，非其土人，号令不行。洗氏约束本宗，使从民礼，每与宝参决辞讼，首领有犯，虽亲戚无所纵舍，由是冯氏始得行其政。

高州[180]刺史李迁仕据大皋口[181]，遣使召宝，宝欲往，洗氏止之曰："刺史无故不应召太守，必欲诈君共反耳。"宝曰："何以知之？"洗氏曰："刺史被召援台，乃称有疾，铸兵聚众而后召君，此必欲质君[182]以发君之兵也，愿且无往以观其变。"数日，迁仕果反，遣主帅杜平虏将兵入灨石[183]，城鱼梁[184]以逼南康[185]，陈霸先[10]使周文育击之。洗氏谓宝曰："平虏，骁将也，今入灨石与官军相拒，势未得还，迁仕在州，无能为也。君若自往，必有战斗，宜遣使卑辞厚礼告之曰：'身未敢出，欲遣妇参。'彼闻之，必憙而无备。我将千余人，步担杂物，唱言[186]输赕[187]，得至栅下，破之必矣。"宝从之。迁仕果不设备，洗氏袭击，大破之，迁仕走保宁都[188]。文育亦击走平虏，据其城。洗氏与霸先会于灨石，还谓宝曰："陈都督非常人也，甚得众心，必能平贼，君宜厚资之。"

湘东王绎以霸先为豫州刺史，领豫章内史。

辛丑[189]，裴之横攻稽亭，徐嗣徽击走之。

秋，七月辛亥[190]，齐立世宗[191]妃元氏为文襄皇后，宫曰静德。又封世宗子孝琬为河间王，孝瑜为河南王。乙卯[192]，以尚书令封隆之录尚书事，尚书左仆射平阳王淹为尚书令。

辛酉[193]，梁王詧入朝于魏。

初，东魏遣仪同武威牒云洛[194]等迎鄱阳世子嗣，使镇皖城。嗣未及行，任约军至，洛等引去；嗣遂失援，出战，败死。约遂略地至湓城，寻阳王大心遣司马韦质出战而败，帐下犹有战士千余人，咸劝大心走保建州[195]，大心不能用，戊辰[196]，以江州降约。先是，大心使前[11]太子洗马韦臧[197]镇建昌[198]，有甲士五千，闻寻阳不守，欲帅众奔江陵，未发，为麾下所杀。臧，粲之子也。

于庆略地至豫章，侯瑱力屈，降之，庆送瑱于建康。景以瑱同姓，待之甚厚，留其妻子及弟为质，遣瑱随庆徇蠡南[199]诸郡，以瑱为湘州刺史。

初，巴山[200]人黄法氍[201]有勇力，侯景之乱，合徒众保乡里。太守

冯融虽然世代为一州长官，但因为不是当地蛮人，号令不被执行。冼夫人约束本族的人，要他们遵从平民礼仪，每次和冯宝一起审问案件，首领如果犯法，虽是亲戚也绝不宽大放纵，因此冯氏才得以推行他的政令。

高州刺史李迁仕占据大皋口，派使者宣召冯宝，冯宝打算前往，冼夫人制止他，说："刺史没有缘由不应宣召太守，一定是想骗你共同造反。"冯宝说："凭什么知道是这样？"冼夫人说："李刺史被征召救援朝廷，却声称有病，铸造兵器聚集部众，然后召你去，这一定是扣押你做人质以便调动你的兵马，希望你暂不要去以观察他的变化。"过了几天，李迁仕果然造反，派主帅杜平虏率领军队进入灨石，在鱼梁筑城逼近南康，陈霸先派周文育攻击他。冼夫人对冯宝说："杜平虏是一员勇将，现今进入灨石与官军对抗，看形势是回不去的，李迁仕在州城，不可能有什么作为。你如亲自前往，一定打仗，应当派一个使者带着厚礼，用谦恭的言辞告诉他说：'我自己不敢离开郡城，想派夫人前来参见。'他听了这话，一定很高兴，不做防备。我带领一千多人，挑着各种货物，步行前往，声称输送财物以赎罪过，这样得以到达李迁仕的军营栅栏下，必定打败他。"冯宝听从了冼夫人。李迁仕果然没做防备，冼夫人袭击，大败李迁仕，李迁仕退到宁都防守。周文育也打跑了杜平虏，占据了灨石城。冼夫人与陈霸先在灨石城会师，还军高凉对冯宝说："陈都督不是平常人，很得人心，一定能够平定叛贼，你应当全力资助他。"

湘东王萧绎任命陈霸先为豫州刺史，领豫章内史。

六月二十三日辛丑，裴之横进攻稽亭，徐嗣徽打跑了他。

秋，七月初三日辛亥，北齐册立世宗的妃子元氏为文襄皇后，皇后宫叫静德殿。又封世宗的儿子高孝琬为河间王，高孝瑜为河南王。初七日乙卯，任命尚书令封隆之为录尚书事，尚书左仆射平阳王高淹为尚书令。

七月十三日辛酉，梁王萧詧进入西魏朝见魏文帝。

当初，东魏派仪同武威人牒云洛等迎接鄱阳王世子萧嗣，让他镇守皖城。萧嗣还没有出发，侯景部将任约的军队到了，牒云洛等退走，萧嗣于是失去了援军，出兵交战，战败而死。任约于是攻占土地到达湓城，寻阳王萧大心派司马韦质出兵交战失败，手下还有战士一千多人，都劝萧大心退守建州，萧大心不采纳，七月二十日戊辰，萧大心献出江州投降任约。此前，萧大心派前太子洗马韦臧镇守建昌，有甲士五千人，得知寻阳失守，想率领部众投奔江陵，没有出发，就被部下杀害。韦臧，是韦粲的儿子。

侯景部将于庆攻占土地到达豫章，侯瑱力竭，投降了于庆，于庆把侯瑱送到建康。侯景因为侯瑱是同姓，待他很优厚，扣留他的妻儿和弟弟做人质，派侯瑱随同于庆攻打彭蠡湖以南各郡，任命侯瑱为湘州刺史。

当初，巴山人黄法氍有勇力，侯景作乱时，他聚合民众保卫乡里。巴山郡太守

贺诩[202]下江州，命法氍监郡事。法氍屯新淦[203]，于庆自豫章分兵袭新淦，法氍败之。陈霸先使周文育进军击庆，法氍引兵会之。

邵陵王纶闻任约将至，使司马蒋思安将精兵五千袭之，约众溃，思安不设备，约收兵袭之，思安败走。

湘东王绎改宜都为宜州[204]，以王琳为刺史。

是月，以南郡王大连为江州刺史。

魏丞相泰以齐主称帝，帅诸军讨之。以齐王廓[205]镇陇右，征秦州刺史宇文导为大将军、都督二十三州诸军事，屯咸阳，镇关中。

益州[206]沙门[207]孙天英帅徒数千人夜攻州城，武陵王纪与战，斩之。

邵陵王纶大修铠仗，将讨侯景。湘东王绎恶之，八月甲午[208]，遣左卫将军王僧辩、信州刺史鲍泉等帅舟师一万东趣江、郢。声言拒任约，且云迎邵陵王还江陵，授以湘州。

齐主[12]初立，励精为治。赵道德以事属[209]黎阳太守清河房超[210]，超不发书[211]，棓杀[212]其使，齐主善之，命守宰各设棓以诛属请之使。久之，都官中郎[213]宋轨奏曰："若受使请赇，犹致大戮，身为枉法，何以加罪？"乃罢之。

司都功曹[214]张老上书请定齐律，诏右仆射薛琡[215]等取魏《麟趾格》，更讨论损益之。

齐主简练[216]六坊[217]之人，每一人必当百人，任其临陈必死[218]，然后取之，谓之"百保鲜卑[219]"。又简华人之勇力绝伦者，谓之"勇士"，以备边要[220]。

始立九等之户[221]，富者税其钱，贫者役其力。

九月丁巳[222]，魏军发长安[223]。

王僧辩军至鹦鹉洲[224]，郢州司马刘龙虎[225]等潜送质于僧辩，邵陵王纶闻之，遣其子威正侯䃅[226]将兵击之，龙虎败，奔于僧辩。纶以书责僧辩曰："将军前年杀人之侄[227]，今岁伐人之兄[228]，以此求荣，恐天下不许。"僧辩送书于湘东王绎，绎命进军。辛酉[229]，纶集其麾下于西园[230]，涕泣言曰："我本无他，志在灭贼，湘东常谓与之争帝，遂尔见伐。今日欲守则交[231]绝粮储，欲战则取笑千载[232]，不容无事受缚，当于下流避之。"麾下

贺诩到江州，委派他监管郡中事务。黄法𣰰驻屯在新淦，于庆从豫章分兵袭击新淦，黄法𣰰打败了他。陈霸先派周文育进军攻击于庆，黄法𣰰率军与他会合。

邵陵王萧纶听到任约将要到来，派司马蒋思安率领精兵五千袭击任约，任约部众溃败，蒋思安不做防备，任约搜集散兵偷袭他，蒋思安战败逃走。

湘东王萧绎改宜都为宜州，任命王琳为刺史。

这一月，梁朝任命南郡王萧大连为江州刺史。

西魏丞相宇文泰因为北齐国主高洋称帝，率领各路军队讨伐高洋。宇文泰任命齐王元廓镇守陇右，征调秦州刺史宇文导为大将军、都督二十三州诸军事，屯驻咸阳，镇守关中。

益州和尚孙天英率领僧徒数千人乘夜攻打益州城，武陵王萧纪与他交战，杀了孙天英。

邵陵王萧纶大修铠甲仪仗，将要讨伐侯景，湘东王萧绎厌恶他。八月十七日甲午，萧绎派左卫将军王僧辩、信州刺史鲍泉等率领水军一万向东奔赴江州、郢州，声称抵抗任约，并且说要迎接邵陵王返回江陵，把湘州授给他。

北齐国主高洋初登大位，励精图治。赵道德以私事请托黎阳太守清河人房超，房超不打开请托信，用木棒打死了赵道德派来的使者，北齐国主高洋赞赏房超，命令郡县长官各自设置木棒打杀请托的使者。过了很久，都官中郎宋轨上奏说："如果受长官指使去请托，尚且要遭到杀戮，亲身枉法的人，怎样加罪呢？"高洋就停止了这种做法。

司都功曹张老上书请求制定北齐的法令，高洋下诏右仆射薛琡等人采纳北魏的《麟趾格》，加以讨论增减。

北齐国主高洋精选京师六坊的宿卫兵士，每一个必须能抵挡一百人，保证临阵必拼死命的人，才能入选，称为"百保鲜卑"。又精选汉人中勇力超凡的人，称为"勇士"，以备边防要地之需。

北齐开始推行九等户籍制度，富人纳税缴钱，穷人服役出力。

九月初十日丁巳，西魏军队从长安出发。

王僧辩军到达鹦鹉洲，郢州司马刘龙虎等暗中送礼给王僧辩，邵陵王萧纶听到消息，派他的儿子威正侯萧䃾领兵去攻击刘龙虎，刘龙虎失败，逃跑到王僧辩那里。萧纶写信斥责王僧辩说："将军前年杀了人家的侄儿，今天又来讨伐人家的兄长，用这来求荣，恐怕全天下的人都不答应。"王僧辩把信送给湘东王萧绎，萧绎命令他进军。九月十四日辛酉，萧纶把他的部下集合到西园，流着眼泪说："我本来没有别的想法，一心要消灭叛贼，湘东王常常认为我要与他争夺帝位，所以讨伐我。今天想要守住城池，但粮食供应断绝，想要出战，就要取笑千载，我不能无所作为地被俘受缚，应当到下

壮士争请出战，纶不从，与碩自仓门[233]登舟北出。僧辩入据郢州。绎以南平王恪为尚书令、开府仪同三司，世子方诸为郢州刺史，王僧辩为领军将军[234]。

纶遇镇东将军裴之高于道，之高之子畿[235]掠其军器，纶与左右轻舟奔武昌涧饮寺，僧法馨[236]匿纶于岩穴之下。纶长史韦质、司马姜律[237]等闻纶尚存，驰往迎之，说七栅流民[238]以求粮仗。纶出营巴水，流民八九千人附之，稍收散卒，屯于齐昌[239]。遣使请降[13]于齐，齐以纶为梁王。

湘东王绎改封皇子大款为临川王，大成为桂阳王，大封为汝南王。

癸亥[240]，魏军至潼关。

庚午[241]，齐主如晋阳，命太子殷居凉风堂[242]监国。

南郡王[243]中兵参军张彪[244]等起兵于若邪山[245]，攻破浙东诸县，有众数万。

吴郡人陆令公等说太守南海王大临往依之，大临曰："彪若成功，不资[246]我力；如其桡败，以我自解[247]，不可往也。"

任约进寇西阳、武昌。初，宁州刺史彭城徐文盛募兵数万人讨侯景，湘东王绎以为秦州刺史，使将兵东下，与约遇于武昌。绎以庐陵王应[248]为江州刺史，以文盛为长史行府州事[249]，督诸将拒之。应，续之子也。邵陵王纶引齐兵未至，移营马栅[250]，距西阳八十里，任约闻之，遣仪同叱罗子通等将铁骑二百袭之，纶不为备，策马亡走。时湘东王绎亦与齐连和，故齐人观望，不助纶，定州刺史田祖龙[251]迎纶，纶以祖龙为绎所厚，惧为所执，复归齐昌。行至汝南[252]，魏所署汝南城主李素[253]，纶之故吏也，开城纳之，任约遂据西阳、武昌。

裴之高帅子弟部曲千余人至夏首[254]，湘东王绎召之，以为新兴[255]、永宁[256]二郡太守。又以南平王恪为武州刺史，镇武陵[257]。

初，邵陵王纶以衡阳王献为齐州刺史，镇齐昌，任约击擒之，送建康，杀之。献，畅[258]之孙也。

乙亥[259]，进侯景位相国，封二十郡为汉王，加殊礼。

岳阳王詧还襄阳。

游回避。”部下壮士争着请求出战，萧纶不听从，与萧硕从仓门乘船向北出逃。王僧辩进占郢州。萧绎任命南平王萧恪为尚书令、开府仪同三司，世子萧方诸为郢州刺史，王僧辩为领军将军。

萧纶在路上遇见镇东将军裴之高，裴之高的儿子裴畿抢掠了萧纶的兵器，萧纶与身边的人乘快船逃往武昌涧饮寺，和尚法馨把萧纶藏在岩洞下面。萧纶长史韦质、司马姜律等听说萧纶还活着，便骑马跑去迎接萧纶，劝说七栅的流民资助粮草兵器。萧纶出来在巴水扎营，流民八九千人来归附他，渐渐收聚散卒，屯驻在齐昌。派使者到北齐投降，北齐封萧纶为梁王。

湘东王萧绎改封皇子萧大款为临川王，萧大成为桂阳王，萧大封为汝南王。

九月十六日癸亥，西魏军到达潼关。

二十三日庚午，北齐国主高洋往晋阳，命令皇太子高殷居住在凉风堂监理国事。

南郡王中兵参军张彪等在若邪山起兵，攻破浙东几个县城，有部众数万人。

吴郡人陆令公等劝说太守南海王萧大临前往依附张彪。萧大临说："张彪如果成功，不需要借助我的力量，如果他失败了，就会拿我当替罪羊解脱自己，不可以前往。"

任约进兵侵犯西阳、武昌。当初，宁州刺史彭城人徐文盛募兵数万人讨伐侯景，湘东王萧绎任命他为秦州刺史，派他领兵东下，与任约在武昌遭遇。萧绎任命庐陵王萧应为江州刺史，任命徐文盛为长史代理庐陵王管理军政事务，督诸将抵抗任约。萧应，是萧续的儿子。邵陵王萧纶招引的北齐军队还没到达，就把兵营转移到马栅，距离西阳八十里。任约听到这个消息，派仪同叱罗子通等率领铁甲骑兵二百人偷袭他，萧纶没有防备，策马逃亡。当时湘东王萧绎也与北齐联合，所以北齐人观望不前，没有援助萧纶。定州刺史田祖龙迎接萧纶，萧纶因为田祖龙被萧绎厚待，害怕被他抓获，又返回齐昌。行进到汝南，西魏任命的汝南城主李素，是萧纶的老部下，打开城门接纳萧纶，任约于是占据了西阳、武昌。

裴之高率领子弟部属一千多人到达夏首，湘东王萧绎召请他，任命他为新兴、永宁两郡的太守。萧绎又任命南平王萧恪为武州刺史，镇守武陵。

当初，邵陵王萧纶任命衡阳王萧献为齐州刺史，镇守齐昌，任约进击抓获了萧献，送到建康，杀了他。萧献，是萧畅的孙子。

九月二十八日乙亥，梁朝进位侯景为相国，封二十郡，任命为汉王，给以殊礼待遇。

岳阳王萧詧回到襄阳。

黎州[260]民攻刺史张贲，贲弃城走。州民引氐酋[261]北益州[262]刺史杨法琛[263]据黎州，命王、贾二姓诣武陵王纪请法琛为刺史。纪深责之，囚法琛质子崇颙、崇虎。冬，十月丁丑[264]朔，法琛遣使附魏。

己卯[265]，齐主至晋阳宫[266]。广武王长弼[267]与并州刺史段韶不协，齐主将如晋阳，长弼言于帝曰："韶拥强兵在彼，恐不如人意，岂可径往投之？"帝不听。既至，以长弼语告之，曰："如君忠诚，人犹有谗，况其余乎？"长弼，永乐之弟也。乙酉[268]，以特进元韶为尚书左仆射，段韶为右仆射。

乙未[269]，侯景自加宇宙大将军[270]、都督六合诸军事，以诏文呈上。上惊曰："将军乃有宇宙之号乎？"

立皇子大钧为西阳王，大威为武宁王，大球为建安王，大昕为义安王，大挚为绥建王，大圜为乐梁王。

齐东徐州刺史行台辛术镇下邳。十一月，侯景征租入建康，术帅众渡淮断之，烧其谷百万石，遂围阳平，景行台郭元建引兵救之。壬戌[271]，术略三千余家，还下邳。

武陵王纪帅诸军发成都，湘东王绎遣使以书止之曰："蜀人勇悍，易动难安，弟可镇之，吾自当灭贼。"又别纸云[14]："地拟孙、刘[272]，各安境界，情深鲁、卫[273]，书信恒通。"

甲子[274]，南平王恪帅文武拜笺[275]推湘东王绎为相国，总百揆，绎不许。

魏丞相泰自弘农为桥，济河，至建州。丙寅[276]，齐主自将出顿东城[277]。泰闻其军容严盛，叹曰："高欢不死矣！"会久雨，自秋及冬，魏军畜产多死，乃自蒲阪还。于是河南自洛阳，河北自平阳已东，皆入于齐。

丁卯[278]，徐文盛军贝矶，任约帅水军逆战，文盛大破之，斩叱罗子通、赵威方，仍进军大举口[279]。侯景遣宋子仙等将兵二万助约，以约守西阳，久不能进，自出屯晋熙。

南康王会理以建康空虚，与太子左卫将军柳敬礼、西乡侯劝[280]、东乡侯勔[281]谋起兵诛王伟。安乐侯乂理[282]出奔长芦[283]，集众得千余人。建安侯贲[284]、中宿世子子邕[285]知其谋，以告伟。伟收会理、敬礼、劝、勔及会理弟祁阳侯通理，俱杀之。乂理为左右所杀。钱塘褚冕[286]，以会理

黎州民众攻打刺史张贲，张贲弃城逃走。黎州民众请来氐人酋长北益州刺史杨法琛占据黎州，杨法琛派出王氏、贾氏两大姓到武陵王萧纪那里请求任命杨法琛为黎州刺史。萧纪对使者深加责备，抓捕了杨法琛的质子杨崇颙、杨崇虎。冬，十月初一日丁丑，杨法琛派使者请求归附西魏。

十月初三日己卯，北齐国主高洋到达晋阳宫。广武王高长弼与并州刺史段韶不和，高洋将往晋阳，高长弼对他说："段韶在那里手握强兵，恐怕不会像想的一样，怎么能径直到他那儿去？"高洋不听。到达晋阳以后，高洋把高长弼的话告诉了段韶，说："像你这样忠诚，还有人进谗言，何况别的人呢？"高长弼，是高永乐的弟弟。初九日乙酉，高洋任命特进元韶为尚书左仆射，段韶为尚书右仆射。

十月十九日乙未，侯景给自己加官宇宙大将军、都督六合诸军事，把诏文呈奏给简文帝，简文帝吃惊地说："将军竟有加宇宙称号的吗？"

梁朝立皇子萧大钧为西阳王，萧大威为武宁王，萧大球为建安王，萧大昕为义安王，萧大挚为绥建王，萧大圜为乐梁王。

北齐东徐州刺史行台辛术镇守下邳。十一月，侯景征收租谷运入建康，辛术率领部众渡过淮水拦截他们，烧毁他们的租谷百万石，于是包围阳平，侯景行台郭元建带兵救援。十六日壬戌，辛术劫持三千多户民众，返回下邳。

武陵王萧纪率领诸军从成都出发，湘东王萧绎派使者用书信阻止他，说："蜀人英勇剽悍，易于行动难以安静，弟只管镇守蜀地，我自会消灭叛贼。"又在另一纸上说："我们两人的领地，就像当年孙权、刘备两国，各自安守境界，情谊如同鲁周公、卫康叔兄弟，经常写信沟通感情。"

十一月十八日甲子，南平王萧恪率领文武官员共同上奏表章推举湘东王萧绎为相国，统领百官，萧绎不同意。

西魏丞相宇文泰自弘农造桥，渡过黄河，到达建州。十一月二十日丙寅，北齐国主高洋亲自率领军队屯驻东城。宇文泰听说高洋的军队军容严整盛大，感叹说："高欢没死啊！"恰遇久雨，从秋到冬，西魏军的家畜大多死亡，宇文泰便从蒲阪返回长安。到这时，河南从洛阳以东，河北从平阳以东，全都归入了北齐。

十一月二十一日丁卯，徐文盛驻军贝矶，任约率领水军迎战，徐文盛大败任约，杀了叱罗子通、赵威方，乘胜进军大举口。侯景派宋子仙等率领二万军队援助任约，让任约守卫西阳，任约很久不能向前推进，侯景自己出军屯驻晋熙。

南康王萧会理因建康空虚，与太子左卫将军柳敬礼、西乡侯萧劝、东乡侯萧勔谋划起兵诛杀王伟。安乐侯萧乂理出逃到长芦，集结民众有一千多人。建安侯萧贲、中宿世子萧子邕知道萧会理等人的谋划，向王伟告发。王伟抓捕了萧会理、柳敬礼、萧劝、萧勔，以及萧会理的弟弟祁阳侯萧通理，全部处死。萧乂理被身边的人所杀。

故旧，捶掠千计，终无异言。会理隔壁谓之曰："褚郎，卿岂不为我致此？卿虽忍死明我，我心实欲杀贼。"冕竟不服，景乃宥之。劝，昺之子。赍，正德之弟[287]子。子邕，憺之孙也。

帝自即位以来，景防卫甚严，外人莫得进见，唯武林侯谘及仆射王克、舍人殷不害，并以文弱得出入卧内，帝与之讲论而已。及会理死，克、不害惧祸，稍自疏。谘独不离帝，朝请无绝，景恶之，使其仇人刁戍刺杀谘于广莫门外。帝之即位也，景与帝登重云殿[288]，礼佛为誓云："自今君臣两无猜贰，臣固不负陛下，陛下亦不得负臣。"及会理谋泄，景疑帝知之，故杀谘。帝自知不久，指所居殿谓殷不害曰："庞涓[289]当死此下。"

景自帅众讨杨白华于宣城，白华力屈而降，景以其北人[290]，全之，以为左民尚书[291]，诛其兄子彬以报来亮之怨。

十二月丙子朔[292]，景封建安侯赍为竟陵王，中宿世子子邕为随王，仍赐姓侯氏。

辛丑[293]，齐主还邺。

邵陵王纶在汝南，脩城池，集士卒，将图安陆。魏安州刺史马祐以告丞相泰，泰遣杨忠将万人救安陆。

武陵王纪遣潼州刺州杨乾运[294]、南梁州刺史谯淹合兵二万讨杨法琛，法琛发兵据剑阁[295]以拒之。

侯景还建康。

初，魏敬宗以尔朱荣为柱国大将军，位在丞相上。荣败，此官遂废。大统三年[296]，文帝复以丞相泰为之。其后功参佐命，望实俱重者，亦居此官，凡八人，曰安定公宇文泰，广陵王欣，赵郡公李弼，陇西公李虎，河内公独孤信，南阳公赵贵，常山公于谨，彭城公侯莫陈崇，谓之八柱国。泰始籍[297]民之才力者为府兵[298]，身租庸调[299]，一切蠲之，以农隙讲阅战陈，马畜粮备，六家供之。合为百府，每府一郎将主之，分属二十四军。泰任总百揆，督中外诸军，欣以宗室宿望，从容禁闼[300]而已。余六人[301]各督二大将军，凡十二大将军[302]，每大将军各统开府二人，

钱塘人褚冕，因为是萧会理的旧交，被王伟严刑拷打，始终没有二话。萧会理在隔壁房中对他说："褚郎，你难道不就是为了我而到了这个地步？你虽然拼死为我开脱，我的内心确实是想杀死叛贼。"褚冕始终不屈服，侯景便宽免了他。萧劝，是萧昺的儿子。萧贲，是萧正德弟弟的儿子。萧子邕，是萧憺的孙子。

简文帝自从即位以来，侯景防卫他非常严密，外人没有人能够见到他，只有武林侯萧谘，以及仆射王克、舍人殷不害，都因为是文弱书生，所以才能进出卧室内，而简文帝也只是与他们谈论文义而已。等到萧会理死后，王克、殷不害害怕祸患及身，渐渐与皇帝疏远，只有萧谘不离开简文帝，每天朝见请安没有断绝，侯景厌恶他，派萧谘的仇人刁戍在广莫门外杀害了萧谘。简文帝即位时，侯景与简文帝登上重云殿，向着佛祖叩拜发誓说："从今以后，我们君臣两人不要互相猜忌和有二心，我一定不会辜负陛下，陛下也不要辜负我。"等到萧会理谋划泄漏，侯景怀疑简文帝知道这一谋划，所以杀了萧谘。简文帝知道自己活不了多久，指着自己居住的宫殿对殷不害说："庞涓当死在这里。"

侯景亲自率领军队在宣城征讨杨白华，杨白华力竭投降，侯景因杨白华是北方人，保全了他，任命他为左民尚书，但把他哥哥的儿子杨彬杀了以报杨白华杀来亮的仇恨。

十二月初一日丙子，侯景封建安侯萧贲为竟陵王，中宿世子萧子邕为随王，还赐他们姓侯。

二十六日辛丑，北齐国主高洋返回邺城。

邵陵王萧纶在汝南，修筑城池，集结军队，将攻打安陆。西魏安州刺史马祐将此事报告给丞相宇文泰，宇文泰派杨忠率兵一万人救援安陆。

武陵王萧纪派潼州刺史杨乾运、南梁州刺史谯淹合兵两万人讨伐杨法琛，杨法琛发兵据守剑阁来对抗他们。

侯景返回建康。

当初，北魏敬宗皇帝任命尔朱荣为柱国大将军，位在丞相之上。尔朱荣败亡后，这个官职就废除了。大统三年，西魏文帝又任命丞相宇文泰担任。此后，有辅佐皇帝登位之功，名望和功绩都很高的人，也任这个官职，一共八个人，他们是安定公宇文泰、广陵王元欣、赵郡公李弼、陇西公李虎、河内公独孤信、南阳公赵贵、常山公于谨、彭城公侯莫陈崇，叫作八柱国。宇文泰这时开始登记平民中才智勇力出众的人作为府兵，他们本身的租庸调，全部免除，府兵在农闲时操练武功，学习战争阵法，所需要的马匹粮草，由六家平民供应。共设有一百个府，每府由一个郎将率领，一百个府分属于二十四个军。宇文泰为总统领，督中外诸军事，元欣作为宗室中名高望重的人物，悠闲地出入宫禁而已，不参与府兵事。其余六柱国，每人督率两个大将军，共十二个大将军，每一个大将军各统两个开府，每一个开府统领一

开府各领一军。是后功臣位至柱国大将军、开府仪同三司、仪同三司者甚众，率为散官[303]，无所统御，虽有继掌其事者，闻望皆出诸公之下云。

齐主命散骑侍郎宋景业造《天保历》[304]，行之。

【段旨】

以上为第三段，写南朝萧梁全境各方继续混战，湘东王萧绎在军阀混战中逐步取得优势；侯景辖区，反抗声浪日渐增高。北朝，西魏宇文泰发动大军声讨高洋称帝，结果兵败地削，北齐稳固。宇文泰创设府兵制。

【注释】

⑯⓪丙戌：六月初八日。⑯①李希宗：字景玄，赵郡平棘（今河北赵县）人。北魏时任金紫光禄大夫，后卒于上党太守任。传见《魏书》卷三十六、《北史》卷三十三。⑯②殷：高殷（公元五四五至五六一年），字正道，北齐废帝，公元五六〇年在位不足一年，被贬为济南王。转年被高演密令杀于晋阳宫。事详《北齐书》卷五、《北史》卷七。⑯③绍德：高绍德，北齐天保末，曾任开府仪同三司，封太原王。后被武成帝高湛所杀。传见《北齐书》卷十二、《北史》卷五十二。⑯④丁亥：六月初九日。⑯⑤昭仪：宫中女官之一。汉魏时较贵显，晋以后地位渐低下。⑯⑥庚寅：六月十二日。⑯⑦辛卯：六月十三日。⑯⑧庚子：六月二十二日。⑯⑨江西：指南京西边长江以西的地区。⑰⓪东莞：县名，属南徐州东莞郡，县治在今江苏武进。然而该县地属江东，与文意不符。胡三省认为是东关之误。东关在今安徽巢县东南，是江西之地。⑰①始建台：开始设置台省等首脑机构。⑰②崎头：古城名，在今江西大余。⑰③燕昭成帝奔高丽：燕昭成帝，即北燕王冯弘。传见《魏书》卷九十七、《北史》卷九十三。北魏太武帝拓跋焘在太延二年（公元四三六年），以冯弘屡次诈称送侍子求和，而实际不施行，于是大举伐燕。冯弘大败，随高句丽援将葛卢光撤往高句丽。⑰④冯业：事见《北史》卷九十一《列女谯国夫人洗氏传》。⑰⑤新会：郡名，治所盆允，在今广东江门市新会区。⑰⑥宝：冯宝，隋时追封谯国公。⑰⑦高凉：郡名，治所高凉，在今广东阳江西。⑰⑧有女：即谯国夫人冼氏，俗称冼夫人。南越族的女首领。冯宝死后，协助陈朝统一岭南。后归顺隋朝，封谯国夫人。传见《北史》卷九十一。⑰⑨方伯：古代诸侯的别称。此指掌一州军政的刺史。⑱⓪高州：州名，梁置，原治所在高凉，此时移治巴山，在今江西崇仁。⑱①大皋口：即大皋城，在大皋渡口附近，即今江西吉安南。⑱②质君：指扣押冯宝为人质。⑱③灨石：赣江十八滩所在，在今江西万安附

个军。此后，其他功臣职位到了柱国大将军、开府仪同三司、仪同三司的人很多，一律都是没有实际执掌的散官，没有统率的军队，即使有个别继续统率军队的，但声名威望都在八柱国之下。

北齐国主高洋命令散骑侍郎宋景业制定《天保历》，颁布实行。

近。⑱鱼梁：城名，在今江西万安南。⑱南康：郡名，治所赣县，在今江西赣县。⑱唱言：扬言。⑱输赕：出财物以赎罪。是当时东南及岭南百越人的一种请罪方式。⑱宁都：县名，县治在今江西宁都。⑱辛丑：六月二十三日。⑲辛亥：七月初三日。⑲世宗：高澄死后，其弟洋即皇帝位，追尊高澄为文襄皇帝，庙号世宗。见《北史》卷六。⑲乙卯：七月初七日。⑲辛酉：七月十三日。⑲牒云洛：武威人，复姓牒云。⑲建州：州名，治所殷城，在今河南商城。时已归北齐，萧大心部下都想投靠北齐。⑲戊辰：七月二十日。⑲韦臧：字君理，韦粲之子。侯景初围建康时，臧奉命守卫西华门。传见《梁书》卷四十三。⑲建昌：县名，县治在今江西永修。⑲蠡南：指彭蠡湖以南，即今鄱阳湖以南。⑳巴山：郡名，治所新建，在今江西崇仁。⑳黄法氍（公元五一八至五七六年）：字仲昭，巴山新建人，梁元帝封他为巴山县子，敬帝时晋爵为新建县侯。连败萧勃、王琳、熊昙朗，屡立战功。入陈，历任南徐州、江州、郢州、南豫州、合州、豫州刺史，封义阳郡公。传见《陈书》卷十一、《南史》卷六十六。⑳贺诩:《南史》作“贺翊”。会稽山阴（今浙江绍兴）人，贺琛之子，死于巴山太守任。传见《梁书》卷三十八、《南史》卷六十二。⑳新淦：县名，县治在今江西樟树。⑳宜州：州名，治所宜都，在今湖北宜都。⑳廓：元廓，又称拓跋廓，西魏恭帝。大统十四年（公元五四八年）封齐王。废帝三年（公元五五四年）即帝位，在位三年。后逊位于周闵帝宇文觉。事详《北史》卷五。⑳益州：州名，梁置，治所蜀郡，在今四川成都。⑳沙门：依照戒律出家的佛教徒。⑳甲午：八月十七日。⑳以事属：有私事托付。㉑房超：字伯颍，清河（今山东临清东北）人，东魏末任司徒录事参军、济州大中正。传见《魏书》卷七十二。㉑不发书：此指不打开请托信。㉑棓杀：用木棒打死。㉑都官中郎：官名，北齐时掌京畿之内的违法事的处理。胡三省注认为依齐制此官名当作“都官郎中”。㉑司都功曹：官名，即司州的功曹，因州府在邺都，所以称司都功曹。㉑薛琡：字昙珍，河南（今河南洛阳）人，祖先出自代地，本姓叱干氏。琡外示方正，内实轻浮。官至尚书右仆射。传见《魏书》卷四十四、《北齐书》卷二十六、《北史》卷二十五。㉑简练：精选并训练。㉑六坊：自北魏以来，北军的六军宿卫军士分为六坊，驻守京师。㉑必死：敢死，即敢死队。㉑百保鲜卑：因这批勇士保证以一当百，又都是鲜卑族人而得名。㉒边要：

边疆要塞。㉑九等之户：把民户分为上、中、下三大等，每一大等又各分上、中、下三等，合为九等。用来区别贫富，并相应征收赋税和徭役。㉒丁巳：九月初十日。㉓发长安：从长安出发，讨伐北齐。㉔鹦鹉洲：长江上的一个江心洲，在今湖北武汉。㉕刘龙虎：人名，《梁书》和《南史》均作“刘龙武”，或是避唐讳改。㉖硕：萧硕，封威正侯。《梁书》卷三十五、《南史》卷四十二均作“萧确”，不当与在建康谋刺侯景的永安侯萧确同名，恐当以《通鉴》为是。㉗杀人之侄：指攻杀河东王萧誉。誉是萧绎的侄子。㉘伐人之兄：萧纶是萧绎的哥哥。㉙辛酉：九月十四日。㉚西园：在郢州城西的名园，与东湖的东园相对。都在今湖北武汉的武昌城内。㉛交：碰到；赶上。㉜取笑千载：因兄弟相争，自相残杀，容易被后人传为笑柄。㉝仓门：地名，是武昌北门之一，面临长江。㉞领军将军：官名，梁时是禁军六军的首要将领。十五班。㉟畿：裴畿（？至公元五五四年），河东闻喜（今山西闻喜）人，曾任隽州刺史，西魏攻陷江陵时战死。传见《梁书》卷二十八、《南史》卷五十八。㊱法馨：僧人的法名。㊲姜律：人名，《南史》卷五十三作“姜伟”。㊳七栅流民：当时不少百姓为逃避赋税、徭役和战争，流亡到北江州。该州州治鹿城关，在今湖北麻城，辖义阳、齐昌、新昌、梁安、齐兴、光城等六郡。流民在此自动建立七个营地。㊴齐昌：郡名，治所齐昌县，在今湖北蕲春。㊵癸亥：九月十六日。㊶庚午：九月二十三日。㊷凉风堂：在邺都宫中的玄都苑。㊸南郡王：梁简文帝之子萧大连，封南郡王。㊹张彪：自称襄阳（今湖北襄阳）人，一说是兰钦的表弟。初在若邪山为盗，后投奔萧大连，深受重用。后转投梁元帝，梁末与陈霸先父子对抗，兵败被杀。传见《南史》卷六十四。㊺若邪山：山名，在今浙江绍兴南。㊻不资：不依靠；不凭借。㊼以我自解：归罪于我而自求解脱免罪。萧大临担心张彪会归罪于他，而向侯景求得解脱。㊽庐陵王应：萧应，封庐陵王。㊾行府州事：代理庐陵王府和江州的军政事务。㊿马栅：地名，在今湖北黄冈北。(251)田祖龙:《梁书》卷二十九、《南史》卷五十三均作“田龙祖”,《通鉴》下卷同，疑此误倒。(252)汝南：郡名，梁置，郡治在今河南息县东。(253)李素:《南史》卷五十三作“李素孝”。(254)夏首：地名，在今湖北沙市东南。(255)新兴：郡名，治所江陵，在今湖北江陵。(256)永宁：郡名，治所南漳，在今湖北南漳。(257)武陵：郡名，治所武陵，在今湖南常德。(258)畅：萧畅，梁武帝弟弟。传见《梁书》卷二十三、《南史》卷五十一。(259)乙亥：九月二十八日。(260)黎州：州名，梁置，治所兴安，在今四川广元。(261)氐酋：氐族人的首领。从殷周到南北朝，氐人生活在今陕、甘、川等省，以畜牧业为主，兼事农业。在两晋时，建立过仇池、前秦、后凉等割据政权。(262)北益州：州名，梁置，治所白水，在今四川广元西北。(263)杨法琛：氐人首领。初，附北魏。西魏废帝时为黎州刺史。传见《周书》卷四十九、《北史》卷九十六。《周书》《梁书》《南史》均作“杨法深”，唯《北史》与《通鉴》同。(264)丁丑：十月初一日。(265)己卯：十月初三日。(266)晋阳宫：原齐献武王高欢的王宫。(267)广武王长弼：高长弼，小名阿伽，以宗室封广武王，凶残好斗。后从南营州叛亡到突厥中。传见《魏书》卷三十二、《北齐书》卷十四、《北史》卷五十一。㉖⑧乙酉：十月初九日。㉖⑨乙未：十月十九日。㉗⓪宇宙大将军：官名，侯景自创。㉗①壬戌：十一月十六日。㉗②地拟孙、刘：萧绎控制荆襄，萧纪控制蜀地，与原孙权、刘备辖地相仿，所以有此比拟。㉗③情深鲁、卫：周初封周公旦于鲁国，封旦弟康叔于卫国，各为一方诸侯，又是兄弟之国。所以绎用来比喻他和萧纪的兄弟之情。㉗④甲子：十一月十八日。㉗⑤拜笺：上奏表章。㉗⑥丙寅：十一月二十日。㉗⑦东城：晋阳的东城。㉗⑧丁卯：十一月二十一日。㉗⑨大举口：举水入江之口，在今湖北黄冈。㉘⓪西乡侯劝：萧劝，字文肃，梁宗室，封西乡侯，曾任太舟卿。传见《南史》卷五十一。㉘①东乡侯勔：萧勔，字文祇，萧劝之弟，封东乡侯。传见《南史》卷五十一。㉘②安乐侯义理：萧义理（公元五三〇至五五〇年），字季英，梁武帝之孙，封安乐侯。传见《梁书》卷二十九、《南史》卷五十三。㉘③长芦：镇名，在今江苏高淳。㉘④建安侯贲：萧贲（？至公元五五〇年），字世文，梁武帝弟临川王萧宏之孙，以向侯景告密功封竟陵王，并改姓侯。后被侯景部下所杀。传见《南史》卷五十一。㉘⑤子邕：萧子邕，中宿侯的法定继承人。他是始兴王萧憺的孙子，萧亮的侄子，但中宿侯的名字已无考。㉘⑥褚冕：钱塘（今浙江杭州西南）人。传见《南史》卷五十三。㉘⑦正德之弟：萧正立，初封罗平侯，改封建安侯。传见《南史》卷五十一。㉘⑧重云殿：宫殿名，在华林园中。㉘⑨庞涓：战国时魏国的将军，被齐将孙膑所败，死于马陵道。梁简帝以此喻指侯景必死于非命。㉙⓪北人：杨白华是北魏名将杨大眼的儿子，故视为"北人"。因与魏胡太后私通，怕事泄被诛而逃奔梁朝。事见《梁书》卷三十九《杨华传》。㉙①左民尚书：官名，梁尚书省属官，掌天下户籍赋税。十三班。㉙②丙子朔：十二月初一日。㉙③辛丑：十二月二十六日。㉙④杨乾运：字玄邈，初仕北魏，后入梁，历黎州、梁州刺史。大宝二年（公元五五一年），降于西魏将尉迟迥。㉙⑤剑阁：在安南县境，是蜀地的北部门户，在今四川剑阁。㉙⑥大统三年：即公元五三七年。时元宝炬任西魏主。㉙⑦籍：登记。㉙⑧府兵：宇文泰首创的兵制。后虽有改革，但一直沿用到唐玄宗天宝年间，是维护中央集权的重要军事制度。㉙⑨租庸调：租，田赋。庸，徭役。每年二十天，闰年加两天，不愿出役可以按每天出绢三尺来代替。调，户调。养蚕之地出绢帛，不养蚕之地出麻布，或以银代帛。㉚⓪从容禁闼：谓元欣悠闲于宫禁之中，不参与府兵事。㉚①余六人：指李弼等其他六柱国。㉚②十二大将军：即广平王元赞、淮王元育、齐王元廓、章武郡公宇文导、平原郡公侯莫陈顺、高阳郡公达奚武、阳平公李远、范阳公豆卢宁、化政公宇文贵、博陵公贺兰祥、陈留公杨忠、武威公王雄。㉚③散官：只表示级别，不一定有实际职务相对应。㉚④《天保历》：以天保年号命名的北齐新历法。从天保二年（公元五五一年）开始使用，到幼主承光元年（公元五七七年），共施行了二十七年。

【校记】

［10］陈霸先：原无“陈”字。据章钰校，十二行本、乙十一行本、孔天胤本皆有“陈”字，张敦仁《通鉴刊本识误》同，今据补。［11］前：原无此字。据章钰校，十二行本、乙十一行本、孔天胤本皆有此字，今据补。［12］主：原作“王”。据章钰校，十二行本、乙十一行本皆作“主”，熊罗宿《胡刻资治通鉴校字记》同，今据改。［13］降：原作“和”。据章钰校，十二行本、乙十一行本、孔天胤本皆作“降”，今据改。［14］云：原作“曰”。据章钰校，十二行本、乙十一行本、孔天胤本皆作“云”，今据改。

【研析】

公元五五〇年，《通鉴》所记录的历史事件，仍以南方为主。侯景在江南所引发的动荡进一步发酵。侯景占据建康，控制皇帝，自为丞相，号称“宇宙大将军”，但他控制的梁朝中央政府，已失去地方势力的支持。荆州刺史萧绎“以为天子制于贼臣，不肯从大宝之号，犹称太清四年”，是其代表。面对这种局面，侯景不得不亲自出马或派部将，削平直接威胁建康的敌对势力。而“勤王”不过是各地方势力扩张政治、军事影响力的借口，长江中上游州镇武装以荆州刺史萧绎为首，开始为争夺最高权力大打出手。

诸侯王掌控地方军政威胁中央，曾是西汉前期着力解决的政治问题，而从西晋开始，皇帝却利用宗室，特别是子弟以宗王的身份担任地方军政长官。在史学家唐长孺先生看来，这是因为士族特权阶层兴起，皇室作为第一家族，只有这样才能保证自己凌驾于其他世家大族之上。南朝各政权将这一办法推而广之，以确保皇室对地方军政的控制。但每当皇位更替，地方州镇刺史举兵问鼎者前仆后继，新皇帝为了让自己的子弟出镇地方，也往往对旧君一系子弟大开杀戒。与西晋宗室出镇地方带来“八王之乱”的政治后果一样，南朝宗室内乱成为常态。《魏书》卷九十七《岛夷刘裕传》记录反映刘宋中期皇室内部皇权争夺的民歌说：“遥望建康城，小江逆流萦，前见子杀父，后见弟杀兄。”也极好地反映了梁末宗室相互残杀的状况。

更为可悲的是，这些相争的兄弟子侄，为了权力，甚至违背“兄弟阋于墙，外御其侮”的古训，纷纷拉拢或屈从于外部势力。雍州刺史萧詧与其叔荆州刺史萧绎相争，引西魏军入境，“于是汉东之地尽入于魏”，萧詧在西魏的卵翼下做起了梁王；萧绎为了打败其侄湘州刺史萧誉，亦投靠西魏，送子为人质，承认西魏军进占汉水中游地区的事实，自甘附庸，与西魏订下盟约：“魏以石城为封，梁以安陆为界，请同附庸，并送质子，贸迁有无，永敦邻睦。”萧纶在被弟萧绎击溃后，则投靠北齐，亦做起了梁王。

俗话说：“神仙打仗，百姓遭殃。”战乱使在南方社会正常运转中极为重要的商业活动陷于停歇，“市籴不通”，致使鄱阳王萧范屯驻今九江的数万之众，“无所得食，多饿死”。战乱更加深了自然的破坏性影响，使原本资源丰富，百姓易于为生的江南，出现“千里绝烟，人迹罕至，白骨成聚，如丘陇焉”的惨状。这些事件表明，南方传统政治势力已丧失了独立控制江南的能力，而在六朝南方社会经济发展过程中，江南腹地不断孕育的地方豪族开始活跃起来，卷中所述侯景乱中聚众屯于新淦、后附于陈霸先的巴山人黄法𣰰，便是其代表。他们在南方新政权的成长中，将会发挥前所未有的作用。

高洋在兄高澄被杀后，取得军政大权，并急匆匆地创立北齐，无疑是本年最为重要的事件。北齐建立的程序，仿照汉魏以来前后政权和平移交的“禅让”方式进行，却又有明显的差异，反映出新兴北齐政权内部政治分裂状态。

通常的“禅让”模式，为新皇帝功震天下，并被视为“德允天人”，内部各种人物和势力在仔细掂量形势之后，同声拥戴，旧政权皇帝下诏让位。但高洋在父兄执掌政权时，默默无闻，并无足以服人的功业。他即位称帝，最初是身边几个亲信高德政、徐之才、宋景业张罗出来的，其母娄氏对其贸然行事加以斥责，勋贵如斛律金、司马子如等“固言不可”。及其从军事重镇晋阳率大军进至都城邺城外围，仍心有顾虑，“不肯复进”。邺城中的政治人物对于高洋称帝代魏的动作，原本没有思想准备，只是恪于形势，“以事势已决，无敢异言”。这也就是说，北齐建立，并非于各种政治势力思想统一基础上进行的。尽管有人担心西魏方面会有所行动，而且宇文泰确实也做出了大军进讨的姿态，但这并非主要原因，根源还在于鲜卑勋贵拥戴的高洋，并非汉族世家大族理想的政治领袖。

从北齐建立后高洋在军事上的一个重要措施，我们也可以看出上述政治上的分歧:“齐主简练六坊之人，每一人必当百人，任其临阵必死，然后取之，谓之‘百保鲜卑’。又简华人之勇力绝伦者，谓之‘勇士’，以备边要。”军队截然分为鲜卑与汉人两类，而作为军队核心的鲜卑兵士地位显然优越于“备边要”的汉人兵士。尤其需要注意的是，相关史实表明，通过简选汉人勇士备边，北齐政权将北魏末动荡以来河北世家大族聚集的大族武装，连同指挥这些武装的世族人士，巧妙地从政治中心地带河北排挤至河南、淮南等边地，从而进一步削弱了世家大族在政治上的影响，保证了鲜卑勋贵对于政权的控制。当然，这实际上是削弱北齐政权自身的政治基础，成为这个政权短命而亡的重要原因。

长于政治过程记述，短于制度详细交代的司马光，在本卷末以简短的文字叙述了西魏北周的府兵制度。府兵制有一个较长的形成过程，自然不一定是在本年定型，其后也历经变化，并成为隋朝与唐朝前期基本的军事制度。以府统兵，并不是西魏的首创，北魏时边镇军人已被称作“府户”。府兵制对于西魏北周来说，重要意义有三：一是将关陇各种武装整合为一个统一的指挥系统；二是提高了兵士的社会地位；

三是妥善地处理了汇聚关陇的各种政治势力的关系，使之形成一种向心力，陈寅恪先生所说的西魏北周迄于唐前期高居政治上层的“关陇集团”因之形成。下面稍加说明。

西魏初创，军队主要是通过千余武川镇军人入关平叛过程中收编而成，这支原本人数不大的军队在西魏初年与东魏数次大战中消耗很大，宇文泰从俘虏选编的军士，而他们利用西魏争夺洛阳失利之机，在关中发动暴动，差点颠覆了西魏政权。公元五四三年，宇文泰实行“广募关、陇豪右以增军旅”的政策，授予率众投军者以乡都督、帅都督的名号，将关陇豪族与少数民族部族武装，纳入国家军队。入军者有专门的军籍，设军府予以管理，不再受地方行政机构管辖。府兵父子世袭，国家保证其有耕种的土地，但不承担平民应承担的租调力役，农闲时须在军府首领即“郎将”的带领下进行军事训练，战事发生时须轮番服兵役，所需资粮甚至基本武器必须自备。北朝民歌《木兰辞》中木兰代父从军前，须于市场上购置骏马、鞍荐、长鞭，大致反映的便是府兵应召从军的情形。

作为府兵的指挥系统，一开始设置了八个柱国大将军，但如《通鉴》所说，宇文泰与西魏皇室代表元欣，虽为柱国大将军，并不实际统领军府。其他李弼、李虎等六人，以及他们各自所统两位大将军，或是在西魏创立前后从各地汇聚关陇，或是早已在关陇扎根的地方豪族，府兵制给他们安排了适当的位置。据毛汉光先生的研究，最初的六柱国有着大致的军事辖区，他们指挥由当地人改编的府兵，分时各管地方军务，合时成为一个整体，既有利于地方的稳定，又保证了大的军事行动有效进行，同时也保证了都督中外诸军事宇文泰对军队的全权指挥。从这一个角度说，府兵制最初的设计，不只是一种军事制度，也是西魏各方代表人物权力的协调与分配。

西魏政治与军队的核心自然是北魏末武川镇为中心的北镇军人，他们对于孝文帝汉化改革所推行的措施并没有好感。正是出于这种背景，西魏在政治上重新尊拓跋鲜卑部落联盟的创立者拓跋力微为始祖，恢复部落联盟时代的部落名号。后来又令“以诸将功高者为三十六国后，次功者为九十九姓后，所统军人，亦改从其姓”。对原本汉姓者也赐予一个鲜卑姓氏，如唐高祖李渊的祖父、首批柱国大将军之一的李虎，改姓大野氏；隋高祖杨坚的父亲、首批十二个大将军之一的杨忠，改姓普六茹氏。将领与所统军人同一姓氏，如同一个血缘性的部落。从北朝后期开始，兵士被称作“儿郎”，迄今尚无解释，个人认为与西魏的府兵制关系颇大。兵士来源于相同地域甚至同一个军府，出入相扶持，与主帅享有同一个姓氏，在特定的历史时期，有助于提高军队的战斗力。

如果我们将西魏府兵制与北齐“百保鲜卑”作一个比较，更能理解府兵制在整合政治势力与社会资源方面的意义，这成为西魏即随后的北周政权稳定发展，后来居上的一个重要原因。

卷第一百六十四　梁纪二十

起重光协洽（辛未，公元五五一年），尽玄黓涒滩（壬申，公元五五二年），凡二年。

【题解】

本卷载述公元五五一年、五五二年两年南北朝史事。时当梁简文帝大宝二年、梁元帝承圣元年，西魏文帝大统十七年、废帝元年，北齐文宣帝天保二年、三年。本卷重点详述侯景之覆灭。

【原文】

太宗简文皇帝下

大宝二年（辛未，公元五五一年）

春，正月，新吴余孝顷①举兵拒侯景，景遣于庆攻之，不克。

庚戌②，湘东王绎遣护军将军尹悦、安东将军杜幼安、巴州刺史王珣将兵二万自江夏趣武昌，受徐文盛节度。

杨乾运攻拔剑阁，杨法琛[1]退保石门③，乾运据南阴平④。

辛亥⑤，齐主祀圜丘。

张彪遣其将赵棱围钱塘，孙凤围富春，侯景遣仪同三司田迁、赵伯超救之，棱、凤败走。棱，伯超之兄子也。

癸亥⑥，齐主耕藉田。乙丑⑦，享太庙。

魏杨忠围汝南，李素战死。二月乙亥⑧，城陷，执邵陵携王纶，

【语译】

太宗简文皇帝下

大宝二年（辛未，公元五五一年）

春，正月，新吴人余孝顷起兵抗击侯景，侯景派于庆攻打他，没有取胜。

正月初五日庚戌，湘东王萧绎派护军将军尹悦、安东将军杜幼安、巴州刺史王珣率领两万士兵从江夏赶赴武昌，接受徐文盛指挥。

杨乾运攻取了剑阁，杨法琛退守石门，杨乾运又占领了南阴平。

正月初六日辛亥，北齐国主高洋在圜丘举行祭祀典礼。

张彪派他的将领赵棱围攻钱塘，孙凤围攻富春，侯景派仪同三司田迁、赵伯超救援他们，赵棱、孙凤败逃。赵棱，是赵伯超哥哥的儿子。

正月十八日癸亥，北齐国主高洋举行亲耕籍田典礼。二十日乙丑，祭祀太庙。

西魏杨忠围攻汝南，梁将李素战死。二月初一日乙亥，汝南城陷落，抓了邵陵

杀之，投尸江岸，岳阳王詧取而葬之。

或告齐太尉彭乐谋反，壬辰⑨，乐坐诛。

齐遣散骑常侍曹文皎使于江陵，湘东王绎使兼散骑常侍王子敏报之。

侯景以王克为太师，宋子仙为太保，元罗为太傅，郭元建为太尉，支化仁[2]为司徒，任约为司空，王伟为尚书左仆射，索超世为右仆射。景置三公官，动以十数，仪同尤多。以子仙、元建、化仁为佐命元功，伟、超世为谋主，于子悦、彭隽⑩主击断，陈庆、吕季略、卢晖略、丁和等为爪牙。梁人为景用者，则故将军赵伯超，前制局监⑪周石珍，内监⑫严亶，邵陵王记室伏知命。自余王克、元罗及侍中殷不害、太常周弘正等，景从人望，加以尊位，非腹心之任也。

北兖州刺史萧邕谋降魏，侯景杀之。

杨乾运进据平兴⑬，平兴者，杨法琛所治也。法琛退保鱼石洞⑭，乾运焚平兴而归。

李迁仕收众还击南康，陈霸先遣其将杜僧明等拒之，生擒迁仕，斩之。湘东王绎使霸先进兵取江州，以为江州刺史。

三月丙午⑮，齐襄城王淯卒。

庚戌⑯，魏文帝殂，太子钦立。

乙卯⑰，徐文盛等克武昌，进军芦洲⑱。

己未⑲，齐以湘东王绎为梁相国，建梁台，总百揆，承制。

齐司空司马子如自求封王，齐主怒，庚子⑳，免子如官。

任约告急，侯景自帅众西上，携太子大器从军以为质，留王伟居守。闰月，景发建康，自石头至新林㉑，舳舻相接。约分兵袭破定州刺史田龙祖于齐安㉒。壬寅㉓，景军至西阳，与徐文盛夹江筑垒。癸卯㉔，文盛击破之，射其右丞库狄式和㉕，坠水死，景遁走还营。

夏，四月甲辰㉖，魏葬文帝于永陵。

郢州刺史萧方诸，年十五，以行事鲍泉和弱，常侮易之，或使伏床，骑背为马。恃徐文盛军在近，不复设备，日以蒲酒为乐。侯景闻江夏空虚，乙巳㉗，使宋子仙、任约帅精骑四百，由淮内袭郢州㉘。丙

携王萧纶，把他杀了，抛尸江岸，岳阳王萧詧收尸埋葬。

有人揭发北齐太尉彭乐谋反，二月十八日壬辰，彭乐获罪被杀。

北齐派散骑常侍曹文皎出使江陵，湘东王萧绎派兼散骑常侍王子敏回访。

侯景任命王克为太师、宋子仙为太保、元罗为太傅、郭元建为太尉、支化仁为司徒、任约为司空、王伟为尚书左仆射、索超世为右仆射。侯景设置三公官，动辄十几个，仪同更多。侯景以宋子仙、郭元建、支化仁为辅佐王命的头等功臣，王伟、索超世为军师谋主，于子悦、彭儁主持军务攻战，陈庆、吕季略、卢晖略、丁和等为手下干将。梁朝官员被侯景重用的有前将军赵伯超、前制局监周石珍、宦官严亶、邵陵王的记室参军伏知命。其他如王克、元罗，以及侍中殷不害、太常周弘正等人，侯景只是顺从众望，给他们尊贵的职位，不把他们当作心腹使用。

北兖州刺史萧邕谋划投降西魏，侯景杀了他。

杨乾运进兵占据平兴，平兴是杨法琛的北益州治所。杨法琛退守鱼石洞，杨乾运焚毁平兴城后返回。

李迁仕搜集散兵回军攻打南康，陈霸先派他的将领杜僧明等抵抗他，活捉了李迁仕，杀了他。湘东王萧绎派陈霸先进兵攻取江州，任命他为江州刺史。

三月初二日丙午，北齐襄城王高淯去世。

初六日庚戌，西魏文帝元宝炬去世，太子元钦即皇帝位。

十一日乙卯，徐文盛等攻下武昌，进军芦洲。

十五日己未，北齐任命湘东王萧绎为梁朝相国，设置梁朝台省，总领百官，代行皇帝颁旨。

北齐司空司马子如自己要求封王，北齐国主高洋很生气，闰三月二十七日庚子，罢免了司马子如的官职。

任约向侯景告急，侯景亲自率领部众西上，随军带着皇太子萧大器作为人质，留王伟驻守建康。闰三月，侯景从建康出发，从石头城到达新林，兵船首尾相接。在齐安，任约分兵偷袭并打败了定州刺史田龙祖。二十九日壬寅，侯景的军队到达西阳，与徐文盛的军队隔着长江各筑营垒。三十日癸卯，徐文盛打败侯景，射中了侯景的军府右丞库狄式和，库狄式和落水而死。侯景逃跑回到军营。

夏，四月初一日甲辰，西魏在永陵安葬了魏文帝。

梁朝郢州刺史萧方诸，年十五岁，因为行事鲍泉温和懦弱，经常玩弄欺负鲍泉，有时让鲍泉趴在床上，当作马骑。倚仗徐文盛大军在近旁，自己不做防备，每天以赌博饮酒为快乐。侯景听说江夏空虚，四月初二日乙巳，派宋子仙、任约率领精锐骑兵四百人，从淮汭袭击郢州。初三日丙午，刮大风下暴雨，天色晦暗，有登上州

午㉙，大风疾雨，天色晦冥，有登陴望见贼者，告泉曰："虏骑至矣。"泉曰："徐文盛大军在下，贼何由得至？当是王珣军人还耳。"既而走告者稍众，始命闭门，子仙等已入城。方诸方踞泉腹，以五色彩㉚辫其髯，见子仙至，方诸迎拜，泉匿于床下。子仙俯窥见泉素髯间彩，惊愕，遂擒之，及司马虞豫，送于景所。景因便风，中江举帆，遂越文盛等军，丁未㉛，入江夏。文盛众惧而溃，与长沙王韶㉜等逃归江陵。王珣、杜幼安以家在江夏，遂降于景。

湘东王绎以王僧辩为大都督，帅巴州刺史丹杨淳于量㉝、定州刺史杜龛、宜州刺史王琳、郴州㉞刺史裴之横东击景，徐文盛以下并受节度。戊申㉟，僧辩等军至巴陵，闻郢州已陷，因留戍之。绎遗僧辩书曰："贼既乘胜，必将西下㊱，不劳远击；但守巴丘㊲，以逸待劳，无虑不克。"又谓将僚[3]曰："景[4]若水步两道，直指江陵，此上策也。据夏首，积兵粮，中策也。悉力攻巴陵，下策也。巴陵城小而固，僧辩足可委任。景攻城不拔，野无所掠，暑疫时起，食尽兵疲，破之必矣。"乃命罗州刺史徐嗣徽自岳阳，武州刺史杜崱自武陵引兵会僧辩。

景使丁和将兵五千守夏首，宋子仙将兵一万为前驱，趣巴陵，分遣任约直指江陵，景帅大兵水步继进。于是缘江戍逻㊳，望风请服，景拓逻㊴至于隐矶㊵。僧辩乘城固守，偃旗卧鼓，安若无人。壬戌㊶，景众济江，遣轻骑至城下，问："城内为谁？"答曰："王领军。"骑曰："何不早降？"僧辩曰："大军但向荆州，此城自当非碍。"骑去。顷之，执王珣等至城下，使说其弟琳。琳曰："兄受命讨贼，不能死难，曾不内惭，翻㊷欲赐诱㊸。"取弓射之，珣惭而退。景肉薄㊹百道攻城，城中鼓噪，矢石雨下，景士卒死者甚众，乃退。僧辩遣轻兵出战，凡十余返，皆捷。景被甲在城下督战，僧辩着绶㊺、乘舆、奏鼓吹巡城，景望之，服其胆勇。

岳阳王詧闻侯景克郢州，遣蔡大宝将兵一万进据武宁㊻，遣使至江陵，诈称赴援。众议欲答以侯景已破，令其退军。湘东王绎曰："今语以退军，是趣之令进也。"乃使谓大宝曰："岳阳累启连和，不相侵犯，卿那忽据武宁？今当遣天门太守胡僧祐㊼精甲二万、铁马

城女墙，望见敌军冲过来的人，报告鲍泉说："敌人骑兵到了。"鲍泉说："徐文盛大军挡在下面，敌人怎么能到来？应当是王珣军队的人回来了。"接着跑来报告的人渐渐多了，这才下令关闭城门，宋子仙等已进了城。萧方诸正坐在鲍泉肚子上，用五色丝线编织鲍泉的胡子，看见宋子仙到来，萧方诸跪地迎接，鲍泉躲到床底下。宋子仙弯腰看见鲍泉的白胡子上挂着彩丝，十分惊讶，于是擒获了他。宋子仙把鲍泉以及司马虞豫，押送到侯景那里。侯景趁着顺风，在长江中张起船帆，于是越过徐文盛等人的军队，初四日丁未，进入江夏城。徐文盛的军队惶恐，便溃散了，徐文盛与长沙王萧韶等逃回江陵。王珣、杜幼安因为家在江夏，于是投降了侯景。

湘东王萧绎任命王僧辩为大都督，率领巴州刺史丹杨人淳于量、定州刺史杜龛、宜州刺史王琳、郴州刺史裴之横等东进抗击侯景，徐文盛以下都接受王僧辩指挥。四月初五日戊申，王僧辩等人的军队到达巴陵，得知郢州已经陷落，就留在巴陵镇守。萧绎送信给王僧辩说："敌人凭借胜利的气势，一定沿长江西进，你不要劳师远行出战，只要守在巴丘，以逸待劳，不愁不取胜。"萧绎又对将领、属僚们说："侯景如果水陆两路直指江陵，这是上策；如果据守夏首，囤积兵粮，这是中策；如果全力进攻巴陵，这是下策。巴陵城小，却十分坚固，王僧辩足可以胜任。侯景攻城不能攻下，城外抢掠不到粮食，盛暑疾病兴起，粮食用尽，士兵疲惫，打败他是必然的。"于是命令罗州刺史徐嗣徽从岳阳、武州刺史杜崱从武陵带兵到巴陵，与王僧辩会合。

侯景派丁和领兵五千人守卫夏首，让宋子仙领兵一万为前锋，赶赴巴陵，分派任约直指江陵，侯景自己率领大军分水陆两路随后跟进。这时，沿长江两岸的戍所及巡江士兵，纷纷归降侯景。侯景扩展巡逻警戒的范围到达隐矶。王僧辩登城坚守，放倒旗子，停息鼓声，安静得好像没有人一样。四月十九日壬戌，侯景部众渡过长江，派遣轻骑兵到巴陵城下，问道："城内守将是哪一个？"回答说："是王僧辩将军。"侯景的轻骑兵说："为何不早早投降？"王僧辩回答说："大军只管向荆州，这座小城理应不碍事。"轻骑兵士离开了。不一会儿，把王珣等抓到巴陵城下，让他劝说他的弟弟王琳。王琳说："兄长接受命令讨伐叛贼，不能死于国家危难，竟不感到惭愧，反倒想劝诱我投敌。"说着取出弓箭射向王珣，王珣羞愧地退了下去。侯景指挥部队赤膊上阵，从四面八方同时攻城，城中击鼓呐喊，箭矢石块如雨点般落下，侯景士兵死伤累累，只好后退。王僧辩派出轻装部队出城反击，一共十多次，全都打了胜仗。侯景穿上铠甲，在城下督战，王僧辩佩戴印绶，坐在轿上，吹奏军乐在城墙上巡视，侯景望见他，佩服他的胆量和勇敢。

岳阳王萧詧听说侯景攻下了郢州，派蔡大宝领兵一万，进兵占据了武宁，派遣使者到江陵，谎称派兵救援。众人商议欲回答使者说，侯景已被打败，让萧詧回军。湘东王萧绎说："如今回答他们，让他们退军，恰恰是催促他们，让他们进军。"便派人对蔡大宝说："岳阳王多次来信要求和好，互不侵犯，你怎么突然占据了武宁？现

五千顿溠水，待时进军。”詧闻之，召其军还。僧祐，南阳人也。

五月，魏陇西襄公李虎卒。

侯景昼夜攻巴陵，不克，军中食尽，疾疫死伤太半。湘东王绎遣晋州刺史萧惠正㊽将兵援巴陵，惠正辞不堪，举胡僧祐自代。僧祐时坐谋议忤旨系狱㊾，绎即出之，拜武猛将军，令赴援，戒之曰：“贼若水战，但以大舰临之，必克。若欲步战，自可鼓棹直就巴丘，不须交锋也。”僧祐至湘浦㊿，景遣任约帅锐卒五千据白塉[51]以待之。僧祐由他路西上，约谓其畏己，急追之，及于芊口[52]，呼僧祐曰：“吴儿，何不早降，走何所之？”僧祐不应，潜引兵至赤沙亭[53]，会信州刺史陆法和[54]至，与之合军。法和有异术，先[5]隐于江陵百里洲[55]，衣食居处，一如苦行沙门，或豫言吉凶，多中[56]，人莫能测。侯景之围台城也，或问之曰：“事将何如？”法和曰：“凡人取果，宜待熟时，不撩自落。”固问之，法和曰：“亦克亦不克。”及任约向江陵，法和自请击之，绎许之。

壬寅[57]，约至赤亭[58]。六月甲辰[59]，僧祐、法和纵兵击之，约兵大溃，杀溺死者甚众，擒约送江陵。景闻之，乙巳[60]，焚营宵遁。以丁和为郢州刺史，留宋子仙等，众号二万，戍郢城，别将支化仁镇鲁山[61]，范希荣行江州事，仪同三司任延和、晋州刺史夏侯威生守晋州。景与麾下兵数千，顺流而下。丁和以大石磕杀鲍泉及虞预[62]，沈于黄鹤矶[63]。任约至江陵，绎赦之。徐文盛坐怨望，下狱死。巴州刺史余孝顷遣兄子僧重将兵救鄱阳，于庆退走。

绎以王僧辩为征东将军、尚书令，胡僧祐等皆进位号，使引兵东下。陆法和请还，既至，谓绎曰：“侯景自然平矣，蜀贼[64]将至，请守险以待之。”乃引兵屯峡口[65]。庚申[66]，王僧辩至汉口[67]，先攻鲁山，擒支化仁送江陵。辛酉[68]，攻郢州，克其罗城，斩首千级。宋子仙退据金城[69]，僧辩四面起土山攻之。

豫州刺史荀朗[70]自巢湖出濡须邀景，破其后军，景奔归，船前后相失。太子船入枞阳浦，船中腹心[71]皆劝太子因此入北[72]，太子曰：“自国家丧败，志不图生，主上蒙尘，宁忍违离左右？吾今若去，乃

正在委派天门太守胡僧祐率领精甲二万、铁马五千屯驻溠水，等待时机进军。”萧詧听了，召蔡大宝的军队返回。胡僧祐，是南阳郡人。

五月，西魏陇西襄公李虎去世。

侯景昼夜进攻巴陵城，没有攻下，军中粮食没了，疾病死伤折了一大半。湘东王萧绎派晋州刺史萧惠正领兵援救巴陵，萧惠正辞谢不能胜任，推荐胡僧祐代替自己。胡僧祐当时因谋议冒犯了萧绎旨意，被关在狱中，萧绎立即把他释放出来，拜为武猛将军，派他去增援巴陵，告诫他说：“叛军如果水战，只需用大战船对抗他们，一定能战胜；如果叛军步战，你就可以径直鼓帆抵巴丘，不必与叛军交战。”胡僧祐抵达湘浦，侯景派任约率领精锐士兵五千人据守白堵防备他。胡僧祐改道西上，任约认为胡僧祐害怕自己，急速追击胡僧祐，追到芊口，任约呼叫胡僧祐说：“吴儿，何不快快投降，想逃到哪里去?”胡僧祐不回答，暗中带兵到赤沙亭，刚好信州刺史陆法和到达，与胡僧祐军会合。陆法和有奇异的法术，原先隐居在江陵的百里洲，衣食居住，完全像一个苦行僧，有时预言吉凶，大多应验，没有人摸得透他。侯景围攻皇城的时候，有人问他说：“事态将怎样发展?”陆法和说：“凡是人要摘取果实，总是等到果子成熟的时候，不用撩打，自动脱落。”再三问他，陆法和说：“可能攻下，也可能攻不下。”等到任约向江陵进军，陆法和请求攻打任约，萧绎同意了。

五月三十日壬寅，任约到达赤亭。六月初二日甲辰，胡僧祐、陆法和发动军队大举攻打任约，任约军队大溃，被杀死和落水淹死的人很多，活捉了任约，押送到江陵。侯景听说此事，初三日乙巳，烧了营垒，连夜逃走。侯景任命丁和为郢州刺史，留下宋子仙等，号称有众二万，戍守郢州城，别将支化仁镇守鲁山，范希荣代行江州政事，仪同三司任延和、晋州刺史夏侯威生守卫晋州。侯景与部下数千士兵顺流而下。丁和用大石头砸死鲍泉和虞预，沉尸黄鹤矶。任约到江陵，萧绎释放了他。徐文盛因为发牢骚，被下狱处死。巴州刺史余孝顷派哥哥的儿子余僧重领兵救援鄱阳，于庆退兵逃走。

萧绎任命王僧辩为征东将军、尚书令，胡僧祐等都晋升了官职和爵位，让他们领兵向东进发。陆法和请求回江陵，到达江陵后，对萧绎说：“侯景自然可以平定了，巴蜀贼兵将要到来，请让我去守住险要地方以防御他们。”便领兵驻守峡口。六月十八日庚申，王僧辩到达汉口，首先进攻鲁山，抓获了支化仁，押往江陵。十九日辛酉，进攻郢州，攻下了外城，杀敌一千人。宋子仙退守金城，王僧辩在四面筑土山，进攻宋子仙。

豫州刺史荀朗从巢湖出兵到濡须截击侯景，打败了侯景的后卫部队，侯景逃回建康，船队前后失去联系。皇太子坐的船驶入枞阳浦，船中的亲信都劝太子趁此机会逃入北齐，太子说：“自从朝廷丧败以来，我心里就没想过苟且偷生，皇上蒙难，怎能忍心离开他身边?我今天如果离去，是背叛父亲，不是逃避贼人。”说完呜咽流

是[6]叛父，非避贼也。”因涕泗呜咽，即命前进。

甲子⑬，宋子仙等困蹙，乞输郢城，身还就景，王僧辩伪许之，命给船百艘以安其意。子仙谓为信然，浮舟将发，僧辩命杜龛帅精勇千人攀堞而上，鼓噪奄进，水军主⑭宋遥帅楼船，暗江云合⑮。子仙且战且走，至白杨浦⑯，大破之，周铁虎生擒子仙及丁和，送江陵，杀之。

庚午⑰，齐主以司马子如，高祖之旧，复以为太尉。

江安侯圆正⑱为西阳太守，宽和好施，归附者众，有兵一万。湘东王绎欲图之，署为平南将军。及至，弗见，使南平王恪与之饮。醉，因囚之内省，分其部曲，使人告其罪。荆、益之衅自此起矣。

陈霸先引兵发南康，灨石⑲旧有二十四滩，会水暴涨数丈，三百里间，巨石皆没，霸先进顿西昌⑳。

铁勒将伐柔然，突厥酋长土门邀击，破之，尽降其众五万余落㉑。土门恃其强盛，求婚于柔然，柔然头兵可汗大怒，使人詈辱之曰：“尔，我之锻奴也，何敢发是言？”土门亦怒，杀其使者，遂与之绝，而求婚于魏，魏丞相泰以长乐公主㉒妻之。

秋，七月乙亥㉓，湘东王绎以长沙王韶监郢州事。丁亥㉔，侯景还至建康。于庆自鄱阳还豫章，侯瑱闭门拒之，庆走江州，据郭默城㉕。绎以瑱为兖州㉖刺史。景悉杀瑱子弟㉗。

辛丑㉘，王僧辩乘胜下湓城，陈霸先帅所部三万人将会之，屯于巴丘㉙。西军㉚乏食，霸先有粮五十万石，分三十万[7]以资之。八月壬寅朔㉛，王僧辩前军袭于庆，庆弃郭默城走，范希荣亦弃寻阳城走。晋熙王僧振㉜等起兵围郡城㉝，僧辩遣沙州刺史丁道贵㉞助之，任延和等弃城走。湘东王绎命僧辩且顿寻阳，以待诸军之集。

初，景既克建康，常言吴儿怯弱，易以掩取，当须拓定中原，然后为帝。景尚帝女溧阳公主，嬖之，妨于政事㉟。王伟屡谏，景[8]以告主，主有恶言，伟恐为所谗，因说景除帝。及景自巴陵败归，猛将㊱多死，自恐不能久存，欲早登大位。王伟曰：“自古移鼎㊲，必须

泪，立即命令开船前进。

六月二十二日甲子，宋子仙等力竭困顿，请求交出郢州城，自身回到侯景那里，王僧辩假装同意，命令给宋子仙一百艘战船，稳住他的心绪。宋子仙信以为真，乘上船正准备出发，王僧辩命令杜龛率领精锐勇敢的士兵一千人爬上城墙，擂鼓呐喊，突然进击，水军主宋遥率领楼船，楼船四合如云，江面变得昏暗。宋子仙且战且退，到达白杨浦，遭到惨败。周铁虎活捉了宋子仙和丁和，押送江陵，把他们杀了。

六月二十八日庚午，北齐国主高洋因司马子如是高祖高欢的老朋友，恢复了他的太尉官职。

江安侯萧圆正为西阳太守，宽厚和气，乐于施舍，归附他的人很多，有兵一万人。湘东王萧绎想除掉他，安置他为平南将军。等他到了江陵，萧绎不接见，派南平王萧恪与他饮酒。他醉了，将他囚禁在内省，解散了他的部属，派人控告他的罪行。萧绎、萧纪的仇恨从此产生。

陈霸先带兵从南康出发，灨石原本有二十四个滩，正赶上江水飞涨几丈，在三百里长的河段，巨石都被淹没，陈霸先进军屯驻西昌。

铁勒将要讨伐柔然，突厥酋长土门截击，打败了铁勒，全部收降铁勒人五万多户。土门酋长依仗他的强盛，向柔然求婚，柔然头兵可汗大怒，派人去辱骂土门说："你是我的打铁奴隶，怎敢说出这样的话？"土门也生气了，杀了柔然的来使，于是与柔然断绝了关系，转而向西魏求婚。西魏丞相宇文泰把皇室宗亲长乐公主嫁给土门为妻。

秋，七月初四日乙亥，湘东王萧绎任命长沙王萧韶监理郢州事务。十六日丁亥，侯景回到建康。于庆从鄱阳返回豫章，侯瑱关闭城门，拒绝他入城，于庆逃到江州，占据郭默城。萧绎任命侯瑱为南兖州刺史。侯景把侯瑱的儿子、弟弟全都处死。

七月三十日辛丑，王僧辩乘胜攻下湓城，陈霸先率领所部三万人将要与王僧辩会合，屯驻在巴丘。王僧辩军缺少粮米，陈霸先有粮五十万石，分三十万石资助王僧辩。八月初一日壬寅，王僧辩的先锋部队袭击于庆，于庆放弃郭默城逃走，范希荣也放弃寻阳城逃走。晋熙人王僧振等起兵围攻晋熙郡城，王僧辩派沙州刺史丁道贵援助他，任延和等也弃城逃走。湘东王萧绎命王僧辩暂时屯驻寻阳，等待各路兵马会集。

当初，侯景攻下建康后，常常说吴人胆怯懦弱，容易掩袭取胜，应等平定中原，然后称帝。侯景娶简文帝女溧阳公主，十分宠爱她，影响处理政事。王伟多次谏阻，侯景转告公主，公主口出恶言，王伟害怕被公主谗害，便劝说侯景除掉简文帝。等到侯景从巴陵战败回来，猛将大多已死，自己担心在世日子不多了，想早日登上皇位。王伟说："从古以来，改朝换代，必须废除当今皇帝，既显示我们的威权，又杜

废立，既示我威权，且绝彼民望。”景从之。使前寿光殿学士[98]谢吴为诏书，以为“弟侄争立[99]，星辰失次，皆由朕非正绪[100]，召乱致灾，宜禅位于豫章王栋[101]”。使吕季略赍入，逼帝书之。栋，欢[102]之子也。

戊午[103]，景遣卫尉卿彭隽等帅兵入殿，废帝为晋安王，幽于永福省，悉撤内外侍卫，使突骑左右守之，墙垣悉布枳棘。庚申[104]，下诏迎豫章王栋。栋时幽拘，廪饩甚薄，仰蔬茹为食。方与妃张氏锄葵[105]，法驾[106]奄至，栋惊，不知所为，泣而升辇。

景杀哀太子大器、寻阳王大心、西阳王大钧、建平王大球、义安王大昕及王侯在建康者[107]二十余人。太子神明端嶷[108]，于景党未尝屈意，所亲窃问之，太子曰：“贼若于事义[109]，未须见杀，吾虽陵慢呵叱，终不敢言。若见杀时至，虽一日百拜，亦无所益。”又曰：“殿下今居困厄，而神貌怡然，不贬[110]平日，何也？”太子曰：“吾自度死日必在贼前，若诸叔能灭贼，贼必先见杀，然后就死。若其不然，贼亦杀我以取富贵，安能以必死之命为无益之愁乎？”及难，太子颜色不变，徐曰：“久知此事，嗟其晚耳！”刑者将以衣带绞之，太子曰：“此不能见杀。”命取系[9]帐绳，绞之而绝。

壬戌[111]，栋即帝位，大赦，改元天正。太尉郭元建闻之，自秦郡驰还，谓景曰：“主上先帝太子，既无愆失，何得废之？”景曰：“王伟劝吾，云‘早除民望’，吾故从之以安天下。”元建曰：“吾挟天子令诸侯，犹惧不济，无故废之，乃所以自危，何安之有？”景欲迎帝复位，以栋为太孙[112]。王伟曰：“废立大事，岂可数改邪？”乃止。

乙丑[113]，景又使使[10]杀南海王大临于吴郡，南郡王大连于姑孰，安陆王大春于会稽，高唐王大壮[114]于京口。以太子妃赐郭元建，元建曰：“岂有皇太子妃乃为人妾乎？”竟不与相见，听使入道[115]。

丙寅[116]，追尊昭明太子为昭明皇帝，豫章安王[117]为安皇帝，金华敬妃[118]为敬太皇太后，豫章太妃王氏[119]为皇太后，妃张氏为皇后。以刘神茂为司空。

九月癸巳[120]，齐主如赵、定[121]二州，遂如晋阳。

己亥[122]，湘东王绎以尚书令王僧辩为江州刺史，江州刺史陈霸先为

绝民众对他的希望。”侯景听从了。派前寿光殿学士谢昊撰写诏书，认为“兄弟侄儿互相争夺帝位，天上星辰运行失去正常秩序，都因为朕不是嫡传继承人，导致了祸乱和灾害。应当禅位给豫章王萧栋”。派吕季略带入宫中，逼迫简文帝抄写。萧栋，是萧欢的儿子。

八月十七日戊午，侯景派卫尉卿彭隽等率兵进入宫殿，废简文帝为晋安王，关押在永福省，全部撤走永福省内外的侍卫，派出强悍骑兵守卫在周围，墙头上都布下荆棘。十九日庚申，下诏迎立豫章王萧栋。萧栋当时被禁闭，供给的食品很少，以蔬菜为食。萧栋与妃子张氏正在种蔬菜，皇帝车驾突然来到，萧栋大惊，不知所措，流着眼泪上了车。

侯景杀了哀太子萧大器、寻阳王萧大心、西阳王萧大钧、建平王萧大球、义安王萧大昕，以及在建康的宗室王侯二十多人。太子萧大器神色端庄凝重，对侯景的党羽未曾曲意逢迎，他亲近的人偷偷问他，太子说:“叛贼如果行事顾全大义，不须杀我，我即使对他们欺慢辱骂，他们也不敢吭声。如果杀我的时候到了，即使一天拜他们一百次，也没有什么益处。”又问:“殿下现今处在艰苦危难之中，而神色泰然自若，不比平日差，为什么?”太子说:“我自料死的日子一定在叛贼的前头，如果各位叔叔能够消灭叛贼，叛贼一定先杀我，然后才被消灭。如果不是这样，叛贼也会杀死我以取得富贵，我怎能以必死的生命去做无益的忧愁呢?”等到遇难时，太子面色不变，平缓地说:“早知此事，可叹来得晚了!”行刑的人将用衣带绞杀太子，太子说:“这东西杀不死我。”命取系帐的绳子来绞杀，气绝。

八月二十一日壬戌，萧栋即帝位，大赦天下，改元天正。太尉郭元建听到消息，从秦郡骑快马赶回建康，对侯景说:“皇上是先帝的太子，既然没有过失，为什么要废掉他?”侯景说:“王伟劝告我，说‘早点断绝百姓对旧朝的希望’，我所以听从他以便安定天下。”郭元建说:“我们挟天子以令诸侯，仍担心不成功，无故废掉皇帝，这是自取灭亡，有什么安定?”侯景想迎接简文帝复位，让萧栋做皇太孙。王伟说:“废立皇帝是国家大事，哪能多次改变呢?”侯景只好作罢。

八月二十四日乙丑，侯景又派人在吴郡杀死南海王萧大临，在姑孰杀死南郡王萧大连，在会稽杀死安陆王萧大春，在京口杀死高唐王萧大壮。把太子妃赐给郭元建，郭元建说:“哪有太子妃竟做别人侍妾的道理?”终究不和太子妃见面，听凭她入观当道姑。

八月二十五日丙寅，萧栋追尊昭明太子萧统为昭明皇帝，豫章安王萧欢为安皇帝，金华敬妃为敬太皇太后，豫章太妃王氏为皇太后，册立自己的妃子张氏为皇后。任命刘神茂为司空。

九月二十三日癸巳，北齐国主高洋往赵州、定州，随后去晋阳。

九月二十九日己亥，湘东王萧绎任命尚书令王僧辩为江州刺史，改任江州刺史

东扬州刺史。

王伟说侯景弑太宗⑫³以绝众心，景从之。冬，十月壬寅⑫⁴夜，伟与左卫将军彭隽、王修纂进酒于太宗曰："丞相以陛下幽忧既久，使臣等来上寿。"太宗笑曰："已禅帝位，何得言陛下？此寿酒，将不尽此乎？"于是隽等赍曲项琵琶⑫⁵，与太宗极饮。太宗知将见杀，因尽醉，曰："不图为乐之至于斯也！"既醉而寝。伟乃出，隽进土囊，修纂坐其上而殂。伟撤门户[11]为棺，迁殡于城北酒库中。太宗自幽絷之后，无复侍者及纸，乃书壁及板障⑫⁶，为诗及文数百篇，辞甚凄怆。景谥曰明皇帝，庙号高宗。

侯景之逼江陵也，湘东王绎求援于魏，命梁、秦二州刺史宜丰侯循⑫⁷以南郑⑫⁸与魏，召循还江陵。循以无故输城，非忠臣之节，报曰："请待改命。"魏太师泰遣大将军达奚武将兵三万取汉中，又遣大将军王雄出子午谷⑫⁹攻上津⑬⁰。循遣记室参军沛人刘璠⑬¹求援于武陵王纪，纪遣潼州刺史杨乾运救之。循，恢之子也。

王僧辩等闻太宗殂，丙辰⑬²，启湘东王绎，请上尊号，绎弗许。

司空、东道行台刘神茂闻侯景自巴丘败还，阴谋叛景，吴中士大夫咸劝之。乃与仪同三司尹思合、刘归义、王晔、云麾将军元頵⑬³等据东阳以应江陵，遣頵及别将李占下据建德江口⑬⁴。张彪攻永嘉⑬⁵，克之。新安⑬⁶民程灵洗⑬⁷起兵，据郡以应神茂。于是浙江以东皆附江陵。湘东王绎以灵洗为谯州刺史，领新安太守。

十一月乙亥⑬⁸，王僧辩等复上表劝进，湘东王绎不许。戊寅⑬⁹，绎以湘州刺史安南侯方矩⑭⁰为中卫将军以自副。方矩，方诸之弟也。以南平王恪为湘州刺史。侯景以赵伯超为东道行台，据钱塘；以田迁为军司，据富春；以李庆绪⑭¹为中军都督，谢答仁为右厢都督，李遵为左厢都督，以讨刘神茂。

己卯⑭²，加侯景九锡，汉国⑭³置丞相以下官。己丑⑭⁴，豫章王栋禅位于景，景即皇帝位于南郊。还，登太极殿，其党数万，皆吹唇呼噪而上。大赦，改元太始。封栋为淮阴王，并其二弟桥、樛⑭⁵同锁于密室。

王伟请立七庙，景曰："何谓七庙？"伟曰："天子祭七世祖考。"并

陈霸先为东扬州刺史。

王伟劝说侯景弑梁太宗简文帝以断绝众人的希望，侯景听从了。冬，十月初二日壬寅夜晚，王伟与左卫将军彭隽、王修纂进酒给太宗，说："丞相因陛下幽居在这里忧愁很久，派臣等来祝寿敬酒。"太宗笑着说："我已禅让了帝位，怎么能称陛下？这祝寿酒，怕不只是祝寿吧？"于是彭隽等拿出曲颈琵琶，与太宗尽情痛饮。太宗知道将被杀害，因此尽情酣醉，说："没想到今天的快乐到这种程度！"醉后就入睡了。王伟便退了出去，彭隽把一个装满土的袋子压在太宗身上，王修纂坐在土袋子上，简文帝死了。王伟拆下门板当棺材，把尸体移到城北的酒库中停放。太宗自从幽闭以后，没有陪侍的人和纸，就在墙壁和木隔板上写字，作诗和文章数百篇，文辞非常凄惨悲怆。侯景给太宗的谥号叫明皇帝，庙号高宗。

侯景逼近江陵时，湘东王萧绎向西魏求援，命令梁州、秦州两州刺史宜丰侯萧循把南郑割让给西魏，召萧循返回江陵。萧循认为无故割让城池，不是忠臣的节操，回报说："请让我等待改变命令。"西魏太师宇文泰派大将军达奚武领兵三万攻取汉中，又派大将军王雄出兵子午谷攻打上津。萧循派记室参军沛郡人刘璠向武陵王萧纪求援，萧纪派潼州刺史杨乾运救援。萧循，是萧恢的儿子。

王僧辩等得知太宗已死，就在十月十六日丙辰，上书湘东王萧绎，请求他加尊号即皇帝位，萧绎没同意。

司空、东道行台刘神茂得知侯景从巴丘战败回到建康，暗中谋划背叛侯景，吴中士大夫都勉励他。刘神茂就与仪同三司尹思合、刘归义、王晔、云麾将军元頵等据守东阳策应江陵，派元頵及别将李占进军下游，占据建德江口。张彪进攻永嘉，攻下了永嘉城。新安豪民程灵洗起兵，占据了郡城，响应刘神茂。这时浙江以东地区全都归附江陵。湘东王萧绎任命程灵洗为谯州刺史，领新安太守。

十一月初五日乙亥，王僧辩等人又上表劝萧绎登上皇位，湘东王萧绎不同意。初八日戊寅，萧绎任命湘州刺史安南侯萧方矩为中卫将军作为自己的副手。萧方矩，是萧方诸的弟弟。任命南平王萧恪为湘州刺史。侯景任命赵伯超为东道行台，据守钱塘；任命田迁为军司，据守富春；任命李庆绪为中军都督，谢答仁为右厢都督，李遵为左厢都督，以讨伐刘神茂。

十一月初九日己卯，梁朝给侯景加九锡，侯景的封国汉国设置丞相以下官职。十九日己丑，豫章王萧栋禅让皇帝位给侯景，侯景在南郊即皇帝位。侯景回宫，登上太极殿，他的党羽几万人，都吹着口哨，呼喊着拥上去。大赦天下，改年号为太始。封萧栋为淮阴王，把萧栋连同他的两个弟弟萧桥、萧樛一同关押在密室中。

王伟请求设立七庙，侯景说："什么叫七庙？"王伟说："七庙是天子祭祀七代祖

请七世讳[146]，景曰："前世吾不复记，唯记我父名标，且彼在朔州，那得来啖此？"众咸笑之。景党有知景祖名乙羽周者，自外皆王伟制其名位，追尊父标为元皇帝。

景之作相也，以西州为府，文武无尊卑皆引接，及居禁中，非故旧不得见，由是诸将多怨望。景好独乘小马，弹射飞鸟，王伟每禁止之，不许轻出。景郁郁不乐，更成[147]失志，曰："吾无事为帝，与受摈不殊[148]。"

壬辰[149]，湘东王以长沙王韶为郢州刺史。

益州长史刘孝胜[150]等劝武陵王纪称帝，纪虽未许，而大造乘舆车服。

十二月丁未[151]，谢答仁、李庆绪攻建德[152]，擒元頵、李占送建康，景截其手足以徇，经日乃死。

齐主每出入，常以中山王自随，王妃太原公主[153]恒为之尝[12]饮食，护视之。是月，齐主饮公主酒，使人鸩中山王，杀之，并其三子，谥王曰魏孝静皇帝，葬于邺西漳北[154]。其后齐主忽掘其陵，投梓宫于漳水。齐主初受禅，魏神主悉寄[155]于七帝寺[156]，至是，亦取焚之。

彭城公元韶以高氏婿，宠遇异于诸元。开府仪同三司美阳公元晖业以位望隆重，又志气不伦，尤为齐主所忌，从齐主在晋阳。晖业于宫门外骂韶曰："尔不及一老妪，负玺与人。何不击碎之？我出此言，知即死，尔亦讵得几时？"齐主闻而杀之，及临淮公元孝友[157]，皆凿汾水冰，沈其尸。孝友，彧[158]之弟也。齐主尝剃元韶鬓须，加之粉黛以自随，曰："吾以彭城为嫔御。"言其懦弱如妇人也。

【段旨】

以上为第一段，写侯景兵败，废帝自立，垂死挣扎的心态暴露无遗。北齐国主高洋，弑杀东魏孝静帝，凌辱北魏宗庙神主，残暴猜忌之主的品性初露端倪。

先。”并请求侯景告诉七代祖先的名字。侯景说：“前几代我不再记得，只记下我父亲名标，况且他在朔州，哪能到这里来吃祭品？”大家都笑他。侯景的党羽有知道侯景的祖父叫侯乙羽周的人，此外的几代都由王伟给他们制定名位，追尊父亲侯标为元皇帝。

侯景做丞相时，把西州作为相府，文武百官无论尊卑，他都接见。等到居住在皇宫中，不是故旧不得相见，因此各位将领多有怨言。侯景喜欢独自骑一匹小马，弹射飞鸟，王伟常常禁止他，不让他随便出宫。侯景闷闷不乐，变得更加失望，说：“我没事干，当了皇帝，和被人抛弃没有什么不同。”

十一月二十二日壬辰，湘东王萧绎任命长沙王萧韶为郢州刺史。

益州长史刘孝胜等劝武陵王萧纪称帝，萧纪虽然没有同意，却大肆制造皇帝用的车驾服饰。

十二月初八日丁未，谢答仁、李庆绪进攻建德，抓获了元頵、李占押送建康，侯景砍断他们的手脚示众，过了一整天才死。

北齐国主高洋每次出巡，总是让中山王元宝炬跟随自己，中山王妃太原公主高氏常常亲自替他尝饭，保护照看他。这一月，高洋请公主饮酒，派人用鸩酒毒害中山王，害死了他以及他的三个儿子，给中山王加谥号叫魏孝静皇帝，葬在邺城西边漳水的北岸。事后，高洋突然又挖开孝静帝的陵墓，把棺材扔进漳水。高洋初受禅时，北魏七庙的神主灵位都寄放在七帝寺，到这时，也取出烧毁。

彭城公元韶因为是高氏的女婿，受到的恩宠不同于其他元氏皇室成员。开府仪同三司美阳公元晖业因为位高望重，再加上志气不凡，特别被高洋猜忌，他随从高洋在晋阳。元晖业在宫门外骂元韶说：“你不如一个老妪，竟亲手捧着玉玺送给别人，为什么不把它打碎？我说出这话，知道会被立即处死，但你又能活得了几天？”北齐国主高洋听到这话，杀了元晖业，以及临淮公元孝友，派人挖开汾水河面的冰，沉下他们的尸体。元孝友，是元彧的弟弟。北齐国主高洋曾经剃了元韶的鬓角及胡须，给他涂脂抹粉带在身边，说：“我把彭城公当作嫔妃。”意思是说元韶懦弱得像一个妇人。

【注释】

①余孝顷（？至公元五六七年）：新吴（今江西奉新）人，初投萧勃，转靠王琳，后降于陈霸先。陈废帝时以谋反罪被杀。②庚戌：正月初五日。③石门：石门关，在今四川广元西南。④南阴平：县名，县治在今四川梓潼。⑤辛亥：正月初六日。⑥癸亥：正月十八日。⑦乙丑：正月二十日。⑧乙亥：二月初一日。⑨壬辰：二月十八日。⑩彭雋：即彭俊，曾任卫尉，与王僧纂一起杀死梁简文帝。事见《梁书》卷四《简文帝纪》、《南史》

卷八《梁本纪》。⑪ 制局监：侍卫武官。掌宫廷兵器、禁兵，侍卫皇帝，地位较低而权势颇重。⑫ 内监：宦官，掌宫中器械仪仗。⑬ 平兴：郡名，治所平兴，在今四川广元西北，北益州州治。⑭ 鱼石洞：地名，在今四川广元西北。⑮ 丙午：三月初二日。⑯ 庚戌：三月初六日。⑰ 乙卯：三月十一日。⑱ 芦洲：地名，在今湖北鄂州市鄂城区西。隔江与江北汉邾县故城（今湖北黄冈）相对。⑲ 己未：三月十五日。⑳ 庚子：闰三月二十七日。㉑ 新林：即新林浦，因南齐建新林苑而得名。故址在今江苏南京江宁区西南。㉒ 齐安：县名，县治在今湖北黄冈。南齐曾置齐安郡。㉓ 壬寅：闰三月二十九日。㉔ 癸卯：闰三月三十日。㉕ 库狄式和：人名。库狄为复姓。㉖ 甲辰：四月初一日。㉗ 乙巳：四月初二日。㉘ 由淮内袭郢州：淮内，即淮汭，即今与安徽接境之鄂东一带，西阳郡即在该地区。胡三省认为从西阳出发袭击郢州州治所在的江夏，渡江点当在芦洲上流。㉙ 丙午：四月初三日。㉚ 五色彩：五色绸带。㉛ 丁未：四月初四日。㉜ 长沙王韶：即原上甲侯萧韶，大宝元年被萧绎改封长沙王。㉝ 淳于量（公元五一一至五八二年）：字思明，丹杨人，祖先本居济北（今山东长清西南）。梁元帝时，以平侯景功，封谢沐县侯，出任桂州刺史。元帝败亡，改投陈霸先，累迁侍中，历任南徐州、郢州、南兖州刺史，封始安郡公。传见《陈书》卷十一、《南史》卷六十六。㉞ 郴州：州名，梁置，治所桂阳，在今湖南郴州。㉟ 戊申：四月初五日。㊱ 西下：顺长江西南行，便到巴陵，与萧绎水军决战，所以称“西下”。㊲ 巴丘：即巴陵，因境内有巴丘山，所以也称“巴丘”。㊳ 缘江戍逻：沿江的原属梁元帝的戍所和巡逻部队。㊴ 拓逻：派出巡逻队扩大巡逻区域。㊵ 隐矶：地名，在今湖南临湘境。㊶ 壬戌：四月十九日。㊷ 翻：反过来。㊸ 赐诱：诱降。㊹ 肉薄：即肉搏。㊺ 着绶：佩戴印绶。㊻ 武宁：郡名，治所乐乡，在今湖北荆门北。㊼ 胡僧祐（公元四九一至五五三年）：字愿果，南阳冠军（今河南邓县西北）人，仕梁，累官至车骑将军、开府仪同三司。后死于江陵之役。传见《梁书》卷四十六、《南史》卷六十四。㊽ 萧惠正：《梁书》卷五、卷二十八作“萧慧正”。㊾ 坐谋议忤旨系狱：此前西沮蛮族叛乱，梁元帝命僧祐斩尽蛮人首领。僧祐再三陈述不同意见，触怒元帝而被关入狱中。事详见《梁书》卷四十六。㊿ 湘浦：湘江进入洞庭湖的江口，今属湖南湘阴。51 白塉：地名，在巴陵境内。52 芊口：地名，在今湖南华容。53 赤沙亭：地名，在今湖南华容南赤沙湖地区。54 陆法和：籍贯不详，隐居江陵。梁元帝时官至司徒。敬帝即位，法和降于北齐。号荆山居士，虽任太尉，一心礼佛。传见《北齐书》卷三十二、《北史》卷八十九。55 百里洲：长江的江心洲，在今湖北枝江市。56 多中：大多应验。57 壬寅：五月三十日。58 赤亭：即赤沙亭。59 甲辰：六月初二日。60 乙巳：六月初三日。61 鲁山：城名，在今湖北武汉汉阳区。62 虞预：即上文所言郢州司马“虞豫”。63 黄鹤矶：地名，在今湖北武汉黄鹤楼一带。64 蜀贼：指武陵王萧纪。纪为益州刺史，侯景乱，纪僭号于蜀，故称。65 峡口：巫峡峡口，在今湖北巴东官渡口。66 庚申：六月十八日。67 汉口：汉水入长江口，在今湖北武汉市汉口。68 辛酉：六月十九日。69 金城：在江夏县，即今湖北武汉市武昌东南。⑩ 荀朗（公元五一八至五六五年）：字深明，颍川颍阴（今河南许昌）人，侯景之乱，简文帝密诏授朗豫州刺史，讨景。侯景平定后，随陈霸先入都，大破北齐军，以功封兴宁县侯。传见《陈书》卷十三、《南史》卷六十七。⑪ 腹心：亲信。⑫ 入北：指投奔北齐。⑬ 甲子：六月二十二日。⑭ 水军主：水军主帅。⑮ 暗江云合：高大的楼船如云一般从四面包围上来，使江面变得十分昏暗。⑯ 白杨浦：地名，在今湖北武昌城东。⑰ 庚午：六月二十八日。⑱ 圆正：萧圆正，字明允，萧纪第二子，封江安侯。传见《南史》卷五十三。⑲ 灨石：地名，在今江西赣江上。灨，即赣水。⑳ 西昌：县名，县治在今江西泰和。㉑ 落：家。㉒ 长乐公主：西魏宗室之女。㉓ 乙亥：七月初四日。㉔ 丁亥：七月十六日。㉕ 郭默城：城名，东晋咸和四年（公元三二九年），郭默谋反，为对抗陶侃的讨伐，用布袋盛米筑此城。城在今江西九江市东北。㉖ 兖州：当作南兖州（今江苏扬州西北）。㉗ 瑱子弟：指留在侯景处做人质的侯瑱子弟。㉘ 辛丑：七月三十日。㉙ 巴丘：县名，梁置，属庐陵郡，县治在今江西峡江县，与前又称“巴丘”的巴陵异。㉚ 西军：指由西而东的王僧辩军。㉛ 壬寅朔：八月初一日。㉜ 王僧振：据《梁书》卷四《简文帝纪》，八月丙午，王僧振与郭宠起兵袭郡城。㉝ 郡城：谓晋熙郡治，在今安徽潜山市。㉞ 丁道贵：时任沙州刺史，后任衡州刺史。㉟ 妨于政事：影响对政事的处理。㊱ 猛将：指宋子仙、丁和等人。㊲ 移鼎：周武王克商，移商鼎到洛邑。以后凡夺取他人天下，都可被称作“移鼎”。鼎，国家政权的象征。㊳ 寿光殿学士：官名，梁置，掌典礼、撰述等事宜，值勤于寿光殿。㊴ 弟侄争立：弟指简文帝的弟弟萧绎、萧纪。侄指萧誉、萧詧。为争夺帝位，他们之间互相攻伐。㊵ 朕非正绪：谓简文帝不是原太子萧统的后代。正绪，嫡传的继承人。㊶ 豫章王栋：萧栋（？至公元五五一年），字符吉，封豫章王。被逼即位后不久，即禅位给侯景，改封淮阴王。侯景败亡，栋与二位弟弟一起被梁元帝密令沉入长江而死。传见《南史》卷五十三。㊷ 欢：萧欢，字孟孙，昭明太子萧统的长子。原封华容公，任南徐州刺史。梁武帝怕他将来年少嗣位，对梁朝不利，改立太子，封他为豫章王。传见《南史》卷五十三。㊸ 戊午：八月十七日。㊹ 庚申：八月十九日。㊺ 葵：古代一种最常见的蔬菜。今只见于福建、江西、湖南、四川等南方省份。㊻ 法驾：皇帝的乘舆仪仗。㊼ 王侯在建康者：留在建康与简文帝一支血缘亲近的萧氏皇族被封为王侯的人。㊽ 端嶷：庄重。㊾ 事义：行事顾全大义。㊿ 不贬：不损；不减。⑪ 壬戌：八月二十一日。⑫ 太孙：即皇太孙，为未来帝位的合法继承人。⑬ 乙丑：八月二十四日。⑭ 高唐王大壮：萧大壮（公元五三四至五五一年），字仁礼，初封高唐县公。大宝元年（公元五五〇年）改封始兴郡公。《通鉴》作“高唐王”，胡三省作“高唐郡公”，均误。后死于南徐州刺史任。传见《梁书》卷四十四、《南史》卷五十四。又二史均作“大庄”，也与《通鉴》异。⑮ 入道：削发为尼。⑯ 丙寅：八月二十五日。⑰ 豫章安王：即豫章王萧欢，“安”是谥号。⑱ 金华敬妃：即昭明太子萧统的正妃蔡氏。昭明太子死了以后，别立金华宫，供她居住，所以称“金华妃”。“敬”是谥号。参《梁书》

卷二十七《陆襄传》、卷五十六《侯景传》。胡三省注认为，敬妃已去世，按礼法应追谥皇后，以与昭明皇帝相应，不当称太皇太后。⑲王氏：萧栋的母亲。⑳癸巳：九月二十三日。㉑赵、定：赵，赵州。北齐置，治所广阿，在今河北隆尧。东魏时称殷州。定，定州。北齐置，治所中山，在今河北定州。㉒己亥：九月二十九日。㉓太宗：指梁简文帝萧纲。纲被害，梁元帝即位，追尊为简文皇帝，庙号太宗。见《梁书》卷四。㉔壬寅：十月初二日。㉕曲项琵琶：五弦，与四弦的琵琶不同，是传自北方少数民族的一种弹拨乐器。㉖板障：间隔房子的木墙板，一般涂红漆。㉗循：萧循（公元五〇五至五五六年），字世和，萧范的弟弟。封宜丰侯，守南郑。曾降于西魏，后南返，敬帝时袭封鄱阳王。传见《南史》卷五十二。又《南史》《北史》均作"萧修"。《通鉴》与《梁书》《陈书》同。㉘南郑：北梁州治，在今陕西汉中。㉙子午谷：在今陕西西安，汉时开辟有子午道。顺谷南下，可抵今陕西洋县。㉚上津：郡名，梁置，治所上津，在今湖北郧西县。㉛刘璠（公元五一〇至五六八年）：字宝义，沛国沛（今江苏沛县）人，萧纪称制，璠为随郡王萧循府长史，加蜀郡太守。后降于达奚武，仕西魏至黄门侍郎。传见《周书》卷四十二、《北史》卷七十。㉜丙辰：十月十六日。㉝元颙（？至公元五五五年）：封桑干王，后被侯景处死。㉞建德江口：即兰江、新安江交汇口，在今浙江建德。㉟永嘉：郡名，梁置，治所永宁，在今浙江温州。㊱新安：郡名，治所始新，在今浙江淳安西北。㊲程灵洗（公元五一四至五六八年）：字玄涤，新安海宁（今安徽休宁）人，侯景之乱，灵洗聚徒抵抗，梁元帝任命他为谯州刺史、领新安太守，封巴丘县侯。后降于陈霸先，封遂安县侯，改封重安县公。传见《陈书》卷十、《南史》卷六十七。㊳乙亥：十一月初五日。㊴戊寅：十一月初八日。㊵方矩：萧方矩（？至公元五五四年），字德规，初封南安县侯。梁元帝即位，立为皇太子。西魏攻破江陵时遇害。传见《梁书》卷八、《南史》卷五十四。㊶李庆绪：《梁书》卷五十六、《南史》卷八十均作"李庆"，侯景将中无有作"李庆"绪者。李庆绪唯见《南史》卷七十四《孝义传》下，字孝绪，广汉郪（今四川三台）人，父被人所杀，庆绪手刃仇人，因此闻名，历任东莞、巴郡太守，官至卫尉，封安陆县侯。死于侯景之乱前，与此李庆绪无涉。疑《通鉴》误衍一"绪"字。㊷己卯：十一月初九日。㊸汉国：侯景于大宝元年（公元五五〇年）自封为汉王，所以称汉国。㊹己丑：十一月十九日。㊺桥、璆：萧桥、萧璆，后被侯景下令杀害。㊻七世讳：上七代先辈的名字。㊼更成：更加变得。㊽与受摈不殊：与受摈斥的人没有差别。此指侯景不能随便与部下来往，如同被人抛弃一样。㊾壬辰：十一月二十二日。㊿刘孝胜：彭城（今江苏徐州）人，仕梁，曾任尚书右丞、兼散骑常侍。萧纪称帝

后，任尚书仆射。与元帝战，兵败被俘，被起用为司徒右长史。传见《梁书》卷四十一、《南史》卷三十九。⑮¹ 丁未：十二月初八日。⑮² 建德：县名，县治在今浙江建德。⑮³ 太原公主：即孝静皇后，高欢之女。禅位后，依例降为公主。⑮⁴ 邺西漳北：邺城以西，漳水以北。⑮⁵ 寄：暂存。⑮⁶ 七帝寺：因存有北魏七庙神主而得名，原寺名失传。⑮⁷ 元孝友（？至公元五五一年）：北魏太武帝的后代，袭兄元彧爵为临淮王，曾任沧州刺史。北齐初，降爵临淮县公。传见《魏书》卷十八、《北齐书》卷二十八、《北史》卷十六。⑮⁸ 彧：元彧，字文若，封临淮王。尔朱荣入洛，杀害元氏，彧投奔梁朝。魏庄帝时返国，历任尚书令、大司马、司徒。死于尔朱兆之乱。传见《魏书》卷十八、《北史》卷十六。

【校记】

［1］琛：原作“昌”。据章钰校，十二行本作“琛”，又本卷下文作“琛”，今据改。［2］支化仁：原作“张化仁”。据章钰校，乙十一行本作“支化仁”，张瑛《通鉴校勘记》同，今据改。〖按〗胡三省注云：“或曰‘张化仁’即‘支化仁’。”《梁书·侯景传》载“景以……张化仁为司徒”，后景“以丁和为郢州刺史，留宋子仙、时灵护等助和守，以张化仁、阎洪庆守鲁山城”，同书《王僧辩传》云“鲁山城主支化仁，景之骑将也”，则侯景之司徒“张化仁”、与阎洪庆同守鲁山城之“张化仁”和鲁山城主“支化仁”乃系一人。又本卷下文有“别将支化仁镇鲁山”，则此处当作“支化仁”。［3］僚：原作“佐”。据章钰校，十二行本、乙十一行本、孔天胤本皆作“僚”，张敦仁《通鉴刊本识误》同，今据改。［4］景：原作“贼”。据章钰校，十二行本、乙十一行本、孔天胤本皆作“景”，今据改。［5］先：原无此字。据章钰校，十二行本、乙十一行本、孔天胤本皆有此字，张敦仁《通鉴刊本识误》同，今据补。［6］乃是：原作“是乃”。据章钰校，十二行本、乙十一行本、孔天胤本二字皆互乙，今据改。［7］三十万：原作“三十万石”。据章钰校，十二行本、乙十一行本、孔天胤本皆无“石”字，今据删。［8］景：“景”字原重。据章钰校，十二行本、乙十一行本、孔天胤本“景”字皆不重，今据删。［9］系：原无此字。据章钰校，十二行本、乙十一行本、孔天胤本皆有此字，张敦仁《通鉴刊本识误》同，今据补。［10］使使：“使”字原不重。据章钰校，十二行本、乙十一行本、孔天胤本皆重“使”字，今据补。［11］户：原作“扉”。据章钰校，十二行本、乙十一行本、孔天胤本皆作“户”，今据改。［12］尝：原无此字。据章钰校，十二行本、乙十一行本、孔天胤本皆有此字，张敦仁《通鉴刊本识误》同，今据补。

【原文】

世祖孝元皇帝上

承圣元年（壬申，公元五五二年）

春，正月，湘东王以南平内史王褒[159]为吏部尚书。褒，骞[160]之孙也。

齐人屡侵侯景边地，甲戌[161]，景遣郭元建帅步军趣小岘[162]，侯子鉴帅舟师向濡须，己卯[163]，至合肥，齐人闭城[13]不出，乃引还。

丙申[164]，齐主伐库莫奚[165]，大破之，俘获四千人，杂畜十余万。

齐主连年出塞，给事中兼中书舍人唐邕练习军书[166]，自督将以降劳効本末[167]及四方军士强弱多少，番代[168]往还，器械精粗，粮储虚实，靡不谙悉。或于帝前简阅，虽数千人，不执文簿，唱其姓名，未尝谬误。帝常曰："唐邕强干，一人当千。"又曰："邕每有军事，手作文书，口且处分，耳又听受，实异人也！"宠待赏赐，群臣莫及。

魏将王雄取上津、魏兴[169]，东梁州刺史安康李迁哲[170]军败，降之。

突厥土门袭击柔然，大破之。柔然头兵可汗自杀，其太子庵罗辰[171]及阿那瓌从弟登注俟利、登注子库提并帅众奔齐，余众复立登注次子铁伐[172]为主。土门自号伊利可汗，号其妻为可贺敦，子弟谓之特勒[173]，别将兵者皆谓之设[174]。

湘东王命王僧辩等东击侯景，二月庚子[175]，诸军发寻阳，舳舻[176]数百里。陈霸先帅甲士三万，舟舰二千，自南江[177]出湓口[178]，会僧辩于白茅湾[179]，筑坛歃血，共读盟文，流涕慷慨。癸卯[180]，僧辩使侯瑱袭南陵[181]、鹊头[182]二戍，克之。戊申[183]，僧辩等军于大雷[184]，丙辰[185]，发鹊头。戊午[186]，侯子鉴还至战鸟[187]，西军奄至，子鉴惊惧，奔还淮南。

侯景仪同三司谢答仁攻刘神茂于东阳，程灵洗、张彪皆勒兵将救之，神茂欲专其功，不许，营于下淮[188]。或谓神茂曰："贼长于野战，下淮地平，四面受敌，不如据七里濑[189]。贼必不能进。"不从。神茂偏裨多北人，不与神茂同心，别将王晔、郦通并据外营，降于答仁，刘归义、尹思合等弃城走。神茂孤危，辛未[190]，亦降于答仁，答仁送之建康。

【语译】

世祖孝元皇帝上

承圣元年（壬申，公元五五二年）

春，正月，梁湘东王萧绎任命南平内史王褒为吏部尚书。王褒，是王骞的孙子。

北齐多次侵犯侯景的边境地区。正月初五日甲戌，侯景派郭元建率领步兵奔赴小岘，侯子鉴率领水军向濡须进发，初十日己卯，到达合肥，北齐人闭城不出，便引军退还。

正月二十七日丙申，北齐国主高洋讨伐库莫奚，大败库莫奚，俘虏四千人，缴获杂畜十余万头。

北齐国主高洋连年出塞作战，给事中兼中书舍人唐邕精通军事文书，从督将以下在军中效力建功的始末，以及各地驻防士兵的强弱多少，轮番驻防调动，兵器好坏，粮储多少，没有不熟悉的。有时在国主高洋面前检阅军队，即使有几千人，不拿花名册，高声点名，未曾有差错。高洋常常说："唐邕精明干练，一人顶一千人。"又说："唐邕每次有军事行动，手写文书，口还布置任务，耳朵又听别人讲话，真是个奇人！"因此，唐邕受到的宠信和赏赐，群臣没有人赶得上。

西魏将军王雄攻占了上津、魏兴，东梁州刺史安康人李迁哲兵败，投降了王雄。

突厥土门袭击柔然，大败柔然。柔然头兵可汗自杀，头兵可汗的太子庵罗辰，以及阿那瓌从弟登注俟利、登注的儿子库提一起率领部众投奔北齐，其余部众又拥立登注俟利次子铁伐为首领。土门自号伊利可汗，给其妻的称号是可贺敦，子弟叫作特勒，其他带兵将领都叫作设。

湘东王萧绎命令王僧辩等向东进击侯景。二月初二日庚子，各路军队从寻阳出发，兵船首尾相接数百里。陈霸先率领甲士三万人、兵船二千艘，从南江出发，指向湓口，在白茅湾与王僧辩会师，筑坛歃血订盟，共同宣读盟文，慷慨激昂，声泪俱下。初五日癸卯，王僧辩派侯瑱袭击南陵、鹊头两个哨所，攻了下来。初十日戊申，王僧辩等驻军大雷，十八日丙辰，从鹊头出发。二十日戊午，侯景部将侯子鉴退军到战鸟山，王僧辩的大军突然杀来，侯子鉴惊恐，逃回淮南。

侯景的仪同三司谢答仁在东阳攻击刘神茂，程灵洗、张彪都整顿部队准备救援，刘神茂想独占大功，不允许他们救援，自己在下淮扎营。有人对刘神茂说："叛军擅长在旷野作战，下淮地势平坦，容易四面受敌，不如占据七里濑，叛军一定不敢进逼。"刘神茂不听从。刘神茂的手下将官大多数是北方人，不与刘神茂一条心，其他将领王晔、郦通据守外营，投降了谢答仁；刘归义、尹思合等放弃东阳城逃走，刘神茂孤立危殆，辛未日，也投降了谢答仁，谢答仁把他押送建康。

癸酉[191]，王僧辩等至芜湖，侯景守将张黑弃城走。景闻之，甚惧，下诏赦湘东王绎、王僧辩之罪，众咸笑之。侯子鉴据姑孰南洲以拒西师，景遣其党史安和等将兵二千助之。三月己巳朔[192]，景下诏欲自至姑孰，又遣人戒子鉴曰："西人善水战，勿与争锋，往年任约之败，良为此也。若得步骑一交，必当可破，汝但结营岸上，引船入浦以待之。"子鉴乃舍舟登岸，闭营不出。僧辩等停军芜湖十余日，景党大喜，告景曰："西师畏吾之强，势将遁矣，不击，且失之。"景乃复命子鉴为水战之备。

丁丑[193]，僧辩至姑孰，子鉴帅步骑万余人渡洲，于岸挑战，又以鸼舠[194]千艘载战士。僧辩麾细船[195]皆令退缩，留大舰夹泊两岸。子鉴之众谓水军欲退，争出趋之，大舰断其归路，鼓噪大呼，合战中江，子鉴大败，士卒赴水死者数千人。子鉴仅以身免，收散卒走还建康，据东府。僧辩留虎臣将军[196]庄丘慧达镇姑孰，引军而前，历阳戍迎降。景闻子鉴败，大惧，涕下覆面，引衾而卧，良久方起，叹曰："误杀乃公！"

庚辰[197]，僧辩督诸军至张公洲，辛巳[198]，乘潮入淮，进至禅灵寺前。景召石头津主张宾，使引淮中舣䑾[199]及海艟[200]，以石缒之，塞淮口，缘淮作城，自石头至于朱雀街，十余里中，楼堞相接。僧辩问计于陈霸先，霸先曰："前柳仲礼数十万兵隔水而坐，韦粲在青溪，竟不渡岸，贼登高望之，表里俱尽，故能覆我师徒。今围石头，须渡北岸。诸将若不能当锋，霸先请先往立栅。"壬午[201]，霸先于石头西落星山[202]筑栅，众军次连八城，直出石头西北。景恐西州[203]路绝，自帅侯子鉴等亦于石头东北筑五城以遏大路。景使王伟等[14]守台城。乙酉[204]，景杀湘东王世子方诸、前平东将军杜幼安。

刘神茂至建康，丙戌[205]，景命为大剉碓[206]，先进其足，寸寸斩之，以至于头。留异外同神茂而潜通于景，故得免祸。

丁亥[207]，王僧辩进军招提寺[208]北，侯景帅众万余人、铁骑八百余匹，陈于西州之西。陈霸先曰："我众贼寡，应分其兵势，以强制弱，何故聚其锋锐，令致死于我？"乃命诸将分处置兵。景冲将军王僧志

癸酉日，王僧辩等到达芜湖，侯景守将张黑弃城逃走。侯景听到消息，十分害怕，下诏赦免湘东王萧绎、王僧辩的罪过，大家都笑话他。侯子鉴据守姑孰南洲，抵抗王僧辩，侯景派他的党羽史安和等人领兵二千增援他。三月初一日己巳，侯景下诏打算亲自到姑孰，又派人告诫侯子鉴说："荆州人善于水战，不要和他们在水上交锋，去年任约的失败，原因在此。如果能和他们的步兵骑兵交战，一定可以取胜。你只在岸上扎营，把战船摆在水边等待他们。"侯子鉴就放下舟船，登上河岸，闭营不出战。王僧辩等把军队在芜湖停留十多天，侯景党羽十分高兴，向侯景报告说："荆州军害怕我军强大，看样子要逃跑，不攻击他，将失掉战机。"侯景就重新命令侯子鉴做好水战的准备。

三月初九日丁丑，王僧辩到达姑孰，侯子鉴率领步骑一万多人渡过南洲，在岸上挑战，又用快船千艘装载战士。王僧辩指挥小船都退到后边，留下大兵船在两岸夹江停泊。侯子鉴的部队误以为荆州水军想退却，争着追赶他们，王僧辩的大兵船切断敌军的归路，击鼓呐喊，在长江中心合击敌人，侯子鉴大败，士兵跳入江中淹死的有几千人。侯子鉴仅只身逃脱，搜集散兵逃回建康，据守东府。王僧辩留下虎臣将军庄丘慧达镇守姑孰，领兵向前推进，历阳哨所望风投降。侯景听到侯子鉴战败，惊恐万分，泪流满面，盖着被子躺在床上，很长时间才起床，感叹地说："这一次错误可要了老子的命!"

三月十二日庚辰，王僧辩统领各路兵马到达张公洲。十三日辛巳，趁着涨潮进入秦淮河，推进到禅灵寺前。侯景召见石头津军主张宾，派他带领秦淮河中的小船和大型战船，用大石块将船沉入水中，堵塞秦淮河水口，沿着秦淮河筑墙，从石头城直到朱雀街，在十多里长的沿河岸城墙上，碉楼和堞垛相连。王僧辩向陈霸先询问计策，陈霸先说："先前柳仲礼数十万兵力隔水观望，韦粲在青溪，始终不敢渡过秦淮河，叛贼登高观望他们，军营里里外外一览无余，所以能够打败我军。今天兵围石头城，必须渡河到北岸。各位将军如果没有人首当其冲，我陈霸先请求首先前往北岸扎营。"十四日壬午，陈霸先在石头城西落星山修筑栅栏，各路军队依次在北岸连着修筑了八座营栅，一直延伸到石头城西北。侯景害怕西州城退路被切断，亲自率领侯子鉴等也在石头城的东北面筑城五座，用以阻断大路。侯景派王伟等人守台城。十七日乙酉，侯景杀了湘东王世子萧方诸、前平东将军杜幼安。

刘神茂到了建康。三月十八日丙戌，侯景下令造大铡刀，先把刘神茂的脚放进去，一寸一寸切断，最后到头颅。留异表面上与刘神茂同谋，暗中则与侯景勾结，所以避免了杀身之祸。

三月十九日丁亥，王僧辩进军到招提寺北，侯景率领一万余人、铁甲战马八百多匹，在西州城的西面列阵。陈霸先说："我军多，敌人少，应当再分散敌人的兵力，以强击弱，为什么要让敌人把精锐兵力集中在一起，使他们与我军拼命呢?"于是命

陈，僧志小缩，霸先遣将军安陆徐度⑳将弩手二[15]千横截其后，景兵乃却。霸先与王琳、杜龛等以铁骑乘之，僧辩以大军[16]继进，景兵败退，据其栅。龛，岸之兄⑳子也。景仪同三司卢晖略守石头城，开北门降，僧辩入据之。景与霸先殊死战，景帅百余骑，弃稍执刀，左右冲陈，陈不动，众遂大溃，诸军逐北至西明门㉑。

景至阙下，不敢入台，召王伟，责之曰："尔令我为帝，今日误我！"伟不能对，绕阙而藏。景欲走，伟执鞚㉒谏曰："自古岂有叛天子邪？宫中卫士，犹足一战，弃此，将欲安之？"景曰："我昔败贺拔胜，破葛荣，扬名河、朔，渡江平台城，降柳仲礼如反掌，今日天亡我也！"因仰观石阙㉓，叹息久之。以皮囊盛其江东㉔所生二子，挂之鞍后，与房世贵等百余骑东走，欲就谢答仁于吴。侯子鉴、王伟、陈庆奔朱方。

僧辩命裴之横、杜龛屯杜姥宅，杜龛入据台城。僧辩不戢㉕军士，剽掠居民。男女裸露，自石头至于东城，号泣满道。是夜，军士遗火，焚太极殿及东西堂，宝器、羽仪、辇辂无遗。

戊子㉖，僧辩命侯瑱等帅精甲五千追景。王克、元罗等帅台内旧臣迎僧辩于道，僧辩劳克曰："甚苦，事夷狄之君。"克不能对。又问："玺绂㉗何在？"克良久曰："赵平原㉘持去。"僧辩曰："王氏百世卿族，一朝而坠㉙。"僧辩迎太宗梓宫升朝堂，帅百官哭踊如礼。

己丑㉚，僧辩等上表劝进，且迎都建业。湘东王答曰："淮海㉑长鲸㉒，虽云授首，襄阳短狐㉓，未全革面。太平玉烛㉔，尔乃议之。"

庚寅㉕，南兖州刺史郭元建、秦郡戍主郭正买、阳平戍主鲁伯和、行南徐州事郭子仲并据城降。

僧辩之发江陵也，启湘东王曰："平贼之后，嗣君㉖万福，未审何以为礼㉗？"王曰："六门㉘之内，自极兵威㉙。"僧辩曰："讨贼之谋，臣为己任，成济之事，请别举人㉚。"王乃密谕宣猛将军㉛朱买臣㉜，使为之所。及景败，太宗已殂，豫章王栋及二弟桥、樛相扶出于密室，逢杜龛于道，为去其锁。二弟曰："今日始免横死矣！"栋曰："倚

令各路将领分几处部署军队。侯景冲击将军王僧志的军阵，王僧志的军队略略后退，陈霸先派将军安陆人徐度带领弓箭手两千人，从侯景军背后拦腰攻击，侯景军这才后退。陈霸先与王琳、杜龛等用铁甲骑兵趁势追击，王僧辩率领大军随后跟进，侯景的军队战败退入军营据守。杜龛，是杜岸哥哥的儿子。侯景的仪同三司卢晖略据守石头城，打开北门投降，王僧辩进军占据了石头城。侯景与陈霸先拼命死战，侯景率领一百多名骑兵，丢下长矛，手执短刀，左冲右突地攻击陈霸先的军阵，但陈霸先的军阵稳稳不动，侯景部队于是全面崩溃，各路军队追赶败兵到了西明门。

侯景退到皇城下面，不敢进城，召见王伟，斥责他说："你让我做皇帝，今天害了我！"王伟无言以对，绕着宫墙躲藏。侯景想逃走，王伟拉住他的马笼头，谏阻说："从古以来，哪有叛逃的天子呢？宫中卫士，还足以决一死战，丢了皇城，你想到哪里去安身呢？"侯景说："我从前打败贺拔胜，战胜葛荣，扬名河朔，渡江平定皇城，降服柳仲礼，易如反掌，今日是天要灭亡我！"随即抬头仰望着宫城端门外石阙，叹息了好一阵。侯景用皮袋子装上他到江南所生的两个儿子，挂在马鞍后头，与房世贵等一百余骑向东逃亡，想到吴郡去投靠谢答仁。侯子鉴、王伟、陈庆逃往朱方。

王僧辩命令裴之横、杜龛屯驻杜姥宅，命令杜龛入据皇城。王僧辩不约束士兵，士兵抢掠建康居民。城中男女赤身裸体，从石头城到东城，一路上到处是哭喊声。这一夜，因军士失火，烧毁了太极殿和东西堂，宫殿的珍宝神器、仪仗羽饰、车辆等全部烧光。

三月二十日戊子，王僧辩命令侯瑱等率领精锐甲士五千人追击侯景。王克、元罗等率领皇城中旧臣，在大道上迎接王僧辩，王僧辩慰劳王克说："很辛苦，侍奉夷狄之君。"王克无言以对。王僧辩又问："皇帝玉玺在什么地方？"王克过了很久才回答说："平原太守赵思贤拿走了。"王僧辩说："王氏百代公卿家族，今天到你这里算是堕落了。"王僧辩把简文帝的灵柩迎入朝堂，率领百官按丧礼哭拜祭奠。

三月二十一日己丑，王僧辩等上表劝湘东王萧绎即皇帝位，并且迎接他定都建业。湘东王萧绎回答说："扬州的大鲸鱼侯景虽然要掉脑袋，但襄阳的短尾巴狐狸萧詧还没有改过自新。等到天下太平，四时调和，你再来谈论这件事吧。"

三月二十二日庚寅，南兖州刺史郭元建、秦郡戍主郭正买、阳平戍主鲁伯和、代理南徐州政务的郭子仲等，都占据城池投降。

王僧辩从江陵出发时，上书湘东王说："平定叛贼之后，如果皇位继承人还活着，不知用什么礼节对待？"湘东王说："皇城六门之内，一律按军法从事。"王僧辩说："讨灭叛贼的谋划，臣自应担当，三国时曹魏成济所做的那种事，请大王另外派人。"湘东王萧绎就密令宣猛将军朱买臣，让他处置侯景所立的傀儡皇帝。等到侯景失败，太宗简文帝已死，豫章王萧栋和他的两个弟弟萧桥、萧樛互相牵扶从密室出来，在路上碰到杜龛，杜龛替他们去掉了锁链。两个弟弟说："今天算是避免暴死

伏[233]难知，吾犹有惧。”辛卯[234]，遇朱买臣，呼之就船共饮，未竟，并沈于水。

僧辩遣陈霸先将兵向广陵受郭元建等降，又遣使者往安慰之。诸将多私使别索[235]马仗，会侯子鉴渡江至广陵，谓元建等曰：“我曹，梁之深仇，何颜复见其主？不若投北，可得还乡。”遂皆降齐。霸先至欧阳，齐行台辛术已据广陵。

王伟与侯子鉴相失，直渎[236]戍主黄公喜获之，送建康。王僧辩问曰：“卿为贼相，不能死节，而求活草间[237]邪？”伟曰：“废兴，命也。使汉帝早从伟言[238]，明公岂有今日？”尚书左丞虞骘尝为伟所辱，乃唾其面。伟曰：“君不读书，不足与语。”骘惭而退。

僧辩命罗州刺史徐嗣徽镇朱方。

壬辰[239]，侯景至晋陵，得田迁余兵，因驱掠居民，东趋吴郡。

夏，四月，齐主使大都督潘乐与郭元建将兵五万攻阳平，拔之。

王僧辩启陈霸先镇京口。

益州刺史、太尉武陵王纪，颇有武略，在蜀十七年，南开宁州[240]、越嶲[241]，西通资陵[242]、吐谷浑，内修耕桑盐铁之政，外通商贾远方之利，故能殖其财用，器甲殷积，有马八千匹。闻侯景陷台城，湘东王将讨之，谓僚佐曰：“七官[243]文士，岂能匡济？”内寝柏殿柱绕节生花，纪以为己瑞。乙巳[244]，即皇帝位，改元天正，立子圆照为皇太子，圆正为西阳王，圆满[245]为竟陵王，圆普为谯王[246]，圆肃[247]为宜都王。以巴西、梓潼二郡太守永丰侯㧑为征西大将军[248]、益州刺史，封秦郡王。司马王僧略、直兵参军[249]徐怦[250]固谏，不从。僧略，僧辩之弟。怦，勉之从子也。

初，台城之围，怦劝纪速入援，纪意不欲行，内衔之。会蜀人费合告怦反，怦有与将帅书云：“事事往人口具[251]。”纪即以为反征，谓怦曰：“以卿旧情，当使诸子无恙。”对曰：“生儿悉如殿下，留之何益？”纪乃尽诛之，枭首于市，亦杀王僧略。永丰侯㧑叹曰：“王事不成矣。善人，国之基也，今先杀之，不亡何待？”

之祸了。”萧栋说：“是福是祸还很难说，我仍然恐惧！”三月二十三日辛卯，遇到朱买臣，招呼他们上船一起饮酒，席还没有散，朱买臣就把他们兄弟三人一起沉入了水中。

王僧辩派陈霸先领兵到广陵接受郭元建等人投降，又派使者前往安慰。各路将领多人私下派使者去向郭元建索要兵器马匹，正遇侯子鉴渡江到了广陵，对郭元建说：“我们都是梁朝最痛恨的仇人，有什么脸面再去见他们的君主？不如投降北朝，还可以回到故乡。”于是都投降了北齐。陈霸先到达欧阳，北齐行台辛术已经占据了广陵。

王伟与侯子鉴失去了联系，直渎戍主黄公喜抓获了他，押往建康。王僧辩问王伟说：“你当叛贼的丞相，不能殉职死节，还想在草野间求活吗？”王伟说：“失败与成功，是命中注定的，假如汉帝侯景听从我的话，明公怎能有今天？”尚书左丞虞骘曾经被王伟侮辱，就向他脸上吐唾沫。王伟说：“你不读书，我不值得与你说话。”虞骘惭愧地退了下去。

王僧辩命令罗州刺史徐嗣徽镇守朱方。

三月二十四日壬辰，侯景逃到晋陵，得到田迁的残兵，便用他们驱赶掠夺居民，向东逃向吴郡。

夏，四月，北齐国主高洋派大都督潘乐与郭元建领兵五万进攻阳平，攻取了阳平城。

王僧辩上书湘东王萧绎，让陈霸先镇守京口。

益州刺史、太尉武陵王萧纪很有军事才略，在巴蜀十七年，向南开拓了宁州、越巂，向西打通了资陵、吐谷浑，对内整治耕桑与盐铁政务，对外流通商贸以获远方之利，所以能增殖财富，兵器铠甲大量蓄积，有战马八千匹。萧纪得知侯景攻陷皇城，湘东王萧绎准备讨伐侯景，就对僚佐说：“老七是个文士，怎能挽救危局保全国家？”萧纪卧室中的柏木梁柱环绕着树节开了花，萧纪认为是自己得到的祥瑞。四月初八日乙巳，即皇帝位，改年号为天正，册立儿子萧圆照为皇太子，封儿子萧圆正为西阳王、萧圆满为竟陵王、萧圆普为谯王、萧圆肃为宜都王。任命巴西、梓潼两郡太守永丰侯萧㧑为征西大将军、益州刺史，封为秦郡王。司马王僧略、直兵参军徐怦竭力谏阻，萧纪不听从。王僧略，是王僧辩的弟弟。徐怦，是徐勉的侄儿。

当初，皇城被围困的时候，徐怦劝萧纪迅速进兵救援，萧纪本意不想出兵，所以内心记恨徐怦。正好蜀郡人费合告发徐怦谋反，徐怦有给将帅的信说：“各种事项，我派去的人当面口头陈述。”萧纪就把这句话作为徐怦造反的证据，对徐怦说：“凭着你我的交情，会使你的儿子平安。”徐怦说：“如果我生的儿子都和你一个样，留下他们有什么用？”萧纪把他们全部杀了，割下人头在市场示众，也杀了王僧略。永丰侯萧㧑叹息说：“大王的事不会成功。善良的人，是立国的根基，如今先杀了这些人，不灭亡还能等到什么呢？”

纪征宜丰侯谘议参军刘璠为中书侍郎，使者八反㉕²，乃至。纪令刘孝胜深布㉕³腹心，璠苦求还。中记室韦登私谓璠曰："殿下忍而蓄憾，足下不留，将致大祸，孰若共构大厦㉕⁴[17]，使身名俱美哉？"璠正色曰："卿欲缓颊㉕⁵于我邪？我与府侯㉕⁶分义㉕⁷已定，岂以夷险㉕⁸易其心乎？殿下方布大义于天下，终不逞志于一夫。"纪知必不为己用，乃厚礼遣之。以宜丰侯循为益州刺史，封随郡王，以璠为循府长史、蜀郡太守。

谢答仁讨刘神茂还，至富阳，闻侯景败走，帅万人欲北出候之，赵伯超据钱塘拒之。侯景进至嘉兴㉕⁹，闻伯超叛之，乃退据吴。己酉㉖⁰，侯瑱追及景于松江㉖¹，景犹有船二百艘，众数千人，瑱进击，败之，擒彭隽、田迁、房世贵、蔡寿乐、王伯丑。瑱生剖隽腹，抽其肠，隽犹不死，手自收之，乃斩之。

景与腹心数十人单舸走，推堕二子于水，将入海，瑱遣副将焦僧度㉖²追之。景纳羊侃之女为小妻，以其兄鹍为库直都督，待之甚厚。鹍随景东走，与景所亲王元礼、谢葳蕤密图之。葳蕤，答仁之弟也。景下海，欲向蒙山㉖³。己卯㉖⁴，景昼寝，鹍语海师㉖⁵："此中何处有蒙山，汝但听我处分。"遂直向京口。至胡豆洲㉖⁶，景觉，大惊，问岸上人，云"郭元建犹在广陵"，景大憙，将依之。鹍拔刀，叱海师向京口，因谓景曰："吾等为王效力多矣，今至于此，终无所成，欲就乞头以取富贵。"景未及答，白刃交下。景欲投水，鹍以刀斫之。景走入船中，以佩刀抉船底，鹍以矟刺杀之。尚书右仆射索超世在别船，葳蕤以景命召而执之。南徐州刺史徐嗣徽斩超世，以盐内景腹中，送其尸于建康。僧辩传首江陵，截其手，使谢葳蕤送于齐。暴景尸于市，士民争取食之，并骨皆尽，溧阳公主亦预食㉖⁷焉。初，景之五子在北齐，世宗㉖⁸剥其长子面而烹之，幼者皆下蚕室㉖⁹。齐显祖㉗⁰即位，梦猕猴坐其御床，乃尽烹之。赵伯超、谢答仁皆降于侯瑱，瑱并田迁等送建康。王僧辩斩房世贵于市，送王伟、吕季略、周石珍、严亶、赵伯超、伏知命于江陵。

丁巳㉗¹，湘东王下令解严。

乙丑㉗²，葬简文帝于庄陵㉗³，庙号太宗。

萧纪征召宜丰侯的谘议参军刘璠为中书侍郎，使者派出了八次，刘璠才到。萧纪派刘孝胜去向刘璠表达自己要待他为心腹的心意，刘璠还是苦苦要求回去。中记室参军韦登私下对刘璠说：“武陵王殿下残忍而记仇，你不留下来，将要招致大祸，哪里比得上留下来共建帝业，使自己身贵名扬呢？”刘璠严肃地说：“你想婉转劝说我吗？我与宜丰侯的名分情义已经确定，岂能因为安危而变心呢？武陵王殿下正在向全天下的人施行仁义，终不至于在我一个人身上求得快意。”萧纪知道刘璠一定不为自己所用，就送给他厚礼，让他回去。萧纪任命宜丰侯萧循为益州刺史，封随郡王，任命刘璠为萧循府长史、蜀郡太守。

谢答仁讨伐刘神茂回来，到达富阳，听到侯景败逃，领兵万人，想北上迎候侯景，赵伯超占据钱塘阻挡他。侯景行进到嘉兴，听到赵伯超反叛，便退回占据吴郡。四月十二日己酉，侯瑱在松江追上侯景，侯景还有战船二百艘，兵众数千人。侯瑱进攻，打败了侯景，活捉了彭隽、田迁、房世贵、蔡寿乐、王伯丑。侯瑱活活剖开彭隽的肚子，抽出他的肠子，彭隽还没有死，亲手收回肠子，侯瑱这才杀了他。

侯景与亲信几十个人乘了一艘船逃走，把他的两个儿子推入江中，将要进入大海，侯瑱派副将焦僧度追击侯景。侯景娶羊侃之女为妾，任命羊氏女的哥哥羊鹍为库直都督，待他很优厚。羊鹍随着侯景东逃，与侯景的亲信王元礼、谢葳蕤密谋除掉侯景。谢葳蕤，是谢答仁的弟弟。侯景下海后，想逃向蒙山。四月己卯日，侯景白天睡觉，羊鹍对航海舵手说：“海上哪里有蒙山，你只管听我的吩咐。”便指挥船只径直向京口驶去。船到胡豆洲，侯景发觉，大惊，问岸上的人，回答说“郭元建还在广陵”，侯景非常高兴，打算去依附他。羊鹍拔出刀来，喝令舵手向京口驶去，接着对侯景说：“我们替大王效力已经很多，如今到了这个地步，终究不会成功，想借你的人头去取得富贵。”侯景没有来得及答话，刀锋交下。侯景想跳入水中，羊鹍用刀砍他。侯景逃进船舱，用佩刀挖船底，羊鹍用长矛刺死了侯景。尚书右仆射索超世在另一艘船上，谢葳蕤假借侯景的命令召他过来，活捉了他。南徐州刺史徐嗣徽杀了索超世，又用盐塞进侯景的肚子中，把他的尸体送到建康。王僧辩割下侯景首级，送到江陵，砍下侯景双手，派谢葳蕤送到北齐。把侯景的尸体暴露在闹市中，士民争着拿他的肉吃，连骨头都被抢光了，溧阳公主也参与分吃侯景的肉。当初，侯景的五个儿子在北齐，世宗高澄剥了侯景长子的脸皮，然后下锅煮死，几个小的儿子都阉割了生殖器。齐显祖高洋即位后，梦见猕猴坐在他的御床上，便把侯景的几个儿子全部下锅煮死。赵伯超、谢答仁都投降了侯瑱，侯瑱把他们和田迁等一并送到建康，王僧辩在闹市上杀了房世贵，把王伟、吕季略、周石珍、严亶、赵伯超、伏知命等人押送到江陵。

四月二十日丁巳，湘东王萧绎下令解除了戒严。

二十八日乙丑，在庄陵安葬了简文帝，庙号太宗。

侯景之败也，以传国玺自随，使其侍中兼平原太守赵思贤掌之，曰："若我死，宜沈于江，勿令吴儿复得之。"思贤自京口济江，遇盗，从者弃之草间，至广陵，以告郭元建。元建取之，以与辛术，壬申[274]，术送之至邺。

甲申[275]，齐以吏部尚书杨愔为右仆射，以太原公主妻之。公主，即魏孝静帝之后也。

杨乾运至剑北[276]，魏达奚武逆击之，大破乾运于白马[277]，陈其俘馘[278]于南郑城下，且遣人辱宜丰侯循。循怒，出兵与战，都督杨绍伏兵击之，杀伤殆尽。刘璠还至白马西，为武所获，送长安。太师泰素闻其名，待之如旧交。时南郑久不下，武请屠之，泰将许之。璠请之于朝，泰怒，不许，璠泣请不已，泰曰："事人当如是。"乃从其请。

五月庚午[279]，司空南平王恪等复劝进，湘东王犹不受，遣侍中丰城侯泰[280]等[18]谒山陵[281]，修复庙社。

戊寅[282]，侯景首至江陵，枭之于市三日，煮而漆之，以付武库。庚辰[283]，以南平王恪为扬州刺史。甲申[284]，以王僧辩为司徒、镇卫将军[285]，封长宁公。陈霸先为征虏将军[286]、开府仪同三司，封长城县侯。

乙酉[287]，诛侯景所署尚书仆射王伟、左民尚书吕季略、少府周石珍、舍人严亶于市。赵伯超、伏知命饿死于狱。以谢答仁不失礼于太宗，特宥之。王伟于狱中上五百言诗，湘东王爱其才，欲宥之。有嫉之者言于王曰："前日[288]伟作檄文甚佳。"王求而视之，檄云："项羽[289]重瞳[290]，尚有乌江之败，湘东一目[291]，宁为赤县[292]所归？"王大怒，钉其舌于柱，剜腹、脔肉而杀之。

丙戌[293]，齐合州刺史斛斯昭攻历阳，拔之。

丁亥[294]，下令，以王伟等既死，自余衣冠旧贵，被逼偷生，猛士勋豪，和光[295]苟免者，皆不问。

扶风[296]民鲁悉达[297]，纠合乡人以保新蔡[298]，力田蓄谷。时江东饥乱，饿死者什八九，遗民携老幼归之。悉达分给粮廪，全济甚众，招集晋熙等五郡，尽有其地。使其弟广达[299]将兵从王僧辩讨侯景，景平，以悉达为北江州刺史。

侯景败逃时，把传国玉玺带在身边，让他的侍中兼平原太守赵思贤掌管，说："如果我死了，应当把它沉到江中，不要让吴儿重新得到它。"赵思贤从京口渡江，碰上强盗，随从的人将玉玺抛弃在草丛中。赵思贤到达广陵后，把这事告诉了郭元建。郭元建找回玉玺，献给了北齐将领辛术。壬申日，辛术把玉玺送到了邺城。

甲申日，北齐任命吏部尚书杨愔为右仆射，把太原公主嫁给他为妻。太原公主高氏是孝静帝的皇后。

杨乾运到达剑阁北面，西魏达奚武迎击他，在白马大败杨乾运。把被杀敌人的耳朵和俘获的敌人陈列在南郑城墙下，并且派人侮辱宜丰侯萧循。萧循发怒，出兵与敌人交战，都督杨绍埋伏士兵袭击他，萧循的士兵被杀伤殆尽。刘璠回到白马西边，被达奚武抓获，送往长安。太师宇文泰早就知道刘璠的名声，对待他如同老朋友。当时南郑久攻不下，达奚武请求城破屠杀全城军民，宇文泰将要答应，刘璠在朝堂上请求不要这样做，宇文泰大怒，不同意。刘璠不停地流泪请求，宇文泰说："为人做事应该这样。"便答应了刘璠的请求。

五月初三日庚午，司空南平王萧恪等又劝萧绎即皇帝位，湘东王萧绎还是不接受，派侍中丰城侯萧泰等人去拜祭祖宗陵墓，修复宗庙祭坛。

五月十一日戊寅，侯景首级送到江陵，在闹市悬挂示众三日，把它煮烂，留下头骨，涂上油漆后交付武库。十三日庚辰，任命南平王萧恪为扬州刺史。十七日甲申，任命王僧辩为司徒、镇卫将军，封长宁公。任命陈霸先为征虏将军、开府仪同三司，封长城县侯。

五月十八日乙酉，在市场处决侯景所署的尚书仆射王伟、左民尚书吕季略、少府周石珍、舍人严亶。赵伯超、伏知命饿死在监狱中。由于谢答仁在太宗皇帝面前不失臣子的礼节，特地赦免了他。王伟在狱中献上了五百字的长诗，湘东王萧绎爱惜他的才华，想宽免他。有嫉恨王伟的人对湘东王萧绎说："前些时，王伟写的讨梁檄文很好。"湘东王萧绎要来檄文看，檄文说："项羽是重瞳子，尚且有乌江的惨败，湘东王一只眼，怎么能赢得天下人归服?"湘东王萧绎大怒，把王伟的舌头钉在柱子上，剖开他的肚子，把他身上的肉一块一块地割下，处死了他。

五月十九日丙戌，北齐合州刺史解斯昭进攻历阳，攻取了历阳城。

五月二十日丁亥，下令说，因为王伟等人已被处死，其余旧日的达官显贵，被迫偷生，还有那些勇士豪杰，以及随波逐流求活的人，一概不追究。

扶风豪民鲁悉达纠聚乡里平民保卫新蔡，努力耕种，蓄积粮食。当时江东饥荒动乱，百姓饿死的有十之八九，幸存的百姓扶老携幼归附鲁悉达。鲁悉达分给他们粮食，救活的人很多，安抚召集了晋熙等五郡的民众，全部占有了五郡的土地。鲁悉达派他的弟弟鲁广达领兵随从王僧辩征讨侯景，侯景被平定后，湘东王萧绎任命鲁悉达为北江州刺史。

【段旨】

以上为第二段，详载湘东王萧绎平定祸乱、惩治国贼侯景及其党羽的经过。在讨贼征战中，陈霸先异军突起。

【注释】

⑮⑨王褒：字子渊，琅邪临沂（今山东临沂）人，博览文史，是当时著名文学家。梁时袭封南昌侯。元帝时位至尚书左仆射。江陵沦陷，臣于北周，任车骑大将军、仪同三司。此后北周主要诏册都由他起草。传见《梁书》卷四十一、《南史》卷二十二、《周书》卷四十一、《北史》卷八十三。⑯⓪骞：王骞，字思寂，本名玄成，避齐讳改名。仕齐，官至司徒右长史。入梁，历官东阳太守、吴郡太守、太常卿、中书令、度支尚书等。封南昌侯。传见《梁书》卷四十一、《南史》卷二十二。⑯①甲戌：正月初五日。⑯②小岘：山名，在今安徽含山北。⑯③己卯：正月初十日。⑯④丙申：正月二十七日。⑯⑤库莫奚：游牧部族名。唐时单称"奚"，主要分布于今内蒙古西拉木伦河流域。传见《周书》卷四十九、《北史》卷九十四。⑯⑥练习军书：精通军事文书。⑯⑦劳效本末：功劳的原委。⑯⑧番代：轮流戍守京师或重要驻地。⑯⑨魏兴：郡名，梁置，治所西城，在今陕西安康。⑰⓪李迁哲（公元五一一至五七四年）：字孝彦，安康（今陕西石泉东南）人，初仕梁，历任安康郡守、东梁州刺史，袭父爵沌阳侯。后降西魏，以军功，官侍中、骠骑大将军、开府仪同三司、直州刺史。入北周，历任信州、平州刺史。晋爵安康郡公。传见《周书》卷四十四、《北史》卷六十六。⑰①庵罗辰：此人以及下文登注俟利、库提，三人之传均见《北史》卷九十八。⑰②铁伐：人名。传见《北史》卷九十八。⑰③特勤：有关南北朝各家正史均作"特勤"。出土的《唐契芯明碑》和《阙特勤碑》也作"特勤"。《通鉴》从《新唐书》作"特勒"，误。⑰④设：类似将军。⑰⑤庚子：二月初二日。⑰⑥舳舻：用来形容船只头尾相连，数量很多。舳是船后掌舵处，舻是船前摇棹处。⑰⑦南江：即赣江。⑰⑧湓口：赣江进入长江处，在今江西九江。⑰⑨白茅湾：在湓口江心桑落洲的西南。⑱⓪癸卯：二月初五日。⑱①南陵：县名，县治在今安徽芜湖市繁昌区。⑱②鹊头：在今安徽铜陵西北长江上的鹊尾洲。⑱③戊申：二月初十日。⑱④大雷：即大雷戍，在今安徽望江县。⑱⑤丙辰：二月十八日。⑱⑥戊午：二月二十日。⑱⑦战鸟：山名，在今安徽芜湖市繁昌区西北。本名孤圻山，东晋桓温举兵东下，屯兵于山下，晚上群鸟齐鸣，引起惊扰。事后，此山便被称作"战鸟山"。⑱⑧下淮：戍所名，在今浙江桐庐东北。⑱⑨七里濑：地名，在今浙江桐庐西南。⑲⓪辛未：二月己亥朔，无辛未日。当是三月初三日。⑲①癸酉：当是三月初五日。⑲②己巳朔：三月初一日。⑲③丁丑：三月初九日。⑲④鵃艄：一种快船，两边共八十把棹，棹手都是越地的水手，划起来快如风电。⑲⑤细船：小船。⑲⑥虎臣将军：官名。⑲⑦庚辰：三月十二日。⑲⑧辛巳：三月十三日。⑲⑨舣艕：亦作"艖艕"。船身短而船舱特深的

战船。⑳海艫：大型战船。㉑壬午：三月十四日。㉒落星山：山名，在今江苏南京石头城西沿江处。㉓西州：即西州城，在石头城与都城之间。㉔乙酉：三月十七日。㉕丙戌：三月十八日。㉖大剉碓：大铡刀。㉗丁亥：三月十九日。㉘招提寺：佛寺名，在石头城北。㉙徐度（公元五〇九至五六八年）：字孝节，安陆（今湖北安陆）人，以平侯景功封广德县侯，迁散骑常侍。江陵失陷，转依陈霸先。入陈，屡立战功，封湘东郡公，进位司空。传见《陈书》卷十二、《南史》卷六十七。㉚岸之兄：指杜岑。㉛西明门：建康宫城外城西面的中门。㉜执鞚：捉住有嚼口的马络头。㉝石阙：梁宫城端门外有石阙，为悬法之处，天监七年（公元五〇八年）建。详见《文选》卷五十六陆倕《石阙铭》。㉞江东：江南。㉟不戢：不约束。㊱戊子：三月二十日。㊲绂：系印的丝带。这里与玺连用，专指皇帝的玉玺。㊳赵平原：即赵思贤，侯景的侍中，兼任平原太守，所以称赵平原。㊴"百世卿族"二句：琅邪王氏是兴起于东汉末年、鼎盛于两晋的高等门阀，世代公卿。而王克却丧失臣节，所以王僧辩下此评语。㊵己丑：三月二十一日。㊶淮海:《尚书·禹贡》说"淮海惟扬州"。建康正在扬州刺史部。㊷长鲸：指侯景。㊸短狐：古代称传说中能含沙射人的蜮为短狐，此喻指萧詧。岳阳王萧詧时据守襄阳。㊹玉烛：四时和顺的太平之世，被称作玉烛。㊺庚寅：三月二十二日。㊻嗣君：指豫章王萧栋。㊼何以为礼：请示如何处理萧栋，是奉为国君，还是除掉。㊽六门：台城有大司马门、万春门、东华门、西华门、太阳门、承明门等六门。此指整个台城。㊾自极兵威：暗示除掉萧栋。㊿"成济之事"二句：成济为三国魏人，司马昭时，奉命杀死国君魏高贵乡公，事后成济被司马昭下令族诛。事详《三国志》卷四《高贵乡公纪》。僧辩不想落个弑君之名，所以推脱此事。㉛宣猛将军：官名，梁杂号将军之一。㉜朱买臣：宦官出身，元帝亲信。后任武昌太守，劝说元帝从江陵迁都建康，未果。西魏围攻江陵，买臣战败，下落不明。㉝倚伏：典出《老子》，文作"祸兮福之所倚，福兮祸之所伏"。萧栋以此说明权力斗争前途难料，恐怕凶多吉少。㉞辛卯：三月二十三日。㉟私使别索：私下派人另外索要。㊱直渎：戍所名，在今江苏南京燕子矶一带。㊲草间：民间。㊳使汉帝早从伟言：汉帝，指侯景，建国为汉，所以称汉帝。侯景破台城，王僧辩投降。当时王伟力劝及早除掉王僧辩，侯景不听，派僧辩驻守竟陵。"早从伟言"即处死王僧辩。㊴壬辰：三月二十四日。㊵宁州：州名，治所建宁，在今云南曲靖。㊶越巂：郡名，治所邛都，在今四川西昌。㊷资陵：不详。〖按〗太清年间，萧纪于蚕陵县（今四川松潘）置铁州，不久罢除，转属湄州。该县与吐谷浑接壤，疑此即"资陵"。㊸七官：萧绎在兄弟中排行老七，所以萧纪称他为"七官"。㊹乙巳：四月初八日。㊺圆满：萧圆满（？至公元五五三年），萧纪第五子，于西陵峡战败被杀。㊻圆普为谯王：萧圆普，封南谯王。《通鉴》脱"南"字。㊼圆肃：萧圆肃（公元五三九至五八四年），字明恭，后降西魏，封安化县公。入周，改封棘城郡公。隋时，任贝州刺史。传见《周书》卷四十二、《北史》卷二十九。㊽征西大将军：官名，较征西将军高一阶。征西将军，梁四征将军之一，位仅次于镇、卫、骠骑、车骑将军。武职二十四班之二十三班。萧纪加“大”字以示重用。㊾直兵参军：即中直兵参军，官名，是萧纪王府卫队的将官。㊿徐怦：梁初名相徐勉的侄子。(251)口具：口头陈述。(252)八反：走了八趟。反，通“返”。(253)深布：深刻表达。(254)大厦：大殿。此喻指新的国家。(255)缓颊：婉转劝说。(256)府侯：指宜丰侯萧循。(257)分义：上下名分。(258)夷险：偏义复词，特指险境。(259)嘉兴：县名，县治在今浙江嘉兴。(260)己酉：四月十二日。(261)松江：河名，吴淞江的古称。系黄浦江的支流。(262)焦僧度：入陈，仕至合州刺史，封南固县侯。(263)蒙山：山名，在南青州东安郡新泰县，即今山东蒙阴。(264)己卯：四月戊戌朔，无己卯日。下有丁巳日，此前有乙卯，即四月十八日。疑“己”“乙”形近而讹。(265)海师：熟悉海上航路的人。(266)胡豆洲：长江口上的一个沙洲。在今江苏南通附近，现已成陆地。(267)预食：参与食用。一说城中士民把溧阳公主也杀了烹食，以发泄对侯景的仇恨。(268)世宗：北齐文襄帝高澄的庙号。(269)蚕室：受腐刑的地方。侯景幼子都被割去生殖器，成为宫奴。(270)齐显祖：即高洋。显祖是庙号。(271)丁巳：四月二十日。(272)乙丑：四月二十八日。(273)庄陵：在今江苏丹阳荆林镇。(274)壬申：四月戊戌朔，无壬申，疑误。(275)甲申：四月无甲申日。疑误。(276)剑北：剑阁以北。(277)白马：城名，有戍所，在今陕西勉县西。(278)俘馘：俘虏和被杀敌人的左耳。此为偏义在馘上，指首级。一个首级以一只左耳代。(279)庚午：五月初三日。(280)丰城侯泰：萧泰，字世怡，梁宗室，封丰城侯。曾任谯州刺史。传见《南史》卷五十二。(281)山陵：在建康的梁武帝等人的陵墓。(282)戊寅：五月十一日。(283)庚辰：五月十三日。(284)甲申：五月十七日。(285)镇卫将军：武官名，十六国后赵曾置，梁武帝时亦置此名号，为武职中最高班次二十四班。罕见授人，元帝特以授王僧辩，以彰显其平侯景之功。(286)征虏将军：官名，同武职二十四班之十六班。(287)乙酉：五月十八日。(288)前日：过去；先前。(289)项羽

【原文】

齐主使其散骑常侍曹文皎等来聘，湘东王使散骑常侍柳晖等报之，且告平侯景，亦遣舍人魏彦告于魏。

齐主使潘乐、郭元建将兵围秦郡，行台尚书辛术谏曰：“朝廷与湘东王信使不绝。阳平，侯景之土，取之可也。今王僧辩已遣严超达(300)守秦郡，于义何得复争之？且水潦方降，不如班师。”弗从。陈霸先命别将徐度(301)引兵助秦郡固守。齐众七万，攻之甚急。王僧辩使左卫将军杜崱救之，

（公元前二三二至前二〇二年）：西楚霸王，名籍，字羽，以字行，下相（今江苏宿迁西南）人，灭秦之后，与刘邦争夺天下，垓下大败，自刎乌江。事见《史记》卷七《项羽本纪》。㉚ 重瞳：眼中有两个瞳子。古人认为是帝王之相。㉛ 湘东一目：萧绎瞎了一只眼。㉜ 赤县：神州。㉝ 丙戌：五月十九日。㉞ 丁亥：五月二十日。㉟ 和光：隐匿才华，不露锋芒。㊱ 扶风：郡名，据《陈书》，鲁悉达是扶风郿县（今陕西眉县）人。㊲ 鲁悉达：字志通，敬帝时，摇摆于梁朝与王琳之间，拥地自保。后投靠陈霸先，历任江州、吴州刺史，封彭泽县侯。传见《陈书》卷十三、《南史》卷六十七。㊳ 新蔡：郡名，南朝侨置于江州。梁时称南新蔡郡，治所苞信，在今湖北黄梅。㊴ 广达：鲁广达（公元五三一至五八九年），字遍览，梁元帝承制，授假节、壮武将军、晋州刺史。入陈，历任吴州、南豫州、巴州、北徐州、北兖州、晋州、合州刺史，屡建功勋。陈后主时，封绥越郡公。隋灭陈，忧愤而死。传见《陈书》卷三十一、《南史》卷六十七。

【校记】

［13］城：原作“门”。据章钰校，十二行本、乙十一行本、孔天胤本皆作“城”，今据改。［14］等：原无此字。据章钰校，十二行本、乙十一行本、孔天胤本皆有此字，今据补。［15］二：原作“三”。《通鉴纪事本末》卷二三、《通鉴纲目》卷三三皆作“二”，当是，今据改。［16］军：原作“兵”。据章钰校，十二行本、乙十一行本、孔天胤本皆作“军”，今据改。［17］厦：原作“夏”。据章钰校，十二行本、乙十一行本、孔天胤本皆作“厦”，今据改。［18］等：原无此字。据章钰校，十二行本、乙十一行本、孔天胤本皆有此字，张敦仁《通鉴刊本识误》同，今据补。

【语译】

北齐国主高洋派他的散骑常侍曹文皎等出使江陵，湘东王萧绎派散骑常侍柳晖等回访北齐，并且通告平定了侯景，还派舍人魏彦通告西魏。

北齐国主高洋派潘乐、郭元建率兵包围秦郡，行台尚书辛术谏阻说：“朝廷与湘东王使者往来不断。阳平郡，原是侯景的土地，夺取它是可以的。如今王僧辩已经派严超达守卫秦郡，从友好道义上怎么能够再去争夺呢？况且大水正在降临，不如乘胜回师。”高洋不听从。陈霸先命令将军徐度领兵帮助秦郡坚守。北齐军队七万，攻城很猛烈。王僧辩派左卫将军杜崱救援他们，陈霸先也从欧阳出兵来会合，与郭

霸先亦自欧阳来会，与元建大战于士林[302]，大破之，斩首万余级，生擒千余人。元建收余众北遁，犹以通好，不穷追也。

辛术迁吏部尚书。自魏迁邺以来[19]，大选[303]之职，知名者数人，互有得失：齐世宗[304]少年高朗，所弊者疏；袁叔德[305]沈密谨厚，所伤者细；杨愔[306]风流辩给，取士失于浮华。唯术性尚贞明[307]，取士必以才器，循名责实，新旧参举，管库[308]必擢，门阀不遗，考之前后，最为折衷。

魏达奚武遣尚书左丞柳带韦[309]入南郑，说宜丰侯循曰："足下所固者险，所恃者援，所保者民。今王旅深入，所凭之险不足固也；白马破走，酋豪[310]不进，所望之援不可恃也；长围四合，所部之民不可保也。且足下本朝丧乱，社稷无主，欲谁为为忠乎？岂若转祸为福，使庆流子孙邪？"循乃请降。带韦，庆之子也。开府仪同三司贺兰德愿闻城中食尽，请攻之，大都督赫连达曰："不战而获城，策之上者，岂可利其子女，贪其货财，而不爱民命乎？且观其士马犹强，城池尚固，攻之纵克，必[20]彼此俱伤，如困兽犹斗，则成败未可知也。"武曰："公言是也。"乃受循降，获男女二万口而还，于是剑北皆入于魏。

六月丁未[311]，齐主还邺。乙卯[312]，复如晋阳。

庚寅[313]，立安南侯方矩为王太子。

齐遣散骑常侍谢季卿来贺平侯景。

衡州刺史王怀明[314]作乱，广州刺史萧勃讨平之。

齐政烦赋重，江北之民不乐属齐，其豪杰数请兵于王僧辩，僧辩以与齐通好，皆不许。秋，七月，广陵侨人[315]朱盛等潜聚党数千人，谋袭杀齐刺史温仲邕，遣使求援于陈霸先，云已克其外城。霸先使告僧辩，僧辩曰："人之情伪，未易可测，若审[316]克外城，亟须应援；如其不尔，无烦进军。"使未报，霸先已济江，僧辩乃命武州刺史杜崱等助之。会盛等谋泄，霸先因进军围广陵。

八月，魏安康[317]人黄众宝反，攻魏兴，执太守柳桧[318]，进围东梁州[319]。令桧诱说城中，桧不从而死。桧，虬之弟也。太师泰遣王雄与骠骑大将军武川宇文虬[320]讨之。

元建在士林大战，大败北齐军队，斩首一万余级，俘虏一千多人。郭元建收拾残兵向北逃跑，南军因与北齐交好，没有穷追。

辛术升迁为北齐吏部尚书。自从东魏迁都邺城以来，吏部尚书的职位，知名的已有好几个人，各有得失：北齐世宗高澄少年有为，志气高远，不足之处是粗疏；袁叔德沉稳严密，谨慎敦厚，不足之处是琐细；杨愔风流倜傥，口齿伶俐，不足之处是取士浮华。只有辛术生性崇尚正直贤明，取士一定要求有才能器局，循名责实，新人与旧臣兼用，管库房的小吏，有才一定提拔，门阀世族也不遗漏。考校前后几任吏部尚书，辛术最为公正。

西魏达奚武派尚书左丞柳带韦进入南郑，劝宜丰侯萧循说："足下固守，所依靠的是险要地势，所依仗的是援军，所依恃的是民众。如今我们王道之师已经深入，你依靠的险要地势不足固守。在白马战败逃走，豪酋杨乾运不能前来，你盼望的援军不能依赖了。城池已被四面围攻住，你管辖区的民众不能依靠了。再说足下所处的朝廷遭遇丧乱，国家无主，你想替谁效忠呢？哪比得上转祸为福，使子孙后代受惠呢？"萧循于是请求投降。柳带韦，是柳庆的儿子。开府仪同三司贺兰德愿听说城中粮尽，请求攻城，大都督赫连达说："不战而得城，这是上策，怎么能掠人子女，贪其财物，而不爱惜民众生命呢？再说看来对方兵马仍然强盛，城池仍然坚固，进攻即使能够破城，两方必定都要伤亡，如果城内困兽犹斗，那么胜败还很难说。"达奚武说："你的话很对。"于是接受萧循投降，俘获男女二万人返回。这一来，剑阁以北土地都归入了西魏。

六月十一日丁未，北齐国主高洋回到邺城。十九日乙卯，高洋又往晋阳。

庚寅日，湘东王萧绎立安南侯萧方矩为王太子。

北齐派散骑常侍谢季卿出使江陵，祝贺平定侯景。

衡州刺史王怀明叛乱，广州刺史萧勃讨平了王怀明。

北齐政令繁多，赋税苛重，江北的平民不愿意归属北齐，当地豪杰多次请求王僧辩出兵，王僧辩因为与北齐通好，一直没有答应。秋，七月，广陵侨民朱盛等暗中聚集了同党数千人，谋划偷袭杀掉北齐刺史温仲邕，派使者向陈霸先求援，说已经攻破了广陵城外城。陈霸先派人通报王僧辩，王僧辩说："人心真伪，不容易看透，如果确实攻破了外城，就应尽快救援；如果不是这样，就别劳师动众了。"使者还未回来报告，陈霸先已经渡江，王僧辩就命令武州刺史杜崱等援助他。恰逢朱盛等人的计谋泄露，陈霸先就借机进兵包围广陵。

八月，西魏安康人黄众宝反叛，攻打魏兴郡，活捉了太守柳桧，乘胜进兵包围东梁州，让柳桧劝说城中人投降，柳桧不听从，被杀死。柳桧，是柳虬的弟弟。太师宇文泰派王雄与骠骑大将军武川人宇文虬讨伐黄众宝。

武陵王纪举兵由外水[321]东下，以永丰侯㧑为益州刺史，守成都，使其子宜都王圆肃副之。

九月甲戌[322]，司空南平王恪卒。甲申[323]，以王僧辩为扬州刺史。

齐主使告王僧辩、陈霸先曰："请释广陵之围，必归广陵、历阳两城。"霸先引兵还京口，江北之民从霸先济江者万余口。湘东王以霸先为征北大将军、开府仪同三司、南徐州刺史，征霸先世子昌[324]及兄子顼[325]诣江陵，以昌为员外[21]散骑常侍，顼为领直[326]。

宜丰侯循之降魏也，丞相泰许其南还，久而未遣，从容问刘璠曰："我于古谁比？"对曰："璠常以公为汤、武，今日所见，曾桓、文之不如。"泰曰："我安敢比汤、武，庶几望伊、周，何至不如桓、文？"对曰："齐桓存三亡国[327]，晋文[22]不失信于伐原[328]。"语未竟，泰抚掌曰："我解尔意，欲激我耳。"乃谓循曰："王欲之荆，为之益？"循请还江陵，泰厚礼遣之。循以文武千家自随，湘东王疑之，遣使觇察[329]，相望于道[330]。始至之夕，命劫窃其财，及旦，循启输马仗，王乃安之，引入，对泣。以循为侍中、骠骑将军、开府仪同三司。

冬，十月，齐主自晋阳如离石[331]，自黄栌岭[332]起长城[333]，北至社平戍[334]，四百余里，置三十六戍。

戊申[335]，湘东王执湘州刺史王琳于殿中，杀其副将殷晏。琳本会稽兵家，其姊妹皆入王宫，故琳少在王左右。琳好勇，王以为将帅。琳倾身下士，所得赏赐，不以入家。麾下万人，多江、淮群盗，从王僧辩平侯景，与杜龛功居第一。在建康，恃宠纵暴，僧辩不能禁。僧辩以宫殿之烧[336]，恐得罪，欲以琳塞责，乃密启王，请诛琳。王以琳为湘州，琳自疑及祸，使长史陆纳帅部曲赴湘州，身诣江陵陈谢，谓纳等曰："吾若不返，子将安之？"咸曰："请死之。"相泣而别。至江陵，王下琳吏。

辛酉[337]，以王子方略为湘州刺史，又以廷尉黄罗汉[338]为长史，使与太舟卿张载至巴陵，先据琳军。载有宠于王，而御下峻刻，荆州人

武陵王萧纪率军从外水沿江东下，任命永丰侯萧㧑为益州刺史，镇守成都，派自己的儿子宜都王萧圆肃为萧㧑的副手。

九月初九日甲戌，司空南平王萧恪去世。十九日甲申，湘东王萧绎任命王僧辩为扬州刺史。

北齐国主高洋派使者通告王僧辩、陈霸先，说："请解除对广陵的包围，一定归还广陵、历阳两座城。"陈霸先率军返回京口，江北民众随从陈霸先渡江的有一万余人。湘东王萧绎任命陈霸先为征北大将军、开府仪同三司、南徐州刺史，征调陈霸先世子陈昌和他哥哥的儿子陈顼到江陵，任命陈昌为员外散骑常侍，陈顼为领直。

宜丰侯萧循投降西魏时，丞相宇文泰许诺他回南朝，拖延很久仍没有放他走。宇文泰从容地问刘璠说："我和古代哪个人类似？"刘璠回答说："我常把你看作商汤、周武王，今天看到的你，竟然不如齐桓公、晋文公。"宇文泰说："我哪敢比商汤、周武王，或许和伊尹、周公差不多吧，何至于连齐桓公、晋文公都不如呢？"刘璠回答说："齐桓公保存了鲁、卫、邢三个快要灭亡的国家，晋文公在攻打原国问题上不失信。"话还没有说完，宇文泰拍着手说："我知道你的心意，想激我罢了。"便对萧循说："萧王，你想去荆州，还是去益州？"萧循请求回江陵，宇文泰赠厚礼，打发他上路。萧循带了文武一千多家跟随自己，湘东王疑心他，派使者暗中观察，路上一个接一个。萧循到达江陵的当天夜晚，萧绎派人劫掠了萧循的财物，等到天一亮，萧循上书献出兵器马匹，湘东王萧绎才放下心来，引他入内，相对而泣。任命萧循为侍中、骠骑将军、开府仪同三司。

冬，十月，北齐国主高洋从晋阳往离石，从黄栌岭起修筑长城，向北到达社平戍，四百余里长，设置了三十六个防守据点。

十月十四日戊申，湘东王萧绎在宫殿中抓捕了湘州刺史王琳，杀了他的副将殷晏。王琳出身会稽拥兵之家，他的姐妹都被选入湘东王宫中，因此王琳从小在湘东王左右。王琳勇武好斗，湘东王萧绎用他做了将帅。王琳礼贤下士，得到的赏赐从不拿回家。部属一万人，大多是江、淮一带的一帮强盗。王琳跟随王僧辩平定侯景，与杜龛两人功劳并列第一。王琳在建康，仗恃自己受到湘东王的宠爱而恣纵残暴，王僧辩不能禁止。王僧辩因为宫殿失火，害怕获罪，想用王琳搪塞责任，就秘密启奏湘东王，请求诛杀王琳。湘东王任命王琳为湘州刺史，王琳自己也疑心会有灾祸，派长史陆纳率领部属去湘州，自己则往江陵解释请罪，并对陆纳等人说："我如果回不来，你们将到哪里去？"都说："愿为你而死。"互相流泪而别。王琳到了江陵，湘东王萧绎把他逮捕下狱。

十月二十七日辛酉，湘东王萧绎任命王子萧方略为湘州刺史，又任命廷尉黄罗汉为长史，派他与太舟卿张载一同去巴陵，先控制王琳的军队。张载得到湘东王的宠信，而管理下属严厉苛刻，荆州人痛恨他如同仇敌。黄罗汉等人到了王琳军中，

疾之如仇。罗汉等至琳军，陆纳及士卒并哭，不肯受命，执罗汉及载。王遣宦者陈旻往谕之，纳对旻刳载腹，抽肠以系马足，使绕而走，肠尽气绝。又脔割，出其心，向之抃舞㉝⑨，焚其余骨。以黄罗汉清谨而免之。纳与诸将引兵袭湘州，时州中无主，纳遂据之。

公卿藩镇数劝进于湘东王，十一月丙子[340]，世祖即皇帝位于江陵，改元[341]，大赦。是日，帝不升正殿，公卿陪列而已。

丁丑[342]，以宜丰侯循为湘州刺史。

己卯[343]，立王太子方矩为皇太子，更名元良。皇子方智为晋安王，方略为始安王，方等之子庄[344]为永嘉王。追尊母阮修容[345]为文宣皇后。

侯景之乱，州郡太半入魏，自巴陵以下至建康，以长江为限，荆州界北尽武宁[346]，西拒硖口[347]，岭南复为萧勃所据，诏令所行，千里而近，民户著[23]籍者[348]，不盈三万而已。

陆纳袭击衡州刺史丁道贵于渌口[349]，破之。道贵奔零陵[350]，其众悉降于纳。上闻之，遣使征司徒王僧辩、右卫将军杜崱、平北将军裴之横与宜丰侯循共讨纳，循军巴陵以待之。侯景之乱，零陵人李洪雅据其郡，上即以为营州刺史。洪雅请讨陆纳，上许之。丁道贵收余众与之俱。纳遣其将吴藏袭击，破之，洪雅等退保空云城[351]，藏引兵围之。顷之，纳请降，求送妻子[352]，上遣陈旻至纳所，纳众皆泣，曰："王郎[353]被囚，故我曹逃罪于湘州，非有他志也。"乃出妻子付旻。旻至巴陵，循曰："此诈也，必将袭我。"乃密为之备。纳果夜以轻兵继旻后，约至城下鼓噪。十二月壬午[354]晨，去巴陵十里，众谓已至，即鼓噪，军中皆惊。循坐胡床，于垒门望之，纳乘水来攻，矢下如雨，循方食甘蔗，略无惧色，徐部分将士击之，获其一舰。纳退保长沙。

壬午[355]，齐主还邺。戊午[356]，复如晋阳。

陆纳和士兵们一起大哭，不肯接受命令，抓了黄罗汉和张载。湘东王萧绎派宦官陈旻前去开导他们，陆纳当着陈旻的面把张载的肚子剖开，抽出肠子系在马脚上，使马绕着跑，直到抽完肠子，张载才断气。又用刀割张载的肉，挖出心脏，对着陈旻拍手跳舞，再烧掉剩下的骨头。因为黄罗汉为人清廉谨慎，得免一死。陆纳与诸将带兵袭击湘州，当时湘州城中无主，陆纳于是占领了州城。

公卿藩镇多次上书劝湘东王萧绎登上帝位。十一月十二日丙子，梁世祖萧绎在江陵即皇帝位，改年号为承圣，大赦天下。这一天，皇上不登正殿，公卿只是陪同在左右而已。

十一月十三日丁丑，梁元帝任命宜丰侯萧循为湘州刺史。

十一月十五日己卯，册立王太子萧方矩为皇太子，改名元良。封皇子萧方智为晋安王，萧方略为始安王，萧方等的儿子萧庄为永嘉王。梁元帝追尊母亲阮修容为文宣皇后。

侯景叛乱，梁朝州郡大半归入西魏，从巴陵以下到建康，以长江为界，荆州地界北面止于武宁，西面到三峡之口，岭南又被萧勃占据，梁元帝诏令到达的地方，不过千里以内，登记的民户，不到三万户罢了。

陆纳在渌口袭击衡州刺史丁道贵，打败了丁道贵，丁道贵逃奔零陵，他的部众都投降了陆纳。孝元帝听到消息，派遣使者征召司徒王僧辩、右卫将军杜崱、平北将军裴之横与宜丰侯萧循共同讨伐陆纳。萧循驻军巴陵，等待他们。侯景叛乱时，零陵人李洪雅占据郡城，梁元帝也就任命李洪雅为营州刺史。李洪雅请求征讨陆纳，孝元帝同意了。丁道贵搜集散兵，与李洪雅一起出发。陆纳派将领吴藏袭击，打败了李洪雅，李洪雅等退守空云城，吴藏率兵围城。不久，陆纳请求投降，乞求送妻儿为人质。孝元帝派陈旻到陆纳驻地，陆纳部众都哭泣，说："王将军被囚禁，所以我们逃到湘州避难，没有别的野心。"于是送出妻儿，交给了陈旻。陈旻到了巴陵，萧循说："这是诈降，陆纳一定来偷袭我。"于是秘密部署了防御。陆纳果然在夜晚用轻兵紧跟在陈旻后面，约定到了巴陵城下就击鼓呐喊。十二月壬午日早晨，离巴陵十里，大家认为已到城下，就击鼓呐喊，萧循军中都惊恐。萧循坐在胡床上，从垒门向外瞭望，看到陆纳从水路来进攻，箭下如雨，萧循正在吃甘蔗，没有一点害怕的神色，慢慢部署将士反击对方，缴获了他们的一艘战船。陆纳退守长沙。

壬午日，北齐国主高洋返回邺城。十二月二十五日戊午，高洋又往晋阳。

【段旨】

以上为第三段，写北齐国主高洋经略北方，南面与梁修好。湘东王萧绎在战乱初平后即皇帝位，刚愎自用，外失汉中地于西魏，内激陆纳反叛于湘州。

【注释】

㉚严超达：《梁书》卷四十六《杜崱传》作“严超远”。㉛徐度（公元五〇九至五六八年）：字孝节，安陆人，梁元帝时任合州刺史，封广德县侯，迁散骑常侍。入陈，以平王琳功，封湘东郡公。废帝时，进位司空。传见《陈书》卷十二、《南史》卷六十七。㉜士林：地名，在今江苏南京市六合区。㉝大选：指吏部尚书。南北朝时，别称吏部尚书为“大选”，尚书吏部侍郎为“小选”。㉞齐世宗：高澄，兴和二年（公元五四〇年），摄吏部尚书。㉟袁叔德：即袁聿修（公元五一一至五八二年），字叔德，陈郡阳夏（今河南太康）人，北齐武平初年，兼吏部尚书，任职尚书十年，在任清廉，号称“清郎”。传见《魏书》卷八十五、《北齐书》卷四十二、《北史》卷四十七。㊱杨愔：东魏武定末年，任吏部尚书，至北齐乾明元年（公元五六〇年）被杀，一直典选。㊲贞明：正直贤明。㊳管库：管理库藏的小官。㊴柳带韦（公元五二三至五七七年）：字孝孙，柳庆之子。北周时官至上开府仪同大将军，封唐城县公。传见《周书》卷二十二、《北史》卷六十四。㊵酋豪：指杨乾运。㊶丁未：六月十一日。㊷乙卯：六月十九日。㊸庚寅：六月丁酉朔，无庚寅。㊹王怀明：此前曾任成州刺史，随陈霸先讨平侯景。㊺侨人：侨居于异乡的人。㊻审：确定。㊼安康：郡名，郡治在今陕西汉阴，梁置，时已属西魏。㊽柳桧（？至公元五五二年）：字季华，解（今山西解县）人，西魏大统年间，曾守鄯州，屡败吐谷浑。后随王雄夺取上津、魏兴二郡，于是留守于此。传见《周书》卷四十六、《北史》卷六十四。㊾东梁州：州名，西魏置，治所西城，在今陕西安康西北。㊿宇文虬：字乐仁，武川（今内蒙古武川西北）人，魏时封南安县侯，一度随独孤信投奔梁朝。大统三年（公元五三七年），归西魏，晋爵为公。传见《周书》卷二十九、《北史》卷六十六。㉑外水：指岷江。㉒甲戌：九月初九日。㉓甲申：九月十九日。㉔世子昌：陈昌（公元五三七至五六〇年），字敬业，陈霸先第六子，长城县侯世子，并任吴兴太守。西魏攻陷江陵，带往关中。王琳平定后，北周放回陈昌，渡江时翻船而死。传见《陈书》卷十四、《南史》卷六十五。㉕顼：陈顼（公元五三〇至五八二年），字绍世，小字师利，即陈宣帝，公元五六九至五八二年在位。事详《陈书》卷五、《南史》卷十。㉖领直：官名，梁置，宫中有六厢领直，掌领值班宿卫军士，即此官。㉗齐桓存三亡国：春秋初一度灭亡的鲁、卫、邢三国，都在齐桓公的帮助下复国。见《左传》僖公十九年及杜预注。㉘晋文不失信于伐原：晋文公攻打原国，命令带三日口粮，三日之内，原国不投降就撤回。期限到了之后，原国已准备投降，晋军将领也请求再等几天，但文公仍下令撤

军，于是原国心悦诚服地归降。事详《左传》僖公二十五年。㉙觇察：窥探。㉚相望于道：一个接一个地奔走于路上。㉛离石：县名，县治在今山西吕梁市离石区。㉜黄栌岭：山名，在今山西汾阳西北，和离石接壤，岭西是乌突戍。㉝长城：北齐长城，用以防御西魏。㉞社平戍：戍所名，在今山西五寨北。㉟戊申：十月十四日。㊱宫殿之烧：指夺回建康后，军士因抢劫焚烧太极殿和东、西堂事。㊲辛酉：十月二十七日。㊳黄罗汉：曾兼任中书舍人。㊴抃舞：拍手跳舞。㊵丙子：十一月十二日。㊶改元：改年号为承圣。㊷丁丑：十一月十三日。㊸己卯：十一月十五日。㊹庄：萧庄（公元五四八至五七七年），江陵失陷，入北齐为人质。陈朝建立，被北齐立为梁主，称帝于郢州。北齐灭，忧愤而死。传见《南史》卷五十四。㊺阮修容：即阮令嬴（公元四七四至五四〇年），本姓石，会稽余姚人，初为南齐始安王萧遥光妃，后没入宫中。梁朝初，为彩女。生元帝后，拜为修容，是九大嫔妃之一。传见《梁书》卷七、《南史》卷十二。㊻北尽武宁：武宁以北梁地为萧詧所统辖。㊼西拒硖口：峡口以西地由萧纪所控制。硖，通"峡"。㊽著籍者：登记的户籍。㊾渌口：戍所名，在今湖南醴陵西。㊿零陵：郡名，治所泉陵，在今湖南永州。(351)空云城：城名，在今湖南湘潭北。胡三省注认为是"空灵城"之误。因该城靠近湘江的空灵滩。(352)求送妻子：请求允许送妻和子为人质，表示归降的诚意。(353)王郎：指王琳。(354)壬午：十二月甲午朔，无壬午。《梁书·元帝纪》作"壬子"，是十二月十九日。(355)壬午："壬子"之误。《北齐书·文宣纪》作"壬子"。(356)戊午：十二月二十五日。

【校记】

［19］来：原作"后"。据章钰校，十二行本、乙十一行本、孔天胤本皆作"来"，今据改。［20］必：原作"则"。据章钰校，十二行本、乙十一行本、孔天胤本皆作"必"，今据改。［21］员外：原无此二字。据章钰校，十二行本、乙十一行本、孔天胤本皆有此二字，张敦仁《通鉴刊本识误》同，今据补。〖按〗《通鉴纪事本末》卷二四有此二字。［22］晋文：原作"晋文公"。据章钰校，十二行本、乙十一行本、孔天胤本皆无"公"字，今据删。［23］著：原无此字。据章钰校，十二行本、乙十一行本、孔天胤本皆有此字，今据补。

【研析】

公元五五一至五五二年，《通鉴》所记诸事，侯景的覆灭与陈霸先的兴起，值得特别关注。前一事的过程，本卷中有详细交代，而关于后一事的文字较少，间杂于各种事件之中，易于被读者忽视。下面就侯景覆灭的原因以及陈霸先兴起的意义，予以深入的分析。

侯景败灭，政治与军事上的失策是其重要原因。

侯景攻占建康，先是维持梁武帝的皇位，后又立太子萧纲为帝，尽管不能有效行使号令于梁境各地，但毕竟享有名义上的合法性，并曾以一纸诏书斥退梁各路援军。东晋南朝，所重者为荆、扬二州，如《宋书》卷六十六《何尚之传》所说："荆、扬二州，户口半天下，江左以来，扬州根本，委荆以阃外。"对于侯景来说，如能切实尊重萧梁法统，以军事与政治两手，协调与江东大族的关系，稳定地控制"三吴"即今江浙地区财源之地，坐观梁上游方镇自相残杀，并不时以朝廷的名义，拉拢中上游势力，渐以图之，南方的历史进程，必将是另一种面貌。

侯景在错误地控制建康之后，在仍未实际控制三吴的情况下，派任约等率本自不多的军队，向长江中游军镇展开攻击行动，既师出无名，又分兵势弱。而要进攻中游，必须依靠强大的水军。北镇军人来自草原，习于平原长驱，水战非其强项，这正是东晋南朝能长期立国的军事原因。侯景军西进，占据郢城，威胁荆州，迫使萧绎在与兄弟子侄鏖兵之际，分兵应敌。萧绎令胡僧祐赴援巴丘，戒之曰："贼若水战，但以大舰临之，必克。若欲步战，自可鼓棹直就巴丘，不须交锋也。"亦即强调用己之长，克敌之短。巴丘一战，"约兵大溃，杀溺死者甚众"，主将任约被俘，荆州军趁机东下。郢城一战，王僧辩又利用其水军，俘获侯景将宋子仙。

侯景困兽犹斗，废梁帝而建汉，完全丧失了统治的合法性，萧绎遂命诸军向建康进发。《梁书》卷四十五《王僧辩传》载陈霸先所拟与王僧辩出军盟誓之辞说："贼臣侯景，凶羯小胡，逆天无状，构造奸恶，违背我恩义，破掠我国家，毒害我生民，移毁我社庙"，又称"皇枝涘抱已上，缌功以还，穷刀极俎，既屠且鲙。岂有率土之滨，谓为王臣，食人之禾，饮人之水，忍闻此痛，而不悼心"？表示盟军将"沥胆抽肠，共诛奸逆，雪天地之痛，报君父之仇"。诛杀萧纲及在建康的皇室子孙，侯景这一毫无意义的最后疯狂，反倒激起了盟军同仇敌忾之气，在侯景最初围攻台城时，我们根本看不到梁朝各路援军有这种同心同德的气势。

盟军进至芜湖，侯景先是命守将侯子鉴"西人善水战，勿与争锋"，"但结营岸上，引船入浦以待之"。当盟军停军待机十余日后，侯景又命侯子鉴"为水战之备"。盟军成功诱使侯景军于大江中合战，结果不言自明。可笑的是，习于骑射的侯景，在逃亡途中，竟亦不得不弃其所长，入于孤舟之中，一世枭雄落得任人宰割的下场。

侯景覆灭，表面上看是政治、军事失策所致，而更深层次的原因，则是以其为代表的北镇武人缺乏文化底蕴所致。

侯景初占台城，见梁武帝后对人说："吾常跨鞍对陈，矢刃交下，而意气安缓，了无怖心。今见萧公，使人自慑，岂非天威难犯？吾不可以再见之。"此时的梁武帝萧衍，足以震慑侯景的"天威"，无疑是其深厚的文化底蕴所支撑的镇静从容中所体现的内心强大。侯景要做"宇宙大将军"，萧纲惊言："将军乃有宇宙之号乎？"所惊亦当是侯景之无文妄行。即其称帝建汉，理应立天子七庙，享用庙祭，而他只记得父亲名讳，竟不知立庙祭祀的意义，称："且彼在朔州，那得来啖此?"引来众人嘲笑。他以为当皇帝会更为快活，及入禁中，不得轻易出行，便"郁郁不乐，更成失志"，其部将因不能如昔日尊卑无分，也"多怨望"。毫无文化修养的侯景，可以是一个好战将，而无论是做丞相，还是做皇帝，确实勉为其难。他只得一切听从陈留人王伟的安排，最后认为自己受到王伟的愚弄，也就可以理解了。

在平侯景的军事行动中，陈霸先积极推动，且战功、谋略均可称述，奠定了随后创立陈朝的基础。关于陈霸先早先事迹，《通鉴》前后分述于数卷之中，致使陈霸先创立功业的时代背景与社会基础不明。下面略予疏解。

《陈书·高祖纪》记录了陈霸先的血缘世系，称其为东汉名士陈寔后人，祖上在永嘉之乱中南迁，居于吴兴长城下若里，地当今浙江长兴县境。《陈书·高祖纪》称他"少俶傥有大志，不治生产。既长，读兵书，多武艺，明达果断，为当时所推服"。无论他是否陈寔后人，在东晋南朝门阀士族高居政治与社会上层的时代，早年做过油库吏的陈霸先，只能算是一个有条件接触到文化知识的寒人。当然，寒人在当时的语境中，指的是他们社会地位不高，并不是说他们缺乏钱财，事实上，南朝寒人多出自商贾，论财富，他们甚至比不少门阀士族更为阔绰。与念念不忘北方传统的门阀士族相比，南朝寒人无论其祖上来自何处，他们在心理上已完全江南本地化了。

寒人在政治上的崛起，是南朝政治的一种极为引人注目的现象。因门阀士族人士逐渐丧失实际的政治军事才干，加上皇权有意压制门阀士族的政治影响力，从刘宋中期开始，寒人在政治上日渐活跃。但他们无论多有权势，仍很难跻身于士族行列。

陈霸先起兵于岭南，这也与时代背景有很大关系。南朝中期，北魏稳定发展，孝文帝迁都洛阳，南方退守秦岭、淮河一线也颇感吃力。东晋以来向北发展的政治目标，转而变成强化对于江南腹地以及岭南地区的管理与控制，而江南腹地及岭南地区也因此加速了华夏化的进程。陈霸先以广州刺史萧映中直兵参军的身份进入岭南，利用其军事才干，多有军功，特别是在率军讨平交州豪族叛乱时，显示出卓越的军事才能。陈霸先在岭南军事活动的成功，使其拥有了一支训练有素的部队，而这支部队的构成，除了与他一样受时代潮流驱使，南下寻找机会的底层寒人外，兵士的主体无疑是不断招募而来的岭南当地人。

正是利用这一支在岭南组建的部队，侯景乱中，陈霸先"集义兵于南海"，攻杀出自"北人"的广州刺史元景仲，拥梁宗室萧勃为刺史，举兵北进。萧勃劝其屯军始兴（今广东韶关），坐观形势，他泣称"今京都覆没，主上蒙尘，君辱臣死，谁敢爱命"。他显得比宗室萧勃更关注建康的沦陷，不计个人得失，这种忠诚体现了南方人对于本地政权的心理皈依。受其感召，始兴豪族"同谋义举"，始兴人侯安都、张偲率千人从军，当其进入江西境内后，"南川豪帅"也纷纷加入。拥有十余万家部属的黎族首领冼夫人也参与陈霸先北进途中平定李迁仕的行动，并“厚资之”，大力支持陈霸先北上。

当陈霸先率岭南军队，合高凉黎族、始兴及赣江流域的豪族武装而达浔阳时，已是“甲士三万人、强弩五千张、舟舰二千乘”的队伍，备有五十万石军粮，拥有与萧绎将王僧辩分庭抗礼、结为同盟的势力。陈霸先的兴起，可以看成南朝寒人在政治上的全面胜利，也是六朝江南腹地与岭南地区社会经济发展以及文化进步的结果。

卷第一百六十五　梁纪二十一

起昭阳作噩（癸酉，公元五五三年），尽阏逢阉茂（甲戌，公元五五四年），凡二年。

【题解】

本卷载述公元五五三年、五五四年两年南北朝史事，当梁元帝承圣二年、三年，西魏废帝二年、三年，北齐文宣帝天保四年、五年。本卷穿插三方记事。北朝西魏扩张，吞巴蜀，破江陵，至是其疆域与北齐等。北齐国主高洋，为政苛酷，庶民多怨；而经略北方，身冒矢石，一个高洋，身兼两重性，既为残虏之主，又有雄主之风。梁元帝萧绎，本卷重心所在，却无一长可称。所述为兄弟相残，覆败亡国，骤兴骤亡之始末。

【原文】

世祖孝元皇帝下

承圣二年（癸酉，公元五五三年）

春，正月，王僧辩发建康，承制使陈霸先代镇扬州。

丙子①，山胡围齐离石。戊寅②，齐主讨之，未至，胡已走，因巡三堆③，大猎而归。

以吏部尚书王褒为左仆射。

己丑④，齐改铸钱⑤，文曰“常平五铢”。

二月庚子⑥，李洪雅力屈，以空云城降陆纳。纳囚洪雅，杀丁道贵。纳以沙门宝志⑦诗谶⑧有“十八子”，以为李氏当王，甲辰⑨，推洪雅为主，号大将军，使乘平肩舆，列鼓吹，纳帅众数千，左右翼从。

魏太师泰去丞相、大行台，为都督中外诸军事。

王雄至东梁州，黄众宝帅众降。太师泰赦之，迁其豪帅于雍州。

【语译】

世祖孝元皇帝下

承圣二年（癸酉，公元五五三年）

春，正月，王僧辩从建康出发，秉承梁元帝的旨意，让陈霸先代为镇守扬州。

正月十三日丙子，山胡人包围北齐离石。十五日戊寅，北齐国主高洋讨伐山胡人，还没到达离石，山胡人已经退走，高洋便巡视三堆，大规模狩猎后返回。

梁朝任命吏部尚书王褒为左仆射。

正月二十六日己丑，北齐改铸新钱，面上文字为“常平五铢”。

二月初七日庚子，李洪雅力竭，献出空云城投降陆纳。陆纳囚禁了李洪雅，杀了丁道贵。陆纳因僧人宝志的谶语诗有“十八子”三个字，认为李氏应当称王。十一日甲辰，陆纳拥戴李洪雅为首领，号称大将军，让他乘坐平肩舆，陈列仪仗鼓吹，陆纳率领数千人，在左右随从护卫。

西魏太师宇文泰辞去丞相、大行台，只担任都督中外诸军事的职务。

西魏王雄到达东梁州后，黄众宝率领部众投降。太师宇文泰赦免了他，但把他手下的豪帅迁移到雍州。

齐主送柔然可汗铁伐之父登注及兄库提还其国。铁伐寻为契丹⑩所杀，国人立登注为可汗。登注复为其大人阿富提所杀，国人立库提。

突厥伊利可汗卒，子科罗⑪立，号乙息记可汗。三月，遣使献马五万于魏。柔然别部又立阿那瓌叔父邓叔子为可汗，乙息记击破邓叔子于沃野⑫北木赖山⑬。乙息记卒，舍其子摄图而立其弟俟斤⑭，号木杆可汗。木杆状貌奇异，性刚勇，多智略，善用兵，邻国畏之。

上闻武陵王纪东下，使方士画版为纪像，亲钉支体以厌之，又执侯景之俘以报纪。初，纪之举兵，皆太子圆照之谋也。圆照时镇巴东，执留使者，启纪云："侯景未平，宜急进讨，已闻荆镇为景所破。"纪信之，趣兵东下。上甚惧，与魏书曰："子纠，亲也，请君讨之⑮。"太师泰曰："取蜀制梁，在兹一举。"诸将咸难之。大将军代人尉迟迥⑯，泰之甥⑰也，独以为可克。泰问以方略，迥曰："蜀与中国隔绝百有余年，恃其险远[1]，不虞我至，若以铁骑兼行袭之，无不克矣。"泰乃遣迥督开府仪同三司原珍等六军⑱，甲士万二千，骑万匹，自散关⑲伐蜀。

陆纳遣其将吴藏、潘乌黑、李贤明等下据车轮⑳。王僧辩至巴陵，宜丰侯循让都督于僧辩，僧辩弗受。上乃以僧辩、循为东、西都督。夏，四月丙申㉑，僧辩军于车轮。

吐谷浑可汗夸吕，虽通使于魏而寇抄不息，宇文泰将骑三万逾陇，至姑臧㉒，讨之。夸吕惧，请服，既而复通使于齐。凉州刺史史宁觇知其还，袭之于赤泉㉓，获其仆射乞伏触状。

陆纳夹岸为城，以拒王僧辩。纳士卒皆百战之余，僧辩惮之，不敢轻进，稍作连城以逼之。纳以僧辩为怯，不设备。五月甲子㉔，僧辩命诸军水陆齐进，急攻之，僧辩亲执旗鼓，宜丰侯循身[2]受矢石，拔其二城，纳众大败，步走，保长沙。乙丑㉕，僧辩进围之。僧辩坐垄㉖上视筑围垒，吴藏、李贤明帅锐卒千人开门突出，蒙楯直进，趋僧辩。时杜崱、杜龛并侍左右，甲士卫者止百余人，力战拒之。僧辩据胡床不动，裴之横从旁击藏等，藏等败退，贤明死，藏脱走入城。

北齐国主高洋遣送柔然可汗铁伐的父亲登注以及登注的哥哥库提回国。铁伐不久被契丹人杀掉，柔然国人拥立登注为可汗。登注又被柔然国大人阿富提杀死，柔然国人就拥立库提为可汗。

突厥伊利可汗去世，他的儿子科罗继立，号称乙息记可汗。三月，派使者向西魏进献五万匹马。柔然另一部落又立阿那瓌叔父邓叔子为可汗，乙息记可汗在沃野北木赖山打败了邓叔子。乙息记可汗死时，没有让自己的儿子摄图继位，而立弟弟俟斤，号称木杆可汗。木杆可汗形貌奇异，性情刚强勇猛，足智多谋，善于用兵，邻国都害怕他。

梁元帝听说武陵王萧纪东下，让方士在木板上画萧纪像，亲自用铁钉在萧纪像的肢体上钉钉子，诅咒他，又抓来侯景的俘虏送给萧纪。当初，萧纪举兵，都是太子萧圆照策划的。萧圆照当时镇守巴东，扣留了萧绎的使者，向萧纪报告说："侯景还没有平定，应当急速进军讨伐，已听到江陵被侯景攻破。"萧纪相信了，便催促军队东下。梁元帝很害怕，给西魏写信说："萧纪好比是春秋时齐国的公子纠，是我的亲族，请你们去讨伐他。"太师宇文泰说："夺取巴蜀，控制梁朝，在此一举。"众将领都认为这次行动很艰难。大将军代郡人尉迟迥是宇文泰的外甥，独自认为可以取胜。宇文泰向他询问用兵策略，尉迟迥说："蜀地人与中原隔绝一百多年了，依仗着他的地势险要偏远，没有预想我军会去攻打，如果用铁骑精兵倍道兼程偷袭他们，没有不成功的。"宇文泰就派尉迟迥督统开府仪同三司原珍等六军，共有甲士一万二千人、战马一万匹，从散关进兵讨伐巴蜀。

陆纳派他的部将吴藏、潘乌黑、李贤明等占据湘江下游的车轮。王僧辩到达巴陵，宜丰侯萧循让王僧辩任大都督，王僧辩不接受。梁元帝于是任命王僧辩、萧循为东、西都督。夏，四月初四日丙申，王僧辩驻军车轮。

吐谷浑可汗夸吕，虽然和西魏互通使者，却不断侵扰西魏边境，宇文泰率领三万骑兵越过陇山，到达姑臧，讨伐吐谷浑。夸吕害怕了，请求臣服，不久又向北齐派使者。凉州刺史史宁探知吐谷浑使者返回，在赤泉袭击使者，俘获了吐谷浑的仆射乞伏触状。

陆纳夹湘江两岸筑城，来抵御王僧辩。陆纳的士兵都是身经百战活下来的，王僧辩畏惧他们，不敢轻率进军，便逐渐连营筑城，压迫对方。陆纳认为王僧辩胆怯，不设防备。五月初三日甲子，王僧辩命令各路人马水陆齐进，急攻陆纳，王僧辩亲自举旗击鼓，宜丰侯萧循也亲自冲锋陷阵，攻占了陆纳的两个城堡。陆纳部众大败，步行逃走，退守长沙。初四日乙丑，王僧辩进兵围攻长沙。王僧辩坐在田埂上注视士兵们修筑围城土山，陆纳的将领吴藏、李贤明率领精锐士兵一千多人打开城门，突然冲出，手执盾牌，直接扑向王僧辩。当时杜崱、杜龛陪坐在王僧辩身旁，警卫士兵只有一百多人，奋力战斗抵挡敌人。王僧辩端坐胡床不动，裴之横从他旁边攻击吴藏等人，吴藏等人败退，李贤明战死，吴藏脱身跑回城中。

武陵王纪至巴郡，闻有魏兵，遣前梁州刺史巴西谯淹还军救蜀。初，杨乾运求为梁州刺史，纪以为潼州[3]；杨法琛求为黎州刺史，以为沙州：二人皆不悦。乾运兄子略㉗说乾运曰："今侯景初平，宜同心戮力，保国宁民，而兄弟寻戈，此自亡之道也。夫木朽不雕，世衰难佐，不如送款关中，可以功名两全。"乾运然之，令略将二千人镇剑阁，又遣其婿乐广㉘镇安州㉙，与法琛皆潜通于魏。魏太师泰密赐乾运铁券，授骠骑大将军、开府仪同三司、梁州刺史。尉迟迥以开府仪同三司侯吕陵始㉚为前军，至剑阁，略退就乐广，翻城应始，始入据安州。甲戌㉛，迥至涪水，乾运以州降。迥分军守之，进袭成都。时成都见兵不满万人，仓库空竭，永丰侯㧑婴城自守，迥围之。谯淹遣江州㉜刺史景欣、幽州㉝刺史赵拔扈㉞援成都，迥使原珍等击走之。

武陵王纪至巴东，闻侯景已平，乃自悔，召太子圆照责之，对曰："侯景虽平，江陵未服。"纪亦以既称尊号，不可复为人下，欲遂东进。将卒日夜思归，其江州刺史王开业以为宜还救根本，更思后图，诸将皆以为然。圆照及刘孝胜固言不可，纪从之，宣言于众曰："敢谏者死！"己丑㉟，纪至西陵，军势甚盛，舳舻翳川㊱。护军陆法和筑二城于峡口两岸，运石填江，铁锁断之。

帝拔㊲任约于狱，以为晋安王㊳司马，使助法和拒纪，谓之曰："汝罪不容诛，我不杀汝[4]，本为今日。"因撤禁兵以配之，仍许妻以庐陵王续之女，使宣猛将军刘棻㊴与之俱。

庚辰㊵，巴州刺史余孝顷将兵万人，会王僧辩于长沙。

豫章太守观宁侯永㊶，昏而少断㊷，左右武蛮奴㊸用事，军主文重疾之。永将兵讨陆纳，至宫亭湖㊹，重杀蛮奴，永军溃，奔江陵。重将其众奔开建侯蕃㊺，蕃杀之而有其众。

六月壬辰㊻，武陵王纪筑连城，攻绝铁锁，陆法和告急相继。上复拔谢答仁于狱，以为步兵校尉㊼，配兵使助法和。又遣使送王琳，令说谕陆纳。乙未㊽，琳至长沙，僧辩使送示之，纳众悉拜且泣，使谓僧辩曰："朝廷若赦王郎，乞听㊾入城。"僧辩不许，复送江陵。陆法和求救不已，上欲召长沙兵，恐失陆纳，乃复遣琳，许其入城。琳既入，纳遂降，湘州平。上复琳官爵，使将兵西援峡口。

武陵王萧纪到达巴郡，听到西魏进兵，派前梁州刺史巴西人谯淹回军救蜀。当初，杨乾运请求为梁州刺史，萧纪任命他为潼州刺史；杨法琛请求为黎州刺史，萧纪任命他为沙州刺史，两人都不满意。杨乾运哥哥的儿子杨略劝杨乾运说："如今侯景刚刚平定，应当同心合力，保卫国家，安定黎民，而兄弟之间却互相残杀，这是自取灭亡的道路。木头朽了不可以雕饰，世道衰微难以辅佐，不如归附西魏，可以功名两全。"杨乾运认为说得对，便命令杨略领兵两千镇守剑阁，又派他的女婿乐广镇守安州，与杨法琛两人都暗自与西魏联络。西魏太师宇文泰秘密赐给杨乾运铁券，授予骠骑大将军、开府仪同三司、梁州刺史。尉迟迥命令开府仪同三司侯吕陵始为先锋，到达剑阁，杨略退军到乐广，出城接应侯吕陵始，侯吕陵始入城占据了安州。五月十三日甲戌，尉迟迥到达涪水，杨乾运献出州城投降。尉迟迥分兵守城，进军袭击成都。当时成都现有的全部兵力不足万人，仓库空虚，永丰侯萧㧑环城自守，尉迟迥包围了成都。谯淹派江州刺史景欣、幽州刺史赵拔扈援救成都，尉迟迥派原珍等人打跑了景欣等。

武陵王萧纪抵达巴东，听到侯景已经平定，于是后悔，召见太子萧圆照斥责他，太子回答："侯景虽然平定，但江陵没有顺服。"萧纪也认为已经称帝，不可再居于人下，想继续东进。部下将士日夜想回到成都。江州刺史王开业认为应当还军救援成都，保住根本，再考虑以后进取，众将领都认为这是对的。萧圆照和刘孝胜坚持说不能退军，萧纪听从了，对部众宣告说："敢谏阻进军的就处死！"五月二十八日己丑，萧纪到达西陵，军队气势旺盛，战船遮蔽了江面。湘东王护军将军陆法和在峡口两岸各筑一城，运石填江，用铁链隔断江面。

梁元帝从监狱中放出任约，任命他为晋安王司马，派他援助陆法和抵抗萧纪，对任约说："你的罪行不能宽容，我不杀你，就是为了今天用你。"于是把宫卫禁军撤出交给任约，还承诺把庐陵王萧续的女儿嫁给他为妻，派宣猛将军刘棻与他在一起。

五月十九日庚辰，巴州刺史余孝顷领兵一万，在长沙与王僧辩会师。

豫章太守观宁侯萧永，糊涂又缺乏决断力，身边的武蛮奴当权，军主文重痛恨武蛮奴。萧永领兵讨伐陆纳，到达宫亭湖，文重杀了武蛮奴，萧永的军队溃散，萧永逃奔江陵。文重率领他的部众投奔开建侯萧蕃，萧蕃杀了文重，收编了他的部众。

六月初一日壬辰，武陵王萧纪修筑连城，攻断铁索，陆法和接连不断地告急。梁元帝又从狱中放出谢答仁，任命他为步兵校尉，配给他军队，让他援助陆法和。又派使者送王琳到长沙，让他劝降陆纳。初四日乙未，王琳到长沙，王僧辩派人送王琳到城下让城中人看，陆纳和部众都向王琳跪拜并哭泣。陆纳派人对王僧辩说："朝廷如果赦免王郎，就恳求让他进城。"王僧辩不同意，又把王琳送回江陵。陆法和求救不止，梁元帝想召回长沙的军队，又怕陆纳逃走，于是再次送王琳到长沙，允许他进城。王琳进城后，陆纳便投降了，湘州平定。梁元帝恢复王琳官职，让他带兵西援峡口。

甲辰[50]，齐章武景王库狄干卒。

武陵王纪遣将军侯叡将众七千，筑垒与陆法和相拒。上遣使与纪书，许其还蜀，专制一方，纪不从，报书如家人礼[51]。陆纳既平，湘州诸军相继西上，上复与纪书曰："吾年为一日之长，属[52]有平乱之功，膺此乐推[53]，事归当璧[54]。傥遣使乎，良所迟也。如曰不然，于此投笔。友于兄弟，分形共气[55]，兄肥弟瘦[56]，无复相见之期，让枣推梨[57]，永罢欢愉之日。心乎爱矣[58]，书不尽言。"纪顿兵日久，频战不利，又闻魏寇深入，成都孤危，忧懑不知所为。乃遣其度支尚书乐奉业[59]诣江陵求和，请依前旨还蜀。奉业知纪必败，启上曰："蜀军乏粮，士卒多死，危亡可待。"上遂不许其和。

纪以黄金一斤为饼，饼百为簉，至有百簉，银五倍于金，锦罽、缯彩称是[60]，每战，悬示将士，不以为赏。宁州刺史陈智祖请散之以募勇士，弗听，智祖哭而死。有请事者，纪辞[5]疾不见，由是将卒解体。

秋，七月辛未[61]，巴东民苻升等斩峡口城主公孙晃，降于王琳。谢答仁、任约进攻侯叡，破之，拔其三垒。于是两岸十四城俱降。纪不获退[62]，顺流东下，游击将军[63]南阳[6]樊猛[64]追击之，纪众大溃，赴水死者八千余人，猛围而守之。上密敕猛曰："生还，不成功也。"猛引兵至纪所，纪在舟中绕床而走，以金囊掷猛曰："以此雇卿，送我一见七官。"猛曰："天子何由可见？杀足下，金将安之？"遂斩纪及其幼子圆满。陆法和收太子圆照兄弟三人，送江陵。上绝纪属籍，赐姓饕餮氏[65]。下刘孝胜狱，已而释之。上使谓江安侯圆正曰："西军已败，汝父不知存亡。"意欲使其自裁。圆正闻之号哭，称世子不绝声[66]。上频使觇之，知不能死，移送廷尉狱，见圆照，曰："兄何乃乱人骨肉，使痛酷如此？"圆照唯云计误。上并命绝食于狱，至啮臂啖之，十三日而死，远近闻而悲之。

乙未[67]，王僧辩还江陵。诏诸军各还所镇。

六月十三日甲辰，北齐章武景王库狄干去世。

武陵王萧纪派将军侯叡领兵七千，修筑营垒与陆法和对抗。梁元帝派使者送信给萧纪，许诺他回到巴蜀，专制一方，萧纪不听从，以兄弟之间的礼节给梁元帝回信。陆纳被平定后，在湘州的各路军队相继西上，梁元帝再次写信给萧纪说："我年龄比你大点，恰巧又有平定侯景之乱的功劳，因此顺应群臣的推举，继承了帝位，顺理成章。如果派使者与你商量，实在是来不及。如果你不相信，从此搁笔，断绝关系。兄弟之间本应友爱，形体虽分而气血相通，如果刀兵相见，那么兄弟之间像汉代赵孝、赵礼'兄肥弟瘦'那样的情谊就彻底断绝，不可能相见了。像汉代孔融与兄弟们让枣推梨那样的友爱欢乐，就一去不复返了。兄弟之爱在我心中，不是一封信所能表达完的。"萧纪屯兵日久，屡战不利，又听到西魏兵已经深入，成都孤立危急，忧愁气愤不知道怎么办才好。于是派出他的度支尚书乐奉业到江陵求和，请求按照前一封信说的让他回到巴蜀。乐奉业知道萧纪一定会失败，上表梁元帝说："蜀军缺粮，士兵死亡很多，败亡日子随时到来。"梁元帝于是不同意萧纪求和。

萧纪用一斤黄金做成一个饼，一百个金饼装一箱，共有一百箱，银子五倍于金饼，锦缎、缯彩价值与金饼、银饼相当。每次战斗，都把这些东西摆出来给战士们看，可是不用来作奖赏。宁州刺史陈智祖请求拿出来招募勇士，萧纪不听，陈智祖痛哭而死。部下有事求见，萧纪假托生病不见，因此将士涣散瓦解。

秋，七月十一日辛未，巴东豪民苻升等杀了峡口城守将公孙晃，投降了王琳。谢答仁、任约进兵攻击侯叡，打败了侯叡，夺取了三座军垒，于是两岸蜀军的十四座军垒全部投降。萧纪没有了退路，顺流东下，游击将军南阳人樊猛追击他，萧纪的部众崩溃，投水而死的有八千多人，樊猛把萧纪包围后软禁他。梁元帝密令樊猛说："如果萧纪活着来见我，你就没有功劳。"樊猛带兵攻上萧纪的船只，萧纪在船上绕着床躲避，他把金囊投向樊猛，说："拿这些金银雇请你，送我去和七官兄长见一面。"樊猛说："天子你怎么能见到？杀了你，金银还能跑哪里去？"于是杀了萧纪和他的小儿子萧圆满。陆法和抓获了太子萧圆照兄弟三人，送到江陵，梁元帝取消萧纪的族籍，给他赐姓饕餮氏。把刘孝胜关入牢中，不久又释放了他。梁元帝派人对江安侯萧圆正说："巴蜀军队已经战败，你父亲不知是死是活。"意思是让萧圆正自杀。萧圆正听到后放声号哭，不停地叫着大哥萧圆照的名字。梁元帝不断派人去窥视，知道他不可能自杀，就把他移交给廷尉下狱。萧圆正见到萧圆照，说："兄长，你为什么挑动父辈他们相残，使人惨痛到今天这样的地步？"萧圆照只是说计策错误。梁元帝下令在狱中饿死他们，他们饿得啃自己的臂膀，过了十三天才死，远近的人听说后感到悲哀。

乙未日，王僧辩还军江陵。梁元帝命令各路军队回到原来镇守的地方。

【段旨】

以上为第一段，详载梁朝荆、益兄弟相残始末，武陵王萧纪自矜勇武，狂愚而贪，违时而动，导致阖门遭屠。

【注释】

①丙子：正月十三日。②戊寅：正月十五日。③三堆：戍所名，在今山西静乐。④己丑：正月二十六日。⑤改铸钱：原用“永安五铢”。现改铸较旧钱贵重又精致的新钱。⑥庚子：二月初七日。⑦宝志：和尚法名，本姓朱，金城人。年少出家，涉历南朝宋、齐、梁三代，是著名的神异高僧。传见《南史》卷七十六、《高僧传》第十。⑧诗谶：用诗的形式宣布的预言。全诗说：“太岁龙，将无理。萧经霜，草应死。余人散，十八子。”说的是萧氏当灭，李氏当兴。⑨甲辰：二月十一日。⑩契丹：古族名，东胡的一支，当时生活在辽河流域。⑪科罗：一作“乙息计可汗”。传见《周书》卷五十、《北史》卷九十九。⑫沃野：沃野镇，在今内蒙古杭锦后旗南。⑬木赖山：山名，即今狼山。⑭俟斤：又名“燕都”。《周书》作“木汗可汗”，《北史》作“木杆可汗”，与《通鉴》同；而《隋书》则作“木扞可汗”。他西破哌哒，东败契丹，北并契骨。所控制的疆域，东起辽河，西至西海，凡沙漠以北地区，全都被吞并。他得到宇文泰同意，把逃到北周的邓叔子及其部下，全带回杀死。又袭击吐谷浑，还多次协助北周讨伐北齐，并嫁女给北周，结为盟好。传见《周书》卷五十、《北史》卷九十九。⑮请君讨之：语出《左传》庄公九年。当时齐人杀死谋害齐襄公的公孙无知，逃亡于莒的公子小白回到齐国，被立为齐桓公。鲁国支持公子纠，但被齐人打败。齐国鲍叔牙率军压境，写信告诫鲁庄公除掉公子纠，与齐通好。鲁国于是照办。元帝引此语，也希望西魏能在消灭萧纪一事上，助一臂之力。⑯尉迟迥（？至公元五八〇年）：字薄居罗，代人。原鲜卑尉迟部，所以用尉迟为姓。迥仕西魏，为大将军，讨伐萧纪，夺取蜀地，任益州刺史，封宁蜀公。北周静帝立，杨坚辅政，迥谋反，兵败自杀。传见《周书》卷二十一、《北史》卷六十二。⑰泰之甥：尉迟迥的母亲是宇文泰的姐姐昌乐大长公主。⑱原珍等六军：原珍，《周书》《北史》均作“元珍”，与此异。原珍之外，其余五将军是乙弗亚、俟吕陵始、叱奴兴、綦连雄、宇文升。见《周书》卷二十一《尉迟迥传》。⑲散关：大散关，在今陕西宝鸡西南。⑳车轮：城名，在今湖南长沙北湘江岸，是通往长沙的水上要隘。㉑丙申：四月初四日。㉒姑臧：县名，县治在今甘肃武威。㉓赤泉：地名，在今甘肃张掖东南。㉔甲子：五月初三日。㉕乙丑：五月初四日。㉖垄：田埂。㉗略：杨略，投西魏后，官至开府仪同大将军，封上庸县伯。传见《周书》卷四十四、《北史》卷六十六。㉘乐广：投西魏后，官至车骑大将军，封安康县公。传见《周书》卷四十四、《北史》卷六十六。㉙安

州：州名，萧纪所置，治所南安，在今四川剑阁西北。㉚侯吕陵始：人名，复姓侯吕陵。㉛甲戌：五月十三日。㉜江州：州名，梁置，治所犍为，在今四川犍为。㉝幽州：梁无此州。〖按〗萧纪曾于新城郡设新州，疑此“幽州”或系“新州”之误。㉞赵拔扈：新城（今四川三台）人，为兄赵震动报仇，杀死新城太守樊文茂，后降梁。传见《南史》卷七十四。㉟己丑：五月二十八日。㊱翳川：遮蔽江面。㊲拔：放出。㊳晋安王：即皇子萧方智。㊴刘菜：《陈书》卷三十四《文学·何之元传》作“刘恭”。㊵庚辰：五月十九日。㊶观宁侯永：萧永，爵观宁侯。㊷昏而少断：昏庸而又缺乏决断。㊸武蛮奴：人名，宦官。㊹宫亭湖：在今鄱阳湖中。一说通南昌，一说通九江。㊺开建侯蕃：萧蕃，爵开建侯。㊻壬辰：六月初一日。㊼步兵校尉：即太子步兵校尉，官名，东宫三校尉之一，掌步兵。十八班之七班。㊽乙未：六月四日。㊾乞听：请求允许。㊿甲辰：六月十三日。(51)如家人礼：即以兄弟之礼回信，不接受君臣名分。(52)属：适值；恰好。(53)乐推：众人乐于拥戴。语出《老子》：“圣人处上而民不重，处前而民不害，是以天下乐推而不厌。”(54)事归当璧：典出《左传》昭公十三年。楚共王没有嫡嗣，有庶子五人，于是遍祭名山大川，把一块玉璧秘密埋在祖庙的院里，让五子依次下拜，谁拜在璧上，谁就是神所选择的继承人。结果康王下拜，璧在他的两腿之间，灵王的一只臂肘压在璧上，而平王最小，两次下拜都压在璧纽上。他们先后成为楚国的国君。萧绎引此典故，是为说明他继承帝位，上顺天意，下顺民心。(55)分形共气：指骨肉之亲，形体虽分而气血相同。常用以指同胞兄弟。语出《文选》卷三十七曹植《求自试表》。(56)兄肥弟瘦：西汉末天下大乱，人相食。沛国人赵孝之弟赵礼为贼所得。赵孝自缚诣贼，说“兄肥弟瘦”，请以身代弟。贼感动，释放了两兄弟。事详《东观汉记》卷十七、《后汉书》卷三十九。后世用以表兄弟情深。(57)让枣推梨：指兄弟之间友爱推让。汉末孔融兄弟七人，融排行第六。有一次一起吃枣和梨，融专挑小的，把大的让给哥哥。有人问他为什么这样做，他说：“我是小孩，当然应该吃小的。”大家十分惊奇。事见《后汉书》卷七十《孔融传》李贤注引《孔融家传》。(58)心乎爱矣：兄弟之爱全在心中。(59)乐奉业：萧纪使者。(60)锦罽、缯彩称是：各种精美丝织品和毛织品的数量和价值，与五倍于金的银器大致相当。罽，毛织的地毯。(61)辛未：七月十一日。(62)不获退：后路已断，无法撤退。(63)游击将军：官名，属杂号将军，是武散官。(64)樊猛：字智武，南阳湖阳（今河南唐河县湖阳镇）人，以平蜀功封安山县侯。后投王琳，琳败，转归陈朝，改封富川县侯，任荆州刺史。隋灭陈，又为隋臣。传见《周书》卷三十一、《南史》卷六十七。(65)饕餮氏：传说中三苗缙云氏的儿子，既贪财，又贪吃，被称作“饕餮”。梁元帝改萧纪姓，有羞辱、惩罚的意思。(66)称世子不绝声：不停地叫圆照的名字。因此次惨祸均由圆照而起，所以圆正愤恨不已，连呼其名。(67)乙未：七月辛酉朔，无乙未。或系八月事。

【校记】

[1] 远：原无此字。据章钰校，十二行本、乙十一行本、孔天胤本皆有此字，张敦仁《通鉴刊本识误》同，今据补。[2] 身：原作"亲"。据章钰校，十二行本、乙十一行本皆作"身"，今据改。〖按〗《通鉴纪事本末》卷二四作"身"。[3] 潼州："州"下原有"刺史"二字。据章钰校，十二行本、乙十一行本皆无此二字，张敦仁《通鉴刊本识误》同，

【原文】

魏尉迟迥围成都五旬，永丰侯㧑屡出战，皆败，乃请降。诸将欲不许，迥曰："降之则将士全，远人悦；攻之则将士伤，远人惧。"遂受之。八月戊戌⑱，㧑与宜都王圆肃帅文武诣军门降，迥以礼接之，与盟于益州城北。吏民皆复其业，唯收奴婢及储积以赏将士，军无私焉。魏以㧑及圆肃并为开府仪同三司，以迥为大都督益潼等十二州诸军事、益州刺史。

庚子⑲，下诏将还建康，领军将军胡僧祐、太府卿黄罗汉、吏部尚书宗懔、御史中丞刘瑴⑳谏曰："建业王气已尽，与虏正隔一江㉑，若有不虞，悔无及也！且古老相承云：'荆州洲数满百，当出天子。'今枝江生洲，百数已满，陛下龙飞，是其应也。"上令朝臣议之。黄门侍郎周弘正、尚书右仆射王褒曰："今百姓未见舆驾入建康，谓是列国诸王，愿陛下从四海之望。"时群臣多荆州人，皆曰："弘正等东人㉒也，志愿东下，恐非良计。"弘正面折之曰："东人劝东，谓非良计；君等[7]西人欲西，岂成长策？"上笑。又议于后堂，会者五百人，上问之曰："吾欲还建康，诸卿以为如何？"众莫敢先对。上曰："劝吾去者左袒㉓。"左袒者过半。武昌太守朱买臣言于上曰："建康旧都，山陵所在；荆镇边疆，非王者之宅。愿陛下勿疑，以致后悔。臣家在荆州，岂不愿陛下居此？但恐是臣富贵，非陛下富贵耳！"上使术士杜景豪卜之，不吉，对上曰："未去。"退而言曰："此兆为鬼贼所留也。"上以建康凋残，江陵全盛，意亦安之，卒从僧祐等议。

今据删。[4] 汝：原无此字。据章钰校，十二行本、乙十一行本、孔天胤本皆有此字，张瑛《通鉴校勘记》同，今据补。[5] 辞：原作“称”。据章钰校，十二行本、乙十一行本皆作“辞”，今据改。〖按〗《通鉴纪事本末》卷二四作“辞”。[6] 南阳：原无此二字。据章钰校，十二行本、乙十一行本、孔天胤本皆有此二字，张瑛《通鉴校勘记》同，今据补。

【语译】

西魏尉迟迥包围成都五十天，永丰侯萧㧑多次出战，都失败了，于是请求投降。西魏众将领不想同意，尉迟迥说：“接受他们投降，我军将士完好，远方百姓也高兴。强行进攻，我军将士损伤，远方百姓也担惊受怕。”便接受了萧㧑的投降。八月初八日戊戌，萧㧑与宜都王萧圆肃率领文武官员到西魏军营门投降，尉迟迥按礼节接待他们，与萧㧑等人在益州城北面订立盟约。官民都恢复原来的工作，只收缴奴婢和仓储用来奖赏战士，全军没有私自抢掠的。西魏任命萧㧑和萧圆肃均为开府仪同三司，任命尉迟迥为大都督益州潼州等十二州诸军事、益州刺史。

八月初十日庚子，梁元帝下诏将回建康，领军将军胡僧祐、太府卿黄罗汉、吏部尚书宗懔、御史中丞刘瑴谏阻说：“建业的帝王气数已尽，与北齐只隔着一条江，万一有不测，后悔就来不及了！况且自古以来就传说：‘荆州的沙洲满了一百个，就会出皇帝。’如今枝江生出了沙洲，一百个数量已经满了，陛下登上皇位，这就是传说的印证。”梁元帝让朝臣们讨论。黄门侍郎周弘正、尚书右仆射王褒说：“如今百姓没看到皇帝车驾进入建康，会认为江陵是列国诸侯王，希望陛下顺从天下百姓的心愿，定都建康。”当时群臣大多数是荆州人，都说：“周弘正等是江东人，一心想回建康，恐怕不是好计策。”周弘正当面驳斥他们说：“江东人劝说建都建康，你们说不是好计策；你们荆州人想定都荆州，难道就是长远之策？”梁元帝大笑。又转到后堂讨论，参加会议的有五百人，梁元帝问他们说：“我想回到建康，你们认为怎么样？”与会的人没有人敢先回答。梁元帝说：“劝我离开这里的人露出左臂来。”结果，露出左臂的人过了半数。武昌太守朱买臣对梁元帝说：“建康是旧都城，是皇上祖宗陵墓所在地。荆州江陵地处边疆，不是帝王所居住的地方。希望陛下不要迟疑，以致将来后悔。臣家在荆州，怎会不希望陛下住在这里？这样做，只怕是我这个臣子富贵，而不是皇上富贵罢了！”梁元帝让术士杜景豪占卜此事，结果是不吉利。杜景豪对梁元帝说：“不要离开。”杜景豪退朝后说：“这次占卜的征兆表明皇上被鬼贼留住了。”梁元帝因建康破败，江陵全盛，内心也安于江陵，最后听从了胡僧祐等人的意见。

以湘州刺史王琳为衡州刺史。

九月庚午[74]，诏王僧辩还镇建康，陈霸先复还京口。丙子[75]，以护军将军陆法和为郢州刺史。法和为政，不用刑狱，专以沙门法[76]及西域幻术[77]教化，部曲数千人，通谓之弟子。

契丹寇齐边。壬午[78]，齐主北巡冀、定、幽、安[79]，遂伐契丹。

齐主使郭元建治水军二万余人于合肥，将袭建康，纳湘潭侯退[80]，又遣将军邢景远[81]、步大汗萨[82]帅众继之。陈霸先在建康闻之，白上，上诏王僧辩镇姑孰以御之。

冬，十月丁酉[83]，齐主至平州[84]，从西道趣长堑[85]，使司徒潘相乐帅精骑五千自东道趣青山[86]。辛丑[87]，至白狼城[88]。壬寅[89]，至昌黎城[90]，使安德王韩轨帅精骑四千东断契丹走路。癸卯[91]，至阳师水[92]，倍道兼行，掩袭契丹。齐主露髻肉袒，昼夜不息，行千余里，逾越山岭，为士卒先，唯食肉饮水，壮气弥厉。甲辰[93]，与契丹遇，奋击，大破之，虏获十余万口，杂畜数百万头。潘相乐又于青山破契丹别部。丁未[94]，齐主还至营州。

己酉[95]，王僧辩至姑孰，遣婺州刺史侯瑱、吴郡太守张彪、吴兴太守裴之横筑垒东关，以待齐师。

丁巳[96]，齐主登碣石山[97]，临沧海，遂如晋阳。以肆州刺史斛律金为太师，召[8]还晋阳，拜其子丰乐[98]为武卫大将军，命其孙武都[99]尚义宁公主[100]，宠待之厚，群臣莫及。

闰月丁丑[101]，南豫州刺史侯瑱与郭元建战于东关，齐师大败，溺死者万计。湘潭侯退复归于邺，王僧辩还建康。

吴州刺史开建侯蕃，恃其兵强，贡献不入，上密令其将徐佛受图之。佛受使其徒诈为讼者，诣蕃，遂执之。上以佛受为建安太守，以侍中王质为吴州刺史。质至鄱阳，佛受置之金城[102]，自据罗城，掌门管[103]，缮治舟舰甲兵，质不敢与争。故开建侯部曲[104]数千人攻佛受，佛受奔南豫州，侯瑱杀之，质始得行州事。

十一月戊戌[105]，以尚书右仆射王褒为左仆射，湘东太守张绾为右仆射。

己未[106]，突厥复攻柔然，柔然举国奔齐。

癸亥[107]，齐主自晋阳北击突厥，迎纳柔然，废其可汗库提，立阿

梁元帝任命湘州刺史王琳为衡州刺史。

九月十一日庚午，梁元帝诏王僧辩返回建康镇守，陈霸先还是回京口。十七日丙子，任命护军将军陆法和为郢州刺史。陆法和处理政务，不用刑法监狱，专门用佛法和西域幻术进行教化，部下几千人，全都称为“弟子”。

契丹侵犯北齐边境。九月二十三日壬午，北齐国主高洋往北巡视冀、定、幽、安四州，于是讨伐契丹。

北齐国主高洋派郭元建在合肥训练水军两万多人，将袭击建康，送湘潭侯萧退到建康做皇帝，又派出将军邢景远、步大汗萨率领部众随后跟进。陈霸先在建康听到这消息，报告梁元帝，梁元帝命令王僧辩镇守姑孰以抵御北齐军。

冬，十月初八日丁酉，北齐国主高洋到达平州，从西路赶赴长堑，派司徒潘相乐率领精锐骑兵五千从东路赶往青山。十二日辛丑，高洋到达白狼城。十三日壬寅，到达昌黎城，派安德王韩轨率领精锐骑兵四千在东边切断契丹逃跑的道路。十四日癸卯，北齐大军抵达阳师水，倍道兼程，突袭契丹。北齐国主高洋披发露胸，昼夜不停，行走一千余里，翻山越岭，身先士卒，只是吃肉喝水，越来越胆壮气昂。十五日甲辰，与契丹相遇，奋勇攻击，大获全胜，掳获十余万口，各种牲畜数百万头。潘相乐又在青山打败契丹的另一部落。十八日丁未，北齐国主高洋回到营州。

十月二十日己酉，王僧辩到达姑孰，派婺州刺史侯瑱、吴郡太守张彪、吴兴太守裴之横在东关修筑城垒，防备北齐军队。

十月二十八日丁巳，北齐国主高洋登上碣石山，面对大海，然后去往晋阳。高洋任命肆州刺史斛律金为太师，命令他回晋阳。封他的儿子斛律丰乐为武卫大将军，命令他的孙子斛律武都娶义宁公主为妻，宠信优待的深厚，文武百官没有人能赶得上。

闰十一月丁丑日，南豫州刺史侯瑱与郭元建在东关交战，北齐军队大败，淹死的人以万计。湘潭侯萧退又回到邺城，王僧辩返回建康。

吴州刺史开建侯萧蕃依仗自己兵力强盛，不向朝廷进贡，梁元帝密令萧蕃的部将徐佛受除掉萧蕃。徐佛受指使他手下人装作打官司的人，到萧蕃那儿，于是抓了萧蕃。梁元帝任命徐佛受为建安太守，任命侍中王质为吴州刺史。王质到了鄱阳，徐佛受把他安置在牙城，自己据守在外城，掌管城门钥匙，修缮船只，训练士兵，王质不敢与他相争。原开建侯萧蕃的部属数千人攻击徐佛受，徐佛受逃到南豫州，侯瑱杀了他，王质开始掌管吴州的政务。

十一月戊戌日，梁朝任命尚书右仆射王褒为左仆射，湘东太守张绾为右仆射。

初一日己未，突厥再次进攻柔然，柔然整个部落投奔北齐。

十一月初五日癸亥，北齐国主高洋从晋阳向北出击突厥，迎接柔然，废了柔然的库提可汗，立阿那瓌的儿子庵罗辰为可汗，将他安置在马邑川，供给他粮食缯帛。

那瓌子庵罗辰为可汗，置之马邑川[108]，给其廪饩缯帛。亲追突厥于朔州[109]，突厥请降，许之而还。自是贡献相继。

魏尚书元烈谋杀宇文泰，事泄，泰杀之。

丙寅[110]，上使侍中王琛[111]使于魏。太师泰阴有图江陵之志，梁王詧闻之，益重其贡献。

十二月，齐宿预[112]民东方白额[113]以城降，江西[114]州郡皆起兵应之。

【段旨】

以上为第二段，写梁朝巴蜀地陷西魏，梁元帝建都江陵，北齐国主高洋威服北方柔然、突厥之民。

【注释】

㊽戊戌：八月初八日。㊾庚子：八月初十日。⑦刘瑴：字仲宝，沛国萧（今安徽萧县西北）人。任萧绎中记室，书檄多由他起草。后历任吏部尚书、国子祭酒。江陵失陷，入西魏为臣。传见《梁书》卷四十一、《南史》卷五十。⑦正隔一江：《周书》卷四十一《王褒传》作“止隔一江”，胡三省注同。〖按〗“正”“止”义同，仅也。⑦东人：周弘正是周颉之后，王褒是王导之后，都是东晋时自北方南渡的高等士族，世代住在建康。对荆州而言，建康在东方，所以称作“东人”。⑦左袒：露出左胳膊。⑦庚午：九月十一日。⑦丙子：九月十七日。⑦沙门法：佛规。⑦西域幻术：从中亚传来的带有魔术性的法术。⑦壬午：九月二十三日。⑦冀、定、幽、安：四州州名。⑧纳湘潭侯退：送湘潭侯萧退到建康称帝。⑧邢景远：《梁书》《南史》作“邢杲远”，《陈书》则作“邢杲”，未知孰是。⑧步大汗萨：复姓步大汗，太安狄那（今山西寿阳）人，曾追随尔朱荣父子，后降于高欢，任车骑大将军。入齐，封义阳郡公。传见《北齐书》卷二十、《北史》卷五十三。⑧丁酉：十月初八日。⑧平州：州名，治所肥如，在今河北卢龙北。⑧长堑：山谷名，在卢龙塞外。⑧青山：地名，在今辽宁义县东。⑧辛丑：十月十二日。⑧白狼城：城名，在今辽宁建昌。⑧壬寅：十月十三日。⑨昌黎城：即龙城，是昌黎郡郡治和营州州治所在，在今辽宁朝阳。⑨癸卯：十月十四日。⑨阳师水：河名，今地不详。一

高洋亲自追击突厥直到朔州，突厥请求投降，高洋答应了然后返回。从此，突厥不断向北齐进贡。

西魏尚书元烈谋杀宇文泰，消息走漏，宇文泰杀了元烈。

十一月初八日丙寅，梁元帝派侍中王琛出使西魏。西魏太师宇文泰暗中怀有夺取江陵的打算，梁王萧詧得到消息，愈益加多了对西魏的进贡。

十二月，北齐宿预县民东方白额献出县城投降梁朝，江北各州郡都起兵响应他。

说在今北京市房山区境，恐非。㊙ 甲辰：十月十五日。㊚ 丁未：十月十八日。㊛ 己酉：十月二十日。㊜ 丁巳：十月二十八日。㊝ 碣石山：山名，在今河北昌黎境。㊞ 丰乐：斛律羡（？至公元五七二年），字丰乐，仕北齐，曾任幽州刺史，于东西二千余里内建戍所五十余处，突厥不敢犯边，封高城县侯。齐后主时，晋爵荆山郡王，不久被杀。传见《北齐书》卷十七、《北史》卷五十四。㊟ 武都：斛律武都（？至公元五七二年），斛律光长子，位太子太保、开府仪同三司、梁兖二州刺史。后与父一起被北齐后主下诏处死。传见《北齐书》卷十七、《北史》卷五十四。⑩ 义宁公主：本名及所出不详。⑩ 丁丑：闰十一月己丑朔，无丁丑日，疑为十一月十九日。⑩ 金城：城内的牙城。⑩ 掌门管：掌握城门钥匙。⑩ 故开建侯部曲：原开建侯萧蕃的部下。⑩ 戊戌：十一月己未朔，无戊戌日，疑为闰十一月初十日。⑩ 己未：十一月初一日。⑩ 癸亥：十一月初五日。⑩ 马邑川：河名，发源于今山西宁武天池附近，向北流经马邑城，即今山西朔州。柔然所居当在此段河两岸。河再向东北行，称桑干河。⑩ 朔州：州名，此指原北魏所置朔州，治所盛乐，在今内蒙古和林格尔。⑩ 丙寅：十一月初八日。⑩ 王琛：疑为《南史》所说出自琅邪郡的善于书法的王琛。《梁书》卷三十三作“王深”。⑩ 宿预：县名，县治在今江苏宿迁。⑩ 东方白额：人名，复姓东方。《梁书》卷五、《南史》卷八皆作“东方光”。⑩ 江西：长江南京以西，淮河以南原梁朝的州郡。

【校记】

［7］君等：原无此二字。据章钰校，十二行本、乙十一行本皆有此二字，《陈书·周弘正传》亦同，今据补。［8］召：原作“乃”。据章钰校，十二行本、乙十一行本、孔天胤本皆作“召”，今据改。

【原文】

三年（甲戌，公元五五四年）

春，正月癸巳⑮，齐主自离石道讨山胡，遣斛律金从显州⑯道，常山王演从晋州道夹攻，大破之，男子十三以上皆斩，女子及幼弱以赏军，遂平石楼⑰。石楼绝险，自魏世所不能至，于是远近山胡莫不慑服。有都督战伤，其什长⑱路晖礼不能救，帝命刳其五藏，令九人食之，肉及秽恶皆尽。自是始为威虐。

陈霸先自丹徒济江，围齐广陵，秦州刺史严超达自秦郡进围泾州⑲，南豫州刺史侯瑱、吴郡太守张彪皆出石梁，为之声援。辛丑⑳，使晋陵太守杜僧明帅三千人助东方白额。

魏太师泰始作九命㉑之典，以叙内外官爵，改流外品㉒为九秩㉓。

魏主自元烈之死，有怨言，密谋诛太师泰，临淮王育、广平王赞垂涕切谏，不听。泰诸子皆幼，兄子章武公导、中山公护皆出镇㉔，唯以诸婿为心膂，大都督清河公李基㉕、义城公李晖㉖、常山公于翼㉗俱为武卫将军㉘，分掌禁兵。基，远之子。晖，弼之子。翼，谨之子也。由是魏主谋泄，泰废魏主，置之雍州，立其弟齐王廓㉙，去年号㉚，称元年，复姓拓跋氏，九十九姓改为单者㉛，皆复其旧。魏初统国三十六，大姓九十九，后多灭绝。泰乃以诸将功高者为三十六国㉜[9]，次者为九十九姓，所将士卒亦改从其姓㉝。

三月丁亥㉞，长沙王韶取巴郡。

甲辰㉟，以王僧辩为太尉、车骑大将军。

丁未㊱，齐将王球攻宿预，杜僧明出击，大破之，球归彭城。

郢州刺史陆法和上启自称司徒，上怪之。王褒曰："法和既有道术，容或先知。"戊申㊲，上就拜法和为司徒。

己酉㊳，魏侍中宇文仁恕来聘。会齐使者亦至江陵，帝接仁恕不及齐使，仁恕归，以告太师泰。帝又请据旧图定疆境，辞颇不逊，泰曰：

【语译】

三年（甲戌，公元五五四年）

春，正月初六日癸巳，北齐国主高洋从离石道讨伐山胡，派斛律金从显州道，常山王高演从晋州道夹攻，大败山胡，男子十三岁以上都被杀死，女子和小孩用来赏赐军人，于是平定了石楼。石楼极为险要，是北魏以来到不了的地方，于是远近山胡没有不慑服的。北齐有个都督作战受了伤，他的什长路晖礼没有救他，高洋命令掏出路晖礼的五脏，让其他九个人分了吃，肉和污秽的东西都吃光了。从这以后，高洋就开始逞威酷虐。

陈霸先从丹徒渡江，包围北齐广陵，秦州刺史严超达从秦郡进兵包围泾州，南豫州刺史侯瑱、吴郡太守张彪同时出兵石梁，声援陈霸先。正月十四日辛丑，梁朝派晋陵太守杜僧明率领三千人援助东方白额。

西魏太师宇文泰开始制作九命典章，用来叙列朝廷内外官爵，改不入品级的小吏为九个等级。

西魏国主元钦因元烈之死，有怨言，密谋诛杀太师宇文泰，临淮王元育、广平王元赞流泪苦谏，元钦不听从。宇文泰的几个儿子都年幼，兄子章武公宇文导、中山公宇文护都在外镇守，只能把他的几个女婿作为得力心腹，大都督清河公李基、义城公李晖、常山公于翼都担任武卫将军，分别掌管禁卫军。李基，是李远的儿子。李晖，是李弼的儿子。于翼，是于谨的儿子。因此西魏主元钦的谋划泄漏，宇文泰废了元钦，把他安置在雍州，立他的弟弟齐王元廓为国主，除去年号，称元年，恢复姓氏为拓跋氏，凡改为单姓的九十九个鲜卑姓氏，全部恢复为原来的旧姓。北魏初年，统辖三十六个小王国，鲜卑大姓九十九个，后来大多被灭绝。宇文泰就让各位将领中功劳最大的列为三十六国之后，次一等的列为九十九姓之后，各个将领所统属的士兵都改用主将的姓氏。

三月初一日丁亥，梁长沙王萧韶取得了巴郡。

十八日甲辰，梁朝任命王僧辩为太尉、车骑大将军。

三月二十一日丁未，北齐将领王球攻打宿预，杜僧明出击，大败王球，王球返回彭城。

郢州刺史陆法和上表自称司徒，梁元帝感到奇怪。王褒说："陆法和既然有道术，也许是他预先知道要晋升司徒。"三月二十二日戊申，梁元帝就拜陆法和为司徒。

三月二十三日己酉，西魏侍中宇文仁恕出使梁朝，刚好北齐使者也到了江陵，梁元帝接待宇文仁恕不如接待北齐使者隆重。宇文仁恕回到西魏，将此情况告诉了太师宇文泰。梁元帝又请求按旧时版图划定疆界，措辞很不谦逊。宇文泰说："古人

“古人有言：‘天之所弃，谁能兴之⑬⁹。’其萧绎之谓乎？”荆州刺史长孙俭⑭⁰屡陈攻取之策，泰征俭入朝，问以经略，复命还镇，密为之备。马伯符⑭¹密使告帝，帝弗之信。

柔然可汗庵罗辰叛齐，齐主自将出击，大破之，庵罗辰父子北走。

太保安定王贺拔仁献马不甚骏，齐主怒[10]，拔其发，免为庶人，输晋阳负炭⑭²。

齐中书令魏收撰《魏书》，颇用爱憎为褒贬，每谓人曰：“何物⑭³小子，敢与魏收作色⑭⁴？举之则使升天，按之则使入地。”既成，中书舍人卢潜奏收诬罔一代，罪当诛。尚书左丞卢斐⑭⁵、顿丘李庶⑭⁶皆言《魏史》不直⑭⁷。收启齐主云：“臣既结怨强宗⑭⁸，将为刺客所杀。”帝怒，于是斐、庶及尚书郎中王松年⑭⁹皆坐谤史，鞭二百，配甲坊⑮⁰。斐、庶死于狱中，潜亦坐系狱。然时人终不服，谓之“秽史”。潜，度世⑮¹之曾孙。斐，同⑮²之子。松年，遵业⑮³之子也。

夏，四月，柔然寇齐肆州，齐主自晋阳讨之，至恒州，柔然散走。帝以二千余骑为殿，宿黄瓜堆⑮⁴。柔然别部数万骑奄至，帝安卧，平明乃起，神色自若，指画形势，纵兵奋击，柔然披靡，因溃围而出。柔然走，追击之，伏尸二十余里，获庵罗辰妻子，虏三万余口，令都督善无高阿那肱⑮⁵帅骑数千塞其走路。时柔然军犹盛，阿那肱以兵少，请益，帝更减其半。阿那肱奋击，大破之。庵罗辰超越岩谷，仅以身免。

丙寅⑮⁶，上使散骑常侍庾信等聘于魏。

癸酉⑮⁷，以陈霸先为司空。

丁未⑮⁸，齐主复自击柔然，大破之。

庚戌⑮⁹，魏太师泰鸩杀废帝。

五月，魏直州⑯⁰人乐炽、洋州⑯¹人黄国等作乱，开府仪同三司高平田弘⑯²、河南⑯³贺若敦讨之，不克。太师泰命车骑大将军李迁哲与敦共讨炽等，平之。仍与敦南出，徇地至巴州⑯⁴，巴州刺史牟安民降之，巴⑯⁵、濮⑯⁶之民皆附于魏。蛮酋向五子王⑯⁷等[11]陷白帝，迁哲击之，五子王等遁去，迁哲追击，破之。泰以迁哲为信州刺史，镇白帝。信州先无储蓄，迁哲与军士共采葛根为粮，时有异味，辄分尝之，军士

说过：‘上天抛弃的那个人，谁也不能把他扶起来。’说的是萧绎这种人吗？”荆州刺史长孙俭多次陈述攻取江陵的策略，宇文泰把他召回朝廷，向他询问实施的方略，然后命他返回镇所，秘密做好出兵的准备。马伯符秘密派人告诉了梁元帝，梁元帝却不相信他。

柔然可汗庵罗辰反叛北齐，北齐国主高洋亲自率兵出击，大败柔然，庵罗辰父子向北逃去。

北齐太保安定王贺拔仁献给朝廷的马匹不太强壮，北齐国主高洋大怒，拔掉他的头发，免去官职，发配到晋阳去运炭。

北齐中书令魏收撰写《魏书》，喜欢凭个人的爱恨来褒贬人物，常常对人说：“你小子是什么东西，敢给我魏收脸色看？我抬你使你上天，按你就让你入地。”《魏书》写完，中书舍人卢潜上奏说魏收诬蔑了一代人，按罪该杀。尚书左丞卢斐、顿丘人李庶都说魏收的《魏书》不公正。魏收上奏国主高洋说：“我已经得罪了卢、李强族，将遭到刺客谋杀。”高洋非常生气，于是卢斐、李庶，以及尚书郎中王松年都以诽谤史书罪，鞭打二百，发配到甲坊。卢斐、李庶死在狱中，卢潜也被判罪坐牢。然而当时的人始终不服，称魏收《魏书》为“秽史”。卢潜，是卢度世的曾孙。卢斐，是卢同的儿子。王松年，是王遵业的儿子。

夏，四月，柔然侵犯北齐肆州，北齐国主高洋从晋阳出兵讨伐柔然，到达恒州，柔然溃散逃走。高洋率领两千多骑殿后，宿营在黄瓜堆。柔然的另一部落几万骑兵突然袭来，高洋安稳卧床，天亮才起，神色自若，指挥部署，纵兵奋击，柔然溃退，高洋因而打破包围圈冲了出来。柔然逃走，高洋追击，柔然丢下的尸体长达二十余里，抓获庵罗辰的妻儿，俘虏三万多人。高洋命令都督善无人高阿那肱率领数千骑兵阻塞柔然人的逃路，当时柔然的军队还很强盛，阿那肱因自己兵少，请求增加，高洋反而减了他的一半兵力。阿那肱奋力出击，大败柔然。庵罗辰翻越岩谷，只身逃脱。

四月十一日丙寅，梁元帝派散骑常侍庾信等出使西魏。

十八日癸酉，梁元帝任命陈霸先为司空。

丁未日，北齐国主高洋再次亲自攻打柔然，把柔然打得大败。

庚戌日，西魏太师宇文泰用鸩酒毒杀了废帝元钦。

五月，西魏直州人乐炽、洋州人黄国等叛乱，开府仪同三司高平人田弘、河南人贺若敦征讨他们，未能取胜。太师宇文泰命令车骑大将军李迁哲与贺若敦共同讨伐乐炽等，平定了叛乱。李迁哲与贺若敦继续向南进军，攻城略地直到巴州，巴州刺史牟安民投降了西魏，巴、濮民众都归附了西魏。蛮族酋长向五子王等人攻占了白帝城，李迁哲攻击他，五子王等逃走，李迁哲追击，打败了五子王。宇文泰任命李迁哲为信州刺史，镇守白帝城。信州原来没有储蓄，李迁哲与兵士一同采集葛根作食粮，偶然得到好食品，就分给士兵享用，兵士都很感动，乐为所用。多次攻击

感悦。屡击叛蛮，破之，群蛮慑服，皆送粮饩，遣子弟入质。由是州境安息，军储亦赡。

柔然乙旃达官[168]寇魏广武[169]，柱国李弼追击[12]，破之。

广州刺史曲江侯勃，自以非上所授，内不自安，上亦疑之。勃启求入朝。五月乙巳[170]，上以王琳为广州刺史，勃为晋州刺史。上以琳部众强盛，又得众心，故欲远之。琳与主书广汉李膺[171]厚善，私谓膺曰："琳，小人也，蒙官[172]拔擢至此。今天下未定，迁琳岭南，如有不虞，安得琳力？窃揆官意不过疑琳，琳分望[173]有限，岂与官争为帝乎？何不以琳为雍州刺史，镇武宁，琳自放兵[174]作田，为国御捍。"膺然其言而弗敢启。

散骑郎新野庾季才[175]言于上曰："去年八月丙申[176]，月犯心中星[177]，今月丙戌[178]，赤气干[179]北斗。心为天王[180]，丙主楚分[181]，臣恐建子之月[182]有大兵入江陵，陛下宜留重臣镇江陵，整旆还都以避其患。假令魏虏侵蹙，止失荆、湘，在于社稷，犹得无虑。"上亦晓天文，知楚有灾，叹曰："祸福在天，避之何益？"

六月壬午[183]，齐步大汗萨将兵四万趣泾州，王僧辩使侯瑱、张彪自石梁引兵助严超达拒之，瑱、彪迟留不进。将军尹令思将万余人谋袭盱眙。齐冀州刺史段韶将兵讨东方白额于宿预，广陵、泾州皆来告急，诸将患之。韶曰："梁氏丧乱，国无定主，人怀去就，强者从之[184]。霸先等外托同德，内有离心，诸君不足忧，吾揣之熟矣！"乃留仪同三司敬显儁[185][13]等围宿预，自引兵倍道趣泾州，途出盱眙。令思不意齐兵[14]猝至，望风退走。韶进击超达，破之，回趣广陵，陈霸先解围走。杜僧明还丹徒，侯瑱、张彪还秦郡。吴明彻围海西[186]，镇将中山郎基[187]固守，削木为箭，翦纸为羽，围之十旬，卒不能克而还。

柔然帅余众东徙，且欲南寇，齐主帅轻骑邀之于金川[188]。柔然闻之，远遁，营州刺史灵丘王峻[189]设伏击之，获其名王数十人。

邓至[190]羌檐桁[191]失国，奔魏，太师泰使秦州刺史宇文导将兵纳之。

齐段韶还至宿预，使辩士说东方白额，白额开门请盟，因执而斩之。

反叛的蛮人，都打败了对方，各部落的蛮族都降伏了，纷纷送来粮食，派子弟来做人质。因此，州境安定，军粮储备也丰足了。

柔然乙旃达官侵扰西魏广武，柱国李弼派兵追击，打败了乙旃达官。

广州刺史曲江侯萧勃自己认为不是梁元帝任命的刺史，自己心里不安定，梁元帝也猜疑他。萧勃上表请求入朝。五月二十日乙巳，梁元帝任命王琳为广州刺史，萧勃为晋州刺史。梁元帝因为王琳部众强盛，又很得军心，所以想把他调到边远地区。王琳与梁元帝主书广汉人李膺友情深厚，私下对李膺说："我王琳是个小人物，承蒙皇上提拔，才到了今天的地位。如今天下还没有平定，调我王琳到岭南，如有不测，怎能得到我王琳的效力呢？我揣测皇上不过是疑心我，我的名分和声望有限，怎么敢与皇上争当皇帝呢？何不任用我为雍州刺史，镇守武宁，我自然会安排士兵耕田，为国家守卫边疆。"李膺认为王琳说得对，但没敢启奏梁元帝。

散骑郎新野人庾季才进言梁元帝说："去年八月初六日丙申，月亮穿过心宿中星，本月五月初一日丙戌有赤气犯北斗。心宿是天帝的正位，天干中的丙主管楚地的分野，臣担心十一月会有大兵侵犯江陵，陛下应当留重臣镇守江陵，自己整顿仪仗回到建康都城回避灾难。假如西魏侵犯逼迫，只是失掉荆、湘，对于国家，还可以不用忧虑。"梁元帝也通晓天文，知道楚地有灾祸，叹息说："祸福由天定，躲避它有什么益处？"

六月二十七日壬午，北齐步大汗萨领兵四万赶赴泾州，王僧辩派侯瑱、张彪带兵从石梁出发，援助严超达抗拒北齐兵。侯瑱、张彪拖延不进兵。梁将尹令思领兵万余人策划袭击盱眙。北齐冀州刺史段韶率军在宿预讨伐东方白额，广陵、泾州都来告急，诸将都很忧虑。段韶说："梁朝动乱衰败，国家没有固定的君主，人人心怀二意，谁强大就依附谁。陈霸先等表面上与皇上同德，内怀离心，诸位不用忧虑，我对梁朝局势揣摸透了！"于是留下仪同三司敬显儁等包围宿预，亲自领兵倍道兼程奔赴泾州，途经盱眙。尹令思没想到北齐军队突然来到，望风退走。段韶进兵攻击严超达，打败了严超达，回军奔赴广陵，陈霸先解围退走。杜僧明回丹徒，侯瑱、张彪回秦郡。梁将吴明彻包围海西县，镇将中山人郎基坚守，削木为箭，剪纸为羽，吴明彻围攻了一百天，最后也没有攻克，只好退兵。

柔然首领率领残余部众向东迁移，还想向南侵犯。北齐国主高洋率领轻骑在金川截击他们，柔然听到消息，远远逃窜，营州刺史灵丘人王峻设下埋伏袭击柔然，俘获柔然名王数十人。

邓至羌人檐桁丧失了国家，逃奔西魏，太师宇文泰派秦州刺史宇文导领兵接纳了檐桁。

北齐段韶回到宿预，派能言之士劝说东方白额，东方白额打开城门，请求订立盟约，段韶趁机抓获东方白额，把他杀了。

秋，七月庚戌[192]，齐主还邺。

魏太师泰西巡，至原州。

八月壬辰[193]，齐以司州牧清河王岳为太保，司空尉粲为司徒，太子太师侯莫陈相为司空，尚书令平阳王淹录尚书事，常山王演为尚书令，中书令上党王涣为左仆射。

乙亥[194]，齐仪同三司元旭坐事赐死。丁丑[195]，齐主如晋阳。齐主之未为魏相也，太保、录尚书事平原王高隆之常侮之，及将受禅，隆之复以为不可，齐主由是衔之。崔季舒谮隆之每见诉讼者辄加哀矜之意，以示非己能裁。帝禁之尚书省[196]。隆之尝与元旭饮，谓旭曰："与王交，当生死不相负。"人有密言之者，帝由是发怒，令壮士筑百余拳而舍之，辛巳[197]，卒于路。久之，帝追忿隆之，执其子慧登[198]等二十人于前，帝以鞭叩鞍，一时头绝，并投尸漳水。又发隆之冢，出其尸，斩截骸骨焚之，弃于漳水。

齐主使常山王演、上党王涣、清河王岳、平原王段韶帅众，于洛阳西南筑伐恶城、新城、严城、河南城。九月，齐主巡四城，欲以致魏师，魏师不出，乃如晋阳。

魏宇文泰命侍中崔猷开回车路[199]以通汉中。

【段旨】

以上为第三段，写南北朝三国政务。梁元帝志大才疏，残刻猜忌，内外政务皆误。内忌良将王琳疏之于边，外交密于北齐而疏于西魏，既结怨近邻，又错失收复江北失地的良机。西魏宇文泰西巡安定后方，而备战向南。北齐高洋有雄主之风，身临战阵，威服北疆，破柔然，降山胡，而内政酷烈，屠功臣，剥黎民，故而梁朝虽衰乱，而齐境江北之民仍心系梁朝。

秋，七月二十六日庚戌，北齐国主高洋返回邺城。

西魏太师宇文泰西巡，到达原州。

八月壬辰日，北齐任命司州牧清河王高岳为太保、司空尉粲为司徒、太子太师侯莫陈相为司空、尚书令平原王高淹录尚书事、常山王高演为尚书令、中书令上党王高涣为左仆射。

八月二十一日乙亥，北齐仪同三司元旭因罪被赐死。二十三日丁丑，北齐国主高洋往晋阳。高洋还没做东魏丞相的时候，太保、录尚书事平原王高隆之时常欺负他，等到高洋即将受禅，高隆之又认为不可以，高洋因此怀恨高隆之。崔季舒诬陷高隆之，说高隆之每次见到诉讼的人，都表现出同情体恤的心情，暗示这不是自己能够裁决的。高洋就把高隆之囚禁在尚书省。高隆之曾经与元旭一起饮酒，对元旭说："与大王您交往，我生死都不会辜负您。"有人把这话告诉了高洋，高洋因此发怒，派武士打了高隆之一百多拳，才放了他。二十七日辛巳，高隆之死在路上。过了很久，高洋还追恨高隆之，把高隆之的儿子高慧登等二十人抓到跟前，高洋用鞭子敲打马鞍为号令，同时砍下他们的头，并投尸漳水中。又挖开高隆之的坟墓，取出尸骨，砍断尸骨焚烧，把骨灰撒在漳水中。

北齐国主高洋派常山王高演、上党王高涣、清河王高岳、平原王段韶率领部众，在洛阳城西南修筑了伐恶城、新城、严城、河南城。九月，高洋巡视四城，想引诱西魏军队，西魏没有出兵，高洋便前往晋阳。

西魏宇文泰命令侍中崔猷拓宽梁汉旧路，以便车辆通往汉中。

【注释】

⑮癸巳：正月初六日。⑯显州：州名，治所六壁城，在今山西孝义。⑰石楼：山名，在今山西石楼。⑱什长：十名士兵的头目。⑲泾州：州名，原梁置，治所石梁，在今安徽天长。⑳辛丑：正月十四日。㉑九命：西周将官爵分为九等，叫九命。宇文泰命尚书令卢辩根据西周的规定，重新将内外官职各分为九等，数字越高者等级越高。㉒流外品：即不入品，无等的小吏。㉓九秩：对无等的小吏规定相应的薪俸等级，共有九等。最高的九秩是一百二十石，最低的一秩和二秩是四十石。颁发薪俸不论入品不入品，一律看年成好坏，上好的年成按规定足额颁发；中等年成发一半；下等年成发十分之一；颗粒无收，就不颁发。㉔出镇：当时宇文导任秦州刺史，驻守上邽（今甘肃天水市）。宇文护以大将军衔，出守河东郡（今山西永济）。㉕李基（公元五三一至五六一年）：字仲和，其先祖陇西成纪人，后家高平。妻宇文泰女义归公主。仕西魏，爵清河郡公，官

至侍中、骠骑大将军、开府仪同三司，晋爵敦煌郡公。入周，任江州刺史。传见《周书》卷二十五、《北史》卷五十九。⑫⑥李晖：辽东襄平（今辽宁辽阳）人，妻宇文泰女义安公主。仕西魏，爵义城郡公，官至骠骑大将军、仪同三司、岐州刺史。入周，转任荆州刺史，爵魏国公。后进位柱国。传见《周书》卷十五、《北史》卷六十。又《周书》作“李辉”，《通鉴》从《北史》。⑫⑦于翼（？至公元五八三年）：字文若，洛阳（今河南洛阳）人。妻宇文泰女平原公主。仕西魏，爵安平郡公。入周，改封常山郡公。（《通鉴》前二公从魏封，翼从周封，有违体例。）杨坚执政时，进位上柱国，封任国公。隋初，拜太尉。传见《周书》卷三十、《北史》卷二十三。⑫⑧武卫将军：官名，时主管朱华阁以外的宿卫，为左、右卫将军的副手。从三品。⑫⑨齐王廓：拓跋廓，元宝炬第四子，封齐王。至此即位，即西魏恭帝，公元五五四至五五六年在位。后禅位于北周闵帝宇文觉。事详《北史》卷五。⑬⓪去年号：弃用年号。⑬①改为单者：指北魏孝文帝改革下令鲜卑贵族复姓改为单姓，如达奚氏改姓奚氏，步六孤氏改姓陆氏，独孤氏改姓刘氏等。事详《魏书·官氏志》和本书卷一百四十。现宇文泰又命改单姓的恢复原姓。⑬②国：宇文泰复旧姓，《周书·文帝纪下》作“以诸将功高者为三十六国后，次者为九十九姓后”，《北史·太祖文帝纪》作“以诸将功高者为三十六国后，次者为九十九姓后”。《通鉴》载此事删“后”字而留“国”字，于义不通，此处作“姓”为佳。⑬③所将士卒亦改从其姓：当时中原人士也赐给鲜卑姓，如李弼为徒河氏，赵贵为乙弗氏，杨忠为普六如氏，李虎为大野氏，李穆为擒拔氏等。⑬④丁亥：三月初一日。⑬⑤甲辰：三月十八日。⑬⑥丁未：三月二十一日。⑬⑦戊申：三月二十二日。⑬⑧己酉：三月二十三日。⑬⑨“天之所弃”二句：典出《左传》襄公二十三年，晋国胥午回答栾盈的话。首句“弃”作“废”，文略异而义同。⑭⓪长孙俭（？至公元五五六年）：本名庆明。先祖姓拓跋氏，北魏孝文帝时改姓长孙氏，洛阳（今河南洛阳）人，以建议平定江陵，晋爵昌宁公，迁大将军。传见《周书》卷二十六、《北史》卷二十二。⑭①马伯符：太清三年（公元五四九年）以下溠城降于西魏将领杨忠。⑭②负炭：背炭。⑭③何物：哪一个；什么东西。⑭④作色：生气；不满。⑭⑤卢斐：字子章，范阳涿（今河北涿州）人，东魏时曾任相府刑狱参军。入北齐，迁任尚书左丞，别掌京畿诏狱，用法苛酷。传见《魏书》卷七十六、《北齐书》卷四十七、《北史》卷三十。⑭⑥李庶：顿丘（今河南清丰西南）人，时任临潼令。传见《魏书》卷六十五、《北齐书》卷三十五、《北史》卷四十三。⑭⑦不直：不公正；不实。⑭⑧强宗：卢、李二姓是北方望族，世代为官，权势煊赫，所以称强宗。⑭⑨王松年：太原晋阳（今山西太原西南）人，仕北齐，官尚书郎中。因《魏书》事得罪。出狱后，先任临潼令，后官侍中，加散骑常侍，兼御史中丞。传见《魏书》卷三十八、《北齐书》卷三十五、《北史》卷三十五。⑮⓪甲坊：官办制造甲胄的作坊。⑮①度世：卢度世，字子迁，范阳涿（今河北涿州）人。崔浩被诛，度世亡命多年。太武帝时逢赦出，袭爵惠侯，任太常卿、济州刺史。传见《魏书》卷四十七、《北史》卷三十。⑮②同：卢同，字叔伦，范阳涿（今河北涿州）

人。仕北魏，任尚书左丞时，清查出冒功窃位的官员三百多人。后封章武县伯，官至侍中。传见《魏书》卷七十六、《北史》卷三十。⑮③遵业：王遵业，初任著作佐郎，预撰魏起居注。后转司徒左长史，监掌仪注。与袁翻、王诵并号“三哲”。传见《魏书》卷三十八、《北史》卷三十五。⑮④黄瓜堆：地名，在今山西应县西。⑮⑤高阿那肱：姓高，名阿那肱，又作“阿那瓌”，善无（今山西右玉南）人，北齐后主时，封淮阴王，录尚书事，总掌内省机密。后降于北周，授大将军，出任隆州刺史，被诛死。传见《北齐书》卷五十、《北史》卷九十二。⑮⑥丙寅：四月十一日。⑮⑦癸酉：四月十八日。⑮⑧丁未：四月丙辰朔，无丁未，疑是五月事，丁未是二十二日。《北齐书》卷四《文宣纪》云：“（五月）丁未，北讨茹茹（即柔然），大破之”。⑮⑨庚戌：疑为五月二十五日。⑯⓪直州：州名，治所安康，在今陕西石泉。⑯①洋州：州名，治所西乡，在今陕西西乡。⑯②田弘（？至公元五七四年）：高平（今陕西旬邑东）人，仕西魏，以军功封鹑阴县公，赐姓纥乾氏，任原州刺史。入周，晋爵雁门郡公，位柱国大将军。传见《周书》卷二十七、《北史》卷六十五。⑯③河南：《周书》卷二十八贺若敦本传作“代人”，《北史》卷六十八贺若敦本传作“河南洛阳人”。前者是叙祖籍，后者是进入中原后的定居地。《通鉴》从后者。⑯④巴州：州名，梁置，治所归化，在今四川巴中。⑯⑤巴：春秋时巴国在此，包括东起巴东郡（今重庆奉节），西到巴西郡（今四川阆中），中有巴郡（今重庆市巴南区到忠县）的“三巴”之地。⑯⑥濮：春秋时期的百濮之地，在西城郡（今陕西安康）到上庸郡（今湖北竹山）之间。⑯⑦向五子王：当地蛮族的首领，多次在白帝城一带起兵反抗西魏和北周。传见《周书》卷四十九、《北史》卷九十五。⑯⑧乙旃达官：人名。⑯⑨广武：县名，县治在今陕西延安东北。⑰⓪乙巳：五月二十日。⑰①李膺：广汉（今四川广汉）人。⑰②官：指梁元帝。⑰③分望：名分与声望。⑰④放兵：安排士兵。⑰⑤庾季才（？至公元六〇三年）：字叔奕，新野（今河南新野）人，梁时封宜昌县伯。入周，参掌太史，封临颍县伯，官至骠骑大将军、开府仪同三司。入隋，授通直散骑常侍。撰有《垂象志》和《地形志》。传见《梁书》卷五十一、《南史》卷七十六、《北史》卷八十九。⑰⑥丙申：八月初六日。⑰⑦心中星：即心宿，二十八宿之一，有星三颗。⑰⑧丙戌：五月一日。⑰⑨干：侵犯。⑱⓪天王：天的正星。⑱①楚分：楚地，指荆州。⑱②建子之月：阴历十一月。⑱③壬午：六月二十七日。⑱④强者从之：唯强者是从。⑱⑤敬显儁：字孝英，平阳（今山西临汾西南）人，历任北齐都官尚书、兖州刺史。传见《北齐书》卷二十六、《北史》卷五十五。⑱⑥海西：县名，县治在今江苏东海。⑱⑦郎基：字世业，中山（今河北定州）人，起家奉朝请，累迁海西镇将。后领颍川郡守。传见《北齐书》卷四十六、《北史》卷五十五。⑱⑧金川：地名，约在今内蒙古呼和浩特附近。⑱⑨王峻（？至公元五八〇年）：字峦嵩，灵丘（今山西灵丘）人，仕北齐，以击败柔然功，升秘书监，后历任都官尚书、骠骑大将军、侍中。传见《北齐书》卷二十五、《北史》卷五十五。⑲⓪邓至：城名，在今四川阿坝州九寨沟县，是羌人的聚居区之一。⑲①檐桁：人名，邓至羌人的首领。传见《周书》卷四十九。⑫庚戌：七月二十六日。⑬壬辰：八月乙卯朔，无壬辰。《北史》作“庚午”，是八月十六日。《通鉴》误。《北齐书》作“庚子”，也误。⑭乙亥：八月二十一日。⑮丁丑：八月二十三日。⑯禁之尚书省：把他软禁在尚书省。⑰辛巳：八月二十七日。⑱慧登：高慧登。时任司徒中兵参军。⑲开回车路：将汉代修建而梁朝又重修的子午道，加以扩建。北起长安，南抵汉中，以加强对巴蜀的控制。胡三省注认为“回”本作“通”，误作“回”，又省作“回”。

【校记】

［9］国：原作“姓”。据章钰校，十二行本、乙十一行本皆作“国”，《通鉴纪事本末》卷二三、《通鉴纲目》卷三三亦作“国”，今据改。［10］怒：原无此字。据章钰校，十二

【原文】

帝好玄谈，辛卯⑳，于龙光殿讲《老子》。

曲江侯勃迁居始兴，王琳使副将孙玚㉑先行据番禺。

乙巳㉒，魏遣柱国常山公于谨、中山公宇文护、大将军杨忠将兵五万入寇。冬，十月壬戌㉓，发长安。长孙俭问谨曰：“为萧绎之计，将如何[15]？”谨曰：“耀兵汉、沔，席卷渡江，直据丹杨㉔，上策也；移郭内居民退保子城㉕，峻其陴堞，以待援军，中策也；若难于移动，据守罗郭㉖，下策也。”俭曰：“揣绎定出何策？”谨曰：“下策。”俭曰：“何故？”谨曰：“萧氏保据江南，绵历数纪㉗，属中原多故，未遑外略。又以我有齐氏㉘之患，必谓力不能分。且绎懦而无谋，多疑少断，愚民难与虑始，皆恋邑居，所以知其用下策也。”

癸亥㉙，武宁太守宗均告魏兵且至，帝召公卿议之。领军胡僧祐、太府卿黄罗汉曰：“二国通好，未有嫌隙，必应不尔。”侍中王琛曰：“臣揣宇文容色㉚，必无此理。”乃复使琛使魏。丙寅㉛，于谨至樊、邓㉜，梁王詧帅众会之。丁卯㉝[16]，帝停讲㉞，内外戒严。王琛至石梵㉟，未见魏军，驰书报黄罗汉曰：“吾至石梵，境上帖然，前言皆儿戏耳。”帝闻而疑之。庚午㊱，复讲，百官戎服以听㊲。

行本、乙十一行本、孔天胤本皆有此字，今据补。[11] 五子王等：原无“等”字。据章钰校，十二行本、乙十一行本皆有“等”字，《周书·李迁哲传》《北史·李迁哲传》亦同，今据补。下文同补。[12] 追击：原作“遣击”。据章钰校，十二行本、乙十一行本、孔天胤本皆作“追击”，胡三省注云：“‘遣击’恐当作‘追击’。”今据改。〖按〗《周书·文帝纪下》《北史·西魏恭帝纪》皆作“追击”。[13] 敬显儁：原作“敬显携”。胡三省注云：“‘敬显携’当作‘敬显儁’。”严衍《通鉴补》改作“敬显儁”，当是，今从改。〖按〗《北齐书·段荣传附段韶传》《北史·段荣传附段韶传》皆作“敬显儁”。[14] 兵：原作“师”。据章钰校，十二行本、乙十一行本皆作“兵”，今据改。〖按〗《通鉴纪事本末》卷二三作“兵”。

【语译】

梁元帝爱好玄学清谈。九月初八日辛卯，在龙光殿讲《老子》。

梁曲江侯萧勃迁居始兴，王琳派副将孙玚为先锋占据番禺。

九月二十二日乙巳，西魏派柱国常山公于谨、中山公宇文护、大将军杨忠率领军队五万侵犯梁朝。冬，十月初九日壬戌，西魏兵从长安出发。长孙俭问于谨说：“替萧绎设计，应当怎样来对付？”于谨说：“在汉水、沔水一带显示军力，集中全部资财、力量渡过长江，径直占据丹杨，这是上策；把江陵外城军民转移到内城防守，加高内城的城墙，等待援军，这是中策；如果难于移动，据守外城，这是下策。”长孙俭说：“你估量萧绎一定采用哪一计策？”于谨说：“下策。”长孙俭说：“为什么？”于谨说：“萧氏割据江南，延续了几十年，正好这时中原多事，无暇向外扩张。又因为我们有北齐为患，他们一定认为我们不能分兵去打他的主意。再说，萧绎懦弱没有谋略，疑心重，少决断，百姓没有智慧为国家深谋远虑，都留恋故乡旧居，所以推知他们会采用下策。”

十月初十日癸亥，武宁太守宗均报告西魏兵即将到来，梁元帝召集公卿大臣讨论这一情况。领军将军胡僧祐、太府卿黄罗汉说：“两国往来友好，没有嫌隙，应该不会这样。”侍中王琛说：“臣下观察宇文泰的心态，一定没有出兵犯境的道理。”便又派王琛出使西魏。十三日丙寅，于谨到达樊城、邓县，梁王萧詧率领部众与他会合。十四日丁卯，梁元帝停讲《老子》，都城内外戒严。王琛到了石梵，没有发现西魏军，快马向黄罗汉通报说：“我已到达石梵，境上十分安静，前些日子说西魏军侵犯，都是儿戏而已。”梁元帝听了半信半疑。十七日庚午，重新开讲《老子》，文武百官穿着军装听讲。

辛未[218]，帝使主书李膺至建康，征王僧辩为大都督、荆州刺史，命陈霸先徙镇扬州。僧辩遣豫州刺史侯瑱帅程灵洗等为前军，兖州刺史杜僧明帅吴明彻等为后军。甲戌[219]，帝夜登凤皇阁，徙倚[220]叹息曰：“客星入翼、轸[221]，今必败矣！”嫔御皆泣。

陆法和闻魏师至，自郢州入汉口，将赴江陵。帝使逆之曰：“此自能破贼，但镇郢州，不须动也。”法和还州，垩其城门[222]，着衰绖[223]，坐苇席，终日，乃脱之。

十一月，帝大阅于津阳门[224]外，遇北风暴雨，轻辇还宫。癸未[225]，魏军济汉[226]，于谨令宇文护、杨忠帅精骑先据江津[227]，断东路。甲申[228]，护克武宁，执宗均。是日，帝乘马出城行栅[229]，插木为之，周围六十余里。以领军将军胡僧祐都督城东诸军事，尚书右仆射张绾为之副。左仆射王褒都督城西诸军事，四厢领直[230]元景亮为之副。王公已下各有所守。丙戌[231]，命太子巡行城楼，令居人助运木石。夜，魏军至黄华[232]，去江陵四十里，丁亥[233]，至栅下。戊子[234]，嶲州刺史裴畿[235]、畿弟新兴太守机、武昌太守朱买臣、衡阳太守谢答仁开枇杷门[236]出战，裴机杀魏仪同三司胡文伐。畿，之高之子也。

帝征广州刺史王琳为湘州[17]刺史，使引兵入援。丁酉[237]，栅内火，焚数千家及城楼二十五，帝临所焚楼，望魏军济江，四顾叹息。是夜，遂止宫外，宿民家，己亥[238]，移居祇洹寺。于谨令筑长围，中外信命[239]始绝。

庚子[240]，信州刺史徐世谱[241]、晋安王司马任约等筑垒于马头[242]，遥为声援。是夜，帝巡城，犹口占为诗，群臣亦有和者。帝裂帛为书，趣王僧辩曰：“吾忍死[243]待公，可以至矣！”壬寅[244]，还宫。癸卯[245]，出长沙寺。戊申[246]，王褒、胡僧祐、朱买臣、谢答仁等开门出战，皆败还。己酉[247]，帝移居天居寺。癸丑[248]，移居长沙寺。朱买臣按剑进曰：“唯斩宗懔、黄罗汉[249]，可以谢天下。”帝曰：“曩实吾意，宗、黄何罪？”二人退入众中。

王琳军至长沙，镇南府[250]长史裴政[251]请间道先报江陵，至百里洲，为魏人所获。梁王詧谓政曰：“我，武皇帝之孙也，不可为尔君乎？若从我计，贵及子孙；如或不然，腰领分矣。”政诡曰[18]：“唯

十月十八日辛未，梁元帝派主书李膺到建康，征召王僧辩为大都督、荆州刺史，命陈霸先移镇扬州。王僧辩派豫州刺史侯瑱率领程灵洗等为先锋，兖州刺史杜僧明率领吴明彻等为后军。二十一日甲戌，梁元帝夜里登上凤皇阁，来回踱步，叹息说："客星侵犯翼宿、轸宿，今日必定失败！"嫔妃侍从都哭了。

陆法和听闻西魏军到来，从郢州进入汉口，将赶赴江陵。梁元帝派使者拦住他，说："这里自有能力打败敌人，你只需镇守郢州，不要兴师动众。"陆法和回到郢州，用白色的土涂在城门上，自己穿丧服，坐苇席，过了一整天，才脱掉丧服。

十一月，梁元帝在津阳门外大规模检阅军队，碰上北风暴雨，乘坐轻便车回宫。初一日癸未，西魏军渡过汉水，于谨命令宇文护、杨忠率领精锐骑兵先行占据江津城，切断梁元帝向东的道路。初二日甲申，宇文护攻下武宁，抓获了宗均。这一天，梁元帝乘马出城巡视营栅，插木为栅栏，环绕江陵城达六十余里。命令领军将军胡僧祐都督城东诸军事，尚书右仆射张绾为副将。左仆射王褒都督城西诸军事，四厢领直元景亮为副将。王公以下都有守备任务。初四日丙戌，命令太子巡行城楼，命令城内居民协助搬运木石。当夜，西魏军到达黄华，距离江陵四十里。初五日丁亥，西魏军到达梁军栅寨。初六日戊子，巂州刺史裴畿、畿弟新兴太守裴机、武昌太守朱买臣、衡阳太守谢答仁打开枇杷门出战，裴机杀死西魏仪同三司胡文伐。裴畿，是裴之高的儿子。

梁元帝征调广州刺史王琳为湘州刺史，让他带兵来江陵城救援。十一月十五日丁酉，栅栏内失火，烧毁了几千家和城楼二十五座。梁元帝登上被烧毁的城楼，看西魏军渡江，环顾四周叹息。当夜，梁元帝就停留在宫外，住宿在百姓家中，十七日己亥，移居祇洹寺。于谨下令在江陵四周修筑围墙，江陵城内外的信息开始断绝。

十一月十八日庚子，信州刺史徐世谱、晋安王司马任约等在马头修筑营垒，遥为声援。当夜梁元帝巡视江陵城，还随口作诗，群臣中也有人和作。梁元帝撕下衣帛写诏书，催促王僧辩说："我忍着死亡等待你，应该到了啊！"二十日壬寅，梁元帝回到宫中。二十一日癸卯，出宫到长沙寺。二十六日戊申，王褒、胡僧祐、朱买臣、谢答仁等打开城门出战，全都战败返回。二十七日己酉，梁元帝移居天居寺。十二月初一日癸丑，移居长沙寺。朱买臣提着剑进言梁元帝说："只有杀了宗懔、黄罗汉，才可以谢罪天下。"梁元帝说："先前定都江陵实在是我的想法，宗懔、黄罗汉有何罪过？"两人退避到人群中。

王琳军到达长沙，镇南府长史裴政请求从小路先行报告江陵，到了百里洲，被西魏人抓获。梁王萧詧对裴政说："我是武皇帝的孙子，不可以做你的君主吗？如果听从我的计谋，可使你的尊贵延及子孙；如果不这样，你的头颅要搬家。"裴政假意

命。”詧锁之至城下，使言曰：“王僧辩闻台城[252]被围，已自为帝。王琳孤弱，不复能[19]来。”政告城中曰：“援兵大至，各思自勉。吾以间使[253]被擒，当碎身报国。”监者击其口，詧怒，命[20]速杀之。西中郎参军[254]蔡大业[255]谏曰：“此民望也，杀之，则荆州不可下矣。”乃释之。政，之礼[256]之子。大业，大宝之弟也。

时征兵四方，皆未至。甲寅[257]，魏人百道攻城，城中负户[258]蒙楯，胡僧祐亲当矢石，昼夜督战，奖励将士，明行赏罚，众咸致死，所向摧殄，魏不得前。俄而僧祐中流矢死，内外大骇。魏悉众攻栅，反者开西门纳魏师，帝与太子、王褒、谢答仁、朱买臣退保金城，令汝南王大封、晋熙王大圆质于于谨以请和。魏军之初至也，众以王僧辩子侍中颋[259]可为都督，帝不用，更夺其兵，使与左右十人入守殿中，及胡僧祐死，乃用为都督城中诸军事。裴畿、裴机、历阳侯峻皆出降。于谨以机手杀胡文伐，并畿杀之。峻[260]，渊猷[261]之子也。时城南虽破，而城北诸将犹苦战，日暝，闻城陷，乃散。

帝入东阁竹殿，命舍人高善宝焚古今图书十四万卷，将自赴火，宫人左右共止之。又以宝剑斫柱令折，叹曰：“文武之道，今夜尽矣！”乃使御史中丞王孝祀[262]作降文。谢答仁、朱买臣谏曰：“城中兵众犹强，乘暗突围而出，贼必惊，因而薄之，可渡江就任约。”帝素不便走马，曰：“事必无成，只增辱耳！”答仁求自扶，帝以问王褒，褒曰：“答仁，侯景之党，岂足可信？成彼之勋，不如降也。”答仁又请守子城，收兵可得五千人，帝然之，即授城中大都督，配以公主。既而召王褒谋之，以为不可。答仁请入不得，欧血而去。于谨征太子为质，帝使王褒送之。谨子以褒善书，给之纸笔，褒[21]乃书曰：“柱国常山公[263]家奴王褒。”有顷，黄门郎裴政犯门而出。帝遂去羽仪文物，白马素衣出东门，抽剑击阖[264]曰：“萧世诚[265]一至此乎？”魏军士度堑牵其辔，至白马寺北，夺其所乘骏马，以驽马代之，遣长壮胡人手扼其背以行，逢于谨，胡人牵帝使拜。梁王詧使铁骑拥帝入营，囚于乌幔[266]之下，甚为詧所诘辱。乙卯[267]，于谨令开府仪同三司长孙俭入据金城。帝绐俭云：“城中埋金千斤，欲以相赠。”俭乃将帝入城。帝因

回答说："遵命。"萧詧把他铐起来，带到江陵城下，让他喊话说："王僧辩得知皇城被包围，已经自己做了皇帝，王琳势单力薄，不能再来营救。"裴政却告知城中说："援兵大量涌来，你们各自要奋力作战。我作为报信的密使被抓获，当粉身碎骨报效国家。"监看他的人打他的嘴巴，萧詧大怒，下令赶快杀死他。西中郎参军蔡大业谏阻说："这是民众敬仰的人，杀了他，那么荆州就难以攻下了。"便释放了他。裴政，是裴之礼的儿子。蔡大业，是蔡大宝的弟弟。

当时征调四方兵马，都没有到达。十二月初二日甲寅，西魏军全线攻城，城中将士背负门板头顶盾牌，胡僧祐身冒矢石，昼夜督战，奖励战士，赏罚分明，将士们都拼死作战，所向披靡，西魏军不能前进。不久，胡僧祐被乱箭射死，内外城军民大为惊慌。西魏全军攻城，有反叛的人打开西门接纳西魏军。梁元帝与太子、王褒、谢答仁、朱买臣退守内城，派汝南王萧大封、晋熙王萧大圆到于谨军中做人质，请求讲和。西魏军初到时，大家以为王僧辩的儿子侍中王颁可以出任都督，梁元帝不用他，反而夺走了他的兵力，让他和身边的十个人去守卫皇宫，等到胡僧祐死后，才任命他为都督城中诸军事。裴畿、裴机、历阳侯萧峻都出城投降。于谨因为裴机亲手杀了胡文伐，他就把裴机、裴畿一起杀死。萧峻，是萧渊猷的儿子。当时城南虽然被攻破，而城北诸将仍在苦战，当太阳下山时，听说城被攻破，这才溃散。

梁元帝进入东阁竹殿，命令舍人高善宝烧毁了所藏古今图书共十四万卷，自己将要投入火中，宫人和身边的人一起拉住了他。梁元帝又用宝剑砍柱子使宝剑折断，说："文武之道，今夜全完了！"于是让御史中丞王孝祀写投降书。谢答仁、朱买臣谏阻说："城中兵力还很强大，趁夜色突围出去，敌人必然惊恐，趁势冲杀敌人，可以渡江去任约那儿。"梁元帝向来不会骑马，说："事情一定不会成功，只是增加羞辱罢了！"谢答仁请求亲自护持梁元帝。梁元帝就这事询问王褒，王褒说："谢答仁是侯景的同党，哪能完全相信？成全他的功劳，不如去求降。"谢答仁又请求守卫内城，搜集散兵可得五千人，梁元帝同意了，立即授给他城中大都督，把公主配给他为妻。过了一会儿，梁元帝召见王褒商议这件事，认为不可以。谢答仁请求入宫没得到允许，气得吐血离去。于谨征召太子为人质，梁元帝派王褒护送太子。于谨的儿子知道王褒善书法，供给他纸和笔，王褒写道："柱国常山公家奴王褒。"过了一会儿，黄门郎裴政冲开门出走。梁元帝便撤去了皇帝仪仗、服饰，乘着白马、穿着白衣走出东门，拔剑砍门，说："我萧世诚竟然落到这地步吗？"西魏士兵跨过壕堑，牵着梁元帝的马缰，走到白马寺的北边，抢了梁元帝乘坐的骏马，换了一匹劣马，派又高又壮的胡人抓住梁元帝的后背，押着他走，碰到于谨，胡人拉着梁元帝让他跪拜。梁王萧詧派铁甲骑士把梁元帝押进军营，关闭在黑色帐幔中，颇为萧詧所侮辱。十二月初三日乙卯，于谨派开府仪同三司长孙俭进据内城。梁元帝骗长孙俭说："城中埋了一千斤黄金，想要送给你。"长孙俭就带着梁元帝进入内城。梁元帝乘机陈述了自

述詧见辱之状，谓俭曰：“向聊相绐，欲言此耳，岂有天子自埋金乎？”俭乃留帝于主衣库[268]。

帝性残忍，且惩高祖宽纵之弊，故为政尚严。及魏师围城，狱中死囚且数千人，有司请释之以充战士；帝不许，悉令棓杀之，事未成而城陷。

中书郎殷不害先于别所督战，城陷，失其母。时冰雪交积，冻死者填满沟堑，不害行哭于道，求其母尸，无所不至，见沟中死人，辄投下[269]捧视，举体冻湿，水浆不入口，号哭不辍声，如是七日，乃得之。

十二月丙辰[270]，徐世谱、任约退戍巴陵。于谨逼帝使为书召王僧辩，帝不可。使者曰：“王今岂得自由？”帝曰：“我既不自由，僧辩亦不由我。”又从长孙俭求宫人[271]王氏、荀氏[22]及幼子犀首，俭并还之。或问：“何意焚书？”帝曰：“读书万卷，犹有今日，故焚之。”

庚申[272]，齐主北巡，至达速岭[273]，行视山川险要，将起长城。

辛未[274]，帝为魏人所杀。梁王詧遣尚书傅准[275]监刑，以土囊陨之。詧使以布帊[276]缠尸，敛以蒲席，束以白茅，葬于津阳门外。并杀愍怀太子元良[277]、始安王方略、桂阳王大成等。世祖[278]性好书，常令左右读书，昼夜不绝，虽熟睡，卷犹不释，或差误及欺之[279]，帝辄惊寤[280]。作文章，援笔立就。常言：“我韬于文士[281]，愧于武夫。”论者以为得言[282]。

魏立梁王詧为梁主，资以荆州之地，延袤三百里，仍取其雍州之地[283]。詧居江陵东城，魏置防主，将兵居西城，名曰助防，外示助詧备御，内实防之。以前仪同三司王悦留镇江陵。于谨收府库珍宝及宋浑天仪[284]、梁铜晷表、大玉径四尺及诸法物。尽俘王公以下及选百姓男女数万口为奴婢，分赏三军，驱归长安，小弱者皆杀之。得免者三百余家，而人马所践及冻死者什二三。

魏师之在江陵也，梁王詧将尹德毅[285]说詧曰：“魏虏贪惏，肆其残忍，杀掠士民，不可胜纪。江东之人涂炭至此，咸谓殿下为之。殿下既杀人父兄，孤人子弟，人尽仇也，谁与为国？今魏之精锐尽萃于此，若殿下为设享会，请于谨等为欢，预伏武士，因而毙之，分命诸将，

已被萧詧诟辱的情状，对长孙俭说："刚才不过是骗你，就是想向你说这些话，哪有天子自己埋金子啊？"长孙俭就把梁元帝关押在主衣库中。

梁元帝性情残忍，又鉴于梁高祖为政宽缓的弊端，所以为政严厉。等到西魏师围城时，狱中关押的死罪囚徒约有几千人，主管部门请求释放他们充当战士，梁元帝不允许，下令全部用棍棒打死。这事还没来得及办，而江陵城已被攻破。

中书郎殷不害原先在另一个地方督战，城破以后，不见了母亲。当时冰天雪地，冻死的人布满大小壕沟，殷不害在路上一边哭，一边走，寻找他母亲的尸体，所有的地方都找遍了，只要见到沟中有死人，他都要跳下去，抱起来辨认。他全身都冻湿了，连一口水都不喝，痛哭声不停，这样找了七天，才找到。

十二月初四日丙辰，徐世谱、任约退守巴陵。于谨逼迫梁元帝让他写信招降王僧辩，梁元帝不答应。于谨的使者说："大王现今哪里还能自由？"梁元帝说："我既然不自由，王僧辩也就不会听我的话。"梁元帝又向长孙俭请求要官人王氏、荀氏和小儿子萧犀首，长孙俭都给了梁元帝。有人问梁元帝："为什么要烧书？"梁元帝说："读了万卷书，还落得现在的结局，所以烧了它。"

十二月初八日庚申，北齐国主高洋巡视北方，到了达速岭，察看山川险要，将要修筑长城。

十二月十九日辛未，梁元帝被西魏人杀害。梁王萧詧派尚书傅准监督行刑，用装土的袋子把梁元帝压死。萧詧让人用布帛缠尸，裹在蒲席里，包上白茅草，埋葬在津阳门外。萧詧又杀了愍怀太子萧元良、始安王萧方略、桂阳王萧大成等。梁世祖生性爱好图书，经常让身边的人给他读书，昼夜不停，即使熟睡了，书卷还不放手，有时读错了，或者有意跳过去读，梁元帝随即惊醒过来。梁元帝写文章，拿起笔一挥而就，常常说："我作文士绰绰有余，作为武人就十分惭愧。"评论他的人都认为这话与实际相符。

西魏立梁王萧詧为梁国国主，把荆州地方割给他，连绵三百里，而取走他原来占有的雍州地区。萧詧居住在江陵东城，西魏安置城防军主领兵居住在西城，名叫助防，向外显示协助萧詧防守，内心实际是监视萧詧。西魏任命前仪同三司王悦镇守江陵。于谨没收了梁朝府库中的珍珠宝玉，以及刘宋制造的浑天仪、梁朝制造的铜晷表、四尺直径的大玉和其他器物。把王公以下的百官和挑选出来的男女平民数万口作为奴婢，分配奖励给西魏军人，驱赶他们随军士回到长安，幼小瘦弱的人全部杀死。幸免于难的只有三百多家，而被兵马践踏和冻死的有十分之二三。

西魏兵在江陵时，梁王萧詧的部将尹德毅劝萧詧说："西魏人贪得无厌，肆意滥杀无辜，抢掠士民，无法计数。江东民众遭此劫难，都说是殿下所为。殿下既然杀了人家的父兄，使人家的子女成了孤儿，人人都是你的仇敌，还有谁来替你的国家效力？如今西魏的精锐都集中在这里，如果殿下为他们摆下宴会，请于谨等人来赴宴作乐，预先埋伏勇士，趁机诛杀他们。分别命令各位将领，袭击西魏军营，全歼

掩其营垒，大歼群丑，俾无遗类。收江陵百姓，抚而安之，文武群寮，随材铨授。魏人慑息，未敢送死，王僧辩之徒，折简㉘可致。然后朝服济江，入践皇极㉘，晷刻之间，大功可立。古人云：'天与不取，反受其咎㉘。'愿殿下恢弘远略，勿怀匹夫之行㉘。"詧曰："卿此策非不善也，然魏人待我厚，未可背德。若遽为卿计，人将不食吾余㉙。"既而阖城长幼被虏，又失襄阳，詧乃叹曰："恨不用尹德毅之言！"

王僧辩、陈霸先等共奉江州刺史晋安王方智为太宰，承制。

王褒、王克、刘毂、宗懔、殷不害及尚书右丞吴兴沈炯㉙至长安，太师泰皆厚礼之。泰亲至于谨第，宴劳极欢，赏谨奴婢千口及梁之宝物并雅乐一部，别封新野公，谨固辞，不许。谨自以久居重任，功名既立，欲保优闲，乃上先所乘骏马及所着铠甲等。泰识其意，曰："今巨猾㉙未平，公岂得遽尔独善㉙？"遂不受。

是岁，魏秦州刺史章武孝公宇文导卒。

魏加益州刺史尉迟迥督六州，通前十八州，自剑阁以南，得承制封拜及黜陟。迥明赏罚，布威恩，绥辑新民，经略未附，华夷怀之。

【段旨】

以上为第四段，详载西魏覆灭梁朝江陵政权、掳获梁元帝事件始末。

【注释】

⑳辛卯：九月初八日。㉑孙玚（公元五一六至五八七年）：字德琏，吴郡吴人，梁敬帝时，任巴州刺史。陈霸先称帝，王琳拥立永嘉王萧庄。玚到建康，任太府卿，出为郢州刺史，对抗王琳及周军，以功封定襄县侯。后平定留异的叛乱。传见《陈书》卷二十五、《南史》卷五十七。㉒乙巳：九月二十二日。㉓壬戌：十月初九日。㉔直据丹杨：径直占据丹杨。意谓回到旧都建康。因建康地属丹杨郡，故云。㉕子城：内城。㉖罗郭：罗城和郭城，都是外城。㉗纪：十二年为一纪。从梁朝初建至此年，已有五十二年。㉘齐氏：指北齐。㉙癸亥：十月初十日。㉚宇文容色：宇文泰的容貌脸色。此应理解为宇文泰的心态。上年王琛刚出使过西魏，见过宇文泰。㉛丙寅：十月十三日。㉜樊、

敌军，不放走一个。收聚江陵百姓，抚慰安定他们，原有的文武百官量才录用。西魏畏惧不动，不敢兴兵送死，王僧辩这些人，写一封信就可以招致。然后穿着朝服渡过长江，进入建康，登上皇位，顷刻之间，大功就可建立。古人说：‘天与不取，反受其咎。’希望殿下高瞻远瞩，不要抱持普通人的行为。”萧詧说：“你的这个策略不是不好，但是西魏待我很优厚，我不能忘恩负义。如果突然按你的计谋行事，人们会唾弃我，以至于连我的剩余物都不会吃。”不久，江陵全城老幼被掳掠，又丢了襄阳，萧詧才叹息说：“悔恨没有采用尹德毅的话！”

王僧辩、陈霸先等人共同拥立江州刺史晋安王萧方智为太宰，承制。

王褒、王克、刘毂、宗懔、殷不害以及尚书右丞吴兴人沈炯到了长安，太师宇文泰都以厚礼相待。宇文泰亲自到于谨的府第，设宴慰劳，极尽欢乐，赏赐于谨一千口奴婢，以及梁朝宝物和雅乐一部，另加封新野公，于谨坚决推辞，宇文泰不同意。于谨自以为久居重任，功名已经建立，想保持悠闲，就献上自己原先骑的骏马，以及所用的铠甲等物。宇文泰了解他的心意，说：“现今北齐高洋还没有平定，你怎么能突然去独自享乐？”于是没有接受于谨的辞职。

这一年，西魏秦州刺史章武孝公宇文导去世。

西魏加官益州刺史尉迟迥都督六州，加上以前所督州共十八州，从剑阁以南的地区，他可以承制自行封拜官爵，以及提升或降职官吏。尉迟迥赏罚分明，布施恩惠，安抚归附的新增民众，筹划招来未附的民众，华夷各族都归向他。

邓：皆县名。樊，樊城，县治在今湖北襄阳北。邓，邓县，县治在今湖北襄阳北。㉑③丁卯：十月十四日。㉑④停讲：停止讲解《老子》。㉑⑤石梵：沔水河口。一说在湖北汉川市，一说在湖北潜江市，恐后说为是。㉑⑥庚午：十月十七日。㉑⑦戎服以听：身穿战袍来听讲，以防意外。㉑⑧辛未：十月十八日。㉑⑨甲戌：十月二十一日。㉒⓪徙倚：徘徊。㉒①客星入翼、轸：客星侵犯翼宿、轸宿星空。翼，翼宿，星名。荆州乃古楚地，当翼、轸二星之分野。㉒②垩其城门：用白色土涂在城门上。陆法和是术士，史称能知未来吉凶，此举是说他已知将有国丧。㉒③着衰绖：穿丧服，戴孝。㉒④津阳门：江陵城东第二门。此时江陵城门全仿照建康命名。㉒⑤癸未：十一月初一日。㉒⑥汉：汉水。㉒⑦江津：城名，在今湖北江陵南。㉒⑧甲申：十一月初二日。㉒⑨行栅：巡查营栅。㉓⓪四厢领直：官名，梁置，禁军主要将领之一。㉓①丙戌：十一月初四日。㉓②黄华：地名，今址不详。㉓③丁亥：十一月初五日。㉓④戊子：十一月初六日。㉓⑤裴畿：仕梁，累官太子右卫率、隽州刺史。西魏攻陷江陵，畿战死。传见《梁书》卷二十八、《南史》卷五十八。㉓⑥枇杷门：江陵城门之一。㉓⑦丁酉：十一月十五日。㉓⑧己亥：十一月十七日。㉓⑨信命：使者所传来的信

息和传出的命令。㉔⓪ 庚子：十一月十八日。㉔① 徐世谱（公元五〇九至五六三年）：字兴宗，巴东鱼复（今重庆奉节）人，仕梁，曾擒任约，降宋子仙，以功封鱼复县侯，拜信州刺史。江陵失陷后，投奔陈霸先。入陈，任宣城太守。传见《陈书》卷十三、《南史》卷六十七。㉔② 马头：在江陵城南的长江边，又称马头岸。㉔③ 忍死：面临死亡，犹一再期待。㉔④ 壬寅：十一月二十日。㉔⑤ 癸卯：十一月二十一日。㉔⑥ 戊申：十一月二十六日。㉔⑦ 己酉：十一月二十七日。㉔⑧ 癸丑：十二月初一日。㉔⑨ 斩宗懔、黄罗汉：朱买臣认为因二人坚决反对迁都建康，才导致今日的困境，所以要斩杀二人。㉕⓪ 镇南府：即镇南将军王琳府。㉕① 裴政：字德表，河东闻喜（今山西闻喜）人，江陵沦陷后，入西魏。宇文泰命他和卢辩一起依《周礼》确定六官建制，建立礼仪制度。隋时任襄州总管。传见《梁书》卷二十八、《南史》卷五十八、《北史》卷七十七。㉕② 台城：帝所居之城。此指江陵。㉕③ 间使：暗中出使。㉕④ 西中郎参军：官名，即西中郎将府参军。㉕⑤ 蔡大业（？至公元五六九年）：字敬道，萧詧称帝，蔡大业官至散骑常侍、卫尉卿。萧岿嗣位，改任太常卿。传见《周书》卷四十八、《北史》卷九十三。㉕⑥ 之礼：裴之礼，字子义，历任散骑常侍、西豫州刺史、北徐州刺史、少府。传见《梁书》卷二十八、《南史》卷五十八。㉕⑦ 甲寅：十二月初二日。㉕⑧ 负户：背门板以防箭。㉕⑨ 颙：王颙，江陵失陷后，随王琳投奔北齐，任竟陵太守。王琳战死，颙悲愤而亡。传见《梁书》卷四十五、《南史》卷六十三。㉖⓪ 峻：萧峻，封历阳侯。㉖① 渊猷：萧渊猷，《南史》避唐高祖讳作“萧猷”。梁武帝兄长萧懿的后代。曾任益州刺史、侍中、中护军。传见《南史》卷五十一。㉖② 王孝祀:《北齐书》卷四十五作“王孝纪”。㉖③ 柱国常山公：时于谨任柱国大将军，封常山公。㉖④ 阖：城门门扇。㉖⑤ 萧世诚：萧绎字世诚。㉖⑥ 乌幔：黑色帐帷。㉖⑦ 乙卯：十二月初三日。㉖⑧ 主衣库：原宫中的御用服装库。㉖⑨ 投下：跳下去。㉗⓪ 丙辰：十二月初四日。㉗① 宫人：宫中管理皇帝起居生活的女官。㉗② 庚申：十二月初八日。㉗③ 达速岭：山名，在今山西五寨东北卧羊场一带。㉗④ 辛未：十二月十九日。㉗⑤ 傅准：北地（今属河北）人。仕梁元帝，官至度支尚书。传见《周书》卷四十八、《北史》卷九十三。又《北史》作“傅淮”。㉗⑥ 布帊：布帛。㉗⑦ 愍怀太子元良：愍怀是萧方矩的谥号，元良是他任王太子后改的名字。㉗⑧ 世祖：梁元帝的庙号。㉗⑨ 或差误及欺之：读书的侍者有时读错，或者有意跳读。㉘⓪ 惊寤：惊醒过来。㉘① 韬于文士：意谓作文士宽绰有余。韬，宽、缓。㉘② 得言：所说与实际相符。㉘③ 取其雍州之地：萧詧原为雍州刺史，镇守襄樊，位居水陆要冲。现被西魏以荆州残破之地换走。㉘④ 宋浑天仪：南朝宋元嘉十三年（公元四三六年），由钱乐之所铸的天象仪器。㉘⑤ 尹德毅：其祖先天水（今甘肃天水）人。随父尹正辅佐萧詧，多谋略，位至大将军，遭猜忌而死。传见《周书》卷四十八、《北史》卷九十三。㉘⑥ 折简：写书信。㉘⑦ 入践皇极：到旧都建康即位。皇极，帝位。㉘⑧ “天与不取”二句：蒯通劝韩信摆脱刘邦，自立于齐时说的话。语见《史记》卷九十二。㉘⑨ 匹夫之行：指谨小慎微，鼠目寸光。㉙⓪ 人将不食吾余：典出《左传》庄公六年。楚文王攻打申国，他是邓祁侯的姨侄，所以在他路过邓国时，邓侯设宴招待他。当时外甥们劝邓侯杀掉楚王，说将来灭掉邓国的人一定是他。邓侯却说："如果这样做了，人们会不吃我剩下的东西，轻蔑地抛弃我。"时隔一年，楚王竟灭掉了邓国。萧詧虽熟知此典，却与邓侯一样，自食其果。㉙沈炯：字礼明，吴兴武康（今浙江德清西）人，梁敬帝绍泰二年（公元五五六年），返回建康。陈霸先登基，任御史中丞，加散骑常侍。后以明威将军返回家乡，对付王琳及留异。不久病死。传见《陈书》卷十九、《南史》卷六十九。㉒巨猾：指北齐高洋。㉓独善：保持一己的品节。此处意为独自享乐。

【校记】

［15］将如何：原作"将如之何"。据章钰校，十二行本、乙十一行本皆无"之"字，今据删。〖按〗《北史·于栗磾传附于谨传》无"之"字。［16］丁卯：原作"辛卯"。据章钰校，十二行本、乙十一行本皆作"丁卯"，今据改。〖按〗《梁书·元帝纪》《南史·简文帝纪》皆作"丁卯"。［17］湘州：原作"湘东"。据章钰校，十二行本、乙十一行本皆作"湘州"，今据改。〖按〗《北齐书·王琳传》作"湘州"。［18］曰：原作"对曰"。据章钰校，十二行本、乙十一行本皆无"对"字，今据删。〖按〗《隋书·裴政传》无"对"字。［19］复能：原作"能复"。据章钰校，十二行本、乙十一行本二字皆互乙，今据改。〖按〗《隋书·裴政传》作"复能"。［20］命：原作"使"。据章钰校，十二行本、乙十一行本皆作"命"，今据改。〖按〗《隋书·裴政传》作"命"。［21］褒：原无此字。据章钰校，十二行本、乙十一行本、孔天胤本皆有此字，今据补。［22］苟氏：原作"荀氏"。据章钰校，十二行本、乙十一行本、孔天胤本皆作"苟氏"，熊罗宿《胡刻资治通鉴校字记》同，今据改。

【研析】

本卷所记公元五四三至五四四年之事，值得深入考察者有二。

第一，突厥兴起及其影响。在卷一百五十九的研析中，我们曾分析过柔然在东、西魏政权对峙背景下对于中原政局的影响，也曾述及西魏联合柔然失败，转而寻求与突厥结盟的史事。

据《周书》卷五十《突厥传》，突厥源出"高昌国之北山"，即今吐鲁番北部山区，后部众渐多，移至金山南麓，金山即今阿尔泰山。"金山形似兜鍪，其俗谓兜鍪为'突厥'，遂因以为号焉。"《周书》记录了突厥源起的两个不同传说，均与狼有关，"此说虽殊，然终狼种也"。按今天的认识，即这是一个以狼为图腾的族群，日后突厥雄霸草原，其白色旗帜上便绘着一个血色狼头。

在阿尔泰山一带居住的突厥人，受柔然役使，"为茹茹铁工"。按《周书》所记，西魏大统十一年（公元五四五年），"部落稍盛"的突厥首领土门与刚刚和柔然成仇的西魏结上关系，次年，土门向草原上同样役属于柔然的铁勒（即敕勒）族群发起攻击行动，“降其众五万余落”。土门乘胜向柔然首领阿那瓌求婚，遭到拒绝，业已强大起来的土门于是与柔然断交，转而于大统十七年（公元五五一年）娶西魏长乐公主为妻。《通鉴》为表明事情原委，将前后几年发生的这些史事，综合记述于上卷。

突厥与西魏和亲之后，便向双方共同的敌人柔然发起全面进攻。次年，阿那瓌自杀，柔然失去了对草原的控制，余部转而骚扰东魏边境，结果受东魏反击，举族灭亡。土门称伊利可汗，成为草原的新主人。同年土门死，其子科罗称乙息记可汗，向西魏“献马五万匹”。科罗不久亦死，其弟俟斤继立，称木杆可汗，征服草原及周边部族，“其地东自辽海以西，西至西海万里，南自沙漠以北，北至北海五六千里，皆属焉”。从东北亚到中亚，横跨草原，均成了突厥人的天下，突厥人迅速建立起一个远比匈奴更为强大的草原帝国。

突厥的成功，也意味着其同盟西魏即随后的北周的成功。如《周书》所说：“时与齐人交争，戎车岁动，故每连结之，以为外援。”失去了草原势力支持的北齐，从此再无力向西进攻，转而北修长城，应对突厥人的南进。而拥有强援的西魏北周，不再有东顾之忧，开始全力进军西南与江汉平原，同时对青海草原上的吐谷浑展开军事行动，十余年后即灭北齐。上卷曾予以分析的西魏刚刚组建的府兵，能够在历史上发挥重要作用，其实还有赖于这一“国际形势”的有利变化。不仅西魏、北周，甚至后来统一的隋、唐国家，都必须小心翼翼地处理与突厥的关系。

本卷还记载了燕山以北山地草原地带的契丹与北齐之间的战事。这个刚刚出现于历史的草原部族，立即受制于更为强大的突厥，他们要在中国历史上发挥其久远的影响，还要等上数个世纪。

第二，萧绎失败的根本原因。江陵为西魏攻占前，一生喜读书聚书的萧绎，将十四万卷藏书付之一炬，称：“读书万卷，犹有今日，故焚之！”在那个书籍靠手抄且多是单本流传的时代，造成文化史上的空前浩劫。其悲剧并不是书籍造成的，实乃读书不精，嗜书而不化，加上“懦而无谋，多疑少断”以及刻薄寡恩的性格造成的。

侯景乱前，萧绎以梁武帝第七子、湘东郡王的身份出镇江陵，正式官衔为使持节、都督荆雍湘司郢宁梁南北秦九州诸军事、镇西将军、荆州刺史，梁武帝将长江中上游军事指挥大权委托给他，当亦寄予厚望。及侯景攻建康，萧绎“令所督诸州，竝发兵下赴国难”，实迟疑不进，兵至郢城，听信张缵谎言，以为其侄湘州刺史萧誉将不利于己，“乃凿船沉米，斩缆而归”，遣军急攻湘州，又暗中结纳萧誉之弟雍州刺史萧詧的部将刘方贵，欲袭杀萧詧。而萧詧亦不顾萧绎这位“七父”名义上的指挥权，举兵攻江陵，以救胞兄之危。建康老父系于“贼臣”之手，上游方镇均是萧家儿孙，血缘亲情原本可以在大难之时成为颠扑不破的政治纽带，萧绎竟愚蠢地挑起内战，迫使萧詧投靠西魏。梁室子孙弃建康而不顾，在长江中上游大打出手，萧绎难逃其咎，这也使萧绎曾经拥有的统一指挥长江中上游军事的权力失效。

萧绎原本就是刻薄寡恩、不懂亲情的人，《通鉴》前后记述不少。如卷一百六十记其五兄庐陵王萧续死于荆州刺史任上，“初，湘东王绎为荆州刺史，有微过，续代之，以状闻，自此二王不通书问。绎闻其死，入阁而跃，屧为之破”。兄死不悲，反而欢呼雀跃，乐不可支。卷一百六十四记王僧辩奉命攻建康，“僧辩之发江陵也，启湘东王曰：‘平贼之后，嗣君万福，未审何以为礼？’王曰：‘六门之内，自极兵威。’”因担心其兄萧纲未死，阻其称帝之路，让王僧辩在台城内大开杀戒。王僧辩表示自己干不了这种缺德事，萧绎“乃密谕宣猛将军朱买臣，使为之所”，结果萧纲残余三子还未来得及庆幸脱离虎口，便“并沈于水”。本卷记其弟萧纪与其对阵败散，萧绎“密敕”部下：“生还，不成功也。”必杀之而后快。萧纪之子圆照则被投进监狱，“命绝食于狱，至啮臂啖之，十三日而死，远近闻而悲之”。如此泯灭人性，读万卷书竟有何益？他听信张缵谎言而攻萧誉、萧詧兄弟，亦缘于他不相信亲情。政治斗争或许没有亲情存在的空间，但不讲亲情、毫无人味的政治人物不可能成为成功的政治家。

当萧绎于江陵称帝，实际的统治力极其有限，如《通鉴》上卷末所说：“州郡太半入魏，自巴陵以下至建康，以长江为限，荆州界北尽武宁，西拒硖口，岭南复为萧勃所据，诏令所行，千里而近，民户着籍者，不盈三万而已。”他曾有还都建康的打算，最终却“以建康凋残，江陵全盛”，听从当地人即当时所谓“西人”胡僧祐、黄罗汉等人的意见，以江陵为都。放弃民心所系的旧都建康，无疑是政治上的极大失策。江陵在东晋以来虽为中游重镇，但须得襄阳屏障，才得以成为中上游政治、军事中心。梁时史学家萧子显在《南齐书·州郡志下》“荆州”条中已经断言：“江陵去襄阳步道五百，势同唇齿，无襄阳则江陵受敌，不立故也。”读书甚多且坐镇荆州的萧绎，理应知晓。而其时萧詧已举襄阳附于西魏，魏军业已占据汉东战略要冲随（州）、枣（阳）一带，荆州城虽未受战火蹂躏，但已是危城一座，果“全盛”乎？读书多，而不能深思，目光短浅如是，多又何益！

卷第一百六十六　梁纪二十二

起旃蒙大渊献（乙亥，公元五五五年），尽柔兆困敦（丙子，公元五五六年），凡二年。

【题解】

本卷载述公元五五五年、五五六年两年南北朝史事，当梁敬帝绍泰元年、太平元年，西魏恭帝二年、三年，北齐文宣帝天保六年、七年。梁朝再度发生政变，江南又一次全境陷入军阀混战，陈霸先在建康两次挫败北齐入侵，重建萧梁政权，大权独揽。西魏宇文氏受禅建立北周。北齐国势鼎盛，因国主高洋荒淫残暴，使国运开始衰落。

【原文】

敬皇帝

绍泰元年（乙亥，公元五五五年）

春，正月壬午朔[①]，邵陵太守刘棻将兵援江陵，至三百里滩，部曲宋文彻杀之，帅其众还据邵陵[②]。

梁王詧即皇帝位于江陵，改元大定，追尊昭明太子为昭明皇帝，庙号高宗，妃蔡氏[③]为昭德皇后，尊其母龚氏[④]为皇太后，立妻王氏[⑤]为皇后，子岿为皇太子。赏刑制度并同王者，唯上疏于魏则称臣，奉其正朔[⑥]。至于官爵其下，亦依梁氏之旧，其勋级[⑦]则兼用柱国等名。以谘议参军蔡大宝为侍中、尚书令，参掌选事，外兵参军[⑧]太原王操[⑨]为五兵尚书。大宝严整有智谋，雅达[⑩]政事，文辞赡速[⑪]，后梁[⑫]主推心任之，以为谋主，比之诸葛孔明。操亦亚之。追赠邵陵王

【语译】

敬皇帝

绍泰元年（乙亥，公元五五五年）

春，正月初一日壬午，梁邵陵太守刘棻率军救援江陵，到达三百里滩，部将宋文彻杀了他，率领他的部众回到邵陵据守。

梁王萧詧在江陵即皇帝位，改年号为大定，追尊昭明太子为昭明皇帝，庙号高宗，昭明太子妃蔡氏为昭德皇后，追尊自己的母亲龚氏为皇太后，册立妻王氏为皇后，立儿子萧岿为皇太子。赏罚制度与当王的人相同，只有上疏西魏朝廷时才称臣，奉行西魏历法。至于对下属封官加爵，还是沿袭梁朝的旧制度，其中的功勋等级兼用柱国等名号。任用谘议参军蔡大宝为侍中、尚书令，参与掌管选拔用人事务，外兵参军太原人王操为五兵尚书。蔡大宝严谨清正又有智谋，一向精通政务，文辞渊博敏捷，萧詧诚心任用他，用他为谋主，把他比为诸葛孔明。王操也仅次于蔡大宝。

纶太宰⑬，谥曰壮武，河东王誉丞相，谥曰武桓。以莫勇为武州⑭刺史，魏永寿为巴州⑮刺史。

湘州刺史王琳将兵自小桂⑯北下，至蒸城⑰，闻江陵已陷，为世祖发哀，三军缟素，遣别将侯平帅舟师攻后梁。琳屯兵长沙，传檄州郡，为进取之计。长沙王韶及上游诸将皆推琳为盟主。

齐主使清河王岳将兵攻魏安州⑱，以救江陵。岳至义阳⑲，江陵陷，因进军临江，郢州刺史陆法和及仪同三司宋莅⑳举州降之。长史江夏太守王珉不从，杀之。甲午㉑，齐召岳还，使仪同三司清都慕容俨㉒戍郢州。王僧辩遣江州刺史侯瑱攻郢州，任约、徐世谱、宜丰侯循皆引兵会之。

辛丑㉓，齐立贞阳侯渊明为梁主，使其上党王涣将兵送之，徐陵、湛海珍等皆听从渊明归。

二月癸丑㉔，晋安王至自寻阳，入居朝堂，即梁王位，时年十三。以太尉王僧辩为中书监、录尚书、骠骑大将军、都督中外诸军事，加陈霸先征西大将军，以南豫州刺史侯瑱为江州刺史，湘州刺史萧循为太尉，广州刺史萧勃为司徒，镇东将军张彪为郢州刺史。

齐主先使殿中尚书邢子才驰传诣建康，与王僧辩书，以为"嗣主冲藐㉕，未堪负荷。彼贞阳侯，梁武犹子，长沙之胤㉖，以年以望，堪保金陵，故置为梁主，纳于彼国。卿宜部分舟舰，迎接今主，并心一力，善建良图"。乙卯㉗，贞阳侯渊明亦与僧辩书，求迎。僧辩复书曰："嗣主体自宸极，受于文祖[1]。明公傥能入朝，同奖王室，伊、吕之任，佥曰仰归㉘；意在主盟，不敢闻命。"甲子㉙，齐以陆法和为都督荆雍等十州诸军事、太尉、大都督、西南道大行台，又以宋莅为郢州刺史，莅弟簉为湘州刺史。甲戌㉚，上党王涣克谯郡。己卯㉛，渊明又与僧辩书，僧辩不从。

魏以右仆射申徽为襄州刺史。

侯平攻后梁巴、武二州，故刘棻主帅赵朗杀宋文彻，以邵陵归于王琳。

三月，贞阳侯渊明至东关，散骑常侍裴之横御之。齐军司尉瑾、仪同三司萧轨南侵皖城，晋州刺史萧惠以州降之。齐改晋熙为江州㉜，

追赠邵陵王萧纶为太宰，谥号为壮武，河东王萧誉为丞相，谥号为武桓。任用莫勇为武州刺史，魏永寿为巴州刺史。

湘州刺史王琳领兵从小桂北下，到达蒸城，听说江陵已沦陷，便为世祖萧绎举哀，三军将士都穿白色丧服，派别将侯平率领水军攻打后梁。王琳屯兵长沙，向各州郡发布檄文，制订攻取江陵的计划。长沙王萧韶以及上游各州郡将领全都推举王琳为盟主。

北齐派清河王高岳领兵攻打西魏安州，用以救援江陵。高岳到达义阳，江陵沦陷，便进军到长江边。郢州刺史陆法和以及仪同三司宋莅献出州城投降。郢州长史江夏太守王珉不听从，被杀。正月十三日甲午，北齐召高岳回军，派仪同三司清都人慕容俨镇守郢州。王僧辩派江州刺史侯瑱攻打郢州，任约、徐世谱、宜丰侯萧循都领兵与他会合。

正月二十日辛丑，北齐立贞阳侯萧渊明为梁国国主，派上党王高涣领兵护送萧渊明，徐陵、湛海珍等人都同意随萧渊明回归。

二月初二日癸丑，梁晋安王萧方智从寻阳抵达建康，进入朝堂，登上梁王王位，当时十三岁。任命太尉王僧辩为中书监、录尚书、骠骑大将军、都督中外诸军事，加官陈霸先为征西大将军，任命南豫州刺史侯瑱为江州刺史，湘州刺史萧循为太尉，广州刺史萧勃为司徒，镇东将军张彪为郢州刺史。

北齐国主高洋先派殿中尚书邢子才乘驿车前往建康，给王僧辩一封信，认为“皇位继承人年幼，不堪重任。那位贞阳侯萧渊明，是梁武帝的侄儿，长沙王萧懿的儿子，不论是年龄或声望，足以保卫金陵，所以把他立为梁国国主，送回他的国家，你应该安排舟船，迎接现任的国主，同心协力，建设美好的未来”。二月初四日乙卯，贞阳侯萧渊明也写信给王僧辩，要求迎接自己回国。王僧辩回信说：“继承人晋安王是梁元帝的儿子，在文祖庙接受了帝位。你如果能回朝，共同匡扶皇室，商代的伊尹、周代的吕尚那样的位置，大家仰戴归心；如果你意在做国主，我不敢听从你的命令。”十三日甲子，北齐任命陆法和为都督荆雍等十州诸军事、太尉、大都督、西南道大行台，又任命宋莅为郢州刺史，宋莅的弟弟宋簉为湘州刺史。二十三日甲戌，北齐上党王高涣攻克了谯郡。二十八日己卯，萧渊明再次写信给王僧辩，王僧辩没有听从。

西魏任命右仆射申徽为襄州刺史。

侯平进攻后梁巴、武两州，已故刘棻的主帅赵朗杀了宋文彻，献出邵陵城归附王琳。

三月，贞阳侯萧渊明到达东关，梁朝散骑常侍裴之横抵抗他。北齐军司尉瑾、仪同三司萧轨向南进犯皖城，晋州刺史萧惠献出州城投降。北齐把晋熙改为江州，

以尉瑾为刺史。丙戌[33]，齐克东关，斩裴之横，俘数千人。王僧辩大惧，出屯姑孰，谋纳渊明。

丙申[34]，齐主还邺，封世宗二子孝珩[35]为广宁王，延宗[36]为安德王。

孙玚闻江陵陷，弃广州还，曲江侯勃复据有之。

魏太师泰遣王克、沈炯等还江南。泰得庾季才，厚遇之，令参掌太史。季才散私财，购亲旧之为奴婢者[37]，泰问："何能如是？"对曰："仆闻克国礼贤[38]，古之道也。今郢都[39]覆没，其君信有罪矣，搢绅何咎，皆为皂隶？鄙人羁旅[40]，不敢献言，诚窃哀之，故私购之耳。"泰乃悟曰："吾之过也！微[41]君，遂失天下之望！"因出令，免梁俘为奴婢者数千口。

夏，四月庚申[42]，齐主如晋阳。

五月庚辰[43]，侯平等擒莫勇、魏永寿。江陵之陷也，永嘉王庄[44]生七年矣，尼法慕[45]匿之，王琳迎庄，送之建康。

庚寅[46]，齐主还邺。

王僧辩遣使奉启于贞阳侯渊明，定君臣之礼，又遣别使奉表于齐，以子显[47]及显母刘氏、弟子世珍为质于渊明，遣左民尚书周弘正至历阳奉迎，因求以晋安王为皇太子，渊明许之。渊明求度卫士三千[48]，僧辩虑其为变，止[49]受散卒[50]千人。庚子[51]，遣龙舟法驾迎之。渊明与齐上党王涣盟于江北，辛丑[52]，自采石济江。于是梁舆南度，齐师北返。僧辩疑齐，拥檝中流[53]，不敢就西岸。齐侍中裴英起[54]卫送渊明，与僧辩会于江宁。癸卯[55]，渊明入建康，望朱雀门而哭，道[2]逆者以哭对。丙午[56]，即皇帝位，改元天成，以晋安王为皇太子，王僧辩为大司马，陈霸先为侍中。

六月庚戌朔[57]，齐发民一百八十万筑长城，自幽州夏口[58]西至恒州九百余里，命定州刺史赵郡王叡将兵监之。叡，琛之子也。

齐慕容俨始入郢州而侯瑱等奄至城下，俨随方备御，瑱等不能克。乘间出击瑱等军，大破之。城中食尽，煮草木根叶及靴皮带角食之，与士卒分甘共苦，坚守半岁，人无异志。贞阳侯渊明立，乃命瑱等解围，瑱还镇豫章。齐人以城在江外[59]难守，因割以还梁。俨归，望齐

任命尉瑾为刺史。初六日丙戌，北齐攻克了东关，杀死裴之横，俘获数千人。王僧辩大为恐惧，出都屯驻姑孰，考虑接纳萧渊明。

三月十六日丙申，北齐国主高洋返回邺城，封世宗高澄的两个儿子高孝珩为广宁王，高延宗为安德王。

孙玚听说江陵陷落，放弃广州返回湘州，曲江侯萧勃重新占据了广州。

西魏太师宇文泰派王克、沈炯等人返回江南。宇文泰得到庾季才，厚待他，让他参掌太史。庾季才拿出个人财产，赎回亲朋旧友中沦为奴婢的人，宇文泰问："怎能这样做？"庾季才回答说："我听说灭人之国要礼遇被灭国的贤人，这是古代的道理。如今江陵沦陷，国君确实有罪，士大夫有什么过错，全都沦为奴婢？我作客他乡，不敢说什么，心里确实悲痛他们的不幸，所以私自赎买他们。"宇文泰这才醒悟过来，说："这是我的错误！如果不是你，我就要让天下人失望了！"就此下令，免除了几千个梁朝俘虏的奴隶身份。

夏，四月初十日庚申，北齐国主高洋前往晋阳。

五月初一日庚辰，侯平等人俘获了后梁的莫勇、魏永寿。江陵沦陷时，梁朝永嘉王萧庄已经七岁了，尼姑法慕把他藏了起来。王琳接走萧庄，送到建康。

五月十一日庚寅，北齐国主高洋返回邺城。

王僧辩派使者送信给贞阳侯萧渊明，确定了君臣礼仪，又另派使者送表章给北齐，把自己的儿子王显以及王显的母亲刘氏、自己弟弟的儿子王世珍交给萧渊明做人质，派左民尚书周弘正到历阳迎接萧渊明，并要求立晋安王萧方智为皇太子，萧渊明同意了。萧渊明请求带领三千名卫士，王僧辩顾虑这么多人会生变乱，只接受编外散兵一千名。五月二十一日庚子，王僧辩派出龙船和皇帝仪仗迎接萧渊明。萧渊明与北齐上党王高涣在江北签订了盟约。二十二日辛丑，萧渊明从采石渡江。于是梁国皇帝车驾南渡，北齐的军队返回北方。王僧辩怀疑北齐，持桨停船在长江中流，不敢到西岸。北齐侍中裴英起护送萧渊明，与王僧辩在江宁会见。二十四日癸卯，萧渊明进入建康，望着朱雀门痛哭，道路上迎接他的人也以哭相对。二十七日丙午，萧渊明即皇帝位，改年号为天成，立晋安王为皇太子，任命王僧辩为大司马，陈霸先为侍中。

六月初一日庚戌，北齐征发民夫一百八十万人修筑长城，从幽州夏口西到恒州共九百多里，命令定州刺史赵郡王高叡领兵监督工程。高叡，是高琛的儿子。

北齐慕容俨刚刚进入郢州，而梁朝将领侯瑱等突然就到了城下，慕容俨随机防御，侯瑱等无法攻克。慕容俨抓住机会出击侯瑱等军，大败侯瑱等。城中粮食吃光了，煮草木根叶以及靴子的皮、皮带、牛角等为食物，慕容俨与士兵同甘共苦，坚守了半年，人们没有二心。贞阳侯萧渊明即位，命令侯瑱等解除包围，侯瑱返回镇守豫章。北齐因郢州在长江南岸很难守住，便割还给梁朝。慕容俨回到邺城，望着

主，悲不自胜。齐主呼前，执其手，脱帽看发⑩，叹息久之。

吴兴太守杜龛，王僧辩之婿也。僧辩以吴兴为震州⑪，用龛为刺史，又以其弟侍中僧愔⑫为豫章太守。

壬子⑬，齐主以梁国称藩，诏凡梁民悉遣南还。

丁卯⑭，齐主如晋阳。壬申⑮，自将击柔然。秋，七月己卯⑯，至白道⑰，留辎重，帅轻骑五千追柔然，壬午⑱，及之于怀朔镇。齐主亲犯矢石，频战，大破之，至于沃野，获其酋长及生口二万余，牛羊数十万。壬辰⑲[3]，还晋阳。

八月辛巳⑳，王琳自蒸城还长沙。

齐主还邺，以佛、道二教不同，欲去其一，集二家学者[4]论难于前，遂敕道士皆剃发为沙门，有不从者，杀四人，乃奉命。于是齐境皆无道士。

初，王僧辩与陈霸先共灭侯景，情好甚笃，僧辩为子頠㉑娶霸先女，会僧辩有母丧，未成婚。僧辩居石头城，霸先在京口，僧辩推心待之，頠兄顗屡谏，不听。及僧辩纳贞阳侯渊明，霸先遣使苦争之，往返数四，僧辩不从。霸先窃叹，谓所亲曰："武帝子孙甚多，唯孝元能复仇雪耻㉒，其子何罪，而忽废之？吾与王公并处托孤之地，而王公一旦改图，外依戎狄，援立非次，其志欲何所为乎㉓？"乃密具袍数千领及锦彩金银为赏赐之具。

会有告齐师大举至寿春将入寇者，僧辩遣记室江旰告霸先，使为之备。霸先因是留旰于京口，举兵袭僧辩。九月壬寅㉔，召部将侯安都、周文育及安陆徐度、钱塘杜稜㉕谋之。稜以为难，霸先惧其谋泄，以手巾绞稜，闷绝于地，因闭于别室。部分将士，分赐金帛，以弟子著作郎昙朗㉖镇京口，知留府事，使徐度、侯安都帅水军趋石头，霸先帅马步自江乘罗落㉗会之，是夜，皆发，召杜稜与同行。知其谋者，唯安都等四将，外人皆以为江旰征兵御齐，不之怪也。

甲辰㉘，安都引舟舰将趣石头，霸先控马未进，安都大惧，追霸先骂曰："今日作贼，事势已成，生死须决，在后欲何所望？若败，俱死，

北齐国主高洋，痛哭不止。高洋叫他到跟前，拉着他的手，摘下他的帽子看他的头发，叹息了很久。

梁朝吴兴太守杜龛，是王僧辩的女婿。王僧辩改吴兴郡为震州，任用杜龛为刺史，又任用自己的弟弟侍中王僧愔为豫章太守。

六月初三日壬子，北齐国主高洋因梁国已经是自己的藩国，颁布诏令，凡是梁国百姓全都遣送回国。

六月十八日丁卯，北齐国主高洋前往晋阳。二十三日壬申，高洋亲自率领军队出击柔然。秋，七月初一日己卯，高洋到达白道，留下辎重，率领轻骑五千追击柔然。初四日壬午，在怀朔镇追上了柔然，高洋亲自冒着矢石，连续作战，大败柔然，追击到沃野镇，抓获了柔然酋长和俘虏两万多人、牛羊数十万头。十四日壬辰，返回晋阳。

八月辛巳日，梁将王琳从蒸城率军返回长沙。

北齐国主高洋返回邺城，因佛、道两教不相同，想排除其中的一个教，召集两教学者在面前辩论，于是下令道士都剃发当和尚，有不听从的，杀了四个人，道士们才接受了命令。这样一来，北齐境内全无道士。

当初，王僧辩与陈霸先共同灭了侯景，两人交情深厚，王僧辩替儿子王頠娶陈霸先的女儿为妻，恰遇王僧辩母亲去世服丧，没有成婚。王僧辩居住石头城，陈霸先居住京口，王僧辩推心置腹地对待陈霸先，王頠的哥哥王顗多次谏阻，王僧辩没有听从。等到王僧辩接纳贞阳侯萧渊明，陈霸先派使者竭力争辩，往返多次，王僧辩不采纳。陈霸先私下叹息，对亲近的人说："梁武帝的子孙很多，只有孝元帝萧绎能报仇雪恨，他的儿子有什么罪过，而突然被废？我与王公共同处于托孤的位置，而王公却一下子改变了主意，依靠外面的夷狄，立皇帝不讲次序，他的目的到底是要干什么？"便暗中准备了锦袍数千件和锦缎金银等作为赏赐物品。

正好这时有人报告北齐军队大批集中到寿春，将要侵犯梁朝，王僧辩派记室江旰通告陈霸先，让他做好防备。陈霸先借此机会把江旰扣留在京口，带兵袭击王僧辩。九月二十五日壬寅，陈霸先召集部将侯安都、周文育以及安陆人徐度、钱塘人杜稜商议这件事。杜稜认为很困难，陈霸先害怕谋划泄漏，用手巾勒杜稜，杜稜昏死在地上，被他关在另一房间。陈霸先部署将士，赏给他们金银和锦缎，派弟弟的儿子著作郎陈昙朗镇守京口，代管州府事务，派徐度、侯安都率领水军奔赴石头城，陈霸先率领骑兵和步兵，从江乘县罗落桥出发去会合。当天夜里，全军出发，陈霸先召杜稜和自己一同行动。知道这次谋划的人，只有侯安都等四个将领，其他人都以为是江旰来征调兵马去抵抗北齐，不感到奇怪。

九月二十七日甲辰，侯安都带领舟船将要奔赴石头城，陈霸先勒马未进，侯安都大为恐惧，追着陈霸先骂道："今天为贼叛乱，大势已定，是生是死必须决断，你落在后面，指望什么？如果失败了，全都要死，不按期到达，想不被砍头吗？"陈霸

后期得免斫头邪?”霸先曰:“安都嗔我!”乃进。安都至石头城北,弃舟登岸。石头城北接冈阜,不甚危峻,安都被甲带长刀,军人捧之[79],投于女垣[80]内,众随而入,进及僧辩卧室。霸先兵亦自南门入。僧辩方视事,外白有兵,俄而兵自内出。僧辩遽走,遇子颁,与俱出阁,帅左右数十人苦战于听事前,力不敌,走登南门楼,拜请求哀。霸先欲纵火焚之,僧辩与颁俱下就执。霸先曰:“我有何辜,公欲与齐师赐讨?”且曰:“何意全无备?”僧辩曰:“委公北门[81],何谓无备?”是夜,霸先缢杀僧辩父子。既而竟无齐兵,亦非霸先之谲也。前青州刺史新安程灵洗帅所领救僧辩,力战于石头西门,军败。霸先遣使招谕,久之乃降。霸先深义之,以为兰陵太守,使助防京口。乙巳[82],霸先为檄布告中外,列僧辩罪状,且曰:“资斧所指[83],唯王僧辩父子兄弟,其余亲党,一无所问。”

丙午[84],贞阳侯渊明逊位,出就邸,百僚上晋安王表,劝进。冬,十月己酉[85],晋安王即皇帝位,大赦,改元[86],中外文武赐位一等。以贞阳侯渊明为司徒,封建安公。告齐云:“僧辩阴图篡逆,故诛之。”仍请称臣于齐,永为藩国。齐遣行台司马恭与梁人盟于历阳。

辛亥[87],齐主如晋阳。

【段旨】

以上为第一段,写梁朝陈霸先借口王僧辩接纳萧渊明而发动兵变,诛杀了梁朝中兴功臣王僧辩,更迭梁朝皇帝,废长立幼,控制了梁朝政权,替自己篡夺禅让奠定基石。

【注释】

①壬午朔:正月初一日。②邵陵:郡名,治所邵阳,在今湖南邵陵。③蔡氏:又称金华敬妃、敬皇后。④龚氏:又称元太后。见《周书》卷四十八。⑤王氏:又称宣静皇后。见《周书》卷四十八。⑥奉其正朔:使用西魏的纪年。⑦勋级:表示功勋大小等级的官位。如柱国是西魏勋级的最高级官。此外还有开府仪同三司、仪同三司等。后

先说："侯安都责怪我了！"于是前进。侯安都到了石头城北面，下船上岸。石头城北边连接山岗高坡，不怎么高峻。侯安都穿着铠甲带着长刀，士兵们用手托着他，把他抛到城头的女墙内，士兵们随后进入城中，进到王僧辩的卧室。陈霸先的军队也从南门进入石头城。王僧辩正在处理政事，外面有人喊军队进城，不一会儿有士兵从卧室出来，王僧辩急忙逃跑，碰上儿子王颜，两人一起逃出阁门，带领身边几十个人在厅堂前苦战，寡不敌众，逃到南门城楼上跪拜哀求。陈霸先打算放火烧城楼，王僧辩与王颜都走下城楼来束手就擒。陈霸先说："我有什么罪，你要和北齐军一起讨伐我？"接着又说："北齐要兴兵进犯，你怎么完全没有防备？"王僧辩说："我把北大门委托给你，怎么说没有防备？"当夜，陈霸先绞死了王僧辩父子。这事过后，终究没有北齐军队，也不是陈霸先要的花招。前青州刺史新安人程灵洗率本部士兵来救王僧辩，在石头城西门奋力作战，军队战败。陈霸先派人劝他投降，过了好久才投降。陈霸先深深赞赏他的义举，任用他为兰陵太守，派他助防京口。二十八日乙巳，陈霸先向京师及各地州郡发布檄文，条列王僧辩的罪状，并且说："刀兵指向，只是王僧辩父子兄弟，其余亲朋党羽，一概不予追究。"

九月二十九日丙午，贞阳侯萧渊明退位，迁出皇宫，住进官邸，文武百官向晋安王萧方智上表，劝他即皇帝位。冬，十月初二日己酉，晋安王萧方智即皇帝位，大赦天下，改年号为绍泰，朝廷内外文武百官加爵位一级。任命贞阳侯萧渊明为司徒，封建安公。通告北齐，说："王僧辩图谋篡位，所以杀了他。"仍然请求称臣于北齐，永远为藩国。北齐派行台司马恭，与梁朝在历阳签订了友好和约。

十月初四日辛亥，北齐国主高洋前往晋阳。

梁兼用西魏上述任勋法。⑧外兵参军：官名，即外兵参军事，出镇地方的亲王和持节的将军、刺史等府中的官员，掌本府外兵曹，参议军事，备府主咨询，品位随府主地位而定。⑨王操（？至公元五七六年）：字子高，太原晋阳（今山西太原南）人，后梁柱国，封新康县侯。萧岿嗣位，任尚书仆射。以击败陈将吴明彻功，迁任尚书令、开府仪同三司、荆州刺史，参与选官。传见《周书》卷四十八、《北史》卷九十三。⑩雅达：一向通达。⑪赡速：渊博敏捷。⑫后梁：萧詧所建的梁政权。⑬太宰：宇文泰仿《周礼》制官，有太冢宰卿，为天官之首，辅佐君主治理国政。萧詧依例追赠给萧纶此官。⑭武州：州名，萧詧置，治所在长江南岸，与江陵相对，不久即遭废弃。⑮巴州：州名，萧詧置，在长江南岸，与武州相邻。⑯小桂：山名，在今广东连州境内。⑰蒸城：即临蒸，县名，县治在今湖南衡阳。⑱安州：州名，治所安陆，在今湖北安陆。⑲义阳：郡

名，治所江顺，在今河南信阳。⑳宋莅：投北齐后任郢州刺史，封安湘郡公。〖按〗《北齐书》卷四和卷二十作“宋茝”，《北史》同。胡三省注说《北齐书》作“宋莅”，或所见本与今本不同。㉑甲午：正月十三日。㉒慕容俨：字恃德，清都成安（今河北成安）人，历任谯州、胶州、赵州刺史，进爵义安王。传见《北齐书》卷二十、《北史》卷五十三。㉓辛丑：正月二十日。㉔癸丑：二月初二日。㉕冲藐：年幼。㉖“梁武犹子”二句：萧渊明父亲长沙王萧懿是武帝的哥哥，他是武帝的亲侄，如同儿子一样，所以高洋说“犹子”。㉗乙卯：二月初四日。㉘仰归：敬仰归心。㉙甲子：二月十三日。㉚甲戌：二月二十三日。㉛己卯：二月二十八日。㉜改晋熙为江州：北齐有晋州，治平阳（今山西临汾），所以把梁朝的晋州改为江州，治所晋熙（今安徽潜山）不变。㉝丙戌：三月初六日。㉞丙申：三月十六日。㉟孝珩：高孝珩，高澄第二子。历位司州牧、尚书令、司空、司徒、录尚书、大将军、大司马，颇受器重。后主时，遭高阿那肱排挤，出为沧州刺史。周灭北齐，被俘忧愤而死。传见《北齐书》卷十一、《北史》卷五十二。㊱延宗：高延宗，高澄第五子。历位司徒、太尉。北齐灭，被俘，周武帝下诏赐死。传见《北齐书》卷十一、《北史》卷五十二。㊲购亲旧之为奴婢者：赎回亲朋和同僚中被西魏掠为奴婢的人。㊳克国礼贤：灭亡他国但礼遇该国贤人。如周灭商，武王释放了被囚的商朝贤臣箕子，探视微子的家，修建比干的墓，以争取民心，消弭反抗。㊴郢都：指江陵，原楚国的郢都，梁元帝建都于此。㊵羁旅：作客他乡。㊶微：非；无。㊷庚申：四月初十日。㊸庚辰：五月初一日。㊹永嘉王庄：萧庄，封永嘉王，是萧方等之子。㊺法慕：尼姑的法名。㊻庚寅：五月十一日。㊼显：王显，王僧辩第七子。㊽求度卫士三千：请求南下时随身带领卫士三千人。㊾止：仅。㊿散卒：非正式编制而在军中服役的人。51庚子：五月二十一日。52辛丑：五月二十二日。53拥檝中流：持桨停船于江心。54裴英起（？至公元五五六年）：河东（今山西永济西）人，官至都官尚书。传见《魏书》卷七十一、《北齐书》卷二十一、《北史》卷四十五。55癸卯：五月二十四日。56丙午：五月二十七日。57庚戌朔：六月初一日。58夏口：地名，在今北京市西北居庸关。59江外：江南。60脱帽看发：因慕容俨辛劳过度，容颜大变。高洋脱下他的帽子，看着他稀疏的头

【原文】

壬子[88]，加陈霸先尚书令、都督中外诸军事、车骑将军、扬南徐二州刺史。癸丑[89]，以宜丰侯循为太保，建安公渊明为太傅，曲江侯勃为太尉，王琳为车骑将军、开府仪同三司。

发，表示慰问和赞叹。61 震州：州名，治所吴兴，在今浙江湖州。原东扬州所辖，现因地处震泽（太湖）而得名。62 僧愔：王僧愔，梁敬帝末，南征萧勃时，王僧辩被陈霸先所杀，于是转道投奔北齐。传见《南史》卷六十三。63 壬子：六月初三日。64 丁卯：六月十八日。65 壬申：六月二十三日。66 己卯：七月初一日。67 白道：地名，在今内蒙古呼和浩特北。68 壬午：七月初四日。69 壬辰：七月十四日。70 辛巳：八月己酉朔，无辛巳，疑《通鉴》误。71 頠：王頠。后被陈霸先所杀。72 复仇雪耻：指元帝平定侯景之乱。73 其志欲何所为乎：他心中到底想干什么。言外之意，指责王僧辩有篡位的非分之想。74 壬寅：九月二十五日。75 杜稜：字雄盛，吴郡钱唐（今浙江杭州）人，梁元帝时，任石州刺史，封上陌县侯。陈朝建立，以中领军独掌禁军。后迎立文帝，改封永城县侯。传见《陈书》卷十二、《南史》卷六十七。76 昙朗：陈昙朗，霸先弟弟陈休先的儿子。后到北齐做人质。两国再度交锋，被害于晋阳。传见《陈书》卷十四、《南史》卷六十五。77 罗落：桥名，在江乘县，即今江苏南京东北。78 甲辰：九月二十七日。79 捧之：谓举起侯安都。80 女垣：城堞。81 北门：指南徐州。南徐州镇所京口是建康的北门户。时陈霸先为南徐州刺史。82 乙巳：九月二十八日。83 资斧所指：刀兵所向。84 丙午：九月二十九日。85 己酉：十月初二日。86 改元：改年号为绍泰。87 辛亥：十月初四日。

【校记】

[1] 文祖：原作“乂祖”。据章钰校，十二行本作“父祖”，乙十一行本、孔天胤本皆作“文祖”，张敦仁《通鉴刊本识误》、张瑛《通鉴校勘记》同，胡三省注云：“‘乂’当作‘文’，盖用受终于文祖事。”今据改。[2] 道：原无此字。据章钰校，十二行本、乙十一行本、孔天胤本皆有此字，张敦仁《通鉴刊本识误》同，今据补。[3] 壬辰：原作“壬申”。据章钰校，十二行本、乙十一行本、孔天胤本皆作“壬辰”，张敦仁《通鉴刊本识误》、张瑛《通鉴校勘记》同，今据改。[4] 学者：原无此二字。据章钰校，十二行本、乙十一行本、孔天胤本皆有此二字，今据补。〖按〗《通鉴纲目》卷三四有此二字。

【语译】

十月初五日壬子，梁朝加官陈霸先尚书令、都督中外诸军事、车骑将军、扬州南徐州二州刺史。初六日癸丑，任命宜丰侯萧循为太保，建安公萧渊明为太傅，曲江侯萧勃为太尉，王琳为车骑将军、开府仪同三司。

戊午[90]，尊帝所生夏贵妃[91]为皇太后，立妃王氏[92]为皇后。

杜龛恃王僧辩之势，素不礼于陈霸先，在吴兴，每以法绳其宗族[93]，霸先深怨之。及将图僧辩，密使兄子蒨还长城，立栅以备龛。僧辩死，龛据吴兴，拒霸先，义兴太守韦载[94]以郡应之。吴郡太守王僧智[95]，僧辩之弟也，亦据城拒守。陈蒨至长城，收兵才数百人，杜龛遣其将杜泰将精兵五千奄至，将士相视失色。蒨言笑自若，部分益明，众心乃定。泰日〔5〕夜苦攻，数旬，不克而退。霸先使周文育攻义兴，义兴属县卒皆霸先旧兵，善用弩，韦载收得数十人，系以长锁，命所亲监之，使射文育军，约曰："十发〔6〕不两中者死。"故每发辄毙一人，文育军稍却。载因于城外据水立栅，相持数旬。杜龛遣其从弟北叟[96]将兵拒战，北叟败，归于义兴。霸先闻文育军不利，辛未[97]，自表东讨，留高州刺史侯安都、石州刺史杜稜宿卫台省。甲戌[98]，军至义兴，丙子[99]，拔其水栅。

谯、秦二州刺史徐嗣徽从弟嗣先，僧辩之甥也。僧辩死，嗣先亡就嗣徽，嗣徽以州入于齐。及陈霸先东讨义兴，嗣徽密结南豫州刺史任约，将精兵五千乘虚袭建康，是日，入〔7〕据石头，游骑至阙下。侯安都闭门藏旗帜，示之以弱，令城中曰："登陴窥贼者斩！"及夕，嗣徽等收兵还石头。安都夜为战备，将旦，嗣徽等又至，安都帅甲士三百开东、西掖门[100]出战，大破之。嗣徽等奔还石头，不敢复逼台城。

陈霸先遣韦载族弟翙[101]赍书谕载，丁丑[102]，载及杜北叟皆降，霸先厚抚之，以翙监义兴郡，引载置左右，与之谋议。霸先卷甲还建康，使周文育讨杜龛，救长城。

将军黄他攻王僧智于吴郡，不克，霸先使宁远将军裴忌[103]助之。忌选所部精兵轻行倍道，自钱塘直趣吴郡，夜，至城下，鼓噪薄之。僧智以为大军至，轻舟奔吴兴。忌入据吴郡，因以忌为太守。

十一月己卯[104]，齐遣兵五千渡江据姑孰以应徐嗣徽、任约。陈霸先使合州刺史徐度立栅于冶城[105]。庚辰[106]〔8〕，齐又遣安州刺史翟子崇、楚州刺史刘士荣[107]、淮州刺史柳达摩[108]将兵万人，于胡墅[109]度米三万石、马千匹

十月十一日戊午，梁敬帝萧方智尊生母夏贵妃为皇太后，册立妃子王氏为皇后。

杜龛依仗王僧辩的权势，一向对陈霸先无礼。杜龛在吴兴任职，经常用法律来惩治陈霸先的族人，陈霸先深深怀恨杜龛。等到将要袭击王僧辩时，陈霸先秘密派哥哥的儿子陈蒨返回长城县，修筑栅栏用来防备杜龛。王僧辩死后，杜龛占据吴兴，抵抗陈霸先，义兴太守韦载以义兴响应杜龛。吴郡太守王僧智是王僧辩的弟弟，也占据郡城，抗拒陈霸先。陈蒨到达长城县，搜集士兵才数百人，杜龛派他的将领杜泰率领精兵五千人突然到达，长城县中的将士相视失色。陈蒨谈笑自如，部署更为明确，军心便安定下来。杜泰日夜苦攻，过了几十天，不能攻克，便撤退了。陈霸先派周文育攻义兴，义兴各县的守卫士兵都是陈霸先的旧时部属，善于用弓弩，韦载抓到了几十个人，用长铁链把他们锁起来，命令亲信监视他们，让他们用弓箭射周文育的军队，规定："射十支箭若没射中两人的人就处死。"所以每射一箭就要射死一个人，周文育的军队渐渐退却。韦载趁机在城外沿水壕岸竖立栅栏，相持了几十天。杜龛派他的堂弟杜北叟领兵抗击，北叟战败，逃回义兴。陈霸先听到周文育的军队作战失利，十月二十四日辛未，亲自上表东征，留下高州刺史侯安都、石州刺史杜稜守卫皇城。二十七日甲戌，陈霸先的军队到达义兴，二十九日丙子，破了韦载的水上栅栏。

谯州、秦州两州刺史徐嗣徽的堂弟徐嗣先，是王僧辩的外甥。王僧辩死后，徐嗣先逃到徐嗣徽那里，徐嗣徽献出两州投降北齐。等到陈霸先东征讨伐义兴，徐嗣徽暗中联结南豫州刺史任约，率领精兵五千，趁着建康空虚偷袭，当天，占据了石头城，巡游的骑兵直到皇城下。侯安都关闭城门，收藏旗帜，向对方示虚弱，命令城中说："登上城楼偷看敌人者处死！"到傍晚，徐嗣徽等收兵回到石头城。侯安都夜里做好出战的准备，天将亮时，徐嗣徽等人又来到皇城前，侯安都率领甲士三百人，打开东、西掖门出击，大败徐嗣徽军队。徐嗣徽等逃回石头城，不敢再逼近皇城。

陈霸先派韦载的族弟韦翙带着信去劝说韦载。十月三十日丁丑，韦载和杜北叟都投降了，陈霸先优厚地抚慰他们，任命韦翙监理义兴郡，把韦载留在身边，与他商议谋划。陈霸先率领全军回到建康，派周文育征讨杜龛，救援长城县。

将军黄他在吴郡攻击王僧智，没有攻下，陈霸先派宁远将军裴忌增援黄他。裴忌挑选自己部属的精兵，轻装倍道兼程，从钱塘直奔吴郡，夜间到达吴郡城下，击鼓呐喊逼近城墙。王僧智以为大军来到，乘坐快船逃往吴兴。裴忌进城，占据了吴郡，陈霸先便任命裴忌为吴郡太守。

十一月初二日己卯，北齐派兵五千渡过长江占据姑孰以声援徐嗣徽、任约。陈霸先让合州刺史徐度在冶城竖立栅栏。初三日庚辰，北齐又派安州刺史翟子崇、楚州刺史刘士荣、淮州刺史柳达摩领兵一万人，在胡墅输运米三万石、马一千匹，进

入石头。霸先问计于韦载，载曰："齐师若分兵先据三吴之路，略地东境，则时事去矣。今可急于淮南因侯景故垒筑城，以通东道转输，分兵绝彼之粮运，使进无所资[9]，则齐将之首旬日可致。"霸先从之。癸未⑩，使侯安都夜袭胡墅，烧齐船千余艘。仁威将军周铁虎断齐运输，擒其北徐州刺史张领州。仍遣韦载于大航⑪筑侯景故垒，使杜稜守之。齐人于仓门⑫、水南⑬立二栅，与梁兵相拒。壬辰⑭，齐大都督萧轨将兵屯江北。

初，齐平秦王归彦⑮幼孤，高祖⑯令清河昭武王岳养之，岳情礼甚薄，归彦心衔之。及显祖即位，归彦为领军大将军⑰，大被宠遇。岳谓其德己，更倚赖之。岳屡将兵立功，有威名，而性豪侈，好酒色，起第于城南，听事后开巷⑱。归彦谮之于帝曰："清河僭拟宫禁，制为永巷⑲，但无阙⑳耳。"帝由是恶之。帝纳倡妇薛氏于后宫，岳先尝因其姊迎之至第。帝夜游于薛氏家，其姊为[10]父乞司徒。帝大怒，悬其姊，锯杀之。让㉑岳以奸，岳不服，帝益怒。乙亥㉒，使归彦鸩岳。岳自诉无罪，归彦曰："饮之则家全。"饮之而卒，葬赠如礼。

薛嫔㉓有宠于帝。久之，帝忽思其与岳通㉔，无故斩首，藏之于怀，出东山宴饮。劝酬始合，忽探出其首，投于柈㉕上，支解其尸，弄其髀为琵琶，一座大惊。帝方收取，对之流涕曰："佳人难再得！"载尸以出，被发步哭而随之。

甲辰㉖，徐嗣徽等攻冶城栅，陈霸先将精甲自西明门出击之，嗣徽等大败，留柳达摩等守城，自往采石迎齐援。

以郢州刺史宜丰侯循为太保，广州刺史曲江侯勃为司空，并征入侍。循受太保而辞不入。勃方谋举兵，遂不受命。

镇南将军王琳侵魏，魏大将军豆卢宁㉗御之。

十二月癸丑㉘，侯安都袭秦郡，破徐嗣徽栅，俘数百人。收其家，

入石头城。陈霸先向韦载询问破敌的计谋，韦载说：“北齐军队如果分兵首先占据三吴的交通要道，抢占东边三吴地区，那么大局就完了。当今应当迅速在淮南依凭侯景过去驻军的营垒修筑城堡，用以确保东边粮食运输畅通，然后分兵切断敌人的运输粮道，使其失去进攻的凭借，那么北齐将领的人头，十天就可拿到。”陈霸先采纳了这个策略。初六日癸未，派侯安都在夜里袭击胡墅，烧毁北齐战船一千多艘。仁威将军周铁虎切断了北齐军队的运输道路，俘获了北齐北徐州刺史张领州。再派韦载在大航修复侯景原来的驻军营垒，派杜稜守护。北齐军队在仓门和秦淮河南岸建立了两座栅栏，与梁军对抗。十五日壬辰，北齐大都督萧轨率军屯驻长江北岸。

当初，北齐平秦王高归彦年幼是孤儿，北齐高祖高欢让清河昭武王高岳抚养他，高岳对他薄情寡恩，高归彦怀恨在心。等到显祖高洋即皇帝位，高归彦当了领军大将军，深受宠爱和重用。高岳认为高归彦会感戴自己，也更加依赖高归彦。高岳多次带兵立功，有威名，但他性情豪爽奢侈，爱好酒色，在邺城南修建府第，厅堂后面开了一道巷子。高归彦在高洋面前谮毁高岳说：“清河王高岳私自模仿皇宫样式，修了一条长巷，仅仅没有宫门罢了。”高洋从此厌恶高岳。高洋接纳倡妇薛氏到后宫，在这之前，高岳曾经通过薛氏的姐姐把薛氏接到府第。高洋夜里行游到薛氏家，薛氏的姐姐替父亲要司徒官职。高洋大怒，把薛氏的姐姐吊起来，用锯子锯死了她。高洋斥责高岳奸淫薛氏，高岳不服，高洋更加愤怒。乙亥日，高洋派高归彦用鸩酒毒杀高岳，高岳自己说没有罪过。高归彦说：“喝了这毒酒，就能保全你的家人。”高岳饮酒死亡，朝廷按藩王的礼仪安葬了他。

薛氏受到高洋宠爱。过了很久，高洋忽然想起薛氏与高岳通奸，就无缘无故砍了薛氏的人头，藏在自己的怀中，出城到东山宴饮。劝酒应和刚开始，高洋忽然从怀中取出人头，扔在菜盘子上，又把薛氏的尸体切成几大块，把薛氏的盆骨当作琵琶弹弄，宴席上的人大为惊骇。高洋这才把薛氏的尸块收拢起来，对着她流泪说：“这么漂亮的女人，再也不好找了！”用车子把薛氏尸体运出去，高洋披着头发，一边走一边哭，跟在后边。

十一月二十七日甲辰，徐嗣徽等人攻打梁军的冶城栅，陈霸先率领精锐甲士从西明门出击，徐嗣徽等大败。留下柳达摩守卫石头城，自己前往采石迎接北齐的援兵。

梁朝任命郢州刺史宜丰侯萧循为太保，广州刺史曲江侯萧勃为司空，同时征调两人入侍皇上。萧循接受了太保的职务，但找借口不到朝廷。萧勃正在谋划起兵，所以没有接受任命。

梁朝镇南将军王琳侵犯西魏，西魏大将军豆卢宁抵御他。

十二月初七日癸丑，侯安都袭击秦郡，攻破了徐嗣徽的军营栅栏，俘获了几百人。侯安都抄没了徐嗣徽的家，缴获了徐嗣徽的琵琶和老鹰，派使者送给徐嗣徽，

得其琵琶及鹰，遣使送之曰："昨至弟处得此，今以相还。"嗣徽大惧。丙辰[129]，陈霸先对冶城立航[130]，悉渡众军，攻其水南二栅。柳达摩等渡淮置陈，霸先督兵疾战，纵火烧栅，齐兵大败，争舟相挤，溺死[11]者以千数，呼声震天地，尽收其船舰。是日，嗣徽与任约引齐兵水步万余人还据石头，霸先遣兵诣江宁，据要险。嗣徽等水步不敢进，顿江宁浦口[131]。霸先遣侯安都将水军袭破之，嗣徽等单舸脱走，尽收其军资器械。

己未[132]，霸先四面攻石头，城中无水，升水[133]直[134]绢一匹。庚申[135]，达摩遣使请和于霸先，且求质子[136]。时建康虚弱，粮运不继，朝臣皆欲与齐和，请以霸先从子昙朗为质。霸先曰："今在位诸贤欲息肩[137]于齐，若违众议，谓孤爱昙朗，不恤国家，今决遣昙朗，弃之寇庭。齐人无信，谓我微弱，必当背盟。齐寇若来，诸君须为孤力斗也！"乃以[12]昙朗及永嘉王庄、丹杨尹王冲之子珉为质，与齐人盟于城外，将士恣其南北[138]。辛酉[139]，霸先陈兵石头南门，送齐人归北，徐嗣徽、任约皆奔齐。收齐马仗船米，不可胜计。齐主诛柳达摩。壬戌[140]，齐和州长史乌丸远[141]自南州奔还历阳。

江宁令陈嗣、黄门侍郎曹朗据姑孰反，霸先命侯安都等讨平之。霸先恐陈昙朗亡窜[142]，自帅步骑至京口迎之。

交州刺史刘元偃帅其属数千人归王琳。

魏以侍中李远为尚书左仆射。

魏益州刺史宇文贵使谯淹从子子嗣诱说淹以为大将军，淹不从，斩子嗣。贵怒，攻之，淹自东遂宁[143]徙屯垫江[144]。

初，晋安[145]民陈羽，世为闽中豪姓，其子宝应[146]多权诈，郡中畏服。侯景之乱，晋安太守宾化侯云[147]以郡让羽，羽老，但治郡事，令宝应典兵。时东境荒馑，而晋安独丰衍，宝应数自海道出，寇抄临安[148]、永嘉、会稽，或载米粟与之贸易，由是能致富强。侯景平，世祖因以羽为晋安太守。及陈霸先辅政，羽求传郡[13]于宝应，霸先许之。

说:“昨天到弟弟你家中，得了这些东西，今天把它送还给你。”徐嗣徽大为恐惧。初十日丙辰，陈霸先对着冶城建浮桥，全军渡过秦淮河，攻击徐嗣徽在秦淮河南岸的两座栅栏。柳达摩等人也渡过秦淮河，摆开阵势。陈霸先督军猛烈进攻，放火烧栅栏，北齐兵大败，抢夺船只互相推挤，落水淹死的人以千数计，呼喊声震天动地，北齐军的船只全部被缴获。当天，徐嗣徽与任约带领北齐兵水军和步兵一万多人回石头城据守。陈霸先派兵到江宁，占据了险要地势。徐嗣徽等的水军和步兵不敢前进，屯驻在江宁的浦口。陈霸先派侯安都率领水军偷袭，攻破了浦口的北齐军营，徐嗣徽等人乘了一艘快船逃走，侯安都全部收缴了徐嗣徽的军资器械。

十二月十三日己未，陈霸先从四面围攻石头城。城中无水，一升水售价绢一匹。十四日庚申，柳达摩派人向陈霸先讲和，要求陈霸先送儿子为人质。当时建康城内空虚，粮食运输跟不上，朝廷大臣都想与北齐和好，请求用陈霸先的侄儿陈昙朗做质子。陈霸先说:“今天在座各位大臣都想放下肩上的担子与北齐讲和，如果我违背大家的意愿，就会认为是我爱惜陈昙朗，不顾朝廷。今天我下决心送陈昙朗为质，把他丢给敌人。北齐人不讲信义，认为我们人少力弱，一定会违背盟约。北齐敌人如果再来，那时诸位可就要为我拼死战斗!”陈霸先就送陈昙朗以及永嘉王萧庄、丹杨尹王冲的儿子王珉等人去做人质，和北齐人在石头城外订立盟约，双方任凭将士们投奔南方或北方。十五日辛酉，陈霸先在石头城南门摆开兵阵，送北齐人回北方，徐嗣徽、任约都投奔北齐。陈霸先收缴了北齐的战马、器械、舟船、粮米，不计其数。北齐国主高洋杀了柳达摩。十六日壬戌，北齐和州长史乌丸远从南州逃回历阳。

梁朝江宁县令陈嗣、黄门侍郎曹朗占据姑孰反叛，陈霸先命令侯安都等讨伐，平定了他们。陈霸先担心陈昙朗逃跑，亲自率领步骑到京口迎接。

交州刺史刘元偃率领他的部属数千人归附王琳。

西魏任命侍中李远为尚书左仆射。

西魏益州刺史宇文贵派谯淹的侄子谯子嗣去劝说谯淹出任大将军，谯淹没有听从，杀了谯子嗣。宇文贵大怒，攻打谯淹，谯淹被迫从东遂宁迁往垫江屯驻。

当初，晋安郡豪民陈羽，世代都是闽中的豪门大族，他的儿子陈宝应善于要手段，郡中人都害怕他，服从他。侯景叛乱时，晋安太守宾化侯萧云把太守职位让给陈羽。陈羽年老，只管理郡中行政事务，让儿子陈宝应掌管军队。当时，梁朝东部边境闹饥荒，而只有晋安郡丰收有余粮，陈宝应多次从海路出兵抢劫临安、永嘉、会稽等郡，有时载着米粮去做买卖，因此得以富强。侯景叛乱被平定，世祖梁元帝任命陈羽为晋安太守。等到陈霸先辅政，陈羽请求把晋安太守的职位传给儿子陈宝应，陈霸先同意了。

是岁，魏宇文泰讽淮安王育⑭⑨上表请如古制⑮⓪降爵为公，于是宗室诸王皆降为公。

突厥木杆可汗击柔然主[14]邓叔子，灭之，叔子收其余烬奔魏。木杆西破哌哒，东走契丹，北并契骨⑮①，威服塞外诸国。其地东自辽海⑮②，西至西海⑮③，长万里，南自沙漠以北五六千里皆属焉。木杆恃其强，请尽诛邓叔子等于魏，使者相继于道。太师泰收叔子以下三千余人付其使者，尽杀之于青门⑮④外。

初，魏太师泰以汉、魏官繁，命苏绰及尚书令卢辩[15]依《周礼》更定六官。

【段旨】

以上为第二段，写陈霸先清剿王僧辩余党，梁朝东部全境陷入军阀大混战。北齐国主高洋威服北疆后，治政残暴，行止荒淫，对外亦不武。高洋未能抓住一鼓下江南的机会，北齐兵败建康，陈霸先站稳江南。

【注释】

⑧⑧ 壬子：十月初五日。⑧⑨ 癸丑：十月初六日。⑨⓪ 戊午：十月十一日。⑨① 夏贵妃：会稽人，敬帝之母，绍泰二年（公元五五六年）降为江阴国太妃。传见《南史》卷十二。⑨② 王氏：琅邪临沂人，绍泰二年（公元五五六年）降为江阴王妃。传见《南史》卷十二。⑨③ 绳其宗族：陈霸先是长城县（今浙江长兴）人，属吴兴郡（今浙江湖州）管辖。当时杜龛任官吴兴，所以陈霸先的宗族遭杜龛以法惩治。⑨④ 韦载：字德基，京兆杜陵（今陕西西安）人，初助杜龛，后遵敬帝敕令，归服陈霸先。入陈，官至散骑常侍。传见《陈书》卷十八、《南史》卷五十八。⑨⑤ 王僧智：随任约对抗陈霸先，兵败被杀。传见《南史》卷六十三。⑨⑥ 北叟：杜北叟。⑨⑦ 辛未：十月二十四日。⑨⑧ 甲戌：十月二十七日。⑨⑨ 丙子：十月二十九日。⑩⓪ 东、西掖门：台城正南端门的东、西侧门。⑩① 翊：韦翊，字子羽，仕陈，任骁骑将军，领朱衣直阁，掌宫中宿卫。以平定王琳功，封清源县侯。传见《陈书》卷十八。⑩② 丁丑：十月三十日。⑩③ 裴忌（公元五一九至五九一年）：字无畏，河东闻喜人，入陈，历官卫尉卿、都官尚书，封乐安县侯。随吴明彻北伐，平淮

这一年，西魏宇文泰暗示淮安王萧育主动上表请求按古代制度，把王爵降为公爵，于是西魏皇室诸王都降为公爵。

突厥木杆可汗进攻柔然主邓叔子，灭了柔然国。邓叔子搜集残余民众，投奔西魏。木杆可汗又在西边打败哌哒部落，东边打跑了契丹人，北边吞并了契骨部落，征服了塞外各国。突厥的国土，东边自辽海起，西到西海，长万里，南边从大漠以北五六千里全都属于突厥。木杆可汗仗恃他的强大，请求在西魏全部处死邓叔子等人，使者在道路上一个接一个。太师宇文泰便抓捕邓叔子以下三千多人交给突厥使者，把他们全部杀害在青门外。

当初，西魏太师宇文泰认为汉、魏的官制太繁杂，命令苏绰以及尚书令卢辩按照《周礼》重新制定六官的体制。

南，出任豫州刺史。后被北周所俘，任上开府。传见《陈书》卷二十五、《南史》卷五十八。⑭己卯：十一月初二日。⑮冶城：城名，在今江苏南京江宁区西。《陈书》卷一作“冶城寺”。⑯庚辰：十一月初三日。⑰刘士荣:《梁书》卷六作“刘仕荣”。⑱柳达摩：河东解（今山西解县）人。东魏末，曾任阳城太守。传见《魏书》卷四十五。⑲胡墅：地名，在江苏南京江浦，与石头城隔江相对。⑩癸未：十一月初六日。⑪大航：在秦淮河南岸。即侯景所建大浮桥处。⑫仓门：石头城的仓城门。⑬水南：秦淮河南岸。⑭壬辰：十一月十五日。⑮归彦：高归彦，字仁英，高欢族弟，封平秦王。以讨侯景功，别封长乐郡公，任领军大将军。武成帝即位后，以谋反罪处死。传见《北齐书》卷十四、《北史》卷五十一。⑯高祖：高欢的庙号。⑰领军大将军：官名，原为领军将军，掌宫中禁卫。领军称大将军，自高归彦开始，表示优宠。北齐二品。⑱开巷：建立长巷，与后面的寝室相通。⑲永巷：帝王嫔妃的住所，在一条长巷之中。筑巷为的是隔绝内外。高归彦有意把高岳建巷与永巷相比，陷高岳犯僭越罪。⑳阙：宫门。㉑让：责备。㉒乙亥：十一月戊寅朔，无乙亥，疑是“己亥”之误，为十一月二十二日。《北齐书》卷四作“己亥”。㉓薛嫔：即前所言倡妇薛氏。传见《北齐书》卷十四。㉔通：指薛嫔与高岳通奸。㉕柈：盘子。㉖甲辰：十一月二十七日。㉗豆卢宁（公元五〇〇至五六五年）：字永安，昌黎徒河（今辽宁锦州西北）人，本姓慕容氏。高祖慕容胜于北魏拓跋珪时降魏，赐姓豆卢，即归义的意思。宁善骑射，初从尔朱天光、侯莫陈悦，后归附宇文泰，官至尚书右仆射，封武阳郡公。入周，授柱国大将军，封楚国公。传见《周书》卷十九、《北

史》卷六十八。⑱癸丑：十二月初七日。⑲丙辰：十二月初十日。⑳立航：用舟船建起浮桥。㉛浦口：地名，在今江苏南京浦口，在江北，与南岸下关相对。㉜己未：十二月十三日。㉝升水：一升水。㉞直：价值。㉟庚申：十二月十四日。㊱且求质子：而且要求陈霸先送儿子做人质。㊲息肩：卸去负担。㊳恣其南北：被围齐军将士，不论是北齐军还是原南梁军，听凭他们去留。㊴辛酉：十二月十五日。㊵壬戌：十二月十六日。㊶乌丸远：人名，可能是乌丸族人，以族为姓。㊷亡窜：从齐军中逃回。㊸东遂宁：郡名，治所巴兴，在今四川蓬溪县。㊹垫江：县名，县治在今重庆垫江。㊺晋安：郡名，治所侯官，在今福建福州。㊻宝应：陈宝应（？至公元五六四年），为人反复无常。陈霸先辅政时，受封候官县侯。陈初，任闽州刺史，领会稽太守。文帝即位，先协助平定留异，又协助周迪叛乱。后被陈军袭破晋安，将他处死。传见《陈书》卷三十五、《南史》卷八十。㊼宾化侯云：萧云，封宾化侯。㊽临安：县名，县治在今浙江杭州市临安区。当是"临海"之误。临海，郡名，治所章安，在今浙江台州市椒江区。地处台州湾，为沿海大郡。陈宝应既是从海路抄掠，不可能登陆深入到浙西的临安。所以当以"临海"为是。㊾淮安王育：元育，封淮安王。㊿古制：西周制度。[151]契骨：古族名，原名坚昆（今译吉尔吉斯斯坦），或作"居勿"，或作"结骨"。生活在剑水（今俄罗斯境内的叶尼塞河）和阿辅河（今俄罗斯境内的阿巴坎河）一带。[152]辽海：指大兴安岭地区，东南延伸到渤海。[153]西海：即咸海，指今乌兹别克斯坦撒马尔罕和布哈拉一带。[154]青门：长安城东的青城门。旧作"霸城门"，以门色青而改，简称青门。在今陕西西安北。

【原文】

太平元年（丙子，公元五五六年）

春，正月丁丑[155]，魏初建六官[156]，以宇文泰为太师、大冢宰，柱国李弼为太傅、大司徒，赵贵为太保、大宗伯，独孤信为大司马，于谨为大司寇，侯莫陈崇为大司空[157]。自余百官，皆仿周礼。

戊寅[158]，大赦，其与任约、徐嗣徽同谋者，一无所问。癸未[159]，陈霸先使从事中郎江旰说徐嗣徽使南归，嗣徽执旰送齐。

陈蒨、周文育合军攻杜龛于吴兴。龛勇而无谋，嗜酒常醉，其将杜泰阴与蒨等通。龛与蒨等战败，泰因说龛使降，龛然之。其妻王

【校记】

［5］日：原作“昼”。据章钰校，十二行本、乙十一行本皆作“日”，今据改。〖按〗《陈书·世祖纪》作“日”。［6］发：原作“射”。据章钰校，十二行本、乙十一行本皆作“发”，《陈书·韦载传》《北史·韦睿传附韦载传》亦皆作“发”，今据改。［7］入：原作“袭”。据章钰校，十二行本、乙十一行本、孔天胤本皆作“入”，张敦仁《通鉴刊本识误》、张瑛《通鉴校勘记》同，今据改。［8］庚辰：原作“庚寅”。据章钰校，乙十一行本作“庚辰”，张瑛《通鉴校勘记》同，今据改。〖按〗《梁书·敬帝纪》《南史·敬帝纪》皆作“庚辰”。［9］使进无所资：原无此五字。据章钰校，十二行本、乙十一行本、孔天胤本皆有此五字，张敦仁《通鉴刊本识误》同，今据补。〖按〗《通鉴纪事本末》卷三四、《通鉴纲目》卷二四皆有此五字。［10］为：原“为”下有“其”字。据章钰校，十二行本、乙十一行本皆无“其”字，今据删。〖按〗《通鉴纪事本末》卷二四无“其”字。［11］死：原作“水”。据章钰校，十二行本、乙十一行本皆作“死”，《陈书·高祖纪上》亦作“死”，今据改。［12］以：原作“与”。据章钰校，乙十一行本作“以”，张敦仁《通鉴刊本识误》同，胡三省注云：“‘与’当作‘以’，则文意明顺。”今据改。［13］郡：原作“位”。据章钰校，十二行本、乙十一行本、孔天胤本皆作“郡”，今据改。〖按〗《陈书·陈宝应传》《南史·贼臣传·陈宝应传》亦皆作“郡”。［14］主：原无此字。据章钰校，十二行本、乙十一行本皆有此字，今据补。〖按〗《通鉴纪事本末》卷二一有此字。［15］卢辩：原作“卢辨”。据章钰校，十二行本、乙十一行本、孔天胤本皆作“卢辩”，今据改。

【语译】

太平元年（丙子，公元五五六年）

春，正月初一日丁丑，西魏开始建立六官制度，任命宇文泰为太师、大冢宰，柱国李弼为太傅、大司徒，赵贵为太保、大宗伯，独孤信为大司马，于谨为大司寇，侯莫陈崇为大司空。其余百官，都按照《周礼》设置。

正月初二日戊寅，梁朝大赦天下，那些与任约、徐嗣徽同谋的人，一律不加追究。初七日癸未，陈霸先派从事中郎江旰劝说徐嗣徽回到南方，徐嗣徽抓捕了江旰并且送到北齐。

陈蒨、周文育在吴兴合兵攻打杜龛。杜龛勇猛而无谋略，嗜酒常醉，他的部将杜泰暗中与陈蒨等联络。杜龛与陈蒨等交战失败，杜泰趁机劝说杜龛投降，杜龛同

氏[160]曰:"霸先仇隙如此，何可求和?"因出私财赏募，复击蒨等，大破之。既而杜泰降于蒨，龛尚醉未觉，蒨遣人负出，于项王寺[161]前斩之。王僧智与其弟豫章太守僧愔俱奔齐[162]。

东扬州刺史张彪素为王僧辩所厚，不附霸先。二月庚戌[163]，陈蒨、周文育轻兵袭会稽，彪兵败，走入若邪山中，蒨遣其将吴兴章昭达[164]追斩之。东阳太守留异馈蒨粮食，霸先以异为缙州[165]刺史。

江州刺史侯瑱本事王僧辩，亦拥兵据豫章及江州，不附霸先。霸先以周文育为南豫州刺史，使将兵击湓城。庚申[166]，又遣侯安都、周铁虎将舟师立栅于梁山，以备江州。

癸亥[167]，徐嗣徽、任约袭采石，执戍主明州[168]刺史张怀钧[169]送于齐。

后梁主击侯平于公安[170]，平与长沙王韶引兵还长沙。王琳遣平镇巴州。

三月壬午[171]，诏杂用古今钱。

戊戌[172]，齐遣仪同三司萧轨、库狄伏连[173]、尧难宗[174]、东方老[175]等与任约、徐嗣徽合兵十万入寇，出栅口[176]，向梁山。陈霸先帐内荡主[177]黄丛逆击，破之，齐师退保芜湖。霸先遣定州刺史沈泰等就侯安都，共据梁山以御之。周文育攻湓城，未克，召之还。夏，四月丁巳[178]，霸先如梁山巡抚诸军。

乙丑[179]，齐仪同三司娄叡讨鲁阳蛮，破之。

侯安都轻兵袭齐行台司马恭于历阳，大破之，俘获万计。

魏太师泰尚孝武妹冯翊公主，生略阳公觉；姚夫人生宁都公毓[180]。毓于诸子最长，娶大司马独孤信女。泰将立嗣，谓公卿曰:"孤欲立子以嫡[181]，恐大司马有疑，如何?"众默然，未有言者。尚书左仆射李远曰:"夫立子以嫡不以长，略阳公为世子，公何所疑?若以信为嫌，请先斩之。"遂拔刀而起。泰亦起，曰:"何至于是?"信又自陈解[182]，远乃止。于是群公并从远议。远出外，拜谢信曰:"临大事不得不尔!"信亦谢远曰:"今日赖公决此大议。"遂立觉为世子。

太师泰北巡。

五月，齐人召建安公渊明，诈许退师，陈霸先具舟送之。癸未[183]，渊

意了。杜龛的妻子王氏说:“你和陈霸先的仇恨如此之深，怎么可以求和呢?”王氏随即拿出私人钱财赏赐招募勇士，再次攻打陈蒨等，大败陈蒨。不久，杜泰投降了陈蒨，杜龛还在醉中，不知道。陈蒨派人把杜龛背出了城，在项王寺门前杀了他。王僧智和他的弟弟豫章太守王僧愔一起逃往北齐。

东扬州刺史张彪一向受到王僧辩厚待，不依附陈霸先。二月初五日庚戌，陈蒨、周文育率领轻装士兵偷袭会稽，张彪兵败，逃进若邪山中，陈蒨派部将吴兴人章昭达追杀了他。东阳太守留异赠送粮食给陈蒨，陈霸先任命留异为缙州刺史。

江州刺史侯瑱原本追随王僧辩，也率军占据了豫章和江州，不归附陈霸先。陈霸先任命周文育为南豫州刺史，派他领兵攻打湓城。二月十五日庚申，又派侯安都、周铁虎率领水军在梁山竖立栅寨，用来防备江州。

二月十八日癸亥，徐嗣徽、任约袭击采石，抓住了采石军主明州刺史张怀钧，送往北齐。

后梁国主萧詧在公安攻打侯平，侯平与长沙王萧韶带兵返回长沙。王琳派侯平镇守巴州。

三月初七日壬午，梁朝下诏兼用古今铜钱。

三月二十三日戊戌，北齐派仪同三司萧轨、库狄伏连、尧难宗、东方老等人与任约、徐嗣徽合兵十万，进犯梁朝，从栅口出动，向梁山进军。陈霸先帐下荡主黄丛迎战，打败了北齐军，北齐军退守芜湖。陈霸先派定州刺史沈泰等到侯安都那里，共同据守梁山，抵御北齐军。周文育进攻湓城，没有攻克，陈霸先征调他回军。夏，四月十三日丁巳，陈霸先到梁山巡抚各路军队。

四月二十一日乙丑，北齐仪同三司娄叡征讨鲁阳蛮人，打败了他们。

侯安都率领轻装士兵在历阳偷袭北齐行台司马恭，大败北齐军，俘获以万计。

西魏太师宇文泰娶孝武帝的妹妹冯翊公主，生略阳公宇文觉；宇文泰的姚夫人生宁都公宇文毓。宇文毓在宇文泰的几个儿子中最年长，娶了大司马独孤信的女儿。宇文泰将要立嗣，对公卿们说:“我想立嫡子为继承人，怕大司马有疑虑，该怎么办?”大家沉默，没有人说话。尚书左仆射李远说:“确立继承人以嫡不以长，略阳公为世子，您有什么疑虑? 如果担心独孤信有意见，请先杀了他。”李远于是拔刀站了起来。宇文泰也站了起来，曰:“何至于如此呢?”独孤信随后自己陈说解释，李远这才罢休。这时大家都听从李远的建议。李远走到外面，向独孤信行礼道歉，说:“面临大事不能不这样!”独孤信也向李远道歉说:“今天依靠你决定了这件大事。”于是立宇文觉为世子。

西魏太师宇文泰巡视北边。

五月，北齐人召见建安公萧渊明，假称同意退兵。陈霸先准备了船只护送萧

明疽发背卒。甲申[184]，齐兵发芜湖，庚寅[185]，入丹杨县[186]，丙申[187]，至秣稜故治[188]。陈霸先遣周文育屯方山[189]，徐度顿马牧，杜稜顿大航南以御之。

齐汉阳敬怀王洽[190]卒。

辛丑[191]，齐人跨淮立桥栅度兵，夜至方山，徐嗣徽等列舰于青墩[192]，至于七矶[193]，以断周文育归路。文育鼓噪而发，嗣徽等不能制，至旦，反攻嗣徽。嗣徽骁将鲍砰独以小舰殿军[194]，文育乘单舴艋[195]与战，跳入舰中，斩砰，仍牵其舰而还。嗣徽众大骇，因留船芜湖，自丹杨步上。陈霸先追[196]侯安都、徐度皆还。

癸卯[197]，齐兵自方山进及兒塘[198][16]，游骑至台，建康震骇，帝总禁兵出顿长乐寺[199]，内外纂严[200]。霸先拒嗣徽等于白城[201]，适与周文育会。将战，风急，霸先曰："兵不逆风。"文育曰："事急矣，何用古法？"抽槊上马先进，众军从之[17]。风亦寻转，杀伤数百人。侯安都与嗣徽等战于耕坛[202]南，安都帅十二骑突其陈，破之，生擒齐仪同三司乞伏无劳[203]。霸先潜撤精卒三千，配沈泰渡江，袭齐行台赵彦深于瓜步，获舰百余艘，粟万斛。

六月甲辰[204]，齐兵潜至钟山，侯安都与齐将王敬宝[205]战于龙尾[206]，军主张纂战死。丁未[207]，齐师至幕府山[208]，霸先遣别将钱明[209]将水军出江乘，邀击齐人粮运，尽获其船米。齐军乏食，杀马驴食之。庚戌[210]，齐军逾钟山，霸先与众军分顿乐游苑[211]东及覆舟山[212]北，断其冲要。壬子[213]，齐军至玄武湖西北，将据北郊坛，众军自覆舟东移顿坛北，与齐人相对。会连日大雨，平地水丈余，齐军昼夜坐立泥中，足指皆烂，悬鬲[214]以爨，而台中及潮沟[215]北路燥，梁军每得番易[216]。时四方壅隔，粮运不至，建康户口流散，征求无所。甲寅[217]，少霁[218]，霸先将战，调市人[219]得麦饭，分给军士，士皆饥疲。会陈蒨馈米三千斛、鸭千头，霸先命炊米煮鸭，人人以荷叶裹饭，婫[220]以鸭肉数脔[221]。乙卯[222]，未明，蓐食。比晓，霸先帅麾下出莫府山。侯安都谓其部将萧摩诃曰："卿骁勇有名，千闻不如一见。"摩诃对曰："今日令公见之。"及战，安都坠马，齐人围之，摩诃单骑大呼，直冲齐军，齐军披靡，安都乃免。霸先与吴明彻、沈泰等众军首尾齐举，纵兵大战，安都自白下引兵横出

渊明。初九日癸未，萧渊明背上毒疮发作去世。初十日甲申，北齐军从芜湖出发；十六日庚寅，进入丹杨县；二十二日丙申，到达秣稜故治村。陈霸先派周文育屯驻方山，徐度屯驻马牧，杜稜守卫大航南岸，以便抵御北齐军。

北齐汉阳敬怀王高洽去世。

五月二十七日辛丑，北齐军队横跨秦淮河建造桥栅渡兵，夜里到达方山，徐嗣徽等从青墩排列兵船到七矶，借此切断周文育的退路。周文育击鼓呐喊进军，徐嗣徽等不能阻挡，到了天亮时分，周文育反攻徐嗣徽。徐嗣徽手下勇将鲍砰独自乘坐一艘小船押后，周文育也乘一艘单人快船与鲍砰交战，周文育跳到鲍砰的船上，杀死了鲍砰，就把鲍砰的小船牵了回去。徐嗣徽兵众十分惊骇，把战船丢弃在芜湖，从丹杨上岸步行。陈霸先也把侯安都、徐度两支军队追调回来抗击北齐军队。

五月二十九日癸卯，北齐军队从方山进军到兒塘，巡游骑兵到了皇城。建康城惊骇，梁敬帝统领宫廷禁卫军出皇宫，屯驻长乐寺，内外戒严。陈霸先率军在白城抵抗徐嗣徽等人，正好与周文育会合。即将交战，风很大。陈霸先说："军队不能逆风作战。"周文育说："事情紧急，怎么能用古时战法？"周文育拿起槊矛，跃上马背，身先冲上去，众军跟随他前进。大风不一会儿转了向，周文育杀死了几百个敌人。侯安都与徐嗣徽等在耕坛南边交战，侯安都率领十二个骑兵冲入敌阵，打败了敌人，活捉了北齐仪同三司乞伏无劳。陈霸先暗中从战场上撤下三千名精锐士兵，分给沈泰率领，渡过长江，在瓜步偷袭北齐行台赵彦深，缴获敌人战船一百多艘、粮食一万斛。

六月初一日甲辰，北齐兵暗中到达钟山，侯安都与北齐将领王敬宝在龙尾交战，军主张纂战死。初四日丁未，北齐军队进到幕府山，陈霸先派别将钱明率领水军从江乘出发，截击北齐军的粮运，缴获了敌人全部船上的粮米。北齐军队缺少粮食，杀驴马充饥。初七日庚戌，北齐军翻过钟山，陈霸先与诸军分别扼守在乐游苑东边和覆舟山的北边，阻断了交通要道。初九日壬子，北齐军到达玄武湖西北，打算占据北郊坛，梁朝各支军队从覆舟山东边移驻北郊坛北边，与北齐军对抗。适逢连日大雨，平地水深一丈多，北齐军队白天黑夜都坐立在泥水中，手指脚趾都烂了，把锅吊起来烧饭，而皇城内以及潮沟北边的道路却很干燥，梁朝军队可以经常更换轮替。当时四方交通阻塞，粮食运输供不上，建康城中民户流散，无处征收粮食。十一日甲寅，天气稍稍晴朗，陈霸先准备交战，从商人手中征调了些麦饭，分给士兵，士兵们全都饥饿疲乏。正好陈蒨送来粮米三千斛、鸭一千只，陈霸先命令烧饭煮鸭，人人用荷叶裹饭，盖上几块鸭肉。十二日乙卯，天还没亮，士兵就坐在睡席上用餐。等到天亮，陈霸先率领部下从莫府山出发。侯安都对部将萧摩诃说："你勇敢善战出了名，千闻不如一见。"萧摩诃回答说："今天我让您看一看。"等到交战，侯安都从马上掉了下来，北齐兵包围了他，萧摩诃单人独骑大声呼喊，直冲齐军，北齐兵纷纷退散，侯安都才幸免于难。陈霸先与吴明彻、沈泰等各路军从首至尾，

其后，齐师大溃，斩获数千人，相蹂藉[18]而死者不可胜计，生擒徐嗣徽及弟嗣宗㉓，斩之以徇，追奔至于临沂。其江乘、摄山㉔、钟山等诸军相次克捷，虏萧轨、东方老、王敬宝等将帅凡四十六人。其军士得窜至江者，缚荻筏㉕以济，中江而溺，流尸至京口，翳水弥岸，唯任约、王僧愔得免。丁巳㉖，众军出南州，烧齐舟舰。

戊午㉗，大赦。己未㉘，解严。军士以赏俘贸酒㉙，一人裁得一醉。庚申㉚，斩齐将萧轨等，齐人闻之，亦杀陈昙朗。霸先启解南徐州以授侯安都。

侯平频破后梁军，以王琳兵威不接㉛，更不受指麾，琳遣将讨之。平杀巴州助防吕旬，收其众，奔江州，侯瑱与之结为兄弟。琳军势益衰，乙丑㉜，遣使奉表诣齐，并献驯象㉝。江陵之陷也，琳妻蔡氏、世子毅皆没于魏，琳又献款于魏以求妻子。亦称臣于梁。

【段旨】

以上为第三段，写陈霸先征讨王僧辩残余势力，鏖战三吴，北齐趁机大发兵十万，南下侵犯梁朝，救援王氏残余。建康一度告急，陈霸先全军奋力死战，北齐大军全军覆没，梁朝政权始得稳固。

【注释】

⑮丁丑：正月初一日。⑯六官：指六卿，即大冢宰、大司徒、大宗伯、大司马、大司寇、大司空。六官是仿《周礼》所建。六官之上有三公，即太师、太傅、太保。⑰"以宇文泰为太师大冢宰"六句：宇文泰、李弼、赵贵三人都以三公兼六卿之职。独孤信以下三人，则是六卿官。⑱戊寅：正月初二日。⑲癸未：正月初七日。⑳王氏：王僧辩之女。⑯项王寺：吴兴城中为纪念项羽而建的寺院。⑯俱奔齐：据《南史》卷六十三，王僧智最初投奔任约。任约战败，王僧智因人胖，行动迟缓，被霸先军士追杀而死。⑯庚戌：二月初五日。⑯章昭达（公元五一八至五七一年）：字伯通，吴兴武康（今属浙江德清）人，陈末，南讨岭南，北平萧岿，战功卓著。传见《陈书》卷十一、《南史》卷六十六。⑯缙州：州名，梁末临时设置，因境有缙云山而得名。山在浙江缙云，但治所仍在东阳（今浙江金华）。⑯庚申：二月十五日。⑯癸亥：二月十八日。⑯明州：州

全线大举进攻，侯安都从白下领兵绕到北齐军的背后横冲过来，北齐兵大败，被斩被擒的有几千人，互相践踏踩死的无法计算，活捉了徐嗣徽和他的弟弟徐嗣宗，杀了示众，追杀北齐败逃之兵直到临沂。江乘、摄山、钟山等各路军队相继获胜，抓获萧轨、东方老、王敬宝等北齐将帅共计四十六人。败逃到江边的北齐残兵，捆缚芦荻筏子渡江，在江中被淹死，尸体漂到京口，盖满了水面和岸边，只有任约、王僧愔得以脱身。十四日丁巳，梁朝各路军队离开南州，烧毁了北齐的舟船。

六月十五日戊午，梁朝大赦天下。十六日己未，解除戒严令。军士拿赏赐的俘虏换酒，一个战俘才能买得一醉。十七日庚申，处死齐将萧轨等，北齐听说了，也杀了陈昙朗。陈霸先奏请把自己南徐州刺史的职位授给侯安都。

侯平多次打败后梁军队，认为王琳军势衰弱没能力援助自己，就不再接受王琳的指挥，王琳派出将领征讨侯平。侯平杀了巴州助防吕旬，收编他的部众，逃往江州，侯瑱和侯平结拜为兄弟。王琳军势更加衰弱。六月二十二日乙丑，王琳派使者前往北齐，送上表章，并献上驯养的大象。江陵陷落时，王琳妻子蔡氏、世子王毅都被西魏军抓走，王琳又向西魏讨好，以便要回妻儿。同时也向梁朝称臣。

名，梁置，治所交谷，在今越南河静省河静以南。⑯⑨张怀钧：当时以明州刺史衔镇守采石矶，为戍所主将。⑰⓪公安：县名，县治在今湖北公安东北。当时称江安，陈朝建立后才改名为公安。⑰①壬午：三月初七日。⑰②戊戌：三月二十三日。⑰③库狄伏连：字仲山，代人。库狄，复姓。入齐，任郑州刺史，封宜都郡王。性严酷贪婪，因杀和士开而被诛。传见《北齐书》卷二十、《北史》卷五十三。⑰④尧难宗：上党长子（今山西长子）人。东魏末曾任征西将军、南岐州刺史，封征羌县开国伯。传见《魏书》卷四十二。⑰⑤东方老：安德鬲（今山东德州南）人，东魏末曾任南益州刺史，屡有战功。入齐，迁南兖州刺史，封阳平县伯。后与萧轨等渡江，战死。传见《北齐书》卷二十一、《北史》卷三十一。⑰⑥栅口：即濡须口，在今安徽和县西南，栅水入长江处。⑰⑦荡主：敢死队主将。⑰⑧丁巳：四月十三日。⑰⑨乙丑：四月二十一日。⑱⓪宁都公毓：宇文毓（公元五三四至五六〇年），小名统万空，宇文泰长子，即周明帝，公元五五七至五六〇年在位。武成元年（公元五五九年）亲政，称皇帝。转年，被晋公宇文护毒杀。事详《周书》卷四、《北史》卷九。⑱①嫡：正妻所生的长子。⑱②自陈解：独孤信表明无意为女婿宇文毓争世子位。⑱③癸未：五月初九日。⑱④甲申：五月初十日。⑱⑤庚寅：五月十六日。⑱⑥丹杨县：汉朝县名，梁称于湖县，县治在今安徽当涂南。⑱⑦丙申：五月二十二日。⑱⑧秣稜故治：秣稜县所属故治村。秣稜，县名，县治在今江苏南京市江宁区秣稜关。故治，故

治村。原秣稜县治所，晋安帝时移治京邑，于是将原县治所改称故治村。⑱⑨方山：山名，在故治村东北。⑲⓪洽：高洽（公元五四二至五五四年），字敬延，高欢第十五子。北齐初，封汉阳王，谥号敬怀。传见《北齐书》卷十、《北史》卷五十一。⑲①辛丑：五月二十七日。⑲②青墩：地名，在今安徽当涂西南。⑲③七矶：地名，在青墩附近。⑲④殿军：押后掩护。⑲⑤舴艋：小船。也作"蚱蜢"，取其轻捷。⑲⑥追：召回。此处指侯瑱、徐二将从梁山和马牧回到建康，以御齐师。⑲⑦癸卯：五月二十九日。⑲⑧兒塘：地名，在台城东南。⑲⑨长乐寺：寺名，在台城城外。⑳⓪纂严：戒严。⑳①白城：地名，当在湖熟县，即今江苏南京市江宁区湖熟镇一带。⑳②耕坛：古时帝王开春亲耕籍田、祭祀农神的地方。⑳③乞伏无劳：人名，复姓乞伏。《南史》卷六十六作"乞伏无芳"。《通鉴》从《陈书》。⑳④甲辰：六月初一日。⑳⑤王敬宝：王则之弟，太原人，曾任东广州刺史。⑳⑥龙尾：指钟山山脚，是登山的重要道口。⑳⑦丁未：六月初四日。⑳⑧幕府山：山名，在台城北，长江边。⑳⑨钱明：本陈霸先主将，后历湘州诸郡守。传见《陈书》卷二十。㉑⓪庚戌：六月初七日。㉑①乐游苑：王宫的园林，在钟山西南。㉑②覆舟山：山名，在钟山西山脚，地形如反过来的船，也叫玄武山。乐游苑即在此山旁。㉑③壬子：六月初九日。㉑④鬲：鼎的一种，可用来煮饭。㉑⑤潮沟：原吴国孙权下令开挖的水渠，用以引潮水入秦淮河。㉑⑥番

【原文】

齐发丁匠三十余万，修广三台[234]宫殿。

齐显祖之初立也，留心政术，务存简靖[235]，坦于任使[236]，人得尽力。又能以法驭下，或有违犯，不容勋戚，内外莫不肃然。至于军国机策，独决怀抱。每临行阵[19]，亲当矢石，所向有功。数年之后，渐以功业自矜，遂嗜酒淫泆，肆行狂暴。或身自歌舞，尽日通宵；或散发胡服，杂衣锦彩；或袒露形体，涂傅粉黛；或乘牛、驴[20]、橐驼、白象，不施鞍勒；或令崔季舒、刘桃枝负之而行，担胡鼓[237]拍之；勋戚之第，朝夕临幸，游行市里，街坐巷宿；或盛夏日中暴身，或隆冬去衣驰走；从者不堪，帝居之自若。三台构木高二十七丈，两栋[238]相距二百余尺，工匠危怯，皆系绳自防，帝登脊疾走，殊无怖畏；时复雅儛[239]，折旋中节[240]，傍人见者莫不寒心。尝于道上问妇人曰："天子何如？"曰："颠颠痴痴，何成天子？"帝杀之。

易：轮换。此指轮流到干燥地区休整。㉑⑦甲寅：六月十一日。㉑⑧少霁：天气稍微放晴。㉑⑨调市人：向市场商人征调。㉒⓪焜：覆盖。指把鸭肉盖在米饭上。㉒①数脔：几块肉。㉒②乙卯：六月十二日。㉒③嗣宗：徐嗣宗。传见《南史》卷六十三。㉒④摄山：山名，即栖霞山，在江苏南京东北。㉒⑤荻筏：用芦苇扎成的筏子。㉒⑥丁巳：六月十四日。㉒⑦戊午：六月十五日。㉒⑧己未：六月十六日。㉒⑨以赏俘贸酒：用赏赐的战俘换酒喝。㉓⓪庚申：六月十七日。㉓①兵威不接：不给予军事援助。㉓②乙丑：六月二十二日。㉓③驯象：受到训练的大象，得自于越南。

【校记】

［16］兒塘：原作"倪塘"。据章钰校，十二行本、乙十一行本皆作"兒塘"，今据改。〖按〗《陈书·高祖纪上》《南史·武帝纪》皆作"儿塘"。［17］众军从之：原无此四字。据章钰校，十二行本、乙十一行本、孔天胤本皆有此四字，张敦仁《通鉴刊本识误》、张瑛《通鉴校勘记》同，今据补。［18］藉：原作"践"。据章钰校，十二行本作"藉"、乙十一行本作"籍"，《陈书·高祖纪上》作"藉"，今据改。〖按〗"藉""籍"古相通。

【语译】

北齐征发民夫工匠三十余万人，扩建三台宫殿。

北齐显祖高洋初即位时，很留心施政方法，致力于简要谦恭，对被用和派遣的人坦诚信任，人人都乐意竭力效忠。又很有办法驾御臣下，如果有人违法犯罪，对勋臣贵戚也不宽容，所以朝廷内外平静。至于国家军政大计，则独决胸臆。每次亲临战阵，身冒矢石，所到之处战功卓著。几年之后，逐渐自傲建立了功业，于是酗酒淫逸，滥施暴虐。有时亲自歌舞，通宵达旦；有时披散头发，穿上胡人服装，挂红着绿；有时裸露身体，涂脂抹粉；有时骑着牛、驴子、骆驼、白象，不加鞍勒；有时命令崔季舒、刘桃枝背着自己走，担着胡鼓拍打；勋臣贵戚的府第，朝夕临幸；有时游走里巷，露宿街市；有时在盛夏的阳光下光着身子，有时又在隆冬季节脱去衣服跑步；侍从人员都忍受不了，高洋却处之泰然自若。三台的柱架结构高达二十七丈，两根梁柱之间相距二百多尺，工匠都感到危险恐惧，干活时都系上保险绳。高洋却登上梁脊快跑，一点也不害怕。有时又舞蹈，回旋折返，符合音乐的节拍，旁边看的人没有不心惊胆战的。高洋曾经在路上问一个妇人说："当今天子是什么样的人？"妇人回答说："疯疯癫癫，哪像个天子的样子？"高洋便把那个妇人杀了。

娄太后以帝酒狂，举杖击之曰："如此父生如此儿！"帝曰："即当嫁此老母与胡。"太后大怒，遂不言笑。帝欲太后笑，自匍匐以身举床，坠太后于地，颇有所伤。既醒，大惭恨，使积柴炽火，欲入其中。太后惊惧，亲自持挽，强为之笑，曰："向汝醉耳！"帝乃设地席，命平秦王归彦执杖，口自责数㉔¹，脱背就罚，谓归彦曰："杖不出血，当斩汝。"太后前自抱之，帝流涕苦请，乃笞脚五十，然后衣冠拜谢，悲不自胜。因是戒酒，一旬，又复如初。

帝幸李后家，以鸣镝射后母崔氏㉔²，骂曰："吾醉时尚不识太后，老婢何事！"马鞭乱击一百有余。虽以杨愔为宰[21]相，使进厕筹㉔³，以马鞭鞭其背，流血浃袍。尝欲以小刀剺㉔⁴其腹，崔季舒托俳言㉔⁵曰："老小公子恶戏㉔⁶。"因掣刀去之。又置愔于棺中，载以輀车㉔⁷。又尝持槊走马，以拟左丞相斛律金之胸者三，金立不动，乃赐帛千段。

高氏妇女，不问亲疏，多与之乱，或以赐左右，又多方苦辱之。彭城王浟太妃尔朱氏，魏敬宗之后也，帝欲蒸之㉔⁸，不从，手刃杀之。故魏乐安王元昂，李后之姊婿也，其妻有色，帝数幸之㉔⁹，欲纳为昭仪。召昂，令伏，以鸣镝射之百余下，凝血垂将一石，竟至于死。后啼不食，乞让位于姊，太后又以为言，帝乃止。

又尝于众中召都督韩哲㉕⁰，无罪，斩之。作大镬㉕¹、长锯、剉、碓之属，陈之于庭，每醉，辄手杀人，以为戏乐。所杀者多令支解，或焚之于火，或投之于水。杨愔乃简㉕²邺下死囚，置之仗内㉕³，谓之供御囚，帝欲杀人，辄执以应命，三月不杀，则宥之。

开府参军裴谓之㉕⁴上书极谏，帝谓杨愔曰："此愚人，何敢如是？"对曰："彼欲陛下杀之，以成名于后世耳。"帝曰："小人，我且不杀，尔焉得名？"帝与左右饮[22]，曰："乐哉！"都督王纮曰："有大乐，亦有大苦。"帝曰："何谓也？"对曰："长夜之饮，不寤国亡身陨，所谓大苦。"帝缚纮，欲斩之，思其有救世宗之功，乃舍之。

帝游宴东山，以关、陇未平，投杯震怒，召魏收于前，立为诏书，宣示远近，将事西行。魏人震恐，常为度陇㉕⁵之计。然实未行。一日，

娄太后因为高洋酗酒发狂，举起拐杖打他，说："那样一个父亲生了这样一个儿子！"高洋说："应当立即把这个老母嫁给胡人。"娄太后大怒，于是不再说笑。高洋想要母亲笑，亲自趴在地上用背驼起坐床，把太后翻滚到地上，还受了伤。酒醒以后，高洋深感羞愧悔恨，派人堆积柴草，点上火，想投入其中。娄太后又惊又怕，亲自去拉住高洋，勉强为他装出笑脸，说："刚才你是喝醉了！"高洋于是在地上铺了席子，让平秦王高归彦拿着刑杖，口里斥责自己的罪过，脱衣露背就刑，对高归彦说："打不出血来，我就杀了你。"娄太后上去亲自抱住他，高洋流着泪苦苦请求，才在脚上抽打了五十下，然后穿戴好衣帽，向娄太后磕头道歉，悲痛欲绝。由此戒酒，但过了十天，又像先前一个样子。

高洋临幸李后娘家，用响箭射李后的母亲崔氏，骂道："我醉酒时连娄太后都不认识，你这个老奴婢算什么东西！"用马鞭乱抽了她一百多下。高洋虽然用杨愔当宰相，自己上厕所却让他送上厕筒，用马鞭抽他的背，流出的血浸透了衣袍。还曾经想用小刀剖开杨愔的肚子，崔季舒借开玩笑说："老公子与小公子闹恶作剧呢。"伸手夺下了高洋手中的小刀。高洋又把杨愔安放在棺材中，用丧车拉着。又曾经手执槊矛，骑在马上奔跑，三次在左丞相斛律金的胸膛前比画，斛律金站立不动，高洋就赏赐他一千段锦帛。

高氏本家的妇女，不管亲疏，高洋大多和她们淫乱，有时赏赐给身边人，又想方设法羞辱她们。彭城王高浟的太妃尔朱氏，是魏敬宗的皇后，高洋想奸淫她，她不听从，高洋亲手用刀杀了她。原魏乐安王元昂是李皇后的姐夫，他的妻子很漂亮，高洋多次和她私通，想把她纳入宫中做昭仪，把元昂叫来，让他趴在地上，用响箭射了他一百多下，流血将近一石，一直到死。李皇后啼哭绝食，请求把后位让给姐姐，娄太后又出面说话，高洋才作罢。

高洋又曾经在群臣中召见都督韩哲，韩哲没有罪过，却把他杀了。制造大锅、长锯、剉、碓之类刑具，摆在宫廷，每当喝醉了酒，就亲手杀人，以此作为戏乐。被杀害的人还要砍成碎块，有时用火焚烧，有时投到水中。杨愔就把邺城监狱中的死刑罪犯挑出来，安置在宫中仪仗队里，称之为供御囚，高洋想杀人，就抓出来应命，如果三个月没有被杀，就宽大释放。

开府参军裴谓之上书极力谏阻，高洋对杨愔说："这个蠢人，怎么敢这样？"杨愔回答说："他想让陛下杀他，借此扬名于后世罢了。"高洋说："小人，我若不杀，你怎么能成名？"高洋与左右的亲信饮酒，说："快乐啊！"都督王纮说："有大乐，也有大苦。"高洋说："怎么讲？"王纮回答说："日夜不停地饮酒作乐，不明白国亡身死，这就叫大苦。"高洋把王纮捆起来，想杀死他，又想起来王纮有救高澄的功劳，就把他释放了。

高洋到东山游乐宴饮，因为西魏还没平定，把酒杯扔到地上，震怒，把魏收召到跟前，立即起草诏书，向远近四方宣告，将率军西讨。西魏人恐慌，着手制订迁

泣谓群臣曰:“黑獭不受我命，奈何?”都督刘桃枝曰:“臣得三千骑，请就长安擒之以来。”帝壮之，赐帛千匹。赵道德进曰:“东西两国，强弱力均，彼可擒之以来，此亦可擒之以往。桃枝妄言应诛，陛下奈何滥赏?”帝曰:“道德言是。”回绢赐之。帝乘马欲下峻岸入于漳，道德揽辔回之，帝怒，将斩之。道德曰:“臣死不恨，当于地下启先帝，论此儿酣酗颠狂，不可教训。”帝默然而止。他日，帝谓道德曰:“我饮酒过，须痛杖我。”道德抶之[256]，帝走。道德逐之曰:“何物人?为此举止!”

典御丞[257]李集面谏，比帝于桀、纣。帝令缚置流中[258]，沈没久之，复令引出，谓曰:“吾何如桀、纣?”集曰:“向来弥不及矣!”帝又令沈之，引出，更问，如此数四，集对如初。帝大笑曰:“天下有如此痴人，方知龙逄、比干未是俊物!”遂释之。顷之，又被引入见，似有所谏，帝令将出要斩[259]。其或斩或赦，莫能测焉，内外憯憯[260]，各怀怨毒。而素能默识强记，加以严断，群下战栗，不敢为非。又能委政杨愔，愔总摄机衡，百度修敕[261]，故时人皆言主昏于上，政清于下。

愔风表[262]鉴裁[263]，为朝野所重，少历屯厄[264]，及得志，有一餐之惠者必重报之，虽先尝欲杀己者亦不问。典选二十余年，以奖拔贤才为己任。性复强记，一见皆不忘其姓名，选人[265]鲁漫汉自言猥贱独不见识，愔曰:“卿前在元子思坊[266]，乘短尾牝驴，见我不下，以方曲[267]障面，我何为不识卿?”漫汉惊服。

【段旨】

以上为第四段，写北齐国主高洋酗酒残暴，荒淫无度，甚于桀纣，而任属贤相杨愔，天下称治。北齐主昏臣明，是以不亡。

都陇西的计划。但是高洋没有付诸行动。有一天，高洋流着泪对群臣说："宇文黑獭不听从我的命令，怎么办？"都督刘桃枝说："给我三千骑兵，请让我立即到长安把他抓来。"高洋欣赏他的勇气，赏赐他锦帛一千匹。赵道德进言说："齐和魏是东西两个国家，强弱相等，我们可以把西魏人抓过来，他们也可以把我们抓过去。刘桃枝胡说该杀，陛下为何滥赏？"高洋说："赵道德说得很对。"把赏赐给刘桃枝的绢帛要回来，赏赐给了赵道德。高洋骑着马想从陡岸上进入漳水，赵道德抓住他的马笼头往回拽，高洋大怒，想杀死赵道德。赵道德说："我死了也不遗憾，但我在黄泉地之要向先帝启奏，说这个儿子酗酒癫狂，不可以教训。"高洋沉默不语，停了下来。又一天，高洋对赵道德说："我饮酒过度，你必须狠狠抽我。"赵道德打他，高洋逃跑，赵道德追着打，口中说："什么人吗？干这样的事！"

典御丞李集当面劝谏高洋，把高洋比作夏桀、殷纣。高洋命令把他捆起来，放在流水中，沉没很久，又下令把他拉出来，问他："我与夏王、殷王相比，究竟怎么样？"李集说："刚才您还不如夏桀、殷纣！"高洋又命人把李集沉入水中，然后拉出来再问，像这样反复了好几次，李集的回答像当初一样。高洋大笑说："天下有这样的呆傻人，正让我明白了龙逢、比干不是聪明人！"于是释放了李集。不久，李集又被召见，似乎又有劝谏，高洋命令把他拉出去腰斩了。高洋要杀还是要赦，变化莫测，朝廷内外人人惨痛，恨得咬牙切齿。但高洋一向能够把各种情况牢牢地记在心里，加上他严谨果断，文武百官胆战心惊，不敢为非作歹。高洋又能把政事委托给杨愔，杨愔总揽国家大政，尽心尽力地治理国家，所以当时的人都说，高高在上的皇帝昏聩糊涂，而下面的政治却非常清明。

杨愔有风度，有仪表，能鉴别，能判断，受到朝野敬重，少历磨难，等到他仕途得志，有一餐饭恩惠的人，一定重重回报，即使是原先想杀害他的人也不追究。他掌管选举二十多年，以奖励提拔人才为己任。杨愔天生的记忆力很好，见过一面就不会忘记对方的姓名。参加应选的鲁漫汉，自己说身份低贱，杨愔不会认识他，杨愔说："你先前在元子思坊任职，乘坐一头短尾母驴，见到我没有下来，用一把竹扇遮住脸，我怎么会不认识你呢？"鲁漫汉又惊异又佩服。

【注释】

㉞ 三台：在邺城，原曹操所建的铜爵台、金虎台、冰井台。㉟ 简靖：简要谦恭。㊱ 坦于任使：对被任用和派遣的下属坦诚相待。㊲ 胡鼓：用手击打的一种传自少数民族的鼓乐器。㊳ 栋：房屋的正梁。㊴ 雅儛：即雅舞，郊庙祭祀时所跳的舞蹈。㊵ 折旋中节：回旋折返，舞姿完全符合节拍。㊶ 口自责数：自己责怪自己所犯的罪行。㊷ 崔氏：李希宗的

妻子。㉔³厕筹：大便后用来拭秽的竹片。㉔⁴剺：划开。㉔⁵俳言：诙谐的话；玩笑话。㉔⁶恶戏：恶作剧玩笑。㉔⁷轜车：丧车。轜，同“輀”。㉔⁸蒸之：与母辈女子通奸。㉔⁹幸之：此指私通。㉕⁰韩哲：《北齐书》卷四作“韩悊”。“悊”“哲”二字同。㉕¹大镬：无足的大鼎，类似于现在的锅。古代是用来把人煮死的刑具。㉕²简：挑选。㉕³置之仗内：编入殿庭左右的仪仗队中。㉕⁴裴谓之：《北史》卷三十八作“裴谒之”，疑《通鉴》误。裴谒之系裴让之第六弟，字士敬，有志节，好直言，卒于壶关令。㉕⁵度陇：将国都迁到陇西去。㉕⁶抶之：鞭打他。㉕⁷典御丞：官名，掌尚食、尚药，是门下省属官。㉕⁸流中：流水中。㉕⁹要斩：腰斩。㉖⁰憯憯：惨痛。㉖¹百度修敕：千方百计加以整顿治理。㉖²风表：风度仪表。㉖³鉴裁：鉴别与判断。㉖⁴少历屯阨：年轻时处境艰难。早年遭遇尔朱天光诛杀弘农杨氏，杨愔侥幸逃脱。投靠高欢，又被郭秀陷害，被迫逃亡嵩山，化名刘士安。后又入海，到田横岛隐居。等高欢弄清真相，才重新出仕。㉖⁵选人：被推举的人才。㉖⁶元子思坊：邺都街坊名称。因原北魏侍中元子思曾住此坊而得名。㉖⁷方曲：竹编的扇子。

【原文】

秋，七月甲戌[268]，前天门太守樊毅袭武陵[269]，杀武州刺史衡阳王护[270]，王琳使司马潘忠击之，执毅以归。护，畅[271]之孙也。

丙子[272]，以陈霸先为中书监、司徒、扬州刺史，进爵长城公，余如故。

初，余孝顷为豫章太守，侯瑱镇豫章，孝顷于新吴县[273]别立城栅，与瑱相拒。瑱使其从弟奫守豫章，悉众攻孝顷，久不克，筑长围守之。癸酉[274]，侯平发兵攻奫[275]，大掠豫章，焚之，奔于建康。瑱众溃，奔湓城，依其将焦僧度。僧度劝之奔齐，会霸先使记室济阳蔡景历南上[276]，说瑱令降，瑱乃诣阙归罪，霸先为之诛侯平。丁亥[277]，以瑱为司空。

南昌民熊昙朗，世为郡著姓。昙朗有勇力，侯景之乱，聚众据丰城[278]为栅，世祖[279]以为巴山太守。江陵陷，昙朗兵力浸强，侵掠邻县。侯瑱在豫章，昙朗外示服从而阴图之，及瑱败走，昙朗获其马仗。

己亥[280]，齐大赦。

【校记】

［19］阵：原作“陈”。胡三省注云：“‘陈’读曰‘阵’。”据章钰校，乙十一行本作“阵”，今据改。〖按〗《北齐书·文宣纪》《北史·显祖文宣帝》皆作“阵”。［20］牛驴：原作“驴牛”。据章钰校，十二行本、乙十一行本二字皆互乙，今据改。〖按〗《北齐书·文宣纪》《北史·显祖文宣帝》皆作“牛驴”。［21］宰：原无此字。据章钰校，十二行本、乙十一行本、孔天胤本皆有此字，今据补。〖按〗《通鉴纪事本末》卷二四、《通鉴纲目》卷三四皆有此字。［22］饮：原作“饮酒”。据章钰校，十二行本、乙十一行本皆无“酒”字，今据删。〖按〗《通鉴纪事本末》卷二四、《通鉴纲目》卷三四皆无“酒”字。

【语译】

秋，七月初一日甲戌，梁朝前天门太守樊毅袭击武陵，杀了武州刺史衡阳王萧护。王琳派司马潘忠攻打樊毅，潘忠活捉了樊毅回来。萧护，是萧畅的孙子。

七月初三日丙子，梁朝任命陈霸先为中书监、司徒、扬州刺史，进爵长城公，其他原有官职照旧。

当初，梁朝余孝顷为豫章太守，侯瑱镇守豫章，余孝顷在新吴县另外竖立城栅，与侯瑱对抗。侯瑱派他的堂弟侯奫守卫豫章，自己率领全部兵力攻打余孝顷，很久没有攻下，就修筑长围墙，包围余孝顷。癸酉日，侯平发兵攻打侯奫，大肆抢掠豫章，放火烧城，然后逃往建康。侯瑱的军队溃散，侯瑱逃往湓城，投靠他的部将焦僧度。焦僧度劝侯瑱投奔北齐，适逢陈霸先派记室济阳人蔡景历溯江南上，劝说侯瑱让他投降，侯瑱便回到朝廷请罪，陈霸先为侯瑱杀了侯平。七月十四日丁亥，陈霸先任命侯瑱为司空。

南昌豪民熊昙朗世世代代为豫章郡大姓。熊昙朗勇武有力，侯景叛乱时，他聚集民众，占据丰城，修建营栅，梁世祖萧绎任命他为巴山太守。江陵城陷落，熊昙朗的势力逐渐强大，侵掠邻县。侯瑱在豫章，熊昙朗外示归从，而暗中打算除掉他，等到侯瑱败逃，熊昙朗获得了侯瑱的马匹器械。

七月二十六日己亥，北齐大赦天下。

魏太师泰遣安州长史钳耳康买[281]使于王琳，琳遣长史席豁[282]报之，且请归世祖及愍怀太子之柩，泰许之。

八月己酉[283]，鄱阳王循卒于江夏，弟丰城侯泰[284]监郢州事。王琳使兖州刺史[285]吴藏攻江夏，不克而死。

魏太师泰北渡河[286]。

魏以王琳为大将军、长沙郡公。

魏江州刺史陆腾[287]讨陵州[288]叛獠。獠因山为城，攻之难拔，腾乃陈伎乐于城下一面，獠弃兵，携妻子临城观之，腾潜师三面俱上，斩首万五千级，遂平之。腾，俟[289]之玄孙也。

庚申[290]，齐主将西巡，百官辞于紫陌，帝使矟骑围之，曰："我举鞭，即杀之。"日晏，帝醉不能起。黄门郎是连子畅[291]曰："陛下如此，群臣不胜恐怖。"帝曰："大怖邪？若然，勿杀。"遂如晋阳。

九月壬寅[292]，改元，大赦。以陈霸先为丞相、录尚书事、镇卫大将军、扬州牧、义兴公。以吏部尚书王通为右仆射。

突厥木杆可汗假道于凉州以袭吐谷浑，魏太师泰使凉州刺史史宁帅骑随之，至番禾[293]，吐谷浑觉之，奔南山[294]。木杆将分兵追之，宁曰："树敦[295]、贺真[296]二城，吐谷浑之巢穴也，拔其本根，余众自散。"木杆从之。木杆从北道趣贺真，宁从南道趣树敦。吐谷浑可汗夸吕[23]在贺真，使其征南王将数千人守树敦。木杆破贺真，获夸吕妻子。宁破树敦，虏征南王。还，与木杆会于青海[297]，木杆叹宁勇决，赠遗甚厚。

甲子[298]，王琳以舟师袭江夏。冬，十月壬申[299]，丰城侯泰以州降之。

齐发山东寡妇二千六百人以配军，有夫而滥夺者什二三。

魏安定文[300]公宇文泰还至牵屯山[301]而病，驿召中山公护。护至泾州，见泰，泰谓护曰："吾诸子皆幼，外寇方强，天下之事，属之于汝，宜努力以成吾志。"乙亥[302]，卒于云阳[303]。护还长安，发丧。泰能驾御英豪，得其力用，性好质素，不尚虚饰，明达政事，崇儒好古，凡所施设，皆依仿三代而为之。丙子[304]，世子觉嗣位，为太师、柱国、大冢宰，出镇同州[305]，时年十五。

西魏太师宇文泰派安州长史钳耳康买出使王琳，王琳派长史席豁回访，并且请求宇文泰归还梁世祖萧绎和愍怀太子的灵柩，宇文泰同意了。

八月初七日己酉，梁朝鄱阳王萧循在江夏去世，他的弟弟丰城侯萧泰监理郢州政务。王琳派兖州刺史吴藏进攻江夏，失败而死。

西魏太师宇文泰往北渡过黄河。

西魏任命王琳为大将军、长沙郡公。

西魏江州刺史陆腾讨伐陵州叛乱的獠族人。獠族人依山筑城，很难攻下。陆腾在城下一面演奏歌伎乐舞，獠族人放下兵器，带着妻儿登上城楼观看，陆腾暗中派兵三面登城，斩首一万五千多人，平定了獠人的叛乱。陆腾，是陆俟的玄孙。

八月十八日庚申，北齐国主高洋要到西部巡视，朝廷百官在紫陌殿辞别，高洋派手执长矟的骑兵把官员们包围起来，说："我一举鞭，就杀死他们。"直到太阳下山，高洋醉酒不能站立。黄门郎是连子畅说："陛下您这样，群臣害怕极了。"高洋说："极为害怕吗？如果是这样，就不杀了。"于是前往晋阳。

九月初一日壬寅，梁朝改年号为太平元年，大赦天下。任命陈霸先为丞相、录尚书事、镇卫大将军、扬州牧、义兴公。任命吏部尚书王通为右仆射。

突厥木杆可汗借道西魏凉州袭击吐谷浑，西魏太师宇文泰派凉州刺史史宁率领骑兵跟着他，到了番禾，吐谷浑觉察了，逃到南山。木杆可汗将要分兵追击，史宁说："树敦、贺真两座城是吐谷浑的巢穴，攻取他们的根本，其他部众自然溃散。"木杆可汗听从了。木杆可汗从北路赶往贺真，史宁从南道赶往树敦。吐谷浑可汗夸吕在贺真，派他的征南王率领数千人守卫树敦。木杆可汗攻破贺真城，抓获了夸吕的妻子儿女。史宁攻破了树敦城，抓获了征南王。史宁回军在青海与木杆可汗会合，木杆可汗赞叹史宁的勇敢与果决，赠送他的礼品很丰厚。

九月二十三日甲子，王琳利用水军袭击江夏。冬，十月初一日壬申，丰城侯萧泰献出郢州投降。

北齐征发山东寡妇两千六百人分配给士兵，有丈夫而被胡乱抓来的有十分之二三。

西魏安定公宇文泰回到牵屯山时病倒，派驿马传令召中山公宇文护。宇文护到达泾州，见到宇文泰，宇文泰对宇文护说："我的几个儿子都年幼，外敌正强盛，国家大事就交给你了，你要努力完成我的愿望。"十月初四日乙亥，宇文泰死在云阳。宇文护回到长安，为宇文泰举办丧事。宇文泰能够驾驭英雄豪杰，得到他们的效力，本性喜好朴实，不崇尚虚荣修饰，明白通达政事，崇尚儒学，喜欢古代传统文化，他所创设实施的制度，都效法夏、商、周三代。初五日丙子，宇文泰世子宇文觉继承爵位，任太师、柱国、大冢宰，出都到同州镇守，当时只有十五岁。

中山公护，名位素卑，虽为泰所属，而群公各图执政，莫肯服从。护问计于大司寇于谨，谨曰："谨早蒙先公非常之知，恩深骨肉，今日之事，必以死争之。若对众定策，公必不得让。"明日，群公会议，谨曰："昔帝室倾危，非安定公㉚⑥无复今日。今公一旦违世，嗣子虽幼，中山公亲其兄子，兼受顾托，军国之事，理须归之。"辞色抗厉㉚⑦，众皆悚动。护曰："此乃家事，护虽庸昧，何敢有辞？"谨素与泰等夷㉚⑧，护常拜之，至是，谨起而言曰："公若统理军国，谨等皆有所依。"遂再拜。群公迫于谨，亦再拜，于是众议始定。护纲纪内外，抚循文武，人心遂安。

十一月辛丑㉚⑨，丰城侯泰奔齐，齐以为永州刺史㉛⓪。诏征王琳为司空，琳辞不至，留其将潘纯陀㉛①监郢州，身还长沙。魏人归其妻子。

壬子㉛②，齐主诏以"魏末豪杰纠合乡部，因缘请托，各立州郡，离大合小，公私烦费，丁口减于畴日㉛③，守令倍于昔时。且要荒㉛④向化㉛⑤，旧多浮伪，百室之邑，遽立州名，三户之民，空张郡目，循名责实，事归焉有"。于是并省三州、一百五十三郡、五百八十九县、三镇、二十六戍[24]。

诏分江州四郡㉛⑥置高州㉛⑦。以明威将[25]军黄法𣰰为刺史，镇巴山。

十二月壬申㉛⑧，以曲江侯勃为太保。

甲申㉛⑨，魏葬安定文公。丁亥㉜⓪，以岐阳之地㉜①封世子觉为周公。

初，侯景之乱，临川民周续起兵郡中，始兴王毅以郡让之而去。续部将皆郡中豪族，多骄横，续裁制之，诸将皆怨，相与杀之。续宗人迪㉜②，勇冠军中，众推为主。迪素寒微，恐郡人不服，以同郡周敷㉜③族望高显，折节交之，敷亦事迪甚谨。迪据上塘㉜④，敷据故郡㉜⑤，朝廷以迪为衡州刺史，领临川内史。时民遭侯景之乱，皆弃农业，群聚为盗，唯迪所部独务农桑，各有赢储，政教严明，征敛必至，余郡

西魏中山公宇文护威望和地位一向低下，虽然是宇文泰所托付，但是朝廷群公，个个都想执掌大权，没有人肯服从他。宇文护向大司寇于谨询问计策，于谨说：“我于谨早就受先公宇文泰特别知遇，恩情超过骨肉至亲，今天的国家大事，我拼死也要维护宇文泰先公的决定。如果面对公卿大臣决定国家大政，你一定不要谦让。”第二天，公卿大臣聚会商议，于谨说：“先前皇室倾危，不是安定公就没有今天。如今安定公突然辞世，嗣子虽然年幼，中山公宇文护是安定公亲哥哥的儿子，又受安定公临终托孤，军国大政，按理应归他。”于谨声高色厉，大家都很紧张。宇文护说：“这是我们的家事，我宇文护虽然平庸愚昧，怎敢再有话说？”于谨一向与宇文泰平起平坐，宇文护经常向于谨行跪拜礼。这时，于谨站起来说：“你如果总管军国大政，于谨等人就有依靠了。”于是向宇文护拜了两次。公卿大臣迫于于谨的威望，也都拜了两次，这样众臣的意见都统一起来了。宇文护整顿内外纲纪，安抚文武大臣，人心才安定了下来。

十一月初一日辛丑，梁朝丰城侯萧泰逃奔北齐，北齐任命他为永州刺史。梁朝征召王琳为司空，王琳推辞不去建康，留下部将潘纯陀监理郢州政务，自己回到长沙。西魏送还了王琳的妻子儿女。

十一月十二日壬子，北齐国主高洋下诏说：“魏朝末年，地方豪民纠合乡里，依靠各种关系请求托附，各自建立州郡，分割大州郡，聚合小州郡，公私政务烦琐，浪费资财，人口少于先前，而郡守县令多了一倍。而且边远地区归服，不是浮夸，就是虚假，百户小邑，突然成了一个州的名字；三户人家，空列郡名。实际查核，实际是子虚乌有。”于是裁撤了三个州，合并确立了一百五十三个郡、五百八十九个县、三个镇、二十六个戍。

梁朝下诏分江州的四个郡设置高州，任命明威将军黄法氍为高州刺史，镇守巴山。

十二月初二日壬申，梁朝任命曲江侯萧勃为太保。

十四日甲申，西魏安葬了安定公宇文泰。十七日丁亥，西魏把岐阳之地封给宇文泰世子宇文觉，并封他为周公。

当初，侯景叛乱，临川郡豪民周续在郡中起兵，始兴王萧毅把临川郡让给了周续而自己离开了。周续的部将都是临川郡的大族，大多骄恣横暴，周续制裁节制他们，众将领都怨恨他，互相勾结要杀掉周续。周续的族人周迪，勇冠军中，大家推举他为首领。周迪一向贫寒低微，担心郡民不服，因同郡周敷族大名望高，就谦恭屈节与周敷交好，周敷对待周迪也很恭谨。周迪占据上塘，周敷占据原郡城南城县，梁朝任命周迪为衡州刺史，兼任临川内史。当时民众遭遇侯景叛乱，都放弃了农事，成群地聚集做盗贼，只有周迪管辖的地区在经营农桑，各家各户都储有余粮，政令和教化都严肃清明，政府征收赋税徭役均能按期完成，其他缺少粮食的郡县，都依

乏绝者皆仰以取给。迪性质朴，不事威仪，居常徒跣，虽外列兵卫，内有女伎，挼绳破篾㉖，傍若无人，讷于言语而襟怀信实，临川人皆附之。

齐自西河总秦戍筑长城㉗，东至于海，前后所筑东西凡三千余里，率十里一戍，其要害置州镇，凡二十五所。

魏宇文护以周公幼弱，欲早使正位以定人心。庚子㉘，以魏恭帝诏禅位于周，使大宗伯赵贵持节奉册，济北公迪㉙致皇帝玺绂；恭帝出居大司马府。

【段旨】

以上为第五段，写西魏太师宇文泰去世，政权平稳过渡，宇文泰之子宇文觉受魏恭帝禅位，北周建立。梁朝境内渐平，陈霸先改年号，任丞相，大权独揽。

【注释】

㉘甲戌：七月初一日。㉙武陵：郡名，治所临沅，在湖南常德。㉚护：萧护，封衡阳王。㉛畅：萧畅，梁武帝的四弟。南齐时任太常，封江陵县侯。梁朝初建，追封衡阳郡王。传见《梁书》卷二十三、《南史》卷五十一。㉜丙子：七月初三日。㉝新吴县：县治在今江西奉新西。㉞癸酉：七月甲戌朔，无癸酉，疑为"癸未"之误，即七月初十日。㉟侯平发兵攻奫：据《陈书》卷九、《南史》卷六十六《侯瑱传》，奫守豫章，被其部下侯方兒所攻，掳瑱军府妓妾金玉归于陈霸先。㊱南上：从建康到湓城（今江西九江市），由南湖水而上。㊲丁亥：七月十四日。㊳丰城：县名，县治在今江西丰城西南。㊴世祖：梁元帝庙号。㊵己亥：七月二十六日。㊶钳耳康买：人名，复姓钳耳，西羌人。㊷席豁：《周书》卷二十八、《北史》卷六十一作"席壑"。㊸己酉：八月初七日。㊹丰城侯泰：萧泰，字世怡，爵丰城侯。传见《南史》卷五十二。㊺兖州刺史：为虚领，不拥有实地。㊻北渡河：北渡黄河。《周书》载为"七月"事。㊼陆腾（？至公元五七八年）：字显圣，代人，北魏时以平定葛荣功，封清河县伯，尚安平公主。入西魏后官至大司空、泾州总管。传见《周书》卷二十八、《北史》卷二十八。㊽陵州：州名，治所隆山，在今四川眉山市彭山区。㊾俟：陆俟，代人，初事北魏太武帝，任冀州刺史，封建邺公。先后出任怀荒镇、长安镇大将，果决有谋略。晚年进爵东平王。传见

靠周迪供给。周迪生性质朴，不讲排场，平居时经常赤脚步行，虽然室外安排有卫兵，室内有歌伎舞乐，周迪破竹起篾，揉搓绳索，旁若无人。周迪不善言辞，但胸怀诚实忠信，临川郡民众都依附他。

北齐从西河起修整原来秦朝在长城沿线所设置的戍所，筑长城向东延伸直到大海，前后所筑东西长总计三千多里，大概每十里远就有一个戍所，在要害地段则设置州镇，总共有二十五个戍所。

西魏宇文护认为周公宇文觉年小势弱，想让他早一点即皇帝位以安定人心。十二月三十日庚子，让西魏恭帝下诏禅位于周公，派大宗伯赵贵手持节杖，奏上表章，派济北公元迪捧上玉玺印绶献给新皇帝。西魏恭帝出宫，居住在大司马府第。

《魏书》卷四十、《北史》卷二十八。㉞⑽庚申：八月十八日。(291)是连子畅：人名，复姓是连。又《北齐书》卷四十七有“兰子畅”，《北史》卷三十九有“是兰子畅”，疑是一人。(292)壬寅：九月初一日。(293)番禾：即番和，郡名，治所番和，在今甘肃永昌。由此南渡大通河，再向西可抵吐谷浑都城。(294)南山：山名，在青海湖南岸。(295)树敦：城名，吐谷浑旧都，在今青海共和东南黄河岸边。(296)贺真：城名，在今青海都兰，又称吐谷浑城。(297)青海：即青海湖。(298)甲子：九月二十三日。(299)壬申：十月初一日。(300)文：宇文泰谥号。(301)牵屯山：山名，在今宁夏固原境。又名笄头山。(302)乙亥：十月初四日。(303)云阳：县名，县治在今陕西泾阳西北。(304)丙子：十月初五日。(305)同州：州名，治所武乡，在今陕西大荔。(306)安定公：宇文泰的封爵号。(307)辞色抗厉：言辞高亢，声色严厉。(308)等夷：同辈。(309)辛丑：十一月初一日。(310)永州刺史：永州在湖南零陵，此是遥领。(311)潘纯陀：《南史》卷六十六作“潘纯”，卷六十九作“潘纯陀”。《陈书》卷八、卷九等均作“潘纯陁”。曾为巴州刺史。(312)壬子：十一月十二日。(313)畴日：过去的日子。(314)要荒：要服、荒服。要，要服。三代指离王城一千五百里到二千里的地区。荒，荒服。三代指离王畿二千五百里以外的远僻地区。这里指北齐周边的敌对政权和少数民族。(315)向化：归顺、服从教化。(316)分江州四郡：从江州分出四个郡。临川郡，治所南城，在今江西南丰。安成郡，治所平都，在今江西安福。豫宁郡，治所豫宁，在今江西武宁西。巴山郡，治所巴山，在今江西乐安。(317)高州：州名，治所巴山，在今江西崇仁西南。(318)壬申：十二月初二日。(319)甲申：十二月十四日。(320)丁亥：十二月十七日。(321)岐阳之地：岐山之南，即周原，在今陕西岐山县和扶风一带。(322)迪：周迪（？至公元五六五年），临川南城（今江西南丰）人，梁元帝任他为高州刺史，封临汝县侯。后助周文育平定萧勃叛乱。陈初，

曾大败王琳军，以功加平南将军、开府仪同三司。天嘉三年（公元五六二年），起兵叛乱，不久败死。传见《陈书》卷三十五、《南史》卷八十。㉓周敷（公元五三一至五六五年）：字仲远，临川（今江西抚州市临川区）人，梁元帝时，任宁州刺史，封西丰县侯。入陈，参与平定熊昙朗、王琳，以功进位安西将军。后被周迪诱骗杀害。传见《陈书》卷十三、《南史》卷六十七。㉔上塘：地名，在今江西南城南上塘墟。西临盱江，南与南丰接壤。本书卷一百六十七和《陈书》作"工塘"。㉕故郡：原临川郡治南城县（今江西南丰）。㉖挼绳破篾：揉搓线绳，破开竹篾，指编竹席。㉗自西河总秦戍筑长城：从黄河河曲开始，把原秦代戍所沿线的长城修复起来。㉘庚子：十二月三十日。㉙迪：元迪，爵济北公。

【校记】

［23］夸吕：原无此二字。据章钰校，十二行本、乙十一行本、孔天胤本皆有此二字，张敦仁《通鉴刊本识误》同，今据补。［24］五百八十九县、三镇、二十六戍：原无此十二字。据章钰校，十二行本、乙十一行本、孔天胤本皆有此十二字，张瑛《通鉴校勘记》同，今据补。〖按〗《北齐书·文宣纪》作"五百八十九县、二镇、二十六戍"，《北史·显祖文宣帝纪》作"县五百八十九，镇三，戍二十六"，"二"与"三"未知孰是。［25］以明威将：原无此四字。据章钰校，十二行本、乙十一行本、孔天胤本皆有此四字，张瑛《通鉴校勘记》同，今据补。

【研析】

公元五五五至五五六年，江南因萧绎江陵政权覆灭，再一次出现政治上的无序状态，各种力量重新洗牌。萧绎所任广州刺史王琳利用其在湘江流域的旧有影响，在为萧绎复仇的名义下北上，暂时将中游拥梁的力量团结在自己的周围，但受到江陵萧詧集团与西魏的联手阻击。长江下游据有建康及江北岸京口等地的王僧辩集团，因在拥立新君的问题上发生矛盾，陈霸先袭杀昔日盟友王僧辩，而原王僧辩旧部在江东、赣江流域据守，不从号令，纷纷投靠北齐。欧阳頠、萧勃为岭南的控制权展开激烈的斗争。赣江流域、今福建等地的土豪余孝顷、周迪、熊昙朗、陈宝应等趁势割据一方，在王琳、萧勃、陈霸先等几大势力之间首鼠两端，试图强化甚至拓展自己的势力。陈霸先最终稳定地占据江东，成功击退了越过长江染指江南政局的北齐军队，并积极向中上游扩张势力。王琳集团在萧詧、陈霸先夹击下，最后也投靠北齐，迎萧庄为梁帝，与陈霸先对抗。

北方，北齐军队在长江下游两次越过长江进入建康，在中游一度占据郢城半年之久，但嗜酒的北齐皇帝高洋已处于精神分裂的边缘，举止怪诞，加上其他因素，使北齐对于江南的争夺并非是持久的既定国策。西魏执政者宇文泰开始按部就班地进行政权大规模改造，未完成而去世，其侄宇文护继为执政，积极推动政权从元氏向宇文氏变更。

在这一系列复杂的事件中，下面仅就陈霸先袭杀王僧辩的原因及其与北齐的两次战争，做较深入的分析。

陈霸先在讨伐侯景的旗号下，聚集岭南与赣江流域部分豪族武装，接受江陵萧绎政权的领导，与王僧辩军合力进入建康，攻灭侯景。萧绎被西魏攻杀后，他与王僧辩拥萧绎第九子晋安王萧方智为太宰“承制”，即组建临时中央政府。时萧詧已在西魏支持下即帝位于江陵，王、陈没立即拥萧方智为皇帝，实有观望形势的想法，而这给北齐留下了干涉江南政治的机会，北齐立梁武帝之侄、在率军接应侯景时被俘的萧渊明为梁帝，派军护送其南下。王僧辩起初拒绝接受，后北齐军陷东关，杀守将裴之横，呈武力过江态势，王僧辩于是改变态度，接受萧渊明为帝。这一新的梁朝政府，像江陵萧詧政权为西魏“藩属”一样，建康的梁政权成为北齐的“藩属”。当然，王僧辩也提出了自己的条件，那就是萧渊明接受萧方智为太子。

史书记载陈霸先反对接纳萧渊明，认为这是“外依戎狄，援立非次”，态度坚决，并成为他随后袭杀王僧辩的理由。见于《陈书·武帝纪》的这一说法，为《通鉴》所沿袭，但陈霸先杀王僧辩，重新拥立萧方智后，并没有杀掉萧渊明，而是任之为司徒，封建安公。据《北齐书》卷三十三《萧明传》，“霸先奉表朝廷，云僧辩阴谋篡逆，故诛之。方智请称臣，永为藩国，齐遣行台司马恭及梁人盟于历阳”。《通鉴》据而载之，但此事却不见于《陈书》。杀王僧辩，重新拥立萧方智，并非如《陈书》所说的那样，是因为陈霸先视北齐为夷狄，拒绝北齐对于梁帝的安排，主要原因应当是陈霸先与王僧辩的权力之争。

当陈霸先与王僧辩共拥萧方智为帝后，王僧辩任中书监、录尚书、都督中外诸军事，总掌军政大权。陈霸先则出镇京口，只为一地方大员，萧渊明入建康为帝后，陈霸先虽任侍中，但仍驻京口，对于朝政的影响力显然有限。陈霸先毕竟起于岭南边地，趁势而起，与梁宗室无太多接触，且门地寒微，并不被人重视。王僧辩部属杜龛任吴兴太守，“恃王僧辩之势，素不礼于陈霸先。在吴兴，每以法绳其宗族，霸先深怨之”，亦因于此。所谓反对王僧辩“外依戎狄”、图谋篡逆，只不过是陈霸先袭杀他的借口，甚至是后来陈霸先称帝前以示“功德”的说辞。但这并不能掩盖陈霸先执掌朝政后仍向北齐称臣，愿意“永为藩国”的事实。有学者认为陈霸先杀王僧辩，是为了保持华夏先进文化，看来是高估了陈霸先的“政治觉悟”及所建陈朝的历史意义。

本卷所记“齐人”军队两次进入建康，均不是北齐国家行为。第一次为王僧辩外甥徐嗣先，在王僧辩被杀后投奔其堂兄谯秦二州刺史徐嗣徽，劝徐嗣徽投靠北齐，并联合南豫州刺史任约，趁陈霸先率部东讨之机，率兵五千过江偷袭，占据秦淮河口的石头城。《北史》卷七《显祖文宣帝》记其事说:“梁秦州刺史徐嗣徽、南豫州刺史任约等袭据石头城，并以州内附。”前来接应的齐军也只五千人。也就是说，徐嗣辉等的袭扰建康，最初并非北齐方面有准备的军事行动，而是梁朝政治势力之间的内讧。陈霸先在业已将齐军围困在石头城的情况下，仍不愿意与北齐方面彻底决裂，遣侄子陈昙朗等为人质，将齐军礼送出境。后一次十万齐军在萧轨等指挥下来攻，已非袭扰，陈霸先被迫全力应敌，取得大胜。但这次战事也颇有可疑之处，十万大军过江，并非小事，而齐军首要指挥官萧轨竟难考索其生平事迹，对于这次在《陈书》中大加铺陈的战事,《北齐书》竟只寥寥几笔带过，未记出兵人数，亦未见北齐朝廷有宣示战争目的的诏令。看起来，这次战事仍旧是徐嗣徽、任约说动齐淮南部分守将而进行的边境战事，齐军过江，或夸大人数，以震慑人心，也有可能是胜者陈霸先趁机对胜利大加宣扬，为称帝代梁张本。

其实，当时北齐正忙于应对突厥兴起并与西魏结盟的新问题。如《通鉴》本卷所记，上年六月，“齐发民一百八十万筑长城，自幽州夏口西至恒州九百余里”；次年底又记:“齐自西河总秦戍筑长城，东至于海，前后所筑东西凡三千余里，率十里一戍，其要害置州镇，凡二十五所。”西魏盟友突厥的现实威胁，使北齐根本不可能在南方采取大规模的军事行动。如《通鉴》所记，北齐名将慕容俨奉命率部趁乱入据郢城，“城中食尽，煮草木根叶及靴皮带角食之，与士卒分甘共苦，坚守半岁，人无异志”，北齐方面也未派军接应，最终“以城在江外难守，因割以还梁”，势不可能出于国家意志，派军进攻必然会引发大规模战事的建康。

其实，史书中记录的不少战争亦可作如是观。如三国时期著名的赤壁之战，曹魏、蜀汉一系的史书，只见只言片语，而在孙吴一系的史书中，却大书特书。《晋书·乐志下》说，孙权时改汉代军乐曲调之一的《上之回》为《乌林》,“言魏武既破荆州，顺流东下，欲来争锋，权命将周瑜逆击之于乌林而破走也”，于庙堂之上演奏。孙吴方面大加宣扬的赤壁战事，与其说是战争的真实面貌，不如说是孙权在南方独立发展需要有这么一场“伟大的胜利”。如果我们对史实源流不加思考，只如《通鉴》那样综合起来作全面的描述，可能距离历史的真实愈行愈远。俗话说“尽信书，不如无书”，史学亦如是。

卷第一百六十七　陈纪一

起强圉赤奋若（丁丑，公元五五七年），尽屠维单阏（己卯，公元五五九年），凡三年。

【题解】

本卷载述公元五五七至五五九年南北朝史事，凡三年，当陈高祖永定元年、至三年，北周孝闵帝元年、明帝元年至三年，北齐文宣帝天保八年至十年。南朝政权更迭，陈朝建立，境内粗安而陈武帝谢世。北朝西魏禅让宇文氏，北周建立。本卷重点记载北齐国主高洋酗酒乱性，荒淫无耻，登峰造极；滥杀朝臣，暴虐无道。

【原文】

高祖武皇帝

永定元年（丁丑，公元五五七年）

春，正月辛丑①，周公即天王②位，柴燎告天，朝百官于露门③。追尊王考④文公为文王，妣⑤为文后。大赦。封魏恭帝为宋公。以木德承魏水⑥，行夏之时⑦，服色尚黑⑧。以李弼为太师，赵贵为太傅、大冢宰，独孤信为太保、大宗伯，中山公护为大司马。

诏以王琳为司空、骠骑大将军，以尚书右仆射王通为左仆射。

周王祀圜丘，自谓先世出于神农⑨，以神农配二丘⑩，始祖献侯⑪配南北郊，文王配明堂，庙号太祖。癸卯⑫，祀方丘。甲辰⑬，祭大社⑭。除市门税⑮。乙巳⑯，享太庙，仍用郑玄⑰义，立太祖与二昭、

【语译】

高祖武皇帝

永定元年（丁丑，公元五五七年）

春，正月初一日辛丑，周公宇文觉即位为天王，筑坛举行柴燎告天大典，并在露门接受百官朝拜。追封亡父文公宇文泰为文王，亡母元氏为文后。大赦天下。封逊位的魏恭帝为宋公。以木德承接魏的水德，改行夏历，车骑服饰用黑色。任命李弼为太师，赵贵为太傅、大冢宰，独孤信为太保、大宗伯，中山公宇文护为大司马。

梁朝下诏任命王琳为司空、骠骑大将军，任命尚书右仆射王通为左仆射。

北周天王宇文觉在圜丘祭天，自以为祖先出自神农氏，所以修建神农祠，与祭天的圜丘和祭地的方丘相配，又修建始祖献侯莫那神坛，与南郊天坛和北郊地坛相配，文王宇文泰的灵位设在明堂，庙号太祖。正月初三日癸卯，在方丘祭地。初四日甲辰，大社祭祀土地神。下令废除市门税。初五日乙巳，在太庙祭拜祖先，按照东汉郑玄《礼记注》的释义，建立太祖与两昭、两穆，共为五庙。此外，有功德的

二穆为五庙⑱，其有德者别为祧庙⑲，不毁⑳。辛亥㉑，祀南郊。壬子㉒，立王后元氏㉓。后，魏文帝之女晋安公主也。

齐南安城主冯显㉔请降于周，周柱国宇文贵使丰州刺史㉕太原郭彦㉖将兵迎之，遂据南安。

吐谷浑为寇于周，攻凉、鄯、河三州。秦州都督㉗遣渭州刺史于翼赴援，翼不从。僚属咸以为言，翼曰："攻取之术，非夷俗所长。此寇之来，不过抄掠边牧耳[1]，掠而无获，势将自走。劳师以[2]往，必无所及。翼揣之已了㉘，幸勿复言。"数日，问至，果如翼所策。

初，梁世祖以始兴郡为东衡州，以欧阳頠为刺史。久之，徙頠为郢州刺史，萧勃留頠不遣。世祖以王琳代勃为广州刺史，勃遣其将孙荡监广州，尽帅所部屯始兴以避之。頠别据一城，不往谒，闭门自守。勃怒，遣兵袭之，尽收其货[3]财马仗。寻赦之，使复其所，与之结盟。江陵陷，頠遂事勃㉙。二月庚午㉚，勃起兵于广州，遣頠及其将傅泰、萧孜为前军。孜，勃之从子㉛也。南江州刺史余孝顷以兵会之。诏平西将军周文育帅诸军讨之。

癸酉㉜，周王朝日㉝于东郊。戊寅㉞，祭太社。

周楚公赵贵、卫公独孤信故皆与太祖等夷，及晋公㉟护专政，皆怏怏不服。贵谋杀护，信止之。开府仪同三司宇文盛告之。丁亥㊱，贵入朝，护执而杀之，免信官。

领军将军徐度出东关侵齐，戊子㊲，至合肥，烧齐船三千艘。

欧阳頠等出南康。頠屯豫章之苦竹滩㊳，傅泰据蹠口城㊴，余孝顷遣其弟孝劢㊵守郡城，自出豫章据石头㊶。巴山太守熊昙朗诱頠共袭高州刺史黄法𣰰。又语法𣰰，约共破頠，且曰："事捷，与我马仗。"遂出军，与頠俱进。至法𣰰城下，昙朗阳败走，法𣰰乘之，頠失援而走，昙朗取其马仗，归于巴山。

周文育军少船，余孝顷有船在上牢㊷，文育遣军主焦僧度袭之，尽取以归，仍于豫章立栅。军中食尽，诸将欲退，文育不许，使人间行

祖宗神主，另修建祧庙祭享，永不迁毁。十一日辛亥，在南郊祭天。十二日壬子，册立元氏为王后。元氏王后，是西魏文帝的女儿晋安公主。

北齐南安城主冯显请求投降北周，北周柱国宇文贵派丰州刺史太原人郭彦领兵迎接，北周于是占据了南安城。

吐谷浑侵扰北周，进攻凉州、鄯州、河州三州。秦州都督派渭州刺史于翼领兵前去增援，于翼不听从。于翼的部属都劝谏于翼，于翼说："攻城略地的战术，不是夷狄擅长的。这次吐谷浑进犯，只不过是到边境抢掠罢了，如果抢掠没有收获，势必自己退走。疲劳我军去迎击，一定追不上。我于翼对吐谷浑的这次犯边行动，揣测得十分明白，你们不要再说什么。"几天以后，打探消息的人回来，吐谷浑果然如于翼所料的那样。

当初，梁朝世祖萧绎以始兴郡为东衡州，任命欧阳頠为刺史。过了很久，改任欧阳頠为郢州刺史，萧勃扣留欧阳頠，不让他走。世祖萧绎就任命王琳取代萧勃为广州刺史，萧勃派他的部将孙荡监理广州，自己带领所属的全部人马屯驻在始兴回避王琳。欧阳頠在始兴另据一城，不去拜谒萧勃，闭门坚守。萧勃大怒，派兵袭击欧阳頠，全部收缴了他的资财、货物、兵马、器械。不久，释放了欧阳頠，让他回到原处，与他订立盟约。江陵城破，欧阳頠服务于萧勃。二月初一日庚午，萧勃在广州起兵，派欧阳頠和他的部将傅泰、萧孜为前锋。萧孜，是萧勃的侄子。南江州刺史余孝顷领兵与他会合。梁朝下诏平西将军周文育率领各路兵马前去讨伐。

二月初四日癸酉，周王宇文觉在东郊举行迎拜太阳的典礼。初九日戊寅，祭祀太社。

北周楚公赵贵、卫公独孤信先前与太祖宇文泰平起平坐，等到晋公宇文护执掌朝政，两人心里苦闷，不服气。赵贵策划杀害宇文护，独孤信制止了他。开府仪同三司宇文盛告发了这件事。二月十八日丁亥，赵贵入朝。宇文护逮捕赵贵，杀了他，罢免了独孤信的官职。

梁朝领军将军徐度从东关出兵侵犯北齐。二月十九日戊子，到达合肥，烧毁北齐兵船三千艘。

欧阳頠等从南康出兵，驻扎在豫章苦竹滩，傅泰占据了蹠口城，余孝顷派他的弟弟余孝劢留守豫章郡城，自己领兵从豫章郡出发，占据石头渚。巴山太守熊昙朗诱骗欧阳頠共同袭击高州刺史黄法𣰋。又通知黄法𣰋，约他一同攻打欧阳頠，还说："此事成功，分给我马匹和铠仗。"于是出兵与欧阳頠一同进军，到了黄法𣰋城下，熊昙朗假装败逃，黄法𣰋乘机进攻，欧阳頠失去支援，慌乱败逃，熊昙朗收取欧阳頠丢弃的马匹铠仗，回到巴山。

周文育的军队缺少舟船，余孝顷有船在上牢，周文育派军主焦僧度偷袭，缴获了全部船只而归，仍在豫章扎营。这时军中粮食耗尽，诸将想要退兵，周文育不同意，

遗周迪书，约为兄弟。迪得书甚喜，许馈以粮。于是文育分遣老弱乘故船沿流俱下，烧豫章栅，伪若遁去者。孝顷望之，大喜，不复设备。文育由间道兼行，据芊韶㊸，芊韶上流则欧阳頠、萧孜，下流则傅泰、余孝顷营，文育据其中间，筑城飨士，頠等大骇。頠退入泥溪㊹，文育遣严威将军㊺周铁虎等袭頠，癸巳㊻，擒之。文育盛陈兵甲，与頠乘舟而宴，巡蹠口城下，使其将丁法洪攻泰，擒之。孜、孝顷退走。

甲午㊼，周以于谨为太傅，大宗伯侯莫陈崇为太保，晋公护为大冢宰，柱国武川贺兰祥㊽为大司马，高阳公达奚武为大司寇。

周人杀魏恭帝。

三月庚子㊾，周文育送欧阳頠、傅泰于建康。丞相霸先与頠有旧，释而厚待之。

周晋公护以赵景公㊿独孤信名重，不欲显诛之，己酉[51]，逼令自杀。

甲辰[52]，以司空王琳为湘、郢二州刺史。

曲江侯勃在南康，闻欧阳頠等败，军中恟惧。甲寅[53]，德州刺史陈法武、前衡州刺史谭世远攻勃，杀之。

夏，四月己卯[54]，铸四柱钱[55]，一当二十[56]。

齐遣使请和。

壬午[57]，周王谒成陵[58]。乙酉[59]，还宫。

齐以太师斛律金为右丞相[60]，前大将军可朱浑道元为太傅[61]，开府仪同三司贺拔仁为太保，尚书令常山王演为司空，录尚书事长广王湛为尚书令，右仆射杨愔为左仆射，仍加开府仪同三司。并省[62]尚书右仆射崔暹为左仆射，上党王涣录尚书事。

丁亥[63]，周王享太庙。

壬辰[64]，改四柱钱一当十。丙申[65]，复闭细钱[66]。

故曲江侯勃主帅兰敳袭杀谭世远，军主夏侯明彻杀敳，持勃首降。勃故记室李宝藏奉怀安侯任据广州。萧孜、余孝顷犹据石头，为两城，各居[4]其一，多设船舰，夹水而陈。丞相霸先遣平南将军侯安都助周文育击之。戊戌[67]，安都潜师夜烧其船舰，文育帅水军、安都

派人从小道送信给周迪，相约结为兄弟。周迪得到书信非常高兴，许诺赠送粮食。于是周文育就分遣老弱乘坐原来的船只顺水东下，烧毁在豫章驻扎的军营，装着逃走的样子。余孝顷望见，十分高兴，不再设防。周文育从小路兼程速进，占据芊韶。芊韶上游有欧阳頠、萧孜，下游有傅泰、余孝顷，周文育占据中间，修建军营，宴飨军士，欧阳頠等非常恐慌。欧阳頠退守泥溪。周文育派严威将军周铁虎等袭击欧阳頠。二月二十四日癸巳，擒获欧阳頠。周文育盛列甲兵，与欧阳頠乘船宴饮，巡行到跖口城下。周文育派部将丁法洪攻击傅泰，擒获了傅泰。萧孜、余孝顷于是败走。

二月二十五日甲午，北周任命于谨为太傅，大宗伯侯莫陈崇为太保，晋公宇文护为大冢宰，柱国武川人贺兰祥为大司马，高阳公达奚武为大司寇。

周人杀害了魏恭帝。

三月初一日庚子，周文育送欧阳頠、傅泰到建康。丞相陈霸先与欧阳頠有旧情，释放了欧阳頠并优厚地对待他。

北周晋公宇文护因赵景公独孤信名高望重，不想公开杀他，三月初十日己酉，逼迫他自杀。

三月初五日甲辰，梁朝任命司空王琳为湘、郢两州刺史。

曲江侯萧勃在南康，听到欧阳頠等战败，军中惊恐。三月十五日甲寅，德州刺史陈法武、前衡州刺史谭世远攻击萧勃，杀死了他。

夏，四月十一日己卯，梁朝铸造四柱钱，一枚四柱钱兑换二十枚民间私铸的小钱。

北齐派使者到梁朝请求和好。

十四日壬午，周王宇文觉祭拜成陵。十七日乙酉，回宫。

北齐任命太师斛律金为右丞相，前大将军可朱浑道元为太傅，开府仪同三司贺拔仁为太保，尚书令常山王高演为司空，录尚书事长广王高湛为尚书令，右仆射杨愔为左仆射，仍保留原加官开府仪同三司。并省尚书右仆射崔暹为左仆射，上党王高涣录尚书事。

四月十九日丁亥，周王宇文觉祭祀太庙。

二十四日壬辰，梁朝改四柱钱一枚兑换十枚小钱。二十八日丙申，又禁止民间私铸小钱。

原曲江侯萧勃部下主帅兰敳偷袭，杀了谭世远，军主夏侯明彻杀了兰敳并持萧勃首级投降了周文育。萧勃的原记室李宝藏拥戴怀安侯萧任据守广州。萧孜、余孝顷还占据着石头渚，建了两座军垒城，两人各居一城，又多置船舰，夹水列阵。丞相陈霸先派平南将军侯安都协助周文育进攻他们。四月三十日戊戌，侯安都隐秘行军，在晚上放火烧了余孝顷的舟船，周文育率领水军，侯安都率领步兵、骑兵，两

帅步骑[5]进攻之，萧孜出降，孝顷逃归新吴，文育等引兵还。丞相霸先以欧阳頠声着南土，复以頠为衡州⑱刺史，使讨岭南，未至，其子纥⑲已克始兴，頠至岭南，诸郡皆降，遂克广州，岭南悉平。

周仪同三司齐轨⑳谓御正中大夫㉑薛善曰："军国之政，当归天子，何得犹在权门?"善以告晋公护，护杀之，以善为中外府司马㉒。

五月戊辰㉓，余孝顷遣使诣丞相府乞降。

王琳既不就征，大治舟舰，将攻陈霸先。六月戊寅㉔，霸先以开府仪同三司侯安都为西道都督，周文育为南道都督，将舟师二万会武昌以击之。

秋，七月辛亥㉕，周王享太庙。

河南、北㉖大蝗。齐主问魏郡丞崔叔瓒㉗曰："何故致蝗?"对曰："《五行志》㉘：'土功不时㉙，蝗虫为灾。'今外筑长城，内兴三台，殆以此乎!"齐主大[6]怒，使左右殴之，擢其发，以溷㉚沃其头，曳足以出。叔瓒，季舒之兄也。

八月丁卯㉛，周人归梁世祖之柩及诸将家属千余人于王琳。

戊辰㉜，周王祭太社。

甲午㉝，进丞相霸先位太傅，加黄钺、殊礼，赞拜不名。九月辛丑㉞，进丞相为相国，总百揆，封陈公，备九锡，陈国置百司。

周孝愍帝性刚果㉟，恶晋公护之专权。司会㊱李植㊲自太祖时为相府司录㊳，参掌朝政，军司马孙恒亦久居权要，及护执政，植、恒恐不见容，乃与宫伯㊴乙弗凤㊵、贺拔提等共谮之于周王。植、恒曰："护自诛赵贵以来，威权日盛，谋臣宿将，争往附之，大小之政，皆决于护。以臣观之，将不守臣节，愿陛下早图之!"王以为然。凤、提曰："以先王之明，犹委植、恒以朝政，今以事付二人，何患不成?且护常自比周公，臣闻周公摄政七年，陛下安能七年邑邑㊶如此乎?"王愈信之，数引武士于后园讲习，为执缚之势。植等又引宫伯张光洛同谋，光洛以告护。护乃出植为梁州刺史，恒为潼州刺史，欲散其谋。后王

面攻击，萧孜出营投降，余孝顷逃回新吴，周文育等领兵回到建康。丞相陈霸先认为欧阳頠在南方有很高的声望，重新任命他为衡州刺史，派他征讨岭南。欧阳頠还没到职，他的儿子欧阳纥已经攻克了始兴，欧阳頠到达岭南，各郡都归降，于是攻克了广州，岭南全境都平定了。

北周仪同三司齐轨对御正中大夫薛善说："军国大权，应当回到天子手中，怎么还被权贵掌握？"薛善把齐轨的话报告晋公宇文护，宇文护杀了齐轨，任命薛善为中外府司马。

五月戊辰日，余孝顷派人到丞相府请求投降。

王琳拒绝了朝廷的征召，大量制造舟船，将进攻陈霸先。六月十一日戊寅，陈霸先任命开府仪同三司侯安都为西道都督，周文育为南道都督，率领水军两万到达武昌会合，攻打王琳。

秋，七月十四日辛亥，北周天王宇文觉祭祀太庙。

北齐河南、河北发生大范围蝗虫灾害。北齐国主高洋询问魏郡郡丞崔叔瓒说："什么原因造成蝗灾？"崔叔瓒回答说："《汉书·五行志》记载说：'不合时宜地大兴土木，就要闹蝗灾。'如今在国都外修筑长城，在国都内兴建三台，大概就是因为这吧！"高洋大怒，让身边的人殴打崔叔瓒，拔他的头发，用脏水淋他的头，抓住他的脚倒拖出去。崔叔瓒，是崔季舒的哥哥。

八月初一日丁卯，北周归还梁世祖萧绎的灵柩，以及诸将被俘的家属一千多人交给王琳。

八月初二日戊辰，北周天王宇文觉祭祀太社。

八月二十八日甲午，梁朝进位丞相陈霸先为太傅，加黄钺、殊礼，入朝拜见天子，不必唱名。九月初五日辛丑，进位丞相陈霸先为相国，统领百官，封陈公，备九锡，陈国设置百官。

北周孝愍帝宇文觉性情刚直果敢，厌恶晋公宇文护大权独揽。司会李植从太祖宇文泰时任职丞相府司录，就参掌朝政，军司马孙恒也长久身任要职，等到宇文护执政，李植、孙恒担心宇文护容不下他俩，就与宫伯乙弗凤、贺拔提等一起在北周天王面前说宇文护的坏话。李植、孙恒说："宇文护自从诛杀赵贵以后，威望权力一天更比一天加重，谋臣老将，争着去依附他，大大小小的政事，全都取决于宇文护。依臣看来，宇文护将不遵守为臣之道，希望陛下早点除掉他！"天王认为说得对。乙弗凤、贺拔提说："凭先王的英明，还把朝政委托给李植、孙恒，现今把大事交给他两人，何愁不成功？况且宇文护经常自比周公，臣听说周公摄政七年，陛下哪能像这样苦闷地等待七年？"天王更加相信他们，多次召集武士到皇宫后花园训练，演习捉拿人的技艺。李植等人又带来宫伯张光洛共谋，张光洛把密谋告诉了宇文护。宇文护把李植调出朝廷，任梁州刺史，孙恒为潼州刺史，想拆散他们的计谋。过后天

思植等，每欲召之，护泣谏曰："天下至亲，无过兄弟，若兄弟尚相疑，他人谁可信者？太祖以陛下富于春秋，属臣后事，臣情兼家国⑨²，实愿竭其股肱⑨³。若陛下亲览万机，威加四海，臣死之日，犹生之年。但恐除臣之后，奸回⑨⁴得志，非唯不利陛下，亦将倾覆社稷，使臣无面目见太祖于九泉。且臣既为天子之兄，位至宰相，尚复何求？愿陛下勿信谗人[7]之言，疏弃骨肉。"王乃止不召，而心犹疑之。

凤等益惧，密谋滋甚，刻日⑨⁵召群公入宴，因执护诛之，张光洛又以告护。护乃召柱国贺兰祥、领军尉迟纲⑨⁶等谋之，祥等劝护废立。时纲总领禁兵，护遣纲入宫召凤等议事，及至，以次执送护第，因罢散宿卫兵。王方悟，独在内殿，令宫人执兵自守。护遣贺兰祥逼王逊位，幽于旧第⑨⁷。悉召公卿会议，废王为略阳公，迎立岐州刺史宁都公毓。公卿皆曰："此公之家事，敢不唯命是听？"乃斩凤等于门外，孙恒亦伏诛。

时李植父柱国大将军远镇弘农，护召远及植还朝，远疑有变，沉吟久之，乃曰："大丈夫宁为忠鬼，安可作叛臣邪？"遂就征。既至长安，护以远功名素重，犹欲全之，引与相见，谓之曰："公儿遂有异谋，非止屠戮护身，乃是倾危宗社。叛臣贼子，理宜同疾，公可早为之所。"乃以植付远。远素爱植，植又口辩，自陈初无此谋。远谓为[8]信然，诘朝⑨⁸，将植谒护。护谓植已死，左右白植亦在门。护大怒曰："阳平公⑨⁹不信我！"乃召入，仍命远同坐，令略阳公与植相质⑩⁰于远前。植辞穷，谓略阳公[9]曰："本为此谋，欲安社稷，利至尊耳。今日至此，何事云云？"远闻之，自投于床曰："若尔，诚合万死！"于是护乃害植，并逼远令自杀。植弟叔诣⑩¹、叔谦、叔让亦死，余子以幼得免。初，远弟开府仪同三司穆知植非保家之主，每劝远除之，远不能用。及远临刑，泣谓穆曰："吾不用汝言以至此。"穆当从坐，以前言获免，除名为民，及其子弟亦免官。植弟浙州刺史基，尚义归公主⑩²，当从坐，穆请以二子代基命，护两释之。

王想念李植等人，每每想召回他们，宇文护流着眼泪谏阻说："天下最亲的人，莫过于兄弟；如果兄弟之间还要互相猜疑，外人谁可信任呢？太祖考虑陛下年轻，把后事委托给臣，臣与陛下论私有兄弟之亲，论公有君臣之义，实在是想竭尽忠诚做好辅佐。如果陛下亲自处理政务，声威传布四海，臣死之日，犹是再生之年。臣只是担心，除掉臣之后，奸巧佞人得志，不但对陛下不利，而且颠覆社稷，使臣没有面目在九泉之下见太祖。况且臣是天子的兄长，位至宰相，还想要什么呢？希望陛下不要听信奸人的谗言，疏远抛弃了骨肉。"天王这才停止宣召李植等人，但内心仍然猜疑宇文护。

乙弗凤等更加害怕，密谋加紧进行，定下日期召集公卿宴饮，趁机逮捕宇文护，张光洛又把密谋报告了宇文护。宇文护便召集柱国贺兰祥、领军尉迟纲等商议，贺兰祥等劝说宇文护废了天王，另立新君。当时尉迟纲统领禁卫军，宇文护派尉迟纲入宫召乙弗凤等议事。乙弗凤等一到，就把他们一个一个拿下，押送到宇文护的府第，接着又解散了禁卫军。天王宇文觉这才醒悟，独自一人在内殿，急令宫人各执兵器，守卫殿门。宇文护派贺兰祥逼迫天王让位，把他禁闭在原先封略阳公时的旧宅。召集所有公卿议事，废天王为略阳公，迎立岐州刺史宁都公宇文毓为天王。公卿们都说："这是您的家事，谁敢不唯命是从？"于是在门外杀了乙弗凤等，孙恒也被诛杀。

当时李植父亲柱国大将军李远镇守弘农，宇文护召李远和李植回到朝廷，李远疑心有变故，沉吟良久，然后说："大丈夫宁愿做忠诚的鬼，怎么能做反叛的臣呢？"于是应征上路。到了长安，宇文护因李远一向功高名重，还想保全他，特地引他入内相见，对他说："你的儿子阴谋造反，不只是要加害我宇文护，还要危害宗庙社稷。叛臣贼子，理应共恨，你尽早给他安排去处。"便把李植交给了李远。李远一向疼爱李植，李植又能言善辩，自陈原本没有异谋。李远相信了李植的话，第二天早上，带着李植拜见宇文护。宇文护以为李植已死，身边的人告诉宇文护说李植也在门外。宇文护大怒说："阳平公李远不相信我！"便召李远父子入内，仍招呼李远与自己同坐，让略阳公宇文觉与李植两人在李远面前对质。李植理屈词穷，对略阳公说："当初设计此谋，是想安定社稷，有利于至尊。今天事已至此，还说什么？"李远听了这话，自己瘫倒在坐床上，说："如果是这样，确实该死！"于是宇文护杀了李植，并且逼令李远自杀。李植弟弟李叔诒、李叔谦、李叔让也都被处死，其余的儿子因年幼免死。当初，李远的弟弟开府仪同三司李穆知道李植不是一个能保全家族的人，常劝李远除掉李植，李远没有采纳。等到李远将受刑，哭着对李穆说："我没有听你的话，以致落得今天的下场。"李穆应当受株连，因先前的规劝之言，得以免死，被罢官为民，连带他的子弟也都罢官为民。李植弟弟淅州刺史李基，娶义归公主为妻，应当连坐，李穆请求拿自己的两个儿子顶替李基的性命，宇文护把李基和李穆的两个儿子全都赦免。

后月余，护弑略阳公，黜王后元氏为尼。

癸亥[103]，宁都公自岐州至长安，甲子[104]，即天王位，大赦。

冬，十月戊辰[105]，进陈公爵为王。辛未[106]，梁敬帝禅位于陈。

癸酉[107]，周魏武公李弼卒。

陈王使中书舍人[108]刘师知[109]引宣猛将军沈恪勒兵入宫，卫送梁主如别宫，恪排闼[110]见王，叩头谢曰："恪身经事萧氏[111]，今日不忍见此。分[112]受死耳，决不奉命！"王嘉其意，不复逼，更以荡主王僧志代之。乙亥[113]，王即皇帝位于南郊，还宫，大赦，改元[114]。奉梁敬帝为江阴王，梁太后为太妃，皇后为妃。

以给事黄门侍郎蔡景历为秘书监兼中书通事舍人。是时政事皆由中书省，置二十一局，各当尚书诸曹，总国机要，尚书唯听受而已。

丙子[115]，上幸钟山，祠蒋帝庙[116]。庚辰[117]，上出佛牙于杜姥宅，设无遮大会，帝亲出阙前膜拜。

辛巳[118]，追尊皇考文赞为景皇帝，庙号太祖，皇妣董氏[119]曰安皇后，追立前夫人钱氏[120]为昭皇后，世子克[121]为孝怀太子，立夫人章氏[122]为皇后。章后，乌程人也。

置删定郎[123]，治律令。

乙酉[124]，周王祀圜丘。丙戌[125]，祀方丘。甲午[126]，祭太社。

戊子[127]，太祖神主祔[128]太庙，七庙始共享一太牢[129]，始祖荐首[130]，余皆骨体。

侯安都至武昌，王琳将樊猛弃城走，周文育自豫章会之。安都闻上受禅，叹曰："吾今兹必败，战无名矣[131]！"时两将俱行，不相统摄，部下交争，稍不相平。军至郢州，琳将潘纯陀于城中遥射官军，安都怒，进军围之。未克，而王琳至弇口[132]，安都乃释郢州，悉众诣沌口[133]，留沈泰一军守汉曲[134]。安都遇风不得进，琳据东岸，安都等[10]据西岸，相持数日，乃合战，安都等大败。安都、文育及裨将徐敬成[135]、周铁虎、程灵洗皆为琳所擒，沈泰引军奔归。琳引见诸将与语，周铁虎辞气不屈，琳杀铁虎而囚安都等，总以一长锁系之，置琳

一个多月后，宇文护杀了略阳公宇文觉，废黜王后元氏出家为尼。

九月二十七日癸亥，宁都公宇文毓从岐州到达长安，二十八日甲子，即天王位，大赦天下。

冬，十月初三日戊辰，梁朝进陈公霸先爵为陈王。初六日辛未，梁敬帝禅帝位给陈王。

初八日癸酉，北周魏武公李弼去世。

陈王陈霸先派中书舍人刘师知引导宣猛将军沈恪带兵进入宫中，护送梁朝国主萧方智出居别宫。沈恪推开门拜见陈王，磕头谢罪说："我沈恪曾经侍奉萧氏，今天不忍心看到这样的事。就我本分应接受处死，绝不敢遵命！"陈王欣赏他的心意，不再逼他，另派荡主王僧志替代沈恪。十月初十日乙亥，陈王陈霸先在南郊即皇帝位，回到宫殿，大赦天下，改年号为永定。废梁敬帝萧方智为江阴王，梁太后为江阴王太妃，梁皇后为江阴王妃。

陈朝任命给事黄门侍郎蔡景历为秘书监兼中书通事舍人。这时陈朝政事都出自中书省，设置二十一个局，各与尚书诸曹对应，统理国家机要，尚书只是听命执行罢了。

十月十一日丙子，陈武帝巡幸钟山，祭祀蒋帝庙。十五日庚辰，陈武帝从杜姥宅取出佛牙，举办无遮大会，陈武帝亲自出宫前往膜拜。

十月十六日辛巳，陈武帝追尊皇考陈文赞为景皇帝，庙号太祖，皇妣董氏为安皇后，追立前夫人钱氏为昭皇后，世子陈克为孝怀太子，立夫人章氏为皇后。章皇后，是乌程人。

陈朝设置删定郎，制定律令。

十月二十日乙酉，北周天王宇文毓在圜丘祭天。二十一日丙戌，在方丘祭地。二十九日甲午，祭祀太社。

十月二十三日戊子，陈朝迁太祖景皇帝神主祔于太庙，祭祀七庙开始共享一个太牢，始祖庙用牛、羊、猪的头祭祀，其余的六庙用肢体祭祀。

侯安都到武昌，王琳部将樊猛弃城逃走，周文育从豫章来与他会合。侯安都听到陈霸先接受禅让，叹息说："我这次一定失败，师出无名了！"当时侯安都与周文育两人同时进兵，互不统属，部下互相争执，渐渐有些不和。大军进到郢州，王琳部将潘纯陀在城中远远地射击官军，侯安都大怒，进兵包围郢州。官军还没攻克郢州，王琳领兵到达弇口，侯安都放弃郢州，全军前往沌口，留下沈泰一军守卫汉曲。侯安都军碰上逆风，无法前进，王琳占据了东岸，侯安都等人占据西岸，相持了几天，两军才交战，侯安都等大败。侯安都、周文育以及裨将徐敬成、周铁虎、程灵洗都被王琳活捉，沈泰领兵逃回建康。王琳召见各位将领说话，只有周铁虎言辞刚强不屈，王琳杀了周铁虎，把侯安都等人囚禁起来，用一根长链条锁在一起，安置在王

所坐艒[136]下，令所亲宦者王子晋掌视之。琳乃移湘州军府就郢城，又遣其将樊猛袭据江州。

十一月丙申[137]，上立兄子蒨为临川王，顼[138]为始兴王，弟子昙朗已死而上未知，遥立为南康王。

庚子[139]，周王享太庙。丁未[140]，祀圜丘。十二月庚午[141]，谒成陵。癸酉[142]，还宫。

谯淹帅水军七千、老弱三万自蜀江东下[143]，欲就王琳，周使开府仪同三司贺若敦、叱罗晖[144]等击之，斩淹，悉俘其众。

是岁，诏给事黄门侍郎萧乾[145]招谕闽中。时熊昙朗在豫章，周迪在临川，留异在东阳，陈宝应在晋安，共相连结，闽中豪帅往往立砦以自保。上患之，使乾谕以祸福，豪帅皆帅众请降，即以乾为建安太守。乾，子范[146]之子也。

初，梁兴州刺史席固[147]以州降魏，周太祖以固为丰州刺史。久之，固犹习梁法，不遵北方制度，周人密欲代之，而难其人[148]，乃以司宪中大夫[149]令狐整权镇丰州，委以代固之略。整广布威恩，倾身抚接，数月之间，化洽州府。于是除整丰州刺史，以固为湖州刺史。整迁丰州于武当，旬日之间，城府周备，迁者如归。固之去也，其部曲多愿留为整左右，整谕以朝制[150]，弗许，莫不流涕而去。

齐人于长城内筑重城，自库洛枝[151]东至坞纥戍[11]，凡四百余里。

初，齐有术士言“亡高者黑衣”，故高祖每出，不欲见沙门[152]。显祖在晋阳，问左右：“何物最黑？”对曰：“无过于漆。”帝以上党王涣于兄弟第七，使库直都督破六韩伯升[153]之邺征涣。涣至紫陌桥，杀伯升而逃，浮河南渡，至济州，为人所执，送邺。

帝之为太原公也，与永安王浚偕[12]见世宗，帝有时洟[154]出，浚责帝左右曰：“何不为二兄[155]拭鼻？”帝心[13]衔之。及即位，浚为青州刺史，聪明矜恕，吏民悦之。浚以帝嗜酒，私谓亲近曰：“二兄因酒败德，朝臣无敢谏者，大敌[156]未灭，吾甚以为忧。欲乘驿至邺面谏，不知用吾不？”或密以白帝，帝益衔之。浚入朝，从幸东山，帝裸裎[157]为

琳座船的底舱，派一名亲信宦官王子晋负责监管。王琳把军府从湘州迁移到郢州城，又派他的部将樊猛袭击并占据了江州。

十一月初一日丙申，陈武帝册立哥哥的儿子陈蒨为临川王、陈顼为始兴王。弟弟的儿子陈昙朗已经死亡，但陈武帝不知道，遥立为南康王。

十一月初五日庚子，北周天王宇文毓祭祀太庙。十二日丁未，在圜丘祭天。十二月初六日庚午，拜谒成陵。初九日癸酉，回到长安宫。

谯淹率领水军七千人、老弱三万口沿蜀江顺流东下，想投靠王琳，北周派开府仪同三司贺若敦、叱罗晖等拦击，杀了谯淹，俘虏了他的所有部众。

这一年，陈朝下诏给事黄门侍郎萧乾到闽中招安。当时，熊昙朗在豫章，周迪在临川，留异在东阳，陈宝应在晋安，互相联结，闽中土著豪帅也往往立寨自保。陈武帝深深忧虑，派萧乾把祸福的道理告诉他们，豪帅们都率领部众请求投降，陈朝就任命萧乾为建安太守。萧乾，是萧子范的儿子。

当初，梁朝的兴州刺史席固举州投降西魏，周太祖宇文泰任命席固为丰州刺史。过了很长时间，席固仍然沿用梁朝的旧法，不遵守北方制度，北周人暗中想替代他，但很难找到合适的人选。于是任命司宪中大夫令狐整暂时镇守丰州，并授予他代理席固的方略。令狐整对州城吏民广布恩惠和威严，诚心安抚接待，几个月以后，恩化使州府十分融洽。于是委任令狐整为丰州刺史，任命席固为湖州刺史。令狐整把州治所迁移到武当县，十日之内，州城府衙一切安排妥当，被迁移的人如同回到了家。席固离开的时候，他的部属很多愿意留在令狐整身边，令狐整晓谕朝廷制度，不允许留下，大家无不流着眼泪离开。

北齐人在新筑的长城里面又筑一道内城，从库洛枝东到坞纥戍，全长四百多里。

当初，北齐有个术士说“亡高者黑衣”，所以高祖高澄每次出行，不愿见到沙门。显祖高洋在晋阳时，问身边的人：“什么东西最黑？”回答说：“没有超过漆的。”高洋认为上党王高涣在兄弟中排行第七，于是派库直都督破六韩伯升到邺城征召高涣。高涣到达紫陌桥，杀了破六韩伯升，渡河南逃，到了济州，被人抓获，押送回邺城。

北齐国主高洋为太原公时，和永安王高浚一起去见世宗高澄。高洋有时流出鼻涕，高浚斥责高洋身边的人说：“为什么不给二哥擦鼻涕？”高洋怀恨在心。等到高洋即了帝位，高浚任青州刺史，人很聪明，又体恤部属，青州吏民都很喜欢高浚。高浚因高洋爱酗酒，私下对亲近的人说：“二哥因为酗酒而败坏了道德，朝臣中没有敢谏阻的人，大敌未灭，我非常担忧。我想乘驿车到邺都当面谏阻，不知二哥听不听我的话？”有人向高洋告密，高洋更加怀恨高浚。高浚入朝，随高洋巡幸东山，高洋

乐。浚进谏曰："此非人主所宜。"帝不悦。浚又于屏处[158]召杨愔，讥其不谏。帝时不欲大臣与诸王交通，愔惧，奏之。帝大怒曰："小人由来难忍[159]！"遂罢酒还宫。浚寻还州，又上书切谏，诏征浚。浚惧祸，谢疾不至，帝遣驰驿收浚，老幼泣送者数千人。至邺，与上党王涣皆盛以铁笼，置于北城地牢，饮食溲秽[160]，共在一所。

【段旨】

以上为第一段，交叉写公元五五七年南北朝史事。是年，南北朝均发生政权更迭。南朝萧梁禅位，陈朝建立；北朝西魏禅位，北周建立。北齐国主高洋暴虐不仁，祸及兄弟。

【注释】

①辛丑：正月初一日。②天王：原指周天子，后泛指帝王。宇文泰执政，沿用周制，所以宇文觉建立北周，不称皇帝，而先称天王。③露门：即路门。按周制，天子有三朝。宫中最里面的正门称路门，门内称燕朝，是天子在内廷举行朝会仪式的地方，由太仆予以管理。此外，天子在那里与宗人议事，或退朝后接待大夫。路门之外称治朝，由司士管理，是天子视朝的地方，每天在那里接见诸侯。以上两朝均是内朝。皋门之里，库门之外，称外朝，由朝士管理，是百官议政的地方。④考：亡父。⑤妣：亡母。⑥以木德承魏水：西魏被认为是以水德为王，按五行相生相克的五德终始理论推断，北周是以木德继承西魏的水德。⑦行夏之时：沿用夏朝的历法。即以北斗星斗柄指向正东偏北的寅位为一年的开始，也就是以农历正月为岁首。⑧服色尚黑：五行中，水行以黑色为上色，周得水行，故尚黑。⑨自谓先世出于神农：神农，即炎帝，传说中的古代部落联盟首领。鲜卑人认为炎帝被黄帝击败后，其中一支逃到了漠北，成为鲜卑人的祖先。到了葛乌兔为首领时，鲜卑强大起来。传到玄孙普回，在打猎中得到三枚玉玺，其中一枚刻有"皇帝玺"三字，以为是上天的赐予。鲜卑人俗称天子为"宇文"，于是"宇文"成为姓氏和国号。见《周书》卷一《文帝纪上》。⑩二丘：祭天的圜丘和祭地的方丘。⑪献侯：普回的儿子莫那最早率领族人，从阴山向南迁徙到辽西地区，被北周尊为始祖，称献侯。见《周书》卷一《文帝纪上》。⑫癸卯：正月初三日。⑬甲辰：正月初四日。⑭大社：即社稷坛，是祭祀土地神和谷神的地方。⑮市门税：北魏末年，起义和叛乱频繁爆发，政府财政匮乏，于是凡进入市场大门的人，每人收税一钱，称作市门税。至此废

赤身裸体取乐。高浚上前谏阻说："这不是皇上适宜做的事。"高洋很不高兴。高浚又在隐蔽处召见丞相杨愔，责备他不谏阻国君。当时高洋不愿大臣与诸王交通，杨愔害怕，就把高浚召见的事上奏高洋。高洋大怒说："这个小人一直就让人难以忍受！"于是罢宴回宫。高浚不久也回到了青州，又上书恳切谏阻，高洋便下诏征召高浚。高浚害怕大祸临头，托疾不到都城。高洋派驿传快马去抓捕高浚，男女老少流泪送行的有几千人。到达邺城，高浚与上党王高涣都被装在铁笼里，放在北城的地牢中，饮食与大小便都在一间屋里。

除。⑯乙巳：正月初五日。⑰郑玄（公元一二七至二〇〇年）：东汉末年著名的经学家，字康成，北海高密（今山东高密西）人，以古文经说为主，兼采今文经说，遍注群经，成为汉代经学的集大成者。传见《后汉书》卷三十五。他认为《周礼》是真正的周代官制，被宇文泰接受，改革了西魏的官制。现在宇文觉又采用他对丧制的解说，来确定北周的宗庙祭祀制度。⑱五庙：《礼记·王制》认为周天子有七庙，太祖庙外，有三昭、三穆。太祖位是坐西朝东；昭是第二、第四、第六代继承者的神主位，在太祖位的左方，南向；穆是第三、第五、第七代继承者的神主位，在太祖位的右方，北向。郑玄认为所谓七庙是说有太祖庙、文王和武王两个祧庙，以及二昭、二穆四个亲庙。祧庙别立。所以北周设五庙。⑲祧庙：远祖庙。⑳不毁：凡高祖以上远祖，一般不立庙，藏神主于太庙中，称毁。但有德行的可以不毁，立祧庙供祭祀。㉑辛亥：正月十一日。㉒壬子：正月十二日。㉓元氏（？至公元六一六年）：周孝闵帝元皇后，名胡摩，西魏文帝元宝炬第五个女儿，初封晋安公主。孝闵帝被废，出家为尼。建德初年（公元五七二年），周武帝将她尊为孝闵皇后，居住在崇义宫。隋时沦为平民。传见《周书》卷九、《北史》卷十四。㉔南安城主冯显：南安，县名，在今湖北黄冈。冯显以南安降周，事见《周书》卷三十七与《北史》卷七十《郭彦传》。㉕丰州刺史：据《周书》卷三十七、《北史》卷七十，时宇文贵为澧州刺史。㉖郭彦（？至公元五六九年）：太原阳曲（今山西阳曲西南）人，西魏时官至骠骑大将军、开府仪同三司，封龙门县伯。入周，以袭取南安，进爵怀德县公。传见《周书》卷三十七、《北史》卷七十。㉗秦州都督：以秦州刺史身份都督河、渭、凉、鄯四州诸军事。姓名不详。㉘揣之已了：分析此事已经明明白白了。㉙事勃：像臣对君一样对待萧勃。㉚庚午：二月初一日。㉛从子：《陈书》卷八、《南史》卷六十六均作"子"。《通鉴》从《梁书》卷六。㉜癸酉：二月初四日。㉝朝日：古代帝王祭日的礼名。㉞戊寅：二月初九日。㉟晋公：原封中山公。此为宇文护的新封爵。㊱丁亥：二月十八日。㊲戊子：二月十九日。㊳苦竹滩：地名，在江西丰城西南，也叫苦竹洲。㊴跖口城：城名，在江西南昌西南。又作"墌口城"。㊵孝劢：余

孝劢，人名。㊶石头：石头渚，在今江西新建西北。㊷上牢：地名，今址不详。㊸芊韶：地名，在今江西丰城东北。㊹泥溪：地名，在今江西峡江县以东。㊺严威将军：官名，属杂号将军。㊻癸巳：二月二十四日。㊼甲午：二月二十五日。㊽贺兰祥（公元五一五至五六二年）：字盛乐，一作“盛洛”，武川（今内蒙古武川）人。西魏时官至大将军、尚书左仆射，爵博陵郡公。入周，协助宇文护诛赵贵，废孝闵帝。后大破吐谷浑，建洮州，以功封凉国公。传见《周书》卷二十、《北史》卷六十一。㊾庚子：三月初一日。㊿赵景公：独孤信时封卫国公，隋文帝登基，始追封赵国公，谥号景。见《周书》卷十六《独孤信传》。(51)己酉：三月初十日。(52)甲辰：三月初五日。(53)甲寅：三月十五日。(54)己卯：四月十一日。(55)四柱钱：文作“五铢”。因正面上下各有二星，所以叫作四柱钱。有的是正面上下各一星，背面左右各一星。(56)一当二十：一个四柱钱可以顶二十个小钱用。(57)壬午：四月十四日。(58)成陵：北周太祖宇文泰陵园。(59)乙酉：四月十七日。(60)右丞相：官名，齐置，又有左丞相。《隋书·百官志》以为乾明（公元五六〇至五六一年）中初置丞相，河清（公元五六二至五六五年）中分为左右。据此则北齐文宣帝天保八年（公元五五七年）已置右丞相，天保十年（公元五五九年）又升斛律金为左丞相。至乾明元年（公元五六〇年）二月，才以高演为大丞相。则置左右丞相先于置丞相。(61)太傅：北齐官制与北周不同，以太师、太傅、太保为三师，仿周制上公，由功勋卓著、德行高尚的大臣来担任。其下有“二大”，即大司马、大将军，专门负责军事。再次为三公，即太尉、司徒、司空。以上都是一品官。太傅地位与丞相相当，但权力不如丞相大。(62)并省：高欢居晋阳，在并州特设行台尚书令及左、右仆射。高洋建北齐，改称并省，设官依旧，但地位低于邺都中央政府的尚书省。(63)丁亥：四月十九日。(64)壬辰：四月二十四日。(65)丙申：四月二十八日。(66)复闭细钱：再度禁止民间私铸的小钱流行。(67)戊戌：四月三十日。(68)衡州：胡三省注以为此衡州，治所在含洭，即今广东英德西，不是治所在始兴（今广东韶关）的东衡州。(69)纥：欧阳纥（公元五三七至五六九年），字奉圣，陈文帝时任衡州刺史，袭封阳山郡公。宣帝初即位，调他入京，纥疑心对他不利而反叛，不久兵败被杀。传见《陈书》卷九、《南史》卷六十六。(70)齐轨：齐轨之言与被杀事载《周书》卷三十五与《北史》卷三十六《薛善传》。(71)御正中大夫：官名，掌记王言行。(72)中外府司马：官名，即都督中外诸军事府司马。(73)戊辰：六月戊辰朔，即六月初一日。《通鉴》作“五月”，误。(74)戊寅：六月十一日。(75)辛亥：七月十四日。(76)河南北：洛阳以东的黄河南北地区。(77)崔叔瓒：博陵安平（今河北安平）人，好直言。妻子是齐昭信皇后的妹妹。后卒于阳平太守任。传见《魏书》卷四十九、《北史》卷三十二。(78)五行志：即《汉书·五行志》。原文作“是时民患上力役，解于公田”，所以“蝗始生”。(79)土功不时：大兴土木，劳民伤财，影响农业生产。(80)溷：取之于厕所或猪圈的脏水。(81)丁卯：八月初一日。(82)戊辰：八月初二日。(83)甲午：八月二十八日。(84)辛丑：九月初五日。(85)刚果：刚强果敢。(86)司会：官名，大冢宰属官，主持财政。㊲ 李植：柱国大将军李远之子，曾任梁州刺史。传见《周书》卷二十五、《北史》卷五十九。㊳ 相府司录：官名，掌丞相府机要。㊴ 宫伯：官名，是大冢宰属官，掌官宦子弟的名籍和选拔任用。㊵ 乙弗凤：复姓乙弗，乙弗朗之子。传见《北史》卷四十九。㊶ 邑邑：同“悒悒”，不得志的样子。㊷ 情兼家国：以家论有兄弟之亲，以国论有君臣之义。㊸ 竭其股肱：身居辅弼要职，如人之臂骨和大腿骨，当竭尽全力，支撑国家。㊹ 奸回：邪恶。㊺ 刻日：确定日期。㊻ 尉迟纲（公元五一七至五六九年）：字婆罗，蜀国公尉迟迥的弟弟。西魏末封昌平郡公，拜大将军。入周，进位柱国大将军，封吴国公。传见《周书》卷二十、《北史》卷六十二。㊼ 旧第：封略阳公时的旧宅。㊽ 诘朝：第二天早上。㊾ 阳平公：李远封爵。⑩⓪ 相质：互相对质。⑩① 叔谐：《周书》卷二十五作“叔谐”。⑩② 义归公主：宇文泰之女，嫁给李基为妻。⑩③ 癸亥：九月二十七日。⑩④ 甲子：九月二十八日。⑩⑤ 戊辰：十月初三日。⑩⑥ 辛未：十月初六日。⑩⑦ 癸酉：十月初八日。⑩⑧ 中书舍人：官名。陈受禅，国家大事归中书省执掌，设中书舍人五人，分管二十一局，相当尚书省各曹，处理机要。尚书有职无权。⑩⑨ 刘师知（？至公元五六七年）：沛国相（今安徽淮北西北）人，有文才，熟悉典章制度。陈受禅和陈霸先丧葬礼仪都由他拟定。后因密谋排挤任尚书令的陈顼（宣帝）而被赐死。传见《陈书》卷十六、《南史》卷六十八。⑪⓪ 排闼：推开住房的门。⑪① 恪身经事萧氏：沈恪曾是梁朝之臣，因抵御侯景侵犯台城有功，被封东兴县侯。⑪② 分：名分；本分。⑪③ 乙亥：十月初十日。⑪④ 改元：改年号。⑪⑤ 丙子：十月十一日。⑪⑥ 蒋帝庙：即蒋子文庙。据说汉末秣陵尉蒋子文追赶贼人到钟山下，受伤而死。吴孙权时，屡有神异事发生。于是孙权封他为蒋侯，并在山上修筑庙宇。因此钟山也被称作蒋山。⑪⑦ 庚辰：十月十五日。⑪⑧ 辛巳：十月十六日。⑪⑨ 董氏：名不详。⑫⓪ 钱氏：吴兴钱仲方之女，早卒。⑫① 克：陈克，时已死，谥孝怀。⑫② 章氏：即高祖宣皇后，名要儿，吴兴乌程（今浙江湖州）人，本姓钮，父钮景明被章氏收养，因而改姓。章后曾被侯景所囚禁。霸先死，章后与蔡景历共同定计，秘不发丧，召文帝即位，被尊为皇太后。废帝即位，又尊为太皇太后。光大二年（公元五六八年）黜废帝为临海王，命宣帝嗣位，复尊为皇太后。事详《陈书》卷七、《南史》卷十二。⑫③ 删定郎：官名，掌法律条令的拟定和修订。⑫④ 乙酉：十月二十日。⑫⑤ 丙戌：十月二十一日。⑫⑥ 甲午：十月二十九日。⑫⑦ 戊子：十月二十三日。⑫⑧ 祔：祭名，本指新死者与祖先合享的祭祀。止哭的第二天，奉死者的神主祭于祖庙。祭毕，仍奉神主还家。满两周年后，正式迁入庙中。陈霸先父已死多年，所以直接迁到太庙中。⑫⑨ 一太牢：祭祀的牺牲用牛、羊、猪各一具。⑬⓪ 荐首：把牛、羊、猪的头献给始祖。⑬① 战无名矣：本来拥立梁敬帝，挟天子以令诸侯，征讨不应王命的王琳，名正言顺。现在取梁而代之，建立陈朝，连王琳都不如，所以师出自然无名。⑬② 弇口：弇水入长江口，在今湖北武汉市汉阳区西南。⑬③ 沌口：沌水入长江处，也在今湖北武汉市汉阳区西南。⑬④ 汉曲：汉水曲折转弯处，在汉阳境内。⑬⑤ 徐敬成（公元五四〇至五七五年）：徐度之子。初任著作郎。

自王琳处放归，迁太子舍人。于平定陈宝应、华皎叛乱和北伐中，屡立战功。终于安州刺史任。传见《陈书》卷十二、《南史》卷六十七。㊱ 艄：大船。⑬7 丙申：十一月初一日。⑬8 顼：陈顼。时陈顼为人质，滞留在北周都城长安，所以始兴王爵是遥封。⑬9 庚子：十一月初五日。⑭0 丁未：十一月十二日。⑭1 庚午：十二月初六日。⑭2 癸酉：十二月初九日。⑭3 自蜀江东下：谯淹从垫江（今重庆市）顺长江东下，为躲避北周的威胁。⑭4 叱罗晖：人名，复姓叱罗。⑭5 萧乾（？至公元五六七年）：字思惕，兰陵人，仕至五兵尚书。传见《陈书》卷二十一、《南史》卷四十二。⑭6 子范：萧子范，字景则，封祁阳县侯。传见《梁书》卷三十五、《南史》卷四十二。⑭7 席固：在梁为齐兴郡守、兴州刺史，入西魏、北周，为丰州刺史、湖州刺史。传见《周书》卷四十四、《北史》卷六十六。⑭8 而难其人：指替代的人难以选出。⑭9 司宪中大夫：官名，大司寇属官，掌监督执政。⑮0 朝制：北周的法制。⑮1 库洛枝：地名，今址不详。《北齐书》卷四、《北史》卷七均作“库洛拔”。⑮2 不欲见沙门：当时沙门都穿黑衣，高欢怕应了术士的话，所以不见沙门。⑮3 破六韩伯升：人名，复姓破六韩。⑮4 洟：鼻涕。⑮5 二兄：高洋排行老二，所以高浚称他为“二兄”。⑮6 大敌：指北周。⑮7 裸裎：赤身露体。⑮8 屏处：隐蔽的处所。⑮9 由来难忍：从来叫人难以忍受。⑯0 饮食溲秽：吃饭便溺。

【校记】

［1］耳：原无此字。据章钰校，十二行本、乙十一行本、孔天胤本皆有此字，张敦仁《通鉴刊本识误》同，今据补。［2］以：原作“而”。据章钰校，十二行本、乙十一行本、孔天胤本皆作“以”，今据改。［3］赀：原作“货”。据章钰校，十二行本、乙

【原文】

二年（戊寅，公元五五八年）

春，正月，王琳引兵下，至湓城，屯于白水浦[161]，带甲十万。琳以北江州刺史鲁悉达为镇北将军，上[162]亦以悉达为征西将军，各送鼓吹女乐。悉达两受之，迁延顾望，皆不就。上遣安西将军沈泰袭之，不克。琳欲引军东下，而悉达制其中流，琳遣使说诱，终不从。己亥[163]，琳遣记室宗虩[164]求援于齐，且请纳梁永嘉王庄以主梁祀。衡州刺史周迪欲自据南川[165]，乃总召所部八郡[166]守宰结盟，齐言[167]入赴。上恐其为变，厚慰抚之。

十一行本、孔天胤本皆作“赀”，张敦仁《通鉴刊本识误》同，今据改。[4]居：原作“据”。据章钰校，十二行本、乙十一行本皆作“居”，张敦仁《通鉴刊本识误》同，今据改。〖按〗《通鉴纪事本末》卷二四作“居”，《陈书·侯安都传》《南史·侯安都传》皆作“据”。[5]骑：原作“军”。据章钰校，十二行本、乙十一行本皆作“骑”，今据改。〖按〗《陈书·侯安都传》、《南史·侯安都传》、《通鉴纪事本末》卷二四皆作“骑”。[6]大：原无此字。据章钰校，十二行本、乙十一行本、孔天胤本皆有此字，张敦仁《通鉴刊本识误》同，今据补。[7]人：原作“臣”。据章钰校，十二行本、乙十一行本、孔天胤本皆作“人”，今据改。〖按〗《周书·宇文护传》、《通鉴纪事本末》卷二四皆作“人”。[8]为：原作“植”。据章钰校，十二行本、乙十一行本皆作“为”，张敦仁《通鉴刊本识误》同，今据改。〖按〗《周书·李贤传附李植传》、《通鉴纪事本末》卷二四皆作“为”。[9]公：原无此字。胡三省注云：“‘略阳’之下当有‘公’字。”据章钰校，十二行本、乙十一行本皆有此字，今据补。〖按〗《通鉴纪事本末》卷二四亦有此字。[10]等：原无此字。据章钰校，十二行本、乙十一行本皆有此字，今据补。〖按〗《通鉴纪事本末》卷二四有此字。[11]坞纥戍：原作“鴮纥戍”。据章钰校，十二行本、乙十一行本、孔天胤本皆作“鸣纥戍”，熊罗宿《胡刻资治通鉴校字记》同，张瑛《通鉴校勘记》作“坞纥戍”。〖按〗胡三省注云：“《北史》作‘坞纥戍’。”《北齐书·文宣帝纪》《北史·显祖文宣帝纪》皆作“坞纥戍”，当是，今据改。[12]偕：原作“皆”。据章钰校，十二行本、乙十一行本皆作“偕”，张敦仁《通鉴刊本识误》同，今据改。〖按〗《通鉴纪事本末》卷二四作“偕”。[13]心：原作“深”。据章钰校，十二行本、乙十一行本皆作“心”，张敦仁《通鉴刊本识误》同，今据改。

【语译】

二年（戊寅，公元五五八年）

春，正月，王琳率军东下，到达湓城，驻扎在白水浦，甲士有十万。王琳任命北江州刺史鲁悉达为镇北将军，陈武帝也任命鲁悉达为征西将军，双方都送给鲁悉达鼓吹女乐。鲁悉达两边都接受，拖延观望，两边都不投靠。陈武帝派安西将军沈泰袭击鲁悉达，没有取胜。王琳想率军东下，而鲁悉达控制了中流，王琳派使者劝说招诱，他最后也没有听从。初五日己亥，王琳派记室宗虩向北齐求援，并且请求接纳在北齐的梁朝永嘉王萧庄回来继承梁朝皇位。衡州刺史周迪想自己占据南川，于是召集所属八个郡的守宰缔结盟约，一致声明要入京赴援。陈武帝担心他们叛变，对他们厚加抚慰。

新吴洞主余孝顷遣沙门道林[168]说琳曰："周迪、黄法氍皆依附金陵，阴窥间隙，大军若下，必为后患。不如先定南川，然后东下，孝顷请席卷所部以从下吏。"琳乃遣轻车将军樊猛、平南将军李孝钦、平东将军刘广德[169]将兵八千赴之，使孝顷总督三将，屯于临川故郡，征兵粮于迪，以观其所为。

以开府仪同三司侯瑱为司空，衡州刺史欧阳頠为都督交广等十九州诸军事、广州刺史。

周以晋公护为太师。

辛丑[170]，上祀南郊，大赦。乙巳[171]，祀北郊。

辛亥[172]，周王耕藉田。

癸丑[173]，周立王后独孤氏[174]。

戊午[175]，上祀明堂。

二月壬申[176]，南豫州刺史沈泰奔齐。

齐北豫州刺史司马消难，以齐主昏虐滋甚，阴为自全之计，曲意抚循所部。消难尚高祖女，情好不睦，公主诉之。上党王涣之亡也，邺中大扰，疑其赴成皋。消难从弟子瑞[177]为尚书左丞，与御史中丞毕义云有隙，义云遣御史张子阶诣北豫州采风闻[178]，先禁消难典签、家客等。消难惧，密令所亲中兵参军裴藻[179]托以私假[180]，间行入关，请降于周。

三月甲午[181]，周遣柱国达奚武、大将军杨忠帅骑士五千迎消难，从间道驰入齐境五百里，前后三遣使报消难，皆不报[182]。去虎牢三十里，武疑有变，欲还，忠曰："有进死，无退生。"独以千骑夜趣城下。城四面峭绝，但闻击柝声。武亲来，麾数百骑西去，忠勒余骑不动，俟门开而入，驰遣召武。齐镇城[183]伏敬远勒甲士二千人据东城，举烽严警。武惮之，不欲保城，乃多取财物，以消难及其属先归，忠以三千骑为殿。至洛南，皆解鞍而卧。齐众来追，至洛北，忠谓将士曰："但饱食，今在死地，贼必不敢渡水。"已而果然，乃徐引还。武叹曰："达奚武自谓天下健儿，今日服矣！"周以消难为小司徒[184]。

丁酉[185]，齐主自晋阳还邺。

新吴洞主余孝顷派沙门道林劝王琳说："周迪、黄法氍都依附金陵，暗中窥伺你的漏洞，大军如果东下，一定成为后患。不如先平定南川，然后东下，余孝顷请求率领所属全部人马听从将军处置。"王琳于是派轻车将军樊猛、平南将军李孝钦、平东将军刘广德领兵八千去与余孝顷会合，让余孝顷统率三将，屯驻在临川原先的治所，向周迪征兵征粮，用来观察他的行动。

陈朝任命开府仪同三司侯瑱为司空，衡州刺史欧阳𬱟为都督交州广州等十九州诸军事、广州刺史。

北周任命晋公宇文护为太师。

正月初七日辛丑，陈武帝在南郊祭天，大赦天下。十一日乙巳，在北郊祭地。

十七日辛亥，北周天王宇文毓亲耕籍田。

十九日癸丑，北周天王宇文毓册立夫人独孤氏为王后。

二十四日戊午，陈武帝到明堂祭祀。

二月初九日壬申，陈朝南豫州刺史沈泰逃奔北齐。

北齐北豫州刺史司马消难，因北齐国主高洋昏庸残暴日益严重，暗中策划保全自己的办法，曲意抚慰部属。司马消难娶齐高祖高欢的女儿，夫妻感情不好，公主回宫诉说。上党王高涣逃亡时，邺城一片惊慌，怀疑他逃往成皋，司马消难堂弟司马子瑞任尚书左丞，与御史中丞毕义云有矛盾，毕义云派御史张子阶到北豫州采集民间传闻，首先禁止司马消难州府典签、家客等的行动自由。司马消难很害怕，秘密派遣亲信中兵参军裴藻假托休假回家，从小路进入关中，向北周请求投降。

三月初一日甲午，北周派柱国达奚武、大将军杨忠率骑兵五千人迎接司马消难，从小道奔驰进入北齐境内达五百里，前后三次派出使者通报司马消难，都没有回信。距离虎牢三十里，达奚武怀疑有变故，想返回，杨忠说："只有冒死前进，没有后退求生的。"独自率领一千名骑兵乘夜突进到城下。虎牢城四面极为陡峭，只听到打更的声音。达奚武亲自赶来，指挥带走了几百名骑兵西驰而去，杨忠约束其余的几百名骑兵埋伏不动，等待开门时突入，派骑兵飞奔召达奚武。这时，北齐守城军主伏敬远部署甲士两千人据守东城，举烽火报警。达奚武很害怕，不想据守虎牢城，就多取财物，让司马消难和他的部属先行撤回，杨忠率领三千名骑兵殿后，到达洛水南岸，都下马解鞍，躺下休息。北齐兵追来，到达洛水北岸，杨忠对将士们说："只管吃饱饭，我们现在处于死战求生的绝境，敌人一定不敢渡水。"过了一阵，果然如杨忠所料，杨忠这才慢慢率军返回。达奚武感叹说："我达奚武自认为是天下的男子汉，今天我算是服了！"北周任命司马消难为小司徒。

三月初四日丁酉，北齐国主高洋从晋阳回到邺城。

齐发兵援送梁永嘉王庄于江南，册拜王琳为梁丞相、都督中外诸军、录尚书事。琳遣兄子叔宝帅所部十州刺史子弟赴邺。琳奉庄即皇帝位，改元天启。追谥建安公渊明曰闵皇帝。庄以琳为侍中、大将军、中书监，余依齐朝之命。

夏，四月甲子⑱⑥，上享太庙。

乙丑⑱⑦，上使人害梁敬帝，立梁武林侯谘之子季卿⑱⑧为江阴王。

己巳⑱⑨，周以太师护为雍州牧。

甲戌⑲⓪，周王后独孤氏殂。

辛巳⑲①，齐大赦。

齐主以旱祈雨于西门豹祠⑲②，不应，毁之，并掘其冢。

五月癸巳⑲③，余孝顷等屯二万军于工塘，连八城以逼周迪。迪惧，请和，并送兵粮。樊猛等欲受盟而还，孝顷贪其利，不许，树栅围之。由是猛等与孝顷不协。

周以大司空侯莫陈崇为大宗伯。

癸丑⑲④，齐广陵南城主张显和、长史张僧那各帅所部来降。

辛丑⑲⑤，齐以尚书令长广王湛录尚书事，骠骑大将军平秦王归彦为尚书左仆射。甲辰⑲⑥，以前左仆射杨愔为尚书令。

辛酉⑲⑦，上幸大庄严寺舍身，壬戌⑲⑧，群臣表请还宫。

六月乙丑⑲⑨，齐主北巡，以太子殷监国，因立大都督府与尚书省分理众务，仍开府置佐。齐主特崇其选，以赵郡王叡为侍中、摄大都督府长史。

己巳⑳⓪，诏司空侯瑱[14]、领军将军徐度帅舟师为前军，以讨王琳。

齐主至祁连池⑳①。戊寅⑳②，还晋阳。

秋，七月[15]戊戌⑳③，上幸石头，送侯瑱等。

高州刺史黄法氍、吴兴太守沈恪、宁州刺史周敷合兵救周迪。敷自临川故郡断江口，分兵攻余孝顷别城，樊猛等不救而没。刘广德乘流先下，故获全。孝顷等皆弃舟引兵步走，迪追击，尽擒之，送孝顷及李孝钦于建康，归樊猛于王琳。

甲辰⑳④，上遣吏部尚书谢哲⑳⑤往谕王琳。哲，朏⑳⑥之孙也。

八月甲子⑳⑦，周大赦。

北齐发援兵护送梁朝永嘉王萧庄回江南，册拜王琳为梁朝丞相、都督中外诸军事、录尚书事。王琳派哥哥的儿子王叔宝率领所属十州刺史子弟到邺城。王琳拥戴萧庄即皇帝位，改年号为天启。追谥建安公萧渊明为闵皇帝。萧庄任命王琳为侍中、大将军、中书监，其余仍依北齐原先的任命。

夏，四月初二日甲子，陈武帝祭祀太庙。

初三日乙丑，陈武帝派人杀害梁敬帝萧方智，立梁武林侯萧谘的儿子萧季卿为江阴王。

初七日己巳，北周任命太师宇文护为雍州牧。

十二日甲戌，北周天王后独孤氏去世。

十九日辛巳，北齐大赦天下。

北齐国主高洋因为干旱，在西门豹祠求雨，没有应验，毁了西门豹祠，还挖了他的坟墓。

五月初一日癸巳，余孝顷等在工塘屯驻军队二万人，连接八座军营来威逼周迪。周迪害怕，请求和好，并送兵送粮。樊猛等想结盟退军，余孝顷贪图利益，不同意，竖立栅栏包围周迪。因此樊猛等与余孝顷离心离德。

北周任命大司空侯莫陈崇为大宗伯。

五月二十一日癸丑，北齐广陵南城主张显和、长史张僧那各自率领所属部众，前来投降陈朝。

初九日辛丑，北齐任命尚书令长广王高湛录尚书事，骠骑大将军平秦王高归彦为尚书左仆射。十二日甲辰，任命前左仆射杨愔为尚书令。

五月二十九日辛酉，陈武帝到大庄严寺舍身。三十日壬戌，群臣上表请求陈武帝回宫。

六月初三日乙丑，北齐国主高洋到北方巡视，让太子高殷监国，因此设立大都督府与尚书省分管事务，在大都督府设置府衙，选置僚佐。北齐国主高洋特别重视府僚的人选，任命赵郡王高叡为侍中、兼任大都督府长史。

六月初七日己巳，陈朝下诏司空侯瑱、领军将军徐度率领水军为前锋，讨伐王琳。

北齐国主高洋到达祁连池。十六日戊寅，回到晋阳。

秋，七月初七日戊戌，陈武帝亲临石头城，送侯瑱等出征。

高州刺史黄法𣰰、吴兴太守沈恪、宁州刺史周敷会合兵力救援周迪。周敷从临川故郡出兵到江口，切断水运通道，分兵进攻余孝顷所连营栅，樊猛等坐视不救，各营陷没。刘广德乘船抢先顺流而下，因而得以保全。余孝顷等都弃船领兵步行逃跑，周迪追击，全部抓获。把余孝顷及李孝钦押送到建康，把樊猛送还王琳。

七月十三日甲辰，陈武帝派吏部尚书谢哲前往晓谕王琳。谢哲，是谢朏的孙子。

八月初三日甲子，北周大赦天下。

乙丑⑳⑧，齐主还邺。

辛未⑳⑨，诏临川王蒨西讨，以舟师五万发建康，上幸冶城寺送之。

甲戌㉑⓪，齐主如晋阳。

王琳在白水浦，周文育、侯安都、徐敬成许王子晋以厚赂，子晋乃伪以小船依䑽而钓，夜，载之上岸，入深草中，步投陈军。还建康自劾，上引见，并宥之。戊寅㉑①，复其本官。

谢哲返命，王琳请还湘州，诏追众军还。癸未㉑②，众军至自大雷。

九月甲辰㉑③[16]，周封少师元罗为韩国公，以绍魏后。

丁未㉑④，周王如同州。冬，十月辛酉㉑⑤，还长安。

余孝顷之弟孝劢及子公飏犹据旧栅不下，庚午㉑⑥，诏开府仪同三司周文育都督众军，出豫章讨之。

【段旨】

以上为第二段，重点写南朝王琳兵败，与陈朝订盟还湘州，陈朝大局已定，全境粗安。

【注释】

⑯①白水浦：湖名，通长江，在今江西九江东。⑯②上：此指陈霸先。⑯③己亥：正月初五日。⑯④宗虩：人名。⑯⑤南川：指今江西南昌到赣州间的赣水两岸地区。⑯⑥八郡：即南康、宜春、安成、庐陵、临川、巴山、豫章、豫宁八郡。⑯⑦齐言：异口同声，一致宣言。⑯⑧道林：僧人法名。⑯⑨刘广德：南阳涅阳（今河南郑州）人。梁元帝时以军功官至湘东太守。荆州陷，依于王琳。后仕陈。传见《陈书》卷十八、《南史》卷五十。⑰⓪辛丑：正月初七日。⑰①乙巳：正月十一日。⑰②辛亥：正月十七日。⑰③癸丑：正月十九日。⑰④独孤氏：周明帝敬皇后，卫国公独孤信的长女。传见《周书》卷九、《北史》卷十四。⑰⑤戊午：正月二十四日。⑰⑥壬申：二月初九日。⑰⑦子瑞：司马子瑞，河内温（今河南温县）人。仕北齐，官至御史中丞，以平直著称。传见《北齐书》卷十八、《北史》卷五十四。⑰⑧采风闻：搜集民间传闻。⑰⑨裴藻：字文芳，初事司马子如父子，入周后，封闻喜县男，任晋州刺史。传见《北史》卷五十四。⑱⓪私假：休假。⑱①甲午：三月初一日。⑱②皆不报：都没有回信。⑱③镇城：官名，即防城大都督。⑱④小司徒：官名，即小司徒上大夫，北周地官府次

初四日乙丑，北齐国主高洋回到邺城。

初十日辛未，陈武帝下诏临川王陈蒨西讨王琳，率领水军五万从建康出发，陈武帝亲临冶城寺送行。

十三日甲戌，北齐国主高洋到晋阳。

王琳住在白水浦，周文育、侯安都、徐敬成许诺送给王子晋厚礼，王子晋假装划一艘小船，在王琳主舰旁边垂钓，到了深夜，偷载周文育等上岸，躲在深草中，步行投奔陈军，回到建康自首请罪。陈武帝召见，全都宽恕了他们。八月十七日戊寅，恢复他们原有的官职。

谢哲返回建康复命，王琳请求回到湘州，陈武帝下诏追各路兵马退回。八月二十二日癸未，西征各路兵马从大雷回到建康。

九月十四日甲辰，北周封少师元罗为韩国公，用以继承北魏后裔。

九月十七日丁未，北周天王宇文毓到同州。冬，十月初一日辛酉，回到长安。

余孝顷的弟弟余孝劢和他的儿子余公飏仍然占据新吴旧栅，没有归降。十月初十日庚午，陈武帝下诏开府仪同三司周文育都督众军，从豫章出发进讨。

官，佐大司徒卿掌民户、土地、赋役、教育、仓廪、关市及山泽渔猎事务。⑱⑤丁酉：三月初四日。⑱⑥甲子：四月初二日。⑱⑦乙丑：四月初三日。⑱⑧季卿：萧季卿，后因私卖梁朝陵园树木给征北大将军淳于量，被免去爵位。⑱⑨己巳：四月初七日。⑲⓪甲戌：四月十二日。⑲①辛巳：四月十九日。⑲②西门豹祠：战国魏文侯时，西门豹任邺令，开十二道水渠，发展生产，受到百姓敬仰，后立祠世代祭祀。详《史记》卷一百二十六《滑稽列传》。⑲③癸巳：五月初一日。⑲④癸丑：五月二十一日。⑲⑤辛丑：五月初九日。⑲⑥甲辰：五月十二日。⑲⑦辛酉：五月二十九日。⑲⑧壬戌：五月三十日。⑲⑨乙丑：六月初三日。⑳⓪己巳：六月初七日。⑳①祁连池：湖名，在山西宁武西南，又称天池。鲜卑人称天为"祁连"，所以叫祁连池。⑳②戊寅：六月十六日。⑳③戊戌：七月初七日。⑳④甲辰：七月十三日。⑳⑤谢哲（公元五〇九至五六七年）：字颖豫，陈郡阳夏（今河南太康）人，梁末任广陵太守。入陈，历任都官尚书、吏部尚书、中书令。传见《陈书》卷二十一、《南史》卷二十。⑳⑥朏：谢朏（公元四四一至五〇六年），字敬冲，宋末，以侍中领秘书监。齐受禅，因不交出玉玺被免官，禁锢五年。后出任义兴、吴兴太守。梁代齐，委任侍中，常不理事。传见《梁书》卷十五、《南史》卷二十。⑳⑦甲子：八月初三日。⑳⑧乙丑：八月初四日。⑳⑨辛未：八月初十日。㉑⓪甲戌：八月十三日。㉑①戊寅：八月十七日。㉑②癸未：八月二十二日。㉑③甲辰：九月十四日。㉑④丁未：九月十七日。㉑⑤辛酉：十月初一日。㉑⑥庚午：十月初十日。

【校记】

[14] 瑱："瑱"下原有"与"字。据章钰校，十二行本、乙十一行本皆无"与"字，今据删。〖按〗《陈书·高祖纪下》《南史·武帝纪》皆无"与"字。[15] 七月：原无此二

【原文】

齐三台成，更名铜爵曰金凤，金虎曰圣应，冰井曰崇光。十一月甲午[217]，齐主至邺，大赦。齐主游三台，戏以槊刺都督尉子辉[218]，应手而毙。

常山王演以帝沉湎[219]，忧愤形于颜色。帝觉之，曰："但令汝在，我何为不纵乐？"演唯涕泣拜伏，竟无所言。帝亦大悲，抵杯于地曰："汝似嫌我如是，自今敢进酒者斩之！"因取所御杯，尽坏弃。未几，沈湎益甚。或于诸贵戚家角力批拉[220]，不限贵贱，唯演至，则内外肃然。演又密撰事条，将谏，其友[221]王晞[222]以为不可，演不从，因间极言，遂逢大怒。演性颇严，尚书郎中剖断有失，辄加捶楚，令史奸慝即考竟[223]。帝乃立演于前，以刀镮拟胁，召被演罚者，临以白刃，求演之短，咸无所陈，乃释之。晞，昕[224]之弟也。帝疑演假辞于晞[225]以谏，欲杀之。王[226]私谓晞曰："王博士，明日当作一条事，为欲相活，亦图自全，宜深体勿怪。"乃于众中杖晞二十。帝寻发怒，闻晞得杖，以故不杀，髡鞭[227]配甲坊。居三年，演又因谏争，大被殴挞，闭口不食。太后日夜涕泣，帝不知所为，曰："傥小儿死，奈我老母何？"于是数往问演疾，谓曰："努力强食，当以王晞还汝。"乃释晞，令诣演。演抱晞曰："吾气息惙然[228]，恐不复相见！"晞流涕曰："天道神明，岂令殿下遂毙此舍？至尊亲为人兄，尊为人主，安可与计[229]？殿下不食，太后亦不食，殿下纵不自惜，独不念太后乎？"言未卒，演强坐而饭。晞由是得[17]免徒，还为王友。及演录尚书事，除官者皆诣演谢，去必辞。晞言于演曰："受爵天朝，拜恩私第，自古以为不可，宜一切约

字。胡三省注云："秋七月戊戌也。"据章钰校，十二行本、乙十一行本、孔天胤本皆有此二字，今据补。[16] 甲辰：原作"甲申"。严衍《通鉴补》改作"甲辰"，《周书·明帝纪》《北史·世宗明帝纪》亦皆作"甲辰"，当是，今从改。〖按〗九月辛卯朔，无甲申日。

【语译】

北齐的三台修建完成，改名铜爵台叫金凤台，金虎台叫圣应台，冰井台叫崇光台。十一月初五日甲午，北齐国主高洋回到邺城，大赦天下。高洋游览三台，开玩笑用长槊击刺都督尉子辉，一下手就把尉子辉刺死了。

常山王高演因文宣帝高洋沉迷于酒，忧愤之情溢于脸面，高洋觉察了，说："只要你在世上，我为什么不纵情享乐？"高演只是泪流满面，拜伏在地，始终没说一句话。高洋也十分伤心，把酒杯摔在地上，说："你恨我到如此地步，从今以后，敢再进酒的人一定斩首！"当即拿来自己所用的酒杯，全部砸毁。没过多久，沉醉酗酒更加放肆。有时闯进贵戚家里跟人徒手比武，对手不分贵贱，只有高演一到，内外就庄严肃静。高演又暗中撰写事务条款，打算进谏。高演的僚属王晞认为不可以，高演不听，找到一个机会，直切劝谏，于是引起高洋大怒。高演个性端严，尚书郎中处理事务分析判断有失误，就要处以刑杖；令史作奸犯法，就拷打至死。高洋命令高演站在跟前，用刀镮在高演的胸胁上比画，招来被高演惩罚过的人，把刀口架在他们身上，逼迫他们说出高演的过失，被逼迫的人全都没说高演有什么过失，这才放了高演。王晞，是王昕的弟弟。高洋怀疑是高演假王晞之手撰写条陈来进谏，想杀掉王晞。高演私下对王晞说："王博士，明天要做一件事，为了要救你，也是想保全我自己，请你多加体谅，不要见怪。"第二天，高演当众打了王晞二十大板。高洋正要迁怒王晞，听说他挨了板子，所以没有杀他，但剃光他的头发，又抽了一顿，发配到甲坊做苦工。过了三年，高演又因苦苦谏争，被毒打了一顿，高演闭口绝食。娄太后日夜啼哭，高洋手足无措，说："倘若这小儿真死了，让我如何向老母交代？"于是多次前往探视高演病情，对高演说："打起精神吃饭，我把王晞还给你。"于是释放了王晞，让他去看高演。高演抱着王晞说："我气息奄奄，恐怕再也见不到你了！"王晞流着眼泪说："天道神明，怎么会让殿下死在这里呢？皇上论亲情是您的哥哥，论地位是您的君王，怎能与他计较？殿下不吃饭，太后也不吃饭，殿下纵然不爱惜自己，难道不顾念太后吗？"王晞话还没说完，高演勉强坐起来吃饭。王晞因此得以免除徒刑，回高演身边做常山王友。等到高演任职录尚书事，升官的人都到高演跟前谢恩，离开京城赴任的时候都来辞行。王晞对高演说："受爵于朝廷，谢恩到私宅，

绝。”演从之。久之，演从容谓晞曰：“主上起居不恒㉚，卿宜耳目所具，吾岂可以前逢一怒，遂尔结舌㉛？卿宜为撰谏草，吾当伺便极谏。”晞遂条十余事以呈，因谓演曰：“今朝廷所恃者惟殿下，乃欲学匹夫耿介，轻一朝之命。狂药㉜令人不自觉，刀箭岂复识亲疏？一旦祸出理外，将奈殿下家业何？奈皇太后何？”演欷歔不自胜，曰：“乃至是乎？”明日，见晞曰：“吾长夜久思，今遂息意。”即命火，对晞焚之。后复承间苦谏，帝使力士反接㉝，拔白刃注颈，骂曰：“小子何知？是谁教汝？”演曰：“天下噤口，非臣，谁敢有言？”帝趣杖，乱捶之数十。会醉卧，得解。帝亵黩之游，遍于宗戚，所往留连，唯至常山第，多无适㉞而去。尚书左仆射崔暹屡谏，演谓暹曰：“今太后不敢致[18]言，吾兄弟杜口，仆射独能犯颜，内外深相感愧。”

太子殷，自幼温裕开朗，礼士好学，关览时政，甚有美名。帝尝嫌太子“得汉家性质，不似我”，欲废之。帝登金凤台召太子，使手刃囚，太子恻然有难色，再三，不断其首。帝大怒，亲以马鞭撞之㉟，太子由是气悸㊱语吃，精神昏扰。帝因酣宴，屡云太子性懦，社稷事重，终当传位常山。太子少傅魏收谓杨愔曰：“太子，国之根本，不可动摇。至尊三爵之后，每言传位常山，令臣下疑贰。若其实也，当决行之。此言非所以为戏，恐徒使国家不安。”愔以收言白帝，帝乃止。

帝既残忍，有司讯囚，莫不严酷，或烧犁耳，使立其上，或烧车釭，使以臂贯之，既不胜苦，皆至诬伏㊲。唯三公郎中㊳武强苏琼㊴，历职中外，所至皆以宽平为治。时赵州及清河屡有人告谋反者，前后皆付琼推检，事多申雪。尚书崔昂谓琼曰：“若欲立功名，当更思余理，数雪反逆，身命何轻？”琼正色曰：“所雪者冤枉耳，不纵反逆也。”昂大惭。

帝怒临漳令稽晔㊵、舍人李文师㊶[19]，以赐臣下为奴。中书侍郎彭城郑颐㊷私诱祠部尚书王昕曰：“自古无朝士为奴者。”昕曰：“箕子为之奴。”颐以白帝曰：“王元景比陛下于纣。”帝衔之。顷之，帝与朝臣

自古以来都认为不可以，应当规定一律谢绝。”高演听从了。过了很久，高演从容不迫地对王晞说：“皇上起居无常，你的耳目听到和看到的事要详细写出来，我怎么可以因为前次皇上发怒，就突然闭口不说话呢？你应当替我草拟一份谏疏，我当找机会恳切极谏。”王晞于是条列了十多件事，进呈给高演，一面劝阻高演说：“当今朝廷依赖的只有殿下，可是殿下却要效法一个匹夫的正直，看轻危在旦夕的性命。如同猛药一样的酒会使人失去理智，刀箭怎会再认亲疏？一旦发生意外之祸，殿下的家业怎么办？皇太后怎么办？”高演悲痛欲绝，说：“有这么严重吗？”第二天，高演见到王晞，说：“我昨夜整夜思考，今天打消了进谏的主意。”当即命人点火，当着王晞的面烧了谏疏。过后，高演又找机会苦苦进谏，高洋让大力士把高演双手反绑起来，拔出刀子对准高演的脖子，骂他说：“你小子懂什么？是谁教你的？”高演说：“全天下的人都闭起了嘴巴，除了我，谁敢说话？”高洋催促快打板子，高演被乱打了几十板。正好高洋醉倒睡着了，高演才脱了身。高洋亵狎荒唐的游荡，遍及宗室亲戚之家，到了哪里就流连忘返，唯有到了常山王高演家，多半是没有尽兴就离开了。尚书左仆射崔暹多次谏阻，高演对崔暹说：“如今太后不敢讲话，我们兄弟闭起了口，仆射独能犯颜，宫廷内外的人都深感惭愧。”

太子高殷从小温和开朗，尊礼士人，爱好学习，留心时政，有很好的声誉。高洋却嫌太子“得汉人秉性，不像我”，想把他废掉。高洋登金凤台召见太子，让他亲手杀死囚犯，太子同情面露难色，他砍了几次，也没砍下囚犯的头颅。高洋大怒，亲手拿马鞭抽打太子，太子因此受到惊吓，说话口吃，精神恍惚。高洋每次宴会酒足之后，多次说太子性情懦弱，社稷事重，终究当传位给常山王。太子少傅魏收对杨愔说：“太子是国家的根本，不可动摇。皇上酒过三杯之后，多次说要传位给常山王，令臣下半信半疑。如果属实，就应当机立断决定下来。这话不能当儿戏，恐怕徒然使朝廷不安定。”杨愔把魏收的话告诉了高洋，高洋才不再说了。

高洋性既残忍，主管部门审讯囚犯，也没有人不苛刻严酷。有的烧犁耳，让囚犯站在上边；有的烧车釭，让囚犯套在手臂上。囚犯受不了这种酷刑，都导致屈打成招。只有三公郎中武强人苏琼，历任朝廷和地方官职，他所到之处都能平和公正判案。当时赵州和清河郡多次有人告发谋反的人，前后案件都交给苏琼调查审理，许多被诬告的人都得申理。尚书崔昂对苏琼说：“若想建立功名，应当另想别的办法，你多次昭雪反叛的人，是看轻了自己的性命吗？”苏琼严肃地说：“所昭雪的都是被冤枉的人，并不是放纵造反的人。”崔昂非常惭愧。

北齐文宣帝高洋憎恶临漳县令稽晔、舍人李文师，把他俩赐给臣下为奴。中书侍郎彭城人郑颐私下引诱祠部尚书王昕说：“从古以来没有朝廷命官当奴仆的。”王昕说：“殷朝箕子就为商纣王的奴仆。”郑颐将这话报告高洋，说：“王元景把陛下比作

酣饮，昕称疾不至，帝遣骑执之，见方摇膝吟咏，遂斩于殿前，投尸漳水。

齐主北筑长城，南助萧庄，士马死者以数十万计。重以修筑台殿，赐与无节，府藏之积，不足以供，乃减百官之禄，撤军人常廪㉔³，并省州郡县镇戍之职，以节费用焉。

十二月戊寅㉔⁴[20]，齐以可朱浑道元为太师，尉粲为太尉，冀州刺史段韶为司空，常山王演为大司马，长广王湛为司徒。

壬午㉔⁵，周大赦。

齐主如北城，因视永安简平㉔⁶王浚、上党刚肃㉔⁷王涣于地牢。帝临穴讴歌，令浚等和之，浚等惶怖且悲，不觉声颤，帝怆然，为之下泣，将赦之。长广王湛素与浚不睦，进曰："猛虎安可出穴？"帝默然。浚等闻之，呼湛小字曰："步落稽㉔⁸，皇天见汝！"帝亦以浚与涣皆有雄略，恐为后害，乃自刺涣，又使壮士刘桃枝就笼乱刺。槊每下，浚、涣辄以手拉折之，号哭呼天，于是薪火乱投，烧杀之，填以土石。后出之，皮发皆尽，尸色如炭，远近为之痛愤。帝以仪同三司刘郁捷㉔⁹杀浚，以浚妃陆氏赐之；冯文洛杀涣，以涣妃李氏赐之，二人皆帝家旧奴也。陆氏寻以无宠于浚，得免。

高凉太守冯宝卒，海隅扰乱。宝妻冼氏怀集部落，数州晏然。其子仆㉕⁰，生九年，是岁，遣仆帅诸酋长入朝，诏以仆为阳春太守。

后梁主遣其大将军王操将兵略取王琳之长沙、武陵、南平等郡。

【段旨】

以上为第三段，重点写北齐文宣帝高洋残虐、拒谏，滥杀大臣，祸及骨肉兄弟。

殷纣王。”高洋怀恨在心。不久，高洋与朝臣欢宴饮酒，王昕推托有病不参加。高洋派骑兵去抓王昕，见他正在摆腿吟诗，于是把他抓来，在殿门前杀了，并抛尸于漳水。

北齐国主高洋在北边修筑长城，在南边帮助萧庄，兵马死亡达数十万。加上修筑三台与宫殿，赏赐没有节制，府库的积蓄不足以供应，于是减少百官的俸禄，撤销军人正常的粮食供给，并且裁减了州郡县镇戍的职官员额，以便节省费用。

十二月十九日戊寅，北齐任命可朱浑道元为太师，尉粲为太尉，冀州刺史段韶为司空，常山王高演为大司马，长广王高湛为司徒。

十二月二十三日壬午，北周大赦天下。

北齐国主高洋到北城，趁便到地牢巡看永安简平王高浚、上党刚肃王高涣。高洋临地牢讴歌，令高浚、高涣应和，高浚等人惊恐悲痛，不知不觉歌声颤抖，高洋感伤因而流下眼泪，打算赦免他们。长广王高湛一向与高浚不和睦，向高洋进言说：“猛虎怎能放出洞呢?”高洋沉默不语。高浚等听见了，喊高湛的小名说：“步落稽，皇天看着你!”高洋也因为高浚、高涣都有雄才大略，害怕为后患，就亲自刺击高涣，又派壮士刘桃枝向笼中乱刺。每当长矛刺下，高浚、高涣就用手拉住长矛，用力折弯，号哭呼天。高洋命令用薪火纷纷投入笼中，把高浚、高涣烧死，将地牢填上土石。过后挖出两人尸体，皮发都烧完了，尸骨颜色如黑炭，远近的人都为之悲痛愤恨。高洋因为仪同三司刘郁捷杀死了高浚，就把高浚的妃子陆氏赏赐给他；冯文洛杀死了高涣，就把高涣的妃子李氏赏赐给他。刘郁捷、冯文洛两人都是高洋旧时的家奴。陆氏不久因没受高浚宠爱，高洋才没把她赐给刘郁捷。

陈朝高凉太守冯宝去世，沿海地区骚乱。冯宝的妻子冼氏安抚团结部众，各州又平静下来。她的儿子冯仆，年才九岁。这一年，冼夫人派冯仆带领各部酋长到建康朝拜，陈武帝下诏任命冯仆为阳春太守。

后梁国主萧詧派他的大将王操领兵攻取王琳的长沙、武陵、南平等郡。

【注释】

㉗ 甲午：十一月初五日。㉘ 尉子辉：《北齐书》卷四、《北史》卷七均作“尉子耀”，并认为其事发生在晋阳，均与《通鉴》异。㉙ 沉湎：沉溺于酒。㉚ 角力批拉：比武，用手击打。㉛ 友：官名，王府僚属。北齐五品。㉜ 王晞（公元五一一至五八一年）：字叔明，小名沙弥，王昕的弟弟。高欢选拔官宦子弟中忠实可靠的人，辅助诸子。于是晞以中外府功曹参军的身份，成为高演的密友。高洋死，力主高演清君侧。高演登基，任太子太傅。高湛时，任大鸿胪。齐亡，仕周为仪同大将军。传见《北齐书》卷三十一、《北

史》卷二十四。㉓考竟：下到狱中拷问至死。时高演任尚书令，尚书郎中、令史都是他的属官。㉔昕：王昕（？至公元五五九年），字符景，北海剧人，前秦丞相王猛的后代。曾任秘书监。以有名士放达之风，得罪高洋，被斩首弃尸于漳水。传见《北齐书》卷三十一、《北史》卷二十四。㉕假辞于晞：条奏的话出自王晞。㉖王：即常山王演。㉗髡鞭：刑名。髡，指剃去犯人的头发。鞭，体刑的一种，用竹制鞭抽打犯人。㉘惙然：疲乏无力。㉙安可与计：怎么可以同他计较。㉚不恒：无常；没有规律。㉛结舌：闭口不再谏争。㉜狂药：令人发狂的药。这里指酒。高洋一饮酒，便形同疯子。㉝反接：把双手扭到背后捆绑。㉞无适：不尽兴。㉟撞之：击打太子。㊱气悸：惊惧、心跳过速。㊲诬伏：违心认罪。㊳三公郎中：官名，即殿中尚书所辖三公曹的郎中，负责在春、夏、秋、冬季节变化时读时令；管理各曹的囚犯登记簿和断罪；在皇帝下达大赦令时，设金鸡于竿子上，表示吉辰到来等事务。㊴苏琼：字珍之，长乐武强（今河北武强西南）人，曾任廷尉正、大理卿，有“断狱无疑苏珍之”的美誉。传见《北齐书》卷四十六、《北史》卷八十六。㊵稽晔：《北齐书》卷三十、《北史》卷二十四均作“嵇晔”。㊶李文师：赵郡高邑（今河北高邑）人，李义深之子，仕北齐，曾任中书舍人、齐郡太守。传见《北齐书》卷二十二、《北史》卷三十三。㊷郑颐：字子默，彭城（今江苏

【原文】

三年（己卯，公元五五九年）

春，正月己酉[51]，周太师护上表归政，周王始亲万机，军旅之事，护犹总之。初改都督州军事为总管。

王琳召桂州刺史淳于量。量虽与琳合，而潜通于陈。二月辛酉[52]，以量为开府仪同三司。

壬午[53]，侯瑱引兵焚齐舟舰于合肥。

丙戌[54]，齐主于甘露寺[55]禅居深观[56]，唯军国大事乃以闻。尚书左仆射崔暹卒，齐主幸其第哭之，谓其妻李氏曰：“颇思暹乎？”对曰：“思之。”帝曰：“然则自往省之。”因手斩其妻[57]，掷首墙外。

齐斛律光将骑一万击周开府仪同三司曹回公[58]，斩之。柏谷[59]城主薛禹生[60]弃城走，遂取文侯镇[61]，立戍置栅而还。

三月戊戌[62]，齐以侍中[21]高德政为尚书右仆射。

徐州）人，北齐乾明初（公元五六〇年），拜散骑常侍，权重一时。传见《北齐书》卷三十四、《北史》卷四十一。㉔③常廪：正常供给的粮食。㉔④戊寅：十二月十九日。㉔⑤壬午：十二月二十三日。㉔⑥简平：永安王浚的谥号。㉔⑦刚肃：上党王高涣的谥号。㉔⑧步落稽：高湛的小名。㉔⑨刘郁捷：《北史》卷九十二作“刘郁斤”。㉕⓪仆：冯仆，后封信都侯，平原郡公。

【校记】

［17］得：原无此字。据章钰校，十二行本、乙十一行本皆有此字，今据补。〖按〗《北齐书·王昕传附王晞传》《北史·王宪传附王晞传》皆有此字。［18］致：原无此字。据章钰校，十二行本、乙十一行本、孔天胤本皆有此字，今据补。〖按〗《北齐书·崔暹传》《北史·崔挺传附崔暹传》皆有此字。［19］李文师：原作“李文思”。据章钰校，十二行本、乙十一行本皆作“李文师”，今据改。〖按〗《北齐书·王昕传》《北史·王宪传附王昕传》皆作“李文师”。［20］戊寅：原作“庚寅”。严衍《通鉴补》改作“戊寅”，《北齐书·文宣帝纪》《北史·显祖文宣帝纪》亦皆作“戊寅”，今据改。〖按〗十二月庚申朔，无庚寅。

【语译】

三年（己卯，公元五五九年）

春，正月二十一日己酉，北周太师宇文护上表归还政权，北周天王宇文毓开始亲自掌理政务，但军政事务仍由宇文护全权掌管。北周开始改称都督州军事为总管。

王琳征召桂州刺史淳于量。淳于量虽然表面上与王琳合作，而暗中交往陈朝。二月初三日辛酉，陈朝任命淳于量为开府仪同三司。

二月二十四日壬午，侯瑱领兵到合肥，烧毁北齐战船。

二月二十八日丙戌，北齐国主高洋在甘露寺坐禅参悟佛理，只有军国大事才能向他进奏。尚书左仆射崔暹去世，高洋临幸崔暹府第哭祭，对崔暹的妻子李氏说：“你很想念崔暹吗?”崔暹妻子回答说：“想念他。”高洋说：“既然想念，那你就亲自去看望他。”随即亲手杀死了崔暹妻子，把她的脑袋扔到墙外。

北齐斛律光率领一万骑兵攻击北周开府仪同三司曹回公，并杀了曹回公。柏谷城主薛禹生丢下城池逃走。于是斛律光夺取了文侯镇，设立戍所围栅然后回军。

三月十一日戊戌，北齐任命侍中高德政为尚书右仆射。

吐谷浑侵扰北周边防。二十三日庚戌，北周派大司马贺兰祥攻击吐谷浑。

吐谷浑寇周边，庚戌[263]，周遣大司马贺兰祥击之。

丙辰[264]，齐主至邺。

梁永嘉王庄至郢州，遣使入贡于齐。王琳遣其将雷文策[265]袭后梁监利太守蔡大有，杀之。

齐主之为魏相也，胶州刺史定阳文肃[266]侯杜弼为长史，帝将受禅，弼谏止之。帝问："治国当用何人？"对曰："鲜卑车马客，会须用中国人。"帝以为讥己，衔之。高德政用事，弼不为之下，尝于众前面折德政。德政数言其短于帝，弼恃旧，不自疑。夏，帝因饮酒，积其愆失，遣使就州斩之，既而悔之，驿追不及。

闰四月戊子[267]，周命有司更定新历。

丁酉[268]，遣镇北将军徐度将兵城南皖口[269]。

齐高德政与杨愔同为相，愔常忌之。齐主酣饮，德政数强谏，齐主不悦，谓左右曰："高德政恒以精神凌逼人。"德政惧，称疾，欲自退。帝谓杨愔曰："我大忧德政病。"对曰："陛下若用为冀州刺史，病当自差[270]。"帝从之。德政见除书[271]，即起。帝大怒，召德政，谓曰："闻尔病，我为尔针。"亲以小刀刺之，血流霑地。又使曳下斩去其足，刘桃枝执刀不敢下，帝责桃枝曰："尔头即堕地！"桃枝乃斩其足之三指。帝怒不解，囚德政于门下，其夜，以毡舆送还家。明旦，德政妻出珍宝满四床，欲以寄人[272]，帝奄至其宅，见之，怒曰："我内[22]府犹无是物！"诘其所从得，皆诸元赂之，遂曳出，斩之。妻出拜，又斩之，并其子伯坚。以司州牧彭城王浟为司徒，侍中高阳王湜为尚书右仆射，乙巳[273]，以浟兼太尉。

齐主封子绍廉[274]为长乐王[23]。

辛亥[275]，周以侯莫陈崇为大司徒，达奚武为大宗伯，武阳公豆卢宁为大司寇，柱国辅城公邕[276]为大司空。

乙卯[277]，周诏："有司无得纠赦前事，唯库厩[24]仓廪与海内所共，若有侵盗，虽经赦宥免其罪，征备如法[278]。"

周贺兰祥与吐谷浑战，破之，拔其洮阳、洪和[279]二城，以其地为洮州。

二十九日丙辰，北齐国主高洋回到邺城。

梁朝永嘉王萧庄到了郢州，派使者向北齐进贡。王琳派部将雷文策袭击后梁监利太守蔡大有，杀了他。

北齐国主高洋在当西魏丞相时，胶州刺史定阳文肃侯杜弼为长史，高洋即将受禅称帝，杜弼谏阻他。高洋问："治理国家应当用什么人？"杜弼回答说："鲜卑人只会骑马乘车，治理国家应当用汉人。"高洋认为是讽刺自己，怀恨在心。高德政当权，杜弼不满意职位在他下面，曾经当众指斥过高德政。高德政多次在高洋面前说杜弼的缺点，杜弼依恃自己与高洋有旧情，从没想过自己会被害。这年夏天，高洋因饮酒，把杜弼的过错加在一起，派使者到胶州去杀杜弼，不久又后悔，派使者乘驿车去追回成命，但没有追上。

闰四月初二日戊子，北周命令主管部门重新修订历法。

十一日丁酉，陈武帝派镇北将军徐度领兵在南皖口筑城。

北齐高德政与杨愔同为丞相，杨愔常妒忌高德政。北齐国主高洋纵心饮酒，高德政多次极力谏阻，高洋很不高兴，对身边的人说："高德政经常用神色威逼我。"高德政害怕了，推脱有病，想就此引退。高洋对杨愔说："我很忧虑高德政的病。"杨愔说："陛下如果任用高德政为冀州刺史，他的病应该自然就好了。"高洋听从了。高德政看到了任命书，立即起床。高洋大怒，召见高德政，对他说："听说你有病，我替你针灸。"亲手用小刀刺他，血流满地。高洋派人拖下去砍掉他的脚，刘桃枝拿着刀，不敢砍下，高洋责骂他说："不砍，你的头就要落地！"刘桃枝这才砍下高德政脚的三个趾头。高洋的怒气还没有消解，把高德政囚禁在门下省，当天夜晚，用铺着毛毡的车子送他回家。第二天早上，高德政的妻子取出珍宝，摆满了四床，想寄放在别人家，高洋突然来到他们家，看到了满床珍宝，大怒说："我皇宫的府库还没有这些东西呢！"追问从哪里来的，高德政说是元魏诸王贿赂的。于是把高德政拖出去杀了。高德政的妻子出来跪拜，又杀了，还一并杀了他们的儿子高伯坚。高洋任命司州牧彭城王高浟为司徒，侍中高阳王高湜为尚书右仆射。闰四月十九日乙巳，任命高浟兼太尉。

北齐国主高洋封皇子高绍廉为长乐王。

闰四月二十五日辛亥，北周任命侯莫陈崇为大司徒，达奚武为大宗伯，武阳公豆卢宁为大司寇，柱国辅城公宇文邕为大司空。

闰四月二十九日乙卯，北周天王下诏："主管纠察的官员，不得纠举大赦以前的事，只有府库、厩舍、仓廪中的马匹、钱财、粮食是国家所有，如果有侵占盗取，虽然赦免了他的罪行，但侵占的财物必须依法追还。"

北周大将贺兰祥与吐谷浑交战，打败了吐谷浑，攻占了吐谷浑的洮阳、洪和两座城，将其地设置为洮州。

五月丙辰朔[280]，日有食之。

齐太史奏，今年当除旧布新。齐主问于特进彭城公元韶曰："汉光武何故中兴？"对曰："为诛诸刘不尽。"于是齐主悉杀诸元以厌之[281]。癸未[282]，诛始平公元世哲[283]等二十五家，囚韶等十九家。韶幽于地牢，绝食，啖衣袖而死。

周文育、周迪、黄法氍共讨余公飏，豫章太守熊昙朗引兵会之，众且万人。文育军于金口[284]，公飏诈降，谋执文育，文育觉之，囚送建康。文育进屯三陂[285]。王琳遣其将曹庆[286]帅二千人救余孝劢，庆分遣主帅常众爱与文育相拒，自帅其众攻周迪及安南将军吴明彻，迪等败，文育退据金口。熊昙朗因其失利，谋杀文育以应众爱，监军孙白象闻其谋，劝文育先之，文育不从。时周迪弃船走，不知所在，乙酉[287]，文育得迪书，自赍以示昙朗，昙朗杀之于坐而并其众，因据新淦城[288]。昙朗将兵万人袭周敷，敷击破之，昙朗单骑奔巴山。

鲁悉达部将梅天养等引齐军入城[289]。悉达帅麾下数千人济江自归，拜平南将军、北江州刺史。

六月戊子[290]，周以霖雨[291]，诏群臣上封事极谏。左光禄大夫[292]猗氏乐逊[293]上言四事：其一，以为"比来守令代期既促，责其成效，专务威猛；今关东之民沦陷涂炭，若不布政优优，闻诸境外，何以使彼劳民，归就乐土"。其二，以为"顷者魏都洛阳，一时殷盛，贵势之家，竞为侈靡，终使祸乱交兴，天下丧败；比来朝贵器服稍华，百工造作，务尽奇巧，臣诚恐物逐好移，有损政俗"。其三，以为"选曹补拟[294]，宜与众共之。今州郡选置，犹集乡闾，况天下铨衡，不取物望，既非机事，何足可密？其选置之日，宜令众心明白，然后呈奏"。其四，以为"高洋据有山东，未易猝制，譬犹棋劫相持，争行先后，若一行不当，或成彼利，诚应舍小营大，先保封域，不宜贪利边陲，轻为兴[25]动"。

周处士[295]韦夐[296]，孝宽之兄也，志尚夷简，魏、周之际，十征不屈。周太祖甚重之，不夺其志，世宗礼敬尤厚，号曰"逍遥公"。晋公

五月丙辰朔，发生日食。

北齐太史上奏，今年应当除旧布新。北齐国主高洋向特进彭城公元韶询问，说："汉光武帝为什么能够中兴?"元韶回答说："因为王莽没有把刘姓的人杀光。"于是高洋下令杀尽元魏宗室，用来压制可能出现的灾祸。五月二十七日癸未，诛杀始平公元世哲等二十五家，囚禁元韶等十九家。元韶被关进地牢，断绝饮食，吃衣袖而死。

陈朝周文育、周迪、黄法氍共同讨伐余公飏，豫章太守熊昙朗领兵与他们会合，总计兵力近一万人。周文育驻军在金口，余公飏假投降，阴谋捉拿周文育，周文育觉察了，余公飏被押送建康。周文育进军屯驻三陂。王琳派他的大将曹庆率领两千人救援余孝劢。曹庆分兵派副将常众爱去抵抗周文育，自己领兵攻击周迪和安南将军吴明彻，周迪等战败，周文育退守金口。熊昙朗因周文育等失利，想趁机杀了周文育响应常众爱。周文育的监军孙白象知道了熊昙朗的阴谋，劝周文育先下手，周文育没有听从。当时，周迪丢弃船只逃走，不知道在什么地方。五月二十九日乙酉，周文育得到周迪的书信，亲自拿着去给熊昙朗看，熊昙朗在座位上杀了周文育，收编了他的部众，因而占据新淦城。熊昙朗领兵一万人袭击周敷，周敷打败了他，熊昙朗单人独骑逃奔巴山。

鲁悉达部将梅天养等勾引北齐军队进入新蔡城，鲁悉达率领部下数千人渡过长江归附陈朝，陈武帝任命他为平南将军、北江州刺史。

六月初三日戊子，北周因为久雨不止，下诏群臣密封上书切谏。左光禄大夫猗氏人乐逊上书陈列四事：其一，认为"近来郡守县令任期短，更换太频繁，责令他们有政绩，于是他们专行威猛苛严的政令；如今关东的民众，陷于水火之中，如果我们不施行优惠爱民的政令，传布到国境外面，怎么能使那些困苦民众倾心归附我们呢"?其二，认为"近世元魏迁都洛阳，一度繁荣昌盛，那些权贵有钱有势的大家，攀比着过奢侈的生活，结果导致灾祸和战乱交替到来，天下分崩离析；近来，我朝权贵的器用服饰也日渐华贵，各类工匠制作的物品，都穷极精巧奇异，臣实在担心玩物丧志，将损害纯正的习俗"。其三，认为"吏部选官，应当与大家共同商议。如今州郡选置官吏，尚且召集乡间的人共同商议，何况作为朝廷选拔人才的部门，怎能不选取众望所归的人才呢?选拔人才不是机密的事，为什么要秘密进行呢?今后选置官吏的时候，应当让大家明白，然后上报"。其四，认为"高洋占据山东，不容易很快制伏，好比下围棋劫争死活，争行落子先后，如果一步落子不当，或许就会造成对方获胜，确实应当舍小求大，首先保住现有疆域，不要贪图边境小利，轻率行动"。

北周处士韦敻，是韦孝宽的哥哥，生性崇尚淡泊简朴，当魏周之际，十次征召，不肯辱志出来做官。周太祖宇文泰非常尊重他，不强求改变他的情志，周世宗宇文

护延之至第，访以政事。护盛修第舍，复仰视堂，叹曰："酣酒嗜音，峻宇雕墙，有一于此，未或不亡[297]。"护不悦。

骠骑大将军、开府仪同三司寇俊[298]，赞[299]之孙也，少有学行。家人常[300]卖物，多得绢五匹，俊于后知之，曰："得财失行，吾所不取。"访主还之。敦睦宗族，与同丰约[301]，教训子孙，必先礼义。自大统中，称老疾，不朝谒。世宗虚心欲见之，俊不得已入见。王引之同席而坐，问以魏朝旧事。载以御舆，令于王前乘之以出，顾谓左右曰："如此之事，唯积善者可以致之。"

周文育之讨余孝劢也，帝令南豫州刺史侯安都继之。文育死，安都还，遇王琳将周炅、周协[302]南归，与战，擒之。孝劢弟孝猷帅所部四千家诣安都降。安都进军至左里[303]，击曹庆、常众爱，破之。众爱奔庐山[304]，庚寅[305]，庐山民斩之，传首。

诏临川王蒨于南皖口置城，使东徐州刺史吴兴钱道戢[306]守之。

丁酉[307]，上不豫，丙午[308]，殂。上临戎制胜，英谋独运，而为政务崇宽简，非军旅急务，不轻调发。性俭素，常膳不过数品，私宴用瓦器、蚌盘[309]，殽核[310]充事而已。后宫无金翠之饰，不设女乐。

时皇子昌[311]在长安，内无嫡嗣，外有强敌，宿将皆将兵在外，朝无重臣，唯中领军杜稜典宿卫兵在建康。章皇后召稜及中书侍郎蔡景历入禁中定议，秘不发丧，急召临川王蒨于南皖。景历亲与宦者、宫人密营敛具。时天暑，须治梓宫，恐斤斧之声闻于外，乃以蜡[312]为秘器[313]，文书诏敕，依旧宣行。

侯安都军还，适至南皖，与临川王俱还朝。甲寅[314]，王至建康，入居中书省，安都与群臣定议，奉王嗣位，王谦让不敢当。皇后以昌故，未肯下令，群臣犹豫不能决。安都曰："今四方未定，何暇及远？临川王有大功[315]于天下，须共立之。今日之事，后应者斩！"即按剑上殿，白皇后出玺，又手解蒨发，推就丧次，迁殡大行于太极[316]西阶。皇后乃下令，以蒨纂承大统。是日，即皇帝位，大赦。秋，七月丙辰[317]，尊皇后为皇太后。辛酉[318]，以侯瑱为太尉，侯安都为司空。

毓对他礼敬尤其厚重，称他为“逍遥公”。晋公宇文护礼请他到府第，询问他军国大政。宇文护大修府第，韦夐仰视厅堂，叹息说：“畅怀喝酒，酷爱音乐，屋宇高大，墙垣雕绘，只要有其中一样，没有不灭亡的。”宇文护很不高兴。

北周骠骑大将军、开府仪同三司寇儁，是寇赞的孙子，少年时就有很好的学识和品行。他的家人曾经卖物品，多赚了五匹绢，寇俊后来知道了这件事，说：“得了钱财，丢了品行，我是不这样做的。”于是寻访买主，退还了五匹绢。寇俊厚待宗亲，和睦族人，与族人同甘共苦。教育子孙，最重礼义。从西魏大统年间，就称疾告老，不再朝见天子。周世宗宇文毓虚心想见他，寇儁不得已入朝参见。天王引导寇俊同席而坐，询问魏朝旧事。周世宗特地把自己的座车让他坐，并从自己的跟前启驾出宫，对身边的人说：“这样的礼遇，只有积善的人才能得到。”

陈朝周文育讨伐余孝励时，陈武帝命令南豫州刺史侯安都后继增援。周文育死后，侯安都返回，途中遇上王琳部将周炅、周协回归南方，侯安都与他们交战，擒获了他们。余孝励弟弟余孝猷率领所属部众四千家投降侯安都。侯安都进军到左里，攻打曹庆、常众爱，打败了他们。常众爱逃往庐山，六月初五日庚寅，庐山居民杀了常众爱，把他的首级送到建康。

陈武帝下诏临川王陈蒨在南皖口筑城，派东徐州刺史吴兴人钱道戢镇守。

六月十二日丁酉，陈武帝得病，二十一日丙午，崩殂。陈武帝临战取胜，雄略谋计精明过人，而治理政事，务求宽松简约，不是征战急需，绝不轻易征调。生性节俭朴素，平常用餐只有几样菜，私设小宴只用陶器、蚌盘，菜肴果品只够吃饱而已。后宫嫔妃没有金翠的装饰，不设歌伎乐舞。

当时皇子陈昌在北周长安做人质，国内没有嫡子继承人，国外有强敌，宿将都带兵在外，朝内没有重臣，只有中领军杜稜在建康掌领宿卫兵。章皇后宣召杜稜和中书侍郎蔡景历进入皇宫议定大事，秘不发丧，紧急从南皖召回临川王陈蒨。蔡景历亲自和宦官、宫女秘密制造入殓器具。当时天热，必须制作棺材，又怕斤斧之声传到外面，于是用蜡制作棺材，公文诏敕照往常一样颁布施行。

侯安都军返回建康，正好到达南皖口，与临川王陈蒨一同回朝。六月二十九日甲寅，临川王陈蒨到达建康，入居中书省，侯安都和群臣议定，拥戴临川王继位，临川王谦让不敢担当，章皇后因为有陈昌的缘故，不肯下旨令。群臣犹豫不能决定。侯安都说：“如今四方都没有安定，哪有工夫远迎皇子陈昌？临川王陈蒨对朝廷有大功，大家应该立他为君。今天的事，哪个敢迟迟不吭声的，我就杀了他！”侯安都立即握着剑上殿，告诉章皇后交出玉玺，又亲手解开陈蒨的发结，推他就丧主的位置，迁移大行皇帝的灵柩安置在太极殿西阶。章皇后才下令，由陈蒨继承皇帝位。这天，陈蒨即皇帝位，大赦天下。秋，七月初一日丙辰，尊皇后为皇太后。初六日辛酉，任命侯瑱为太尉，侯安都为司空。

齐显祖将如晋阳，乃尽诛诸元，或祖父为王，或身尝贵显，皆斩于东市，其婴儿投于空中，承之以矟。前后死者凡七百二十一人，悉弃尸漳水，剖鱼者往往得人爪甲，邺下为之久不食鱼。使元黄头[319]与诸囚自金凤台各乘纸鸱[320]以飞，黄头独能至紫陌乃堕，仍付御史中丞毕义云饿杀之。唯开府仪同三司元蛮、祠部郎中元文遥[321]等数家获免。蛮[322]，继[323]之子，常山王演之妃父。文遥，遵之五世孙也。定襄令元景安[324]，虔[325]之玄孙也，欲请改姓高氏，其从兄景皓[326]曰："安有弃其本宗而从人之姓者乎？丈夫宁可玉碎，何能瓦全？"景安以其言白帝，帝收景皓，诛之。赐景安姓高氏。

八月甲申[327]，葬武皇帝于万安陵，庙号高祖。

戊戌[328]，齐封皇子绍义[329]为广阳王。以尚书右仆射河间王孝琬为左仆射，都官尚书崔昂为右仆射。

周御正中大夫崔猷建议，以为"圣人沿革，因时制宜。今天子称王，不足以威天下，请遵秦、汉旧制称皇帝，建年号"。己亥[330][26]，周王始称皇帝，追尊文王曰文皇帝，改元武成。

癸卯[331]，齐诏："民间或有父祖冒姓元氏，或假托携养者，不问世数远近，悉听改复本姓。"

初，高祖追谥兄道谭[332]为始兴昭烈王，以其次子顼袭封。及世祖即位，顼在长安未还，上以本宗乏飨[333]，戊戌[334]，诏徙封顼为安成王，皇子伯茂[335]为始兴王。

初，周太祖平蜀，以其形胜之地，不欲使宿将居之，问诸子："谁可往者？"皆不对。少子安成公宪[336]请行，太祖以其幼，不许。壬子[337]，周人以宪为益州总管，时年十六，善于抚绥，留心政术，蜀人悦之。九月乙卯[338]，以大将军天水公广[339]为梁州总管。广，导之子也。

辛酉[340]，立皇子伯宗为太子。

己巳[341]，齐主如晋阳。

辛未[342]，周主封其弟辅城公邕[343]为鲁公，安成公宪为齐公，纯[344]为陈公，盛[345]为越公，达[346]为代公，通[347]为冀公，逌[348]为滕公。

乙亥[349]，立太子母吴兴沈妃[350]为皇后。

北齐显祖高洋将要前往晋阳，于是下令杀尽元魏宗室，有祖父、父亲封王，或是自身曾显贵的，全家都押到东市处斩，其中幼小的婴儿抛向空中，用长矛承接刺死。前后杀死的人总计七百二十一人，全部抛尸于漳水中，剖鱼的人常常得到人的指甲，邺都的人因此久久都不敢吃鱼。高洋还下令元黄头和一些囚犯，从金凤台各自乘纸鸱风筝飞下，只有元黄头一人飞到紫陌才掉下来，没有摔死，仍然交给御史中丞毕义云，活活饿死他。只有开府仪同三司元蛮、祠部郎中元文遥等几个家庭侥幸免死。元蛮，是元继的儿子，常山王高演妃子的父亲。元文遥，是元遵的第五代孙。定襄县令元景安，是元虔的玄孙，想请求改姓高氏，他的堂兄元景皓说："哪有放弃本宗而改从他人之姓的呢？大丈夫宁可玉碎，哪能瓦全？"元景安把他的话报告给了高洋，高洋收捕元景皓，杀了他。赐元景安姓高氏。

八月甲申日，在万安陵安葬陈武帝，庙号高祖。

八月十四日戊戌，北齐封皇子高绍义为广阳王。任命尚书右仆射河间王高孝琬为左仆射，都官尚书崔昂为右仆射。

北周御正中大夫崔猷建议，认为"圣人的制度沿革，因时制宜。如今天子称王，不足以立威天下，请求遵用秦、汉旧制号皇帝，建立年号"。八月十五日己亥，北周天王始称皇帝，并追尊文王叫文皇帝，改年号叫武成。

八月十九日癸卯，北齐下诏："民间有的父亲、祖父冒充姓元，有的假托是元氏认养的，不管代数远近，一概允许改复本姓。"

当初，高祖陈霸先追谥他的哥哥陈道谭为始兴昭烈王，让他的次子陈顼继承封爵。等到世祖陈蒨即位，陈顼在长安还没有回来，皇上陈蒨考虑本宗没有主祭祖宗的人，就在八月十四日戊戌，下诏徙封陈顼为安成王，封皇子陈伯茂为始兴王。

当初，北周太祖宇文泰平定蜀地，因为这是险要形胜的地方，不想让老将去镇守，询问诸子，说："谁能到蜀地去？"儿子都不吭声，小儿子安成公宇文宪请求前往，宇文泰认为他年幼，不允许。八月二十八日壬子，北周明帝任命宇文宪为益州总管，当时十六岁。宇文宪善于安抚民众，又能留心治术，益州人喜欢他。九月初一日乙卯，任命大将军天水公宇文广为梁州总管。宇文广，是宇文导的儿子。

九月初七日辛酉，陈文帝册立皇子陈伯宗为太子。

十五日己巳，北齐国主高洋前往晋阳。

九月十七日辛未，北周国主宇文毓封他的弟弟辅城公宇文邕为鲁国公，安成公宇文宪为齐国公，宇文纯为陈国公，宇文盛为越国公，宇文达为代国公，宇文通为冀国公，宇文逌为滕国公。

九月二十一日乙亥，陈文帝册立太子母亲吴兴人沈妃为皇后。

周少保怀宁庄㊿公蔡祐卒。

齐显祖嗜酒成疾，不复能食，自知不能久，谓李后曰：“人生必有死，何足致惜？但怜正道[352]尚幼，人将夺之耳。”又谓常山王演曰：“夺则任汝，慎勿杀也！”尚书令开封王杨愔、领军大将军平秦王归彦、侍中广汉燕子献[353]、黄门侍郎郑颐皆受遗诏辅政。

冬，十月甲午[354]，殂。癸卯[355]，发丧，群臣号哭，无下泣者，唯杨愔涕泗呜咽。太子殷即位，大赦。庚戌[356]，尊皇太后为太皇太后，皇后为皇太后。诏诸土木金铁杂作一切停罢。

王琳闻高祖殂，乃以少府卿吴郡孙玚为郢州刺史，总留任[357]，奉梁永嘉王庄出屯濡须口，齐扬州道行台慕容俨帅众临江，为之声援。十一月乙卯[358]，琳寇大雷[359]，诏侯瑱、侯安都及仪同徐度将兵御之。安州刺史吴明彻夜袭湓城，琳遣巴陵太守任忠击明彻，大破之，明彻仅以身免。琳因引兵东下。

齐以右丞相斛律金为左丞相，常山王演为太傅，长广王湛为太尉，段韶为司徒，平阳王[27]淹为司空，高阳王湜为尚书左仆射，河间王孝琬为司州牧，侍中燕子献为右仆射。

辛未[360]，齐显祖之丧至邺。

十二月戊戌[361]，齐徙上党王绍仁为渔阳王，广阳王绍义为范阳王，长乐王绍广为陇西王。

【段旨】

以上为第四段，写陈武帝陈霸先削平诸侯而谢世，故能平稳交接政权。北齐国主高洋因酗酒乱性而酷虐，其统治后期尤甚，竟因酗酒致疾而身亡。北周天王宇文毓亲政，礼贤下士，股肱贤良，周境政清。

北周少保怀宁庄公蔡祐去世。

北齐显祖高洋嗜酒成疾，不再能进食，自己知道活不了多久，对李皇后说："人活着就一定会死，哪值得惋惜？只可怜嗣子高正道年龄还小，别人将会夺他的皇位。"又对常山王高演说："夺取皇位，任由你，千万不要杀他！"尚书令开封王杨愔、领军大将军平秦王高归彦、侍中广汉人燕子献、黄门侍郎郑颐都受遗诏辅政。

冬，十月初十日甲午，北齐显祖高洋崩殂。十九日癸卯，举行丧礼，群臣号哭，没有一个人流眼泪，只有杨愔一个人涕泪呜咽。太子高殷即皇帝位，大赦天下。二十六日庚戌，尊皇太后为太皇太后，皇后为皇太后。诏令所有土、木、金、铁等各种制造，一律停下来。

王琳得知陈高祖去世，便任命少府卿吴郡人孙玚为郢州刺史，总理留守事务，自己辅助梁朝永嘉王萧庄出兵屯驻濡须口，北齐扬州道行台慕容俨率领部众到达长江岸边，为王琳声援。十一月初二日乙卯，王琳进犯大雷，陈文帝诏令太尉侯瑱、司空侯安都以及仪同三司徐度等领兵抵抗。安州刺史吴明彻深夜偷袭湓城，王琳派巴陵太守任忠迎击吴明彻，大获全胜，吴明彻只身逃命。王琳乘胜领兵东下。

北齐任命右丞相斛律金为左丞相，常山王高演为太傅，长广王高湛为太尉，段韶为司徒，平阳王高淹为司空，高阳王高湜为尚书左仆射，河间王高孝琬为司州牧，侍中燕子献为右仆射。

十一月十八日辛未，齐显祖高洋的灵柩到达邺城。

十二月十五日戊戌，北齐改封上党王高绍仁为渔阳王，广阳王高绍义为范阳王，长乐王高绍广为陇西王。

【注释】

㉛己酉：正月二十一日。㉜辛酉：二月初三日。㉝壬午：二月二十四日。㉞丙戌：二月二十八日。㉟甘露寺：寺院名，在辽阳城，即今山西左权。㊱深观：深思佛理。㊲手斩其妻：据《北齐书》卷三十《崔暹传》，李氏的真正死因是崔暹子崔达拏妻子乐安公主向高洋诉说婆婆对待她态度不好所致，与《通鉴》异。㊳曹回公：《北齐书》卷十七《斛律光传》作"曹迴公"。㊴柏谷：在今河南洛阳市偃师区境内。㊵薛禹生：《周书》卷十九与《北史》卷六十五《达奚武传》均作"薛羽生"，《北齐书》卷十七《斛律金传》与《通鉴》同。㊶文侯镇：地名，当在今河南洛阳市偃师区。㊷戊戌：三月十一日。㊸庚戌：三月二十三日。㊹丙辰：三月二十九日。㊺雷文策：《周书》卷四十八《萧詧传》作"雷又柔"，《北史》卷九十三《僭伪附庸梁詧传》作"雷文柔"。㊻文

肃：定州县侯杜弼的谥号。㉖⑦戊子：闰四月初二日。㉖⑧丁酉：闰四月十一日。㉖⑨南皖口：皖水入长江口，在今安徽怀宁东。又叫皖口镇或山口镇。㉗⓪自差：不治自愈。㉗①除书：任命书。㉗②寄人：寄放他人处。㉗③乙巳：闰四月十九日。㉗④绍廉：高绍廉，高洋第五子。初封长乐王，后改封陇西王。因饮酒过度而死。传见《北齐书》卷十二、《北史》卷五十二。㉗⑤辛亥：闰四月二十五日。㉗⑥邕：宇文邕，封辅城公。㉗⑦乙卯：闰四月二十九日。㉗⑧征备如法：按法律追还财物。㉗⑨洮阳洪和：皆为城名。洮阳在今甘肃临潭。洪和，后设美相县，为洮州州治，也在今甘肃临潭。㉘⓪丙辰朔：五月初一日。〖按〗五月丁亥朔，非丙辰，疑记载有误。㉘①厌之：即厌当，用迷信的方法来压制未来可能出现的灾祸。㉘②癸未：五月二十七日。㉘③元世哲：东魏末任吏部郎。入齐，封始平公。传见《魏书》卷十九中。㉘④金口：即金溪口，在今江西南昌市新建区西南。㉘⑤三陂：地名，今址不详。㉘⑥曹庆：王琳部将，萧庄所任左卫将军，吴州刺史。王琳失败后，降陈。后随华皎叛乱，被诛。传见《陈书》卷二十。㉘⑦乙酉：五月二十九日。㉘⑧新淦城：新淦县县治，在今江西樟树。㉘⑨入城：入新蔡城，在今安徽霍山东。㉙⓪戊子：六月初三日。㉙①霖雨：连日阴雨。㉙②左光禄大夫：官名，无固定职守，以论议为主。㉙③乐逊（公元五〇〇至五八一年）：字遵贤，河东猗氏（今山西临猗南）人，初教宇文泰诸子习经学。入周，任太学博士，转开府仪同大将军，封崇业郡公。传见《周书》卷四十五、《北史》卷八十二。㉙④补拟：拟选官职。当时都是由吏部秘密上奏皇帝裁定。㉙⑤处士：在野不出仕的士人。㉙⑥韦敻（公元五〇三至五七九年）：字敬远，京兆杜陵（今陕西西安东南）人。淡于荣利，连举不仕。周明帝时，愿以处士身份随时谒见，号称“逍遥公”。主张儒、道、佛三教同归于善，著《三教序》。传见《周书》卷三十一、《北史》卷六十四。㉙⑦“酣酒嗜音”四句：此四句出自《尚书·夏书·五子之歌》。说的是沉湎于酒乐，房屋修得高大，又装饰华丽，有其中一个毛病，就没有不败亡的。㉙⑧寇俊（公元四八四至五六三年）：字祖俊，上谷昌平人，西魏末官至车骑大将军、仪同三司，加散骑常侍，赐姓若口引氏。入周，进位骠骑大将军，封西安县子。居家常教授子孙经学。传见《周书》卷三十七、《北史》卷二十七。㉙⑨赞：寇赞，北魏南雍州刺史，封河南公。传见《魏书》卷四十二、《北史》卷二十七。㉚⓪常：通“尝”，曾经。㉚①同丰约：同甘共苦。㉚②周炅、周协：两人受王琳派遣，协助曹庆攻打周迪，取胜后南返。㉚③左里：城名，在今江西都昌西北，彭蠡湖东岸。㉚④庐山：山名，在今江西九江市柴桑区。㉚⑤庚寅：六月初五日。㉚⑥钱道戢（公元五一一至五七三年）：字子韬，吴兴长城人，妻为陈霸先从妹。梁末，以平定张彪功，拜东徐州刺史，封永安县侯。入陈，参与平定留异、欧阳颜叛乱，征讨过萧岿，屡立战功。于北伐途中病死于历阳。传见《陈书》卷二十二、《南史》卷六十七。㉚⑦丁酉：六月十二日。㉚⑧丙午：六月二十一日。㉚⑨蚌盘：用蚌壳作为装饰的漆器。又称螺钿。㉛⓪殽核：菜肴和果品。㉛①昌：陈昌，陈霸先第六子，梁元帝承圣元年（公元五五二年）征昌为领直，实为人质。江陵失陷，被掳到长安。陈文帝天嘉元年（公元五六〇年）南还途中，济江溺亡。传见《陈书》卷十四。⑫蜡：动物或植物分泌的脂状物，可融化，再经冷却成型。⑬秘器：棺材。⑭甲寅：六月二十九日。⑮大功：指平定杜龛、张彪之功。⑯太极：指太极殿。⑰丙辰：七月初一日。⑱辛酉：七月初六日。⑲元黄头：北魏废帝元朗之子。原封安定王，后改封安平王。传见《魏书》卷十九下。⑳纸鸱：鹞子形状的风筝。高洋叫死囚乘它从高台上飞下，如能安全着陆，可以免杀。㉑元文遥：字德远，河南洛阳人，东魏末隐居林虑山。入齐，历事高洋、高演、高湛三帝，赐姓高氏，任尚书左仆射，封宁都郡公。传见《北齐书》卷三十八、《北史》卷五十五。㉒蛮：元蛮，曾任光禄卿。因是高演妃子元氏的父亲，赐姓步六孤氏。传见《魏书》卷十六、《北齐书》卷四十八、《北史》卷十六。㉓继：元继（？至公元五二八年），字世仁，北魏京兆王，任侍中、太师、大将军、大都督，录尚书事，权倾一时。传见《魏书》卷十六、《北史》卷十六。㉔元景安：东魏代郡公。入齐，官至领军大将军，封历阳郡王。后降周。传见《北齐书》卷四十一、《北史》卷五十三。㉕虔：元虔，北魏陈留王。传见《魏书》卷十五、《北史》卷十五。㉖景皓：元景皓，东魏末，袭爵陈留王。传见《北齐书》卷四十一、《北史》卷五十三。㉗甲申：八月乙酉朔，无甲申。据《陈书》和《南史》，八月甲午定谥号为武皇帝，丙申葬于万安陵。则此“甲申”当是“丙申”之误。应是八月十二日。㉘戊戌：八月十四日。㉙绍义：高绍义，高洋第三子。后封范阳王。北周灭齐，奔入突厥，自称皇帝，招揽北齐余部。但不久即被突厥交付给周军，流放于蜀地而死。传见《北齐书》卷十二、《北史》卷五十二。㉚己亥：八月十五日。㉛癸卯：八月十九日。㉜道谭：陈道谭，初追封长城县公，后改封始兴王，谥号昭烈。《陈书》《南史》中，“谭”或作“谈”。㉝上以本宗乏飨：陈文帝陈蒨是陈道谭的长子，弟陈顼在长安。他继承陈霸先为帝，不能再成为本宗的主祭人，所以才有以下之举。㉞戊戌：八月十四日。㉟伯茂：陈伯茂（？至公元五六八年），字郁之，陈蒨第二子。封始兴王，奉陈道谭祀。因与陈顼有矛盾，在陈顼即位后，即被贬为温麻侯，不久遭暗杀。传见《陈书》卷二十八、《南史》卷六十五。㊱安成公宪：宇文宪（公元五四五至五七九年），字毗贺突，宇文泰第五子。西魏时，封安城郡公。入周，拜骠骑大将军，出督益州，封齐国公。周武帝时，代宇文护为冢宰，进爵齐王。率军东征，灭北齐。又平定稽胡刘没铎的叛乱。宣帝即位，遭忌被缢死。传见《周书》卷十二、《北史》卷五十八。㊲壬子：八月二十八日。㊳乙卯：九月初一日。㊴天水公广：宇文广，字乾归，初封永昌郡公。入周，改封天水郡公。官至大将军、柱国、豳国公。传见《周书》卷十、《北史》卷五十七。㊵辛酉：九月初七日。㊶己巳：九月十五日。㊷辛未：九月十七日。㊸邕：宇文邕（公元五四三至五七八年），即周武帝，宇文泰第四子，字弥罗突，公元五六一—五七八年在位。灭北齐，统一北方，奠定了隋统一全国的基础。事详《周书》卷五、《北史》卷十。㊹纯：宇文纯（？至公元五八〇年），字堙智突，位至柱国。夺取北齐并州后，进位上柱国，拜并州总管。因不满杨坚擅政，被杀。传见《周书》卷十三、《北史》卷五十八。㊺盛：宇文盛（？至公元五八〇年），字立久突，历任上柱国、相州总管、大冢宰。后与五子一起被杨坚处死。传见《周书》卷十三、《北史》卷五十八。㊻达：宇文达（？至公元五八〇年），字度斤突，官至上柱国。也被杨坚所杀。传见《周书》卷十三、《北史》卷五十八。㊼通：宇文通（？至公元五七一年），字屈率突。传见《周书》卷十三、《北史》卷五十八。㊽逌：宇文逌（？至公元五八〇年），字尔固突，进位上柱国，伐陈元帅，后被杨坚所杀。传见《周书》卷十三、《北史》卷五十八。㊾乙亥：九月二十一日。㊿沈妃：即世祖沈皇后，名妙容，吴兴武康（今浙江德清武康镇）人，隋灭陈，返回故乡而死。传见《陈书》卷七、《南史》卷十二。351庄：怀宁公蔡祐谥号。352正道：太子高殷的字。353燕子献：字季则，广汉下洛（今四川广汉）人。北齐文宣帝时，官至侍中、开府。传见《北齐书》卷三十四、《北史》卷四十一。354甲午：十月初十日。355癸卯：十月十九日。356庚戌：十月二十六日。357总留任：负责总理留守郢州所有事务。358乙卯：十一月初二日。359大雷：郡名，陈置，治所望江，在今安徽望江西。360辛未：十一月十八日。361戊戌：十二月十五日。

【校记】

［21］侍中：原无此二字。据章钰校，十二行本、乙十一行本、孔天胤本皆有此二字，张敦仁《通鉴刊本识误》同，今据补。［22］内：原作“御”。据章钰校，十二行本、乙十一行本皆作“内”，今据改。〖按〗《通鉴纪事本末》卷二四作“内”。［23］长乐王：原作“长安王”。严衍《通鉴补》改作“长乐王”。《北齐书·文宣帝纪》《北史·显祖文宣帝纪》亦皆作“长乐王”，当是，今从改。［24］库厩：原作“厩库”。据章钰校，十二行本、乙十一行本二字皆互乙，今据改。〖按〗《周书·明帝纪》《北史·世宗明帝纪》皆作“库厩”。［25］兴：原作“举”。据章钰校，十二行本、乙十一行本皆作“兴”，今据改。〖按〗《周书·儒林传·乐逊传》作“兴”。［26］己亥：原作“乙亥”。据章钰校，十二行本、乙十一行本、孔天胤本皆作“己亥”，张敦仁《通鉴刊本识误》同，今据改。〖按〗《周书·明帝纪》《北史·世宗明帝纪》皆作“己亥”。［27］平阳王：原作“平原王”。据章钰校，十二行本、乙十一行本皆作“平阳王”，今据改。〖按〗《北齐书·废帝纪》《北史·废帝纪》皆作“平阳王”。

【研析】

公元五五七年正月，北周政权正式建立，如同魏晋南北朝时期其他通过“禅让”建立的政权一样，只不过是最高统治者换了一个姓氏，政权的统治集团并没有发生实质的变化，但北周之所以称作“周”，是因为其制度效法西周，行用《周礼》，这使这一政权在中国历史上颇具意义。对于新创立的北周政权来说，不久前才接替宇文泰成为执政者的宇文护，必须在随后的两三年间，利用权势与手段，妥善处理与皇帝的关系，清除统治集团中的异己分子，集中权力，并使宇文氏北周政权切实得到巩固。就在这年十月，陈霸先亦于建康称帝，建立陈朝。陈霸先称帝，远非众望所归，新建立的陈朝必须在随后几年间通过一系列的战争，结束江南分崩离析的政治状态。这两个问题，是《通鉴》本卷记事的重心所在。当然，本卷还详细记载了北齐文宣帝高洋执政后期的疯狂。下面就北周行《周礼》的实质、宇文护强化个人权力以及陈朝初期政权的特征，加以着重分析。

第一，关于北周行《周礼》。《周礼》一书被称为儒家经典，但面世于西汉末年王莽当政之时，并成为王莽改制的蓝本，历史上有人认为是当时大学者、王莽的"国师"刘歆等人伪造，但现在一般认为是儒者利用西周切实施行过的一些制度及名号，吸收秦汉大一统政治实践中的有效成分，加上儒者自己的理想因素而构建的一个号称西周制度的文本。全书分天官大冢宰、地官大司徒、春官大宗伯、夏官大司马、秋官大司寇、冬官大司空六个部分，分叙相关制度，又称"六典"。历史上除了王莽之外，利用《周礼》内容进行政权建设的还有北周及唐代武则天的武周政权。

本书卷一百六十六称：宇文泰"性好质素，不尚虚饰，明达政事，崇儒好古，凡所施设，皆依仿三代而为之"。我们曾在卷一百五十九分析过宇文泰利用《尚书》文体改革当时"浮华"文风的意义，也是其"崇儒好古""依仿三代"的一个具体例证。宇文泰生前"始作九命之典，以叙内外官爵"，定下新政权的制度基调，北周即按上述"六典"结构，组织中央各级政府。官员级别不再如魏晋以来那样，分为九品，一品高而九品低，而是按周制分为"九命"，一命最低，九命最高；官名也按《周礼》，分为卿、大夫、士三类，并各分为上、中、下。最初设计还按周代传统，最高统治者称"王"而不称"皇帝"，废除年号，根据君主在位时间称元年、二年，不过，此类不合时宜的做法，很快就被抛弃。

对这套复古的制度，现代史学家给予了多方面的解读。陈寅恪先生在《隋唐制度渊源略论稿》中评论说："适值泰以少数鲜卑化之六镇民族窜割关陇一隅之地，而欲与雄踞山东之高欢及旧承江左之萧氏争霸，非别树一帜，以关中地域为本位，融冶胡汉为一体，以自别于洛阳、建邺或江陵文化势力之外，则无以坚其群众自信之心理。"唐长孺先生在《魏晋隋唐史三论》一书中认为，按《周礼》改革机构与官名，使其全异于汉魏以来旧名旧称，有助于根除依照父祖官爵定子孙仕途的士族门阀制度。王仲荦先生在《北周六典》一书中，则反复提醒读者，北周虽行用《周礼》，但只限于中央机构，而地方行政制度则一如魏晋以来旧制，实行州、郡、县三级制，并没有恢复不利于中央集权的周代分封制。合观三位著名史学家的观点，我们对于北周模仿《周礼》的原因及其制度特点，应该会有一个较全面的认识。

第二，宇文护强化个人权力。在专制集权制度下，无论实际掌握政权的是君主还是执政者，拥有绝对权力都是政治稳定的保证，宇文护接掌政权之时，还缺乏使用这种权力的底气。我们知道，宇文泰执掌西魏政权，是在情势危急的情况下，众多资历比他高、年纪比他大的长者推举的结果，宇文泰成功地使西魏政权稳定下来，并逐步向南扩张，自己的权力也得到巩固，但他毕竟只是一个执政者，并非君主。当其突然病逝于巡视途中，自己的儿子尚未成人，临终将权力交给比自己小十余岁的侄儿中山公宇文护。如本书卷一百六十六末所说，宇文护“名位素卑，虽为泰所属，而群公各图执政，莫肯服从”。只是因为大司寇于谨“以死争之”，宇文护才得以接管政权。宇文护上台后，所做第一件事便是以魏帝的名义，“以岐阳之地封（宇文泰）世子觉为周公”，并迅速实施禅代，将周公推上君主的宝座，从而将权力取予真正变成了宇文氏的“家事”，为清除异己创造了必要的条件。

对自以为资格老、原本与宇文泰地位相同、“怏怏不服”的楚公赵贵与卫公独孤信，宇文护采取了不同的策略予以处置。赵贵“谋杀护”以图执政，已势不两立，独孤信知其谋而不告，亦罪不可赦。对于赵贵，趁其入朝“执而杀之”，公开处置；对于独孤信，则“逼令自杀”。赵贵虽资格甚老，为人强横，但显然并无太多强援，公开将其处死，有助于威慑其他“诸公”，而作为首批柱国大将军的独孤信，如公开诛杀，势必伤及统治集团的稳定。从独孤信三女，一嫁北周皇帝，一嫁柱国大将军李虎之子李昞（即唐高祖李渊之父），一嫁其部下两大将军之一杨忠之子杨坚（即隋文帝），我们便可知他在西魏政坛人脉甚广。宇文护对于独孤信的处置，可谓有理、有利、有节。独孤信罪当被诛，杀得有理；让其自杀，保全独孤家人的政治地位，是为有节；而最终却能使宇文护在强化权力的同时赢得人心，是为有利。周帝宇文毓皇后独孤氏，是在独孤信自杀一年后才被立为后的，这明显表明宇文护积极笼络独孤氏一系势力的意图。“谋臣宿将，争往附之，大小之政，皆决于护”，虽出于攻击他的李植等人的口中，却也应是实情。因此，当宇文护决定废黜年少无知、试图在李植等支持下朝纲独断的宇文觉时，“公卿皆曰：‘此公之家事，敢不唯命是听？’”本卷所记宇文护对于李植及其家人的处理过程与方式，同样也显示出宇文护既要强化权力，又力图控制打击范围，以争取一切可以争取的人物的态度。

总之，宇文护尽管在历史上最终以被诛杀的权臣面貌出现，但在宇文泰之后，创立北周政权，并迅速实现政治稳定，功不可没。

第三，陈朝创立及其特征。《陈书》卷六《后主纪》末，记唐代政治家魏征对陈霸先在江南尚未实现政治统一时急于称帝颇有微词：“于时内难未弭，外邻勍敌，王琳作梗于上流，周、齐摇荡于江、汉，畏首畏尾，若存若亡，此之不图，遽移天历，虽皇灵有眷，何其速也。”《通鉴》本卷亦记侯安都奉命率军进攻控湘江流域的王琳，在听说陈霸先于建康称帝的消息时，叹息说：“吾今兹必败，战无名矣！”其实，魏征的意见并不可取，侯安都的感叹如果有其事，亦暗于形势，只能说明他不如陈霸先高明。

那么，陈霸先为何不在荡平江南、天人所归时就尊位，而急于在控制江东一隅后就称帝建国呢？

在本书卷一百六十四，我们已分析过，陈霸先属于南朝社会的底层寒人，并不具备强大的政治与文化影响力，所可凭借者，是其纠合的岭南与赣江流域的地方势力，这些势力的首领，此前亦无缘跻身政治高层。陈霸先袭杀王僧辩，实际上已与拥梁政治势力分道扬镳。王琳最初以为梁元帝萧绎复仇为名，袭据湘州，后又接受北齐支持的萧庄为梁帝，招动湘江流域的土豪势力。这种种因素，都使陈霸先打着复兴梁朝的旗号，并不能在政治上得分，让各地割据者归服，反而会使本集团成员找不到奋斗的目标，失去凝聚力，亦难以对岭南梁朝残余势力萧勃展开切实的行动。

在此我们只能推断陈霸先急于称帝的理由：称帝建国，另立旗号，使侯安都、周文育等陈霸先所倚重的战将，有了更强烈的政治归属感；对于原本支持他的岭南、赣江流域豪族，也具有更大的号召力；对于王琳、萧勃等进行的战争，也不再有同室操戈的嫌疑。当然，尽管陈霸先基本上是白手起家，自开新局，并没有从梁室那里继承到什么，他还是得走“禅让”的旧路，为新政权寻找合法的外衣。

卷第一百六十八　陈纪二

起上章执徐（庚辰，公元五六〇年），尽玄黓敦牂（壬午，公元五六二年），凡三年。

【题解】

本卷载述公元五六〇到五六二年三年间南北朝史事，当陈文帝天嘉元年至三年，北周明帝武成二年、武帝保定元年至二年，北齐废帝乾明元年、孝昭帝皇建元年至二年、武成帝太宁元年至二年。这一时期南北朝三方北周、北齐、陈朝三国内政动荡不已，同时迭起宫廷政变，以北齐为最。高演废帝自立，中断北齐帝位父子相继，变成兄终弟及，以力相夺。三国之间无大战，而边境摩擦不断，最终陈文帝通好北周、北齐，南北对峙，暂趋平静。

【原文】

世祖文皇帝上

天嘉元年（庚辰，公元五六〇年）

春，正月癸丑朔[①]，大赦，改元[②]。

齐大赦，改元乾明。

辛酉[③]，上祀南郊。

齐高阳王湜[④]以滑稽[⑤]便辟[⑥]有宠于显祖，常在左右，执杖以挞诸王，太皇太后深衔之。及显祖殂，湜有罪[⑦]，太皇太后杖之百余，癸亥[⑧]，卒。

辛未[⑨]，上祀北郊。

齐主自晋阳还至邺。

【语译】

世祖文皇帝上

天嘉元年（庚辰，公元五六〇年）

春，正月初一日癸丑，陈朝大赦天下，改年号为天嘉。

北齐大赦天下，改年号为乾明。

初九日辛酉，陈文帝到南郊祭天。

北齐高阳王高湜因言辞敏捷诙谐，又善于逢迎献媚，受到显祖高洋的宠爱，经常在高洋身边，手执木杖拷打诸王，太皇太后娄氏对他深为痛恨。等到显祖高洋死了，高湜有罪，太皇太后打了他一百多棍，正月十一日癸亥，高湜去世。

正月十九日辛未，陈文帝到北郊祭地。

北齐国主高殷从晋阳回到邺城。

二月乙未[10]，高州刺史纪机[11]自军所[12]逃还宣城，据郡应王琳，泾令贺当迁讨平之。

王琳至栅口，侯瑱督诸军出屯芜湖，相持百余日。东关春水稍长，舟舰得通，琳引合肥、漅湖[13]之众，舳舻相次而下，军势甚盛。瑱进军虎槛洲[14]，琳亦出船列于江西，隔洲而泊。明日，合战，琳军少却，退保西岸。及夕，东北风大起，吹其舟舰并坏，没于沙中，浪大，不得还浦。及旦，风静，琳入浦治船，瑱等亦引军退入芜湖。

周人闻琳东下，遣都督荆、襄等五十二州诸军事、荆州刺史史宁将兵数万，乘虚袭郢州，孙玚婴城自守。琳闻之，恐其众溃，乃帅舟师东下，去芜湖十里而泊，击柝闻于陈军。齐仪同三司刘伯球将兵万余人助琳水战，行台慕容恃德之子子会[15]将铁骑二千屯芜湖西岸，为之声势。

丙申[16]，瑱令军中晨炊蓐食以待之。时西南风急，琳自谓得天助，引兵直趣建康。瑱等徐出芜湖蹑其后，西南风翻为瑱用。琳掷火炬以烧陈船，皆反烧其船。瑱发拍[17]以击琳舰，又以牛皮冒蒙冲小船[18]以触其舰，并镕铁洒之。琳军大败，军士溺死者什二三，余皆弃船登岸，为陈军所杀殆尽。齐步军在西岸者，自相蹂践，并陷于芦荻泥淖中，骑皆弃马脱走，得免者什二三。擒刘伯球、慕容子会，斩获万计，尽收梁、齐军资器械。琳乘舴艋冒陈走[19]，至湓城，欲收合离散，众无附者，乃与妻妾左右十余人奔齐。

先是，琳使侍中袁泌[20]、御史中丞刘仲威[21]侍卫永嘉王庄。及败，左右皆散，泌以轻舟送庄达于齐境，拜辞而还，遂来降，仲威奉庄奔齐。泌，昂之子也。樊猛及其兄毅帅部曲来降。

二月十三日乙未，陈朝高州刺史纪机从前线军营逃回宣城，占据郡城响应王琳，泾县令贺当迁出兵讨平了他。

王琳到了栅口，侯瑱都督诸军出屯芜湖，双方相持了一百多天。东关春水渐涨，舟船得以通航，王琳率领合肥、巢湖一带的水军，舰船首尾相接，依次顺流而下，声势浩大。侯瑱进军到虎槛洲，王琳也列出兵船在大江西岸，与侯瑱隔虎槛洲停泊。第二天，两军交战，王琳稍稍后退，守卫大江西岸。到了晚上，东北风越来越大，吹坏了王琳军的不少舟船，有的陷入沙中，江中浪又大，舟船回不了湖口。等到天亮时，风才平静下来，王琳把舟船开入浦口整修，侯瑱等也率军退入芜湖。

北周听说王琳东下，派都督荆州襄州等五十二州诸军事、荆州刺史史宁领兵数万，乘虚袭击郢州，孙玚环城设防固守。王琳得到消息，担心他的军队溃散，便率领舟师东下，离芜湖十里停泊，击柝的声音，可以传到陈军中。北齐仪同三司刘伯球领兵一万余人援助王琳水战，行台慕容恃德之子慕容子会率领两千铁骑屯驻在芜湖西岸，为王琳声援。

二月十四日丙申，侯瑱传令军中，清早做饭，坐在床上就食，等待与王琳军交战。当时，西南风吹得很急，王琳自以为得到了天助，率军直趋建康。侯瑱等慢慢地把船开出芜湖，跟在王琳军的背后，西南风反而被侯瑱利用，王琳掷火炬用来烧陈军战船，反而烧了自己的兵船。侯瑱趁着风势发动拍竿，猛烈拍击王琳的兵船，又用蒙冲小船撞击王琳的兵船，并用烧熔的铁水顺风浇王琳的战船，王琳军惨败，士兵落水淹死的有十分之二三，其余的兵士弃船登岸，被陈军杀灭殆尽。西岸上的北齐步兵，自相践踏，又陷在芦荻泥潭中，骑兵都弃马逃走，生还的只有十分之二三。陈军擒获了刘伯球、慕容子会，杀死敌人与抓获的俘虏以万计，全部缴获了王琳军、北齐军的军资器械。王琳乘坐舴艋小船突围逃走，到达湓城，想搜集散兵，他的部众没有一个跟随的，他只好与妻妾和身边的十余人逃奔到北齐。

早先，王琳派侍中袁泌、御史中丞刘仲威侍卫永嘉王萧庄。等到战败，身边的人都跑散了，袁泌用轻舟护送萧庄抵达齐境，拜别萧庄而返回，便前来投降陈军，刘仲威护送萧庄逃奔北齐。袁泌，是袁昂的儿子。樊猛和他的哥哥樊毅率领部曲前来投降。

【段旨】

以上为第一段，写南朝王琳军败没，陈文帝讨灭了萧梁残余势力，陈朝拥有江南全境。

【注释】

①癸丑朔：正月初一日。②改元：改年号“永定”为“天嘉”。③辛酉：正月初九日。④湜：高湜（？至公元五六〇年），高欢第十一子，天保元年（公元五五〇年）封高阳王，曾任尚书令。传见《北齐书》卷十、《北史》卷五十一。⑤滑稽：言行举止令人发笑。⑥便辟：逢迎献媚的样子。⑦湜有罪：高洋出丧，湜以司徒导引梓宫，边走边吹笛，还说：“至尊很了解臣。”又在治丧期间击鼓取乐，于是激怒太皇太后。事见《北齐书》卷十、《北史》卷五十一。⑧癸亥：正月十一日。⑨辛未：正月十九日。⑩乙未：二月十三日。⑪纪机：初起宣城，聚众千余人，侵暴郡县，后为高州刺史。事见《陈书》卷三《世祖纪》。⑫军所：指大雷前线侯瑱军营。⑬濡湖：即巢湖，安徽境内最大的淡水湖。⑭虎槛洲：江心洲，在安徽繁昌东北长江中，距芜湖不远。⑮子会：慕容

【原文】

齐葬文宣皇帝于武宁陵[22]，庙号高祖，后改曰显祖。

戊戌[23]，诏：“衣冠士族、将帅战兵陷在王琳党中者，皆赦之，随材铨叙。”

己亥[24]，齐以常山王演为太师、录尚书事，以长广王湛为大司马、并省录尚书事，以尚书左仆射平秦王归彦为司空，赵郡王叡为尚书左仆射。

诏：“诸元良口[25]配没入官及赐人者并纵遣。”

乙巳[26]，以太尉侯瑱都督湘、巴等五州诸军事，镇湓城。

齐显祖之丧，常山王演居禁中护丧事，娄太后欲立之而不果。太子即位，乃就朝列。以天子谅阴，诏演居东馆[27]，欲奏之事，皆先咨决。杨愔等以演与长广王湛位地亲逼[28]，恐不利于嗣主，心忌之。居顷之，演出归第，自是诏敕多不关预。或谓演曰：“鸷鸟离巢，必有探卵之患。今日王何宜屡出？”中山太守阳休之诣演，演不见。休之谓王友王晞曰：“昔周公朝读百篇书，夕见七十士，犹恐不足。录王[29]何所嫌疑，乃尔拒绝宾客？”

先是，显祖之世，群臣人不自保。及济南王[30]立，演谓王晞曰：

子会，清都人。北齐末任郢州刺史，后降于北周。传见《北史》卷五十三。⑯丙申：二月十四日。⑰发拍：发动船只，以拍竿拍击敌船。战舰前后各装有拍竿，可以在较远距离内拍击敌船。⑱蒙冲小船：一种小型战船。用生牛皮蒙住船身，在前后左右开有射箭的窗口和可以刺出长矛的小孔，以及伸进桨柄的洞口，既有利于躲避敌人射出的箭和掷出的石块，又可以有效地进攻敌人，是水战中必不可少的战船。⑲冒陈走：冒死突阵而逃。⑳袁泌（公元五一〇至五六七年）：字文洋，陈郡阳夏（今河南太康）人。初从萧范，后降于侯景。王僧辩诛侯景，泌兼任丹杨尹。入陈，官至御史中丞。传见《陈书》卷十八、《南史》卷二十六。㉑刘仲威（公元五二七至五六九年）：南阳涅阳（今河南邓州东北）人，初随梁元帝，任中书侍郎，后随萧庄入北齐，终于邺。传见《陈书》卷十八、《南史》卷五十。

【语译】

北齐在武宁陵安葬了文宣帝高洋，庙号高祖，后改称显祖。

二月十六日戊戌，陈文帝下诏："官宦世族、将帅战士，过去依附王琳的人，一律赦免，按照个人的才能安排任用。"

二月十七日己亥，北齐任命常山王高演为太师、录尚书事，任命长广王高湛为大司马、并省录尚书事，任命尚书左仆射平秦王高归彦为司空，赵郡王高叡为尚书左仆射。

北齐国主高殷下诏："诸元魏宗室良家子女，罚没在官府为奴的，以及赏赐给人为奴的，一律释放回家。"

二月二十三日乙巳，陈朝任命太尉侯瑱都督湘州、巴州等五州诸军事，镇守湓城。

北齐显祖高洋死的时候，常山王高演住在宫中主持丧事，娄太后想立他为皇帝没有成功。太子高殷即位后，高演回到朝臣的行列，由于天子居丧，诏令高演住在昭阳殿东厢，朝臣想奏事，都先通过高演决定。杨愔等认为高演和长广王高湛官职和宗族地位非常接近，恐怕不利于继位的幼主，心里十分猜忌。过了不久，高演出宫回到王府宅第，从此诏敕高演大多不过问。有人对高演说："猛禽离巢，一定会有鸟蛋被取走的祸患。眼下大王怎么能多次出宫呢？"中山太守阳休之造访高演，高演不见。阳休之对高演的僚属王晞说："从前周公早晨读百篇书，晚上还要见七十个士人，仍然担心做得不好。录王有什么疑虑，如此这样拒绝宾客？"

先前，显祖高洋在位之时，群臣人人自危不保。等到济南王高殷即位，高演对

"一人垂拱，吾曹亦保优闲。"因言朝廷宽仁，真守文良主。晞曰："先帝时，东宫委一胡人傅之。今春秋尚富㉛，骤览万机，殿下宜朝夕先后㉜，亲承音旨。而使他姓出纳诏命，大权必有所归，殿下虽欲守藩，其可得邪？借令得遂冲退㉝，自审家祚㉞得保灵长乎？"演默然，久之，曰："何以处我？"晞曰："周公抱成王摄政七年，然后复子明辟㉟，惟殿下虑之。"演曰："我何敢自比周公？"晞曰："殿下今日地望㊱，欲不为周公，得邪？"演不应。显祖常使[1]胡人康虎儿保护太子，故晞言及之。

齐主将发晋阳，时议谓常山王必当留守根本之地㊲。执政㊳欲使常山王从帝之邺，留长广王镇晋阳，既而又疑之，乃敕二王俱从至邺。外朝闻之，莫不骇愕。又敕以王晞为并州长史。演既行，晞出郊送之。演恐有觇察，命晞还城，执晞手曰："努力自慎。"因[2]跃马而去。

平秦王归彦总知禁卫，杨愔宣敕留从驾五千兵于西中㊴，阴备非常。至邺数日，归彦乃知之，由是怨愔。

领军大将军可朱浑天和㊵，道元之子㊶也，尚帝姑东平公主㊷，每曰："若不诛二王，少主无自安之理。"燕子献谋处太皇太后于北宫，使归政皇太后。

又自天保八年已来，爵赏多滥，杨愔欲加澄汰㊸，乃先自表解开府及开封王，诸叨窃㊹恩荣者皆从黜免。由是嬖宠失职之徒，尽归心二叔。平秦王归彦初与杨、燕同心，既而中变，尽以疏忌之迹㊺告二王。

侍中宋钦道，弁㊻之孙也，显祖使在东宫，教太子以吏事。钦道面奏帝，称"二叔威权既重，宜速去之"。帝不许，曰："可与令公㊼共详其事。"愔等议出二王为刺史，以帝慈仁，恐不可所奏，乃通启皇太后，具述安危。宫人李昌仪㊽，即[3]高仲密之妻也，李太后以其同姓，甚相昵爱，以启示之，昌仪密启太皇太后。

愔等又议不可令二王俱出，乃奏以长广王湛镇晋阳，以常山王演录尚书事。二王既拜职，乙巳㊾，于尚书省大会百僚。愔等将赴之，散骑常侍兼中书侍郎郑颐止之，曰："事未可量，不宜轻脱。"愔曰："吾

王晞说："皇上垂衣拱手治天下，我们也乐得悠闲。"又说，皇上宽厚仁慈，真是一位守法的英明君主。王晞说："先帝在时，太子委一胡人辅导。如今皇上年轻，突然日理万机，殿下应当早晚在皇上身边，亲自承接他的意旨，如果让异姓朝臣传达诏令，大权一定会旁落他人，殿下虽然想守住藩国，怎能做到呢？即使您能冲淡谦退，您自己忖度，高氏家祚能长久保住吗？"高演沉默不语，过了好一阵，说："你说，我该怎么自处呢？"王晞说："周公抱着成王摄政七年，然后才归政成王，希望殿下认真考虑这个榜样。"高演说："我哪里敢自比周公？"王晞说："殿下今天的地位声望，想不做周公，行吗？"高演没有回答。显祖高洋常让胡人康虎儿保护太子，所以王晞提及胡人师傅这件事。

北齐国主高殷将从晋阳出发到邺城，当时群臣议论，常山王高演一定会留守晋阳这一根本之地。执政大臣想让常山王高演随从皇上到邺城，留长广王高湛镇守晋阳，不久又怀疑他们，便敕令两王都随从皇上到邺城。外朝群臣听到这个消息，莫不惊愕。皇上又敕令王晞为并州长史。高演已动身，王晞出郊送他。高演害怕有密探，让王晞回城，紧握王晞的手说："努力，小心。"就跃马而去。

平秦王高归彦总管宫禁护卫，杨愔宣读敕令，把高归彦率领的从驾卫士留下五千人在晋阳，暗中防备非常。到达邺城数天之后，高归彦才知道了这件事，由此怨恨杨愔。

领军大将军可朱浑天和，是可朱浑道元的儿子，娶皇上姑姑东平公主为妻，他常说："如果不杀二王，少主绝无安稳的道理。"燕子献谋划把太皇太后安置在北宫，要她把政权交给皇太后。

又，自天保八年（公元五五七年）以来，封爵赏赐多滥，杨愔想淘汰罢免一些，于是上表请求首先解除自己的开府仪同三司和开封王，其他因蒙受国君恩赐荣宠而滥得爵位的人跟着全都被罢免，因此，一些原先受宠幸而今失去职位的人，全都依附二王。平秦王高归彦最初与杨愔、燕子献同心协力，不久中途变化，把杨愔等疏远和猜忌二王的事全都告知了二王。

侍中宋钦道，是宋弁的孙子，显祖高洋派他在东宫教授太子处理政事。宋钦道面奏皇上高殷，说："两位叔王权势已重，应当赶快除掉他们。"皇上不允许，说："可与尚书令杨愔共同仔细商议这事。"杨愔等商议外放二王为刺史，考虑皇上仁慈，担心上奏不会允许，就共同上奏皇太后，详细述说幼主的安危。宫人李昌仪，是高仲密的妻子，李太后因为她是同姓，非常亲爱她，就把奏折让她看，李昌仪秘密报告了太皇太后。

杨愔等又商议不可让二王同时出任外职，于是奏请任命长广王高湛镇守晋阳，任命常山王高演录尚书事。二王接受了新职。二月二十三日乙巳，在尚书省大会百官。杨愔等将要去赴会，散骑常侍兼中书侍郎郑颐阻止杨愔说："事情不可预料，不

等至诚体国，岂常山拜职有不赴之理？”长广王湛，旦伏家僮数十人于录尚书后室[50]，仍与席上勋贵贺拔仁、斛律金等数人相知约[51]曰：“行酒至愔等，我各劝双杯，彼必致辞。我一曰‘执酒’，二曰‘执酒’，三曰‘何不执’，尔辈即执之！”及宴，如之。愔大言曰：“诸王反逆，欲杀忠良邪？尊天子，削诸侯，赤心奉国，何罪之有？”常山王演欲缓之。湛曰不可。于是拳杖乱殴，愔及天和、钦道皆头面血流，各十人持之。燕子献多力，头又少发，狼狈排众走出门，斛律光逐而擒之。子献叹曰：“丈夫为计迟，遂至于此！”使太子太保薛孤延[52]等执颐于尚药局[53]。颐曰：“不用智者言至此，岂非命也？”

二王与平秦王归彦、贺拔仁、斛律金拥愔等唐突入[54]云龙门，见都督叱利骚[55]，招之，不进，使骑杀之。开府仪同三司成休宁抽刃呵演，演使归彦谕之，休宁厉声不从。归彦久为领军，素为军士所服，皆弛仗，休宁方叹息而罢。演入，至昭阳殿，湛及归彦在朱华门[56]外。帝与太皇太后并出[57]，太皇太后坐殿上，皇太后及帝侧立。演以砖叩头，进言曰：“臣与陛下骨肉至亲，杨遵彦等欲独擅朝权，威福自己，自王公已下皆重足屏气，共相唇齿，以成乱阶，若不早图，必为宗社之害。臣与湛为国事重，贺拔仁、斛律金惜献武皇帝之业[58]，共执遵彦等入宫，未敢刑戮。专辄之罪，诚当万死。”

时庭中及两庑卫士二千余人，皆被甲待诏。武卫[59]娥永乐，武力绝伦，素为显祖所厚，叩刀仰视[60]，帝不睨之。帝素吃讷，仓猝不知所言。太皇太后令却仗[61]，不退，又厉声曰：“奴辈即今头落！”乃退。永乐内刀而泣。

太皇太后因问：“杨郎何在？”贺拔仁曰：“一眼已出。”太皇太后怆然曰：“杨郎何所能为，留使岂不佳邪？”乃让帝曰：“此等怀逆，欲杀我二子，次将及我，尔何为纵之？”帝犹不能言。太皇太后怒且悲，曰：“岂可使我母子受汉老妪[62]斟酌[63]？”太后拜谢。太皇太后又为太后誓言：“演无异志，但欲去逼[64]而已。”演叩头不止。太后谓帝：“何不安慰尔叔？”帝乃曰：“天子亦不敢为叔惜，况此汉辈[65]！但丐[66]儿

要随便前去。”杨愔说：“我们一心一意公忠体国，岂有常山王拜受新职，不去赴宴的道理？”长广王高湛一大早就在录尚书省后堂埋伏了几十个家童，自己与席上勋贵贺拔仁、斛律金等几个人互通消息，约定说：“等我敬酒到杨愔等人时，我劝他们各自喝双杯，他们一定推辞。我第一次说‘拿上酒杯’，第二次说‘拿上酒杯’，第三次说‘为何不拿酒杯’，你们就把他们抓起来！”等到开宴，果然如约定的那样。杨愔高声说：“诸王反叛，想杀害忠良吗？尊崇天子，削弱诸侯，赤心为国，有什么罪过？”常山王高演想宽大处理他，高湛说不可，于是拳打杖殴，杨愔、可朱浑天和、宋钦道等人头破血流。十个人抓他们一个人，燕子献很有力气，头发又少，狼狈地推开抓他的人，逃出门，斛律光追上，抓住了他。燕子献叹息说：“大丈夫谋事迟了，就成了这个局面！”高湛又命太子太保薛孤延等去尚药局捉拿郑颐。郑颐也不禁叹息说：“不听智者劝告，弄到这步田地，难道不是命吗？”

常山王高演、长广王高湛和平秦王高归彦、贺拔仁、斛律金等押着杨愔等，想要强行闯入云龙门，见到守门都督叱利骚，招呼他，他不让进，便派骑士把他杀了。开府仪同三司成休宁抽出佩刀，呵斥高演，高演让高归彦劝谕他，成休宁厉声辩驳，不肯听从。高归彦长久为领军，一向为军士所畏服，都纷纷放下兵器，成休宁才叹息着作罢。高演入宫，到了昭阳殿，高湛和高归彦留在朱华门外。皇上高殷和太皇太后娄氏一起走出，太皇太后娄氏坐在殿上，皇太后李氏和皇上高殷侍立两旁。高演在砖地上磕头，上奏说：“臣与陛下是骨肉至亲，杨遵彦等想独揽朝政，专擅威福，从王公以下都重足而立，不敢出大气，而他们互相勾结，造成祸乱，如果不早早除掉，一定成为国家的祸患。臣与高湛以国事为主，贺拔仁、斛律金等顾惜献武皇帝创下的基业，一起抓杨遵彦等入宫，未敢杀戮他们。这次专断的罪过，真该万死。”

当时殿庭中以及两边厢廊的卫士两千多人，都披甲待命。武卫将军娥永乐，武力超群，一向受到齐显祖高洋的厚待，他抽刀出鞘寸余，仰视皇上，皇上始终不给他眼色。皇上一向口吃，仓促之间更不知道说什么话。太皇太后喝令执仗卫士退下，娥永乐等不退，太皇太后又厉声说：“奴才们今天就要脑袋落地！”卫士们这才退下，娥永乐收刀落泪。

太皇太后娄氏接着问：“杨郎在哪里？”贺拔仁说：“一只眼睛已经被打出来了。”太皇太后悲怆地说：“杨郎能做什么事呢，留下他效力难道不好吗？”又责备皇上说：“这些人心怀叛逆，想杀我的两个儿子，接下来还要害我，你为何纵容他们？”皇上高殷仍然说不出话。太皇太后娄氏又愤怒又悲怆，说：“怎能让我们母子受一个汉人老太婆摆弄？”李太后拜伏谢罪。太皇太后娄氏又对李太后发誓说：“高演绝不会造反，只是要除掉逼迫他的人罢了。”高演磕头不止。李太后对皇上高殷说：“还不安慰你的叔父？”皇上高殷这才说：“天子也不敢求叔父怜惜，何况这几个汉臣！只求保全

命，儿自下殿去，此属任叔父处分。”遂皆斩之。长广王湛以郑颐昔尝谗己，先拔其舌，截其手而杀之。演令平秦王归彦引侍卫之士向华林园，以京畿军士⑰入守门阁，斩娥永乐于园。

太皇太后临愔丧，哭曰：“杨郎忠而获罪。”以御金为之一眼⑱，亲内之，曰：“以表我意。”演亦悔杀之。于是下诏罪状愔等，且曰：“罪止一身，家属不问。”顷之，复簿录五家⑲，王晞固谏，乃各没一房，孩幼尽死，兄弟皆除名⑳。

以中书令赵彦深代杨愔总机务。鸿胪少卿阳休之私谓人曰：“将涉千里，杀骐驎而策蹇驴㉑，可悲之甚也！”

戊申㉒，演为大丞相、都督中外诸军、录尚书事，湛为太傅、京畿大都督，段韶为大将军，平阳王淹为太尉，平秦王归彦为司徒，彭城王浟为尚书令。

江陵之陷也，长城世子昌及中书侍郎顼皆没于长安。高祖即位，屡请之于周，周人许而不遣。高祖殂，周人乃遣昌还，以王琳之难，居于安陆。琳败，昌发安陆，将济江，致书于上，辞甚不逊。上不怿，召侯安都，从容谓曰：“太子将至，须别求一藩为归老之地。”安都曰：“自古岂有被代天子？臣愚，不敢奉诏。”因请自迎昌。于是群臣上表，请加昌爵命。庚戌㉓，以昌为骠骑将军、湘州牧，封衡阳王。

齐大丞相演如晋阳，既至，谓王晞曰：“不用卿言，几至倾覆。今君侧虽清，终当何以处我？”晞曰：“殿下往时位地，犹可以名教出处㉔，今日事势，遂关天时，非复人理所及。”演奏赵郡王叡为左[4]长史，王晞为司马。三月甲寅㉕，诏：“军国之政，皆申㉖晋阳，禀大丞相规算㉗。”

儿命，儿自己下殿离去，这些人交给叔父处置。”于是把杨愔等人都杀了。长广王高湛因为郑颐从前曾经诽谤过自己，先拔掉他的舌头，砍断他的双手，然后才杀死他。高演命令平秦王高归彦领禁军卫士到华林园，用守卫京城的军士守卫皇宫，并在华林园杀了娥永乐。

太皇太后娄氏亲临杨愔丧礼，哭道：“杨郎忠诚却获罪。”用御府的金子为他做了一只眼珠，亲自放入眼窝，说：“用这表达我的心意。”高演也后悔杀了杨愔。于是下诏列举杨愔等人的罪状，并说：“犯罪只处罚本人，家属一律不追究。”不久，又查抄杨愔、可朱浑天和、燕子献、宋钦道、郑颐五家，王晞极力劝阻，每家才只收审一房，孩幼统统处死，兄弟全都罢官。

北齐任命中书令赵彦深代替杨愔总管机密事务。鸿胪少卿阳休之私下对人说：“将要跋涉千里，却杀了骐驎而骑上跛足的蠢驴，真是可悲到极点!”

二月二十六日戊申，高演出任大丞相、都督中外诸军事、录尚书事，高湛出任太傅、京畿大都督，段韶为大将军，平阳王高淹出任太尉，平秦王高归彦出任司徒，彭城王高湝出任尚书令。

江陵沦陷的时候，长城公世子陈昌以及中书侍郎陈顼都沦落于长安。陈高祖陈霸先即位后，多次向北周请求送还，北周同意了，但没有行动。陈高祖死后，北周才送陈昌回国，又因王琳之难，停留在安陆。王琳战败，陈昌又从安陆出发，准备渡江的时候，送了一封书信给陈文帝，言辞很不恭敬。陈文帝不高兴，召见侯安都，从容地说：“太子就要到了，应该另外找一个藩国，作为他养老的地方。”侯安都说：“从古以来，哪有被替代的天子？臣笨，不敢接受诏命。”因此请求亲自去迎接陈昌。于是朝臣上奏，请求给陈昌加封爵位。二月二十八日庚戌，任命陈昌为骠骑将军、湘州牧，封衡阳王。

北齐大丞相高演前往晋阳，到达后，对王晞说：“没有听你的话，差点败亡。如今皇上身边的小人虽已清除，终究应当怎样安置我?”王晞说：“殿下往日的地位，还可以按名分礼教做臣子，但是今天的形势，那就要看天时变化了，不是人情常理所能说的了。”高演奏请赵郡王高叡为左长史，王晞为司马。三月初三日甲寅，北齐国主高殷下诏：“凡军国大政，都要向晋阳上报，呈请大丞相高演规划。”

【段旨】

以上为第二段，写北齐显祖高洋死后，常山王高演、长广王高湛联合发动宫廷政变，高演控制了政权，镇守晋阳。

【注释】

㉒武宁陵：在今河北临漳。㉓戊戌：二月十六日。㉔己亥：二月十七日。㉕良口：平民。指高洋诛杀元氏时抄没的家属，现恢复平民身份。㉖乙巳：二月二十三日。㉗东馆：在邺宫昭阳殿东。㉘位地亲逼：官位和宗族地位，都非常接近。㉙录王：高演以常山王录尚书事，所以称“录王”。㉚济南王：高殷被废后，封济南王。㉛春秋尚富：年龄尚小。㉜朝夕先后：从早到晚在少帝的身前身后辅政。㉝冲退：冲淡退让，明哲保身。㉞家祚：以少帝叔父的地位谈家祚，实际上指的是国祚，即国家的命运。㉟复子明辟：让少主亲政。㊱地望：地位人望。㊲根本之地：指晋阳（今山西太原南）。原高欢大丞相府建于此，高洋也在此接受禅让，北齐的精兵强将大多驻守于该地，是东魏北齐政治军事核心地区。㊳执政：指杨愔等决策人物。㊴西中：晋阳在邺都的西边，与中央政府一样，建有尚书省（即并省），处理国家重大事务，所以称“西中”。杨愔留禁军在晋阳，有防止高演等利用晋阳力量夺权的意思。㊵可朱浑天和：高洋时为驸马都尉，封成皋郡公。少主即位，加特进，改封博陵郡公。传见《北齐书》卷三十四、《北史》卷五十三。㊶道元之子：今本《北齐书》和《北史》均作道元弟。旧刻本《北齐书》与《通鉴》同。㊷东平公主：高欢长女，废帝的姑姑。㊸澄汰：澄清泥沙，去掉杂质，比喻淘汰那些滥竽充数的官爵获得者。㊹叨窃：才不胜任而妄踞高位的人。此辞也常成为自谦之辞。㊺疏忌之迹：疏远和猜忌二王的行为。㊻弁：宋弁，字义和，广平列人县（今河北曲周西南）人，以才学博赡出任北魏孝文帝时的著作佐郎，后历任中书侍郎、吏部尚书。传见《魏书》卷六十三、《北史》卷二十六。㊼令公：杨愔时任尚书令，所以被称作令公。㊽李昌仪：高仲密叛降西魏，李氏被高澄强娶，留在宫中为官人。㊾乙巳：二月二十三日。㊿录尚书后室：录尚书正堂后边的休息场所。51相知约：互相通知约定。52薛孤延：代人，骁勇有力，以功进封

【原文】

周军初至，郢州助防张世贵举外城以应之，所失军民三千余口。周人起土山、长梯，昼夜攻之，因风纵火，烧其内城南面五十余楼。孙玚兵不满千人，身自抚循，行酒赋食，士卒皆为之死战。周人不能克，乃授玚柱国、郢州刺史，封万户郡公，玚伪许以缓之，而潜修战守之备，一朝而具，乃复拒守。既而周人闻王琳败，陈兵将至，乃解围去。玚集将佐谓之曰：“吾与王公[78]同奖梁室，勤[79]亦至矣，今时事如此，岂非天乎？”遂遣使奉表，举中流之地[80]来降。

永周县公。讨平山胡，又封平秦郡公。出任过沧州、肆州刺史。传见《北齐书》卷十九、《北史》卷五十三。⑤③ 尚药局：官署名，属门下省，掌制作御用药品。⑤④ 唐突入：强行闯入。⑤⑤ 叱利骚：人名，复姓叱利。⑤⑥ 朱华门：朱华阁之门。朱华阁是北齐中书省办公处，为禁省要地。⑤⑦ 帝与太皇太后并出：胡三省注疑“太皇太后”下应有“皇太后”三字。据下文，皇太后也侧立于太皇太后身旁，胡说是。⑤⑧ 惜献武皇帝之业：贺拔仁、斛律金都是高欢旧臣，共创北齐基业，故云。⑤⑨ 武卫：即武卫将军，禁军主将之一。⑥⓪ 叩刀仰视：将刀拉出鞘一寸多，叫叩刀。仰视皇帝，等待下令捉拿高演等人。⑥① 却仗：收起武器退走。⑥② 汉老妪：李太后是汉族人。⑥③ 斟酌：酌情处理；摆布。⑥④ 去逼：消除杨愔等人的威逼排挤。⑥⑤ 汉辈：杨愔、宋钦道、郑颐等都是汉族人。⑥⑥ 丐：请求给予。⑥⑦ 京畿军士：负责守卫京师的京畿大都督的部下，时听从高演的指挥，所以用来代替原宫中卫士。⑥⑧ 以御金为之一眼：用御府的金子替他做一个眼球。⑥⑨ 复簿录五家：又查抄杨愔、可朱浑天和、燕子献、宋钦道、郑颐五家。⑦⓪ 除名：解除官职。⑦① 杀骐驎而策蹇驴：骐驎，骏马。蹇驴，瘸驴。喻二人才干有天渊之别。⑦② 戊申：二月二十六日。⑦③ 庚戌：二月二十八日。⑦④ 以名教出处：按名教观念居于臣位。⑦⑤ 甲寅：三月初三日。⑦⑥ 申：上报。⑦⑦ 规算：决策筹划。

【校记】

［1］使：原作“遣”。据章钰校，十二行本、乙十一行本皆作“使”，《通鉴纪事本末》卷二四作“使”，今据改。［2］因：原无此字。据章钰校，十二行本、乙十一行本皆有此字，张敦仁《通鉴刊本识误》同，今据补。［3］即：原无此字。据章钰校，十二行本、乙十一行本、孔天胤本皆有此字，今据补。［4］左：原无此字。据章钰校，十二行本、乙十一行本、孔天胤本皆有此字，今据补。〖按〗《北史·王宪传附王晞传》有此字。

【语译】

北周军队初到郢州，郢州助防张世贵献出外城响应北周军，损失的郢州防守军民有三千多人。北周军垒起土山、架设长梯，日夜攻城，又顺风放火，烧了内城南面五十多座城楼。孙玚守军不满一千人，孙玚亲自巡视抚慰，酾酒供食，军士都为孙玚拼死战斗。北周军无法攻克，便授给孙玚柱国、郢州刺史，封万户郡公，孙玚假意答应，以便缓和周军攻势，而暗中修缮兵器、增强防备，一旦完成了作战准备，便又抵御防守。不久，北周军听说王琳战败，陈兵即将到来，才解围离去。孙玚召集将佐，对他们说：“我和王琳将军同心辅助梁朝，也够辛劳的了，现今时局到了这个地步，难道不是天命吗？”于是派人送上表章，献出长江中流之地，投降了陈朝。

王琳之东下也，帝征南川兵，江州刺史周迪、高州刺史黄法𣰰帅舟师将赴之。熊昙朗据城列舰，塞其中路，迪等与周敷共围之。琳败，昙朗部众离心，迪攻拔其城，虏男女万余口。昙朗走入村中，村民斩之。丁巳[81]，传首建康，尽灭其族。

齐军先守鲁山，戊午[82]，弃城走，诏南豫州刺史程灵洗守之。

甲子[83]，置武州[84]、沅州[85][5]，以右卫将军吴明彻为武州刺史，以孙玚为湘州刺史。玚怀不自安，固请入朝，征为中领军，未拜，除吴郡太守。

壬申[86]，齐封世宗之子孝珩为广宁王，长恭为兰陵王。

甲戌[87]，衡阳献王昌入境，诏主书、舍人缘道迎候。丙子[88]，济江，中流，殒之，使以溺告。侯安都以功[89]进爵清远公。

初，高祖遣荥阳毛喜[90]从安成王顼诣江陵，梁世祖以喜为侍郎，没于长安，与昌俱还，因进和亲之策。上乃使侍中周弘正通好于周。

夏，四月丁亥[91]，立皇子伯信[92]为衡阳王，奉献王[93]祀。

周世宗[94]明敏有识量，晋公护惮之，使膳部中大夫[95]李安置毒于糖䭔[96]而进之，帝颇觉之。庚子[97]，大渐[98]，口授遗诏五百余言，且曰："朕子年幼，未堪当国。鲁公，朕之介弟[99]，宽仁大度，海内共闻，能弘我周家，必此子也。"辛丑[100]，殂。

鲁公幼有器质，特为世宗所亲爱，朝廷大事，多与之参议。性深沈，有远识，非因顾问，终不辄言。世宗每叹曰："夫人[101]不言，言必有中。"壬寅[102]，鲁公即皇帝位，大赦。

五月壬子[103]，齐以开府仪同三司刘洪徽为尚书右仆射。

侯安都父文捍[104]为始兴内史，卒官。上迎其母还建康，母固求停乡里。乙卯[105]，为置东衡州[106]，以安都从弟晓[107]为刺史。安都子秘，才九岁，上以为始兴内史，并令在乡侍养。

六月壬辰[108]，诏葬梁元帝[109]于江宁，车旗礼章，悉用梁典。

王琳东下时，陈文帝征调南川的士兵，江州刺史周迪、高州刺史黄法𣰰率领水军将赶赴前线。熊昙朗占据豫章郡城，排列战船，阻断中游水路，周迪等与周敷合兵围攻他。王琳失败，熊昙朗部众军心涣散，周迪攻破了豫章郡城，掳掠男女万余口。熊昙朗逃入村庄中，村民杀了他。三月初六日丁巳，熊昙朗的首级被传送到建康，他的宗族全部被杀死。

北齐军原先据守鲁山。三月初七日戊午，弃城逃走，陈文帝下诏南豫州刺史程灵洗前往镇守。

三月十三日甲子，陈朝设置武州、沅州，任命右卫将军吴明彻为武州刺史，任命孙玚为湘州刺史。孙玚内心不安，坚决请求入朝，征召为中领军，还没有领受新职，又拜官吴郡太守。

三月二十一日壬申，北齐封世宗高澄的儿子高孝珩为广宁王、高长恭为兰陵王。

三月二十三日甲戌，陈朝衡阳献王陈昌从北周进入陈朝境内，陈文帝下诏主书、舍人沿路迎接。二十五日丙子，渡长江，到了中流，便死了，使者回报说他落水淹死。侯安都因此立功，进爵清远公。

当初，陈高祖陈霸先派荥阳人毛喜随从安成王陈顼到江陵，梁世祖萧绎任命毛喜为侍郎，他和陈昌一起沦落于长安，这次和陈昌一起回陈朝。毛喜进言陈朝与北周通好的策略，陈文帝于是派侍中周弘正到北周修好。

夏，四月初六日丁亥，陈文帝立皇子陈伯信为衡阳王，继承衡阳献王陈昌的香火。

北周世宗宇文毓聪明敏捷，有宏识雅量，晋公宇文护很畏惧他，派膳部中大夫李安在糖饼内下毒，然后进献给宇文毓，宇文毓吃后觉察到了。四月十九日庚子，周世宗宇文毓病危，口授遗诏五百多字，还说："朕子年幼，不能执掌国政。鲁公宇文邕，是朕的大弟，为人宽厚仁慈，度量宏大，全国的人都知道，将来能光大周国的人，一定是这个人。"二十日辛丑，周世宗宇文毓去世。

鲁公宇文邕从小就有很好的气度和才质，格外受到周世宗的亲爱，朝廷的重大事情，很多都找他参谋议定。他生性沉稳，有远见卓识，如果不向他询问，他始终不说话。周世宗经常赞叹说："这个人平常不大开口，他一开口就能切中要害。"四月二十一日壬寅，鲁公宇文邕即皇帝位，大赦天下。

五月初二日壬子，北齐任命开府仪同三司刘洪徽为尚书右仆射。

陈朝侯安都父亲侯文捍担任始兴内史，死在任上。陈文帝迎接侯安都母亲回到建康，侯安都母亲坚决要求留在故乡。五月初五日乙卯，陈朝设置东衡州，任命侯安都堂弟侯晓为刺史。侯安都的儿子侯秘，只有九岁，陈文帝任命他为始兴内史，并且命他在故乡奉养祖母。

六月十二日壬辰，陈文帝下诏在江宁安葬梁元帝萧绎，送葬的车驾、旗帜等仪仗，完全按照梁朝的典制。

齐人收永安、上党二王遗骨，葬之。敕上党王妃李氏还第。冯文洛尚以故意⑩，修饰诣之。妃盛列左右，立文洛于阶下，数之曰："遭难流离，以至大辱，志操寡薄，不能自尽。幸蒙恩诏，得反藩闱⑪，汝何物奴，犹欲见侮！"杖之一百，血流洒地。

秋，七月丙辰⑫，封皇子伯山⑬为鄱阳王。

齐丞相演以王晞儒缓⑭，恐不允武将之意，每夜载入，昼则不与语。尝进晞密室，谓曰："比⑮王侯诸贵，每见敦迫⑯，言我违天不祥，恐当或有变起，吾欲以法绳之，何如？"晞曰："朝廷比者疏远亲戚，殿下仓猝所行，非复人臣之事。芒刺在背，上下相疑，何由可久？殿下虽欲[6]谦退，粃糠神器⑰，实恐违上玄之意，坠先帝之基。"演曰："卿何敢发此言？须致卿于法！"晞曰："天时人事，皆无异谋，是以敢冒犯斧钺，抑亦神明所赞耳。"演曰："拯难匡时，方俟圣哲，吾何敢私议？幸勿多言！"丞相从事中郎陆杳⑱将出使，握晞手，使之劝进。晞以杳言告演，演曰："若内外咸有此意，赵彦深朝夕左右，何故初无一言？"晞乃以事隙⑲密问彦深，彦深曰："我比亦惊此声论⑳，每欲陈闻，则口噤心悸。弟既发端，吾亦当昧死一披肝胆。"因共劝演。演遂言于太皇太后。赵道德曰："相王㉑不效周公辅成王，而欲骨肉相夺，不畏后世谓之篡邪？"太皇太后曰："道德之言是也。"未几，演又启云："天下人心未定，恐奄忽㉒变生，须早定名位。"太皇太后乃从之。

八月壬午㉓，太皇太后下令，废齐主为济南王，出居别宫。以常山王演入纂大统，且戒之曰："勿令济南有他也！"

肃宗㉔即皇帝位于晋阳，大赦，改元皇建。太皇太后还称皇太后；皇太后称文宣皇后，宫曰昭信。

乙酉㉕，诏绍封功臣，礼赐耆老，延访直言，褒赏死事，追赠名德。

帝谓王晞曰："卿何为自同外客，略㉖不可见？自今假非局司㉗，但有所怀，随宜作一牒㉘，候少隙，即径进也。"因敕与尚书阳休之、鸿胪卿崔劼等三人，每日职务罢，并入东廊，共举录历代礼乐、职官

北齐朝廷收殓永安王高浚、上党王高涣两人的尸骨，加以安葬。敕令上党王妃李氏回到原来的府第。冯文洛还按照高洋赐李氏为妻的意向，特别打扮了一番来到李妃家里。李妃召集了许多家人，排列在两边，让冯文洛站立在台阶下，责骂他说：“遭遇灾难，流离失所，受到奇耻大辱，只恨自己意志不坚，德薄失节，不能自尽。现今幸蒙恩诏，得以回到王府宫闱，你是什么东西，还想来侮辱我！”打了他一百棍，血流满地。

秋，七月初七日丙辰，陈文帝封皇子陈伯山为鄱阳王。

北齐丞相高演因王晞柔懦迂缓，担心他不合武将们的心意，每天夜晚把他载入官邸，白天则不和他说话。高演曾经让王晞进入密室，对他说：“近来王侯贵戚，常常敦促逼迫我，说我违背天意不吉祥，担心会发生变故，我想依法惩办这些人，怎么样？”王晞说：“皇上近来疏远宗室，殿下突然下手除掉了杨愔等人，这不是臣子应当做的事。皇上深感芒刺在背，君臣上下互相猜疑，这样的局面怎能维持长久？殿下虽然谦让，把帝位看作糟糠，其实恐怕是有违上天之意，坠毁先帝的基业。”高演说：“你怎么敢说出这种话？当用国法制裁你！”王晞说：“天时人事，都已成熟，因此我才敢冒受斧钺之诛，说这些话，或许也是神明助我。”高演说：“拯救危难，匡正时弊，当等待圣贤，我怎敢私议这事？希望你不要多说了！”丞相从事中郎陆杳将出使，他握住王晞的手，让他劝说高演登帝位。王晞把陆杳的话告诉了高演，高演说：“如果朝廷内外的人都有这个意思，赵彦深早晚都在我身边，为什么始终没有说一句话？”王晞就在办公之暇，暗中问赵彦深，赵彦深说：“我近来也惊讶这些传言议论，每次想告知丞相，就不敢开口，心里惊慌。弟既然已开了头，我也应当冒死说出我的真心话。”因而两人一起劝说高演称帝。高演便启奏太皇太后娄氏。侍中赵道德说：“相王不效法周公辅成王，而要骨肉相夺，不怕后世人说您篡位吗？”太皇太后娄氏说：“赵道德的话对啊。”没多久，高演又上奏太皇太后娄氏说：“天下人心没有安定，恐怕突然发生变故，必须及早定下名分地位。”太皇太后娄氏才听从了。

八月初三日壬午，太皇太后下令，废北齐国主高殷为济南王，出居别宫。命常山王高演入宫继承皇位，并且告诫高演说：“不能让济南王高殷有意外！”

北齐肃宗高演在晋阳即皇帝位，大赦天下，改年号为皇建，太皇太后娄氏还称皇太后；皇太后李氏称文宣皇后，宫名昭信。

八月初六日乙酉，肃宗高演下诏续封佐命功臣的后代，尊礼赏赐护国老人，接见访问敢说话的正直人士，褒奖死难国事的人，追赠赐谥名高德重的人。

北齐国主高演对王晞说：“你为什么同外人一样，完全见不着？从现在起，即使不是分内的公事，只要有意见，随时写下来，等到我有空，就直接送给我。”便敕令王晞与尚书阳休之、鸿胪卿崔劼等三人，每天办完公事，一齐进入寝宫东厢房，共同条举摘录历代的礼乐、职官，以及田赋市租、征税，或有相承沿用至今而不合时

及田市、征税，或不便于时而相承施用，或自古为利而于今废坠，或道德高俊，久在沉沦[129]，或巧言眩俗，妖邪害政者，悉令详思，以渐条奏。朝晡[130]给御食，毕景[131]听还。

帝识度沈敏，少居台阁，明习吏事，即位尤自勤励，大革显祖之弊，时人服其明而讥其细。尝问舍人裴泽[132]，在外议论得失。泽率尔[133]对曰："陛下聪明至公，自可远侔古昔；而有识之士，咸言伤细，帝王之度，颇为未弘。"帝笑曰："诚如卿言。朕初临万机，虑不周悉，故致尔耳。此事安可久行，恐后又嫌疏漏。"泽由是被宠遇。

库狄显安侍坐，帝曰："显安，我姑[134]之子，今序家人之礼，除君臣之敬，可言我之不逮。"显安曰："陛下多妄言。"帝曰："何故？"对曰："陛下昔见文宣以马鞭挞人，常以为非，今自行之，非妄言邪？"帝握其手谢之。又使直言。对曰："陛下太细，天子乃更似吏。"帝曰："朕甚知之。然无法日久，将整之以至无为耳。"又问王晞，晞曰："显安言是也。"显安，干之子也。群臣进言，帝皆从容受纳。

性至孝，太后不豫，帝行不能正履，容色贬悴[135]，衣不解带，殆将四旬。太后疾小增，即寝伏阁外，食饮药物，皆手亲之。太后尝心痛不自堪，帝立侍帷前，以爪掐掌代痛，血流出袖。友爱诸弟，无君臣之隔。

戊子[136]，以长广王湛为右丞相，平阳王淹为太傅，彭城王浟为大司马。

周军司马贺若敦，帅众一万，奄至武陵，武州刺史吴明彻不能拒，引军还巴陵。

江陵之陷也，巴、湘之地皆入于周，周使梁人守之。太尉侯瑱等将兵逼湘州，贺若敦将步骑救之，乘胜深入，军于湘川[137]。

九月乙卯[138]，周将独孤盛将水军与敦俱进。辛酉[139]，遣仪同三司徐度将兵会侯瑱于巴丘。会秋水泛溢，盛、敦粮援断绝，分军抄掠，以供资费。敦恐瑱知其粮少，乃于营内多为土聚[140]，覆之以米，召旁村人，阳有访问，随即遣之。瑱闻之，良以为实。敦又增修营垒，造庐舍为久留之计，湘、罗之间[141]遂废农业。瑱等无如之何。

宜的，或有在古代有利而当今废弃的，或有道德、有大才而长久埋没在民间的，或巧言迷惑世人、妖邪妨碍政事的，都要他们详细思索，逐渐条列奏上。早饭由御膳房供给王晞等人，日落后才让他们回家。

北齐国主高演见识气度深沉聪明，年少时就掌领尚书省，熟悉行政事务，当了皇帝以后，更加勤奋处理政务，大肆改革高洋时期的弊政，当时的人钦佩他的精明，而批评他过于琐细。高演曾经询问中书舍人裴泽，外边对朝政得失有何议论。裴泽直率地回答说："陛下聪明，处事又极公正，完全可比远古圣王，而有识之士，都说陛下管事太过于细碎，帝王的气度，还不够宏大。"高演笑着说："真像你说的那样。朕初掌国家大政，生怕考虑不周全，才导致如此。这样的做法，哪能长久下去，只怕以后又有人嫌我粗疏了。"裴泽因此受到了宠信。

库狄显安陪坐在北齐国主高演身边，高演说："显安，你是我姑姑的儿子，今天我们按家庭礼节，免去君臣的礼敬，可以说说我做得不到位的地方。"库狄显安回答说："陛下说了很多不算数的话。"高演说："有依据吗？"库狄显安说："陛下先前看见文宣帝用马鞭打人，经常认为不对，现今您也这样做，这难道不是说话不算数吗？"高演握住库狄显安的手，向他道歉。还让他直言。库狄显安说："陛下管事太细，天子更像一个管事员。"高演说："朕知道这毛病，但国家不依法办事很长时间了，我将整顿法治，以此达到无为而治。"高演把这些话转告王晞，王晞说："库狄显安说得对。"库狄显安，是库狄干的儿子。群臣进言，高演都很自然地接受。

高演生性极为孝顺。太后娄氏生了病，高演走路连鞋都无心穿正，脸色憔悴，将近四十天没有松衣解带。太后娄氏的病稍有加重，高演就睡在屋外，饮食药物都要亲自送上。太后娄氏曾经心口痛得忍受不了，高演站立在帐前，用指尖掐手心代替母亲的痛苦，血流出了衣袖。友爱几个弟弟，没有君臣的隔阂。

八月初九日戊子，北齐任命长广王高湛为右丞相、平阳王高淹为太傅、彭城王高浟为大司马。

北周军司马贺若敦，领兵一万，突然进犯武陵，武州刺史吴明彻不能抵抗，率军退还巴陵。

江陵陷落的时候，巴州、湘州都被北周占领，北周国主派梁朝降将镇守。陈朝太尉侯瑱等领兵逼近湘州，贺若敦率领步骑救援，乘胜深入，军队驻扎在湘川。

九月初七日乙卯，北周将领独孤盛率领水军与贺若敦一同进军。十三日辛酉，陈文帝派仪同三司徐度领兵到巴丘与侯瑱会合。正遇秋水泛滥，独孤盛、贺若敦粮援断绝，分兵抢掠，用来供应军队的资费。贺若敦害怕侯瑱知道他的军粮缺少，就在军营内堆了许多土山，把米覆盖在上面，招来军营旁边的村民，假装问一些事情，随后打发村民回去。侯瑱向村民打探，真的认为北周军队粮食充足。贺若敦又增修军营，做长期驻扎的打算，湘州、罗州地区因而荒废了农作生产。侯瑱等拿北周军没有办法。

先是土人亟[142]乘轻船，载米粟、鸡鸭以饷瑱军。敦患之，乃伪为土人装船，伏甲士于中。瑱军人望见，谓饷船之至，逆来争取，敦甲士出而擒之。又敦军数有叛人乘马投瑱者。敦乃别取一马，牵以趣船，令船中逆以鞭鞭之。如是者再三，马畏船不上。然后伏兵于江岸，使人乘畏船马以招瑱军，诈云投附。瑱遣兵迎接，竞来牵马，马既畏船不上，伏兵发，尽杀之。此后实有馈饷及亡降者，瑱犹谓之诈，并拒击之。

冬，十月癸巳[143]，瑱袭破独孤盛于杨叶洲[144]，盛收兵登岸，筑城自保。丁酉[145]，诏司空侯安都帅众会瑱南讨。

十一月辛亥[146]，齐主立妃元氏为皇后，世子百年[147]为太子。百年时才五岁。

齐主征前开府长史卢叔虎[148]为中庶子[149]。叔虎，柔之从叔也。帝问时务于叔虎。叔虎请伐周，曰："我强彼弱，我富彼贫，其势相悬。然干戈不息，未能并吞者，此失于不用强富也。轻兵野战，胜负难必，是胡骑之法，非万全之术也。宜立重镇于平阳，与彼蒲州相对，深沟高垒，运粮积甲。彼闭关不出，则稍蚕食其河东之地，日使穷蹙。若彼出兵，非十万以上，不足为我敌。所损粮食[150]咸出关中。我军士年别一代[151]，谷食丰饶。彼来求战，我则不应，彼若退去，我乘其弊。自长安以西，民疏城远，敌兵来往，实自艰难，与我相持，农业且废，不过三年，彼自破矣。"帝深善之。

齐主自将击库莫奚，至天池，库莫奚出长城北遁。齐主分兵追击，获牛羊七万而还。

十二月乙未[152]，诏："自今孟春[153]讫于夏首[154]，大辟事已款者，宜且申停[155]。"

己亥[156]，周巴陵城主尉迟宪降，遣巴州刺史侯安鼎守之。庚子[157]，独孤盛将余众自杨叶洲潜遁。

丙午[158]，齐主还晋阳。

齐主斩人于前，问王晞曰："是人应死不？"晞曰："应死，但恨死不得其地耳。臣闻'刑人于市，与众弃之'[159]。殿庭非行戮之所。"帝

此前，当地人多次乘用轻便小船，载着米、粟、鸡、鸭馈饷侯瑱军。贺若敦很是忧虑，便伪装当地人装馈饷物资上船，在船舱中埋伏甲士。侯瑱军士远远望见，认为馈饷船到了，迎上来争抢，贺若敦埋伏的甲士涌出舱来，抓获了侯瑱军士。还有，贺若敦军中多次有士兵叛逃，乘马投降侯瑱。贺若敦便另选了一匹马，牵着马上船，命令船上的人对着马用鞭子乱抽，这样反复多次，这匹马见船害怕不敢上。然后贺若敦在江岸埋伏甲士，派人骑上这匹害怕船的马去招引侯瑱的兵士，假说要投降。侯瑱派兵士迎接，争着来牵马，这匹马害怕船，怎么赶也不上，这时埋伏的甲士冲出来，把侯瑱的士兵全杀了。从这以后，真的有来馈饷，或者来投降的人，侯瑱也认为是假的，一律拒绝，甚至加以攻击。

冬，十月十五日癸巳，侯瑱在杨叶洲打败独孤盛，独孤盛收拢败兵上岸，筑城自保。十九日丁酉，陈文帝下诏命令司空侯安都领兵会合侯瑱南讨。

十一月初四日辛亥，北齐国主高演册立妃元氏为皇后，立世子高百年为太子。高百年这时才五岁。

北齐国主高演征召前开府长史卢叔虎为中庶子。卢叔虎，是卢柔的堂叔。高演向卢叔虎询问当今事务，卢叔虎请求讨伐北周，说："我方强，对方弱；我方富，对方穷，两国国势悬殊。但是双方战争不断，没有吞并对方的原因，失误在于没有充分利用国富兵强的优势。轻兵野战，胜负难以决定，这是胡人骑兵的战法，不是万全的取胜策略。应当在平阳建立重镇，与对方的蒲州相对应，深沟高垒，积蓄粮食和器械。对方闭关不出来作战，我方就慢慢蚕食对方的河东之地，一天天使对方穷困。如果对方出兵来交战，不到十万以上，不是我方的对手。对方出兵消耗的资粮，全部来自关中。我军士卒每年轮换一次，军资储备充足。对方出兵挑战，我方固守不出，对方如果退走，我方乘其疲惫追击。从长安以西，居民稀少，城邑遥远，对方来往调动兵力，非常困难，与我方相持，他们的农业将荒废，不超过三年，对方就会被拖垮。"高演深深佩服卢叔虎的分析。

北齐国主高演亲自领兵攻击库莫奚，到达天池，库莫奚出了长城向北逃遁。高演分兵追击，获得牛羊七万头后返回。

十二月十八日乙未，陈文帝下诏："从今年正月到四月，死刑犯已经认罪的，应暂停行刑，到秋后处决。"

十二月二十二日己亥，北周巴陵城主尉迟宪投降，陈文帝派巴州刺史侯安鼎镇守。二十三日庚子，独孤盛率领残余部众从杨叶洲悄悄逃走。

十二月二十九日丙午，北齐国主高演返回晋阳。

北齐国主高演在宫殿前杀人，问王晞："这个人该不该死？"王晞回答说："应该死，但遗憾的是死得不是地方。臣听说：'在闹市中处死犯人，是和众人一起唾弃他。'宫殿庭院不是杀人的地方。"高演面露愧色，道歉说："从今以后，我应为王公

改容谢曰："自今当为王公改之。"

帝欲以晞为侍郎⑯⁰，苦辞不受。或劝晞勿自疏，晞曰："我少年以来，阅要人多矣，得志少时⑯¹，鲜不颠覆。且吾性实疏缓，不堪时务，人主恩私，何由可保？万一披猖⑯²，求退无地。非不好作要官，但思之烂熟耳。"

初，齐显祖之末，谷籴踊贵。济南王即位，尚书左丞苏珍芝⑯³建议，修石鳖⑯⁴等屯⑯⁵，自是淮南军防足食。肃宗即位，平州刺史嵇晔建议，开督亢陂⑯⁶，置屯田，岁收稻粟数十万石，北境周赡。又于河内⑯⁷置怀义⑯⁸等屯，以给河南之费。自[7]是稍止转输⑯⁹之劳。

【段旨】

以上为第三段，写战乱之世，政权更迭频繁，充满血腥。公元五六〇年，南北朝三方接连发生宫廷政变，骨肉相残。北周晋公宇文护弑主周世宗宇文毓。北齐常山王高演废帝自立，诛杀大臣。陈朝文帝杀灭陈武帝太子以及堂弟陈昌于江中。

【注释】

⑦⑧王公：指王琳。⑦⑨勤：勤劳。⑧⓪中流之地：以今湖北武汉为中心的长江中游地区。⑧①丁巳：三月初六日。⑧②戊午：三月初七日。⑧③甲子：三月十三日。⑧④武州：州名，治所武陵，在今湖南常德。⑧⑤沅州：州名，治所沅陵，在今湖南沅陵。⑧⑥壬申：三月二十一日。⑧⑦甲戌：三月二十三日。⑧⑧丙子：三月二十五日。⑧⑨功：指暗杀陈昌之功。⑨⓪毛喜（公元五一六至五八七年）：字伯武，荥阳阳武（今河南原阳东南）人，初护送陈顼到梁元帝处为人质。江陵失陷，随陈顼至长安。后建议北周与陈朝通好，获准护送陈顼返国。文帝去世，又拥立陈顼为帝。以黄门侍郎，兼中书舍人，典掌机密，封东昌县侯。传见《陈书》卷二十九、《南史》卷六十八。⑨①丁亥：四月初六日。⑨②伯信：陈伯信（？至公元五八九年），字孚之，陈蒨第七子。曾任中护军，后随军南下，被王勇所杀。传见《陈书》卷二十八、《南史》卷六十五。⑨③献王：陈昌封衡阳王，谥号献。⑨④世宗：明帝宇文毓的庙号。⑨⑤膳部中大夫：官名，大冢宰属官，掌御膳。⑨⑥糖饄：糖薄饼。⑨⑦庚

改正错误。”

皇上高演想任用王晞为侍郎，王晞坚决推辞不接受。有人劝王晞不要自己疏远皇上，王晞说：“我打从少年起，看到许多权贵，得意没有多久，很少不垮台的。况且我生性确实粗疏迂缓，不能胜任政务，人主的恩惠私宠，凭什么能长保呢？万一决裂，求退无门。我不是不想做大官，只是把做大官思考透了罢了。”

当初，齐显祖高洋晚年，谷价飞涨。济南王高殷即位，尚书左丞苏珍芝建议，整修石鳖等地的屯田，从此淮南地区的军防用粮充足。肃宗高演即位，平州刺史嵇晔建议，疏浚督亢旧湖，设置屯田，每年收入稻谷数十万石，北方地区也得到了充足的补给。北齐又在河内地区设置怀义等屯田区，用来供应河南所需的粮食。从此，逐渐减去了国内转运粮食的负担。

子：四月十九日。⑱ 大渐：病危。⑲ 介弟：大弟弟。⑳ 辛丑：四月二十日。㉑ 夫人：此人。此二句原是孔子之语，见《论语·先进》。㉒ 壬寅：四月二十一日。㉓ 壬子：五月初二日。㉔ 文捍：侯文捍，《南史》卷六十六作“侯捍”。㉕ 乙卯：五月初五日。㉖ 东衡州：州名，原梁置，中废，至此重新恢复。㉗ 晓：侯晓（公元五二二至五六二年），累从侯安都征讨有功，官至东衡州刺史，封怀化县侯。传见《陈书》卷八。㉘ 壬辰：六月十二日。㉙ 葬梁元帝：原灵柩周人交给王琳。王琳战败后，才落入陈军之手，于是正式加以安葬。⑪⓪ 故意：指原齐文宣帝赐李氏为文洛妻的意向。⑪① 得反藩闱：得以返回原藩王的闺阁。⑪② 丙辰：七月初七日。⑪③ 伯山：陈伯山（公元五五〇至五八九年），字静之，陈蒨第三子。深受宠爱，位至镇卫大将军、开府仪同三司。传见《陈书》卷二十八、《南史》卷六十五。⑪④ 儒缓：迂腐迟钝。⑪⑤ 比：近来。⑪⑥ 敦迫：敦促催迫。指废帝夺位。⑪⑦ 粃糠神器：视帝位如同秕糠。⑪⑧ 陆杳（？至公元五七三年）：字云迈，代（今山西代县）人。历任中书舍人、黄门侍郎。出任秦州刺史，遭陈将吴明彻围困，病死城中。传见《北史》卷二十八、《魏书》卷四十。⑪⑨ 事隙：处理公事中的空闲时间。⑫⓪ 声论：传言议论。⑫① 相王：时高演为丞相，又有王爵，所以称“相王”。⑫② 奄忽：突然。⑫③ 壬午：八月初三日。⑫④ 肃宗：高演的庙号。⑫⑤ 乙酉：八月初六日。⑫⑥ 略：全。⑫⑦ 局司：分内的公事。⑫⑧ 牒：文书。⑫⑨ 久在沉沦：长期无人举荐，沉埋于民间。⑬⓪ 朝晡：早饭。⑬① 毕景：日落以后。⑬② 裴泽：河东闻喜（今山西闻喜）人。性刚直，常得罪皇帝与权臣，屡升屡贬，最后因是祖珽的亲信而被杀。传见《北史》卷三十八。⑬③ 率尔：不假思索；信口。⑬④ 姑：高欢妹妹乐陵长公主，嫁库狄干为妻。⑬⑤ 贬悴：憔悴。⑬⑥ 戊子：八

月初九日。⑬⑦湘川：即湘江。⑬⑧乙卯：九月初七日。⑬⑨辛酉：九月十三日。⑭⓪土聚：土堆。⑭①湘、罗之间：湘州、罗州之间。⑭②亟：多次。⑭③癸巳：十月十五日。⑭④杨叶洲：旧说在今湖北鄂州市鄂城区东，又名白田洲。据《陈书》，此洲当在湘江口，约在今湖南湘阴洞庭湖中。⑭⑤丁酉：十月十九日。⑭⑥辛亥：十一月初四日。⑭⑦百年：高百年（公元五五六至五六四年），高演第二子。曾被立为太子。演死，遗诏传位高湛。高湛初封百年乐陵王，后借故将他杀害。传见《北齐书》卷十二、《北史》卷五十二。⑭⑧卢叔虎：范阳涿人，曾草就平北周策略。高湛时，拜都官尚书，出为合州刺史，又迁太子詹事。北齐灭，回范阳老家，不久冻饿而死。传见《北齐书》卷四十二、《北史》卷三十。《北齐书》作"叔武"，《北史》作"叔彪"，都是唐人避李虎讳而改。⑭⑨中庶子：官名，即太子中庶子，是东宫门下坊主吏，为太子顾问。⑮⓪所损粮食：胡三省注认为"损"是"资"之误。《北齐书》作"供"。⑮①年别一代：一年一换防。⑮②乙未：十二月十八日。⑮③孟春：农历正月。⑮④夏首：农历四月。⑮⑤宜且申停：应暂停行刑，到秋后再处决。⑮⑥己亥：十二月二十二日。⑮⑦庚子：十二月二十三日。⑮⑧丙午：十二月二十九日。⑮⑨"刑人于市"二句：

【原文】

二年（辛巳，公元五六一年）

春，正月戊申[170]，周改元保定。以大冢宰护为都督中外诸军事。令五府[171]总于天官[172]，事无巨细，皆先断后闻。

庚戌[173]，大赦。

周主祀圜丘。

辛亥[174]，齐主祀圜丘。壬子[175]，禘于太庙。

周主祀方丘。甲寅[176]，祀感生帝[177]于南郊。乙卯[178]，祭太社。

齐主使王琳出合肥，召募伧楚[179]，更图进取。合州刺史裴景徽[180]，琳兄珉之婿也，请以私属[181]为乡导。齐主使琳与行台左丞卢潜将兵赴之，琳沈吟不决。景徽恐事泄，挺身奔齐。齐主以琳为骠骑大将军、开府仪同三司、扬州刺史，镇寿阳。

己巳[182]，周主享太庙，班[183]太祖所述六官之法。

出自《礼记·王制》。⑯侍郎：胡三省注认为此二字是“侍中”之误。《北齐书》卷三十一《王晞传》作“侍中”。⑯少时：没有多久。⑯披猖：决裂。⑯苏珍芝：即苏琼，字珍芝。但《北齐书》和《北史》均作“珍之”。⑯石鳖：城名，在今江苏宝应。⑯屯：屯田区。⑯督亢陂：湖池名，在今河北高碑店一带。战国时，今河北易县以东，固安以西，涿州以南，定兴以北地区，称督亢之地，是燕国最为富饶的地区之一。⑯河内：郡名，治所野王，在今河南沁阳。⑯怀义：屯田区名，约在沁阳西南。⑯转输：运输。

【校记】

［5］武州沅州：原作“沅州武州”。据章钰校，十二行本、乙十一行本、孔天胤本二州皆互乙，今据改。［6］虽欲：原无此二字。据章钰校，十二行本、乙十一行本、孔天胤本皆有此二字，张敦仁《通鉴刊本识误》同，今据补。［7］自：原作“由”。据章钰校，十二行本、乙十一行本、孔天胤本皆作“自”，今据改。〖按〗《隋书·食货志》作“自”。

【语译】

二年（辛巳，公元五六一年）

春，正月初一日戊申，北周改年号为保定。任命大冢宰宇文护为都督中外诸军事。命令五府总属于天官府，事无分大小，都要报告宇文护裁断后上奏皇帝。

正月初三日庚戌，陈朝大赦天下。

这一天，北周国主宇文邕到圜丘祭天。

初四日辛亥，北齐国主高演到圜丘祭天。初五日壬子，到太庙祭祀祖先。

北周国主宇文邕到方丘祭地。初七日甲寅，在南郊祭祀感生帝灵威仰。初八日乙卯，在太社祭祀土地神。

北齐国主高演派王琳出合肥，招募淮南楚地的武人，再次图谋发展。合州刺史裴景徽，是王琳哥哥王珉的女婿，请求以私人的部属为北齐军队的向导。北齐国主高演派王琳与行台左丞卢潜领兵前往策应，王琳犹豫不决。裴景徽害怕谋划泄漏，便暴露身份，出逃到北齐。北齐国主高演任命王琳为骠骑大将军、开府仪同三司、扬州刺史，镇守寿阳。

正月二十二日己巳，北周国主宇文邕到太庙祭祀祖先，并颁布太祖宇文泰所述《周礼》六官的新制度。

辛未[184]，周湘州城主殷亮降，湘州平。

侯瑱与贺若敦相持日久，瑱不能制，乃借船送敦等渡江，敦虑其诈，不许，报云："湘州我地，为尔侵逼，必须我归，可去我百里之外。"瑱留船江岸，引兵去之。敦乃自拔北归，军士病死者什五六。武陵、天门、南平、义阳、河东、宜都郡悉平。晋公护以敦失地无功，除名为民。

二月甲午[185]，周主朝日于东郊。

周人以小司徒[186]韦孝宽尝立勋于玉壁，乃置勋州[187]于玉壁，以孝宽为刺史。孝宽有恩信，善用间谍，或齐人受孝宽金货，遥通书疏，故齐之动静，周人皆先知之。有主帅许盆，以所戍城降齐，孝宽遣谍取之，俄斩首而还。离石以南，生胡[188]数为抄掠，而居于齐境，不可诛讨。孝宽欲筑城于险要以制之，乃发河西[189]役徒十万，甲士百人，遣开府仪同三司姚岳监筑之。岳以兵少，惧不敢前。孝宽曰："计此城十日可毕。城距晋州四百余里，吾一日创手，二日敌境始知。设使晋州征兵，三日方集，谋议之间，自稽[190]三[8]日，计其军行，二日不到，我之城隍，足得办矣。"乃令筑之。齐人果至境上，疑有大军，停留不进。其夜，孝宽使汾水以南傍介山、稷山[191]诸村纵火，齐人以为军营，收兵自固。岳卒城而还。

三月乙卯[192]，太尉零陵壮肃公侯瑱卒。

丙寅[193]，周改八丁兵[194]为十二丁兵[195]，率岁一月役[9]。

夏，四月丙子朔[196]，日有食之。

周以少傅尉迟纲为大司空。

丙午[197]，周封愍帝[198]子康[199]为纪国公，皇子赟为鲁国公[10]。赟[200]，李后之子也。

六月乙酉[201]，周主[11]使御正殷不害来聘。

秋，七月，周更铸钱，文曰"布泉"，一当五，与五铢并行。

己酉[202]，周追封皇伯父颢[203]为邵国公，以晋公护之子会[204]为嗣。颢弟连[205]为杞国公，以章武公导之子亮[206]为嗣。连弟洛生[207]为莒国公，以护之子至[208]为嗣。追封太祖之子武邑公震[209]为宋公，以世宗之子实[210]为嗣。

二十四日辛未，北周湘州城主殷亮投降陈朝，湘州被平定。

侯瑱与贺若敦相持了很长时间，侯瑱制伏不了他，便借船送贺若敦渡江离开，贺若敦怕其中有诈，不答应，回信说："湘州是我国的地方，被你们侵犯逼迫，一定要让我们离开，你们要离我在百里之外。"侯瑱留船在江岸，领兵离开，贺若敦才拔营北还，兵士病死了十分之五六。武陵、天门、南平、义阳、河东、宜都等郡全都平定。晋公宇文护认为贺若敦失地无功，削籍为平民。

二月十八日甲午，北周国主宇文邕在东郊举行迎拜太阳的典礼。

北周因为小司徒韦孝宽曾经在玉壁抗拒东魏立有大功，便在玉壁设置勋州，任命韦孝宽为刺史。韦孝宽待部下有恩惠，讲信用，善于利用间谍，有的北齐人接受了韦孝宽的金银财货，远远地把北齐的情况通报给他，所以北齐的动静，北周事先都知道。北周有一个主帅叫许盆，把自己镇守的军事据点献出，投降北齐，韦孝宽派间谍去取他的人头，没多久就斩首而回。离石以南，生胡多次侵犯北周边境，而住在北齐境内，不能越境诛讨。韦孝宽想在险要路口修筑城堡来控制生胡，于是征发河西役夫囚徒十万人、甲士一百人，派开府仪同三司姚岳监督筑城。姚岳认为兵少，害怕不敢前去。韦孝宽说："计算筑城十天可以完工。所筑的城距离晋阳四百多里，我方第一天动手筑城，敌人境内第二天才知道，假若敌人在晋阳征兵，三天才能集中部队，商议谋划又停留三天，再计算敌人进兵，两天不能到达，我们要修筑的城墙和壕沟，有足够的时间完成了。"于是下令筑城。北齐兵果然来到边境，疑心有大军埋伏，停留不敢前进。当天夜里，韦孝宽派人在汾水以南，依傍介山、稷山的村庄放火，北齐兵误认为是北周兵的军营，收紧兵力防守。姚岳如期完成筑城任务而回。

三月初九日乙卯，陈朝太尉零陵壮肃公侯瑱去世。

二十日丙寅，北周改变男丁八分征一为十二分征一，这样每年只需服役一个月就轮换。

夏，四月初一日丙子，发生日食。

北周任命少傅尉迟纲为大司空。

五月初一日丙午，北周封愍帝宇文觉的儿子宇文康为纪国公，皇子宇文赟为鲁国公。宇文赟，是李皇后生的儿子。

六月十一日乙酉，北周国主派御正殷不害出使陈朝。

秋，七月，北周改铸新钱，钱文叫"布泉"，一枚布泉兑换民间细钱五枚，与五铢钱同时流通。

七月初五日己酉，北周追封皇上的伯父宇文颢为邵国公，让晋公宇文护的儿子宇文会为继嗣。宇文颢的弟弟宇文连为杞国公，让章武公宇文导的儿子宇文亮为继嗣。宇文连的弟弟宇文洛生为莒国公，让宇文护的儿子宇文至为继嗣。追封太祖宇文泰的儿子武邑公宇文震为宋公，让世宗宇文毓的儿子宇文实为继嗣。

齐主之诛杨、燕也，许以长广王湛为太弟㉑¹，既而立太子百年，湛心不平。帝在晋阳，湛居守于邺。散骑常侍高元海㉑²，高祖之从孙也，留典机密。帝以领军代人库狄伏连为幽州刺史，以[12]斛律光之弟羡为领军，以分湛权。湛留伏连，不听羡视事㉑³。

先是，济南闵悼㉑⁴王常在邺，望气者言邺中有天子气。平秦王归彦恐济南王[13]复立，为己不利，劝帝除之。帝乃使归彦至邺，征济南王如晋阳。湛内不自安，问计于高元海。元海曰："皇太后万福，至尊孝友异常，殿下不须异虑。"湛曰："此岂我推诚之意邪？"元海乞还省一夜思之，湛即留元海于后堂。元海达旦不眠，唯绕床徐步。夜漏未尽，湛遽出，曰："神筭如何？"元海曰："有三策，恐不堪用耳。请殿下如梁孝王故事㉑⁵，从数骑入晋阳，先见太后求哀，后见主上，请去兵权，以死为限，不干朝政，必保太山之安㉑⁶。此上策也。不然，当具表云，威权太盛，恐取谤众口，请青、齐二州刺史，沉靖自居，必不招物议。此中策也。"更问下策。曰："发言即恐族诛。"固逼之。元海曰："济南世嫡，主上假太后令而夺之。今集文武，示以征济南之敕，执斛律丰乐㉑⁷，斩高归彦，尊立济南，号令天下，以顺讨逆，此万世一时也。"湛大悦。然性怯，狐疑未能用，使术士郑道谦等卜之，皆曰："不利举事，静则吉。"有林虑令潘子密，晓占候，潜谓湛曰："宫车当晏驾，殿下为天下主。"湛拘之于内以候之。又令巫觋卜之，多云："不须举兵，自有大庆。"湛乃奉诏，令数百骑送济南王至晋阳。九月，帝使人鸩之，济南王不从，乃扼杀之。帝寻亦悔之。

冬，十月甲戌朔㉑⁸，日有食之。

丙子㉑⁹，齐以彭城王浟为太保，长乐王尉粲为太尉。

齐肃宗出畋㉒⁰，有兔惊马，坠地绝肋。娄太后视疾，问济南所在者三，齐主不对。太后怒曰："杀之邪？不用吾言，死其宜矣！"遂去，不顾。

十一月甲辰㉒¹，诏以嗣子冲眇㉒²，可遣尚书右仆射赵郡王叡谕旨，征长广王湛统兹大宝㉒³。又与湛书曰："百年无罪，汝可以乐处置之，勿效前人也。"是日，殂于晋阳宫。临终，言恨不见太后山陵。

北齐国主高演诛杀杨愔、燕子献时，承诺立长广王高湛为皇太弟，不久高演立了自己的儿子高百年为太子，高湛心里很不满。皇上高演居住在晋阳，高湛留守在邺城。散骑常侍高元海，是高祖高欢的从孙，留在邺城掌管机密。皇上高演任命领军代郡人库狄伏连为幽州刺史，任命斛律光的弟弟斛律羡为领军，用来分散高湛的权力。高湛留下库狄伏连，不允许斛律羡到领军府处理公务。

此前，济南闵悼王高殷常住在邺城，观望云气的占星家说邺城中有天子气。平秦王高归彦担心济南王复辟，对自己不利，劝说皇上高演把他除掉。高演就派高归彦到邺城，征召济南王高殷前往晋阳。高湛内心不安，向高元海询问计谋。高元海说："皇太后健在，皇上既孝顺又友爱兄弟，殿下不要有别的想法。"高湛说："我对你推心置腹，难道就是为了听这些话吗?"高元海请求回官署，考虑一个晚上再回答。高湛就留下高元海在自家后堂过夜。高元海一夜没合眼，只是绕着床踱步。天还没亮，高湛突然出现，说："你的神机妙算怎么样了?"高元海说："有三策，恐怕不适用。请殿下按照西汉梁孝王的事例，带领几个随从进入晋阳，先见太后，向她哀求，然后见皇上，请求解除兵权，到死为止，不再干预朝政，一定能够安如泰山，这是上策。不这样做，就应当呈上表文说，自己威权太盛，担心遭众人诽谤，请求去担任青州、齐州两州刺史，沉静自处，定不招众人议论，这是中策。"高湛再问下策。高元海说："说出来恐怕就要灭族。"高湛强逼他，高元海说："济南王高殷是嫡传皇帝，今皇上高演借太后的命令，夺了他的皇位，现今殿下召集文武百官，将皇上宣召济南王的敕令亮给百官看，捉拿斛律羡，杀了高归彦，尊立济南王，号令天下，以正义讨伐叛逆，这是千载难逢的良机。"高湛非常高兴。但他生性胆怯，犹豫不能采用，让术士郑道谦等人占卜吉凶，都说："不利于起事，安静就吉利。"有一位林虑县令叫潘子密，通晓占候，偷偷地对高湛说："皇上将要归天，殿下当为天下的主人。"高湛把他囚禁在内室以等待验证。又招来巫师卜卦，巫师们多数说："不须起兵，自有大庆。"高湛于是接受诏命，派数百骑兵送济南王高殷到晋阳。九月，皇上高演派人用鸩酒毒杀高殷，高殷拒绝饮毒酒，派去的人就掐死了高殷。高演不久又后悔了。

冬，十月甲戌朔，发生日食。

初四日丙子，北齐任命彭城王高浟为太保、长乐王尉粲为太尉。

北齐肃宗高演出外打猎，有野兔惊马，高演摔到地上断了肋骨。娄太后探视高演的病情，三次问济南王在哪里，高演都不回答。娄太后大怒道："你把他杀了？不听我的话，死是应该的!"于是头也不回地走了。

十一月初二日甲辰，北齐皇帝高演下诏，因嗣子高百年幼小，可派遣尚书右仆射赵郡王高叡前往邺城宣旨，征召长广王高湛继承帝位。又另写一封信给高湛说："高百年没有罪过，你可以找一个好地方安置他，不要效仿前人杀人孤儿。"这一天，高演死在晋阳宫。临终，说很遗憾没能看到娄太后的陵墓。

颜之推论曰："孝昭天性至孝，而不知忌讳，乃至于此，良由不学之所为也。"

赵郡王叡先使黄门侍郎王松年驰至邺，宣肃宗遗命。湛犹疑其诈，使所亲先诣殡所，发而视之。使者复命，湛喜，驰赴晋阳，使河南王孝瑜先入宫，改易禁卫。癸丑㉔，世祖即皇帝位于南宫㉕，大赦，改元太宁。

周人许归安成王顼，使司会上士㉖京兆[14]杜杲来聘。上悦，即遣使报之，并赂以黔中㉗地及鲁山郡。

齐以彭城王浟为太师、录尚书事，平秦王归彦为太傅，尉粲为太保，平阳王淹为太宰，博陵王济为太尉，段韶为大司马，丰州刺史娄叡为司空，赵郡王叡为尚书令，任城王湝为尚书左仆射，并州刺史斛律光为右仆射。娄叡，昭之兄子也。立太子百年为乐陵王。

丁巳㉘，周主畋于岐阳，十二月壬午㉙，还长安。

太子中庶子余姚虞荔㉚、御史中丞孔奂㉛，以国用不足，奏立煮海盐赋及榷酤㉜之科，诏从之。

初，高祖以帝女丰安公主妻留异之子贞臣㉝，征异为南徐州刺史，异迁延不就。帝即位，复以异为缙州刺史，领东阳太守。异屡遣其长史王澌入朝，澌每言朝廷虚弱，异信之。虽外示臣节，恒怀两端，与王琳自鄱阳信安岭㉞潜通使往来。琳败，上遣左卫将军沈恪代异，实以兵袭之。异出军下淮㉟以拒恪，恪与战而败，退还钱塘。异复上表逊谢，时众军方事湘、郢，乃降诏书慰谕，且羁縻之。异知朝廷终将讨己，乃以兵戍下淮及建德以备江路㊱。丙午㊲，诏司空、南徐州刺史侯安都讨之。

颜之推评论说：“孝昭皇帝高演天性非常孝顺，可惜他不懂得忌讳，以至于干出杀害济南王高殷的事，实在是因为他不读书才做出来的。”

赵郡王高叡先派黄门侍郎王松年奔驰到邺城，宣示肃宗高演的遗命。高湛仍然怀疑有诈，派他的亲信先到晋阳停放高演灵柩的地方，开棺察看高演。使者回报属实，高湛很高兴，驰赴晋阳，派河南王高孝瑜先进宫，改换了禁卫士兵。十一月十一日癸丑，北齐世祖高湛在南宫即皇帝位，大赦天下，改年号为太宁。

北周答应放还安成王陈顼，派司会上士京兆人杜杲出使陈朝，陈文帝很高兴，当即派使回访，并割让黔中地和鲁山郡给北周。

北齐任命彭城王高浟为太师、录尚书事，平秦王高归彦为太傅，尉粲为太保，平阳王高淹为太宰，博陵王高济为太尉，段韶为大司马，丰州刺史娄叡为司空，赵郡王高叡为尚书令，任城王高湝为尚书左仆射，并州刺史斛律光为右仆射。娄叡，是娄昭哥哥的儿子。立孝昭帝高演的太子高百年为乐陵王。

十一月十五日丁巳，北周国主宇文邕到岐阳打猎，十二月十一日壬午，返回长安。

陈朝太子中庶子余姚人虞荔、御史中丞孔奂，因为国用不足，联名上奏请求制定征收煮海盐赋税和酒由国家专卖的法令，陈文帝下诏允准。

当初，陈高祖陈霸先把陈文帝的女儿丰安公主许配给留异的儿子留贞臣为妻，征召留异为南徐州刺史，留异拖延不上任。陈文帝即位，又任命留异为缙州刺史，兼领东阳太守。留异多次派长史王澌入朝，王澌每次都说朝廷虚弱，留异相信了。他虽然表面上显示出朝臣的礼节，实际上常怀二心，从鄱阳信安岭与王琳暗通信使。王琳失败，陈文帝派左卫将军沈恪替代留异，实际是用兵袭击他。留异出兵下淮戍抵抗沈恪，沈恪与他交战却失败了，退还钱塘。留异上表自责谢罪，当时朝廷各路军队还在湘州、郢州清剿，陈文帝就下诏慰谕留异，并牵制着他。留异也知道朝廷迟早要讨伐他，于是派兵扼守下淮戍和建德县，以防备水路。丙午日，陈文帝下诏司空、南徐州刺史侯安都领兵讨伐留异。

【段旨】

以上为第四段，写陈文帝从北周手中夺回原王琳所控制的湘州、郢州，两国通好，陈朝中兴了南方政权，全境平静。北齐肃宗高演上演谋杀废帝高殷的悲剧，结果为齐世祖高湛的登祚扫清了道路。

【注释】

⑰⓪ 戊申：正月初一日。⑰① 五府：指地官府、春官府、夏官府、秋官府、冬官府，分别以大司徒、大宗伯、大司马、大司寇、大司空为首。⑰② 天官：天官府，以大冢宰为首。北周的中央军政要务均归天官府统一处理，也就是归宇文护一人处理。⑰③ 庚戌：正月初三日。⑰④ 辛亥：正月初四日。⑰⑤ 壬子：正月初五日。⑰⑥ 甲寅：正月初七日。⑰⑦ 感生帝：即灵威仰，五方帝之一。又称东方青帝。祭祀它以求谷物丰登。⑰⑧ 乙卯：正月初八日。⑰⑨ 伧楚：对楚地人的蔑称，相当于今湖北一带人。伧，鄙贱之称。⑱⓪ 裴景徽：《南史》卷六十四与《北齐书》卷三十二《王琳传》作“裴景晖”。《陈书》卷三《世祖纪》作“裴景徽”。⑱① 私属：家丁；私人部属。⑱② 己巳：正月二十二日。⑱③ 班：颁布。⑱④ 辛未：正月二十四日。⑱⑤ 甲午：二月十八日。⑱⑥ 小司徒：官名，大司徒的副手，位上大夫。⑱⑦ 勋州：州名，原称南汾州。⑱⑧ 生胡：稽胡中不顺从北周的人。⑱⑨ 河西：龙门一带的黄河西岸。⑲⓪ 自稽：自己停留。⑲① 介山、稷山：两山名。介山，在今山西万荣。稷山，在今山西稷山、闻喜、万荣三县交界区。汾水从新绛向西曲折前行，经稷山县，直达河津县，再向西南流入黄河。介山、稷山均在汾水南边。⑲② 乙卯：三月初九日。⑲③ 丙寅：三月二十日。⑲④ 八丁兵：北周兵役制度。北周国内男丁分成八部分，轮流服兵役。⑲⑤ 十二丁兵：即分男丁为十二部分，每月一轮换，周而复始。⑲⑥ 丙子朔：四月初一日。⑲⑦ 丙午：五月初一日，疑文上脱“五月”二字。⑲⑧ 愍帝：宇文觉的谥号。⑲⑨ 康：宇文康（？至公元五六五年），字乾定，后进爵纪国王，任利州刺史。因企图谋反，被赐死。传见《周书》卷十三、《北史》卷五十八。⑳⓪ 赟：宇文赟（公元五六〇至五八〇年），即周宣帝，字乾伯，宇文邕长子。公元五七七至五八〇年在位。事详《周书》卷七、《北史》卷十。⑳① 乙酉：六月十一日。⑳② 己酉：七月初五日。⑳③ 颢：宇文颢，宇文泰长兄。北魏孝明帝正光末年，其父宇文肱与卫可孤战于武川，颢为救父被敌追兵包围，不幸战死。至此追封邵国公。传见《周书》卷十、《北史》卷五十七。⑳④ 会：宇文会（？至公元五七二年），字乾仁，初封江陵县公。因是宇文颢孙子，所以特立为嗣。后颢嫡孙宇文胄从北齐逃回，继封邵国公，会改封谭国公，进位柱国。建德初，与宇文护同时被诛。传见《周书》卷十、《北史》卷五十七。⑳⑤ 连：宇文连，宇文泰二兄，与父宇文肱一起战死于唐河。传见《周书》卷十、《北史》卷五十七。⑳⑥ 亮：宇文亮（？至公元五八〇年），字乾德，位柱国。灭北齐，迁大司徒。后于伐陈途中谋反，被韦孝宽追斩。传见《周书》卷十、《北史》卷五十七。⑳⑦ 洛生：宇文洛生，宇文泰三兄。葛荣封他为渔阳王，后被尔朱荣所杀。传同颢。⑳⑧ 至：宇文至（？至公元五七二年），字乾附，与宇文护同时被杀。传见《周书》卷十、《北史》卷五十七。⑳⑨ 震：宇文震（？至公元五五〇年），字弥俄突，尚魏文帝女，不久病死。传见《周书》卷十二、《北史》卷五十八。㉑⓪ 实：宇文实，字乾辩，曾任大前疑，后被杨坚所杀。传见《周书》卷十二。㉑① 太弟：在皇帝

诸弟中被指定为继承皇位的人。㉑② 高元海（？至公元五七九年）：高思宗的儿子。高澄时，入林虑山隐居，研习佛经。因耐不住清静，复出任散骑常侍，但才气不足而野心较大，力劝武成帝高湛夺位，后却又企图谋逆，被杀。传见《北齐书》卷十四、《北史》卷五十一。㉑③ 不听羡视事：不让斛律羡处理领军府事务。㉑④ 闵悼：济南王的谥号。㉑⑤ 梁孝王故事：梁孝王刘武，汉景帝的弟弟，深得太后宠爱。景帝废栗太子，太后想让梁孝王当继承人，但遭大臣袁盎等人反对而作罢。梁孝王怀恨在心，暗地派人刺死袁盎等大臣多人。景帝下令追查，梁孝王先派韩安国向太后谢罪，再背斧钺到宫中请罪，才得以免罪，保住了性命。事详本书卷十六。元海劝高湛仿效，以保身家安全。㉑⑥ 太山之安：如同泰山一样稳固安全。㉑⑦ 斛律丰乐：即斛律羡，字丰乐。㉑⑧ 甲戌朔：十月初一日。〖按〗十月癸酉朔，非甲戌。疑记载有误。㉑⑨ 丙子：十月初四日。㉒⓪ 畋：打猎。㉒① 甲辰：十一月初二日。㉒② 冲眇：幼小。㉒③ 大宝：指帝位。㉒④ 癸丑：十一月十一日。㉒⑤ 南宫：晋阳南宫。㉒⑥ 司会上士：官名，大冢宰下属，与司会中大夫、中士共同分管财政、户籍、地方版图。㉒⑦ 黔中：地区名，包括今湖南西部和贵州东北部。㉒⑧ 丁巳：十一月十五日。㉒⑨ 壬午：十二月十一日。㉓⓪ 虞荔（公元五〇三至五六一年）：字山披，会稽余姚（今浙江余姚）人，梁、陈二朝均领大著作，以清白著称，深受器重。传见《陈书》卷十九、《南史》卷六十九。㉓① 孔奂（公元五一四至五八三年）：字休文，会稽山阴（今浙江绍兴）人，性耿直，侯景之乱时，解救很多被俘的梁朝官吏和百姓。梁元帝时，国家文书多出其手。入陈，官至吏部尚书。传见《陈书》卷二十一、《南史》卷二十七。㉓② 榷酤：酒类由官府专营。㉓③ 贞臣：为留异第三子，见《陈书》卷三十五《留异传》。㉓④ 信安岭：山名，在今浙江衢州境。㉓⑤ 下淮：地名，在今浙江桐庐东与富阳接壤处。㉓⑥ 江路：富春江的水路。㉓⑦ 丙午：十二月壬申朔，无丙午日。《陈书》与《南史》均作"丙戌"，是十二月十五日。《通鉴》误。

【校记】

［8］三：原作"二"。据章钰校，十二行本、乙十一行本、孔天胤本皆作"三"，今据改。〖按〗《周书·韦孝宽传》《北史·韦孝宽传》皆作"三"。［9］率岁一月役：原作"率岁一月而役"。据章钰校，十二行本、乙十一行本皆无"而"字，今据删。〖按〗《周书·武帝纪上》《隋书·食货志》《北史·高祖武帝纪》皆无"而"字。［10］鲁国公：原作"鲁公"。据章钰校，十二行本、乙十一行本皆有"国"字，今据补。〖按〗《周书·武帝纪上》《北史·高祖武帝纪》皆有此字。［11］主：原无此字。据章钰校，十二行本、乙十一行本皆有此字，今据补。［12］以：原无此字。据章钰校，十二行本、乙十一行本皆有此字，《通鉴纪事本末》卷二四亦有此字，今据补。［13］王：原无此字。据章钰校，十二行本、乙十一行本皆有此字，《通鉴纪事本末》卷二四亦有此字，今据补。［14］京兆：原无此二字。据章钰校，十二行本、乙十一行本皆有此二字，张敦仁《通鉴刊本识误》同，今据补。

【原文】

三年（壬午，公元五六二年）

春，正月乙亥[238]，齐主至邺。辛巳[239]，祀南郊。壬午[240]，享太庙。丙戌[241]，立妃胡氏[242]为皇后，子纬为皇太子。后，魏兖州刺史安定胡延之之女也。戊子[243]，齐大赦。己亥，以冯翊王润为尚书左仆射。

周凉景公[244]贺兰祥卒。

壬寅[245]，周人凿河渠于蒲州，龙首渠于同州。

丁未[246]，周以安成王顼为柱国大将军，遣杜杲送之南归。

辛亥[247]，上祀南郊，以胡公[248]配天。二月辛酉[249]，祀北郊。

闰月丁未[250]，齐以太宰、平阳王淹为青州刺史，太傅、平秦王归彦为太宰、冀州刺史。

归彦为肃宗所厚，恃势骄盈，陵侮贵戚。世祖即位，侍中开府仪同三司高元海、御史中丞毕义云、黄门郎高乾和数言其短，且云："归彦威权震主，必为祸乱。"帝亦寻其反覆之迹[251]，渐忌之。伺归彦还家，召魏收于帝前作诏草，除归彦冀州，使乾和缮写。昼日，仍敕门司不听归彦辄[252]入宫，时归彦纵酒为乐，经宿不知。至明，欲参[253]，至门知之，大惊而退。及通名谢，敕令早发，别赐钱帛等物甚厚，又敕督将悉送至清阳宫[254]。拜辞而退，莫敢与语，唯赵郡王叡与之久语，时无闻者。

帝之为长广王也，清都和士开以善握槊、弹琵琶有宠，辟为开府行参军。及即位，累迁给事黄门侍郎。高元海、毕义云、高乾和皆疾之，将言其事。士开乃奏元海等交结朋党，欲擅威福，乾和由是被疏。义云纳赂于士开，得为兖州刺史。

帝征江州刺史周迪出镇湓城[255]，又征其子入朝。迪趑且[256]顾望，并不至。其余南江酋帅[257]，私署令长，多不受召，朝廷未暇致讨，但羁縻之。豫章太守周敷独先入朝，进号安西将军，给鼓吹一部，赐以女妓、金帛，令还豫章。迪以敷素出己下，深不平之，乃阴与留异相结，遣其弟方兴将兵[15]袭敷，敷与战，破之。又遣其兄子伏甲船中，诈为贾人，欲袭湓城。未发，事觉，寻阳太守监江州事晋陵华皎

【语译】

三年（壬午，公元五六二年）

春，正月初五日乙亥，北齐国主高湛到达邺城。十一日辛巳，在南郊祭天。十二日壬午，在太庙祭祀祖先。十六日丙戌，册立妃子胡氏为皇后，立皇子高纬为皇太子。皇后胡氏，是魏兖州刺史安定人胡延之的女儿。十八日戊子，北齐大赦天下。二十九日己亥，任命冯翊王高润为尚书左仆射。

北周凉景公贺兰祥去世。

正月初一日壬寅，北周在蒲州开凿河渠，在同州开凿龙首渠。

初六日丁未，北周任命安成王陈顼为柱国大将军，派杜杲送他回南朝。

正月初十日辛亥，陈文帝在南郊祭天，用陈姓始祖西周武王所封陈胡公配天受祭。二月辛酉日，在北郊祭地。

闰二月初七日丁未，北齐任命太宰、平阳王高淹为青州刺史；太傅、平秦王高归彦为太宰、冀州刺史。

高归彦被肃宗高演厚待，仗势骄横，凌侮贵戚。世祖高湛即位，侍中、开府仪同三司高元海，御史中丞毕义云，黄门郎高乾和多次在高湛面前说高归彦的过失，又说："高归彦声威权势震动皇上，一定会造成祸乱。"皇上高湛也追查他反复无常的经历，逐渐猜忌他。侦察到高归彦回家，就召魏收在皇上面前草拟诏书，改授高归彦为冀州刺史，让高乾和缮写。当天，并敕令掌管宫门的负责人不让高归彦实时进宫，当时高归彦在家纵酒作乐，过了一夜还不知道这件事。到天亮，高归彦想入宫参见皇上高湛，到了宫门才知道，大惊退回。等到通名帖谢罪时，敕令早已发出，另外赏赐了很多钱帛等物品，又敕令都督将军们都送他到清阳宫。大家拜别就走散了，没有人敢和他讲话，只有赵郡王高叡与他说了很长时间的话，当时没有人听到。

北齐国主高湛做长广王的时候，清都人和士开因善握槊赌博游戏和弹琵琶，深受宠信，任用为开府行参军。高湛即位后，提升至给事黄门侍郎。高元海、毕义云、高乾和都妒忌和士开，想要讲他的问题。和士开抢先上奏，说高元海等人结党营私，想作威作福，高乾和因此被疏远。毕义云向和士开行贿，当上了兖州刺史。

陈文帝征调江州刺史周迪出镇湓城，又征召他的儿子入朝。周迪徘徊不前，瞻前顾后，父子都不动身。其余南江豪酋，私自署任的县令县长，多不接受朝廷的征召，朝廷顾不上征讨，只是笼络住他们。豫章太守周敷独自首先入朝，进号安西将军，特赐鼓吹一部，又赐给他女乐、金帛，命令他回豫章。周迪认为周敷一向名位在自己之下，内心愤愤不平，于是暗中与留异勾结，并派自己的弟弟周方兴率兵偷袭周敷，周敷与他交战，打败了周方兴。周迪又派他哥哥的儿子埋伏甲士在船上，假扮为商人，想偷袭湓城。还没行动，谋划败露，寻阳太守监江州事晋陵人华皎派

遣兵逆击之，尽获其船仗。

上以闽州刺史陈宝应之父为光禄大夫，子女皆受封爵，命宗正编入属籍[258]。而宝应以留异女为妻，阴与异合。

虞荔弟寄[259]，流寓闽中，荔思之成疾，上为荔征之，宝应留不遣。寄尝从容讽以逆顺，宝应辄引他语以乱之。宝应尝使人读《汉书》，卧而听之，至蒯通说韩信曰："相君之背，贵不可言。"蹶然[260]起坐，曰："可谓智士！"寄曰："通一说杀三士[261]，何足称智？岂若班彪[262]《王命》[263]，识所归乎？"寄知宝应不可谏，恐祸及己，乃着居士[264]服，居东山寺，阳称足疾。宝应使人烧其屋，寄安卧不动。亲近将扶之出，寄曰："吾命有所悬[265]，避将安往？"纵火者自救之。

乙卯[266]，齐以任城王湝为司徒。

齐扬州刺史行台王琳数欲南侵，尚书卢潜以为时事未可。上遣移书寿阳，欲与齐和亲。潜以其书奏齐朝，仍上启且请[16]息兵。齐主许之，遣散骑常侍崔瞻[267]来聘，且归南康愍王昙朗[268]之丧。琳由[17]是与潜有隙，更相表列[269]。齐主征琳赴邺，以潜为扬州刺史，领行台尚书。瞻，㥄之子也。

梁末丧乱，铁钱不行，民间私用鹅眼钱[270]。甲子[271]，改铸五铢钱，一当鹅眼之十。

后梁主安于俭素，不好酒色，虽多猜忌，而抚将士有恩。以封疆褊隘[272]，邑居残毁，干戈日用，郁郁不得志，疽发背而殂，葬平陵[273]，谥曰宣皇帝，庙号中宗。太子岿即皇帝位，改元天保。尊龚太后为太皇太后，王后为[18]皇太后，母曹贵嫔[274]为皇太妃。

三[19]月丙子[275]，安成王顼至建康，诏以为中书监、中卫将军。上谓杜杲曰："家弟今蒙礼遣，实周朝之惠，然鲁山不返，亦恐未能及此。"杲对曰："安成，长安一布衣耳，而陈之介弟也，其价岂止一城而已哉？本朝敦睦九族，恕己及物，上遵太祖遗旨，下思继好之义，是以遣之南归。今乃云以寻常之土易骨肉之亲，非使臣之所敢闻也。"上甚惭，曰："前言戏之耳。"待杲之礼有加焉。项妃柳氏[276]及子叔宝犹在穰城，上复遣毛喜如周请之，周人皆归之。

兵反击，全部俘虏了周迪派去偷袭湓城的士兵和船只器械。

陈文帝任命闽州刺史陈宝应的父亲为光禄大夫，子女都接受封爵，命宗正编入陈氏皇族名籍。可是陈宝应因为娶了留异之女为妻，所以暗中与留异联合。

虞荔的弟弟虞寄，流落在闽中，虞荔思念弟弟得了病，陈文帝为虞荔征召虞寄，陈宝应扣留虞寄，不让他走。虞寄曾经坦诚而含蓄地讲逆顺的道理，陈宝应总是用别的话头引开。陈宝应曾经使人读《汉书》，他躺在床上听，当读到蒯通游说韩信说："相君之背，贵不可言。"陈宝应突然坐起，说："可以称得上智士！"虞寄说："蒯通一次诱说，杀了三个贤士，哪里称得上是智？又怎能比得上班彪作的《王命论》，懂得归向呢？"虞寄知道陈宝应不可能谏阻，恐怕灾祸牵连自己，于是穿上居士服，避居到东山寺，假说患了足疾。陈宝应派人烧他的房屋，虞寄安安稳稳地睡在床上不动。亲近的人要扶他出去，虞寄说："我的生命操控在别人的手中，能到哪里去躲避呢？"放火的人自己把火扑灭了。

闰二月十五日乙卯，北齐任命任城王高湝为司徒。

北齐扬州刺史行台王琳多次想向南侵扰，尚书卢潜认为当时的形势不允许。陈文帝派人送了一封信到寿阳，想与北齐和亲。卢潜把这封信转奏齐朝，自己也上奏请求暂时停止战争。北齐国主高湛同意了，派散骑常侍崔瞻出使陈朝，并且归还南康愍王陈昙朗的灵柩。王琳因此与卢潜有了矛盾，互相上表列举对方的过失。北齐国主高湛征召王琳到邺城，任命卢潜为扬州刺史，兼领扬州行台尚书。崔瞻，是崔㥄的儿子。

梁朝末年大乱，铁钱不通行，民间私用鹅眼钱。闰二月二十四日甲子，改铸五铢钱，一枚兑换十枚鹅眼钱。

后梁国主萧詧安于节俭朴素，不好饮酒与女色，虽然多怀猜忌，但抚慰将士，有恩德。因为封疆褊狭，城邑与村落残破，战乱不止，心情郁闷，不能实现自己的抱负，脊背生了毒疮而去世，安葬在平陵，谥号称宣皇帝，庙号叫中宗。太子萧岿即皇帝位，改年号叫天保。尊龚太后为太皇太后，王后为皇太后，生母曹贵嫔为皇太妃。

三月初七日丙子，安成王陈顼回到建康，陈文帝下诏任命为中书监、中卫将军。陈文帝对北周使者杜杲说："家弟今蒙优礼送还，确实是周国的恩惠，但是鲁山郡不给周国，恐怕他回不来吧。"杜杲回答说："安成王，长安的一个布衣而已，但却是陛下的大弟，他的价值岂止是一座城呢？本朝和睦九族，以恕己之心推及于人，上遵太祖的遗旨，下想恢复两国间的友好，因此才送安成王回归南国。而今竟然说是拿普通的土地换回骨肉至亲，这话不是我这个使臣愿意听到的。"陈文帝很惭愧，说："刚才的话不过是开玩笑而已。"对待杜杲更加有礼。陈顼的妃子柳氏以及儿子陈叔宝还在穰城，陈文帝又派毛喜到北周请求放还，北周都把他们送归陈朝。

丁丑㉗⑦，以安右将军吴明彻为江州刺史，督高州刺史黄法𣰰、豫章太守周敷共讨周迪。

甲申㉗⑧，大赦。

留异始谓台军必自钱塘上，既而侯安都步由诸暨㉗⑨出永康，异大惊，奔桃枝岭，于岩口竖栅以拒之。安都为流矢所中，血流至踝，乘舆㉘⓪指麾，容止不变。因其山势，迮㉘①而为堰，会潦水㉘②涨满，安都引船入堰，起楼舰与异城等㉘③，发拍碎其楼堞。异与其子忠臣㉘④脱身奔晋安，依陈宝应。安都虏其妻及余子，尽收铠仗而还。

异党向文政据新安，上以贞毅将军㉘⑤程文季㉘⑥为新安太守，帅精甲三百轻往攻之。文政战败，遂降。文季，灵洗之子也。

夏，四月辛丑㉘⑦，齐武明娄太后殂。齐主不改服，绯袍如故㉘⑧。未几，登三台，置酒作乐，宫女进白袍，帝投诸台下。散骑常侍和士开请止乐，帝怒，挞㉘⑨之。

乙巳㉙⓪，齐遣使来聘。

齐青州上言河水清，齐主遣使祭之，改元河清。

先是，周之群[20]臣受封爵者皆未给租赋。癸亥㉙①，始诏柱国等贵臣邑户，听寄食㉙②他县。

五月庚午㉙③，周大赦。

己丑㉙④，齐以右仆射斛律光为尚书令。

壬辰㉙⑤，周以柱国杨忠为大司空。六月己亥㉙⑥，以柱国蜀国公尉迟迥为大司马。

秋，七月己丑㉙⑦，纳太子妃王氏㉙⑧，金紫光禄大夫固㉙⑨之女也。

齐平秦王归彦至冀州，内不自安，欲待齐主如晋阳，乘虚入邺。其郎中令㉚⓪吕思礼告之。诏大司马段韶、司空娄叡讨之。归彦于南境置私驿㉚①，闻大军将至，即闭城拒守。长史宇文仲鸾㉚②等不从，皆杀之。归彦自称大丞相，有众四万。齐主以都官尚书封子绘，冀州人，祖父世为本州刺史㉚③，得人心，使乘传至信都，巡城，谕以祸福。吏民降者相继，城中动静，小大皆知之。归彦登城大呼云："孝昭皇帝初崩，六军百万，悉在臣手，投身向邺，奉迎陛下。当时不反，今日岂

三月初八日丁丑，陈文帝任命安右将军吴明彻为江州刺史，督高州刺史黄法氍、豫章太守周敷共同讨伐周迪。

三月十五日甲申，陈朝大赦天下。

留异原先以为官军一定从钱塘江沿江而上，不久，侯安都军步行由诸暨经永康而来，留异大惊，奔赴桃枝岭，在岩口竖立栅栏抗拒官军。侯安都被流箭射中，血流到脚跟，坐在轿子上指挥，容颜举止没有变化。官军根据山岭形势，依山筑堰，正赶上雨季，积水涨满，侯安都引船入堰，搭起楼船，与留异的城高度相等，发动拍竿拍碎留异城上的矮墙。留异和他的儿子留忠臣脱身逃往晋安，依附陈宝应。侯安都俘虏了留异的妻子和其他几个儿子，缴获了全部铠甲器杖后回军。

留异党羽向文政据守新安，陈文帝派贞毅将军程文季为新安太守，率领精兵甲士三百人轻装前往攻击。向文政战败，于是投降官军。程文季，是程灵洗的儿子。

夏，四月初二日辛丑，北齐武明娄太后去世。北齐国主高湛不穿丧服，仍像平常一样穿大红袍。不久，又登上三台，置酒作乐，宫女送上白袍，高湛将它扔到台下。散骑常侍和士开请求停止奏乐，高湛大怒，鞭打和士开。

四月初六日乙巳，北齐派人出使陈朝。

北齐青州刺史上书说黄河水变清，北齐国主高湛派人祭祀黄河，改年号叫“河清”。

此前，北周的文武百官中受了封爵的人，朝廷都没有给他们租赋。四月二十四日癸亥，开始下诏，柱国等勋戚重臣尽管辖有城邑户口，仍可以寄食于他县。

五月初一日庚午，北周大赦天下。

二十日己丑，北齐任命右仆射斛律光为尚书令。

五月二十三日壬辰，北周任命柱国杨忠为大司空。六月初一日己亥，任命柱国蜀国公尉迟迥为大司马。

秋，七月二十一日己丑，陈文帝聘王氏女为皇太子妃。王氏是金紫光禄大夫王固的女儿。

北齐平秦王高归彦到了冀州，内心不安，想等待北齐国主高湛前往晋阳，乘虚入据邺城。他手下的郎中令吕思礼向朝廷告发了。高湛下诏大司马段韶、司空娄叡征讨他。高归彦在冀州南境设置私家驿站，听到征讨大军就要到来，当即闭城拒守。长史宇文仲鸾等不听从，全都诛杀了他们。高归彦自称大丞相，有部众四万。北齐国主高湛因都官尚书封子绘是冀州人，祖父、父亲世代任职为冀州刺史，很得人心，就派他乘驿车到信都，巡城，宣讲顺逆祸福的道理。城内官民投降的人络绎不绝，城中的举动和大小事，官军知道得一清二楚。高归彦登上城楼大声叫喊，说：“孝昭皇帝刚死的时候，朝廷军队百万，都掌领在我的手中，我投身邺城，奉迎陛下，当

反邪？正恨高元海、毕义云、高乾和诳惑圣上，疾忌忠良，但为杀此三人，即临城自刎。”既而城破，单骑北走，至交津[304]，获之，锁送邺。乙未[305]，载以露车，衔木面缚[306]。刘桃枝临之以刃，击鼓随之，并其子孙十五人皆弃市。命封子绘行冀州事。

齐主知归彦前谮清河王岳，以归彦家良贱百口赐岳家，赠岳太师。

丁酉[307]，以段韶为太傅，娄叡为司徒，平阳王淹为太宰，斛律光为司空，赵郡王叡为尚书令，河间王孝琬为左仆射。

癸亥[308]，齐主如晋阳。

上遣使聘齐。

九月戊辰朔[309]，日有食之。

以侍中、都官尚书到仲举[310]为尚书右仆射、丹杨尹。仲举，溉[311]之弟子也。

吴明彻至临川攻周迪，不能克。丁亥[312]，诏安成王顼代之。

冬，十月戊戌[313]，诏以军旅费广，百姓空虚，凡供乘舆饮食衣服及宫中调度，悉从减削。至于百司，宜亦思省约。

十一月丁卯[314]，周以赵国公招[315]为益州总管。

丁丑[316]，齐遣兼散骑常侍封孝琰[317]来聘。

十二月丙辰[318]，齐主还邺。

齐主逼通昭信李后，曰：“若不从我，我杀尔儿。”后惧，从之。既而有娠。太原王绍德至阁，不得见，愠曰：“儿岂不知邪？姊腹大，故不见儿。”后大惭，由是生女不举。帝横刀诟曰：“杀我女，我何得不杀尔儿？”对后以刀环筑杀绍德。后大哭，帝愈怒，裸后，乱挞之。后号天不已，帝命盛以绢囊，流血淋漉，投诸渠水，良久乃苏，犊车载送妙胜寺为尼。

时我没造反，今天难道会造反吗？只恨高元海、毕义云、高乾和等人欺骗迷惑圣上，嫉妒忠良，只要杀了这三个人，我当即就在城头自杀。”不久城破，高归彦单人独骑向北逃跑，到了交津，被抓获，锁起来送到邺城。七月二十七日乙未，高归彦被载上露车，嘴内塞上木条，两手反绑。刘桃枝把刀架在他的脖子上，跟着他击鼓，连同他的子孙共十五个人全都斩首示众。任命封子绘代理冀州刺史。

北齐国主高湛知道高归彦先前说清河王高岳的坏话，于是把高归彦的亲属和奴婢一百多口赏赐给高岳家，追赠高岳为太师。

七月二十九日丁酉，北齐任命段韶为太傅、娄叡为司徒、平阳王高淹为太宰、斛律光为司空、赵郡王高叡为尚书令、河间王高孝琬为左仆射。

八月初六日癸亥，北齐国主高湛到晋阳。

陈文帝派使臣到北齐访问。

九月初一日戊辰，发生日食。

陈文帝任命侍中、都官尚书到仲举为尚书右仆射、丹杨尹。到仲举，是到溉弟弟的儿子。

吴明彻到临川郡攻击周迪，没能攻破。九月二十日丁亥，陈文帝诏令安成王陈顼替代吴明彻。

冬，十月初二日戊戌，陈文帝下诏，因军事费用大增，百姓财粮困乏，凡是供给皇上的饮食、衣服，以及宫中的一切开支，一概削减。至于文武百官，也应考虑节约。

十一月初一日丁卯，北周任命赵国公宇文招为益州总管。

十一日丁丑，北齐派兼散骑常侍封孝琰出使陈国。

十二月二十一日丙辰，北齐国主高湛回到邺城。

北齐国主高湛逼奸昭信文宣皇后李氏，说：“你不顺从我，我就杀你的儿子。”李后害怕，依从了。不久怀了孕。太原王高绍德到昭信宫，不被母亲接见，生气地说：“儿子难道不知道吗？母亲肚子大了，所以不见儿。”李后非常羞愧，因此生下一个女儿，不敢养育。高湛提着刀，骂李后说：“你杀了我的女儿，我怎能不杀你的儿子？”当着李后的面，用刀环击杀了高绍德。李后大哭，高湛更加愤怒，剥光李后的衣裤，乱打她。李后呼天不止，高湛命令用绢袋装起来，鲜血从绢袋渗出，投到渠水中，过了很长时间才苏醒过来，用牛犊车载着送到妙胜寺为尼姑。

【段旨】

以上为第五段，写陈文帝通好北周、北齐，继续用兵讨伐地方势力，安定国境。北齐高湛以弟继位，初为政即荒淫暴虐，大类其兄高洋。

【注释】

㉓⑧乙亥：正月初五日。〖按〗此段记载取材自《北史》及《北齐书》，记之以北齐武成帝河清元年（公元五六二年）干支，正月为辛未朔，当年无闰月；他段则记之以陈文帝天嘉三年（公元五六二年）干支，正月为壬寅朔，当年闰二月。虽同为壬午年，但月序有所差异，故推算上有矛盾之处。㉓⑨辛巳：正月十一日。㉔⓪壬午：正月十二日。㉔①丙戌：正月十六日。㉔②胡氏：安定临泾（今甘肃镇原南）人，齐武成皇后，好淫乱，死于隋初。传见《北齐书》卷九、《北史》卷十四。㉔③戊子：正月十八日。㉔④凉景公：贺兰祥封凉国公，谥号景。㉔⑤壬寅：正月初一日。㉔⑥丁未：正月初六日。㉔⑦辛亥：正月初十日。㉔⑧胡公：周武王的大臣。武王把长女大姬嫁给胡公为妻，并封在陈国为诸侯，是陈国的始祖。事见《左传》襄公二十五年、《史记》卷三十六《陈杞世家》及“得妫满，封之于陈”句《索隐》。陈蒨自认是胡公的后代，所以在祭祀时用胡公配天。㉔⑨辛酉：二月辛未朔，无辛酉。《陈书》作正月事，即正月二十日。疑《通鉴》误。㉕⓪丁未：闰二月初七日。㉕①反覆之迹：高归彦在高洋时，与杨愔亲近；后又依附高演，杀杨愔，废帝为济南王。高演死，又迎立武成帝，前后反复无常。㉕②辄：实时。㉕③欲参：想朝见武成帝。㉕④清阳宫：北齐别宫，在今河北清河。㉕⑤出镇湓城：让周迪离开他的根据地临川，到江州州治湓城赴任，以便强化中央的控制。㉕⑥趑且：徘徊不前的样子。且，通“趄”。㉕⑦南江酋帅：江州南部各郡的将领。㉕⑧编入属籍：编入陈氏皇族名册。㉕⑨寄：虞寄（公元五一〇至五七九年），字次安，性恬静，有文才，不求仕进。扣留在陈宝应处，自号东山居士。后文帝、宣帝屡次征召，均不应命，只备顾问而已。传见《陈书》卷十九、《南史》卷六十九。㉖⓪蹶然：迅速挺身。㉖①通一说杀三士：蒯通劝韩信袭击已同意归顺的齐国，使刘邦的使者郦食其被烹死，齐相田横战败逃入海岛，后被迫自杀。又使韩信居功自傲，以后遭到刘邦疑忌，落了个谋反被杀的下场。详《汉书》卷四十五《蒯通传》。㉖②班彪：字叔皮，扶风安陵（今陕西咸阳东）人，两汉之际著名的史学家。所撰《史记后传》成为其子班固撰作《汉书》的主要依据之一。传见《后汉书》卷四十上。㉖③王命：即《王命论》，是班彪避乱陇西时写给隗嚣的一篇文章。主要内容是劝说隗嚣归顺刘秀，辅佐汉室，不要有非分之想。虞寄借用来说服陈宝应不要再与留异暗中往来，筹划谋反，以免铸成大错。全文见《文选》卷五十二。本书卷四十一引有《王命论》部分内容。㉖④居士：静心奉佛修道的俗家人士。㉖⑤命有所悬：生命控制在他人之手。暗指陈宝应。㉖⑥乙卯：闰二月十五日。㉖⑦崔瞻（公元五一九至五七二年）：字彦通，清河东武城（今山东武城）人。出身高门，富有文才。仕北齐，任中书侍郎，又任给事黄门侍郎，身居中书、门下二省。曾草定婚礼仪注。传见《北齐书》卷二十三、《北史》卷二十四。㉖⑧昙朗：陈昙朗。前做人质，被北齐所杀。㉖⑨更相表列：互相上表揭发对方过失。㉗⓪鹅眼钱：一种劣质钱，仿刘宋沈庆之所铸的五铢小钱，所以也被称作“沈

郎钱”。㉗① 甲子：闰二月二十四日。㉗② 封疆褊隘：领土狭小。时后梁所辖只有荆州，辖南郡（治所江陵，在今湖北江陵）一郡；平州，辖漳川（治所漳川，在今湖北当阳）一郡；基州，辖章山（治所在今湖北钟祥南）一郡；都州，辖武宁（治所乐乡，在今湖北荆门北）一郡。名为四州，实为四郡之地。㉗③ 平陵：后梁主陵园，在今湖北江陵。㉗④ 曹贵嫔：名不详，九月即病死。㉗⑤ 丙子：三月初七日。㉗⑥ 柳氏：即高宗柳皇后（公元五三三至六一五年），名敬言，河东解人，陈后主初即位，因病不能听政。时值始兴王陈叔陵等叛乱，政事一决于柳太后。陈亡，居长安。隋末死于洛阳。传见《陈书》卷七、《南史》卷十二。㉗⑦ 丁丑：三月初八日。㉗⑧ 甲申：三月十五日。㉗⑨ 诸暨：县名，县治在今浙江诸暨。㉘⓪ 轝：一种便车。㉘① 迮：迫近。㉘② 潦水：积水。指堰中因天雨或其他原因，积存了大量的水。㉘③ 等：等高，指筑堤与城墙一样高。㉘④ 忠臣：留忠臣，后与父留异一起在建康被处决。㉘⑤ 贞毅将军：官名，属杂号将军。㉘⑥ 程文季（？至公元五七九年）：字少卿，新安海宁（今安徽休宁）人。在平定陈宝应、华皎叛乱中，屡立战功，袭封重安县公。随吴明彻北伐，于吕梁被俘，南逃时被周兵所杀。传见《陈书》卷十、《南史》卷六十七。㉘⑦ 辛丑：四月初二日。㉘⑧ 绯袍如故：不穿丧服，仍穿红袍。㉘⑨ 挞：打。㉙⓪ 乙巳：四月初六日。㉙① 癸亥：四月二十四日。㉙② 寄食：依赖他人而生活。㉙③ 庚午：五月初一日。㉙④ 己丑：五月二十日。㉙⑤ 壬辰：五月二十三日。㉙⑥ 己亥：六月初一日。㉙⑦ 己丑：七月二十一日。㉙⑧ 王氏：琅邪临沂（今山东临沂北）人。即废帝王皇后，后被贬为临海王妃。陈后主至德年间病死。传见《陈书》卷七、《南史》卷十二。㉙⑨ 周：《陈书》卷七作“固”。疑当作“固”。㉚⓪ 郎中令：此是王国郎中令，官名，掌王府内事务。㉚① 私驿：私人驿站和驿骑。㉚② 宇文仲鸾：洛阳（今河南洛阳）人，东魏末曾任齐王丞相府长流参军。传见《魏书》卷四十四。㉚③ 祖父世为本州刺史：封子绘的祖父封回、父封隆之都担任过冀州刺史。㉚④ 交津：漳河和白马河交汇的地方，在今河北武强南。㉚⑤ 乙未：七月二十七日。㉚⑥ 衔木面缚：嘴上勒上一根木条，双手反绑到背后。㉚⑦ 丁酉：七月二十九日。㉚⑧ 癸亥：八月初六日。㉚⑨ 戊辰朔：九月初一日。㉛⓪ 到仲举（公元五一七至五六七年）：字德言，彭城武原（今江苏邳州北）人，陈文帝时，封建昌县侯。宣帝辅政时被杀。传见《陈书》卷二十、《南史》卷二十五。㉛① 溉：到溉，字茂灌，有才学，廉洁清白。梁时官至散骑常侍、侍中。传见《梁书》卷四十、《南史》卷二十五。㉛② 丁亥：九月二十日。㉛③ 戊戌：十月初二日。㉛④ 丁卯：十一月初一日。㉛⑤ 招：宇文招（？至公元五八〇年），字豆卢突，北周文帝宇文泰之子。灭北齐后，进位上柱国，拜太师。杨坚辅政时，将代北周。招密谋诛坚，事泄被杀。传见《周书》卷十三、《北史》卷五十八。㉛⑥ 丁丑：十一月十一日。㉛⑦ 封孝琰（公元五三〇至五八〇年）：字士光，渤海蓨（今河北景县）人。北齐末官至通直散骑常侍、尚书左丞，奏门下省事。曾预撰《修文殿御览》。因谏后主被杀。传见《北齐书》卷二十一、《北史》卷二十四。㉛⑧ 丙辰：十二月二十一日。

【校记】

［15］将兵：原无此二字。据章钰校，十二行本、乙十一行本皆有此二字，张敦仁《通鉴刊本识误》同，今据补。〖按〗《通鉴纪事本末》卷二四有此二字。［16］且请：原作“请且”。据章钰校，十二行本、乙十一行本二字皆互乙，今据改。〖按〗《通鉴纪事本末》卷二四作“且请”。［17］由：原作“于”。据章钰校，十二行本、乙十一行本、孔天胤本皆作“由”，张敦仁《通鉴刊本识误》同，今据改。［18］为：原作“曰”。据章钰校，十二行本、乙十一行本皆作“为”，今据改。［19］三：原作“二”。据章钰校，十二行本、乙十一行本皆作“三”，张敦仁《通鉴刊本识误》同，今据改。〖按〗《陈书·世祖纪》《南史·文帝纪》皆作“三”。［20］群：原作“君”。据章钰校，十二行本、乙十一行本皆作“群”，今据改。〖按〗《通鉴纲目》卷三四作“群”。

【研析】

公元五六〇至五六二年，陈、北齐、北周，内部政治都经历着巨大的调整。

陈朝开国皇帝陈霸先突然病逝，其时江南还未平定。陈霸先之子陈昌，虽是名正言顺的继承人，但当初被梁元帝召至江陵，作为保证陈霸先效忠的人质，西魏攻陷江陵时，被俘至长安，受西魏北周政权控制，“高祖即位，屡请之于周，周人许而不遣”，意在要挟陈朝。陈霸先死后，陈霸先皇后章氏暂时掌握发号施令的权力，并希望儿子陈昌回国继承帝位，而开国元勋侯安都建议拥陈霸先兄之子临川王陈蒨为帝。本书卷一百六十七记其事说：“（临川）王谦让不敢当。皇后以昌故，未肯下令，群臣犹豫不能决。安都曰：‘今四方未定，何暇及远？临川王有大功于天下，须共立之。今日之事，后应者斩！’即按剑上殿，白皇后出玺，又手解蒨发，推就丧次，迁殡大行于太极西阶。皇后乃下令，以蒨纂承大统。”即后来的陈文帝。

对于陈朝新皇帝陈蒨来说，继续进行对梁朝残余势力王琳集团的战争，削平江南腹地割据一方的地方豪族武装，阻遏北齐、北周对江南的渗透，是稳定陈朝面临的艰巨任务，这些也是本卷详细叙述的内容，此不申说。陈朝对江南实现稳定地统治，固然有助于巩固陈蒨的皇位，而他要巩固皇位，还必须处理两个随时都可能引发政治危机的潜在因素：其一是陈昌归国可能引起的政治动荡，其二便是如何处置功高震主的侯安都。

陈霸先死后，北周军队利用王琳东下之机，深入湘江流域，同时又立即遣陈昌归国，扰动陈朝政局、强占江南之地的意思甚明。归国途中的陈昌“致书于上，辞甚不逊”，我们虽然不知陈昌说了哪些不得体的话，但肯定是有索要堂兄陈蒨帝位的意思，因而陈蒨才会对侯安都表示：“太子将至，须别求一藩为归老之地。”据《陈书》卷十四，陈昌为陈霸先第六子，陈霸先封长陈侯时，便以为世子，虽非长子，但从其母章氏被立为皇后看，应属嫡子。《陈书》未见陈霸先即位后有立太子之举，而《通鉴》则称之为“世子昌”，显然陈昌在陈朝建立后被立为太子的事情，被陈朝官方史书有意地掩盖了。

太子归国，陈蒨即位尚不到一年，功业尚未建立，侯安都的态度再次成了关键。侯安都的表态是：“自古岂有被代天子？臣愚，不敢奉诏。”并请求“自迎昌”，结果陈昌在渡江时因船沉溺毙，这当然是侯安都又一功劳，“以功进爵清远公”。陈昌被杀，对于陈蒨自然是好事，但作为人臣，行如此之事，侯安都已难信重，他最终的结局必然是兔死狗烹。侯安都被杀，《通鉴》因时间关系而叙于下卷，至于本卷中所述其招聚文士、部下将士不遵法度等事，从中书舍人蔡景历“希旨称安都谋反”可知，实是“欲加之罪，何患无辞”。谋反大罪，诛及九族，但陈蒨公开以谋反罪杀侯安都，却“宥其妻子，资其丧”，也显示出谋反并非实情，诛杀功高震主者才是目的。处死侯安都，太子陈昌暴死之责，罪有所归，又可震慑创业功臣，陈蒨终于使自己的皇位巩固下来。

北齐经文宣帝高洋晚年长期变态的折腾，终于在其死后由杨愔等辅太子高殷即位。据《北齐书》卷六《废帝纪》，这位年少的新皇帝与父辈武夫不同，颇有学问，其为太子，“温裕开朗，有人君之度，贯综经业，省览时政，甚有美名”。曾在宴聚之时与儒者问难儒经义旨，“在座莫不叹美”。但当高洋要他亲手杀死囚犯时，却“恻然有难色，再三不断其首”。高洋因此“每言太子得汉家性质，不似我，欲废之”。杨愔等欲巩固高殷的帝位，整顿朝纲，试图将高洋的两个弟弟高演、高湛排挤出朝廷，但这二人得到鲜卑勋贵的支持。出于情感，鲜卑勋贵更愿意效忠于高欢之妻娄氏，不喜欢这个汉化颇深的皇帝，也不愿意高殷之母李氏以一个汉人居太后之位。于是高演、高湛与勋贵联手发动政变，请出虽身居幕后、但影响力极大的娄氏，废黜高殷，高演夺得帝位。政变本身是权力之争，但胜者借重鲜卑武人的力量，败者试图兴行文治。娄氏称：“岂可使我母子受汉老妪斟酌？”高殷表示：“天子亦不敢为叔惜，况此汉辈！”使得政变带有族群斗争的味道。

在这种背景下上台的高演，虽颇想有所作为，“大革显祖之弊”，扭转高洋末年北齐呈现的颓势，但这只不过因其生性“沈敏”，且“少居台阁，明习吏事”，有实践经验，他的文化水平实在不敢恭维。他临死时，母亲娄氏健在，他却表示以未见母亲坟墓为憾，目的虽是要表达对母亲的孝心，却颇不得体。颜之推因此评价他“良由不学之所为也”，即可见一斑。其上台执政，及登上皇帝，全凭身边汉人王晞给他出谋划策，但却因王晞“儒缓”，“恐不允武将之意，每夜载入，昼则不与语”。这又充分表明，这次政变，表面上看是鲜卑与汉族之间的斗争，实则是两种文化的冲突，是北魏末年以来北镇武人反抗洛阳汉化与文治政策的延续。因此，高演当上皇帝，试图整顿吏治，并不会有太大的作为。纵观历史，任何一个政权，全凭武人的意愿决定国家政治走向，绝不是正常形态，这个政权的稳定与政策的有效性，也颇成问题。

反观西魏、北周，所在地域自汉魏以来，文化上便远逊于东魏、北齐之境，奠基于“武川军团”的西魏、北周在政治举措上，也重视草原传统，如西魏时奉拓跋部落联盟形成时期的首领力微为太祖，又恢复鲜卑部落名号，行军号令使用鲜卑语。但华夏传统也同样受到尊重，重儒学、行《周礼》，文武并重，草原传统与中原文明并行不悖，西魏、北周的政争，绝无族群与文化冲突的意义。如果这两个敌对政权的创立者宇文泰、高欢为第一代人，无论他们族源是汉、是鲜卑，抑或匈奴（据周一良先生研究，宇文氏出于匈奴），他们同样来自草原，同样熟悉鲜卑语言，但他们的下一代文化水平却大相径庭。高欢的下一代不学无文，宇文泰的下一代则文质彬彬。如北周明帝宇文毓，《周书》卷四《明帝纪》称：“幼而好学，博览群书，善属文，词彩温丽。”他享年二十七岁，“所著文章十卷”虽未见流传，但同卷录有他至同州故居时写的一首诗：“玉烛调秋气，金舆历旧宫。还如过白水，更似入新丰。霜潭渍晚菊，寒井落疏桐。举杯延故老，令闻歌《大风》。”音调铿锵、用典贴切、平仄合韵，堪与厉行汉化改革的北魏孝文帝比肩，与高欢诸子相比，文化水平高下可见。

这种差异并非个人好恶所致，而是政权开创者风格使然，请参看卷一百五十六我们对于宇文泰、高欢二人的评析。

宇文毓因权臣宇文护忌惮进毒，英年早逝，未能有更大的作为。但他亲自选定的接班人其弟宇文邕，亦即周武帝，即位之后，高举复兴儒学的大旗，加强政令统一，一举消灭北齐。这将是随后几卷将要涉及的问题。

卷第一百六十九　陈纪三

起昭阳协洽（癸未，公元五六三年），尽柔兆阉茂（丙戌，公元五六六年），凡四年。

【题解】

本卷载述公元五六三至五六六年四年南北朝史事，当陈朝天嘉四年至六年、天康元年，北周武帝保定三年至五年、天和元年，北齐武成帝太宁三年至四年、后主天统元年至二年。陈文帝讨灭江南群雄反叛，通好北周，励精图治，数年之间，重新恢复了江南的社会秩序，陈朝获得了稳定。北周君臣协同，最为称治。北齐连续宫廷政变，内讧减杀国力。世祖高湛即位，步高洋后尘，酗酒信谗，残虐骨肉，招致北周两次大规模征讨，差点丧了国祚。

【原文】

世祖文皇帝下

天嘉四年（癸未，公元五六三年）

春，正月，齐以太子少傅魏收兼尚书右仆射。时齐主终日酣饮，朝事专委侍中①高元海。元海庸俗，帝亦轻之，以收才名素盛，故用之。而收畏懦避事，寻坐阿纵，除名②。

兖州③刺史毕义云作书与高元海，论叙时事，元海入宫，不觉遗之。给事中④李孝贞得而奏之，帝由是疏元海，以孝贞兼中书舍人⑤，征义云还朝。和士开⑥复谮⑦元海，帝以马鞭箠元海六十，责曰："汝昔教我反，以弟反兄，几许⑧不义！以邺城兵抗并州，几许无智！"出为兖州刺史。

甲申⑨，周迪众溃，脱身逾岭，奔晋安⑩，依陈宝应。官军克临

【语译】

世祖文皇帝下

天嘉四年（癸未，公元五六三年）

春，正月，北齐任命太子少傅魏收兼尚书右仆射。当时北齐国主整天恣意饮酒，朝廷事务完全交付侍中高元海处理。高元海平庸鄙陋，皇上高湛也看不起他，因为魏收的才能名望一向很高，所以任用他。但是魏收胆小懦弱，遇事推诿躲避，不久便因包庇纵容而获罪，被罢官。

兖州刺史毕义云写信给高元海，评说时政，高元海进宫，没有发觉自己遗失了这封信。给事中李孝贞捡到后上奏给皇上，皇上因此疏远了高元海，任命李孝贞兼中书舍人，征召毕义云返回朝廷。和士开又诬陷高元海，皇上用马鞭打了高元海六十鞭，斥责他说："你先前教唆我造反，以弟反兄，何等不义！用邺城的兵对抗并州，何等愚蠢！"外放高元海为兖州刺史。

正月十九日甲申，周迪部众溃散，周迪逃脱，翻山越岭，逃到晋安，依附陈宝

川⑪，获迪妻子。宝应以兵资迪，留异又遣子忠臣随之。

虞寄⑫与宝应书，以十事谏之曰："自天厌梁德⑬，英雄互起，人人自以为得之，然夷凶翦乱，四海乐推者，陈氏也。岂非历数有在，惟天所授乎？一也。以王琳之强，侯瑱之力，进足以摇荡中原，争衡天下，退足以屈强江外，雄张偏隅，然或命一旅之师，或资一士之说，琳则瓦解冰泮⑭，投身异域，瑱则厥角稽颡⑮，委命阙庭，斯又天假之[1]威，而除其患。二也。今将军以藩戚⑯之重，东南之众，尽忠奉上，戮力勤王，岂不勋高窦融⑰，宠过吴芮⑱，析珪判野⑲，南面称孤⑳乎？三也。圣朝弃瑕忘过，宽厚得人，至于余孝顷、潘纯陀、李孝钦、欧阳頠等，悉委以心腹，任以爪牙，胸中豁然，曾无纤芥㉑。况将军衅㉒非张绣㉓，罪异毕谌㉔，当何虑于危亡，何失于富贵？四也。方今周、齐邻睦，境外无虞，并兵一向，匪朝伊夕㉕，非刘、项㉖竞逐之机，楚、赵连从㉗之势，何得雍容㉘高拱㉙，坐论西伯㉚哉？五也。且留将军狼顾㉛一隅，亟经摧衄㉜，声实亏丧㉝，胆气衰沮。其将帅首鼠两端，唯利是视，孰能被坚执锐，长驱深入，系马埋轮㉞，奋不顾命，以先士卒者乎？六也。将军之强，孰如侯景？将军之众，孰如王琳？武皇灭侯景于前，今上摧王琳于后，此乃天时，非复人力。且兵革㉟已后，民皆厌乱，其孰能弃坟墓，捐㊱妻子，出万死不顾之计，从将军于白刃㊲之间乎？七也。历观前古，子阳、季孟㊳，颠覆相寻；余善、右渠㊴，危亡继及。天命可畏，山川难恃。况将军欲以数郡之地当天下之兵，以诸侯之资拒天子之命，强弱逆顺，可得侔㊵乎？八也。且非我族类，其心必异。不爱其亲，岂能及物？留将军身縻国爵㊶，子尚王姬㊷，犹且弃天属㊸而弗[2]顾，背明君而孤立，危急之日，岂能同忧共患，不背将军者乎？至于师老力屈，惧诛利赏，必有韩、智晋阳之谋㊹，张、陈井陉之势㊺。九也。北军㊻万里远斗，锋不可当㊼。将军自战其地，人多顾后。众寡不敌，将帅不侔。师以无名而出，事以

应。官军攻克临川，抓获周迪的妻子儿女。陈宝应派军队帮助周迪，留异又派他的儿子留忠臣跟随周迪。

虞寄写信给陈宝应，劝谏他十件事，说：“自从上天厌弃梁朝，英雄并起，人人都自以为能得天命，但是削平凶暴，铲除祸乱，四海所乐于推举的人，只是陈氏。难道不是天命自有所归，这是上天所授予的吗？此其一。凭王琳的强大，侯瑱的实力，他们进则足以动摇中原，为争夺天下与人决一高下，退则足以在长江之外称霸，雄踞一方，然而朝廷或命一旅之师征讨，或靠一介士人的游说，王琳就瓦解冰消，投身异国，侯瑱则磕头归附，把性命也托付给朝廷，这又是上天给了陈氏威严，助他铲除祸患。此其二。如今将军凭借藩屏皇室的宗亲的重要地位，拥有东南地区大量的土地与民众，竭尽忠诚侍奉皇上，努力为王室效劳，岂不是功勋超过东汉窦融，尊宠超过西汉吴芮，分颁玉珪，划野封土，南面称孤了吗？此其三。圣朝不计较人的瑕疵和过失，宽厚待人，至于像余孝顷、潘纯陀、李孝钦、欧阳頠等，都被当作心腹或得力助手加以重用，皇上心胸豁达，没有一点芥蒂。何况将军没有张绣那样因杀子而出现的嫌隙，也不同于毕谌那样因背叛而犯下的罪过，何必去顾虑危亡，又怎么会失去富贵呢？此其四。如今朝廷与周、齐两国睦邻相处，境外没有可忧虑之事，集中兵力用在一方，这是早晚的事。目前的情况，既不是刘邦、项羽角逐的时候，也不是楚、赵合纵抗秦的态势，怎么能优雅从容地高拱双手，坐论西伯割据一方呢？此其五。再说留异将军偏处一隅，心存后顾之忧，屡遭失败，声威实力大受亏损，胆量勇气衰减颓丧。他的将帅都迟疑动摇，只考虑如何对自己有利，谁能替他披坚甲、执利兵，长驱深入，系住马、埋起车轮，拼命死战，身先士卒去杀敌呢？此其六。将军的强大，和侯景相比怎么样？将军的部众，和王琳相较又怎么样？陈武皇帝消灭侯景在前，今上摧毁王琳在后，这是天时，不是人力所能办得到的。况且战争之后，百姓都厌恶动乱，谁能抛弃先人坟茔，丢下妻子儿女，万死不辞，跟随将军在刀剑之间征战呢？此其七。再观察一番先前古代之事，当年割据一方的公孙述子阳、隗嚣季孟，相继被推翻；西汉时东越王余善、朝鲜王右渠，背叛之后也接连遭灭亡。天命使人敬畏，山川险阻是难以倚仗的。何况将军想拿几个郡的地方来抵挡天下之兵，用一个诸侯的资本来抗拒天子之命，强与弱，逆与顺，能够相等吗？此其八。再说，不是我的同类，他的心思必然不同。不爱自己的亲属，怎么能去爱别人？留异将军身受国家爵禄，儿子娶了公主为妻，尚且抛弃天然相连的亲属关系而不顾，背叛圣明君主而孤立，危急之时，他又怎么能共忧患而不背叛将军您呢？等到军队疲弱、力量竭尽之时，他惧怕被诛杀而贪求受赏，当年韩君与对手联合反过来消灭曾一起出兵的智伯的晋阳之谋，张耳攻杀昔日好友陈余的井陉之战那种局面一定会再度出现。此其九。北来的官军万里远征，锐不可当。将军您在自己的封地内作战，人多有后顾之忧。况且将军您寡不敌众，将帅与官军也不能相比。

无机而动，以此称兵㊽，未知其利。十也。为将军计，莫若绝亲留氏，遣子入质[3]，释甲偃兵，一遵诏旨。方今藩维㊾尚少，皇子幼冲㊿，凡豫(51)宗枝[4]，皆蒙宠树。况以将军之地，将军之才，将军之名，将军之势，而克修藩服，北面称臣，宁与刘泽(52)同年(53)而语其功业哉？寄感恩怀德，不觉狂言，斧钺之诛，其甘如荠(54)。”宝应览书大怒。或谓宝应曰：“虞公病势渐[5]笃(55)，言多错谬。”宝应意乃小释，亦以寄民望，故优容之。

【段旨】

以上为第一段，写陈朝虞寄致书陈宝应，劝其弃割据，就臣职。虞寄陈祸福顺逆，谕之以理，动之以情，剖判透彻。无奈乱世军阀，自矜功伐，心存侥幸，不以民众生息为意，务求一逞，不到灭宗亡族而不止，悲夫！

【注释】

①侍中：官名，门下省长官。实为宰相。②除名：罢官。③兖州：州名，治所瑕丘，在今山东济宁市兖州区北。④给事中：官名，侍从皇帝，以备顾问。⑤中书舍人：官名，主管起草制书诏令。⑥和士开（？至公元五七一年）：仕北齐，官至侍中。传见《北齐书》卷五十、《北史》卷九十二。⑦谮：诬陷。⑧几许：多么；何等。⑨甲申：正月十九日。⑩晋安：郡名，治所侯官县，在今福建福州。⑪临川：郡名，治所临汝县，在今江西临川县西。⑫虞寄（？至公元五七九年）：字次安，善属文。陈宝应据有闽中，得寄。陈宝应欲反叛，寄与陈宝应书劝谏。谏书载《陈书》虞寄本传。下文所载，有所删略。传见《陈书》卷十九、《南史》卷六十九。⑬天厌梁德：上天厌弃梁朝。⑭泮：散。⑮厥角稽颡：磕头归服。厥角，若崩头角。《书经·泰誓中》：“百姓栗栗，若崩厥角。”孔传：若崩摧其角。稽颡，磕头以额触地。此为顺服之意。⑯藩戚：藩屏皇室的亲属。⑰窦融：东汉人，曾以河西五郡之地归刘秀。传见《后汉书》卷二十三。⑱吴芮：秦末率越人起兵，赞助刘邦。传见《汉书》卷三十四。⑲析珪判野：析、判，作“分”字解。珪，指瑞玉，上圆下方，封诸侯之物。判野，划疆分野。指得到封赏。⑳南面称孤：古代君主见群臣时坐北朝南，故称人君为“南面”。孤，侯王的自称。㉑纤芥：细微。㉒衅：嫌隙。㉓张绣：东汉末人，曾杀曹操之子，后归曹操，曹操不计前怨。传见《三国志》卷八。㉔毕谌：曾为曹操别驾。张邈据兖州叛曹，劫持其母弟妻子，曹操让他前去探视，

既没有正当的出兵理由，也没有合适的举事时机，这种情况下起兵，不知道利在哪里。此其十。替将军打算，不如断绝与留异的亲戚关系，派遣儿子入陈朝为质，解甲息兵，完全遵照朝廷旨意行事。如今藩国尚少，皇子年幼，凡属皇室宗族，都受到恩宠扶植。况且，凭着将军的辖地、将军的才能、将军的名望、将军的权势，如果能够尽藩国之职，北面称臣，其功勋事业岂是仅仅与西汉刘泽相提并论呢？我虞寄感恩戴德，不觉出言狂妄，即使受到斧钺的惩处，我也像吃荠菜一样觉得甘甜。”陈宝应看到这封信，十分震怒。有人对陈宝应说：“虞公病势转重，说话多有错谬。”陈宝应这才稍为消了点气，也因为虞寄颇有人望，所以才宽容了他。

他临走时说无二心，但离开曹操后遂逃亡而去。后被曹操捉住，被任为鲁相。㉕匪朝伊夕：不在早上，即在晚上。匪，同“非”。㉖刘、项：刘，指刘邦。项，指项羽。㉗楚、赵连从：此指苏秦劝说楚、赵两国联合抗秦。连从，合纵。㉘雍容：体态温文。㉙高拱：高拱两手；安坐。㉚坐论西伯：语出《后汉书》卷十三《隗嚣传》范晔论：“若嚣命会符运，敌非天力，虽坐论西伯，岂多嗤乎？”西伯，指周文王，为西方之长。意谓如果隗嚣命合符运，所敌不是上天授命的光武帝，虽然自云成为西伯文王，也不会被人笑话。虞寄在这里的意思是说，当前的形势既非刘、项楚汉之争，也非楚、赵合纵抗秦，怎么能雍容拱手，坐言西伯称雄一隅之事。㉛狼顾：狼行常回顾。比喻有后顾之忧。㉜亟经摧衄：屡受挫折。衄，挫折之意。㉝声实亏丧：名誉和实力亏损。㉞系马埋轮：拴住马，把车轮埋起来，喻坚守不退之意。㉟兵革：指战争。㊱捐：抛弃。㊲白刃：利刀。㊳子阳、季孟：两人均西汉末割据军阀。子阳，公孙述字，割据巴蜀。季孟，隗嚣字，割据陇右。二人皆为光武帝所灭。传见《后汉书》卷十三。㊴余善、右渠：余善，西汉东越王名。右渠，西汉时朝鲜王名。二人皆叛汉，为其属下所杀。㊵侔：相等。㊶身縻国爵：身有国家爵位。縻，系住。㊷子尚王姬：留异之子贞臣尚公主。㊸天属：有血缘关系的直系亲属。㊹韩、智晋阳之谋：公元前四〇三年，智伯联合韩、魏攻赵于晋阳，韩、魏、赵三家反联合灭智伯。事见《史记》卷四十三《赵世家》。㊺张、陈井陉之势：张耳、陈余原为刎颈之交，后闹翻结怨。公元前二〇七年，张耳同韩信于井陉口攻杀陈余。事见《史记》卷八十九《张耳陈余列传》、《汉书》卷三十二《张耳陈余传》。㊻北军：陈朝军队从建康来，在晋安北，故称北军。㊼“万里远斗”二句：因远征，抱有必死的决心，作战勇猛，来势不可抵挡。㊽称兵：举兵。㊾藩维：屏藩皇室，指文帝诸子。㊿幼冲：幼小，指太子伯宗。51豫：通“与”。52刘泽：汉高祖疏远的亲属，封燕王。事见《史记》卷五十一《荆燕世家》、《汉书》卷三十五《荆燕吴传》。53同年：相等。54荠：荠菜，其味甘甜。55笃：病势沉重。

【校记】

［1］之：原作“其”。据章钰校，十二行本、乙十一行本、孔天胤本皆作“之”，今据改。〖按〗《陈书·虞荔传附虞寄传》《南史·虞荔传附虞寄传》皆作“之”。［2］弗：原作“不”。据章钰校，十二行本、乙十一行本、孔天胤本皆作“弗”，今据改。〖按〗《陈

【原文】

周梁躁公侯莫陈崇从周主如原州。帝夜还长安，人窃怪其故，崇谓所亲曰：“吾比闻术者言，晋公今年不利，车驾今忽夜还，不过晋公死耳。”或发其事。乙酉㊻，帝召诸公于大德殿，面责崇，崇惶恐谢罪。其夜，冢宰㊼护遣使将兵就崇第，逼令自杀，葬如常仪。

壬辰㊽，以高州刺史黄法𣰋为南徐州刺史，临川太守周敷为南豫州刺史。

周主命司宪大夫㊾拓跋迪造《大律》十五篇㊿，二月庚子(61)，颁行之[6]。其制罪：一曰杖刑，自十至五十；二曰鞭刑，自六十至百；三曰徒刑，自一年至五年；四曰流刑，自二千五百里至四千五百里；五曰死刑，磬、绞、斩、枭、裂(62)。凡二十五等。

庚戌(63)，以司空南徐州刺史侯安都为江州刺史。

辛酉(64)，周诏：“大冢宰晋国公，亲则懿昆(65)，任当元辅，自今诏诰及百司文书，并不得称公名。”护抗表(66)固让。

三月乙丑朔(67)，日有食(68)之。

齐诏司空斛律光督步骑二万，筑勋掌城于轵关(69)，仍筑长城二百里，置十二戍。

丙戌(70)，齐以兼尚书右仆射赵彦深(71)为左仆射(72)。

夏，四月乙未(73)，周以柱国达奚武为太保。

周主将视学(74)，以太傅燕国公于谨(75)为三老(76)。谨上表固辞，不许，

书·虞荔传附虞寄传》《南史·虞荔传附虞寄传》皆作“弗”。[3]遣子入质：原无此四字。据章钰校，十二行本、乙十一行本、孔天胤本皆有此四字，张敦仁《通鉴刊本识误》、张瑛《通鉴校勘记》同，今据补。[4]枝：原作“族”。据章钰校，十二行本、乙十一行本、孔天胤本皆作“枝”，张敦仁《通鉴刊本识误》同，今据改。[5]渐：原作“稍”。据章钰校，十二行本、乙十一行本、孔天胤本皆作“渐”，张敦仁《通鉴刊本识误》同，今据改。

【语译】

北周梁躁公侯莫陈崇跟随北周国主宇文邕前往原州。宇文邕当夜回到长安，人们私下对其中的原因感到奇怪。侯莫陈崇对亲近的人说：“我近来听擅长术数的人说，晋国公宇文护今年时运不利，皇上今天突然连夜回京，不过是晋国公快要死了而已。”有人揭发了这件事。正月二十日乙酉，皇上宇文邕在大德殿召集众公卿，当面斥责侯莫陈崇，侯莫陈崇惶恐谢罪。当夜，冢宰宇文护派使者率兵到侯莫陈崇的府第，逼迫他自杀，而他的葬礼仍按正常仪规举办。

正月二十七日壬辰，陈文帝任命高州刺史黄法𣰋为南徐州刺史，临川太守周敷为南豫州刺史。

北周国主宇文邕命令司宪大夫拓跋迪制定《大律》十五篇，二月初六日庚子，颁布施行。其所规定的刑罚类别为：一曰杖刑，从十杖到五十杖；二曰鞭刑，从六十鞭到一百鞭；三曰徒刑，从一年刑到五年刑；四曰流刑，从二千五百里到四千五百里；五曰死刑，有悬缢、绞杀、砍头、枭首、车裂等五种。共二十五等。

二月十六日庚戌，陈文帝任命司空南徐州刺史侯安都为江州刺史。

二月二十七日辛酉，北周下诏：“大冢宰晋国公宇文护，论亲情是朕的堂兄，论职任位居辅佐大臣之首，从今以后诏书诰命，以及各官署的文书，都不得称呼晋国公的名字。”宇文护上表坚决辞让。

三月初一日乙丑，发生日食。

北齐下诏命令司空斛律光督率步兵骑兵两万人，在轵关修筑勋掌城，以此为起点筑长城二百里，设置十二处戍守据点。

三月二十二日丙戌，北齐任命兼尚书右仆射赵彦深为左仆射。

夏，四月初二日乙未，北周任命柱国达奚武为太保。

北周国主宇文邕准备视察太学，任命太傅燕国公于谨为三老。于谨上表坚决辞

仍赐以延年杖。戊午[77]，帝幸太学[78]。谨入门，帝迎拜于门屏之间，谨答拜。有司设三老席于中楹，南向。太师[79]护升阶，设几，谨升席，南面凭几而坐。大司马豆卢宁升阶，正舄[80]。帝升阶，立于斧扆[81]之前，西面。有司进馔，帝跪设酱豆[82]，亲为之袒割[83]。谨食毕，帝亲跪授爵以酳[84]。有司撤讫，帝北面立而访道。谨起，立于席后，对曰："木受绳则正，后[85]从谏则圣。明王虚心纳谏以知得失，天下乃安。"又曰："去食去兵，信不可去。愿陛下守信勿失。"又曰："有功必赏，有罪必罚，则为善者日进，为恶者日止。"又曰："言行者，立身之基，愿陛下三思而言，九虑而行，勿使有过。天子之过，如日月之食，人莫不知，愿陛下慎之。"帝再拜受言，谨答拜。礼成而出。

【段旨】

以上为第二段，写北周国主宇文邕重教化，敬三老，行古礼，兴太学。

【注释】

⑯乙酉：正月二十日。⑰冢宰：官名，为六卿之首。⑱壬辰：正月二十七日。⑲司宪大夫：官名，秩同御史中丞，主管刑罚。⑳造《大律》十五篇：制定《大律》十五篇。〖按〗《隋书·刑法志》载此事曰："命司宪大夫托拔迪掌之。至保定三年三月庚子乃就，谓之《大律》，凡二十五篇。"《大律》篇目，《通鉴》作"十五篇"，《隋书》作"二十五篇"并列其篇名，《通鉴》误，当从《隋书》。㉑二月庚子：二月初六日。〖按〗《大律》颁行之日，《通鉴》作"二月庚子"，《隋书》作"三月庚子"。保定三年即陈武帝天嘉四年（公元五六三年）三月乙丑朔，无庚子日，故《隋书》误，当从《通鉴》。㉒磬、绞、斩、枭、裂：五种死刑。磬，悬体缢杀。绞，用绳勒死。斩，杀头。枭，杀头后挂其首于木上示众。裂，车裂而死，或五马分尸。㉓庚戌：二月十六日。㉔辛酉：二月二十七日。㉕昆：兄。㉖抗表：上表。㉗乙丑朔：三月初一日。㉘食：日食。㉙轵关：关名，故址在今河南济源。⑳丙戌：三月二十二日。㉑赵彦深：本名隐，避齐讳，以字

谢，皇上没有允准，仍然赐给于谨延年手杖。四月二十五日戊午，皇上宇文邕驾临太学。于谨进门，皇上亲自在大门与屏风之间迎拜，于谨回礼答拜。礼仪官在厅堂的正中央设置三老席位，面向南。太师宇文护登上堂阶，在三老席位上摆了一个小几案，于谨升堂入席面向南靠着小几案坐定。大司马豆卢宁登上堂阶，把于谨的鞋子放正。然后皇上登上堂阶，站立在画有斧形纹饰的屏风前边，面向西。膳食官送进饭菜，皇上跪着摆放好酱盘，又袒衣露臂，亲自为于谨割肉。于谨吃完饭，皇上又亲自跪着送上酒爵，让于谨以酒漱口。膳食官撤去酒席之后，皇上面向北站着，询问治国之道。于谨起身，站在席位后回答说："木材受绳墨规范，就变得端正；帝王接纳劝谏，就会圣明。英明的帝王虚心纳谏，从而知道得失，天下于是安定。"又说："可以舍弃粮食、舍弃兵备，但信用绝不可舍弃。希望陛下谨守信用，不要失去。"又说："有功的一定要奖赏，有罪的一定要惩罚，那样，为善的人就日益增多，而为恶的人就日益受到禁止。"又说："言和行，是立身的根本，希望陛下三思而后说话，反复考虑而后行动，不要让自己有过失。天子有了过失，如同日食、月食一样，人们没有不知道的，希望陛下谨慎。"皇上再拜接受教诲，于谨回拜。礼仪行完，皇上才离开太学。

行，北齐人。传见《北齐书》卷三十八、《北史》卷五十五。⑫ 左仆射：胡三省注认为当作"右仆射"。赵彦深先是兼右仆射，今正除此职。⑬ 乙未：四月初二日。⑭ 视学：周制，天子亲临国学行春秋祭奠及养老之礼，称为视学。⑮ 于谨（公元四九五至五六八年）：字思敬，洛阳（今河南洛阳）人，周武帝时官至司空，北周元老重臣之一。传见《周书》卷十五、《北史》卷二十三。⑯ 三老：古代设三老五更，以尊养老人。⑰ 戊午：四月二十五日。⑱ 太学：古学校名，即国学。⑲ 太师：北周三公之一。勋德崇重者任此官，不置府僚。⑳ 舄：鞋。古代单底称履，复底而着木者为舄。㉑ 斧扆：画有斧形纹饰的屏风。扆，屏风。㉒ 酱豆：盛酱器皿，高脚盘。酱为各味中的主味，古人养老，执酱而馈。㉓ 袒割：天子袒衣，亲自切割牲肉。此为古代敬老、养老之礼。㉔ 酳：用酒漱口。㉕ 后：古代天子及列国诸侯皆称后。

【校记】

［6］二月庚子颁行之：原无此七字。据章钰校，十二行本、乙十一行本、孔天胤本皆有此七字，张敦仁《通鉴刊本识误》、张瑛《通鉴校勘记》同，今据补。

【原文】

司空侯安都恃功骄横，数[86]聚文武之士骑射赋诗，斋[87]中宾客，动至千人。部下将帅，多不遵法度，检问收摄[88]，辄奔归安都。上性严整，内衔之，安都弗之觉。每有表启[89]，封讫，有事未尽，开封自书之云："又启某事。"及侍宴，酒酣，或箕踞[90]倾倚。常陪乐游园禊饮[91]，谓上曰："何如作临川王时？"上不应。安都再三言之。上曰："此虽天命，抑亦明公之力。"宴讫，启借供帐[92]水饰，欲载妻妾于御堂宴饮。上虽许之，意甚不怿[93]。明日，安都坐于御座，宾客居群臣位，称觞上寿[94]。会重云殿灾，安都帅将士带甲入殿，上甚恶之，阴为之备。及周迪反，朝议谓当使安都讨之，而上更使吴明彻。又数遣台使按问[95]安都部下，检括[96]亡叛。安都遣其别驾[97]周弘实自托于舍人蔡景历[98]，并问省中事。景历录其状，具奏之，因希旨[99]称安都谋反。上虑其不受召，故用为江州。

五月，安都自京口还建康，部伍入于石头。六月，帝引安都宴于嘉德殿，又集其部下将帅会于尚书朝堂，于坐收安都，囚于嘉德西省，又收其将帅，尽夺马仗而释之。因出蔡景历表，以示于朝，乃下诏暴[100]其罪恶，明日，赐死，宥[101]其妻子，资给其丧。

初，高祖在京口，尝与诸将宴，杜僧明、周文育、侯安都为寿，各称功伐[102]。高祖曰："卿等悉良将也，而并有所短。杜公志大而识暗[103]，狎[104]于下而骄于上；周侯交不择人，而推心过差；侯郎傲诞[105]而无厌，轻佻而肆志[106]；并非全身[107]之道。"卒皆如其言。

【段旨】

以上为第三段，写陈朝侯安都居功自傲，纵下陵上，身犯大不敬之罪而不自知，赳赳武夫，不学之过也。陈霸先识人、知人，而能驾驭狂夫为己用，代萧氏而有天下，良有以也。

【语译】

陈朝司空侯安都倚仗有功，骄纵专横，多次召集文人武士骑马射箭、吟诗作赋，府中宾客动辄上千人。他部下的将帅，大多不遵守法度，一遇到官府查问或收捕，就逃到侯安都那里。陈文帝本性严格认真，内心对此十分不满，而侯安都并未觉察。每有上表奏启，本已经封好，因感到还有事情言犹未尽，便打开封口，自己补写道："又启奏某事。"等到入宫陪皇上宴饮，酒喝得很尽兴了，有时就十分不敬地伸腿而坐，或歪着身子靠在柱子上。他曾经陪皇上在乐游园临水修禊，携食宴饮，在席上竟然对皇上说："跟做临川王时相比怎么样?"皇上不回答，侯安都再三这样说。皇上说："这虽然是天命，不过也仰赖了明公的力量。"饮宴结束后，侯安都启奏皇上，要借用皇上的供宴饮用的帷帐、用具和装饰华丽的游船，想接他的妻妾到御堂上宴饮。皇上虽然答应了，内心很不高兴。第二天，侯安都坐在给皇上设的座位上，宾客们处在群臣的位置上，向他举杯祝寿。适逢重云殿失火，侯安都率将士穿着铠甲、带着兵器进入殿内，陈文帝十分厌恶，暗中对他加以防备。等到周迪反叛，公卿朝议认为应当让侯安都领兵去讨伐，陈文帝却改派吴明彻去，又多次派御史台的官员审讯侯安都的部属，清查他们接纳逃亡叛乱罪犯的情况。侯安都派他的别驾周弘实投靠中书舍人蔡景历，打探中书省的机密。蔡景历记下了周弘实的各种情况，一一奏报陈文帝，并迎合陈文帝的旨意，称侯安都谋反。陈文帝担心侯安都不接受征召，所以任命他为江州刺史。

五月，侯安都从京口回到建康，部队开进石头城。六月，陈文帝带着侯安都在嘉德殿宴饮，又把侯安都的部属将帅集中在尚书省朝堂，于是在宴席上拘捕了侯安都，把他囚禁在嘉德殿的西厢房；又拘捕了侯安都的部属将帅，全部收缴了他们的马匹兵器然后释放。陈文帝这时才拿出蔡景历的奏表，向朝臣们展示，于是下诏公布侯安都的罪恶，第二天，赐死，但宽赦了他的妻子儿女，还资助侯安都家举办葬事。

当初，高祖陈霸先在京口时，曾与诸将宴饮，宴席上，杜僧明、周文育、侯安都向陈霸先敬酒，祝他长寿，并各自称说战功。高祖说："卿等都是良将，但也都有短处。杜公志向远大但见识不明，对下属亲近却不庄重，对上级态度傲慢；周侯交友不择人，对人过于坦诚；侯郎傲慢放肆而不知满足，举止轻佻而随心所欲；这都不是保全生命所应该做的。"最终这几个人的结局都像高祖说的那样。

【注释】

⑧⑥数：屡次；多次。⑧⑦斋：屋舍。多指书房、学舍。此指府中。⑧⑧收摄：拘捕。⑧⑨表启：表与启均为奏文之一种。⑨⓪箕踞：古时坐于席上，伸两足，手据膝，形若畚箕，为傲慢不敬之姿态。⑨①禊饮：临水修禊，携带食品在野外宴饮。⑨②供帐：用具帷帐。⑨③怿：欢喜；快乐。⑨④称觞上寿：举杯祝寿。觞，古代酒杯。⑨⑤台使按问：由御史台派出的官

【原文】

乙卯[108]，齐主使兼散骑常侍崔子武来聘。

齐侍中、开府仪同三司和士开有宠于齐主，齐主外朝视事[109]，或在内宴赏，须臾之间，不得不与士开相见，或累日不归，一日数入；或放还之后，俄顷即追，未至之间，连骑督趣[110]。奸谄百端，宠爱日隆，前后赏赐，不可胜纪。每侍左右，言辞容止，极诸鄙亵[111]，以夜继昼，无复君臣之礼。常谓帝曰："自古帝王，尽为灰土，尧舜[112]、桀纣[113]，竟复何异？陛下宜及少壮，极意为乐，纵横[114]行之。一日取快，可敌千年。国事尽付大臣，何虑不办？无为自勤约[115]也！"帝大悦。于是委赵彦深掌官爵，元文遥[116]掌财用，唐邕[117]掌外、骑兵[118]，信都冯子琮[119]、胡长粲[120]掌东宫。帝三四日一视朝，书数字而已，略无所言，须臾罢入。长粲，僧敬之子也。

帝使士开与胡后[121]握槊。河南康献王孝瑜[122]谏曰："皇后，天下之母，岂可与臣下接手？"孝瑜又言："赵郡王叡[123]，其父死于非命[124]，不可亲近。"由是叡及士开共谮之。士开言孝瑜奢僭，叡言："山东[125]唯闻河南王，不闻有陛下。"帝由是忌之。孝瑜窃与尔朱御女言[126]，帝闻之，大怒。庚申[127]，顿饮[128]孝瑜酒三十七杯。孝瑜体肥大，腰带十围[129]，帝使左右娄子彦载以出，鸩[130]之于车，至西华门，烦躁投水而绝。赠太尉、录尚书事[131]。诸侯在宫中者，莫敢举声，唯河间王孝琬[132]大哭而出。

秋，七月戊辰[133]，周主幸原州。

员，进行审查讯问。⑯检括：清查。⑰别驾：官名，州刺史的佐吏，总理政务。⑱蔡景历（公元五一九至五七八年）：字茂世，陈朝大臣，官至御史中丞，守度支尚书。传见《陈书》卷十六、《南史》卷六十八。⑲希旨：迎合皇帝意旨。⑳暴：显露；宣布。㉑宥：赦免。㉒功伐：功绩。积功曰伐。㉓暗：昏暗。㉔狎：亲近而态度不庄重。㉕慠诞：傲慢放纵。慠，同“傲”。㉖肆志：纵情；快意。㉗全身：保全生命。

【语译】

六月二十三日乙卯，北齐国主派兼散骑常侍崔子武到陈朝来通问修好。

北齐侍中、开府仪同三司和士开受到北齐国主高湛的恩宠，齐主不论是在外朝处理政事，还是在宫内宴饮玩赏，即使只是片刻时间，不与和士开相见都不行，有时连日不让和士开回家，有时一天之内多次召他进宫，有时放他回家后，不一会儿就派人去把他追回来，在他还没有到来的时候，接二连三派人策马去催促。和士开的奸邪谄媚花样百出，齐主对他的宠爱也一天比一天隆盛，对他前后的赏赐，多得不可胜数。每当他在齐主身边侍候时，言辞举止，极其低俗龌龊，两人夜以继日在一起，不再有君臣之礼。和士开常常对皇上说：“从古以来的帝王，全都成了灰土，尧舜与桀纣，最终又有什么两样？陛下应当趁年轻体壮，极意行乐，要无拘无束地放纵去做。如此快乐一天，可以抵得上活一千年。国家事务全都交给大臣，何忧不能办成？自己用不着那样辛勤节俭！”皇上听了大为高兴。于是委托赵彦深掌管封官授爵，元文遥掌管财政开支，唐邕掌管外兵与骑兵，信都人冯子琮、胡长粲掌理东宫。皇上三四天才上一次朝，只写几个字的旨意而已，完全没有话要说，一会儿就罢朝入宫。胡长粲，是胡僧敬的儿子。

齐主要和士开与胡皇后一起玩握槊赌博的游戏，河南康献王高孝瑜进谏说：“皇后，是天下人之母，怎么可以与臣下玩耍碰手？”高孝瑜又说：“赵郡王高叡，他的父亲死于非命，不可亲近他。”从此高叡与和士开两人共同诬陷高孝瑜，和士开说高孝瑜生活奢侈、超越身份，高叡说：“山东只听说有河南王，没听说有陛下。”皇上由此猜忌高孝瑜。高孝瑜私自与尔朱御女交谈，皇上听说后，大怒。六月二十八日庚申，皇上逼迫高孝瑜一口气喝了三十七杯酒。高孝瑜体态肥大，腰带有十围，皇上派身边的亲信娄子彦用车拉高孝瑜出宫，在车上用毒酒灌他，到了西华门，高孝瑜心中烦闷躁动，投水而死。事后追赠高孝瑜太尉、录尚书事。当时留在宫中的诸侯王，没有一个敢放声哭泣，只有河间王高孝琬大声痛哭，出了皇宫。

秋，七月初六日戊辰，北周国主宇文邕巡幸原州。

八月辛丑[134]，齐以三台宫为大兴圣寺。

九月壬戌[135]，广州刺史阳山穆公欧阳𬱟卒，诏子纥袭父爵位。

甲子[136]，周主自原州登陇[137]。

周迪复越东兴岭[138]为寇，辛未[139]，诏护军章昭达[140]将兵讨之。

丙戌[141]，周主如同州[142]。

初，周人欲与突厥木杆可汗[143]连兵伐齐，许纳其女为后，遣御伯大夫[144]杨荐[145]及左武伯[146]太原王庆[147]往结之。齐人闻之，惧，亦遣使求昏于突厥，赂遗甚厚。木杆贪齐币重，欲执荐等送齐。荐知之，责木杆曰："太祖昔与可汗共敦邻好，蠕蠕[148]部落数千来降，太祖悉以付可汗使者，以快可汗之意，如何今日遽欲背恩忘义，独不愧鬼神乎？"木杆惨然良久曰："君言是也。吾意决矣，当相与共平东贼，然后送[7]女。"荐等复命。

公卿请发十万人击齐，柱国[149]杨忠[150]独以为得万骑足矣。戊子[151]，遣忠将步骑一万，与突厥自北道伐齐。又遣大将军达奚武帅步骑三万，自南道出平阳[152]，期会于晋阳。

冬，十一月辛酉[153]，章昭达大破周迪。迪脱身潜窜山谷，民相与匿之，虽加诛戮，无肯言者。

十二月辛卯[154]，周主还长安。

丙申[155]，大赦。

章昭达进军，度岭，趣建安[156]，讨陈宝应，诏益州[157]刺史余孝顷督会稽[158]、东阳[159]、临海[160]、永嘉[161]诸军自东道会之。

是岁，初祭始兴昭烈王[162]于建康，用天子礼[163]。

周杨忠拔齐二十余城。齐人守陉岭之隘[164]，忠击破之。突厥木杆、地头、步离[165]三可汗以十万骑会之。己酉[166]，自恒州[167]三道俱入。时大雪数旬，南北千余里，平地数尺。齐主自邺倍道赴之，戊午[168]，至晋阳。斛律光将步骑[8]三万屯平阳。己未[169]，周师及突厥逼晋阳。齐主畏其强，戎服帅宫人欲东走避之。赵郡王叡、河间王孝琬叩马[170]谏。孝琬请委叡部分，必得严整。帝从之，命六军进止皆取叡节度[171]，而使并州刺史段韶[172]总之。

八月初十日辛丑，北齐把三台官改名为大兴圣寺。

九月初一日壬戌，陈朝广州刺史阳山穆公欧阳頠去世，陈文帝下诏欧阳頠的儿子欧阳纥继承父亲的爵位。

九月初三日甲子，北周国主宇文邕从原州登上陇山。

陈朝周迪重又翻过东兴岭进行侵犯。九月初十日辛未，陈文帝下诏护军章昭达率军讨伐周迪。

九月二十五日丙戌，北周国主宇文邕前往同州。

当初，北周想与突厥木杆可汗联兵讨伐北齐，答应迎娶木杆可汗的女儿为皇后，派御伯大夫杨荐和左武伯太原人王庆前往联系。北齐听到消息，深感恐惧，也派使者向突厥求婚，赠送的财物很丰厚。木杆可汗贪图北齐财礼厚重，想把杨荐等人抓起来，送到北齐。杨荐知道了，责备木杆可汗说："周太祖宇文泰先前与突厥可汗共同加深了彼此间的睦邻友好关系，蠕蠕部落几千家来投降，太祖全部把他们交给可汗的使者，以满足可汗的心愿，为什么今天突然想要背恩忘义，这样做难道不会愧对鬼神吗?"木杆可汗非常难过，过了好一阵才说："你的话是对的，我下定决心了，要和你们共同讨平东贼，然后送女出嫁。"杨荐等回国复命。

北周公卿请求出兵十万攻打北齐，柱国杨忠独独认为有一万骑兵就足够了。九月二十七日戊子，派杨忠率步骑一万，与突厥一起从北路进攻北齐。又派大将军达奚武率步骑三万，从南路由平阳出发，约定在晋阳会师。

冬，十一月初一日辛酉，陈朝章昭达大败周迪。周迪逃脱，秘密流窜在山谷中，民众一起藏匿他，即使藏匿者会遭诛杀，但仍没有人肯说出周迪的藏身之处。

十二月初一日辛卯，北周国主回到长安。

初六日丙申，陈朝实行大赦。

章昭达进军，翻过东兴岭，奔赴建安，讨伐陈宝应。陈文帝又下诏书命令益州刺史余孝顷督率会稽、东阳、临海、永嘉各路军队从东路进军，与章昭达会合。

这一年，陈文帝在建康第一次祭祀高祖陈霸先之兄始兴昭烈王陈道谭，用天子的礼仪。

北周杨忠攻下了北齐二十多座城邑，北齐扼守陉岭险要关口，杨忠也把它攻破了。突厥的木杆、地头、步离三可汗率十万骑兵与北周军队会合。十二月十九日己酉，从恒州分兵三路一起进入北齐境内。当时大雪下了几十天，南北一千多里的地区，平地积雪数尺。北齐国主高湛从邺城兼程急行赶往前线。二十八日戊午，到达晋阳。斛律光率步兵、骑兵三万人屯驻平阳。二十九日己未，北周军队和突厥骑兵逼近晋阳。齐主畏惧对方兵力强大，身着军装，带领宫人想往东逃跑躲避。赵郡王高叡、河间王高孝琬勒住皇上的马劝谏。高孝琬请求委派高叡来部署军队，一定能使军队严明整齐起来。皇上高湛听从了，下令全军进退都听从高叡的节制调度，并派并州刺史段韶总领军事。

【段旨】

以上为第四段，写北齐国主高湛荒怠政事，招致北周大规模征讨。

【注释】

⑩乙卯：六月二十三日。⑩视事：处理政事；办公。⑩督趣：督促。⑪鄙亵：鄙陋轻慢；低俗龌龊。⑫尧舜：皆为古代部落首领，传说中的上古圣王。⑬桀纣：夏桀、商纣王，皆为古代著名的暴君。⑭纵横：放纵而无约束。⑮勤约：辛勤节简。⑯元文遥（？至公元五七一年）：字德远，北齐河南洛阳人，历官给事黄门侍郎、散骑常侍、侍中、中书监。传见《北齐书》卷三十八、《北史》卷五十五。⑰唐邕：字道和，北齐太原晋阳人，仕北齐，典职兵机，长期执掌丞相府外兵曹、骑兵曹。入周授仪同大将军，卒于凤州刺史。传见《北齐书》卷四十、《北史》卷五十五。⑱外、骑兵：外兵与骑兵。时北齐有外兵省与骑兵省。⑲冯子琮（？至公元五七一年）：北齐信都人，官至吏部尚书。传见《北齐书》卷四十、《北史》卷五十五。⑳胡长粲：北齐安定临泾人，官至黄门侍郎，出入禁中，北齐后主时权臣之一。事附《北齐书》卷四十八《胡长仁传》。㉑胡后：北齐武成帝皇后。传见《北齐书》卷九、《北史》卷十四。㉒孝瑜：高孝瑜（？至公元五六三年），东魏执政高澄之长子，北齐时封为河南王，卒谥康献。传见《北齐书》卷十一、《北史》卷五十二。㉓赵郡王叡：高叡（公元五二九至五六五年），东魏赵郡王高琛之子，袭爵。传附《北齐书》卷十三《赵郡王琛传》、《北史》卷五十一《赵郡王琛传》。㉔其父死于非命：高叡之父高琛为勃海王高欢之弟，因淫乱后庭，受杖而死。㉕山东：此指太行山以东之地。㉖孝瑜窃与尔朱御女言：齐制设八十一御女，古之御妻。《北齐书》卷十一《河南康舒王孝瑜传》云："尔朱御女名摩女，本事太后，孝瑜先与之通。"㉗庚申：六月二十八日。㉘顿饮：一次给他饮酒。㉙十围：形容极其粗大。〖按〗围，计量圆周的约略单位，指两只胳膊合围起来的长度，也指两只手的拇指和食指合围的长度。㉚鸩：用毒物害人。㉛录尚书事：官名，总领尚书事，独揽大权。㉜孝琬：高孝琬，高孝瑜之弟，封河间王。传见《北齐书》卷十一、《北史》卷五十二。㉝戊辰：七月初六日。㉞辛丑：八月初十日。㉟壬戌：九月初一日。㊱甲子：九月初三日。㊲陇：指陇坂。地名，在今陕西陇县、宝鸡与甘肃清水县、张家川回族自治县之间。㊳东兴岭：岭名，在今江西黎川县、福建光泽之间。㊴辛未：九月初十日。㊵章昭达（公元五

一八至五七一年）：字伯通，吴兴武康（今浙江德清）人，官至侍中。传见《陈书》卷十一、《南史》卷六十六。⑭¹ 丙戌：九月二十五日。⑭² 如同州：前往同州。如，往。同州，州名，治所武乡县，在今陕西大荔。⑭³ 木杆可汗：突厥伊利可汗之弟，名俟斤。在位二十年。事见《周书》卷五十。可汗，我国古代突厥、回纥等族最高统治者的称号。⑭⁴ 御伯大夫：官名，北周新置。侍从皇帝，同侍中之职。⑭⁵ 杨荐（？至公元五六八年）：北周秦郡宁夷县（县治在今陕西礼泉东北）人，官至总管、梁州刺史。传见《周书》卷三十三、《北史》卷六十九。⑭⁶ 左武伯：官名，侍卫之官。⑭⁷ 王庆（？至公元五八一年）：字兴庆，北周太原郡祁县人，官至延州总管。传见《周书》卷三十三、《北史》卷六十九。⑭⁸ 蠕蠕：即柔然，古代北方民族。南朝译为“芮芮”，北朝译为“蠕蠕”。⑭⁹ 柱国：官名，职位较高的武官。⑮⁰ 杨忠（公元五〇七至五六八年）：隋文帝之父。仕北周，官至大司空，封随国公。传见《周书》卷十九。⑮¹ 戊子：九月二十七日。⑮² 平阳：县名，晋州治所，在今山西临汾。⑮³ 辛酉：十一月初一日。⑮⁴ 辛卯：十二月初一日。⑮⁵ 丙申：十二月初六日。⑮⁶ 建安：郡名，治所建安县，在今福建建瓯。⑮⁷ 益州：州名，治所成都县，在今四川成都。〖按〗时益州已入于周，不属陈，应说是遥领。⑮⁸ 会稽：郡名，治所山阴县，在今浙江绍兴。⑮⁹ 东阳：郡名，治所长山县，在今浙江金华。⑯⁰ 临海：郡名，治所章安县，在今浙江临海东南。⑯¹ 永嘉：郡名，治所永宁县，在今浙江温州。⑯² 始兴昭烈王：陈高祖兄道谭，封始兴王，谥昭烈。《陈书》《南史》中亦作“陈道谈”。⑯³ 用天子礼：文帝嗣高祖，以子伯茂奉始兴昭烈王之祀。今初以天子之礼祀之，不合旧礼。⑯⁴ 陉岭之隘：代州雁门县（今山西代县）有东陉关、西陉关。⑯⁵ 地头、步离：二人名，木杆可汗分国为三部：木杆牙帐居都斤山，地头可汗统东方，步离可汗统西方。⑯⁶ 己酉：十二月十九日。⑯⁷ 恒州：州名，治所平城，在今山西大同东北。⑯⁸ 戊午：十二月二十八日。⑯⁹ 己未：十二月二十九日。⑰⁰ 叩马：勒住马。⑰¹ 节度：节制调度；指挥。⑰² 段韶（？至公元五七一年）：北齐人，官至太师。传见《北齐书》卷十六、《北史》卷五十四。

【校记】

［7］送：原作“遣”。据章钰校，十二行本、乙十一行本皆作“送”，今据改。〖按〗《通鉴纪事本末》卷二四作“送”。［8］骑：原作“兵”。据章钰校，十二行本、乙十一行本、孔天胤本皆作“骑”，今据改。

【原文】

五年（甲申，公元五六四年）

春，正月庚申朔⑬，齐主登北城⑭，军容甚整。突厥咎周人曰："尔言齐乱，故来伐之。今齐人眼中亦有铁，何可当邪？"

周人以步卒为前锋，从西山下，去城二里许。诸将咸欲逆击⑮之，段韶曰："步卒力势，自当有限。今积雪既厚，逆战非便，不如陈以待之⑯。彼劳我逸，破之必矣。"既至，齐悉其锐兵[9]鼓噪而出。突厥震骇，引上西山，不肯战，周师大败而还。突厥引兵出塞⑰，纵兵大掠，自晋阳以往⑱七百余里，人畜无遗。段韶追之，不敢逼。突厥还至陉岭，冻滑，乃铺毡以度，胡马寒瘦，膝已下皆无毛，比至长城⑲，马死且尽，截稍杖之⑳以归。

达奚武至平阳，未知忠退。斛律光与书曰："鸿鹄㉑已翔于寥廓㉒，罗者犹视于沮泽㉓。"武得书，亦还。光逐之，入周境，获二千余口而还。

光见帝于晋阳，帝以新遭大寇，抱光头而哭。任城王湝㉔进曰："何至于此！"乃止。

初，齐显祖之世，周人常惧齐兵西度，每至冬月，守河椎冰㉕。及世祖即位，嬖幸用事，朝政渐紊，齐人椎冰以备周兵之逼。斛律光忧之，曰："国家常有吞关、陇㉖之志，今日至此，而唯玩声色㉗乎？"

辛巳㉘，上㉙祀北[10]郊。

二月庚寅朔㉚，日有食之。

初，齐显祖命群官刊定魏《麟趾格》㉛为《齐律》，久而不成。时军国㉜多事，决狱罕依律文，相承谓之"变法从事㉝"。世祖即位，思革其弊，乃督修律令者，至是而成，《律》十二篇㉞，《令》四十卷㉟。其刑名有五：一曰死，重者轘㊱之，次枭首，次斩，次绞；二曰流，投边裔㊲为兵；三曰刑，自五岁至一岁；四曰鞭，自百至四十；五曰杖，自三十至十。凡十五等㊳。其流内[11]官及老、小、阉、痴㊴并过失应赎者，皆以绢代金。三月辛酉㊵，班行之，因大赦㊶。是后为吏者始守

【语译】

五年（甲申，公元五六四年）

春，正月初一日庚申，北齐国主登上晋阳北城，看到军容非常整齐。突厥人怪罪北周人说："你们说北齐混乱，所以来讨伐。现今北齐军人高度戒备，以至眼中有铁，怎么能抵敌？"

北周军以步兵为前锋，从西山下来，离晋阳城两里左右。北齐众将都要上前迎战，段韶说："步兵的力量有限，如今积雪已经很厚了，迎战不便，不如严阵以待。对方疲劳，我方安逸，一定能打败敌人。"北周军到达阵前后，北齐的全部精锐部队击鼓呐喊着冲了出来，突厥兵大为震惊，退上西山，不肯出战，于是北周军大败而回。突厥可汗领兵退走出塞，放纵士兵大肆抢掠，从晋阳以北七百余里，人畜全被抢光。段韶追击，也不敢过于逼近。突厥退军到达陉岭，山路上冰冻很滑，只得铺上毛毡翻山，胡马受寒瘦弱，膝以下都没有毛了，等走到长城，马都快死完了，士兵把长矛截断当拐杖，拄着走了回去。

达奚武到达平阳，不知道杨忠已经退走。斛律光写信给达奚武说："天鹅已经飞翔在高远空旷的天空之上，张网的人却还盯着地上的沼泽。"达奚武收到信后，也领兵退回。斛律光随之追击，进入北周境内，俘获了二千多人后退回。

斛律光在晋阳朝见齐主，齐主因新遭大军入侵，抱着斛律光的头痛哭。任城王高湝上前说："何至于这样！"齐主这才止住了痛哭。

当初，齐显祖高洋在世时，北周常常惧怕齐军向西渡过黄河，每到冬天，守在河边捣碎河面的冰层。等到齐世祖高湛即位，受宠幸的小人当权，朝政逐渐紊乱，反过来是北齐人捣碎河面的冰层以防备周兵进逼了。斛律光感到忧虑，说："国家先前常有吞并关陇的壮志，今天却到了这种地步，而皇上仍只顾沉迷在歌舞与女色之中吗？"

正月二十二日辛巳，陈文帝在北郊祭地。

二月初一日庚寅，发生日食。

当初，北齐显祖高洋命群臣刊定北魏的《麟趾格》作为齐律，拖延很久没有完成。当时军务国政事情繁多，判案很少依照法律条文，递相沿袭，称为"变法从事"。世祖高湛即位，想改革这一弊病，便督促修订律令的官员，直到这时终于得以完成，有《律》十二篇、《令》四十卷。刑法的名目有五种：一曰死刑，最重的是车裂罪犯，其次是枭首示众，再次是砍头，再次是绞杀；二曰流放，发配到边远地方充军；三曰徒刑，从五年刑期到一年刑期；四曰鞭刑，从一百鞭到四十鞭；五曰杖刑，从三十棍到十棍。这五种刑罚总共有十五等。凡是从一品到九品的流内官，以及老人、幼童、太监、痴呆，及过失犯罪而应当罚款赎罪的，一律用绢代钱。三月

法令。又敕仕门[202]子弟常讲习之，故齐人多晓法。

又令民十八受田输租调[203]。二十充兵，六十免力役[204]，六十六还田，免租调。一夫受露田[205]八十亩，妇人四十亩，奴婢依良人[206]，牛受六十亩。大率一夫一妇调绢一匹[207]，绵八两，垦租[208]二石，义租[209]五斗；奴婢准良人之半[210]；牛调二尺，垦租一斗，义租五升。垦租送台[211]，义租纳郡以备水旱。

己巳[212]，齐群盗田子礼等数十人，共劫太师彭城景思王浟[213]为主，诈称使者，径向浟第[214]，至内室，称敕，牵浟上马，临以白刃[215]，欲引向南殿。浟大呼不从，盗杀之。

庚辰[216]，周初令百官执笏[217]。

齐以斛律光为司徒[218]，武兴王普[219]为尚书左仆射。普，归彦之兄子也。甲申[220]，以冯翊王润[221]为司空。

夏，四月辛卯[222]，齐主使兼散骑常侍皇甫亮[223]来聘[224]。

庚子[225]，周主遣使来聘。

癸卯[226]，周以邓公河南窦炽[227]为大宗伯[228]。五月壬戌[229]，封世宗之子贤[230]为毕公。

甲子[231]，齐主还邺。

壬午[232]，齐以赵郡王叡为录尚书事，前司徒娄叡[233]为太尉。甲申[234]，以段韶为太师。丁亥[235]，以任城王湝为大将军[236]。

壬辰[237]，齐主如晋阳。

周以太保达奚武为同州刺史。

六月，齐主杀乐陵王百年[238]。时白虹围[12]日再[13]重，又横贯而不达；赤星见[239]；齐主欲以百年厌之[240]。会博陵人贾德胄教百年书，百年尝作数“敕”字，德胄封以奏之[241]。帝发怒，使召百年。百年自知不免，割带玦[242]留与其妃斛律氏，见帝于凉风堂。使百年书“敕”字，验与德胄所奏相似。遣左右乱捶之，又令曳[243]之绕[244]堂行且捶，所过血皆遍地。气息将尽，乃斩之，弃诸池，池水尽赤。妃把玦哀号不食，月余亦卒，玦犹在手，拳不可开，其父光自擘之，乃开。

庚寅[245]，周改御伯为纳言[246]。

初三日辛酉，颁布施行，并大赦在此之前的旧罪。自颁行之后，官员才开始遵照法令行事。又敕令官宦子弟要经常学习律令，所以北齐人大多了解法律。

又规定百姓满十八岁即受田缴纳租调。二十岁要服兵役，到六十岁免除徭役，六十六岁交还田地，免除租调。一个男丁受露田八十亩，妇人受四十亩，奴婢受田依照平民的标准，养一头耕牛受田六十亩，大体上一夫一妇缴纳调绢一匹、绵八两，缴纳田租两石粟、义租五斗粟，奴婢按平民的半数缴纳，一头牛征收调绢二尺，田租一斗粟，义租五升粟。田租送交国库，义租交给本郡以备水旱灾害之用。

三月十一日己巳，北齐的盗贼团伙田子礼等几十人，共同劫持太师彭城景思王高浟，要他当首领。这伙人诈称是使者，径直闯进高浟的宅第，来到内室，声称有敕令，强拉高浟上马，用刀逼迫，想让他领着到皇宫的南殿。高浟大声呼喊着，不肯听从，这伙人把他杀了。

三月二十二日庚辰，北周开始下令要求百官执笏板上朝。

北齐任命斛律光为司徒，武兴王高普为尚书左仆射。高普，是高归彦哥哥的儿子。三月二十六日甲申，任命冯翊王高润为司空。

夏，四月初三日辛卯，北齐国主派兼散骑常侍皇甫亮到陈朝来通问修好。

十二日庚子，北周国主派使者到陈朝来通问修好。

四月十五日癸卯，北周任命邓国公河南人窦炽为大宗伯。五月初五日壬戌，封世宗宇文毓的长子宇文贤为毕国公。

五月初七日甲子，北齐国主回到邺城。

五月二十五日壬午，北齐任命赵郡王高叡为录尚书事，前司徒娄叡为太尉。二十七日甲申，任命段韶为太师。三十日丁亥，任命任城王高湝为大将军。

壬辰日，北齐国主前往晋阳。

北周任命太保达奚武为同州刺史。

六月，北齐国主高湛杀乐陵王高百年。当时，太阳周围出现两道白虹，横贯而不相通；赤星出现；北齐国主想用高百年来驱避灾殃。适逢博陵人贾德胄教高百年写字，高百年曾经写过几个“敕”字，贾德胄密封后上奏高湛。高湛大怒，派人宣召高百年。高百年自知不免一死，割下腰带上的玉玦留给妃子斛律氏，在凉风堂参见皇上高湛。高湛让高百年写“敕”字，查验后与贾德胄上奏的“敕”字相似。高湛派身边的人乱棒捶打高百年，又命人拖着高百年，绕凉风堂边走边打，所过之处鲜血遍地。在他气息将尽时，砍了他的头，把他丢到水池里，池水全被染红了。高百年的妃子拿着玉玦，悲哀地号哭，不吃饭，一个多月后也死了，死的时候，玉玦还握在手上，攥成一拳，掰不开，她的父亲斛律光亲自用手掰，才掰开了。

六月初三日庚寅，北周改御伯官名为纳言。

初，周太祖之从贺拔岳在关中也，遣人迎晋公护于晋阳。护母阎氏及周主之姑[247]皆留晋阳，齐人以配中山宫[248]。及护用事，遣间使[249]入齐求之，莫知音息。齐遣使者至玉壁[250][14]，求通互市。护欲访求母、姑，使司马下大夫[251]尹公正至玉壁，与之言，使者甚悦。勋州刺史韦孝宽获关东[252]人，复纵之，因致书为言西朝[253]欲通好之意。是时，周人以前攻晋阳不得志，谋与突厥再伐齐。齐主闻之，大惧，许遣护母西归，且求通好，先遣其姑归。

秋，八月丁亥朔[254]，日有食之。

周遣柱国杨忠将兵[15]会突厥伐齐，至北河[255]而还。

戊子[256]，周以齐公宪为雍州牧[257]，宇文贵[258]为大司徒。九月丁巳[259]，以卫公直[260]为大司空。追录[261]佐命元功，封开府仪同三司陇西公李昞为唐公，太驭中大夫[262]长乐公若干凤[263]为徐公。昞，虎之子。凤，惠之子也。

乙丑[264]，齐主封其子绰[265]为南阳王，俨为东平王。俨[266]，太子之母弟也。

突厥寇齐幽州，众十余万，入长城，大掠而还。

周皇姑之归也，齐主遣人为晋公护母作书，言护幼时数事，又寄其所著锦袍，以为信验[267]。且曰："吾属千载之运[268]，逢[16]大齐之德，矜老开恩，许得相见。禽兽草木，母子相依。吾有何罪，与汝分离？今复何福，还望见汝？言此悲喜，死而更苏。世间所有，求皆可得，母子异国[269]，何处可求？假汝贵极王公，富过山海，有一老母，八十之年，飘然千里，死亡旦夕，不得一朝暂见[270]，不得一日同处，寒不得汝衣，饥不得汝食，汝虽穷荣极盛，光耀世间，于吾何益？吾今日之前，汝既不得申其供养，事往何论？今日以后，吾之残命，唯系于汝尔[271]。戴天履地[272]，中有鬼神，勿云冥昧[273]，而可欺负[274]！"护得书，悲不自胜。复书[275]曰："区宇分崩[276]，遭遇灾祸，违离膝下[277]，三十五年。受形[17]禀气[278]，皆知母子，谁同萨保[279]，如此不孝！子为公侯，母为俘隶[280]，暑不见母暑，寒不见母寒，衣不知有无，食不知饥饱，泯如天

当初，北周太祖宇文泰跟随贺拔岳在关中的时候，派人从晋阳迎接晋国公宇文护回来。宇文护的母亲阎氏，以及当今北周国主宇文邕的姑姑都留在晋阳，北齐把她们发配到中山宫供役使。等到宇文护掌权，派密使到北齐寻找她们，没有人知道她们的音信。北齐派使者到玉壁，要求开通两国间边贸往来。宇文护想访求他的母亲和姑姑，就派司马下大夫尹公正到玉壁，同北齐使者商谈，北齐使者非常高兴。勋州刺史韦孝宽抓获了关东北齐的人，又把他们放了，顺便让他们带信到北齐，信中表示了西面的北周愿意与北齐往来交好的意思。这时，北周因为先前攻打晋阳没有取胜，准备与突厥一起再次征伐北齐。北齐国主高湛听到这消息，十分恐惧，于是答应送宇文护的母亲回到西面的北周，并且要求两国往来交好，还先把宇文邕的姑姑送回去。

秋，八月初一日丁亥，发生日食。

北周派柱国杨忠率领部队会合突厥征伐北齐，进军到北河退回。

八月初二日戊子，北周任命齐国公宇文宪为雍州牧，宇文贵为大司徒。九月初二日丁巳，任命卫国公宇文直为大司空，还追录辅佐帝业的开国元勋，封开府仪同三司、陇西公李昞为唐国公，太驭中大夫、长乐公若于凤为徐国公。李昞，是李虎的儿子。若于凤，是若于惠的儿子。

九月初十日乙丑，北齐国主高湛封皇子高绰为南阳王，高俨为东平王。高俨，是太子高纬的同母弟。

突厥侵犯北齐幽州，部众有十多万人，进入长城，大肆劫掠后退走。

北周皇上的姑姑回来时，北齐国主高湛派人替晋国公宇文护的母亲写信，信中提到宇文护幼年时的几件事，又寄出自己穿的锦袍作为证物。信中还说：“我遇上了千载难逢的好运气，蒙受大齐的德泽，怜惜我年老，施予我恩惠，允许我与你相见。即使是禽兽草木，尚且母子相依。我有什么罪过，要与你分离？如今又不知哪来的福分，仍旧有希望与你见面？说到这里悲喜交加，如同死而复生。世间有的东西，只要追求都能得到，可是母子分离于两国，怎样才能求得团聚？即使你尊贵已至王公，富有超过山海，却还有一个老母，八十高龄，飘零在千里之外，生命只在旦夕之间，却不能有哪怕一刻短暂的相见，不能有哪怕一天的团聚，冻了得不到你的衣裳，饿了得不到你的食物，你即使极尽荣华与隆盛，光彩照耀于世，对我又有什么益处？在今天以前，你已经没能尽供养我的责任，事情过去了，我还有什么好说的？从今以后，我的余生就只靠你了。头顶青天，脚踏大地，中间还有鬼神，不要认为天地鬼神幽暗缥缈，就可以欺诈而违背道义！”宇文护得到书信，悲伤得不能自已。写了一封回信，说：“疆域分裂，遭遇灾祸，远离母亲膝下，已经三十五年了。天地间凡是禀受身体和精气的人，都知道母子之情，谁像我宇文萨保，竟如此不孝！儿子贵为公侯，母亲却当了俘虏奴隶，热天看不到母亲受暑，冬天看不到母亲受冻，不知母亲有无衣穿，也不知母亲吃饭是饥是饱，像是消失在天地之外，无法打听到

地之外[281]，无由暂闻。分怀冤酷[282]，终此一生，死若有知，冀[283]奉见于泉下耳！不谓齐朝解网[284]，惠以德音[285]，磨敦、四姑[286]，并许矜放[287]。初闻此旨，魂爽飞越[288]，号天叩地，不能自胜。齐朝霈然之恩[289]，既已沾洽[290]，有家有国，信义为本，伏度来期[291]，已应有日。一得奉见慈颜[292]，永毕生愿。生死肉骨[293]，岂过今恩？负山戴岳[294]，未足胜荷。”

齐人留护母，使更与护书，邀[295]护重报，往返再三。时段韶拒突厥军于塞下，齐主使黄门徐世荣乘传[296]赍[297]周书问韶。韶以“周人反覆，本无信义，比[298]晋阳之役，其事可知。护外托为相，其实主也[299]。既为母请和，不遣一介之使[300]。若据移书[301]，即送其母，恐示之以弱。不如且外许之[302]，待和亲坚定，然后遣之未晚”。齐主不听，即遣之。

阎氏至周，举朝称庆[303]，周主为之大赦。凡所资奉[304]，穷极华盛。每四时伏腊[305]，周主帅诸亲戚行家人之礼[306]，称觞上寿。

突厥自幽州[307]还，留屯塞北[308]，更集诸部兵[309]，遣使告周，欲与共击齐如前约。闰月[310]乙巳[311]，突厥寇齐幽州。

晋公护新得其母，未欲伐齐，又[18]恐负突厥约，更生边患[312]，不得已，征二十四军[313]及左右厢[314]散隶秦、陇、巴、蜀之兵并羌、胡内附者，凡二十万人。冬，十月甲子[315]，周主授护斧钺于庙庭[316]。丁卯[317]，亲劳军[318]于沙苑。癸酉[319]，还宫。

护军至潼关，遣柱国尉迟迥帅精兵十万为前锋，趣洛阳，大将军权景宣[320]帅山南[321]之兵趣悬瓠[322]，少师杨檦出轵关。

周迪复出东兴，宣城太守钱肃镇东兴，以城降迪。吴州[323]刺史陈详[324]将兵击之，详兵大败，迪众复振。

南豫州刺史西丰脱侯周敷帅所部击之，至定川[325]，与迪对垒。迪绐[326]敷曰：“吾昔与弟勠力同心，岂规相害[327]？今愿伏罪[328]还朝，因弟披露心腑，先乞挺身共盟。”敷许之，方[329]登坛，为迪所杀。

陈宝应据建安、晋安[19]二郡，水陆为栅[330]，以拒章昭达。昭达与

一点消息。我心中分外冤痛，恐怕会就这样终此一生，死后如果有知，只希望在九泉之下能再见到和侍奉您罢了！想不到齐朝网开一面，送来了好消息，对磨敦、四姑，都答应予以怜悯而释放。刚听到这一佳音，高兴得魂魄好像飞越千里之外，我呼叫、叩拜天地，不能自已。齐朝浩大的恩德，既已让人广受润泽，有家有国，一定会以信义为本，我虔敬估算母亲回来的日期，那一天应该不远。一旦能拜见母亲慈祥的容颜，便可永远了却我此生的心愿。即使是使死者复生，使枯骨长肉，哪里能超过今天齐朝放还母亲的深恩？如同背负高山，头顶大岳，齐朝恩德之深重真让我承受不起。"

北齐留下宇文护的母亲，让她再给宇文护写信，想求得宇文护的分量更重的回报，这样往返了几次。当时段韶在边塞抵御突厥军队，北齐国主派黄门徐世荣乘驿车，带了北周的书信去征求段韶的意见。段韶认为："北周反复无常，原本就没有信义，从最近的晋阳战役，就可以知道这一点。宇文护表面上托名是丞相，其实就如一国之君那样在主持国政。他既然为了母亲讲和，却不派一个使臣前来。如果只凭送来的几封书信，就送回他的母亲，只怕会显示我们的软弱。不如暂且表面上答应他，等待两国和好亲善的基础坚定了，然后放还他母亲也不晚。"北齐国主高湛没有听从，立即送宇文护母亲回国。

阎氏回到北周，满朝庆贺，北周国主宇文邕特为此实行大赦。所有供奉给阎氏的财礼，都极其华美丰盛。每年的四季节日和伏日腊日，北周国主宇文邕都要带领各位亲戚向阎氏行家人之礼，举杯敬酒，祝她长寿。

突厥从幽州退还，仍留屯在塞北，重新集合各部兵马，派使者通告北周，想与北周联合攻击北齐，如同先前所约定的那样。北周历闰九月二十日乙巳，突厥侵犯北齐幽州。

晋国公宇文护刚迎回母亲，不想讨伐北齐，但又担心背弃与突厥的约定，再次发生边患，迫不得已，征调府兵二十四军，以及分散隶属左右厢禁军的秦、陇、巴、蜀等地的部队，再加上内附北周的羌、胡等番兵，总计二十万人。冬，十月初十日甲子，北周国主宇文邕在庙堂授予宇文护斧钺。十三日丁卯，北周国主亲自到沙苑慰劳出征将士。十九日癸酉，返回宫殿。

宇文护的军队到达潼关，派柱国尉迟迥率精兵十万为前锋，向洛阳进发，大将军权景宣率山南之兵向悬瓠进发，少师杨檦从轵关出兵。

陈朝叛将周迪重又进犯东兴，宣城太守钱肃镇守东兴，献出城池投降周迪。吴州刺史陈详领兵进击周迪，结果陈详的部队大败，周迪部众的士气重又高涨起来。

南豫州刺史西丰脱侯周敷率所属部队进击周迪，到达定川，与周迪军对垒。周迪欺骗周敷说："我以前与弟协力同心，岂能设谋加害于你？如今我愿意服罪回朝，想通过弟向朝廷表达我发自内心的真诚意愿，先请你挺身前来共同立盟。"周敷答应了他，刚登上立盟的土台，就被周迪杀害了。

陈宝应占据建安、晋安两郡，在水路、陆路都修起栅栏以对抗章昭达。章昭达

战，不利，因据上流，命军士伐木为筏，施拍其上。会大雨，江涨，昭达放筏冲宝应水栅，尽坏之。又出兵攻其步军，方合战[331]，上遣将军余孝顷自海道适至[332]，并力乘之[333]。十一月己丑[334]，宝应大败，逃至莆口[335]，谓其子曰：“早从虞公[336]计，不至今日。”昭达追擒之，并擒留异及其族党[337]，送建康，斩之。异子贞臣以尚主得免，宝应宾客皆死。

上闻虞寄尝谏宝应，命昭达礼遣诣建康[338]。既见，劳之曰：“管宁[339]无恙[340]。”以为衡阳王[341]掌书记[342]。

周晋公护进屯弘农[343]。甲午[344][20]，尉迟迥围洛阳，雍州牧齐公宪、同州刺史达奚武、泾州总管王雄[345]军于邙山[346]。

戊戌[347]，齐主使[21]兼散骑常侍刘逖[348]来聘。

初，周杨檦为邵州[349]刺史，镇捍东境[350]二十余年，数与齐战，未尝不捷，由是轻之。既出轵关，独引兵深入，又不设备。甲辰[351]，齐太尉娄叡将兵奄至[352]，大破檦军，檦遂降齐。

权景宣围悬瓠，十二月，齐豫州[353]道行台[354]、豫州刺史太原王士良[355]，永州刺史萧世怡[356]并以城降之。景宣使开府郭彦守豫州，谢彻守永州[357]，送士良、世怡及降卒千人于长安。

周人为土山、地道以攻洛阳，三旬不克。晋公护命诸将堑断[358]河阳[359]路，遏齐救兵，然后同攻洛阳。诸将以为齐兵必不敢出，唯张斥候[360]而已。

齐遣兰陵王长恭[361]、大将军斛律光[362]救洛阳，畏周兵之彊，未敢进。齐主召并州刺史段韶，谓曰：“洛阳危急，今欲遣王救之。突厥在北，复须镇御，如何？”对曰：“北虏侵边，事等疥癣。今西邻窥逼[363]，乃腹心之病[364]，请奉诏南行。”齐主曰：“朕意亦尔。”乃令韶督精骑一千发晋阳。丁巳[365]，齐主亦自晋阳赴洛阳。

己未[366]，齐太宰平原靖翼王淹[367]卒。

段韶自晋阳行五日，济河[368]，会连日阴雾，壬戌[369]，韶至洛阳，帅帐下三百骑，与诸将登邙阪[370]，观周军形势。至大和谷[22]，与周军遇，韶即驰告诸营，追集骑士[371]，结陈以待之。韶为左军，兰陵王长恭为中军，斛律光为右军。周人不意其至，皆恼惧[372]。韶遥谓周人曰：“汝宇文护才得其母，遽[373]来为寇，何也？”周人曰：“天遣我来，有何可

与陈宝应交战，没能取胜，便占据上游，命令军士砍树建造木筏，在木筏上安置桅杆。正赶上大雨，江水大涨，章昭达放筏冲撞陈宝应的水中栅栏，把它全都冲坏。章昭达又出兵攻击陈宝应陆上步兵，双方正在交战，陈文帝派将军余孝顷从海上带来的部队恰好赶到，两支官军合力攻击。十一月初五日己丑，陈宝应大败，逃到莆口，对他的儿子说："早先如果听从虞公的计谋，不会到今天这种地步。"章昭达追击，擒获了陈宝应，还擒获了留异及其亲族党羽，一起押送到建康，把他们都杀了。留异的儿子留贞臣因娶公主为妻，得免一死，陈宝应的宾客也都被处死。

陈文帝听到虞寄曾经劝谏陈宝应，命令章昭达礼送虞寄到建康。陈文帝召见之后，慰劳虞寄说："管宁还安好吧。"任用他为衡阳王陈伯言的军府掌书记。

北周晋国公宇文护进军屯驻在弘农。十一月初十日甲午，尉迟迥围攻洛阳，雍州牧齐国公宇文宪、同州刺史达奚武、泾州总管王雄在邙山扎营。

十一月十四日戊戌，北齐国主高湛派兼散骑常侍刘逖到陈朝来通问修好。

当初，北周杨檦为邵州刺史，镇守北周东部边境二十多年，多次与北齐交战，未尝不胜，因此轻视北齐。这次从轵关出兵，独自领兵深入，又不设防备。十一月二十日甲辰，北齐太尉娄叡领兵突然杀来，大败杨檦军，杨檦于是投降了北齐。

权景宣围攻悬瓠，十二月，北齐豫州道行台、豫州刺史太原人王士良，永州刺史萧世怡都献城投降北周。权景宣派开府郭彦镇守豫州，谢彻镇守永州，把王士良、萧世怡以及降兵一千人送到长安。

北周军堆筑土山、挖掘地道进攻洛阳，三十天还没攻下来。晋国公宇文护命令众将挖壕沟，切断河阳的道路，阻遏北齐的救兵，然后一起进攻洛阳。北周众将认为北齐的救兵一定不敢出来，只派出侦察兵监视而已。

北齐派兰陵王高长恭、大将军斛律光率军救洛阳，他们害怕周军的强大，不敢前进。北齐国主招来并州刺史段韶，对他说："洛阳危急，如今想派你去救援，可是突厥在北方，也须你镇守防御，怎么办呢？"段韶回答说："北虏侵边，此事不过等同于身上长了疥疮皮癣。如今西边邻国窥伺进逼，这才是腹心大患，我请求奉诏向南进军。"北齐国主说："朕的意思也是这样。"便下令段韶督率一千名精锐骑兵，从晋阳出发。十二月初三日丁巳，北齐国主高湛也从晋阳赶往洛阳。

十二月初五日己未，北齐太宰平原靖翼王高淹去世。

段韶从晋阳出发，走了五天，渡过黄河，正碰上连日阴雾。十二月初八日壬戌，段韶到达洛阳，率帐下三百名骑兵，与众将登上邙阪，观察北周军形势。行进到大和谷，与北周军相遇，段韶立即派人快马通报各营，迅速集合骑兵，严阵以待。段韶为左路军，兰陵王高长恭为中路军，斛律光为右路军。北周军没想到北齐军会到来，都十分惊恐。段韶远远地对北周军说："你们的宇文护刚刚得到母亲，这么快就来侵犯，为什么？"北周军回答说："上天派我们来，有什么可问的！"段韶说："上天

问!”韶曰:“天道赏善罚恶，当遣汝送死来耳!”周人以步兵在前，上山逆战[374]。韶且战且却以诱之，待其力弊，然后下马击之。周师大败，一时瓦解，投坠[375]溪谷死者甚众。

兰陵王长恭以五百骑突入周军，遂至金墉城下。城上人弗识，长恭免胄示之面[376]，乃下弩手救之。周师在城下者亦解围遁去，委弃营幕，自邙山至谷水[377]，三十里中，军资器械，弥满川泽。唯齐公宪、达奚武及庸忠公王雄在后，勒兵[378]拒战。

王雄驰马冲斛律光陈，光退走，雄追之。光左右皆散，唯余一奴一矢。雄按矟不及光者丈余，谓光曰:“吾惜尔不杀，当生将尔见天子。”光射雄中额，雄抱马走，至营而卒。军中益惧。

齐公宪拊循[379]督励，众心小安[380]。至夜，收军，宪欲待明更战。达奚武曰:“洛阳军散，人情震骇，若不因夜[381]速还，明日欲归不得。武在军久，备[382]见形势，公少年未经事[383]，岂可以数营士卒委之虎口乎?”乃还。权景宣亦弃豫州走。

丁卯[384]，齐主至洛阳。己巳[385]，以段韶为太宰[386]，斛律光为太尉，兰陵王长恭为尚书令[387]。壬申[388]，齐主如虎牢[389]，遂自滑台[390]如黎阳[391]，丙子[392]，至邺。

杨忠引兵出沃野[393]，应接突厥，军粮不给[394]，诸军忧之，计无所出。忠乃招诱稽胡[395]酋长咸在坐，诈使河州刺史王杰勒兵鸣鼓而至，曰:“大冢宰[396]已平洛阳，欲与突厥共讨稽胡之不服者。”坐者皆惧，忠慰谕而遣之。于是诸胡相帅馈输[397]，军粮填积[398]。属[399]周师罢归，忠亦还。

晋公护本无将略，是行[400]也，又非本心，故无功，与诸将稽首谢罪[401]。周主慰劳，罢之。

是岁，齐山东[402]大水，饥死者不可胜计。

宕昌王梁弥定[403]屡寇周边，周大将军田弘[404]讨灭之，以其地置宕州[405]。

之道是赏善罚恶，应该是派你们送死来的吧！”北周军把步兵放在前面，上山迎战。段韶边战边退，引诱敌人，等到对方筋疲力尽，然后下马发动攻击，北周军大败，一下子土崩瓦解，跳落溪谷而死的人非常多。

兰陵王高长恭带领五百骑兵冲入北周围城的军队，一直杀到金墉城下。城上的守军不认识高长恭，高长恭脱下头盔，让守军看清自己的面孔，守军才派出弓箭手来救他。在城下的北周军队也解围逃走，丢下了营帐，从邙山到谷水，沿途三十里，北周军队丢下的军用物资及器械布满川泽。只有齐国公宇文宪、达奚武以及庸忠公王雄在后面掩护，指挥军队进行抵御。

王雄策马冲击斛律光的军阵，斛律光退走，王雄追击。斛律光身边的人都跑散了，只剩下一个奴仆和一支箭。王雄收住长矛，离斛律光只有一丈多远，对斛律光说：“我爱惜你而不杀你，要活捉你去见天子。”斛律光用这最后一支箭射向王雄，射中额头，王雄抱着马逃跑，跑到军营就死了。北周军更加恐惧。

齐国公宇文宪对部队进行抚慰和督导鼓励，军心才稍稍安定下来。到了夜晚，收拢军队，宇文宪准备等到天明再战。达奚武说：“进攻洛阳的部队已经溃散，人心震惊，如果不趁夜迅速撤退，明天想回都回不去了。我达奚武在军中时间长，见遍了各种形势，国公年轻，没有经历过这样的战事，怎么能把几个营的士兵送到虎口里呢？”于是退还。权景宣也放弃豫州撤走。

十二月十三日丁卯，北齐国主高湛到达洛阳。十五日己巳，任命段韶为太宰，斛律光为太尉，兰陵王高长恭为尚书令。十八日壬申，北齐国主前往虎牢，于是取道滑台前往黎阳，二十二日丙子，回到邺城。

杨忠率军出沃野镇，接应突厥，但军粮供应不上，各军十分忧虑，也想不出好的办法。杨忠便招诱稽胡部落的各酋长，都坐在一起议事。杨忠安排河州刺史王杰指挥军队，敲响战鼓行军到达，诈称：“大冢宰已经平定洛阳，打算与突厥共同讨伐还没有臣服的稽胡。”在座的酋长都很恐惧，杨忠安慰晓谕他们一番后把他们送走。于是稽胡各部落相率馈送粮草，军粮多得堆积了起来。正巧这时北周的军队结束战事退回，杨忠便也退了回去。

晋国公宇文护本来没有军事谋略，这次出征，又不是他的本意，所以无功而返，他与众将磕头谢罪，北周国主宇文邕慰劳了他们，让他们各自回去。

这一年，北齐太行山以东发生大水灾，饿死的人多得数不过来。

宕昌王梁弥定多次侵犯北周边境，北周大将军田弘讨伐并消灭了宕昌王，在他原先统辖的地区设置了宕州。

【段旨】

以上为第五段，写北齐高湛当政引来北周两次大规模征讨，北周与突厥合兵三十余万，由于北周大冢宰宇文护将略为短，而师出不仅无名，而且不义，且又准备不足，遭受北周建国以来最沉重的惨败。

【注释】

⑰③ 庚申朔：正月初一日。⑰④ 北城：晋阳北城。⑰⑤ 逆击：迎击；迎战。⑰⑥ 陈以待之：布阵而等待。陈，通“阵”。⑰⑦ 塞：边界；险要之处。⑰⑧ 以往：此指晋阳以北。⑰⑨ 长城：指北齐文宣帝时所筑长城。⑱⓪ 截矟杖之：把矛截断当拐杖拄着。矟，同“槊”，矛。⑱① 鸿鹄：天鹅。⑱② 寥廓：此谓天空高远空旷。⑱③ 沮泽：水草丛生的沼泽地带。⑱④ 任城王湝：高湝（？至公元五七八年），高欢第十子，官至大丞相，封任城王。传见《北齐书》卷十、《北史》卷五十一。⑱⑤ 椎冰：捣碎黄河表面冰层，不让封冻。⑱⑥ 关、陇：古泛指函谷关以西、陇山以东一带地区。⑱⑦ 唯玩声色：只喜欢歌舞和女色。⑱⑧ 辛巳：正月二十二日。⑱⑨ 上：皇上，此指陈文帝。⑲⓪ 庚寅朔：二月初一日。⑲①《麟趾格》：东魏孝静帝在位时，于兴和三年（公元五四一年）令群臣于麟趾阁议定法制，故称《麟趾格》。事见本书卷一百五十八《梁纪》十四武成帝大同七年。格，律令的一种。⑲② 军国：军务与国政。⑲③ 变法从事：改变法律解释，依从事例，实际上是弃置法律，随意定案。⑲④《律》十二篇：北齐武成帝河清三年（公元五六四年），尚书令、赵郡王叡等奏上《齐律》十二篇，包括一名列，二禁卫，三婚户，四擅兴，五违制，六诈伪，七斗讼，八贼盗，九捕断，十毁损，十一厩牧，十二杂律。详见《隋书》卷二十五《刑法志》。⑲⑤《令》四十卷：新《令》四十卷，基本上采纳魏、晋故事。⑲⑥ 轘：车裂人的酷刑。⑲⑦ 边裔：边远的地方。⑲⑧ 凡十五等：死四等、流一等、徒五等、鞭五等、杖三等，通计十八等。《资治通鉴》依《隋书》卷二十五《刑法志》“大凡十五等”之文。⑲⑨ 阉、痴：阉，经过手术而失去生育能力的人。痴，患痴呆症的人。⑳⓪ 辛酉：三月初三日。⑳① 因大赦：赦其旧罪，此后犯法者，皆以法令处置。⑳② 仕门：指入仕之家。⑳③ 输租调：谓向国家缴纳地租与户调（户税）。⑳④ 力役：徭役。⑳⑤ 露田：不栽树的土地称为露田，即耕作地。⑳⑥ 奴婢依良人：指奴婢受田亩同良人。奴婢，奴隶。良人，平民百姓。⑳⑦ 一匹：长四丈为一匹。匹也作“疋”。⑳⑧ 垦租：田租。缴纳官府。⑳⑨ 义租：于田租之外缴纳的租粮，送缴郡中的义仓，以备灾荒。㉑⓪ 奴婢准良人之半：奴婢缴纳百姓的一半。㉑① 送台：送缴台省。指中央户部。㉑② 己巳：三月十一日。㉑③ 彭城景思王浟：高浟（？至公元五六四年），高欢第五子，官至太师、录尚书事。封彭城王。传见《北齐书》卷十、《北史》卷五十一。㉑④ 径向浟第：直接走进高浟住宅。㉑⑤ 临以白刃：举刀相加，以示威胁。㉑⑥ 庚辰：三月二十二日。㉑⑦ 笏：古代朝会时臣子所执的手板，有事则写在上面，以备遗忘。高品用象牙制

作，低品则用竹木。㉘司徒：北齐以司徒、司空、太尉并称“三公”，勋德崇重者才任此职。㉙武兴王普：高普，高归义之子，武平间为司空、尚书令，后降北周。传见《北齐书》卷十四、《北史》卷五十一。㉚甲申：三月二十六日。㉛冯翊王润：高润，高欢第十四子。传见《北齐书》卷十、《北史》卷五十一。㉜辛卯：四月初三日。㉝皇甫亮：仕北齐，官至任城太守。传附《北史》卷三十八《皇甫和传》。㉞聘：古代各国之间通问修好。㉟庚子：四月十二日。㊱癸卯：四月十五日。㊲窦炽（公元五〇七至五八四年）：字光成，扶风平陵（今陕西咸阳西北）人，历仕西魏、北周与隋三代，官至太傅，封邓国公。传见《周书》卷三十、《北史》卷六十一。㊳大宗伯：古代六卿之一，掌邦国祭祀典礼。北周亦设此职，职掌类同礼部尚书。㊴壬戌：五月五日。㊵世宗之子贤：宇文贤（？至公元五八〇年），北周明帝之子，封毕国公。传见《周书》卷十三、《北史》卷五十八。㊶甲子：五月初七日。㊷壬午：五月二十五日。㊸娄叡（？至公元五六七年）：仕北齐，官至太尉。传附《北齐书》卷十五《娄昭传》、《北史》卷五十四《娄昭传》。㊹甲申：五月二十七日。㊺丁亥：五月三十日。㊻大将军：武官名，位同三公，为执政者所加官号。㊼壬辰：五月戊午朔，无壬辰。疑为六月。即六月初五日。㊽乐陵王百年：高百年（？至公元五六四年），北齐孝昭帝第二子。传见《北齐书》卷十二、《北史》卷五十二。㊾见：通“现”。㊿厌之：古人以白虹贯日为预示君王遇害的天象异兆，齐主杀高百年以压服将来可能出现的灾殃。241封以奏之：加封而奏进。242玦：玉佩。243曳：拖；牵引。244绕：围绕。245庚寅：六月三日。246改御伯为纳言：把天官府御伯司改为天官府纳言司。御伯司长官为御伯中大夫，纳言司长官为纳言中大夫。职掌出纳王命，陪侍左右，类似侍中之职。247周主之姑：宇文泰之妹。248配中山宫：在中山宫里供役使。249间使：负有伺隙行事使命的使者。250玉壁：城名，北魏王思政所筑。在稷山县（今山西稷山）南。251司马下大夫：即军司马之职，主管军事。252关东：古泛称函谷关以东之地。253西朝：北周。因在关西，故称“西朝”。254丁亥朔：八月初一日。255北河：古称黄河上游窳浑县故城（在今内蒙古杭锦后旗）东的一段为北河。256戊子：八月初二日。257雍州牧：官名，雍州的最高长官。258宇文贵（公元五四三至五六九年）：宇文宪长子。年十七卒。传附《周书》卷十二《齐炀王宪传》、《北史》卷五十八《齐炀王宪传》。259丁巳：九月初二日。260卫公直：宇文直（？至公元五七四年），宇文泰之子，封卫国公。传见《周书》卷十三、《北史》卷五十八。261追录：追记。262太驭中大夫：官名，为夏官府大驭司长官，正五命。职掌皇帝出行车马及道路管理。若于凤外任洛州刺史，征拜此官。《周书》《北史》均作“大驭中大夫”。“太”“大”二字通。263若于凤：西魏司空若于惠之子。传附《周书》卷十七《若于惠传》、《北史》卷六十五《若于惠传》。264乙丑：九月初十日。265绰：即北齐武成帝长子高绰。传见《北齐书》卷十二、《北史》卷五十二。266俨：即武成帝第三子高俨（公元五五八至五七一年）。传见《北齐书》卷十二、《北史》卷五十二。267信验：凭证。268千载之运：千载难逢的运气。269母子异国：指母子不在同一个国家。㉗⓪一朝暂见：一时相见。㉗①唯系于汝尔：只关联在你身上了。㉗②戴天履地：上有天，下有地。㉗③勿云冥昧：不要说昏暗。冥，夜晚。昧，昏暗。㉗④欺负：欺诈负义。㉗⑤复书：回信。㉗⑥区宇分崩：天下分裂。区，指疆域。宇，指上下四方。㉗⑦膝下：旧时人子上禀父母称“膝下”。意为依依父母之前，如未成年，以示亲爱。㉗⑧受形禀气：得到形体和精气的人。禀，受。㉗⑨萨保：宇文护字萨保。㉘⓪俘隶：俘虏、奴隶。㉘①泯如天地之外：如天地以外那样不存在。泯，消灭；消失。㉘②分怀冤酷：心中分外冤痛。分，过分。㉘③冀：希望。㉘④不谓齐朝解网：没想到齐朝宽宥。解网，宽宥、解网放生。㉘⑤德音：佳音；好消息。㉘⑥磨敦、四姑：宇文护兄弟称其母为“阿磨敦”。四姑即周主之姑，排行第四。㉘⑦矜放：怜悯而释放。㉘⑧魂爽飞越：魂魄飞扬，言极为兴奋。㉘⑨霈然之恩：恩泽浩大。霈然，下大雨的样子。㉙⓪沾洽：润泽；沾濡。㉙①伏度来期：我估计归来日期。伏，身体前倾，面向下，示恭敬。度，揣测、考虑。㉙②慈颜：指母亲慈祥而和蔼的容颜，代指母亲。㉙③生死肉骨：谓恩惠极大。生死，使死者复生。肉骨，使枯骨再长肉。㉙④负山戴岳：背负山，头顶岳，比喻恩惠之重。㉙⑤邀：求。㉙⑥传：古代驿站用四匹马拉的车。㉙⑦赍：带。㉙⑧比：近；近来。㉙⑨“外托为相”二句：表面上假托为辅相，实际上主持国政。㉚⓪一介之使：一个使者。一介，一个。㉚①移书：传送书信。㉚②外许之：表面上应允他。㉚③举朝称庆：全朝皆道贺。称庆，犹言道贺。㉚④资奉：奉送给阎氏的财物。㉚⑤伏腊：古时夏天的伏日，冬天的腊日，都是节日，合称“伏腊”。㉚⑥行家人之礼：按家里人长幼尊卑之礼行事。㉚⑦幽州：州名，治所蓟城，在今天津市蓟州区。㉚⑧留屯塞北：驻扎在长城北。㉚⑨更集诸部兵：又集合各部兵马。㉛⓪闰月：此指周历闰九月。㉛①乙巳：周历闰九月二十日。㉛②更生边患：再次发生边境祸患。指突厥进犯。㉛③二十四军：指六柱国及十二大将军所统关中诸府兵。宇文泰相西魏时，定左右各十二军，并属相府。㉛④左右厢：禁卫兵，兼有秦、陇、巴、蜀之兵，散隶于左右厢者。㉛⑤甲子：十月初十日。㉛⑥庙庭：庙堂。㉛⑦丁卯：十月十三日。㉛⑧亲劳军：亲自犒劳军队。㉛⑨癸酉：十月十九日。㉜⓪权景宣（？至公元五六七年）：字晖远，北周天水郡显亲县（今甘肃天水西）人，官至荆州总管。传见《周书》卷二十八、《北史》卷六十一。㉜①山南：指荆、襄一带。㉜②悬瓠：地名，在今河南汝南县。㉜③吴州：州名，治所鄱阳县，在今江西鄱阳。㉜④陈详（公元五二三至五六四年）：字文几，陈朝人，官至吴州刺史。传见《陈书》卷十五、《南史》卷六十五。㉜⑤定川：县名，县治在今江西临川北。㉜⑥绐：欺诈。㉜⑦岂规相害：岂能设谋加害。规，谋划。㉜⑧伏罪：服罪。㉜⑨方：刚；才。㉝⓪水陆为栅：驻军所在水、陆地上筑造栅寨以加强防御能力。㉝①合战：交战。㉝②自海道适至：从海路正好赶到。㉝③并力乘之：合力乘机攻杀。乘，趁机。㉝④己丑：十一月初五日。㉝⑤莆口：地名，在今福建莆田东。㉝⑥虞公：虞寄。㉝⑦族党：聚居的同族亲属。㉝⑧礼遣诣建康：以礼相待，送往建康。㉝⑨管宁：字幼安，东汉末北海郡朱虚县人，曾客居辽东，不受公孙度爵命，后来归还乡里。此以虞寄比作管宁。㉞⓪无恙：无疾无忧。

问候用语。㉞衡阳王：即陈世祖第七子陈伯言（？至公元五八九年），封衡阳王。传见《陈书》卷二十八、《南史》卷六十五。㉞掌书记：官名，掌治府内文书。㉞弘农：郡名，治所弘农县，在今河南灵宝。㉞甲午：十一月初十日。㉞王雄（公元五〇七至五六四年）：仕北周，官至柱国大将军。传见《周书》卷十九、《北史》卷六十。㉞邙山：山名，在今河南洛阳北。㉞戊戌：十一月十四日。㉞刘逖（公元五二五至五七三年）：仕北齐，官至仪同三司。传见《北齐书》卷四十五、《北史》卷四十二。㉞邵州：州名，治所亳城县，在今山西垣曲东南。㉟镇捍东境：镇守、捍卫周东部边境。㉟甲辰：十一月二十日。㉟奄至：突然来到。奄，忽然、突然。㉟豫州：州名，治所上蔡县，在今河南汝南。㉟行台：东汉以后政权所寄称台省，台省设在外地的机构称为行台。㉟王士良（公元五〇〇至五八一年）：先仕北齐，后归北周，官至并州刺史。传见《周书》卷三十六、《北史》卷六十七。㉟萧世怡：即梁武帝弟鄱阳王恢之子萧泰，字世怡。以名犯周太祖讳，故称字。传见《周书》卷四十二、《南史》卷五十二、《北史》卷二十九。㉟永州：州名，治所楚城，在今河南信阳北。㉟堑断：挖掘深沟，阻断交通。㉟河阳：县名，县治在今河南孟州西北。㊱唯张斥候：只设置哨兵放哨。斥候，军中伺望敌兵之人，犹如今天的侦察兵。㊱兰陵王长恭：高孝瓘（？至公元五七三年），齐世祖第四子。传见《北齐书》卷十一、《北史》卷五十二。㊱斛律光（公元五一五至五七二年）：字明月，仕北齐，官至大将军、太尉。传附《北齐书》卷十七《斛律金传》、《北史》卷五十四《斛律金传》。㊱窥逼：窥伺逼迫。㊱腹心之病：比喻深患。㊱丁巳：十二月初三日。㊱己未：十二月初五日。㊱平原靖翼王淹：即高欢第四子高淹（？至公元五六四年）。传见《北齐书》卷十、《北史》卷五十一。〖按〗《北齐书》之《文宣帝纪》《废帝纪》《武成帝纪》、本传及《北史》本传等“原”俱作“阳”，疑此有误。㊱济河：渡过黄河。河，指黄河。㊱壬戌：十二月初八日。㊲邙阪：邙即北邙山，亦称邙山，在今河南洛阳北。阪，山坡；斜坡。㊲追集骑士：迅速集合骑兵。㊲恼惧：震动恐惧。㊲遽：疾；速。㊲上山逆战：上北邙山迎战齐兵。㊲投坠：跳下、坠落。㊲免胄示之面：脱下头盔，让对方看面孔。胄，头盔。㊲谷水：河名，洛水支流。发源于弘农渑池县（今河南渑池），东流至洛阳，入洛水。㊲勒兵：统率军队。㊲拊循：安抚；抚慰。拊，通“抚”。㊳小安：稍安。小，稍微。㊳因夜：趁着夜间。因，依靠。㊳备：尽。㊳少年未经事：年少没有经历过战事。㊳丁卯：十二月十三日。㊳己巳：十二月十五日。㊳太宰：官名，又称大冢宰。辅佐皇帝治理国家。㊳尚书令：官名，尚书省长官。辅佐帝王，执掌朝政。实为宰相。㊳壬申：十二月十八日。㊳虎牢：即虎牢关。在今河南荥阳西北。㊴滑台：地名，在今河南滑县南。㊴黎阳：县名，县治在今河南浚县东北。㊴丙子：十二月二十二日。㊴沃野：镇名，故址在今内蒙古乌拉特中后联合旗内。㊴不给：供应不足。㊴稽胡：族名，是生活在银州、夏州一带（今陕西北部、山西西北部）的少数民族。㊴大冢宰：指宇文护。㊴馈输：赠送、献纳。馈，赠物。㊴填积：堆积。㊴属：正巧；适值。㊿是行：这次军事行动。是，这。401稽首谢罪：磕头认罪。402齐山东：指太行山以东的齐国之地。403梁弥定（？至公元五六四年）：羌人酋长。西魏大统七年（公元五四一年）始立为宕昌王。北周保定间，叛服无常，保定四年（公元五六四年），灭于北周。事见《周书》卷四十九。404田弘（？至公元五七四年）：仕北周，官至大司空。传见《周书》卷二十七、《北史》卷六十五。405宕州：州名，治所阳宕县，在今甘肃宕昌东。

【校记】

［9］兵：原作“师”。据章钰校，十二行本、乙十一行本、孔天胤本皆作“兵”，今据改。［10］北：原作“南”，据章钰校，十二行本、乙十一行本皆作“北”，今据改。〖按〗《陈书·世祖纪》作“北”。［11］内：原作“外”。据章钰校，十二行本、乙十一行本、孔天胤本皆作“内”，今据改。〖按〗《隋书·刑法志》作“内”。［12］围：原作“羣”。据章钰校，十二行本、乙十一行本、孔天胤本皆作“围”，今据改。〖按〗《北齐书·乐陵王百年传》《北史·乐陵王百年传》皆作“围”。［13］再：原作“两”。据章钰校，十二行本、乙十一行本、孔天胤本皆作“再”，今据改。〖按〗《北齐书·乐陵王百年传》《北史·乐

【原文】

六年（乙酉，公元五六五年）

春，正月癸卯406，齐以任城王湝为大司马407。

齐主如晋阳。

二月辛丑408，周遣陈公纯409、许公贵410、神武公窦毅411、南阳公412杨荐等备皇后仪卫行殿413，并六宫414百二十人，诣突厥可汗牙帐415逆女。毅，炽之兄子也。

丙寅416，周以柱国安武公李穆417为大司空，绥德公陆通418为大司寇419。

壬申420，周主如岐州421。

夏，四月甲寅422，以安成王顼423为司空。顼以帝弟之重，势倾朝野424。直兵425鲍僧叡，恃顼势为不法，御史中丞426徐陵427为奏弹之，从南台428官属引奏案而入。上见陵章服429严肃，为敛容430正坐。陵进读奏版431，时顼在殿上侍立，仰视上，流汗失色432。陵遣殿中御史433引顼

陵王百年传》皆作“再”。[14]玉壁：原作“玉壁”。据章钰校，十二行本、乙十一行本、孔天胤本皆作“玉壁”，今据改。下同。[15]将兵：原无此二字。据章钰校，十二行本、乙十一行本、孔天胤本皆有此二字，今据补。[16]逢：原作“蒙”。据章钰校，十二行本、乙十一行本、孔天胤本皆作“逢”，今据改。〖按〗《周书·晋荡公护传》作“逢”。[17]形：原作“生”。据章钰校，十二行本、乙十一行本、孔天胤本皆作“形”，张敦仁《通鉴刊本识误》同，今据改。[18]又：原无此字。据章钰校，十二行本、乙十一行本、孔天胤本皆有此字，张敦仁《通鉴刊本识误》同，今据补。[19]建安、晋安：原作“晋安、建安”。据章钰校，十二行本、乙十一行本、孔天胤本二词皆互乙，今据改。〖按〗《陈书·章昭达传》作“建安、晋安”。[20]甲午：原无此二字。据章钰校，十二行本、乙十一行本、孔天胤本皆有此二字，张敦仁《通鉴刊本识误》同，今据补。〖按〗《周书·武帝纪上》《北史·高祖武帝纪》皆有此二字。[21]使：原作“遣”。据章钰校，十二行本、乙十一行本、孔天胤本皆作“使”，今据改。[22]大和谷：原作“太和谷”。据章钰校，十二行本、乙十一行本、孔天胤本皆作“大和谷”，今据改。

【语译】

六年（乙酉，公元五六五年）

春，正月二十日癸卯，北齐任命任城王高湝为大司马。

北齐国主高湛前往晋阳。

二月辛丑日，北周派陈国公宇文纯、许国公宇文贵、神武公窦毅、南阳公杨荐等，准备好皇后出行的仪仗、侍卫、行殿，再带上六宫侍从一百二十人，到突厥可汗牙帐迎聘可汗的女儿为皇后。窦毅，是窦炽哥哥的儿子。

二月十三日丙寅，北周任命柱国安武公李穆为大司空，绥德公陆通为大司寇。

十九日壬申，北周国主前往岐州。

夏，四月初二日甲寅，陈朝任命安成王陈顼为司空。陈顼靠着自己是皇上弟弟的尊贵身份，权势超过朝野所有的人。直兵鲍僧叡倚仗陈顼的权势做不法的事，御史中丞徐陵上奏弹劾他。徐陵跟着御史台的官员带着弹劾奏板进入殿堂，陈文帝看见徐陵穿着朝服庄严肃穆，不由得也显出庄重的脸色，端正地坐着。徐陵上前宣读奏板，当时陈顼也在殿上侍立，抬头看着皇上，不禁浑身流汗，脸色大变。徐陵派

下殿。上为之免顼侍中、中书监[434]。朝廷肃然。

戊午[435][23]，齐大将军东安王娄叡坐事[436]免。

齐著作郎祖珽[437]，有文学，多技艺，而疏率[438]无行。尝为高祖中外府功曹[439]，因宴失金叵罗[440]，于珽髻上得之。又坐诈盗官粟三千石，鞭二百，配[441]甲坊[442]。显祖[443]时，珽为秘书丞[444]，盗《华林遍略》[445]，及有他赃，当绞，除名为民。显祖虽憎其数犯法，而爱其才伎[446]，令直中书省[447]。

世祖为长广王，珽为胡桃油[448]献之，因言："殿下有非常骨法[449]。孝征梦殿下乘龙上天。"王曰："若然，当使兄大富贵。"及即位，擢拜中书侍郎[450]，迁散骑常侍[451]。与和士开共为奸谄。

珽私说士开曰："君之宠幸，振古[452]无比。宫车一日晚驾[453]，欲何以克终[454]？"士开因从问计。珽曰："宜说主上云：'文襄[455]、文宣[456]、孝昭[457]之子，俱不得立，今宜令皇太子早践大位[458]，以定君臣之分[459]。'若事成，中宫[460]、少主必皆德君，此万全计也。请君微说[461]主上令粗解[462]，珽当自外上表论之。"士开许诺。

会有彗星[463]见。太史[464]奏云："彗，除旧布新之象[465]，当有易主[466]。"珽于是上书言："陛下虽为天子，未为极贵，宜传位东宫[467]，且以上应天道。"并上魏显祖禅子故事[468]。齐主从之。

丙子[469]，使太宰段韶持节[470]奉皇帝玺绶[471]，传位于太子纬[472]。太子即皇帝位于晋阳宫，大赦，改元[473]天统。又诏以太子妃斛律氏为皇后。于是群公上世祖尊号为太上皇帝[474]，军国大事咸以闻。使黄门侍郎冯子琮[475]、尚书左丞胡长粲辅导少主，出入禁中，专典敷奏。子琮，胡后之妹夫也。

祖珽拜秘书监[476]，加仪同三司，大被亲宠，见重二宫[477]。

丁丑[478]，齐以贺拔仁[479]为太师，侯莫陈相[480]为太保，冯翊王润为司徒，赵郡王叡为司空，河间王[24]孝琬为尚书令。戊寅[481]，以瀛州刺史尉粲为太傅[482][25]，斛律光为大将军，东安王娄叡为太尉，尚书仆射赵彦深为左仆射。

五月，突厥遣使至齐，始与齐通。

六月己巳[483]，齐主使兼散骑常侍王季高来聘。

殿中御史引陈顼下殿。陈文帝因此免去陈顼侍中、中书监的职务。朝廷上一片肃穆。

四月初六日戊午，北齐大将军东安王娄叡因事获罪，被免职。

北齐著作郎祖珽，有文才，会很多技艺，但是为人粗疏轻率，品行很差。他曾经担任齐高祖高欢的都督中外诸军事府中的功曹。有一次宴会丢失金酒杯，却在祖珽的发髻上找到了。又因用欺诈手段盗窃官粟三千石而获罪，挨了二百鞭，被发配到甲坊服苦役。齐显祖高洋时，祖珽任秘书丞，盗窃《华林遍略》，加上还有其他贪污受贿行为，当处绞刑，改判为削职为民。显祖高洋虽然憎恶他多次犯法，因爱惜他的才能技艺，后来又让他在中书省当值。

齐世祖高湛为长广王时，祖珽制作胡桃油献给高湛，并趁机说："殿下的骨相非同寻常，我曾经梦见殿下乘龙上天。"高湛说："如果真这样，一定让你享大富贵。"等到高湛即位，破格升迁祖珽为中书侍郎，后又升任散骑常侍。祖珽与和士开两人一起做了很多奸邪谄媚之事。

祖珽私下对和士开说："你受到的恩宠，自古以来无人能比。一旦皇上升天，你想靠什么来保证你能够善终?"和士开于是向他讨教办法。祖珽说："你应当劝说皇上，说：'文襄帝、文宣帝、孝昭帝他们的儿子，都没能立为皇帝，现今应当让皇太子早登大位，以定下君臣的名分。'如果事情成功，皇后、少主都感激你，这是万全之计。请你委婉地劝说皇上，让他大略地了解这个意思。我祖珽自会在外边上表论说这件事。"和士开答应了。

这时正好有彗星出现，太史上奏说："彗星，是除旧布新的天象，当有更换国君的事发生。"祖珽趁机上书说："陛下虽然是天子，但还算不上极顶尊贵，应当传位皇太子，做太上皇，这样又顺应了天意。"祖珽还奏上北魏显祖献文帝禅位给少子孝文帝的史实做例证。北齐国主高湛听从了。

四月二十四日丙子，皇上高湛派太宰段韶手持符节，捧着皇帝玺绶，传位给皇太子高纬。太子在晋阳宫即皇帝位，大赦天下，改年号为天统。又下诏册立太子妃斛律氏为皇后。于是王公大臣上世祖尊号为太上皇帝，军国大事都要向太上皇奏报。派黄门侍郎冯子琮、尚书左丞胡长粲辅导少主，出入禁中，专门掌管向少主陈奏事宜。冯子琮，是胡皇后的妹夫。

祖珽升任秘书监，加仪同三司，大受亲近宠幸，深得皇帝、皇后两宫的器重。

四月二十五日丁丑，北齐任命贺拔仁为太师，侯莫陈相为太保，冯翊王高润为司徒，赵郡王高叡为司空，河间王高孝琬为尚书令。二十六日戊寅，任命瀛州刺史尉粲为太傅，斛律光为大将军，东安王娄叡为太尉，尚书仆射赵彦深为左仆射。

五月，突厥派使者到北齐，开始与北齐往来通好。

六月十八日己巳，北齐国主高纬派兼散骑常侍王季高到陈朝来通问修好。

秋，七月辛巳朔[484]，日有食之。

上遣都督程灵洗[485]自鄱阳[486]别道击周迪，破之。迪与麾下[487]十余人窜于山穴中，日月浸[488]久，从者亦稍苦之。后遣人潜出临川[489]市鱼鲑[490]，临川太守骆牙[491]执之，令取迪自效[492]，因使腹心勇士随之入山。其人诱迪出猎，勇士伏于道傍，出斩之。丙戌[493]，传首[494]至建康。

庚寅[495]，周主如秦州[496]，八月丙子[497]，还长安。

己卯[498]，立皇子伯固[499]为新安王，伯恭[500]为晋安王，伯仁[501]为庐陵王，伯义[502]为江夏王。

冬，十月辛亥[503]，周以函谷关[504]城为通洛防，以金州[505]刺史贺若敦[506]为中州[507]刺史，镇函谷。敦恃才负气[508]，顾其流辈[509]皆为大将军，敦独未得，兼以湘州之役[510]，全军而返，谓宜受赏，翻得除名，对台使[511]出怨言。晋公护怒，征还，逼令自杀。临死，谓其子弼曰："吾志平江南，今而不果[512]，汝必成吾志。吾以舌死，汝不可不思。"因引锥刺弼舌出血以诫之。

十一月癸未[513]，齐太上皇至邺。

齐世祖之为长广王也，数为显祖所捶，心常衔[514]之。显祖每见祖珽，常呼为贼，故珽亦怨之，且欲求媚于世祖，乃说世祖曰："文宣狂暴，何得称'文'[515]？既非创业，何得称'祖'？若文宣为祖，陛下万岁后[516]当何所称？"帝从之。己丑[517]，改谥太祖献武皇帝为神武皇帝[26]，庙号[518]高祖，献明皇后为武明皇后[519]。令有司更议文宣谥号[520]。

十二月乙卯[521]，封皇子伯礼[522]为武陵王。

壬戌[523]，齐上皇如晋阳。

庚午[524]，齐改谥文宣皇帝为景烈皇帝[525]，庙号威宗[526]。

【段旨】

以上为第六段，写北齐国主高湛信谗退位为太上皇，仍总领军国之政。祖珽与和士开为高澄宠信的两个奸佞臣，祖珽有文才，以文缘饰其奸，更为阴险。

秋，七月初一日辛巳，发生日食。

陈文帝派都督程灵洗从鄱阳另一路袭击周迪，打败了他。周迪与部下十多个人逃窜到山洞中，日子一长，跟随的人渐渐感到困苦。后来周迪派人偷偷地到临川买鱼菜，这人被临川太守骆牙抓获，骆牙让他回去捉拿周迪立功自新，并派心腹勇士跟在后头进了山。这个人诱使周迪出来打猎，那些勇士埋伏在路边，一拥而出，杀了周迪。七月初六日丙戌，周迪的首级被传送到建康。

七月初十日庚寅，北周国主宇文邕前往秦州，八月二十六日丙子，回到长安。

八月二十九日己卯，陈文帝封立皇子陈伯固为新安王，陈伯恭为晋安王，陈伯仁为庐陵王，陈伯义为江夏王。

冬，十月初二日辛亥，北周把函谷关的关城改名为通洛防，任命金州刺史贺若敦为中州刺史，镇守函谷关。贺若敦倚仗有才，对人颇不服气，看到跟自己同辈的人都做了大将军，自己独独没有得到，加上先前的湘州之战，全军撤回，自认为应当受赏，却反而被罢了官，于是对朝廷使者口出怨言。晋国公宇文护大怒，征召贺若敦回长安，逼令他自杀。临死，他对儿子贺若弼说："我的志向是平定江南，至今尚未实现，你一定要完成我的志向。我因为舌头乱讲话而死，你不能不三思。"于是拿锥子把儿子贺若弼的舌头扎出血来以告诫他。

十一月初五日癸未，北齐太上皇高湛到达邺城。

北齐世祖高湛为长广王的时候，多次遭到显祖高洋的捶打，心里常常记恨显祖。显祖每次见到祖珽就称他为贼，所以祖珽也怨恨显祖，又因为要讨好世祖，于是劝说世祖道："文宣帝高洋狂暴，怎么能称为'文'？既然不是创业之君，怎么能称为'祖'？如果文宣帝称为'祖'，陛下万岁后又该称什么呢？"皇上高湛听从了。十一月十一日己丑，北齐太上皇高湛下诏，改谥太祖献武皇帝高欢为神武皇帝，庙号为高祖，献明皇后为武明皇后，又下令主管部门重新议定文宣帝高洋的谥号。

十二月初七日乙卯，陈文帝册封皇子陈伯礼为武陵王。

十四日壬戌，北齐太上皇高湛前往晋阳。

二十二日庚午，北齐改谥文宣皇帝高洋为景烈皇帝，改庙号为威宗。

【注释】

㊻癸卯：正月二十日。㊼大司马：官名，掌管军事，参与朝政。㊽辛丑：二月甲寅朔，无辛丑。疑为"辛酉"之误。辛酉，二月初八日。㊾陈公纯：即宇文泰之子宇文纯（？至公元五八〇年），封陈国公。传见《周书》卷十三、《北史》卷五十八。㊿许公贵：即宇文贵（？至公元五六七年），仕北周，官至大司徒，封许国公。传见《周书》卷十九、《北

史》卷六十一。㊶窦毅（公元五一九至五八二年）：历仕西魏、北周、隋三代，官至定州总管。传见《周书》卷三十、《北史》卷六十一。㊷南阳公:《周书》卷三十三《杨荐传》、卷五《武帝纪》上、卷五十《异域下·突厥传》与《北史》卷六十九《杨荐传》、卷十四《后妃传》下、卷九十九《突厥传》皆作“南安公”，只有武英殿本等《周书》卷九《皇后传》作“南阳公”。《通鉴》作“南阳公”，也可能另有所据。㊸行殿：皇后出行时居住的宫殿。㊹六宫：泛指皇后侍从。㊺牙帐：可汗所居军帐。因帐外竖立牙旗，故名。㊻丙寅：二月十三日。㊼李穆（公元五一〇至五八六年）：历仕西魏、北周、隋三代，官至上柱国，封申国公。传见《周书》卷三十、《隋书》卷三十七、《北史》卷五十九。㊽陆通（？至公元五七二年）：仕北周，官至大司寇，封绥德公。传见《周书》卷三十二、《北史》卷六十九。㊾大司寇：官名，掌管刑狱、纠察等事。㊿壬申：二月十九日。421岐州：州名，治所扶风，在今陕西凤翔。422甲寅：四月初二日。423安成王顼：陈武帝兄道谭之第二子，后即位为宣帝。424势倾朝野：权势超过朝廷内外所有的人。425直兵：即直兵曹参军。梁、陈王府、公府、将军府僚属诸曹中有直兵曹，掌亲兵卫队，长官为参军。426御史中丞：官名，掌管监察。427徐陵（公元五〇七至五八三年）：字孝穆，东海郯（今江苏宿迁东南）人，历仕梁、陈，官至左光禄大夫、太子少傅。传见《陈书》卷二十六、《南史》卷六十二。428南台：御史台。429章服：以图文为等级标志的礼服。430敛容：面容严肃。431奏版：即奏本。432失色：惊慌变色。433殿中御史：官名，居殿中，掌监察。434中书监：官名，掌赞诏命，主典文书。435戊午：四月初六日。436坐事：因事得罪。437祖珽（？至公元五七三年）：字孝征，范阳遒（今河北定州南）人，仕北齐，官至尚书左仆射。传见《北齐书》卷三十九、《北史》卷四十七。438疏率：谓疏于礼法，不拘小节。439中外府功曹：官名，高欢都督中外诸军事，祖珽任功曹，掌人事，参与政事。440金叵罗：古代的酒杯。441配：徙置罪人于某地。442甲坊：制造兵甲的作坊。443显祖：北齐文宣帝高洋，高欢第二子，北齐开国皇帝，公元五五一至五五九年在位。444秘书丞：官名，典尚书奏事。445《华林遍略》：书名，梁武帝敕诸学士于华林园所撰，凡六百二十卷。446才伎：才能。伎，通“技”。447直中书省：在中书省当值。448胡桃油：绘画着色的一种油。449骨法：旧时相士称人的骨相特征为骨法。450中书侍郎：官名，掌侍从、制敕、册命，通判省事。451散骑常侍：官名，掌规谏。452振古：犹云自古。453晚驾：与“晏驾”意同，古代称帝王死亡的讳辞。454克终：能够善终。455文襄：即高欢长子高澄，封为勃海王，追谥为文襄皇帝。456文宣：高欢次子高洋，禅位为文宣帝。457孝昭：即孝昭帝，高欢第六子高演，北齐第三代皇帝，公元五六〇至五六一年在位。458大位：皇位。459分：名分。460中宫：皇后所居之处，故为皇后的代称。461微说：委婉地劝说。微，隐蔽。462粗解：粗略地知晓。解，晓、了解。463彗星：星名，通常在背着太阳的一面，拖着一条扫帚状的尾巴。464太史：官名，掌天文历法。465“彗”二句：汉哀帝建平二年（公元前五年）二月，彗星出现，《汉书》卷二十六

《天文志》云："传曰：彗所以除旧布新也。"《汉志》引书传为说，可见对彗星出现这一天象的这种解释，早已成为人们见诸书传的普遍认识。㊻㊅当有易主：当要发生更换国君事。㊻㊆东宫：太子所居之处。㊻㊇魏显祖禅子故事：指北魏献文帝禅位于少子孝文帝。事见本书卷一百三十二《宋纪》十四宋明帝泰始六年。㊻㊈丙子：四月二十四日。㊼⓪持节：古代使臣出使，必持节以作凭证。节，符节。㊼①玺绶：古代印玺上系有彩色组绶，称玺绶。用指印玺。㊼②纬：即后主高纬。武成帝长子，北齐第五代皇帝。公元五六五至五七六年在位。㊼③改元：更换年号。㊼④太上皇帝：为尚在世的皇帝父亲的尊号。㊼⑤冯子琮（？至公元五七一年）：仕北齐，官至尚书右仆射。传见《北齐书》卷四十、《北史》卷五十五。㊼⑥秘书监：官名，掌图书著作等事。㊼⑦二宫：指东宫、中宫。此指北齐后主与皇太后。㊼⑧丁丑：四月二十五日。㊼⑨贺拔仁（？至公元五七〇年）：传附《北史》卷五十三《张保洛传》。㊽⓪侯莫陈相（公元四八九至五七一年）：仕北齐，官至太傅。传见《北齐书》卷十九、《北史》卷五十三。㊽①戊寅：四月二十六日。㊽②尉粲为太傅：粲仕北齐。传附《北齐书》卷十五《尉景传》、《北史》卷五十四《尉景传》。㊽③己巳：六月十八日。㊽④辛巳朔：七月初一日。㊽⑤程灵洗（公元五一四至五六八年）：仕陈，官至郢州刺史。传见《陈书》卷十、《南史》卷六十七。㊽⑥鄱阳：郡名，治所鄱阳县，在今江西鄱阳。㊽⑦麾下：部下。麾，用作指挥的旗帜。㊽⑧浸：渐渐。㊽⑨临川：郡名，治所临汝县，在今江西临川县西。㊾⓪鱼鲑：吴人对鱼菜的总称。㊾①骆牙（公元五二八至五七一年）：仕陈，官桂阳太守、丰州刺史。传见《陈书》卷二十二、《南史》卷六十七。㊾②自效：自己立功。效，功。㊾③丙戌：七月初六日。㊾④传首：将首级传送。㊾⑤庚寅：七月初十日。㊾⑥秦州：州名，治所上邽县，在今甘肃天水。㊾⑦丙子：八月二十六日。㊾⑧己卯：八月二十九日。㊾⑨伯固：陈文帝第五子。500伯恭：陈文帝第六子。501伯仁：陈文帝第八子。502伯义：陈文帝第九子。伯固、伯恭、伯仁、伯义四人传俱见《陈书》卷二十八、《南史》卷六十五。503辛亥：十月初二日。504函谷关：关名，是进入关中的要塞。故址在今河南新安境。505金州：州名，治所西城，在今陕西安康。506贺若敦（？至公元五六五年）：仕北周，官至中州刺史。传见《周书》卷二十八、《北史》卷六十八。507中州：州名，治所中州城，在今河南新安。508负气：谓恃其意气，不肯屈于人下。509流辈：同辈。510湘州之役：贺若敦军士病死过半，又失湘州。事见本书卷一百六十八《陈纪》二文帝天嘉二年。511台使：朝廷使臣。512不果：未能实现。513癸未：十一月初五日。514衔：憾；心怀怨恨而未发。515文：《史记正义·谥法解》云"慈惠爱民曰文"。516万岁后：皇帝死后。517己丑：十一月十一日。518庙号：皇帝死后升祔太庙时特立的名号，如某祖某宗即是。519武明皇后：即勃海王高欢妃娄氏。事见《北齐书》卷九、《北史》卷十四。520谥号：帝王后妃或有地位的人死后，据其生平事迹给予的一种称号，以示褒贬。521乙卯：十二月初七日。522伯礼：陈文帝第十子陈伯礼。传见《陈书》卷二十八、《南史》卷六十五。523壬戌：十二月十四日。524庚午：十二月二十二日。525景烈皇帝：《谥法》云：布义行刚曰景，有功安民曰烈。526威宗：《谥法》云：猛以强果，有威可畏，以刑服远均曰威。

【校记】

［23］戊午：原作“丙午”，严衍《通鉴补》改作“戊午”，今据以校正。〖按〗《北齐书·武成帝纪》《北史·世祖武成帝纪》皆作“戊午”。［24］河间王：原作“河南王”，严衍《通鉴补》改作“河间王”，今据以校正。〖按〗《北齐书·后主纪》《北史·后主纪》皆

【原文】

天康元年（丙戌，公元五六六年）

春，正月己卯[527]，日有食之。

癸未[528]，周大赦，改元天和[529]。

辛卯[530]，齐主祀圜丘[531]。癸巳[532]，祫[533]太庙。

丙申[534]，齐以吏部尚书尉瑾[535]为右仆射。

己亥[536]，周主耕藉田。

庚子[537]，齐主如晋阳。

周遣小载师[538]杜杲[539]来聘。

二月庚戌[540]，齐上皇还邺。

丙子[541]，大赦，改元[542]。

三月己卯[543]，以安成王顼为尚书令。

丙午[544]，周主祀南郊[545]。夏，四月辛亥[546]，大雩[547]。

上不豫[548]，台阁[549]众事，并令尚书仆射到仲举[550]、五兵尚书[551]孔奂[552]共决之。奂，琇之之曾孙也。疾笃，奂、仲举与司空、尚书令、扬州刺史安成王顼，吏部尚书袁枢[553]，中书舍人刘师知[554]入侍医药。枢，君正之子也。太子伯宗[555]柔弱，上忧其不能守位[556]，谓顼曰：“吾欲遵太伯之事[557]。”顼拜伏泣涕，固辞。上又谓仲举、奂等曰：“今三方鼎峙[558]，四海事重，宜须长君。朕欲近则晋成[559]，远隆殷法[560]，卿等宜遵此意。”孔奂流涕对曰：“陛下御膳违和[561]，痊复非久[562]。皇太子春秋鼎盛[563]，圣德日跻[564]。安成王[27]介弟[565]之尊，足为周旦[566]。若有废立[567]之心，臣等愚诚，不敢闻诏[568]。”上曰：“古之遗直[569]，复见于卿。”乃以奂为太子詹事[570]。

作“河间王”。[25] 太傅：原作“太尉”，严衍《通鉴补》改作“太傅”，今据以校正。〖按〗《北齐书·后主纪》《北史·后主纪》皆作“太傅”。[26] 为神武皇帝：原无此五字。据章钰校，十二行本、乙十一行本、孔天胤本皆有此五字，张敦仁《通鉴刊本识误》、张瑛《通鉴校勘记》同，今据补。

【语译】

天康元年（丙戌，公元五六六年）

春，正月初二日己卯，发生日食。

初五日癸未，北周实行大赦，改年号为天和。

十四日辛卯，北齐国主高纬在圜丘祭天。十六日癸巳，在太庙合祭祖先。

十九日丙申，北齐任命吏部尚书尉瑾为右仆射。

二十二日己亥，北周国主宇文邕举行亲耕籍田典礼。

二十三日庚子，北齐国主高纬前往晋阳。

北周派小载师杜杲到陈朝来通问修好。

二月初三日庚戌，北齐太上皇高湛回到邺城。

二十九日丙子，陈朝大赦天下，改年号为天康。

三月初三日己卯，陈文帝任命安成王陈顼为尚书令。

三月三十日丙午，北周国主宇文邕在南郊祭天。夏，四月初五日辛亥，北周举行求雨大典。

陈文帝病了，尚书省各种政务，一并命尚书仆射到仲举、五兵尚书孔奂两人共同商议决定。孔奂，是孔琇之的曾孙。陈文帝病情转重，孔奂、到仲举与司空、尚书令、扬州刺史安成王陈顼，吏部尚书袁枢，中书舍人刘师知等人入宫侍候医药。袁枢，是袁君正的儿子。太子陈伯宗懦弱，陈文帝忧虑他不能守住皇位，对陈顼说：“我打算遵照当年吴太伯的做法，传皇帝位给你。”陈顼伏地磕头，泪流满面，坚决推辞。陈文帝又对到仲举、孔奂等说：“如今三方鼎立，天下事务十分繁重，应当立年长的人为国君。朕欲近则效法晋成帝立同母弟为嗣，远则光大殷代兄终弟及的做法，卿等要遵循我的旨意。”孔奂流着眼泪回答说：“陛下饮食失调，不久即可康复。皇太子年富力强，他的圣德正日益增进；安成王有皇上之弟的尊贵，足可以成为周公旦那样的辅佐重臣。如果皇上有废太子立新君的心意，臣等愚忠，不敢奉诏。”陈文帝说：“古代直道而行的遗风，又出现在你们身上了。”便任命孔奂为太子詹事。

臣光曰："夫臣[28]之事君，宜[29]将顺其美，正救其恶[571]。孔奂在陈，处腹心[572]之重任，决社稷[573]之大计，苟以世祖之言为不诚，则当如窦婴面辩[574]，袁盎廷争[575]，防微杜渐以绝觊觎[576]之心。以为诚邪，则当请明下诏书，宣告中外，使世祖有宋宣[577]之美，高宗无楚灵[578]之恶。不然，谓太子嫡嗣[579]，不可动摇，欲保辅而安全之，则当尽忠竭节，以死继之[30]，如晋之荀息[580]、赵之肥义[581]。奈何[582]于君之存，则逆探[583]其情而求合焉；及其既没[584]，则权臣移国[585]而不能救，嗣主失位而不能死[586]？斯乃奸谀之尤[587]者，而世祖谓之遗直，以托六尺之孤[588]，岂不悖[589]哉？"

癸酉[590]，上殂[591]。

上起自艰难，知民疾苦。性明察俭约，每夜刺闺[592]取外事分判者，前后相续。敕传更签[593]于殿中者，必投签于阶石之上，令枪然[594]有声，曰："吾虽眠，亦令惊觉。"

太子即位，大赦。五月己卯[595]，尊皇太后曰太皇太后[596]，皇后曰皇太后。

乙酉[597]，齐以兼尚书左仆射武兴王普为尚书令。

吐谷浑[598]龙涸王莫昌帅部落附于周，以其地为扶州[599]。

庚寅[600]，以安成王顼为骠骑大将军[601]、司徒、录尚书、都督中外诸军事。丁酉[602]，以中军大将军[603]、开府仪同三司徐度[604]为司空，以吏部尚书袁枢为左仆射，吴兴太守沈钦[605]为右仆射，御史中丞徐陵为吏部尚书。

陵以梁末以来，选授[606]多滥，乃为书示众曰："梁元帝[607]承侯景之凶荒，王太尉[608]接荆州之祸败，故使官方[609]穷此纷杂[610]。永安[611]之时，圣朝草创[612]，白银难得，黄札[613]易营，权[614]以官阶，代于钱绢。致令员外[615]、常侍[616]，路上比肩[617]，谘议[618]、参军[619]，市中无数，岂是朝章[620]固应如此？今衣冠[621]礼乐，日富年华[622]，何可犹作旧意？非理望也。"众咸服之。

己亥[623]，齐立上皇子弘[624]为齐安王，仁固[625]为北平王，仁英[626]为高平王，仁光[627]为淮南王。

司马光说："说起臣子侍奉君王，应该顺势促成他做的好事，纠正补救他的过失。孔奂在陈朝，肩负心腹大臣的重任，决定国家的大计，如果认为陈世祖的话不真诚，那就应当像西汉窦婴那样当面争辩，像袁盎那样在朝廷上争论，防微杜渐，用以杜绝有人窥伺帝位的野心。如果认为陈世祖的话是真诚的，那就应当请求陈世祖明明白白下达诏书，宣告于朝廷内外，使陈世祖拥有春秋时宋宣公舍子立弟的美名，而高宗陈顼就不会有楚灵王那样篡弑的恶行。不然的话，既认为太子是理应嗣位的嫡子，不可动摇，想要保护、辅佐他，使他获得安全，那就应当竭尽自己的忠诚与气节，以死来报答，像晋国的荀息、赵国的肥义一样。怎么可以在国君活着的时候揣测他的心意以求迎合；等到去世后，在权臣篡国时不能去挽救，在嗣主失位时又不能以死相报？这种人是奸佞阿谀的臣子中最恶劣的人，而陈世祖还说他有直道而行的遗风，把幼小的国君托付给他，岂不是十分荒谬吗？"

四月二十七日癸酉，陈文帝去世。

陈文帝从艰难中兴起，知道百姓疾苦，生性善于洞察，又崇尚节俭。每晚都要取来投在宫门边需要紧急处理的奏报，前后接连不断。他下令夜间在殿中报更传递更签的人，一定要把更签投在台阶石头上，让它发出锵然的响声，说："我即使睡了，这声音也能让我惊觉。"

太子即位，大赦天下。五月初三日己卯，尊皇太后为太皇太后，皇后为皇太后。

五月初九日乙酉，北齐任命兼尚书左仆射武兴王高普为尚书令。

吐谷浑龙涸王莫昌率领部落归附北周，北周将其地改置为扶州。

五月十四日庚寅，陈朝任命安成王陈顼为骠骑大将军、司徒、录尚书、都督中外诸军事。二十一日丁酉，任命中军大将军、开府仪同三司徐度为司空，任命吏部尚书袁枢为左仆射，吴兴太守沈钦为右仆射，御史中丞徐陵为吏部尚书。

徐陵认为梁末以来，选官授职大多太滥，便写了一篇文书告谕大家，说："梁元帝承继侯景之乱的荒灾年景，太尉王僧辩接受江陵失陷后的烂摊子，以致造成选官授职的制度极其纷繁杂乱。永安初年，陈朝刚刚建立，白银难以得到，任命官职的诏书则较易颁发，所以暂且用官阶来替代钱银绢帛。导致员外郎、常侍，在路上一个接着一个；谘议、参军，在闹市上难以计数，难道朝廷的典章本该如此吗？如今官员的服饰礼乐，一天比一天富丽，一年比一年浮华，怎么可以还是沿袭旧时的做法？这是没有道理的。"大家都赞同他的观点。

五月二十三日己亥，北齐封立太上皇高湛的儿子高仁弘为齐安王，高仁固为北平王，高仁英为高平王，高仁光为淮南王。

六月，齐遣兼散骑常侍韦道儒来聘。

丙寅[628]，葬文皇帝于永宁陵，庙号世祖。

秋，七月戊寅[629]，周筑武功[630]等诸城以置军士。

丁酉[631]，立妃王氏为皇后。

八月，齐上皇如晋阳。

周信州蛮[632]冉令贤、向五子王等据巴峡[633]反，攻陷白帝[634]，党与[635]连结二千余里。周遣开府仪同三司元契、赵刚[636]等前后讨之，终不克。九月，诏开府仪同三司陆腾[637]督开府仪同三司王亮、司马裔[638]讨之。

腾军于汤口[639]，令贤于江南据险要，置十城，远结涔阳蛮[640]为声援，自帅精卒固守水逻城[641]。腾召诸将问计，皆欲先取水逻，后攻江南。腾曰："令贤内恃水逻金汤[642]之固，外托涔阳辅车[643]之援，资粮充实，器械精新。以我悬军[644]，攻其严垒，脱[645]一战不克，更成其气[646]。不如顿军[647]汤口，先取江南，翦其羽毛，然后进军水逻，此制胜之术也。"乃遣[31]王亮帅众度江，旬日，拔其八城，捕虏及纳降各千计。遂间募[648]骁勇，数道进攻水逻。蛮帅冉伯犁、冉安西素与令贤有仇，腾说诱[649]，赂以金帛，使为乡导[650]。水逻之旁有石胜城，令贤使其兄子龙真据之。腾密诱龙真，龙真遂以城降。水逻众溃，斩首万余级，捕虏万余口。令贤走，追获，斩之。腾积骸于水逻城侧为京观[651]。是后群蛮望之，辄大哭，不敢复叛。

向五子王据石墨城[652]，使其子宝胜据双城。水逻既平，腾频遣谕之[653]，犹不下。进击，皆擒之，尽斩诸向酋长，捕虏万余口。

信州旧治白帝，腾徙之于八陈滩[654]北，以司马裔为信州刺史。

小吏部陇西辛昂[655]，奉使梁、益，且为腾督军粮。时临、信、楚、合[656]等州，民多从乱，昂谕以祸福，赴者如归。乃令老弱负粮，壮夫拒战，咸乐为用。使还，会巴州万荣郡[657]民反，攻围郡城，遏绝[658]山路。昂谓其徒曰："凶狡猖狂，若待上闻[659]，孤城必陷。苟利百姓，专之[660]可也。"遂募通、开[661]二州，得三千人。倍道兼行，出其不意，直趣贼垒。贼以为大军至，望风瓦解，一郡获全。周朝嘉[662]之，以为渠州[663]刺史。

六月，北齐派兼散骑常侍韦道儒到陈朝来通问修好。

二十一日丙寅，陈朝在永宁陵安葬陈文帝，庙号为世祖。

秋，七月初三日戊寅，北周修筑武功等各城来安置军队。

二十二日丁酉，陈朝册立妃子王氏为皇后。

八月，北齐太上皇高湛前往晋阳。

北周信州蛮族人冉令贤、向五子王等占据巴峡反叛，攻陷白帝城，党羽同伙串联二千多里，北周派开府仪同三司元契、赵刚等前后去征讨，始终没能讨平。九月，下诏开府仪同三司陆腾督率开府仪同三司王亮、司马裔前去征讨。

陆腾的军队驻扎在汤口，冉令贤在长江南岸占据险要之地，设置十座城堡，联结远方的涔阳蛮进行声援，冉令贤自己则率领精兵固守水逻城。陆腾召集众将探讨破敌的办法，都想先夺取水逻城，然后进攻长江南岸各城堡。陆腾说："冉令贤内恃水逻城有如同金城汤池那样的坚固防守，外托涔阳蛮有如同颊骨与牙床相互依存那样的支援，物资粮食充足，器械精良。用我们这支深入敌境的孤军去攻击对方防守严密的营垒，如果一战不胜，会更加助长他们的气焰。不如驻军汤口，先攻取江南各城堡，翦除冉令贤的羽翼，然后进军水逻城，这才是取胜的良策。"于是派王亮率部众渡过长江，十天之中，攻占了敌方的八座城堡，捕获以及接受投降的蛮族人各以千计。于是选拔招募骁勇的士兵，分多路进攻水逻城。蛮族首领冉伯犁、冉安西平素与冉令贤有仇怨，陆腾派人劝说引诱，送他们很多金银绢帛，让他们做向导。水逻城的旁边有一座石胜城，冉令贤派他哥哥的儿子冉龙真据守。陆腾秘密招诱冉龙真，冉龙真于是献城投降。水逻城蛮兵溃散，被斩杀的有一万多人，被捕获的也有一万多人。冉令贤逃走，追上去抓获了他，把他斩首。陆腾把敌人的尸骨堆积在水逻城旁，封土成高冢，成为京观。此后，群蛮望见这座万人高冢，就大哭，不敢再反叛。

向五子王据守石墨城，派自己的儿子向宝胜据守双城。水逻城被平定后，陆腾多次派人晓谕向五子王，他还是不肯投降。陆腾进兵攻击，把他们全都擒获，把各个姓向的酋长全都杀了，捕获了一万多人。

信州原先的治所在白帝城，陆腾把治所迁到八陈滩北，任命司马裔为信州刺史。

小吏部陇西人辛昂，奉命出使梁州、益州，并且为陆腾督送军粮。当时，临、信、楚、合等州，民众中有很多人跟着作乱，辛昂向他们说明祸福利害，他们纷纷赶来归附。辛昂就让他们中年老力弱的背负运输军粮，年轻力壮的参与作战，他们都乐于为辛昂效力。辛昂完成使命回朝时，正赶上巴州万荣郡平民反叛，攻围郡城，阻断了山路。辛昂对随行人员说："乱民凶恶狡猾而又猖狂，如果等待向朝廷奏报请示，孤城一定会被攻陷。只要对百姓有利，擅自做主也是可以的。"于是在通州、开州二州募兵，得到三千人。这些人倍道兼程，出其不意，直奔叛贼营垒。叛贼以为是官军大部队到了，望风瓦解，整个万荣郡得到了保全。北周朝廷嘉奖辛昂，任命他为渠州刺史。

冬，十月，齐以侯莫陈相为太傅，任城王湝为太保，娄叡为大司马，冯翊王润为太尉，开府仪同三司韩祖念为司徒。

庚申⑥⑥④，帝享太庙⑥⑥⑤。

十一月乙亥⑥⑥⑥，周遣使来吊⑥⑥⑦。

丙戌⑥⑥⑧，周主行视武功等新城，十二月庚申⑥⑥⑨，还长安。

齐河间王孝琬怨执政，为草人而射之。和士开、祖珽谮之于上皇曰："草人以拟圣躬⑥⑦⑩也。又，前突厥至并州，孝琬脱兜鍪⑥⑦①抵地，云：'我岂老妪⑥⑦②，须着⑥⑦③此物！'此言属大家⑥⑦④也。又，魏世⑥⑦⑤谣言：'河南种谷河北生，白杨树端[32]金鸡鸣。'河南、北者，河间也。孝琬将建金鸡大赦⑥⑦⑥耳。"上皇颇惑⑥⑦⑦之。会孝琬得佛牙，置第内，夜有光。上皇闻之，使搜之，得填⑥⑦⑧库矟幡⑥⑦⑨数百，上皇以为反具⑥⑧⑩，收讯⑥⑧①。诸姬有陈氏者，无宠，诬孝琬云："孝琬常画陛下像而哭之。"其实世宗像也。上皇怒，使武卫赫连辅玄倒鞭挞之⑥⑧②。孝琬呼叔，上皇曰："何敢呼我为叔？"孝琬曰："臣神武皇帝嫡孙，文襄皇帝嫡子，魏孝静皇帝之甥，何为不得呼叔？"上皇愈怒，折其两胫⑥⑧③而死。安德王延宗⑥⑧④哭之，泪赤⑥⑧⑤。又为草人，鞭而讯之曰："何故杀我兄？"奴告之，上皇覆延宗于地，马鞭鞭之二百，几死⑥⑧⑥。

是岁，齐赐侍中、中书监元文遥姓高氏，顷之，迁尚书左仆射。

魏末以来，县令多用厮役⑥⑧⑦，由是士流耻为之。文遥以为县令治民之本，遂请革选⑥⑧⑧，密择贵游⑥⑧⑨子弟，发敕用之⑥⑨⑩，犹恐其披诉⑥⑨①，悉召之集神武门，令赵郡王叡宣旨⑥⑨②唱名⑥⑨③，厚加尉谕而遣之。齐之士人为县⑥⑨④自此始。

冬，十月，北齐任命侯莫陈相为太傅，任城王高湝为太保，娄叡为大司马，冯翊王高润为太尉，开府仪同三司韩祖念为司徒。

十月十七日庚申，陈废帝在太庙祭祀祖先。

十一月初二日乙亥，北周派使臣到陈朝来吊唁陈文帝。

十一月十三日丙戌，北周国主宇文邕巡视武功等新城，十二月十八日庚申，回到长安。

北齐河间王高孝琬怨恨执政者，扎了草人，用箭射它。和士开、祖珽在太上皇面前诬陷高孝琬说："草人是用来比拟皇上的。又，先前突厥进犯到了并州，高孝琬脱下头盔，扔在地上，说：'我难道是老太婆，要戴这种东西！'这话也是针对皇上您的。还有，北魏时流行一个谣言，说：'河南种谷河北生，白杨树头金鸡鸣。'所谓河南、河北，指的就是河间。是河间王高孝琬准备设金鸡，即帝位实行大赦而已。"太上皇高湛深受这种说法的迷乱。正好高孝琬得了一颗佛牙，安放在宅第内，佛牙在夜间发光。太上皇听到了，派人搜查，搜到几百件镇库的长矛和旗幡，太上皇以为这是谋反的器具，便逮捕、审讯高孝琬。高孝琬的姬妾中有一个姓陈的女子，不受宠爱，就诬陷高孝琬说："高孝琬经常画了陛下的像而对着哭。"实际上画的是其父世宗高澄的像。太上皇大怒，让武卫赫连辅玄倒拿着鞭子，用大头击打高孝琬。高孝琬高喊"叔叔"，太上皇说："怎敢喊我为叔？"高孝琬说："臣是神武皇帝的嫡孙、文襄皇帝的嫡子、魏孝静皇帝的外甥，为什么不能叫您叔叔？"太上皇更加愤怒，折断他的两条小腿之后，高孝琬死了。安德王高延宗为高孝琬的死痛哭不已，以至泪中带血。又制作草人，一边鞭打，一边审问："为什么杀我的哥哥？"家中奴仆告发了这件事，太上皇把高延宗按倒在地，用马鞭打了他二百鞭，打得他几乎死去。

这一年，北齐赐侍中、中书监元文遥姓高氏，不久就升迁他为尚书左仆射。

北魏末年以来，县令多用奴仆担任，由此士人们都耻于担任县令。元文遥认为县令是治理百姓的根本，于是请求废除旧有的选用县令的制度，暗中选择没有官职的王公贵族子弟，发布敕令，委职任用，但仍担心他们申诉推辞，便把他们都召集到神武门，让赵郡王高叡宣布皇帝诏命，高声点名，大加安抚劝谕，派他们上任。北齐士人做县令就是从这时开始的。

【段旨】

以上为第七段，写陈文帝托孤，所委非人。北周扫平边乱。北齐太上皇高湛信谗而翦灭骨肉。

【注释】

㉗己卯：正月初二日。㉘癸未：正月初五日。㉙改元天和：周保定六年（公元五六六年）二月改年号为天和元年。㉚辛卯：正月十四日。㉛圜丘：古时祭天地之坛。齐制：圜丘方泽，并三年一祭，谓之柿祀。圜丘则以苍璧束帛。正月上辛，祀昊天上帝。㉜癸巳：正月十六日。㉝祫：古时天子合祭祖先神主于太庙之礼。五年一祫。㉞丙申：正月十九日。㉟尉瑾：仕北齐，官至尚书右仆射。传见《北齐书》卷四十、《北史》卷二十。㊱己亥：正月二十二日。㊲庚子：正月二十三日。㊳小载师：官名，掌任土之法，如土地、赋敛、牧产等。㊴杜杲（？至公元五八二年）：历仕周、隋，官至工部尚书。传见《周书》卷三十九、《北史》卷七十。㊵庚戌：二月初三日。㊶丙子：二月二十九日。㊷改元：改元天康。㊸己卯：三月初三日。㊹丙午：三月三十日。㊺祀南郊：皇帝在都城南郊圜丘祭天。每年一次。㊻辛亥：四月初五日。㊼大雩：古代因天旱而求雨之祭。㊽不豫：天子有病的讳称。㊾台阁：尚书的别称。㊿到仲举（公元五一七至五六七年）：仕陈，官至尚书仆射，掌朝政。传见《陈书》卷二十、《南史》卷二十五。551五兵尚书：官名，掌管中兵、外兵、骑兵、别兵、都兵。552孔奂（公元五一四至五八三年）：仕陈，官至中书令。传见《陈书》卷二十一、《南史》卷二十七。553袁枢（公元五一七至五六七年）：仕陈，官至尚书左仆射。传附《陈书》卷十七《袁敬传》、《南史》卷二十六《袁敬传》。554刘师知（？至公元五六七年）：仕陈，官至中书舍人。传见《陈书》卷十六、《南史》卷六十八。555伯宗：陈废帝，陈文帝嫡长子。公元五六七至五六八年在位。556守位：守住皇位。557太伯之事：太伯为周先祖太王长子。相传太王欲传位给季历（周文王父），他和弟仲雍避居江南。此言陈文帝欲让位于安成王陈顼。558三方鼎峙：谓陈与北周、北齐三国鼎立。559则晋成：效法晋成帝。晋成帝立母弟琅邪王岳为嗣，事见本书卷九十七《晋纪》十九成帝咸康八年。560隆殷法：尊崇殷法，殷代兄死弟及。561违和：因失调而致病。562痊复非久：不久即可痊愈如初。563春秋鼎盛：年富力强。564日跻：日益增进。跻，上升。565介弟：称别人兄弟的敬辞。566周旦：周武王弟周公。武王死，周公辅佐其子成王。567废立：谓废太子，立安成王。568不敢闻诏：不敢奉命。569遗直：谓直道而行，有古之遗风。570太子詹事：官名，掌皇后太子家事。571正救其恶：纠正其过失。572腹心：喻亲信。573社稷：土神与谷神。此代指国家。574窦婴面辩：汉景帝未立太子，欲传位于弟梁王，詹事窦婴劝景帝应父子相传。事见本书卷十六《汉纪》八景帝前三年。575袁盎廷争：窦太后欲以梁王为嗣，大臣袁盎力谏，以为不可。事见本书卷十六《汉纪》八景帝中二年。576觊觎：非分之想。577宋宣：指春秋时宋宣公。宋宣公舍其子与夷，立其弟穆公。穆公死时，又舍其子而立与夷。578楚灵：指春秋时楚灵王。楚康王有病，其弟围借问候之机，缢杀康王，又杀其二子莫及平夏，自立为王，史称灵王。事见《史记》卷四十《楚世家》。579嫡嗣：嫡长子。580荀息：春秋时，晋献公有病，

将其子奚齐托付于荀息，荀息表示竭力辅佐。献公死，里克杀奚齐，荀息将自杀，有人劝他不如立奚齐弟卓子而辅之，荀息立卓子以葬献公。里克又杀卓子，荀息遂自杀而死。事见《史记》卷三十九《晋世家》。㉘肥义：战国时，肥义受赵武灵王之命，辅佐新君惠文王。赵武灵王长子章不服其弟惠文王，欲谋反，李兑劝肥义装病让政以避祸。肥义宁死不肯，后乱起，被杀。事见《史记》卷四十三《赵世家》。㉘奈何：如何。㉘逆探：预先猜度。㉘既没：死后。㉘移国：篡国。㉘不能死：不能以死相报。㉘尤：甚。㉘六尺之孤：年少之君。㉘悖：谬误。㉘癸酉：四月二十七日。㉘殂：死。㉘刺闺：胡三省注云："就闺中刺取外事，故曰刺闺。"也有人释为宫中女官名。在古人诗作中，皆谓夜有急事，投刺宫门之外报警。闺，宫中小门。㉘更签：古代夜间报更的牌。㉘枪然：金玉撞击声。枪，通"锵"。㉘己卯：五月初三日。㉘太皇太后：皇帝之祖母。㉘乙酉：五月初九日。㉘吐谷浑：鲜卑族所建立的王国。故址在今青海北部和新疆东南部。㉘扶州：州名，治所甘松县，在今四川松潘。⑩庚寅：五月十四日。⑩骠骑大将军：官名，掌军事，位同三公。⑩丁酉：五月二十一日。⑩中军大将军：官名，掌军事，位从三公。⑩徐度（公元五〇九至五六八年）：仕陈，官至司空。传见《陈书》卷十二、《南史》卷六十七。⑩沈钦（公元五〇六至五六九年）：传附《陈书》卷七《世祖沈皇后传》。⑩选授：选官授职。⑩梁元帝：梁武帝第七子萧绎，梁朝第五代皇帝。公元五五二至五五四年在位。⑩王太尉：即王僧辩。梁朝人，官至太尉。传见《梁书》卷四十五、《南史》卷六十三。⑩官方：官法。⑩穷此纷杂：极为杂乱无章。⑪永安：胡三省注认为当从《南史·徐陵传》作"永定"。永定，陈武帝即位时年号。⑫草创：初建。⑬黄札：任命官吏的诏旨。⑭权：暂且。⑮员外：官名，指正员以外的官员，无职事。⑯常侍：官名，侍从皇帝，掌管文书、诏令。⑰比肩：一个接一个，表示众多。⑱谘议：官名，咨询谋议。⑲参军：官名，参议军事。⑳朝章：朝廷的典章。㉑衣冠：指士大夫辈。㉒日富年华：谓一天比一天富丽，一年比一年浮华。㉓己亥：五月二十三日。㉔皇子弘：即高廓，字仁弘，武成帝第四子。㉕仁固：武成帝第五子。㉖仁英：武成帝第六子。㉗仁光：武成帝第七子。以上四人传皆见《北齐书》卷十二、《北史》卷五十二。㉘丙寅：六月二十一日。㉙戊寅：七月初三日。㉚武功：城名，在今陕西武功西北。㉛丁酉：七月二十二日。㉜信州蛮：南蛮中的一支，生活在江淮流域。信州，州名，治所白帝城，在今重庆市奉节。㉝巴峡：即今重庆奉节长江瞿塘峡和巫山县长江巫峡。㉞白帝：城名，在今重庆奉节东瞿塘峡口。㉟党与：同伙。㊱赵刚：仕周，官至利州总管。传见《周书》卷三十三、《北史》卷六十九。㊲陆腾（？至公元五七八年）：历仕西魏、北周，官至大司空。传见《周书》卷二十八、《北史》卷二十八。㊳司马裔（？至公元五七一年）：历仕西魏、北周，官至大将军。传见《周书》卷三十六、《北史》卷二十九。㊴汤口：地名，在今重庆云阳东，即溪水入长江处。㊵涔阳蛮：南蛮族中的一支，生活在涔阳（今湖南荆州市沙市区）。㊶水逻城：地名，在今重庆奉节东。㊷金汤：

金城汤池。金以喻坚，汤喻沸热不可近。⑭辅车：春秋时谚语云“辅车相依”，《吕氏春秋·权勋》云：“虞之与虢也，若车之有辅也，车依辅，辅亦依车。”喻两物相依。⑭悬军：深入敌境的孤军。⑮脱：倘若；或许。⑯更成其气：更助长其气焰。⑰顿军：军队停留。⑱间募：选拔、招募。间，当作“简”。⑲说诱：劝说引诱。⑳乡导：带路者。乡，通“向”。㉛京观：古代战争，胜者为炫耀武功，收集敌人尸体，封土成高冢，称为“京观”。㉜石墨城：城名，在今湖北巴东县境。㉝频遣谕之：屡次派人去晓谕他。㉞八陈滩：城名，在今重庆市奉节境。相传诸葛亮曾于此布八阵图。陈，通“阵”。㉟辛昂（？至公元五七二年）：仕北周，官至骠骑大将军、开府仪同三司。传附《周书》卷三十九《辛庆之传》、《北史》卷七十《辛庆之传》。㊱临、信、楚、合：皆州名。临州，治所临江县，在今重庆忠县。信州，治所鱼腹县，在今重庆奉节东北。楚州，治所巴县，在今重庆。合州，治所石镜县，在今重庆市合川区。㊲万荣郡：郡名，治所永康县，在今四川达州市达川区西北。㊳遏绝：阻断。㊴上闻：奏知朝廷。㊵专之：不待朝命，自己决断。㊶通、开：皆州名。通州，治所石城县，在今四川达州市达川区。开州，治所万川县，在今重庆市万州区东。㊷嘉：夸奖；赞许。㊸渠州：州名，治所安汉县，在今四川南充北。㊹庚申：十月十七日。㊺享太庙：于太庙祭祖。㊻乙亥：十一月初二日。㊼来吊：来陈朝吊唁陈文帝。㊽丙戌：十一月十三日。㊾庚申：十二月十八日。㊿草人以拟圣躬：以草人比作上皇的身体。躬，自身。671兜鍪：古代战士的头盔。672老妪：年老的女人。673须着：需要戴。须，通“需”。674大家：时称天子为“大家”。675魏世：指北魏时。676金鸡大赦：古代颁赦诏日，设金鸡于竿，以示吉辰。鸡以黄金饰首，故名金鸡。677惑：迷乱。678填：通“镇”。679幡：旗帜。680反具：谋反的器具。681收讯：拘捕审讯。682倒鞭挝之：手持鞭小头，以大头击打。挝，击打。683胫：小腿。684安德王延宗：即高延宗（？至公元五七七年），文襄帝第五子。传见《北齐书》卷十一、《北史》卷五十二。685泪赤：泪尽而出血。686几死：几乎死去。687厮役：泛指为人驱使的奴仆。688革选：废除旧有的选官制度。689贵游：无官职的王公贵族。690发敕用之：发布敕书，正式任用。691披诉：陈诉，表示不同意。692宣旨：宣布皇帝诏书。693唱名：高声呼名。694为县：指做县官。

【校记】

［27］王：原无此字。据章钰校，十二行本、乙十一行本、孔天胤本皆有此字，张敦仁《通鉴刊本识误》同，今据补。［28］臣：原作“人臣”。据章钰校，十二行本、乙十一行本、孔天胤本皆无“人”字，今据删。［29］宜：原无此字。据章钰校，十二行本、乙十一行本、孔天胤本皆有此字，今据补。〖按〗《通鉴纪事本末》卷二四有此字。［30］以死继之：原无此四字。据章钰校，十二行本、乙十一行本、孔天胤本皆有此四字，张敦仁《通鉴刊本识误》、张瑛《通鉴校勘记》同，今据补。［31］遣：原作“还”。据章

钰校，十二行本、乙十一行本、孔天胤本皆作“遣”，张瑛《通鉴校勘记》同，今据改。[32]端：原作“上”。据章钰校，十二行本、乙十一行本、孔天胤本皆作“端”，今据改。〖按〗《通鉴纪事本末》卷二五作“端”。

【研析】

本卷所记公元五六三至五六六年四年间事，主要反映的是陈朝最终削平江南割据的土豪势力、商胡在北齐政治中开始施加强有力的影响、北齐北周攻守易势。兹对后两个问题予以阐述。

“商胡”即经商的胡人。《通鉴》卷一百六十八称：齐帝高湛为长广王时，“清都和士开善握槊、弹琵琶有宠，辟为开府行参军”。高湛当上皇帝后，和士开迅速升任侍中、开府仪同三司。本卷称：和士开“有宠于齐主，齐主外朝视事，或在内宴赏，须臾之间，不得不与士开相见，或累日不归，一日数入；或放还之后，俄顷即追，未至之间，连骑督趣。奸谄百端，宠爱日降，前后赏赐，不可胜纪”。清都乃东魏北齐时置于都城邺城的郡级行政单位名，但和士开并不是土生土长的邺城人。《北齐书》卷五十《恩幸传》称：“其先西域商胡，本姓素和氏。”知其人本西域胡人，先世以经商而至，遂落籍中土。两汉时，“胡人”主要指匈奴，而匈奴西边的族群被统称为“西胡”，匈奴东边的族群被统称为“东胡”。十六国北朝时期，“胡人”的内涵已发生巨大转变，特指来自西域的以“高鼻深目多须”为体貌特征的族群，与属于蒙古人种的汉人、鲜卑人以及匈奴人体貌上明显不同。十六国时建立过后赵政权、后来被整体上消灭的羯族人，在体貌上与之相似。

自从丝绸之路开辟后，西域各小部族利用处于各大文明之间的便利，以经商作为主要的职业，他们贩来产自波斯湾的珍珠、阿拉伯地区与印度的香料以及远方异域各种珍宝，运走成捆的丝绸，成为中古时期丝绸货币化的最大推手。《洛阳伽蓝记》卷三述西域商人入居北魏洛阳及各地的盛况说：“西夷来附者，处崦嵫馆，赐宅慕义里。自葱岭以西至于大秦，百国千城，莫不款附，商胡贩客，日奔塞下，所谓尽天地之区宇，乐中国之土风，因而宅者，不可胜数。”北魏时，国家财政已受这些商胡的影响，太武帝拓跋焘在进攻北凉前，对其统治者沮渠牧犍的罪状之一便是“切税商胡，以断行旅”。《魏书》卷六十五《邢峦传》记其在宣武帝时上书说：“逮景明之初，承升平之业，四疆清晏，远迩来同，于是蕃贡继路，商贾交入，诸所献贸，倍多于常。虽加以节约，犹岁损万计，珍货常有余，国用恒不足。若不裁其分限，便恐无以支岁。自今非为要须者，请皆不受。”“蕃贡”实际上也是商业行为的一种形式。商胡携带而来的“珍货”，竟然造成国库空虚，而当时国家财政正是以丝绸为支撑的。同书卷二十一上《北海王详传》说：“朝廷比以军国费广，禁断诸蕃杂献，而详擅作威令，命寺署酬直。”国家财政紧张，遂决定禁止与以贡献为名而来的胡商进行交易，掌权的元详却命令相关机构仍旧“酬直”，自然他从胡商那里得到了不少好处。胡商以“珍货”为交易之资，决定了他们交易的对象首先是王公贵族，必然奔走于权贵之门，腐蚀当时的政治。《北史》卷四十一《杨愔传》说：“太保、平原王（高）隆之与愔邻宅，愔尝见其门外有富胡数人，谓左右曰：‘我门前幸无此物。’”和士开与身为长广王的高湛结识，最初大致亦是如此。

商胡和士开因善“握槊”胡戏及弹西域传来的琵琶，受到高湛的宠爱，而高湛当上皇帝，又使商胡的影响在北齐后期上升到政治领域。侍中为门下省长官，职掌为“顾问应对”，协助皇帝决策，北朝时期，侍中职责尤重。作为商胡，他们以追求利润为目标，生活上则声色犬马。尽管他们也能接触华夏文化，而其精神世界与生活方式，有别于追求立德、立言、立行，以“致君尧舜上”为目标的传统士大夫。和士开为侍中，且皇帝高湛“须臾之间”也离不开他，汉族士大夫原本受到排挤，无行如祖珽等，则委身附会，投机求进，自然也不可能如先前的杨愔等人，正身而行，力挽时局。《北齐书·恩幸传》说：和士开当政后，“富商大贾朝夕填门，朝士不知廉耻者多相附会，甚者为其假子，与市井小人同在昆季行列”。和士开将自己习知的人生享乐主义灌输给高湛：“自古帝王，尽为灰土，尧舜、桀纣，竟复何异？陛下宜及少壮，极意为乐，纵横行之，一日取快，可敌千年。国事尽付大臣，何虑不办，无为自勤约也！”这使文化修养原本欠缺的高湛极为受用。北齐朝廷在政治上从此失去了任何具有理想意义的追求，也就失去了存在的意义。

和士开绝不是“一个人在战斗”，因其当政后援引，及其激起的享乐风潮，胡商在北齐朝廷迅速形成势力。《北齐书·恩幸传》称：“又有史丑多之徒胡小儿等数十，咸能舞工歌，亦至仪同开府、封王。”“胡小儿等眼鼻深崄，一无可用，非理爱好，排突朝贵，尤为人士之所疾恶。其以音乐至大官者：沈过儿官至开府仪同，王长通年十四五，便假节通州刺史。”甚至“以波斯狗为仪同、郡君”。陈寅恪先生甚至据此认为，其时北齐朝廷呈现“西胡化”的特征。这使得原本作为政治支柱的鲜卑勋贵也受到排挤，北齐政权的政治基础因此动摇。《北齐书》卷三十九《祖珽传》说：“自和士开执事以来，政体隳坏。”在与北周的对垒中，曾占上风的北齐最终败下阵来。

在北齐高湛崇尚胡商享乐之风之时，北周尚未实际掌握权力的周武帝宇文邕，却以隆重的尊三老的朝廷仪典，宣示了他尊师重道的政治主张：在朝臣毕集、庄严肃穆的仪典上，代表道统与教化权力的“三老”居中而坐，南面为尊，皇帝迎候、跪呈食物、“北面立而访道”。皇帝从血缘上是匈奴人，又出身于深受鲜卑习俗影响的家庭，被尊为“三老”的于谨，原本也出于鲜卑贵族，但于谨对周武帝的教训是：虚心纳谏、恪守诚信、赏善罚恶、谨言慎行，全是儒家规范。此前举行类似仪典的，只有北魏孝文帝。无论族源如何，北周君臣通过这一仪典，将自己置于华夏文明的大传统中，对所有参加者来说，无疑也经历了一场心灵的洗礼。意志决定行动，追求理想的北周君臣与选择即身享受的北齐君臣，一方选择的是奋发有为，一方选择的是自甘堕落。

最高统治者的政治取向，虽然在短时期不会影响国力盛衰，但却能影响军队的士气。卷中称，高洋统治时期，有“吞关、陇之志”，“周人常惧齐兵西度，每以冬月，守河椎冰”；高湛即位后，“唯玩声色”，“嬖幸用事，朝政渐紊，齐人椎冰以备周兵之逼”。攻守易势。

当然，本卷记述的北周与北齐之间的两次战争，一次围逼晋阳，一次进攻洛阳，北周是进攻一方，战争结果显然是北周失利。考察北周失利的表面原因，一是因为北周执政宇文护缺乏军事才能，一是北周出兵原本不是自认为强大到可以战胜北齐，而是迫于突厥之请，“恐负突厥约，更生边患”，属于配合突厥劫掠的行动。本质上的原因则是北齐军队尚未失去战斗力，北周军队尚弱。

围攻洛阳之役，宇文护“征二十四军及左右厢散隶秦、陇、巴、蜀之兵并羌、胡内附者，凡二十万人”。可以说举国而动。从军队调集方式，我们可以发现，北周军队其时尚分散于各地，与将领的私人关系尚深。实际作战失利时，有的将领已率军队退却，有的将领仍试图死拼。这表明北周军队兵员还少，且缺乏有效的整合，未能形成绝对的统一指挥系统，而这些，都有待周武帝实际掌权后加以解决。

卷第一百七十　陈纪四

起强圉大渊献（丁亥，公元五六七年），尽重光单阏（辛卯，公元五七一年），凡五年。

【题解】

本卷载述公元五六七至五七一年五年南北朝史事。当陈废帝光大元年至二年、陈宣帝太建元年至三年，北周武帝天和二年至六年，北齐后主天统三年至五年、武平元年至二年。陈朝发生宫廷政变，引发陈朝西境动乱。陈霸先次子安成王陈顼废帝自立，夺了侄儿陈伯宗的帝位，是为陈宣帝。北周政清，北齐政昏，两国为争夺宜阳与汾北地区发生大战，北齐兵强，元宿老臣尚在，取得军事胜利。北齐国主高纬执政，继承乃父北齐武成帝高湛的昏庸信谗，权奸当国，宫廷政变不断。

【原文】

临海王①

光大元年（丁亥，公元五六七年）

春，正月癸酉朔②，日有食之。

尚书左仆射袁枢卒。

乙亥③，大赦，改元④。

辛卯⑤，帝祀南郊⑥。

壬辰⑦，齐上皇还邺。

己亥⑧，周主耕藉田。

二月壬寅朔⑨，齐主加元服⑩，大赦。

初，高祖为梁相⑪，用刘师知⑫为中书舍人⑬。师知涉学工文⑭，练习仪体⑮，历世祖朝，虽位宦不迁⑯，而委任⑰甚重，与扬州刺史安

【语译】

临海王

光大元年（丁亥，公元五六七年）

春，正月初一日癸酉，发生日食。

陈朝尚书左仆射袁枢去世。

初三日乙亥，陈朝大赦天下，改年号为光大。

十九日辛卯，陈废帝在南郊祭天。

二十日壬辰，北齐太上皇高湛回到邺城。

二十七日己亥，北周国主宇文邕举行亲耕籍田典礼。

二月初一日壬寅，北齐国主高纬举行成人加冠礼，实行大赦。

当初，陈高祖陈霸先担任梁朝丞相，任用刘师知为中书舍人。刘师知钻研学问，擅长文辞，熟悉仪礼体制，经历陈世祖文帝一朝，虽然职位没有升迁，但世祖对他

成王顼、尚书仆射到仲举同受遗诏⑱辅政。师知、仲举恒居禁中，参决众事，顼与左右三百人入居尚书省⑲。师知见顼地望权势为朝野所属⑳，心忌之，与尚书左丞㉑王暹㉒等谋出顼于外㉓。众犹豫，未敢先发㉔。东宫通事舍人㉕殷不佞㉖，素以名节㉗自任，又受委东宫㉘，乃驰诣相府㉙，矫敕谓顼曰："今四方无事，王可还东府㉚经理州务。"顼将出，中记室㉛毛喜㉜驰入见顼曰："陈有天下日浅，国祸继臻㉝，中外㉞危惧。太后深惟㉟至计，令王入省，共康庶绩㊱。今日之言，必非太后之意。宗社㊲[1]之重，愿王三思，须更闻奏，无使奸人得肆其谋㊳。今出外即受制于人，譬如曹爽，愿作富家翁，其可得邪㊴？"顼遣喜与领军将军吴明彻筹之㊵，明彻曰："嗣君㊶谅暗㊷，万机多阙㊸。殿下㊹亲实周、邵㊺，当辅安㊻社稷，愿留中㊼勿疑。"顼乃称疾，召刘师知，留之与语，使毛喜先入言于太后。太后曰："今伯宗幼弱，政事并委二郎㊽。此非我意。"喜又言于帝。帝曰："此自师知等所为，朕不知也。"喜出，以报顼。顼因囚师知，自入见太后及帝，极陈㊾师知之罪，仍自草敕请画㊿，以师知付廷尉(51)，其夜，于狱中赐死(52)。以到仲举为金紫光禄大夫(53)。王暹、殷不佞并付治(54)。不佞，不害之弟也，少有孝行(55)，顼雅重之，故独得不死，免官而已。王暹伏诛。自是国政尽归于顼。

右卫将军会稽韩子高(56)，镇领军府，在建康诸将中士马最盛，与仲举通谋。事未发。毛喜请简(57)士马配子高，并赐铁炭，使修器甲(58)。顼惊曰："子高谋反，方欲收执，何为更如是邪？"喜曰："山陵(59)始毕，边寇尚多，而子高受委前朝，名为杖顺。若收之，恐不时[2]授首(60)，或能为人患。宜推心安诱，使不自疑，伺间图之，一壮士之力耳。"顼深然之。

仲举既废(61)归私第，心不自安。子郁，尚世祖妹信义长公主，除南康(62)内史(63)，未之官。子高亦自危，求出为衡、广(64)诸镇。郁每乘小舆(65)，蒙妇人衣，与子高谋。会前上虞(66)令陆昉及子高军主(67)告其谋

十分信任，他与扬州刺史安成王陈顼、尚书仆射到仲举一同受遗诏辅政。刘师知、到仲举长期留在宫中，商酌决定各种政事。陈顼与身边的三百人入居尚书省。刘师知看到陈顼因地望、权势的缘故受到朝野人士的注目，心生妒忌，与尚书左丞王暹等谋划让陈顼出朝去任外放官员。大家还在犹豫，不敢率先采取行动，东宫通事舍人殷不佞，平素以维护名誉节操为己任，又任职东宫，便快马赶到尚书省相府，假托皇上敕令，对陈顼说："如今四方太平无事，安成王可以回到扬州治所管理州务。"陈顼正要离开尚书省，中记室毛喜快马赶到，进入尚书省参见陈顼，说："陈朝据有天下的时间不长，国家的大灾难接连不断，朝廷内外都忧虑恐惧。皇太后深思大计，才让您安成王进入尚书省，共同处理各种政务。今天的敕令，一定不是太后的旨意。这是涉及宗庙社稷的重大事情，希望安成王三思，必须另外向皇上和太后奏报，不要让奸邪小人的阴谋得逞。今天如果离开尚书省出任外官，就会受制于人，像曹爽那样，即使想做一个富家翁，难道还能得到吗？"陈顼于是派毛喜与领军将军吴明彻筹划这件事，吴明彻说："继位国君正在守丧，日常纷繁的政务大多不再过问。殿下论亲属实际上就像当年的周公、邵公，理应来辅佐皇室安定社稷，希望您留在内朝尚书省不要迟疑。"陈顼于是称病，召来刘师知，留下他，与他交谈，派毛喜先行进宫，向皇太后报告。皇太后说："现今皇上陈伯宗年龄幼小，政事都托付给二郎安成王，让他外出不是我的意思。"毛喜又向皇上报告，皇上说："这是刘师知等人干的，朕不知道。"毛喜出宫，回来把情况报告陈顼。陈顼于是拘禁了刘师知，亲自入宫朝见皇太后和皇上，极力陈述刘师知的罪行，又亲自草拟了敕令，让皇上签署，把刘师知交付廷尉治罪，当夜，刘师知在狱中被赐死。到仲举降职为金紫光禄大夫。王暹、殷不佞都交付主管部门治罪。殷不佞，是殷不害的弟弟，少小时就有孝行，陈顼一向看重他，所以他独能免去死罪，只是罢了官而已。王暹被处死。从此，处理国政的权力全部落在陈顼手中。

右卫将军会稽人韩子高坐镇领军府，在建康诸将中，他的兵马最强。他也与到仲举共同谋划过，但这时还没有公开暴露。毛喜请求陈顼挑选士兵马匹，配备给韩子高，还赐给他铁和炭，让他修造兵器盔甲。陈顼大惊说："韩子高谋反，正要抓捕他，为什么反倒要这样做呢？"毛喜说："陈文帝刚安葬完毕，边境的盗寇还有很多，而韩子高受到前朝任用，名义上还算顺从。如果抓捕他，恐怕不会立即被杀，也许反倒能成为祸患。应当表现出诚意，让他安心接受诱骗，不要自己起疑，然后找机会设法对付他，那时需要的只是一个壮士的力量而已。"陈顼深表赞同。

到仲举罢官后回到自己家里，内心不安。他的儿子到郁，娶陈文帝的妹妹信义长公主为妻，授职南康内史，尚未赴任。韩子高自己也感到了危险，请求出都调任衡州或广州刺史。到郁常常坐着小车，身蒙妇人衣服，到韩子高处密谋。适逢前上虞县令陆昉和韩子高部队里的军主告发韩子高等人谋反。陈顼正在尚书省秉政，便

反。顼在尚书省，因召文武在位议立皇太子。平旦，仲举、子高入省，皆执之，并郁送廷尉，下诏，于狱赐死，余党一无所问⑥⑧。

辛亥⑥⑨，南豫州⑦⓪刺史余孝顷坐谋反诛。

癸丑⑦①，以东扬州⑦②刺史始兴王伯茂⑦③为中卫大将军⑦④、开府仪同三司。伯茂，帝之母弟也，刘师知、韩子高之谋，伯茂皆预之；司徒顼恐扇动中[3]外，故以为中卫，专使之居禁中，与帝游处。

三月甲午⑦⑤，以尚书右仆射沈钦⑦⑥为侍中、左仆射。

夏，四月癸丑⑦⑦，齐遣散骑常侍司马幼之⑦⑧来聘。

湘州刺史华皎⑦⑨闻韩子高死，内不自安，缮甲⑧⓪聚徒，抚循⑧①所部，启求广州⑧②，以卜⑧③朝廷之意。司徒顼伪许之，而诏书未出。皎遣使潜引⑧④周兵，又自归于梁⑧⑤，以其子玄响为质⑧⑥。

五月癸巳⑧⑦，顼以丹杨尹吴明彻为湘州刺史。

甲午⑧⑧，齐以东平王俨⑧⑨为尚书令。

司徒顼遣吴明彻帅舟师三万趣郢州⑨⓪，丙申⑨①，遣征南大将军淳于量⑨②帅舟师五万继之，又遣冠武将军杨文通从安成⑨③步道出茶陵⑨④，巴山太守黄法慧从宜阳⑨⑤出澧陵⑨⑥，共袭华皎，并与江州刺史章昭达⑨⑦、郢州刺史程灵洗⑨⑧合谋进讨。六月壬寅⑨⑨，以司空徐度⑩⓪为车骑将军，总督建康诸军，步道趣湘州。

辛亥⑩①，周主尊其母叱奴氏⑩②为皇太后。

己未⑩③，齐封皇弟仁机⑩④为西河王，仁约为乐浪王，仁俭为颍川王，仁雅为安乐王，仁直为丹杨王，仁谦为东海王。

华皎使者至长安，梁王⑩⑤亦上书言状，且乞师，周人议出师应之。司会⑩⑥崔猷曰："前岁东征⑩⑦，死伤过半。比⑩⑧虽循抚，疮痍未复⑩⑨。今陈氏保境息民⑪⓪，共敦邻好⑪①，岂可利⑪②其土地，纳⑪③其叛臣，违盟约之信⑪④，兴无名⑪⑤之师乎？"晋公护不从。闰六月戊寅⑪⑥，遣襄州总管卫公直⑪⑦督柱国陆通⑪⑧、大将军田弘⑪⑨、权景宣⑫⓪、元定⑫①等将兵助之。

辛巳⑫②，齐左丞相⑫③咸阳武王斛律金卒，年八十。金[4]长子光⑫④为大将军，次子羡及孙武都并开府仪同三司，出镇方岳⑫⑤，其余子孙封侯显贵⑫⑥者甚众。门中一皇后，二太子妃⑫⑦，三公主⑫⑧，事齐三世，

召集当朝文武百官商议立皇太子的事。清晨，到仲举、韩子高进入尚书省，都被抓了起来，连同到郁一并送交廷尉治罪，皇上下诏，在狱中赐死，其余党羽一概不予追究。

二月初十日辛亥，南豫州刺史余孝顷因谋反获罪被杀。

二月十二日癸丑，任命东扬州刺史始兴王陈伯茂为中卫大将军、开府仪同三司。陈伯茂，是皇上陈伯宗的同胞亲弟弟。刘师知、韩子高等人的谋划，陈伯茂都参与了，司徒陈顼担心陈伯茂煽动朝廷内外，所以任用他为中卫，专门让他住在宫里，陪皇上游玩休息。

三月二十三日甲午，任命尚书右仆射沈钦为侍中、左仆射。

夏，四月十三日癸丑，北齐派散骑常侍司马幼之到陈朝来通问修好。

湘州刺史华皎听说韩子高死了，内心不安，修治盔甲，聚集人马，抚慰部下，并奏请到广州任职，以试探朝廷的意向。司徒陈顼假意允准，但诏书并没有发出。华皎派使者暗中招引北周军队，又主动归附后梁，还派自己的儿子华玄响到后梁去做人质。

五月二十三日癸巳，陈顼任命丹杨尹吴明彻为湘州刺史。

二十四日甲午，北齐任命东平王高俨为尚书令。

陈朝司徒陈顼派吴明彻率水军三万前往郢州。五月二十六日丙申，又派征南大将军淳于量率水军五万跟进，又派冠武将军杨文通从安成陆路出茶陵，巴山太守黄法慧从宜阳出澧陵，各军一起进袭华皎，还会同江州刺史章昭达、郢州刺史程灵洗共谋征讨。六月初三日壬寅，任命司空徐度为车骑将军，总督建康诸军，从陆路直逼湘州。

六月十二日辛亥，北周国主宇文邕把自己的母亲叱奴氏尊为皇太后。

六月二十日己未，北齐国主高纬封皇弟高仁机为西河王，高仁约为乐浪王，高仁俭为颍川王，高仁雅为安乐王，高仁直为丹杨王，高仁谦为东海王。

华皎的使者到达长安，后梁国主萧岿也上书说明情况，并且请求出兵，北周商议决定出兵接应华皎。司会崔猷说："前年东征北齐，军队死伤过半，近来虽经安抚，但所受创伤尚未平复。如今陈朝保护境内，使不受侵犯，让百姓休养生息，与邻国一起加强友好关系，怎么可以贪图其土地，接纳其叛臣，违背签订盟约应守的信义，毫无正当理由就出兵呢？"晋国公宇文护没有听从。闰六月初九日戊寅，北周派襄州总管卫国公宇文直督率柱国陆通，大将军田弘、权景宣、元定等率军救助华皎。

闰六月十二日辛巳，北齐左丞相咸阳武王斛律金去世，享年八十岁。斛律金的长子斛律光为大将军，次子斛律羡及孙子斛律武都均官封开府仪同三司，出都担任镇守一方的重臣，其余子孙封侯显贵的人很多。斛律氏一门中出了一个皇后、两个太子妃，娶了三个公主。斛律氏侍奉北齐三代君主，其地位之尊贵及所受之恩宠无

贵宠[5]无比。自肃宗[129]以来，礼敬尤重，每朝见，常听乘步挽车[130]至阶，或以羊车[131]迎之。然金不以为喜，尝谓光曰："我虽不读书，闻古来外戚[132]鲜有能保其族者。女若有宠，为诸贵所嫉；无宠，为天子所憎。我家直以勋劳致富贵，何必藉[133]女宠也?"

壬午[134]，齐以东平王俨录尚书事[135]，以左仆射赵彦深为尚书令，并省[136]尚书左仆射娄定远[137]为左仆射，中书监徐之才[138]为右仆射。定远，昭之子也。

秋，七月戊申[139]，立皇子至泽为太子。

八月，齐以任城王湝为太师，冯翊王润为大司马，段韶为左丞相，贺拔仁[140]为右丞相[141]，侯莫陈相为太宰[142]，娄叡为太傅，斛律光为太保，韩祖念为大将军，赵郡王叡为太尉，东平王俨为司徒。

俨有宠于上皇及胡后，时兼京畿[143]大都督、领军大将军，领[144]御史中丞。魏朝故事[145]：中丞出，与皇太子分路[146]，王公皆遥驻车[147]，去牛，顿轭于地[148]，以待其过。其或迟违[149]，则前驱以赤棒[150]棒之。自迁邺[151]以后，此仪废绝，上皇欲尊宠俨，命一遵旧制。俨初从北宫出，将上[152]中丞，凡京畿步骑、领军官属、中丞威仪[153]、司徒卤簿[154]，莫不毕从。上皇与胡后张幕于华林园东门外而观之，遣中使[155]骤马趣仗，不得入，自言奉敕[156]，赤棒[6]应声碎其鞍，马惊，人坠。上皇大笑，以为善，更敕[157]驻车，劳问良久。观者倾邺城。

俨恒[158]在宫中，坐含光殿视事[159]，诸父[160]皆拜之。上皇或时[161]如并州[162]，俨恒居守[163]。每送行，或半路，或至晋阳乃还。器玩服饰，皆与齐主同，所须悉官给[164]。尝于南宫[165]见新冰早李，还，怒曰："尊兄[166]已有，我何意无?"自是齐主或先得新奇，属官及工人必获罪。俨性刚决，尝言于上皇曰："尊兄懦，何能帅[167]左右?"上皇每称[168]其才，有废立[169]意，胡后亦劝之，既而中止[170]。

华皎遣使诱章昭达，昭达执送建康。又诱程灵洗，灵洗斩之。皎以武州[171]居其心腹[172]，遣使诱都督陆子隆[173]，子隆不从。遣兵攻之，不

人可比。自肃宗高演以来，在礼数上对其表示敬重程度更甚，斛律金每当朝见，被允许乘坐人力车直达宫殿台阶下，或者用宫内小车迎接。但是，斛律金并没有因此而感到高兴，他曾经对斛律光说："我虽然没读过书，却听说从古以来，外戚很少有人能保全他的家族的。进宫的女儿如果受到恩宠，就会被其他嫔妃所嫉妒；不得恩宠，就会遭到天子的憎恨。我们家只是凭着功勋劳绩获得富贵的，何必要依靠女儿的受宠呢?"

闰六月十三日壬午，北齐任命东平王高俨为录尚书事，任命左仆射赵彦深为尚书令，并州尚书省左仆射娄定远为朝廷尚书省左仆射，中书监徐之才为右仆射。娄定远，是娄昭的儿子。

秋，七月初十日戊申，陈朝册立皇子陈至泽为太子。

八月，北齐任命任城王高湝为太师，冯翊王高润为大司马，段韶为左丞相，贺拔仁为右丞相，侯莫陈相为太宰，娄叡为太傅，斛律光为太保，韩祖念为大将军，赵郡王高叡为太尉，东平王高俨为司徒。

高俨得到太上皇和胡皇后的恩宠，当时兼任京畿大都督、领军大将军，领御史中丞。北魏旧制规定：御史中丞出行，与皇太子分路，王公大臣远远看见就要停车，拉开驾车的牛，把车辕放在地上，等待御史中丞的车通过。如果停车慢了一些，那么为御史中丞前驱开道的人就会用执法的红木棒殴打。自从迁都邺城后，这种仪制就废除了。太上皇想尊宠高俨，下令完全遵照旧制实行。高俨按恢复的仪制第一次从宫殿北门出行，作为御史中丞领职视事，凡是京畿大都督的步骑、领军大将军的官属、御史中丞的仪仗、司徒府的随行礼仪队伍，无不全部随从。太上皇与胡皇后在华林园东门外张挂帷幕观看。太上皇派宫中使者策马冲向高俨的仪仗队，被仪仗队挡住，没能进入，宫中使者自称奉有太上皇敕令，话刚出口，就被红木棒打碎了马鞍，乘马受惊，使者摔下马来。太上皇大笑，认为很好，再次下敕令，让御史中丞高俨停车，太上皇对高俨慰问了很久。邺城全城的人几乎都出来观看了这一场面。

高俨经常身处宫中，坐在含光殿处理政事，高氏同宗的叔伯辈的人也都来拜见。太上皇有时前往并州，高俨常常留守。每次高俨送行，有时送到半途，有时送到晋阳才回来。高俨使用的供玩赏的器物与服饰，都与北齐国主高纬相同，他的日常所需全部由官府供给。高俨曾经在南宫看到新呈送给北齐国主的冰镇早熟李子，回去后，生气地说："大哥已经有了，我为什么没有?"从此以后，北齐国主高纬如果先得了新奇的东西，那么相关官员及手艺人一定会获罪。高俨性情刚毅果断，曾经对太上皇说："大哥懦弱，怎么能驾驭左右臣工?"太上皇常常称赞他的才能，一度有废除高纬、另立高俨的想法，胡皇后也这样劝太上皇，但不久又中止了这个念头。

陈朝华皎派使者劝诱章昭达，章昭达把使者抓起来，送到建康。华皎又派使者劝诱程灵洗，程灵洗杀了使者。华皎认为武州处在自己的心腹位置，派使者去劝诱都督陆子隆，陆子隆没有听从。华皎又派兵攻打，也没有攻下来。巴州刺史戴僧朔

克。巴州[174]刺史戴僧朔[175]等并隶于皎，长沙太守曹庆等，本隶皎下，遂为之用。司徒顼恐上流守宰皆附之，乃曲赦[176]湘、巴二州。九月乙巳[177]，悉诛皎家属。

梁以皎为司空，遣其柱国王操[178]将兵二万会[7]之。周权景宣将水军，元定将陆军，卫公直总之，与皎俱下。淳于量军夏口[179]，直军鲁山[180]，使元定以步骑数千围郢州。皎军于白螺，与吴明彻等相持。徐度、杨文通由岭路袭湘州，尽获其所留军士家属。

皎自巴陵[181]与周、梁水军顺流乘风而下，军势甚盛，战于沌口。量、明彻募军中小舰，多赏金银，令先出当西军大舰受其拍[182]。西军诸舰发拍皆尽，然后量等以大舰拍之，西军舰皆碎，没于中流。西军又以舰载薪，因风纵火，俄而风转，自焚，西军大败。皎与戴僧朔单舸[183]走，过巴陵，不敢登[8]岸，径奔江陵。卫公直亦奔江陵。

元定孤军，进退无路，斫竹开径，且战且引[184]，欲趣巴陵。巴陵已为徐度等所据，度等遣使伪与结盟，许纵之还国。定信之，解仗[185]就度，度执之，尽俘其众，并擒梁大将军李广[186]。定愤恚而卒。

皎党曹庆等四十余人并伏诛。唯以岳阳太守章昭裕[187]，昭达之弟，桂阳太守曹宣[188]，高祖旧臣，衡阳内史汝阴任忠[189]，尝有密启[190]，皆宥之。

吴明彻乘胜攻梁河东[191]，拔之。

周卫公直归罪于梁柱国殷亮，梁主知非其罪，然不敢违，遂诛之。

周与陈既交恶[192]，周沔州刺史裴宽[193]白襄州[194]总管[195]，请益戍兵，并迁城于羊蹄山[196]以避水。总管兵未至，程灵洗舟师奄至[197]城下。会[198]大雨，水暴涨，灵洗引大舰临城发拍[199]，击楼堞[200]皆碎，矢石昼夜攻之三十余日，陈人登城，宽犹帅众执短兵拒战，又二日，乃擒之。

丁巳[201]，齐上皇如晋阳。山东[202]水，饥，僵尸满道。

冬，十月甲申[203]，帝享太庙[204]。

等都隶属于华皎，长沙太守曹庆等原本也属华皎管辖，所以能为华皎所用。司徒陈顼担心长江上游各郡守宰都依附华皎，便特赦湘州、巴州两州被华皎胁迫造反的人。九月初七日乙巳，把华皎的家属全都诛杀。

后梁国主萧岿任命华皎为司空，派后梁柱国王操率军两万，与华皎汇合。北周权景宣率领水军，元定率领陆军，由卫国公宇文直总督，与华皎一起东下。陈朝大将淳于量驻军在夏口，宇文直驻军在鲁山，派元定率步兵骑兵数千人围攻郢州。华皎驻军在白螺，与吴明彻等相持。徐度、杨文通率军走山路袭击湘州，全部俘获了华皎留在湘州的军队和家属。

华皎从巴陵与北周、后梁的水军一起顺流乘风而下，军势十分强大，在沌口与陈朝军队交战。陈将淳于量、吴明彻招募军中的小船，给小船上的人很多金银，让小船先行出战，对着西边联军的大舰冲去，接受西军大舰拍竿的击打。等到西军各舰拍竿都快用完，然后陈军淳于量等出动大舰迎战，用拍竿击打西军大舰，西军大舰都被击碎，沉没在江中。西军又用船舰装了柴火，顺风放火焚烧陈军战船，不一会儿风向变了，结果却烧了西军自家的战船，西军大败。华皎与戴僧朔乘坐一艘小船逃走，经过巴陵时不敢登岸，直奔江陵。卫国公宇文直也逃奔江陵。

元定成了孤军，进退无路，只好砍伐竹林，开出一条路来，边战边退，想要逃向巴陵。这时，巴陵已经被陈朝徐度等人占领，徐度等派使者假意表示要与元定结盟，答应放元定回国。元定信了徐度的话，放下武器，到了徐度那里，徐度把他抓了起来，周军尽数被俘，同时擒获了后梁国大将军李广。元定气愤怨恨而死。

华皎的党羽曹庆等四十多人全都被处死。只有岳阳太守章昭裕，因为是章昭达的弟弟；桂阳太守曹宣，是高祖陈霸先旧日的部下；衡阳内史汝阴人任忠，曾经有密信向朝廷报告，所以都受到了宽赦。

吴明彻乘胜攻打后梁国的河东郡，把它攻了下来。

北周卫国公宇文直把失败的罪责推给后梁国的柱国殷亮，后梁国主萧岿知道不是殷亮的罪过，但是不敢违抗，于是杀了殷亮。

北周与陈国关系恶化之后，北周沔州刺史裴宽报告襄州总管，请求增加沔州的戍守兵力，并且把州城迁到羊蹄山以避开水患。襄州总管所派的士兵还没有到达，陈朝将领程灵洗的水军突然杀到城下。正赶上下大雨，水势暴涨，程灵洗率领大舰驶到城边，挥动拍竿击打，城墙上的城楼与城堞都被击碎，陈军发射箭、石头等，昼夜不停攻打了三十多天，陈军才登上城墙。裴宽仍然带领守城周兵，手执短武器抵抗交战，又战了两天，裴宽才力竭被擒。

九月十九日丁巳，北齐太上皇高湛前往晋阳。山东各州郡遭水灾，发生饥荒，一路上满是饿死的人。

冬，十月十七日甲申，陈朝废帝到太庙祭祀祖先。

十一月戊戌朔[205]，日有食之。

丙午[206]，齐大赦。

癸丑[207]，周许穆公宇文贵自突厥还，卒于张掖[208]。

齐上皇还邺。

十二月，周晋公护母卒，诏起[209]，令视事。

齐秘书监祖珽，与黄门侍郎刘逖[210]友善。珽欲求宰相，乃疏[211]赵彦深、元文遥、和士开罪状，令逖奏之，逖不敢通。彦深等闻之，先诣上皇自陈。上皇大怒，执珽，诘之，珽因陈士开、文遥、彦深等朋党[212]、弄权、卖官、鬻狱[213]事。上皇曰："尔乃诽谤我！"珽曰："臣不敢诽谤，陛下取人女。"上皇曰："我以其饥馑，收养之耳。"珽曰："何不开仓振给，乃买入后宫乎？"上皇益怒，以刀环筑[214]其口，鞭杖乱下，将扑杀之。珽呼曰："陛下勿杀臣，臣为陛下合金丹[215]。"遂得少宽。珽曰："陛下有一范增[216]不能用。"上皇又怒曰："尔自比范增，以我为项羽邪？"珽曰："项羽布衣[217]，帅乌合之众[218]，五年而成霸业。陛下藉父兄之资，才得至此，臣以为项羽未易可轻[219]。"上皇愈怒，令以土塞其口。珽且吐且言，乃鞭二百，配[220]甲坊[221]，寻[222]徙光州[223]，敕令牢掌[224]。别驾张奉福曰："牢者，地牢也。"乃置地牢中，桎梏[225]不离身。夜，以芜菁[226]子为烛，眼为所熏，由是失明。

齐七兵尚书[227]毕义云[228]，为治酷忍[229]，非人理所及，于家尤甚。夜，为盗所杀，遗其刀，验[230]之，其子善昭所佩刀也。有司[231]执善昭，诛之。

【段旨】

以上为第一段，写陈朝发生宫廷政变，司徒陈顼诛杀辅佐大臣，大权独揽，逼反湘州刺史华皎，引发北周与陈朝的一次大战，陈军获胜，既稳固了陈朝政权，也加重了陈顼权倾臣僚的地位。

十一月初一日戊戌，发生日食。

初九日丙午，北齐实行大赦。

十六日癸丑，北周许穆公宇文贵从突厥回国，在张掖去世。

北齐太上皇高湛回到邺城。

十二月，北周晋国公宇文护母亲去世，北周国主宇文邕下诏起用守丧期未满的宇文护，让他继续处理政务。

北齐秘书监祖珽，与黄门侍郎刘逖私交很好。祖珽想当宰相，便写了奏疏揭发赵彦深、元文遥、和士开等人罪状，让刘逖上奏，刘逖不敢把奏疏呈送上去。赵彦深等听到消息，抢先到太上皇那里为自己辩白。太上皇大怒，逮捕了祖珽，审问他，祖珽于是揭发和士开、元文遥、赵彦深等人结党营私、凭借职位滥用权力、卖官、办案受贿等事。太上皇说："你是在诽谤我！"祖珽说："臣不敢诽谤，但陛下夺人女子。"太上皇说："我因她遭遇灾荒，只是放后宫收养罢了。"祖珽说："那为什么不开仓赈救，却把她买入后宫呢？"太上皇更加愤怒，用刀把上的铁环堵他的嘴，鞭子木棍一齐乱打，想要打死他。祖珽大喊："陛下不要杀臣，臣替陛下炼制金丹。"这才稍稍得到一些宽宥。祖珽说："陛下有一个范增，却不能任用。"太上皇又大怒说："你自比范增，把我当作项羽吗？"祖珽说："项羽只是一个平民，率领乌合之众，只经过五年就成就了霸业。陛下依靠父兄的基业，才有了今天这样的地位，臣认为项羽不是随便可以小看的。"太上皇越来越愤怒了，命令人用泥土塞住他的嘴，祖珽一边吐泥一边还说话。于是打了祖珽二百鞭子，发配他到制作兵器的作坊做苦工，不久又把他迁到光州，敕令关进牢中严加看管。光州别驾张奉福解读说："牢者，就是地牢。"于是把祖珽关在地牢中，手铐脚镣不离他的身。夜晚，用芜菁籽榨出的油点灯，祖珽的眼睛被油烟所熏，因此失明。

北齐七兵尚书毕义云，办理政务非常残酷，完全不顾及人情常理，对自己家人尤其严厉。一天夜里，毕义云被强盗杀死，强盗遗落了他所用的刀，查验这把刀，竟是毕义云儿子毕善昭的佩刀。主管部门逮捕了毕善昭，诛杀了他。

【注释】

①临海王：陈朝第三代皇帝陈伯宗，史称"废帝"，文帝嫡长子，字奉业，小字药王。公元五六七至五六八年在位。后被宣太后废为临海王。②癸酉朔：正月初一日。③乙亥：正月初三日。④改元：年号由天康二年（公元五六七年）改为光大元年。⑤辛卯：正月十九日。⑥祀南郊：封建帝王每年在圜丘祭天，因地在都城南郊，

故称祀南郊。⑦壬辰：正月二十日。⑧己亥：正月二十七日。⑨壬寅朔：二月初一日。⑩元服：帽子。元，指首。服，指冠。头上所戴，故称元服。⑪高祖为梁相：梁末，陈霸先杀王僧辩，立梁敬帝，遂为辅相，后受禅。高祖是武帝陈霸先庙号。⑫刘师知（？至公元五六七年）：历仕梁、陈朝，官至中书舍人。传见《陈书》卷十六、《南史》卷六十八。⑬中书舍人：官名，掌起草诏制。⑭涉学工文：钻研学问，擅写文章。⑮练习仪体：熟谙朝仪国体。练习，熟习。⑯位宦不迁：官位不升。⑰委任：任用。⑱遗诏：皇帝临死前留下的诏令。⑲尚书省：官署名，下设各曹，为中央执行政务的总机构。⑳属：专注；归心。㉑尚书左丞：官名，掌尚书省禁令、宗庙、朝仪礼制和选官置吏。㉒王暹（？至公元五六七年）：历仕梁、陈朝，官至尚书左丞。事附《陈书》卷二十与《南史》卷二十五《到仲举传》。㉓出顼于外：让安成王顼出任外官（地方官）。㉔发：行动。㉕通事舍人：官名，东宫属官，掌传宣令旨、内外启奏、宫臣辞见司仪。南朝齐、梁、陈均置，梁一班，陈九品。㉖殷不佞（公元五一八至五七三年）：传附《陈书》卷三十二《殷不害传》。㉗名节：名誉节操。㉘受委东宫：言在东宫时，受废帝亲任。㉙相府：此时以尚书省为相府。㉚东府：扬州刺史的治所。㉛中记室：官名，掌章表文书。㉜毛喜（公元五一六至五八七年）：仕陈，官至侍中。传见《陈书》卷二十九、《南史》卷六十八。㉝国祸继臻：谓八年之内，国家接连有大丧。㉞中外：朝廷内外。㉟深惟：深思熟虑。惟，思。㊱庶绩：各种事功。㊲宗社：宗庙和社稷。指代国家。㊳肆其谋：使其阴谋得逞。肆，纵恣。㊴"譬如曹爽"三句：三国时，司马懿乘曹爽奉魏帝参拜明陵之际发动政变，曹爽愿免官做富家翁，终被杀。事见本书卷七十五《魏纪七》邵陵厉公嘉平元年。㊵筹之：筹划此事。㊶嗣君：继位的国君。此指临海王。㊷谅暗：天子居丧之时。㊸多阙：多不过问。㊹殿下：臣下对太子及诸王的敬称。㊺周、邵：即周公姬旦、邵公姬奭。周武王死，二公辅佐年幼的成王。㊻辅安：辅佐皇室，安定国家。㊼中：内。指尚书省。㊽二郎：文帝为陈道谭长子，安成王陈顼为第二子，故称二郎。㊾极陈：极力陈述。㊿自草敕请画：自己起草敕令，请废帝签署。51廷尉：官名，掌刑狱。52赐死：皇帝命令自杀。53金紫光禄大夫：南北朝时为加官、赠官或退休大臣荣衔，待遇同特进。梁十四班，陈三品。54付治：交付有关部门治罪。55孝行：殷不佞小时居父丧，以至孝著称。其母死于江陵，遇兵乱，殷不佞在吴，久不得奔丧，四年之中，昼夜哭泣，居住饮食，常为居丧之礼。56韩子高（公元五三八至五六七年）：仕陈，官至右卫将军。传见《陈书》卷二十、《南史》卷六十八。57简：挑选。58器甲：器械盔甲。59山陵：谓安葬文帝事。60授首：被杀。61既废：被免官以后。62南康：郡名，治所赣县，在今江西赣州西南。63内史：官名，掌王国或郡内民政，陈时万户以上的郡为六品，不满万户为七品。64衡、广：俱州名，指衡州与广州。时衡州分为二：东衡州治所曲江县，在今广东韶关南；西衡州治所含洭县，在今广东英德西北。广州治所番禺县，在今广东广州。65小舆：小车。66上虞：县名，县治在今浙江上虞。67军主：一军之主将。⑱ 问：追究。⑲ 辛亥：二月初十日。⑳ 南豫州：侨州名，治所姑熟，在今安徽当涂。㉑ 癸丑：二月十二日。㉒ 东扬州：侨州名，治所山阴县，在今浙江绍兴。㉓ 始兴王伯茂（公元五五一至五六八年）：陈文帝第二子。传见《陈书》卷二十八、《南史》卷六十五。㉔ 中卫大将军：武官名，掌禁卫。㉕ 甲午：三月二十三日。㉖ 沈钦（公元五〇三至五六九年）：仕陈，官至尚书左仆射。传附《陈书》卷七《世祖沈皇后传》。㉗ 癸丑：四月十三日。㉘ 司马幼之：历仕北齐、隋二朝。传附《北齐书》卷十八《司马子如传》、《北史》卷五十四《司马子如传》。㉙ 华皎（？至公元五六七年）：仕陈，官至湘州刺史。传见《陈书》卷二十、《南史》卷六十八。㉚ 缮甲：整治盔甲。㉛ 抚循：安抚。㉜ 启求广州：奏请皇帝要求出任广州职务。㉝ 卜：预测。㉞ 潜引：暗中招引。㉟ 梁：即后梁。公元五五四年，梁岳阳王萧詧降西魏，次年被西魏立为梁帝，建后梁，都江陵（在今湖北江陵）。㊱ 质：人质。㊲ 癸巳：五月二十三日。㊳ 甲午：五月二十四日。㊴ 东平王俨：北齐武成帝第三子高俨（公元五五八至五七一年），初封东平王，后改封琅邪王。传见《北齐书》卷十二、《北史》卷五十二。㊵ 郢州：州名，治所夏口，在今湖北武昌。㊶ 丙申：五月二十六日。㊷ 淳于量（公元五一一至五八二年）：历仕梁、陈，官至侍中、中军大将军。传见《陈书》卷十一、《南史》卷六十六。㊸ 安成：郡名，治所平都县，在今江西安福东南。㊹ 茶陵：县名，县治在今湖南茶陵东北。㊺ 宜阳：县名，县治在今江西宜春。㊻ 澧陵：县名，县治在今湖南醴陵。㊼ 章昭达（公元五一八至五七一年）：仕陈，官至侍中，进号车骑大将军。传见《陈书》卷十一、《南史》卷六十六。㊽ 程灵洗（公元五一四至五六八年）：仕陈，官至郢州刺史。传见《陈书》卷十、《南史》卷六十七。㊾ 壬寅：六月初三日。⑩⓪ 徐度（公元五〇九至五六八年）：仕陈，官至司空。传见《陈书》卷十二、《南史》卷六十七。⑩① 辛亥：六月十二日。⑩② 叱奴氏：拓跋兴于代北，兼并他部，以本部中别族为内姓，其他诸部随方分之，北方有叱奴氏。⑩③ 己未：六月二十日。⑩④ 仁机：仁机与下文仁约、仁俭、仁雅、仁直、仁谦，分别为北齐武成帝第八、第九、第十、第十一、第十二、第十三子。传均见《北齐书》卷十二、《北史》卷五十二。〖按〗仁机，本传作“仁几”。仁约，本传作“仁邕”。⑩⑤ 梁王：即后梁明帝萧岿，为第二代皇帝，字仁远。公元五六二至五八五年在位。⑩⑥ 司会：官名，即谓司会中大夫。北周设司会为掌管全国财政的机构，以司会中大夫为长官。北周先后于同州、并州、相州三处亦有设置。⑩⑦ 前岁东征：谓前年进攻北齐洛阳事。⑩⑧ 比：近。⑩⑨ 疮痍未复：创伤尚未完复。比喻战后破坏情况尚未恢复。⑪⓪ 息民：使人民休养生息。⑪① 共敦邻好：睦邻友好。⑪② 利：贪得。⑪③ 纳：接纳。⑪④ 信：信用。⑪⑤ 无名：无名义；无正当理由。⑪⑥ 戊寅：闰六月初九日。⑪⑦ 卫公直：即宇文直（？至公元五七四年），宇文泰之子，封卫国公。传见《周书》卷十二、《北史》卷五十八。⑪⑧ 陆通（？至公元五七二年）：仕周，官至大司寇。传见《周书》卷三十三、《北史》卷六十九。⑪⑨ 田弘（？至公元五七四年）：仕北周，官至大司空。传见《周书》卷二十七、《北史》卷六十五。⑫⓪ 权景宣（？至公元五六七年）：仕周，官至侍中。传见《周书》卷二十八、《北史》卷六十一。⑫元定（？至公元五六七年）：仕周，官至大将军。传见《周书》卷三十四、《北史》卷六十九。⑫辛巳：闰六月十二日。⑫左丞相：官名，朝廷的最高行政长官之一，协助皇帝处理国家政务。⑫光：斛律光（公元五一五至五七二年），仕齐，历任太傅、左丞相等职。传见《北齐书》卷十七、《北史》卷五十四。⑫方岳：四方之岳。称地方长官，如刺史、太守等。⑫显贵：显达尊贵。⑫"一皇后"二句：斛律光长女，孝昭帝纳为太子妃；次女，武成帝纳为太子妃。后主受内禅，立为皇后。⑫三公主：斛律光之子武都、世雄、恒伽均尚公主。⑫肃宗：即孝昭帝，北齐第二代皇帝，名高演。公元五六〇年在位。⑬步挽车：人力步行拉的车。⑬羊车：古代宫内所乘小车，车饰善美。⑬外戚：帝王的母族、妻族。⑬藉：凭借；依靠。⑬壬午：闰六月十三日。⑬录尚书事：官名，总录尚书事，独揽朝政。⑬并省：北齐于并州（治晋阳）亦置省，立别宫。⑬娄定远（？至公元五七四年）：仕北齐，官至司空。传见《北齐书》卷十五、《北史》卷五十四。⑬徐之才：历仕东魏、北齐，官至尚书左仆射。传见《魏书》卷九十一、《北齐书》卷三十三、《北史》卷九十。⑬戊申：七月初十日。⑭贺拔仁（？至公元五七〇年）：历仕东魏、北齐，官至录尚书事。传见《北史》卷五十三。⑭右丞相：官名，朝廷最高行政长官之一，辅佐皇帝处理全国政务。⑭太宰：官名，又名大冢宰，协助皇帝治理邦国。⑭京畿：国都及其附近地区。⑭领：兼任较低的职务。⑭故事：先例，指旧日的典章制度。⑭分路：分路而行，不引车避道。⑭驻车：停车。⑭顿轭于地：将轭放在地上。轭，牛马拉车时放在脖子上的挽具。⑭迟违：不立即停车卸轭为迟，迟则违法。⑮赤棒：执法的红色木棒。⑮迁邺：公元五三四年，魏孝武帝由洛阳逃到关中依宇文泰，高欢另立清河王亶之子元善见为帝，遂迁都邺城。⑮将上：谓领职视事。⑮威仪：仪仗、随从。⑮卤簿：大臣外出时扈从的仪仗队。⑮中使：帝王宫廷中派出的使者，多由宦官充任。⑮奉敕：执行皇帝的命令。⑮更敕：再次下敕令。⑮恒：平常；经常。⑮视事：处理政事。⑯诸父：对同宗族伯叔辈的通称。⑯或时：有时。⑯并州：州名，治所晋阳县，在今山西太原西南。⑯居守：留守。⑯悉官给：全由官府供给。⑯南宫：齐主所居之宫。高俨从上皇、胡后居北宫。⑯尊兄：指齐主。齐主为武成帝长子，高俨为第三子，常谓齐主为尊兄。⑯帅：通"率"，带领。⑯称：赞许；夸奖。⑯废立：指废齐主而立高俨。⑰中止：中途停止。⑰武州：州名，治所武陵县，在今湖南常德。⑰心腹：喻要害之处。⑰陆子隆（公元五四〇至五八一年）：仕陈，官至荆州刺史。传见《陈书》卷二十二、《南史》卷六十七。⑰巴州：州名，治所巴陵县，在今湖南岳阳。⑰戴僧朔（？至公元五六七年）：仕陈，官至巴州刺史。传附《陈书》卷二十《华皎传》。⑰曲赦：因特殊情况而赦免。⑰乙巳：九月初七日。⑰王操（？至公元五七五年）：仕后梁，官至尚书令。传见《周书》卷四十八、《北史》卷九十三。⑰夏口：城名，在今湖北武汉。⑱鲁山：城名，故址在今湖北武汉西南。⑱巴陵：郡名，治所巴陵县，在今湖南岳阳。⑱拍：战船上设置的拍竿，用以拍击敌船。⑱单舸：一艘船。舸，系在大船之后的小船。⑱引：领军撤退。⑱解仗：解下兵仗；放下武器。⑱李广（？至公元五六七年）：仕后梁，官至大将军。传附《周书》卷四十八《萧詧传》。⑱章昭裕：传附《陈书》卷二十《华皎传》。⑱曹宣：仕陈，官至桂阳太守。传附《陈书》卷二十《华皎传》。⑱任忠（公元五一三至五八九年）：历仕梁、陈、隋三代，官至开府仪同三司。传见《陈书》卷三十、《南史》卷六十七。⑲密启：秘密书函。⑲河东：侨郡名，治所松滋县，在今湖北松滋西北。⑲交恶：互相怀恨在心。⑲裴宽：仕周，官至车骑大将军。传见《周书》卷三十四、《北史》卷三十八。⑲襄州：州名，治所襄阳县，在今湖北襄阳。⑲总管：官名，州级或重镇的督军之官。⑲羊蹄山：山名，即阳台山。在今湖北汉阳境内。⑲奄至：忽然来到。⑲会：恰巧遇到。⑲发拍：挥动大船上的拍竿。⑳楼堞：城楼与城堞。⑳丁巳：九月十九日。⑳山东：此指太行山以东的地区。⑳甲申：十月十七日。⑳享太庙：天子祭祀祖庙。⑳戊戌朔：十一月初一日。⑳丙午：十一月初九日。⑳癸丑：十一月十六日。⑳张掖：郡名，治所永平县，在今甘肃张掖西北。⑳诏起：北周国主宇文邕下诏让守丧未满的晋公宇文护起身处理政事。⑳刘逖（公元五二五至五七三年）：仕北齐，官至中书侍郎。传见《北齐书》卷四十五、《北史》卷四十二。㉑疏：上奏章陈述。㉑朋党：为私利目的而勾结同类。㉑鬻狱：利用刑狱索贿。㉑筑：填塞。㉑金丹：古代炼金石为药，谓服用可长生，谓之金丹。㉑范增：秦末项羽的谋士，但得不到重用。事见《史记》卷七《项羽本纪》、《汉书》卷三十一《项籍传》。㉑布衣：布制的衣服。作平民的代称。㉑乌合之众：仓促集合之众，如乌鸦一样忽聚忽散。㉑未易可轻：不宜轻视。㉒配：罚作苦役。㉒甲坊：制作兵器的作坊。㉒寻：不久。㉒光州：州名，治所掖县，在今山东莱州。㉒牢掌：在牢中监押。㉒桎梏：脚镣和手铐。㉒芜菁：二年生草本植物，用其籽作烛，烟熏眼可失明。㉒七兵尚书：官名，掌管左中兵、右中兵、左外兵、右外兵、别兵、都兵、骑兵。㉒毕义云（？至公元五六七年）：仕北齐，官至七兵尚书。传见《北齐书》卷四十七、《北史》卷三十九。㉒酷忍：残酷。㉓验：检验。㉓有司：官吏。古代设官分职，事有专司，故称有司。

【校记】

［1］宗社：胡克家初刊本作“宗壮”，后之补刻本作“宗社”。据章钰校，十二行本、乙十一行本、孔天胤本皆作“宗社”，今据以校正。［2］时：原作“即”。据章钰校，十二行本、乙十一行本皆作“时”，今据改。〖按〗《陈书·毛喜传》、《通鉴纪事本末》卷二四作“时”。［3］中：原作“内”。据章钰校，十二行本、乙十一行本、孔天胤本皆作“中”，今据改。［4］金：原无此字。据章钰校，十二行本、乙十一行本、孔天胤本皆有此字，今据补。［5］三世贵宠：原作“贵宠三世”。据章钰校，十二行本、乙十一行本、孔天胤本二词皆互乙，张敦仁《通鉴刊本识误》、张瑛《通鉴校勘记》同，今据改。［6］赤棒：原

作“赤棒卒”。据章钰校，十二行本、乙十一行本皆无“卒”字，今据删。〖按〗《北齐书·琅邪王俨传》《北史·琅邪王俨传》皆无“卒”字。[7]会：原作“助”。据章钰校，十二行本、乙十一行本、孔天胤本皆作“会”，今据改。〖按〗《周书·萧詧传附萧岿传》《北史·萧詧传附萧岿传》皆作“会”。[8]登：原作“发”。胡三省注云：“‘发’恐当作‘登’。”严衍《通鉴补》改作“登”，今据以校正。〖按〗《陈书·华皎传》作“登”。

【原文】

二年（戊子，公元五六八年）

春，正月己亥㉜，安成王顼进位太傅，领司徒，加殊礼㉝。

辛丑㉞，周主祀南郊。

癸亥㉟，齐主使兼散骑常侍郑大护来聘。

湘东忠肃公徐度卒。

二月丁卯㊱，周主如武功。

突厥木杆可汗贰㊲于周，更许齐人以昏，留陈公纯等数年不返㊳。会大雷风，坏其穹庐㊴，旬日㊵不止。木杆惧，以为天谴㊶，即备礼送其女于周，纯等奉之以归。三月癸卯㊷，至长安，周主行亲迎之礼㊸。甲辰㊹，周大赦。

乙巳㊺，齐以东平王俨为大将军，南阳王绰为司徒，开府仪同三司徐显秀为司空，广宁王孝珩为尚书令。

戊午㊻，周燕文公于谨卒。谨勋高位重，而事上㊼益恭，每朝参㊽，所从不过二三骑。朝廷有大事，多与谨谋之。谨尽忠补益，于功臣中特被亲信㊾，礼遇隆重，始终无间㊿。教训诸子，务存静退[251]，而子孙蕃衍[252]，率[253]皆显达。

吴明彻乘胜进攻江陵，引水灌之。梁主出顿[254]纪南[255]以避之。周总管田弘从梁主，副总管高琳与梁仆射王操守江陵三城，昼夜拒战十旬。梁将马武、吉彻击明彻，败之。明彻退保公安[256]，梁主乃得还。

夏，四月辛巳[257]，周以达奚武为太傅，尉迟迥为太保，齐公宪为大司马。

【语译】

二年（戊子，公元五六八年）

春，正月初三日己亥，陈朝安成王陈顼进位太傅，兼任司徒，给予他特殊的礼遇。

初五日辛丑，北周国主宇文邕在南郊祭天。

二十七日癸亥，北齐国主高纬派兼散骑常侍郑大护到陈朝来通问修好。

陈朝湘东忠肃公徐度去世。

二月初二日丁卯，北周国主宇文邕前往武功。

突厥木杆可汗对北周有二心，另外答应与北齐联姻，扣留北周使者陈国公宇文纯等好几年不让回国。恰好遇上震雷狂风毁坏了木杆可汗的毡帐，狂风刮了十天也不停止。木杆可汗心生恐惧，以为是上天在惩罚他，立即备上礼物把女儿送到北周，宇文纯等迎她回国。三月初八日癸卯，到达长安，北周国主宇文邕举行迎亲典礼。初九日甲辰，北周实行大赦。

三月初十日乙巳，北齐任命东平王高俨为大将军，南阳王高绰为司徒，开府仪同三司徐显秀为司空，广宁王高孝珩为尚书令。

三月二十三日戊午，北周燕文公于谨去世。于谨功勋高职位重，而侍奉皇上更加谦恭，每次上朝参见，带领的随从不过二三个骑士。朝廷有了重要军国大事，多与他商议。于谨竭尽忠诚，对事情多有裨补助益，在功臣中特别受到皇上亲近信任，对他的礼遇非常隆重，君臣间始终没有隔阂。于谨教训几个儿子，为人处事务必要恬淡谦让。于氏子孙众多，大体上都职位高，而且有名声。

陈朝大将吴明彻乘胜进攻江陵，引水灌城。后梁国主萧岿离开江陵到纪南城避水。北周总管田弘扈从萧岿，副总管高琳与后梁仆射王操坚守江陵三城，昼夜抵御苦战了一百天。后梁将领马武、吉彻攻击吴明彻，打败了陈军。吴明彻退守公安，后梁国主萧岿这才能返回江陵。

夏，四月十七日辛巳，北周任命达奚武为太傅，尉迟迥为太保，齐国公宇文宪为大司马。

齐上皇如[258]晋阳。

齐尚书左仆射徐之才善医，上皇有疾，之才疗之。既愈，中书监和士开欲得次迁[259]，乃出之才为兖州[260]刺史。五月癸卯[261]，以尚书右仆射胡长仁[262]为左仆射，士开为右仆射。长仁，太上皇后之兄也。

庚戌[263]，周主享太庙。庚申[264]，如醴泉宫[265]。

壬戌[266]，齐上皇还邺。

秋，七月壬寅[267]，周随桓公杨忠卒，子坚[268]袭爵。坚为开府仪同三司、小宫伯[269]，晋公护欲引以为腹心。坚以白忠，忠曰："两姑之间难为妇[270]，汝其勿往[271]！"坚乃辞之。

丙午[272]，帝享太庙。

戊午[273]，周主还长安。

壬戌[274]，封皇弟伯智[275]为永阳王，伯谋[276]为桂阳王。

八月，齐请和于周，周遣军司马陆程等〔9〕聘[277]于齐。九月丙申[278]，齐使侍中斛斯文略报之[279]。

冬，十月癸亥[280]，周主享太庙。

庚午[281]，帝享太庙。

辛巳[282]，齐以广宁王孝珩录尚书事，左仆射胡长仁为尚书令，右仆射和士开为左仆射，中书监唐邕[283]为右仆射。

十一月壬辰朔[284]，日有食之。

齐遣兼散骑常侍李谐来聘。

甲辰[285]，周主如岐阳[286]。

周遣开府仪同三司崔彦等聘于齐。

始兴王伯茂以安成王顼专政，意甚不平，屡肆恶言[287]。甲寅[288]，以太皇太后令诬帝[289]，云与刘师知、华皎等通谋。且曰："文皇知子之鉴，事等帝尧[290]，传弟之怀，又符太伯[291]。今可还申曩志[292]，崇立贤君。"遂废帝为临海王，以安成王入纂[293]。又下令，黜伯茂为温麻侯，寘诸[294]别馆，安成王使盗邀[295]之于道，杀之车中。

齐上皇疾作，驿追[296]徐之才，未至。辛未[297]，疾亟[298]，以后事属[299]和

北齐太上皇高湛前往晋阳。

北齐尚书左仆射徐之才擅长医术，太上皇高湛生了病，徐之才为他治疗。太上皇康复后，中书监和士开想依次升迁仆射职位，于是让徐之才外放为兖州刺史。五月初九日癸卯，北齐任命尚书右仆射胡长仁为左仆射，和士开为右仆射。胡长仁，是太上皇胡皇后的哥哥。

五月十六日庚戌，北周国主宇文邕到太庙祭祀祖先。二十六日庚申，前往醴泉宫。

二十八日壬戌，北齐太上皇高湛回到邺城。

秋，七月初九日壬寅，北周随桓公杨忠去世，儿子杨坚继承爵位。杨坚任开府仪同三司、小宫伯，晋国公宇文护想拉拢他为心腹。杨坚把这件事告诉了杨忠，杨忠说："夹在两个婆婆中间，这个媳妇难当啊，希望你不要去投靠他!"杨坚便推辞了。

七月十三日丙午，陈朝废帝到太庙祭祀祖先。

二十五日戊午，北周国主宇文邕回到长安。

二十九日壬戌，陈朝封皇上弟弟陈伯智为永阳王，陈伯谋为桂阳王。

八月，北齐请求与北周和好，北周派军司马陆程等到北齐通问修好。九月初四日丙申，北齐派侍中斛斯文略出使回报北周。

冬，十月初二日癸亥，北周国主到太庙祭祀祖先。

初九日庚午，陈朝废帝到太庙祭祀祖先。

十月二十日辛巳，北齐任命广宁王高孝珩录尚书事，左仆射胡长仁为尚书令，右仆射和士开为左仆射，中书监唐邕为右仆射。

十一月初一日壬辰，发生日食。

北齐派兼散骑常侍李谐到陈朝来通问修好。

十三日甲辰，北周国主宇文邕前往岐阳。

北周派开府仪同三司崔彦等到北齐通问修好。

陈朝始兴王陈伯茂认为安成王陈顼专擅朝政，内心很不满，多次肆无忌惮地口出恶言。十一月二十三日甲寅，陈顼奉太皇太后敕令诬陷陈废帝，说他和刘师知、华皎等人是同谋，并且说："陈文帝有知子之明，就像尧帝知道自己儿子丹朱不能做继承人一样，他要传位给弟弟的这番心意，也和当年太伯成全弟弟季历继位相符。现在应当重申陈文帝以前的意向，尊崇另立一位贤君。"于是把陈帝废为临海王，改由安成王陈顼入宫继位。又下令，把陈伯茂贬为温麻侯，安置在另外的馆舍里，安成王安排人假扮成强盗在途中拦截他，把他杀死在车上。

北齐太上皇高湛疾病发作，派驿使追召徐之才回京，徐之才还没有赶到。辛未日，太上皇病情加重，将后事嘱托给和士开，握着他的手说："不要辜负我啊!"于是

士开，握其手曰：“勿负我也！”遂殂[300]于士开之手。明日，之才至，复遣[301]还州。

士开秘丧[302]三日不发[303]。黄门侍郎冯子琮问其故，士开曰：“神武、文襄之丧，皆秘不发。今至尊[304]年少，恐王公有贰心者，意欲尽追集于凉风堂，然后与公议之。”士开素忌太尉、录尚书事赵郡王叡及领军娄定远，子琮恐其矫遗诏出叡于外，夺定远禁兵，乃说之曰：“大行[305]先已传位于今上[306]，群臣富贵者，皆至尊父子之恩，但令在内贵臣一无改易，王公必无异志[307]。世异事殊[308]，岂得与霸朝[309]相比？且公不出宫门已数日，升遐[310]之事，行路皆传，久而不举[311]，恐有他变。”士开乃发丧。

丙子[312]，大赦。戊寅[313]，尊太上皇后为皇太后。

侍中、尚书左仆射元文遥，以冯子琮，胡太后之妹夫，恐其赞[314]太后干预朝政，与赵郡王叡、和士开谋，出子琮为郑州[315]刺史。

世祖[316]骄奢淫泆，役繁赋重，吏民苦之[317]。甲申[318]，诏：“所在[319]百工细作[320]，悉罢之。邺下、晋阳、中山宫人、官口[321]之老病者，悉简放[322]。诸家缘坐[323]在流所者，听[324]还。”

周梁州恒稜獠[325]叛，总管长史[326]南郑赵文表[327]讨之。诸将欲四面进攻，文表曰：“四面攻之，獠无生路，必尽死[328]以拒我，未易可克。今吾示以威恩[329]，为恶者诛之，从善者抚之。善恶既分，破之易矣。”遂以此意遍令军中。时有从军熟獠[330]，多与恒稜亲识，即以实报之[331]。恒稜犹豫未决，文表军已至其境。獠中先有二路，一平一险，有獠帅数人来见，请为乡导。文表曰：“此路宽平，不须为导。卿但先行慰谕子弟，使来降也。”乃遣之。文表谓诸将曰：“獠帅谓吾从宽路而进，必设伏以邀我，当更出其不意。”乃引兵自险路入。乘高而望，果有伏兵。獠既失计，争帅众来降。文表皆慰抚之，仍征其租税，无敢违者。周人以文表为蓬州[332]长史。

死在和士开手中。第二天，徐之才赶到，便又让他重回兖州去。

和士开隐瞒太上皇高湛去世的消息，到了第三天还不发丧。黄门侍郎冯子琮询问原因，和士开说："神武帝、文襄帝死后都秘不发丧。如今皇上年轻，我担心王公中有人怀有二心，我的想法是要把他们全都召集到凉风堂，然后与公卿大臣共同商议治丧的事。"和士开一向忌恨太尉、录尚书事赵郡王高叡和领军娄定远，冯子琮担心和士开假传遗诏，打发高叡到京外任职，夺取娄定远统领禁军的兵权，便劝和士开说："大行皇帝先前已经传位给如今的皇上，那些得到富贵的大臣们，都是蒙太上皇、皇上父子的恩典，只要使在朝贵臣的职位完全不变动，王公们一定不会有叛离之心。时代变了，事情的处理也应有所不同，怎么能和神武帝、文襄帝的霸朝时代相比呢？况且你不出宫门已经有好几天了，太上皇升天的事，路人中都在传，长久拖着不举哀发丧，怕会有其他变故发生。"和士开这才发丧。

十二月十五日丙子，北齐实行大赦。十七日戊寅，尊太上皇皇后为皇太后。

侍中、尚书左仆射元文遥，认为冯子琮是胡太后的妹夫，担心他会帮助胡太后干预朝政，就和赵郡王高叡、和士开商议，外放冯子琮为郑州刺史。

北齐世祖高湛在位时骄奢淫逸，赋役繁重，官民深受其苦。十二月二十三日甲申，北齐国主高纬下诏："皇室工场中的各类工匠，全都遣散。邺宫、晋阳宫、中山宫的宫人，没入官府为奴婢的罪犯家口，其中凡年老有病的，全部挑选出来放回家。那些由于亲属犯罪而遭连坐流放的人，允许他们回老家。"

北周梁州恒稜獠反叛，总管长史南郑人赵文表率军征讨。众将领建议四面围攻，赵文表说："四面围攻，獠人没有生路，一定会拼死抵抗，不容易攻克。现在我们恩威并举，坚持作恶的人一定要诛杀，愿意改恶从善的人要安抚。善与恶分清了，击破这股势力就容易了。"于是把这番意思传令全军。当时北周军队中有已经归附从军的熟獠，他们多数都与恒稜獠沾亲带故，当即据实把这番意思通报给亲故。恒稜獠犹豫不决，这时赵文表的大军已经压境。獠人控制区原先有两条通路，一条平坦，一条险要，有几个獠人头目前来叩见，请求让他们来当向导。赵文表说："这条路宽阔平坦，不需要向导，请你们先走一步，回去劝谕乡亲子弟，让他们前来投降。"于是打发他们回去。赵文表对众将领说："獠人头目认为我们会从宽平之路进军，一定设下埋伏截击我军，我军应当再来个出其不意。"于是率军从险路进入。登高一看，果然有伏兵。獠人既已失算，争相带领众人前来投降。赵文表都对他们进行安抚，仍然征收他们的租税，没有人再敢违抗。北周任命赵文表为蓬州长史。

【段旨】

以上为第二段，写北周最终与突厥完成和亲。陈朝发生政权更迭，安成王陈顼废了侄儿的帝位。北齐太上皇高湛病死，新君北齐后主高纬废去一些暴政。

【注释】

㉜ 己亥：正月初三日。㉝ 殊礼：特殊的礼遇。㉞ 辛丑：正月初五日。㉟ 癸亥：正月二十七日。㊱ 丁卯：二月初二日。㊲ 贰：有二心。㊳ 不返：不让返回。㊴ 穹庐：毡帐。㊵ 旬日：十天。㊶ 天谴：上天谴责。古时迷信"天人感应"说，常以大雷风、洪水等现象作为上天的谴告。㊷ 癸卯：三月初八日。㊸ 亲迎之礼：古时结婚六礼之一。此指周主亲自迎木杆可汗之女入室，行交拜等礼节。㊹ 甲辰：三月初九日。㊺ 乙巳：三月初十日。㊻ 戊午：三月二十三日。㊼ 事上：服事周帝。㊽ 朝参：官吏上朝参见皇帝。㊾ 亲信：亲近信用。㊿ 间：间隙；隔阂。251 静退：恬淡谦让。252 蕃衍：繁盛众多。253 率：大概；一般。254 出顿：此指后梁帝走出江陵，停留在纪南。255 纪南：城名，故址在今湖北江陵北十几里远的地方。256 公安：县名，县治在今湖北公安西北。257 辛巳：四月十七日。258 如：往；到。259 次迁：按顺序迁升。260 兖州：州名，治所瑕丘县，在今山东济宁市兖州区北。261 癸卯：五月初九日。262 胡长仁（？至公元五六九年）：仕北齐，官至齐州刺史。传见《北齐书》卷四十八、《北史》卷八十。263 庚戌：五月十六日。264 庚申：五月二十六日。265 醴泉宫：宫名，在今陕西礼泉境内。266 壬戌：五月二十八日。267 壬寅：七月初九日。268 坚：即杨坚（公元五四一至六〇四年），隋朝开国皇帝，史称文帝。公元五八一至六〇四年在位。传见《隋书》卷一、卷二，《北史》卷十一。269 小宫伯：官名。北周天官府置宫伯司，负责宫廷侍卫，兼管皇帝临朝及出行警卫事务。宫伯中大夫为宫伯司长官，左、右小宫伯下大夫为次官。此处小宫伯当是小宫伯下大夫。270 两姑之间难为妇：在互相矛盾的两姑（婆婆）之间，做媳妇的感到左右为难。两姑，此指周武帝和晋公宇文护。271 汝其勿往：你还是别去。272 丙午：七月十三日。273 戊午：七月二十五日。274 壬戌：七月二十九日。275 伯智：陈文帝第十二子。276 伯谋：陈文帝第十三子。与伯智二人传皆见《陈书》卷二十八、《南史》卷六十五。277 聘：古代诸侯之间通问修好。278 丙申：九月初四日。279 报之：指回报。280 癸亥：十月初二日。281 庚午：十月初九日。282 辛巳：十月二十日。283 唐邕：仕北齐，官至录

尚书事。传见《北齐书》卷四十、《北史》卷五十五。㉘④壬辰朔：十一月初一日。㉘⑤甲辰：十一月十三日。㉘⑥岐阳：宫名，故址在今山西太原南。㉘⑦屡肆恶言：屡次大肆说恶言恶语。肆，纵恣。㉘⑧甲寅：十一月二十三日。㉘⑨以太皇太后令诬帝：此指安成王奉太皇太后令以诬陷陈废帝。㉙⓪事等帝尧：指陈文帝对儿子的了解如同古代的帝尧。帝尧，传说中的上古圣王，他认为自己的儿子丹朱不贤，不可用。㉙①太伯：周古公亶父有子三人，长太伯，次虞仲，少子季历。古公欲传位少子，太伯、虞仲二人乃逃入荆蛮，以让季历。事见《史记》卷四《周本纪》。㉙②还申曩志：实现过去的愿望。曩志，过去的意向、愿望。㉙③入纂：继承皇位。㉙④寘诸：安置在。㉙⑤邀：阻截。㉙⑥驿追：驿传追回。㉙⑦辛未：十一月壬辰朔，无辛未。〖按〗《北齐书》卷八《后主纪》作"十二月，辛未"。据此，辛未前脱漏"十二月"三字。辛未当是十二月初十日。㉙⑧疾亟：病情急速恶化。㉙⑨属：通"嘱"，托付。㉚⓪殂：死。㉚①复遣：再次发遣。㉚②秘丧：隐秘丧事。㉚③不发：不举办丧事。㉚④至尊：极其尊贵。此指皇帝。㉚⑤大行：一去不返。臣下因讳言皇帝死亡，故用大行作比喻。㉚⑥今上：现在的皇帝。㉚⑦异志：有叛变的意图。㉚⑧世异事殊：时代相异，事情不同。㉚⑨霸朝：高欢、高澄执掌东魏政权，未篡位时，北齐君臣皆称之为"霸朝"。㉛⓪升遐：升到高远的地方。一般称谓帝王之死。㉛①不举：谓不举哀发丧。㉛②丙子：十二月十五日。㉛③戊寅：十二月十七日。㉛④赞：赞助；帮助。㉛⑤郑州：州名，治所颍阴县，在今河南许昌。㉛⑥世祖：即上皇，武成帝高湛。㉛⑦苦之：为其所苦。㉛⑧甲申：十二月二十三日。㉛⑨所在：处所。一般习指帝王住所。㉜⓪细作：此指做精巧工艺品的人。㉜①官口：指罪人家口没官为奴婢的人。㉜②简放：挑选放出。此指挑选出年老有病的人。㉜③缘坐：谓罪人不是正犯，因亲属犯罪而牵连入罪的人。㉜④听：允许。㉜⑤恒稜獠：少数民族名，因生活在稜（在今四川仪陇）一带而得名。㉜⑥总管长史：官名，谓总管府长史，佐总管职掌兵马。㉜⑦赵文表（？至公元五七九年）：仕周，官至吴州总管。传见《周书》卷三十三、《北史》卷六十九。㉜⑧尽死：竭尽死力。㉜⑨威恩：威严和恩惠。此指惩恶抚善。㉝⓪熟獠：时称原先已内附的獠人为熟獠。㉝①以实报之：据实情以报。㉝②蓬州：州名，治所安固县，在今四川营山东北。

【校记】

［9］等：原无此字。据章钰校，十二行本、乙十一行本、孔天胤本皆有此字，今据补。

【原文】

高宗宣皇帝[333]上之上

太建元年（己丑，公元五六九年）

春，正月辛卯朔[334]，周主以齐世祖之丧罢朝会[335]，遣司会李纶吊赙[336]，且会葬。

甲午[337]，安成王即皇帝位，改元[338]，大赦。复太皇太后[339]为皇太后，皇太后为文皇后。立妃柳氏为皇后，世子[340]叔宝为太子。封皇子叔陵[341]为始兴王，奉昭烈王祀[342]。乙未[343]，上谒太庙。丁酉[344]，以尚书仆射[345]沈钦为左仆射，度支尚书[346]王劢[347]为右仆射。劢，份之孙也。

辛丑[348]，上祀南郊。

壬寅[349]，封皇子叔英[350]为豫章王，叔坚[351]为长沙王。

戊午[352]，上享太庙。

齐博陵文简王济[353]，世祖之母弟也，为定州[354]刺史，语人曰："次叙当至我矣[355]。"齐主闻之，阴[356]使人就州杀之，葬赠如礼。

二月乙亥[357]，上耕藉田。

甲申[358]，齐葬武成帝于永平陵，庙号[359]世祖。

己丑[360][10]，齐徙东平王俨为琅邪王。

齐遣侍中叱列长叉[361]聘于周。

齐以司空徐显秀为太尉，并省尚书令娄定远为司空。

初，侍中、尚书右仆射和士开，为世祖所亲狎[362]，出入卧内，无复期度[363]，遂得幸[364]于胡后。及世祖殂，齐主以士开受顾托，深委任之，威权益盛，与娄定远及录尚书事赵彦深，侍中、尚书左仆射元文遥，开府仪同三司唐邕，领军綦连猛[365]，高阿那肱[366]，度支尚书胡长粲俱用事，时号"八贵"。太尉赵郡王叡、大司马冯翊王润、安德王延宗与娄定远、元文遥皆言于齐主，请出士开为外任。会胡太后觞[367]朝贵于前殿，叡面陈士开罪失云："士开先帝弄臣[368]，城狐社鼠[369]，受纳货赂，秽乱宫掖[370]。臣等义无杜口[371]，冒死陈之。"太后曰："先帝在时，王等何不言？今日欲欺孤寡[372]邪？且饮酒，勿多言！"叡等词[11]色愈厉。仪

【语译】

高宗宣皇帝上之上

太建元年（己丑，公元五六九年）

春，正月初一日辛卯，北周国主宇文邕因北齐太上皇高湛去世而停止朝会，派司会李纶前去吊唁并赠送财物助丧，还参加了葬礼。

正月初四日甲午，陈朝安成王陈顼即皇帝位，改年号为太建，大赦天下。恢复太皇太后为皇太后，皇太后为文皇后。立妃子柳氏为皇后，立世子陈叔宝为皇太子。封皇子陈叔陵为始兴王，奉祀昭烈王陈道谭。初五日乙未，陈宣帝陈顼晋谒太庙。初七日丁酉，任命尚书仆射沈钦为左仆射，度支尚书王劢为右仆射。王劢，是王份的孙子。

正月十一日辛丑，陈宣帝在南郊祭天。

十二日壬寅，封皇子陈叔英为豫章王，陈叔坚为长沙王。

二十八日戊午，陈宣帝在太庙祭祀祖先。

北齐博陵文简王高济，是世祖高湛的同母弟，担任定州刺史，他对人说："依次也该轮到我即皇帝位了。"北齐国主高纬听说了，暗中派人到定州杀了他，然后按照王礼安葬了高济，并赠予谥号。

二月十五日乙亥，陈宣帝举行亲耕籍田典礼。

二十四日甲申，北齐在永平陵安葬武成帝，庙号世祖。

二十九日己丑，北齐改封东平王高俨为琅邪王。

北齐派侍中叱列长叉到北周通问修好。

北齐任命司空徐显秀为太尉，并省尚书令娄定远为司空。

当初，侍中、尚书右仆射和士开为齐世祖高湛所亲近，乃至可以出入世祖的卧室，不受限制，因而得到胡皇后的宠幸。等到世祖死后，北齐国主高纬因和士开受有世祖临终时的嘱托，非常信任他，和士开的威势和权力更加显赫，与娄定远及录尚书事赵彦深，侍中、尚书左仆射元文遥，开府仪同三司唐邕，领军綦连猛、高阿那肱，度支尚书胡长粲共掌朝政，当时人称为"八贵"。太尉赵郡王高叡、大司马冯翊王高润、安德王高延宗与娄定远、元文遥都向北齐国主高纬进言，请求外放和士开到地方任职。适逢胡太后在前殿宴请朝中权贵，高叡当面陈述和士开的罪行和过失说："和士开是先帝的弄臣，好比是城墙洞里的狐狸，土地庙里的老鼠，有所凭依而为非作歹，他收受贿赂，淫乱宫中。臣等为维护大义，不能闭口不言，所以冒死陈述。"胡太后说："先帝在时，王等为何不说？今天想要欺负我们孤儿寡母吗？各位只管饮酒，不要多说了！"高叡等言辞和神色更加严厉。仪同三司安吐根说："臣本是

同三司安吐根[373]曰："臣本商胡[374]，得在诸贵行末[375]，既受厚恩，岂敢惜死？不出士开，朝野不定。"太后曰："异日论之，王等且散。"叡等或投冠于地，或拂衣[376]而起。明日，叡等复诣云龙门，令文遥入奏之，三返，太后不听。左丞相段韶使胡长粲传太后言曰："梓宫[377]在殡，事太匆匆，欲王等更思之。"叡等遂皆拜谢。长粲复命，太后曰："成妹[378]母子家者，兄之力也。"厚赐叡等，罢之。

太后及齐主召问士开，对曰："先帝于群臣之中，待臣最厚。陛下谅暗始尔，大臣皆有觊觎[379]。今若出臣，正是翦[380]陛下羽翼。宜谓叡等[12]云：'文遥与臣，俱受先帝任用，岂可一去一留？并可用为州，且出纳如旧[381]。待过山陵[382]，然后遣之。'叡等谓臣真出，心必喜之。"帝及太后然之，告叡等如其言。乃以士开为兖州刺史，文遥为西兖州[383]刺史。葬毕，叡等促士开就路[384]。太后欲留士开过百日[385]，叡不许。数日之内，太后数以为言[386]。有中人知太后密旨者，谓叡曰："太后意既如此，殿下何宜苦违？"叡曰："吾受委不轻，今嗣主幼冲[387]，岂可使邪臣在侧？不守之以死[388]，何面戴天[389]？"遂更见太后，苦言之。太后令酌酒[390]赐叡，叡正色[391]曰："今论国家大事，非为卮酒[392]！"言讫，遽出。

士开载美女、珠帘诣娄定远，谢曰："诸贵欲杀士开，蒙王力[393]，特全其命，用为方伯[394]。今当奉别，谨上二女子，一珠帘。"定远喜，谓士开曰："欲还入不[395]？"士开曰："在内久不自安，今得出，实遂本志，不愿更入。但乞王保护，长为大州刺史足矣。"定远信之。送至门，士开曰："今当远出，愿得一辞觐二宫[396]。"定远许之。士开由是得见太后及帝，进说曰："先帝一旦登遐[397]，臣愧不能自死。观朝贵意势，欲以陛下为乾明[398]。臣出之后，必有大变，臣何面目见先帝于地下？"因恸哭。帝、太后皆泣，问："计安出？"士开曰："臣已得入，复何所虑，正须数行诏书耳[399]。"于是诏出定远为青州[400]刺史，责赵郡王叡以不臣[401]之罪。

旦日，叡将复入谏，妻子咸止之，叡曰："社稷事重，吾宁死事先

一个经商的胡人，幸得陪伴在诸位贵臣的末位，既然受到了朝廷的厚恩，岂敢顾惜一死？不外放和士开，朝廷内外不得安定。”胡太后说：“改天再讨论，王等暂且散了吧。”高叡等气愤得有的把帽子扔在地上，有的把衣服一甩，站起来走了。第二天，高叡等又到云龙门，让元文遥入宫启奏，进出三次，胡太后仍然不听。左丞相段韶派胡长粲传达胡太后的话说：“先皇灵柩还没有安葬，你们启奏的事来得太仓促，希望王等再考虑一下。”高叡等于是都拜谢离去。胡长粲回宫复命，胡太后说：“成全妹妹我母子一家的，都是哥哥之力。”厚赏高叡等人，事情暂且搁置。

胡太后和北齐国主召见和士开询问对策，和士开回答说：“先帝在群臣之中，对待臣恩情最厚。陛下居丧才刚刚开始，大臣们都有非分之想。今天如果让臣外放，正是在翦除陛下的羽翼。应当对高叡等人这样说：‘元文遥与和士开，都受先帝任用，怎可以一个离开、一个留下呢？可以一起任命两人为州刺史，但暂且留京，像过去那样兼领此职。等待安葬了先帝，然后派他们外出赴任。’高叡等人认为我真要外出任职，心里一定高兴。”皇上和胡太后赞同这个办法，就按和士开说的答复了高叡等人。于是任命和士开为兖州刺史，元文遥为西兖州刺史。大行皇帝安葬完毕，高叡等人催促和士开上路。胡太后要留下和士开，等过了一百天再走，高叡不同意。几天之内，胡太后为此几次发话。有一个知道胡太后密旨的太监对高叡说：“太后的意思既然这样，殿下怎么能一再违拗？”高叡说：“我受先帝嘱托，责任重大，如今嗣主年幼，怎么能让奸邪之臣留在身旁？我如果不能拼死保护嗣主，有什么脸面活在世上？”于是再次朝见太后，苦苦劝谏。胡太后命人斟酒，赐给高叡，高叡神色庄严地说：“今天来是讨论朝廷大事，不是为了讨一杯酒喝！”说完，转身就出了宫。

和士开用车装着美女和珠帘到娄定远家，向他道谢，说：“那些权贵想杀士开，承蒙大王您的帮助，才保全了我的性命，任用我为主管一方的刺史。现在该来向您告别了，郑重地送上两名女子、一卷珠帘。”娄定远很高兴，对和士开说：“你还想回来，再入朝廷吗？”和士开说：“我在朝廷内久了，心里不安，如今得以外放，其实是成全了我的本愿，不想再回到朝廷。只请求大王您能给予保护，让我能长久地做一个大州刺史就足够了。”娄定远相信了，送和士开到门口，和士开说：“如今要远出了，希望能得到一次晋见皇太后、皇上，向他们辞行的机会。”娄定远答应了。和士开因此得以见到胡太后和皇上高纬，进言说：“先帝一朝仙逝，臣很惭愧没能自己结束生命。从朝廷权贵们的意图和趋势来看，是想把陛下当作乾明年间的废帝那样来对待。臣出都之后，一定会有大变故，我还有什么脸面到地下去见先帝呢？”于是痛哭不已。皇上、胡太后也都哭了起来，并问和士开：“你想出对策了吗？”和士开说：“臣已得入宫面见皇上、太后，又有什么可顾虑的，臣只需要皇上几行字的诏书而已。”于是皇上写下诏书，命令娄定远外出担任青州刺史，同时斥责赵郡王高叡不守为臣之道之罪。

第二天，高叡打算再次进宫劝谏，妻子儿女全都阻止他。高叡说：“国家的事情

皇，不忍见朝廷颠沛[402]。”至殿门，又有人谓曰：“殿下勿入，恐有变。”叡曰：“吾上不负天，死亦无恨[403]。”入，见太后，太后复以为言，叡执之弥固[404]。出，至永巷，遇兵，执送华林园雀离佛院[405]，令刘桃枝[406]拉杀之。叡久典朝政[407]，清正自守，朝野冤惜之。复以士开为侍中、尚书左仆射。定远归士开所遗，加以余珍赂之。

三月，齐主如晋阳。夏，四月甲子[408]，以并州尚书省为大基圣寺，晋祠[409]为大崇皇寺。乙丑[410]，齐主还邺。

齐主年少，多嬖宠[411]。武卫将军高阿那肱，素以谄佞[412]为世祖及和士开所厚。世祖多令在东宫侍齐主，由是有宠，累迁并省尚书令，封淮阴王。

世祖简都督二十人[413]，使侍卫东宫，昌黎韩长鸾[414]预焉，齐主独亲爱长鸾。长鸾，名凤，以字行，累迁侍中、领军，总知内省[415]机密。

宫婢陆令萱[416]者，其夫汉阳骆超，坐谋叛诛，令萱配掖庭，子提婆[417]，亦没为奴。齐主之在襁褓，令萱保养之。令萱巧黠，善取媚，有宠于胡太后，宫掖之中，独擅威福，封为郡君[418]，和士开、高阿那肱皆为之养子。齐主以令萱为女侍中[419]。令萱引提婆入侍齐主，朝夕戏狎，累迁至开府仪同三司、武卫大将军[420]。宫人穆舍利者，斛律后之从婢也，有宠于齐主，令萱欲附之，乃为之养母，荐为弘德夫人[421]，因令提婆冒姓穆氏。然和士开用事最久，诸幸臣[422]皆依附之以固其宠。

齐主思祖珽[423]，就流囚[424]中除海州[425]刺史。珽乃遗陆媪[426]弟仪同三司悉达书曰：“赵彦深心腹阴[13]沈[427]，欲行伊、霍事[428]，仪同姊弟[429]岂得平安？何不早用智士邪？”和士开亦以珽有胆略，欲引为谋主，乃弃旧怨，虚心待之，与陆媪言于帝曰：“襄、宣、昭三帝[430]之子，皆不得立。今至尊独在帝位者，祖孝徵之力也。人有功，不可不报。孝徵心行[431]虽薄，奇略出人，缓急[432]可使。且其人已盲，必无反心。请呼取，问以筹策[433]。”齐主从之，召入，为秘书监，加开府仪同三司。

士开谮尚书令陇东王胡长仁骄恣[434]，出为齐州[435]刺史。长仁怨愤，

重大，我宁可以死来侍奉先皇，也不忍心看到朝廷倾覆。”高叡到了殿门，又有人劝他说：“殿下不要进宫，恐怕会有变故。”高叡说：“我上不负天，即使死了也没什么可遗憾的。”高叡入宫见了胡太后，胡太后重复过去的说法，高叡则更加固执己见。高叡出殿，到了永巷，遇到来抓他的士兵，士兵把他押送到华林园雀离佛院，命令刘桃枝打死了他。高叡久掌朝政，清廉正直，有操守，朝廷内外的人认为他蒙冤而死，深感痛惜。皇上高纬重又任命和士开为侍中、尚书左仆射。娄定远归还了和士开送他的东西，还增加了好多其他的珍宝，讨好和士开。

三月，北齐国主高纬前往晋阳。夏，四月初五日甲子，北齐把并州尚书省改为大基圣寺，把晋祠改为大崇皇寺。初六日乙丑，北齐国主高纬回到邺城。

北齐国主高纬年纪轻，有许多受他宠爱的人。武卫将军高阿那肱，一向以花言巧语、善于巴结逢迎而受到世祖高湛及和士开的厚待。世祖多次让他在东宫侍奉高纬，因此又受到高纬宠爱，一路升迁，担任了并省尚书令，封为淮阴王。

世祖高湛选拔都督二十人，派他们侍卫东宫，昌黎人韩长鸾是其中之一。北齐国主高纬独独对韩长鸾格外亲近喜爱。韩长鸾名凤，通常用表字，一路升迁到侍中、领军，总管内省机密。

宫婢陆令萱，她的丈夫是汉阳人骆超，因图谋叛逆获罪，被诛杀，陆令萱被发配到宫中掖庭做奴婢，她的儿子穆提婆也没入官府为奴。北齐国主高纬还是婴儿的时候，陆令萱当他的保姆。陆令萱乖巧狡猾，很会巴结讨好，受到胡太后的宠爱，在宫掖中，只有她随意作威作福，还被封为郡君。和士开、高阿那肱都成为她的养子。北齐国主高纬任用陆令萱为女侍中。陆令萱把她的儿子穆提婆也带入宫中侍奉北齐国主，早晚在一起戏耍，一路升迁到开府仪同三司、武卫大将军。宫人中有个叫穆舍利的人，是斛律后的随从奴婢，也受到北齐国主的宠爱，陆令萱想依附她，于是给她当干妈，推荐她做弘德夫人，还让儿子穆提婆冒姓穆氏。然而由于和士开掌权的时间最久，那些受宠的大臣都依附于他，借以巩固皇上对自己的宠爱。

北齐国主高纬思念祖珽，到祖珽做流放囚徒的地方，任命他为海州刺史。祖珽便送信给陆令萱的弟弟仪同三司陆悉达说：“赵彦深心思深含不露，想效法伊尹、霍光那样行事，你们姐弟怎么能得到平安？为什么不早早起用智谋之士呢？”和士开也认为祖珽有胆识有谋略，想拉他做出谋划策的主要人物，于是捐弃旧日的仇怨，虚心待他，便与陆令萱一起对北齐国主高纬说：“文襄、文宣、孝昭三帝的儿子，都没能继位。如今皇上独独能够继承帝位，是祖孝徵出的力啊。人家有功，不可以不回报。祖孝徵品行虽然轻薄，但是奇谋过人，在紧急的时候是一个可用的人。况且这人眼睛已经失明，一定不会有反叛之心。请求把他召来，让他出谋划策。”北齐国主高纬听从了，召祖珽入京，担任秘书监，加封开府仪同三司。

和士开向皇上诬陷尚书令陇东王胡长仁骄横放肆，把他外放为齐州刺史。胡长

谋遣刺客杀士开。事觉，士开与珽谋之，珽引汉文帝诛薄昭故事[436]，遂遣使就州赐死。

五月庚戌[437]，周主如醴泉宫。

丁巳[438]，以吏部尚书徐陵为左仆射。

秋，七月辛卯[439]，皇太子纳妃沈氏，吏部尚书君理[440]之女也。

辛亥[441]，周主还长安。

八月庚辰[442]，盗杀周孔城[443]防主，以其地入齐。

九月辛卯[444]，周遣齐公宪与柱国李穆[445]将兵趣宜阳[446]，筑崇德等五城。

欧阳纥[447]在广州十余年，威惠着于百越[448]。自华皎之叛，帝心疑之，征为左卫将军[449]。纥恐惧，其部[14]下多劝之反，遂举兵攻衡州[450]刺史钱道戢[451]。

帝遣中书侍郎徐俭[452]持节谕旨。纥初见俭，盛仗卫，言辞不恭。俭曰："吕嘉[453]之事，诚当已远，将军独不见周迪、陈宝应乎？转祸为福，未为晚也。"纥默然不应，置俭于孤园寺，累旬不得还。纥尝出见俭，俭谓之曰："将军业已举事，俭须还报天子。俭之性命，虽在将军，将军成败，不在于俭，幸不见留。"纥乃遣俭还。俭，陵之子也。

冬，十月辛未[454]，诏车骑将军章昭达[455]讨纥。

壬午[456]，上享太庙。

十一月辛亥[457]，周鄫文公长孙俭[458]卒。

辛丑[459]，齐以斛律光为太傅，冯翊王润为太保，琅邪王俨为大司马。十二月庚午[460]，以兰陵王长恭[461]为尚书令。庚辰[462]，以中书监魏收为左仆射。

周齐公宪等围齐宜阳，绝其粮道。

自华皎之乱，与周人绝，至是周遣御正大夫[463]杜杲来聘，请复修旧好。上许之，遣使如周。

仁怨恨气愤，谋划派刺客刺杀和士开。事情被发觉，和士开与祖珽商议，祖珽引用西汉文帝诛杀薄昭的前朝先例，于是派使者到齐州去赐死胡长仁。

五月二十二日庚戌，北周国主宇文邕前往醴泉宫。

二十九日丁巳，陈朝任命吏部尚书徐陵为左仆射。

秋，七月初四日辛卯，陈朝皇太子陈叔宝娶沈氏为妃子，她是吏部尚书沈君理的女儿。

二十四日辛亥，北周国主宇文邕回到长安。

八月二十三日庚辰，强盗杀死了北周镇守孔城的防主，把孔城献给了北齐。

九月初五日辛卯，北周派齐国公宇文宪与柱国李穆领兵奔赴宜阳，在那里修筑了崇德等五座城。

欧阳纥驻守广州十多年，声威和恩惠在百越地区广泛传播。自从华皎反叛，陈宣帝对欧阳纥有了猜疑，征召他为左卫将军。欧阳纥心生恐惧，他的部下大多劝他造反，于是他起兵攻击衡州刺史钱道戢。

陈宣帝派中书侍郎徐俭持节前往，宣谕朝廷旨意。欧阳纥刚见徐俭时，布置了很多仪仗卫士，言辞很不恭敬。徐俭说："吕嘉背叛汉朝这样的事确实已经很久远了，但将军难道没有看到周迪和陈宝应的下场吗？转祸为福，现在来做还不算晚。"欧阳纥沉默没有回答，把徐俭安置在孤园寺，过了几十天，徐俭仍不能回朝。欧阳纥曾出来见徐俭，徐俭对欧阳纥说："将军已经起兵，徐俭必须回朝廷向天子复命。徐俭的性命，虽然取决于将军，但将军的成败，并不取决于徐俭，希望将军不要把我扣留在这里。"欧阳纥于是释放徐俭回朝廷。徐俭，是徐陵的儿子。

冬，十月十五日辛未，陈宣帝下诏命车骑将军章昭达征讨欧阳纥。

二十六日壬午，陈宣帝到太庙祭祀祖先。

十一月二十六日辛亥，北周鄫文公长孙俭去世。

十一月十六日辛丑，北齐任命斛律光为太傅，冯翊王高润为太保，琅邪王高俨为大司马。十二月十五日庚午，任命兰陵王高长恭为尚书令。二十五日庚辰，任命中书监魏收为尚书左仆射。

北周齐国公宇文宪等围攻北齐宜阳城，切断了宜阳的运粮通道。

自华皎叛乱后，陈朝与北周中断了友好往来，这时北周派御正大夫杜杲出使陈朝，请求恢复两国间旧日的友好关系。陈宣帝答应了，派遣使臣前往北周。

【段旨】

以上为第三段，写北齐国主高纬当国，受制于胡太后，政事仍由奸佞把持。陈朝与北周复修旧好。

【注释】

㉝₃高宗宣皇帝：陈朝第四代皇帝陈顼，陈高祖兄陈道谭第二子，公元五六九至五八二年在位。㉝₄辛卯朔：正月初一日。㉝₅朝会：诸侯或臣属会集朝见君主。㉝₆吊赙：吊丧并带财物以助丧事。赙，以财物助丧事。㉝₇甲午：正月初四日。㉝₈改元：改年号，即由光大三年（公元五六九年）改为太建元年。㉝₉太皇太后：即武帝皇后章氏，废帝尊为太皇太后，宣帝复为皇太后。事见《陈书》卷七、《南史》卷十二。㉞₀世子：帝王或诸侯正妻所生的长子。㉞₁叔陵：即陈宣帝第二子陈叔陵，封始兴王。传见《陈书》卷三十六、《南史》卷六十五。㉞₂奉昭烈王祀：文帝以子伯茂奉始兴昭烈王祀，宣帝杀伯茂后，以叔陵奉祀。㉞₃乙未：正月初五日。㉞₄丁酉：正月初七日。㉞₅尚书仆射:《陈书》卷七《沈皇后传》作“尚书右仆射”，疑此处脱“右”字。㉞₆度支尚书：官名，掌管全国财赋的统计和调支。㉞₇王劢（公元五〇六至五七二年）：字公济，琅邪临沂（今山东临沂）人，历仕梁、陈，官至中书令。传见《陈书》卷十七、《南史》卷二十三。㉞₈辛丑：正月十一日。㉞₉壬寅：正月十二日。㉟₀叔英：陈宣帝第三子。㉟₁叔坚：陈宣帝第四子。与叔英二人传皆见《陈书》卷二十八、《南史》卷六十五。㉟₂戊午：正月二十八日。㉟₃博陵文简王济：即高欢第十二子高济（？至公元五六九年）。传见《北齐书》卷十、《北史》卷五十一。㉟₄定州：州名，治所卢奴县，在今河北定州。㉟₅次叙当至我矣：言以兄弟之次，也当该我做天子。㉟₆阴：暗中。㉟₇乙亥：二月十五日。㉟₈甲申：二月二十四日。㉟₉庙号：帝王死后，在太庙立室奉祀，并追以某祖某宗的名号。㊱₀己丑：二月二十九日。㊱₁叱列长叉：封新宁王，入隋为上柱国。叱列，复姓，出自拓跋氏西部。传附《北齐书》卷二十与《北史》卷五十三《叱列平传》。㊱₂亲狎：亲近而不严肃。㊱₃期度：限度。㊱₄得幸：得上之宠信，多指受帝王后妃的恩幸。㊱₅綦连猛（？至公元五七七年）：仕北齐，官至尚书令、领军大将军。传见《北齐书》卷四十一、《北史》卷五十三。綦连，其祖先为姬姓，六国末，避乱出塞，保祁连山，因以山为姓，北人语讹，故曰綦连。㊱₆高阿那肱（？至公元五七七年）：仕北齐，官至右丞相。传见《北齐书》卷五十、《北史》卷九十二。㊱₇觞：此指置酒宴饮。㊱₈弄臣：为帝王所亲近狎玩之臣。㊱₉城狐社鼠：城墙上的狐狸，土地庙里的老鼠，比喻仗势作恶的人。㊲₀宫掖：掖，掖庭，宫内的旁舍，是妃嫔居住的地方，因称皇宫为宫掖。㊲₁杜口：闭口不言。㊲₂孤寡：孤儿寡妇。此指北齐后主与太后。㊲₃安吐根（？至公元五七七年）：仕北齐，官至凉州刺史。传见《北史》卷九十二。㊲₄商胡：安吐根本安息胡人，后归高欢。㊲₅行末：序列最末。㊲₆拂衣：提衣；振衣。表示高叡等王的愤慨。㊲₇梓宫：帝后所用以梓木制的棺材。㊲₈成妹：成全妹妹事。胡长粲乃太后之兄。㊲₉觊觎：非分的冀望和希图。㊳₀翦：同“剪”。㊳₁出纳如旧：尚书出纳帝命，令暂且如过去那样兼领此职。㊳₂山陵：帝王的坟墓。此指安葬上皇事。㊳₃西兖州：州名，治所滑台，在今河南卫辉东北。㊳₄就路：上道。此指让和士开往兖州赴

任。㉟百日：古代安葬后，每日仍要拜祭，至一百日方停。㊱数以为言：谓胡太后屡次说解此事。㊲嗣主幼冲：初即位的君主年幼。幼冲，幼小。㊳守之以死：即以死守之。此指恪守诺言，保护嗣主。㊴何面戴天：何面目生活在世间。戴天，顶天。㊵酌酒：斟酒。㊶正色：表情端庄严肃。㊷卮酒：一杯酒。卮，酒杯之类的器皿。㊸王力：武成帝封娄定远为临淮郡王，故以此称定远。㊹方伯：指刺史、太守一类的地方官。㊺不：同“否”。㊻辞觐二宫：指临别时的进见，向太后、齐主辞行。觐，古代诸侯朝见天子称觐。二宫，此指太后与齐主。㊼登遐：又称“升遐”，升到高远的地方。古时皇帝死的讳称。㊽乾明：“乾明”乃北齐废帝（济南王）年号。废帝即位，尚书令杨愔等辅政，常山王高演等发动政变诛杀杨愔等，总揽朝政。事见本书卷一百七十《陈纪》四文帝天嘉元年。㊾正须数行诏书耳：只需要几行字的诏书罢了。正，仅。须，通“需”。㊿青州：州名，治所临菑县，在今山东淄博。401不臣：不忠于君主或背叛君主。402颠沛：倾覆；仆倒。403恨：遗憾；憾恨。404弥固：更加固执己见。弥，更加。405雀离佛院：龟兹国（在今新疆库车一带）北面山上有寺，名叫雀离，很清静，因仿此建佛院。406刘桃枝：本为苍头，北齐天保、大宁间贵盛。传附《北齐书》卷五十与《北史》卷九十二《恩幸传》。407叡久典朝政：文宣帝时，济南王以太子监国，立大都督府，与尚书省分理庶务，以高叡代理大都督府长史。至武成帝时拜尚书令，又进摄录尚书事，后进为太尉。408甲子：四月初五日。409晋祠：祠名，故址在今山西太原西南。410乙丑：四月初六日。411嬖宠：宠爱的人。412谄佞：献媚讨好。413都督二十人：齐左、右卫府领左、右府，其御仗属官，各有正、副都督。414韩长鸾：名凤，历仕齐、隋，官至陇州刺史。传见《北齐书》卷五十、《北史》卷九十二。415内省：即内侍省。官署名，掌宫廷内事务。416陆令萱（？至公元五七七年）：穆提婆之母，齐主高纬保姆，善权术，成为齐宫中女嬖权奸，外结大臣，干预齐政。传附《北齐书》卷五十与《北史》卷九十二《恩幸传》。417提婆：即穆提婆。仕北齐，官至录尚书事，封城阳王，著名权奸。传见《北齐书》卷五十与《北史》卷九十二《恩幸传》。418郡君：妇女的封号。419女侍中：官名，北魏孝文帝改定内官，左右昭仪、三夫人、九嫔、世妇、御女之外，又置内职，典内司，同尚书令、仆；作司、大监、女侍中三官，视同二品监。420武卫大将军：武官名，掌禁卫军，位比三公。421弘德夫人：女官名。据胡三省注，北齐《河清新令》有弘德、崇德、正德三夫人，位比三公。422幸臣：为君主所宠幸的臣子。423齐主思祖珽：齐主受内禅，祖珽有赞助之功，故思念此人。424流囚：流放的囚徒。425海州：州名，治所朐县，在今江苏连云港市西南。426陆媪：即陆令萱。427阴沈：深藏不露。沈，也作“沉”。428行伊、霍事：伊，指伊尹，商初辅政大臣，曾将商王太甲放逐，太甲改过，伊尹迎之复位，商朝中兴。霍，指霍光，受汉武帝遗诏辅佐汉昭帝，秉政二十年。此指赵彦深欲专擅朝政。429仪同姊弟：指仪同三司陆悉达与其姐陆令萱。430襄、宣、昭三帝：即齐文襄、文宣、孝昭三帝。431心行：道德品行。432缓急：危急之事。缓字无实意。433筹策：谋划。434骄恣：骄傲放纵。㊱齐州：州名，治所历城县，在今山东济南市。㊲汉文帝诛薄昭故事：将军薄昭杀汉使者，罪当死，文帝不忍诛杀，让公卿随从饮酒，欲令他自杀，薄昭不肯；文帝又使群臣穿丧服去哭他，才自杀。事见本书《汉纪》六文帝前十年。㊳庚戌：五月二十二日。㊴丁巳：五月二十九日。㊵辛卯：七月初四日。㊶君理：即沈君理（公元五二五至五七三年），仕陈，官至尚书右仆射。传见《陈书》卷二十三、《南史》卷六十八。㊷辛亥：七月二十四日。㊸庚辰：八月二十三日。㊹孔城：城防名，故址在今河南伊川县西南。㊺辛卯：九月初五日。㊻李穆（公元五一〇至五八六年）：历仕周、隋，官至太师。传见《周书》卷三十、《隋书》卷三十七、《北史》卷五十九。㊼宜阳：郡名，治所宜阳县，在今河南宜阳西。㊽欧阳纥（公元五三七至五六九年）：仕陈，官至广州刺史。传附《陈书》卷九与《南史》卷六十六《欧阳頠传》。㊾百越：泛指生活在今福建、广东、广西一带的诸越族。㊿左卫将军：武官名，掌禁卫军。(450)衡州：州名，治所含洭县，在今广东英德西北浛洸。(451)钱道戢（公元五〇八至五七〇年）：仕陈，官至郢州刺史。传见《陈书》卷二十二、《南史》卷六十七。(452)徐俭（？至公元五八八年）：仕陈，官至御史中丞。传附《陈书》卷二十六与《南史》卷六十二《徐陵传》。(453)吕嘉：西汉时南越相，叛汉，被汉兵擒杀。事见《史记》卷一百十三《南越列传》。(454)辛未：十月十五日。(455)章昭达（公元五一八至五七一年）：仕陈，官至侍中。传见《陈书》卷十一、《南史》卷六十六。(456)壬午：十月二十六日。(457)辛亥：十一月二十六日。(458)鄫文公长孙俭（？至公元五六九年）：本姓拓拔氏，改姓长孙。仕周，官至大将军。《周书》卷二十

【原文】

二年（庚寅，公元五七〇年）

春，正月乙酉朔(464)，齐改元武平(465)。

齐东安王娄叡(466)卒。

丙午(467)，上享太庙。

戊申(468)，齐使兼散骑常侍裴谳之(469)来聘。

齐太傅斛律光，将步骑三万救宜阳，屡破周军，筑统关、丰化二城(470)，以通宜阳粮道[15]而还。周军追之，光纵击，又破之，获其开府仪同三司宇文英、梁景兴。二月己巳(471)，齐以斛律光为右丞相、并州刺史，又以任城王湝(472)为太师，贺拔仁录尚书事。

六本传云“追封郐公”,《拓拔俭碑》同。《北史》卷二十二本传云“追封鄫国公,谥曰文”。㊺辛丑:十一月十六日。〖按〗辛丑当在“辛亥”前,疑此处干支错乱。㊻庚午:十二月十五日。㊼兰陵王长恭:即高长恭(?至公元五七三年),一名孝瓘,北齐文襄帝第四子。传见《北齐书》卷十一、《北史》卷五十二。㊽庚辰:十二月二十五日。㊾御正大夫:官名,掌记录王言,在皇帝左右,位上大夫。

【校记】

[10]己丑:原作“乙丑”。据章钰校,十二行本、乙十一行本、孔天胤本皆作“己丑”,张敦仁《通鉴刊本识误》同,今据改。〖按〗《北齐书·后主纪》《北史·后主纪》皆作“己丑”。[11]词:原作“辞”。据章钰校,十二行本、乙十一行本、孔天胤本皆作“词”,今据改。〖按〗《北齐书·恩幸·和士开传》《北史·恩幸·和士开传》皆作“词”。[12]等:原无此字。据章钰校,十二行本、乙十一行本、孔天胤本皆有此字,今据补。〖按〗《北齐书·恩幸·和士开传》《北史·恩幸·和士开传》皆有此字。[13]阴:原作“深”。据章钰校,十二行本、乙十一行本、孔天胤本皆作“阴”,今据改。《北史·祖莹传附祖珽传》、《通鉴纪事本末》卷二四、《通鉴纲目》卷三四皆作“阴”。[14]部:原无此字。据章钰校,乙十一行本有此字,张敦仁《通鉴刊本识误》同,今据补。〖按〗《陈书·欧阳頠传附欧阳纥传》《南史·欧阳頠传附欧阳纥传》皆有此字。

【语译】

二年(庚寅,公元五七〇年)

春,正月初一日乙酉,北齐改年号为武平。

北齐东安王娄叡去世。

二十二日丙午,陈宣帝到太庙祭祀祖先。

二十四日戊申,北齐派兼散骑常侍裴谳之到陈朝来通问修好。

北齐太傅斛律光率步骑三万援救宜阳,多次打败周军,修筑了统关、丰化两座城,打通了运粮至宜阳的道路后,收兵回去。北周军队追击,斛律光猛烈反击,又大败北周军,俘获北周开府仪同三司宇文英、梁景兴。二月十五日己巳,北齐任命斛律光为右丞相、并州刺史,又任命任城王高湝为太师,贺拔仁录尚书事。

欧阳纥召阳春[473]太守冯仆至南海[474]，诱与同反。仆遣使告其母冼夫人[475]。夫人曰："我为忠贞，经今两世[476]，不能惜汝负国。"遂发兵拒境，帅诸酋长迎章昭达。

昭达倍道兼行，至始兴[477]。纥闻昭达奄至，恇扰[478]不知所为，出顿洭口[479]，多聚沙石，盛以竹笼，置于水栅之外，用遏舟舰。昭达居上流，装舰造拍[480]，令军人衔刀潜行[481]水中，以斫笼，篾皆解，因纵大舰随流突之。纥众大败，生擒纥，送之。癸未[482]，斩于建康市。

纥之反也，士人流寓[483]在岭南者皆惶骇。前著作佐郎萧引[484]独恬然[485]，曰："管幼安[486]、袁曜卿[487]，亦但安坐耳。君子直己以行义，何忧惧乎？"纥平，上征为金部侍郎[488]。引，允之弟也。

冯仆以其母功，封信都侯，迁石龙[489]太守，遣使者[16]持节册命[490]冼氏为石龙太夫人，赐绣幰[491]油络驷马安车一乘，给鼓吹[492]一部，并麾幢[493]旌节，其卤簿一如刺史之仪。

三月丙申[494]，皇太后章氏[495]殂。

戊戌[496]，齐安定武王贺拔仁卒。

丁未[497]，大赦。

夏，四月甲寅[498]，周以柱国宇文盛为大宗伯[499]。

周主如醴泉宫。

辛酉[500]，齐以开府仪同三司徐之才为尚书左仆射。

戊寅[501]，葬武宣皇后[502]于万安陵。

闰月戊申[503]，上谒太庙。

五月壬午[504]，齐遣使来吊。

六月乙酉[505]，齐以广宁王孝珩为司空。

甲辰[506]，齐穆夫人[507]生子恒[508]。齐主时未有男，为之大赦。陆令萱欲以恒为太子，恐斛律后恨怒，乃白齐主，使斛律后母养之。

己丑[509]，齐以开府仪同三司唐邕为尚书右仆射。

秋，七月癸丑[510][17]，齐立肃宗子彦基[511]为城阳王，彦忠为梁郡王[512]。甲寅[513]，以尚书令兰陵王长恭为录尚书事，中领军和士开为尚书

欧阳纥召阳春太守冯仆到南海，诱劝他一起谋反。冯仆派使者禀告其母冼夫人，冼夫人说："我们对国家忠诚坚贞，已历两代，不能因为爱惜你而对不起国家。"于是发兵在辖境内抵抗，率领各位酋长迎接章昭达的大军。

章昭达倍道兼程，进军到始兴。欧阳纥听到章昭达突然到来，恐惧慌张，不知怎么办，只得出兵屯驻洭口，积聚了大量的沙子石块，装在竹篓里，放置在水军栅栏外，用来阻挡舟舰。章昭达军队位居上游，命人制造拍竿，装在船上，派军中士兵口里叼着刀子，潜没在水中前行，挥刀击砍竹篓，竹篓的篾片都被砍散，随即放出大舰顺流而下，突入欧阳纥的营栅。欧阳纥军众大败，欧阳纥被活捉，押送到建康。二月二十九日癸未，欧阳纥在建康闹市上被斩杀。

欧阳纥造反时，寄居在岭南的士大夫们都很惊慌害怕。前著作佐郎萧引独独安然自处，他说："从前的管宁、袁涣，遇到变乱，也只是安坐而已。君子为人正直而行为合于道义，有什么好忧虑害怕的呢?"欧阳纥被平定后，陈宣帝征召萧引为金部侍郎。萧引，是萧允的弟弟。

冯仆由于母亲冼夫人的功绩，得封信都侯，升迁为石龙太守，陈宣帝派使者持符节册封冼夫人为石龙太夫人，赐给配有刺绣帷幔和丝织网状车饰，用四匹马拉的安车一辆，配备有鼓钲箫笳等乐器的乐队一支，还有用羽毛装饰的仪仗旗帜及旌节，她外出时的仪仗队伍一如刺史的仪制。

三月十三日丙申，陈朝皇太后章氏去世。

十五日戊戌，北齐安定武王贺拔仁去世。

二十四日丁未，陈朝大赦天下。

夏，四月初一日甲寅，北周任命柱国宇文盛为大宗伯。

北周国主宇文邕前往醴泉宫。

初八日辛酉，北齐任命开府仪同三司徐之才为尚书左仆射。

二十五日戊寅，陈朝安葬武宣皇后章氏于万安陵。

闰四月二十五日戊申，陈宣帝到太庙谒告祖先。

五月三十日壬午，北齐派使臣到陈朝吊唁武宣皇后。

六月初三日乙酉，北齐任命广宁王高孝珩为司空。

六月二十二日甲辰，北齐国主的穆夫人生下皇子高恒。北齐国主高纬当时没有男孩，为皇子诞生而特别实行大赦。陆令萱想立高恒为太子，担心斛律皇后怨恨恼怒，就禀告北齐国主高纬，让斛律皇后为嫡母养育高恒。

己丑日，北齐任命开府仪同三司唐邕为尚书右仆射。

秋，七月初二日癸丑，北齐立肃宗高演的儿子高彦基为城阳王，高彦忠为梁郡王。初三日甲寅，任命尚书令兰陵王高长恭为录尚书事，中领军和士开为尚书令，

令，赐爵淮阳王。

士开威权日盛，朝士不知廉耻者，或为之假子514，与富商大贾同在伯仲之列515。尝有一人士参士开疾，值医云："王伤寒极重，他药无效[18]，应服黄龙汤516。"士开有难色。人士曰："此物甚易服，王不须疑，请为王先尝之。"一举而尽。士开感其意，为之强服，遂得愈。

乙卯517，周主还长安。

癸酉518，齐以华山王凝519为太傅。

司空章昭达攻梁，梁主与周总管陆腾520拒之。周人于峡口521南岸筑安蜀城522，横引大索于江上，编苇为桥，以度军粮。昭达命军士为长戟，施于楼船上，仰割其索。索断，粮绝，因纵兵攻安蜀城，下之。

梁主告急于周襄州总管卫公直，直遣大将军李迁哲523将兵救之。迁哲以其所部守江陵外城，自帅骑兵出南门，使步524出北门，首尾邀击陈兵，陈兵多死。夜，陈兵窃于城西以梯登城，登者已数百人，迁哲与陆腾力战拒之，乃退。

昭达又决龙川宁朔堤，引水灌江陵。腾出战于西堤，昭达兵不利，乃引还。

八月辛卯525，齐主如晋阳。

九月乙巳526，齐立皇子恒为太子。

冬，十月辛巳朔527，日有食之。

齐以广宁王孝珩为司徒，上洛王思宗528为司空。复以梁永嘉王庄529为开府仪同三司、梁王，许以兴复，竟不果。及齐亡，庄愤邑，卒于邺。

乙酉530，上享太庙。

己丑531，齐复威宗谥曰文宣皇帝，庙号显祖532。

丁酉533，周郑桓公534达奚武卒。

十二月丁亥535，齐主还邺。

周大将军郑恪将兵平越嶲536，置西宁州537。

周、齐争宜阳，久不决[19]。勋州538刺史韦孝宽谓其下曰："宜阳一城之地，不足损益539，两国争之，劳师弥年540。彼岂无智谋之士？若弃崤东541，来图汾北542，我必失地。今宜速于华谷及长秋543筑城以杜其

赐爵淮阳王。

和士开声威权势日益盛大，朝廷官员中不知廉耻的人，有的当上了和士开的干儿子，与那些富商大贾成了兄弟。曾经有一个人去探问和士开的病情，遇上医生正在说："淮阳王的伤寒症极重，别的药都无效，应当服用粪汁黄龙汤。"和士开面有难色。这个人说："黄龙汤很容易喝下去的，大王不必疑虑，我请求替大王先尝一下。"举杯一饮而尽。和士开很感激他的心意，也勉强喝了下去，还真把病治好了。

七月初四日乙卯，北周国主宇文邕回到长安。

二十二日癸酉，北齐任命华山王高凝为太傅。

陈朝司空章昭达进攻后梁，后梁国主萧岿与北周总管陆腾抵抗。北周军人在西陵峡口长江南岸修筑安蜀城，在长江上横跨拉了几道大绳索，在绳索上编织苇草作为索桥，用来运送军粮。章昭达命令士兵打造长戟，安装在楼船上，驶到桥下，仰割绳索，索断桥毁，军粮运送断绝，然后大举进攻安蜀城，攻下了这座城。

后梁国主萧岿向北周襄州总管卫国公宇文直告急，宇文直派大将军李迁哲率军救援。李迁哲派他的下属部队守卫江陵外城，亲率骑兵出江陵南门，又派步兵出江陵北门，一头一尾截击陈军，陈军死了很多人。夜晚，陈军在江陵城西侧偷偷用云梯登城，登上城墙的已达几百人，李迁哲与陆腾奋力死战抵御，陈军这才退走。

章昭达又挖开龙川宁朔的堤坝，引水灌江陵城，陆腾出兵在西堤与陈军交战，章昭达战败，这才率军撤回。

八月初十日辛卯，北齐国主高纬前往晋阳。

九月乙巳日，北齐立皇子高恒为太子。

冬，十月初一日辛巳，发生日食。

北齐任命广宁王高孝珩为司徒，上洛王高思宗为司空。又任命梁朝的永嘉王萧庄为开府仪同三司、梁王，承诺为梁王恢复梁朝大业，但始终没有成功。等到北齐灭亡，萧庄愤懑忧郁，死在邺城。

十月初五日乙酉，陈宣帝到太庙祭祀祖先。

初九日己丑，北齐恢复威宗高洋的谥号为文宣皇帝，庙号显祖。

十七日丁酉，北周郑桓公达奚武去世。

十二月初八日丁亥，北齐国主高纬回到邺城。

北周大将军郑恪率军平定越巂，设置西宁州。

北周、北齐争夺宜阳城，争了很久也没有决出胜负。北周勋州刺史韦孝宽对部下说："宜阳不过是一城之地，对大局没有多大影响，两国争夺，兴师动众已有一年。对方难道没有足智多谋的人士吗？如果他们放弃崤东的宜阳，转而来谋取我们汾北地区，我们一定会失去这些地方。如今应当尽快在华谷及长秋一带修筑城堡来打消

意。脱其先我㊹，图之实难。”乃画地形，具陈其状。晋公护谓使者曰："韦公㊺子孙虽多，数不满百，汾北筑城，遣谁守之？”事遂不行。

齐斛律光果出晋州㊻道，于汾北筑华谷、龙门㊼二城。光至汾东，与孝宽相见，光曰："宜阳小[20]城，久劳争战。今已舍彼，欲于汾北取偿，幸勿怪也。”孝宽曰："宜阳，彼之要冲；汾北，我之所弃。我弃彼取，其偿安在？君辅翼幼主，位望隆重，不抚循百姓而极武穷兵，苟贪寻常之地，涂炭疲弊之民，窃为君不取也！"

光进围定阳㊽，筑南汾城以逼之。周人释㊾宜阳之围以救汾北。晋公护问计于齐公宪，宪曰："兄宜暂出同州㊿以为声势㊿，宪请以精兵居前，随机攻取。”护从之。

【段旨】

以上为第四段，写陈朝平定广州欧阳纥之乱，全境恢复平静。北周、北齐争夺宜阳与汾北之战，北周晋国公宇文护不纳韦孝宽之策，陷入被动。

【注释】

㊹乙酉朔：正月初一日。㊺改元武平：北齐年号由天统六年（公元五七〇年）改为武平元年。㊻娄叡（？至公元五六九年）：仕北齐，官至太尉，封东安王。传附《北齐书》卷十五《娄昭传》、《北史》卷五十四《娄昭传》。㊼丙午：正月二十二日。㊽戊申：正月二十四日。㊾裴谳之：仕北齐，为永昌太守。齐亡仕周，为伊川太守。传附《北齐书》卷三十五《裴让之传》、《北史》卷三十八《裴让之传》。㊿统关、丰化二城：统关、丰化二城均在今河南宜阳西。㊿己巳：二月十五日。㊿任城王湝：即高湝（？至公元五七七年），高欢第十子，封任城王。传见《北齐书》卷十、《北史》卷五十一。㊿阳春：郡名，治所阳春县，在今广东阳春。㊿南海：郡名，治所番禺县，在今广东广州。㊿冼夫人：高凉（今广东阳江西）人，南朝陈与隋初岭南少数民族女领袖，封谯国夫人。传见《隋书》卷八十、《北史》卷十一。㊿两世：指冯仆及其父冯融两世。㊿始兴：郡名，治所曲江县，在今广东韶关南。㊿恇扰：恐惧慌张。㊿洭口：地名，即今

对方进犯的念头。假如他们抢先行动，再来对付就困难了。”于是画出地形，详细陈述相关状况，上奏朝廷。晋国公宇文护对使者说：“韦公子孙虽然众多，人数也不满一百，在汾北筑城，派谁去守卫？”在汾北筑城的事就这样没有进行下去。

北齐斛律光果然从晋州道出兵，在汾水北岸修筑了华谷、龙门两座城堡。斛律光来到汾水东，与韦孝宽相见，斛律光说：“小小一座宜阳城，害得两国长久争夺交战。如今我们已经放弃了那里，想在汾北取得补偿，请不要见怪。”韦孝宽说：“宜阳城是你们的要冲，汾北是我们丢弃的地方。我们丢弃的地方你们要拿过去，所谓的补偿又在哪里？你辅佐北齐幼主，地位和声望都很高，不去安抚百姓而要穷兵黩武，为了贪求一处寻常的土地，不惜使疲困不堪的百姓陷于更为困苦的境地，我私下为您想想这实在不值得去做！”

斛律光进兵围攻定阳，修筑南汾城来威逼定阳。北周军队解除了对宜阳的包围来救援汾北。晋国公宇文护向齐国公宇文宪询问用兵方略，宇文宪说：“兄长可暂时从同州出兵以造成声威气势，我请求率领精兵为前锋，寻机攻取城池。”宇文护采纳了这一方略。

广东英德连江口。⑳ 拍：即拍竿，用杠杆原理装置于船上的打击武器。㉑ 潜行：谓人潜隐水底而行。㉒ 癸未：二月二十九日。㉓ 流寓：寄居他乡。㉔ 萧引（公元五二七至五八四年）：仕陈，官至建康令。传附《陈书》卷二十一《萧允传》、《南史》卷十八《萧允传》。㉕ 恬然：安闲的样子。㉖ 管幼安：管宁字幼安，三国时人。曾依附公孙度，庐于山谷。魏文帝初，归还乡里。传见《三国志》卷十一。㉗ 袁曜卿：袁涣字曜卿。东汉末，被吕布拘留但不受胁迫。吕布失败后，归附曹操，为梁相。人清政缓。传见《三国志》卷十一。㉘ 金部侍郎：官名，掌管财帛、赋税。㉙ 石龙：郡名，治所石龙县，在今广东化州。㉚ 册命：古代帝王封立太子、后妃、夫人时的命令。㉛ 绣幰：加于安车盖上的刺绣帷幔。幰，车前的帷幔。安车，坐乘的小车。多用一马，礼尊者用四马。㉜ 鼓吹：乐名，主要乐器有鼓钲箫笳。或列于殿廷，享宴用之；或列于卤簿之间，大驾出巡时用之；或用以赏赐功臣。㉝ 麾幢：古代作仪仗用的以羽毛为饰的一种旗帜。㉞ 丙申：三月十三日。㉟ 皇太后章氏：即陈武帝皇后（公元五〇六至五七〇年）。传见《陈书》卷七。㊱ 戊戌：三月十五日。㊲ 丁未：三月二十四日。㊳ 甲寅：四月初一日。㊴ 大宗伯：官名，六卿之一，掌邦国祭祀典礼。㊵ 辛酉：四月初八日。㊶ 戊寅：四月二十五日。㊷ 武宣皇后：即陈武帝章皇后，谥曰武宣。㊸ 戊申：闰四月二十五日。㊹ 壬午：五月三十日。㊺ 乙酉：六月初三日。㊻ 甲辰：六月二十二日。㊼ 穆夫人：即北齐后主穆皇

后。传见《北齐书》卷九。⑤⁰⁸恒：即北齐幼主高恒，后主之子，公元五七七年在位。传见《北齐书》卷八、《北史》卷八。⑤⁰⁹己丑：六月癸未朔，己丑当在“甲辰”之前。〖按〗《北齐书》卷八《后主纪》云，武平元年（公元五七〇年）六月“己酉，诏以开府仪同三司唐邕为尚书右仆射”。据此，己丑当为“己酉”之误。己酉，六月二十七日。⑤¹⁰癸丑：七月初二日。⑤¹¹彦基：北齐孝昭帝之子，诸姬所生。传见《北齐书》卷十二、《北史》卷五十二。⑤¹²彦忠为梁郡王：彦忠为北齐孝昭帝之子，诸姬所生。传见《北齐书》卷十二、《北史》卷五十二。《北齐书》载彦忠为汝阳王，《北史》旧刻本载为汝南王，今通行本校改为汝阳王。⑤¹³甲寅：七月初三日。⑤¹⁴假子：即养子。⑤¹⁵伯仲之列：兄弟之列。古代以伯、仲、叔、季表示兄弟之间的顺序。⑤¹⁶黄龙汤：粪便之汁。古代佛寺中，和尚将粪便久储空罐中，分解出黑色粪汁，称黄龙汤，传说可以治瘟病等。⑤¹⁷乙卯：七月初四日。⑤¹⁸癸酉：七月二十二日。⑤¹⁹华山王凝：即高欢第十三子高凝。传见《北齐书》卷十、《北史》卷五十一。⑤²⁰陆腾（？至公元五七八年）：仕北周，官至大司空。传见《周书》卷二十八、《北史》卷二十八。⑤²¹峡口：地名，即西陵峡口，在今湖北宜昌西。⑤²²安蜀城：城名，故址在今湖北宜昌西北。⑤²³李迁哲（公元五一一至五七四年）：历仕西魏。传见《周书》卷四十四、《北史》卷六十六。⑤²⁴使步：胡三省注认为“步”下有“兵”字，文意较明。⑤²⁵辛卯：八月初十日。⑤²⁶乙巳：九月辛亥朔，无乙巳日。疑记载有误。⑤²⁷辛巳朔：十月初一日。⑤²⁸上洛王思宗：即高欢从子高思宗。传见《魏书》卷三十二、《北齐书》卷十四、《北史》卷五十一。⑤²⁹永嘉王庄：即梁元帝之孙、武烈世子萧方等之子。传见《南史》卷五十四。⑤³⁰乙酉：十月初五日。⑤³¹己丑：十月初九日。⑤³²庙号显祖：公元五六五年，齐改谥文宣皇帝为景烈皇帝，庙号威宗，今又改回。⑤³³丁酉：十月十七日。⑤³⁴桓公:《谥法》：辟土服远曰桓。⑤³⁵丁亥：十二月初八日。⑤³⁶越巂：郡

【原文】

三年（辛卯，公元五七一年）

春，正月癸丑①[21]，以尚书右仆射徐陵为左仆射。

丁巳②，齐使兼散骑常侍刘环俊来聘。

辛酉③，上祀南郊。辛未④，祀北郊⑤。

齐斛律光筑十三城于西境⑥，马上以鞭指画而成⑦，拓地⑧五百里，而未尝伐功⑨。又与周韦孝宽战于汾北，破之。齐公宪督诸将东

名，治所邛都县，在今四川西昌东南。㊲西宁州：州名，治所与越巂郡同为一地。㊳勋州：州名，治所玉壁，在今山西临汾西南。㊴损益：增减。此指利害关系。㊵弥年：经年。㊶崤东：指宜阳一带。宜阳在三崤之东。㊷汾北：地区名，汾水自临汾西向，汾北指临汾以西、汾水以北一带。㊸华谷及长秋：皆地名，华谷在今山西稷山县西北，长秋在今山西新绛西北。㊹脱其先我：倘若他们赶在我们前面。脱，倘或。㊺韦公：此指韦孝宽。㊻晋州：州名，治所白马城，在今山西临汾。㊼龙门：地名，故址在今山西河津市西北黄河两岸。㊽定阳：郡名，治所定阳，在今山西吉县。㊾释：解除；放弃。㊿同州：州名，治所武乡县，在今陕西大荔。(551)声势：声威和气势。

【校记】

［15］以通宜阳粮道：原无此六字。据章钰校，十二行本、乙十一行本、孔天胤本皆有此六字，张敦仁《通鉴刊本识误》同，今据补。〖按〗《通鉴纪事本末》卷二四有此六字。［16］者：原无此字。据章钰校，十二行本、乙十一行本、孔天胤本皆有此字，今据补。［17］癸丑：原无此二字。据章钰校，十二行本、乙十一行本、孔天胤本皆有此二字，张敦仁《通鉴刊本识误》同，今据补。〖按〗《北齐书·后主纪》《北史·后主纪》皆有此二字。［18］他药无效：原无此四字。据章钰校，十二行本、乙十一行本、孔天胤本皆有此四字，张敦仁《通鉴刊本识误》同，今据补。［19］久不决：原作“久而不决”。据章钰校，乙十一行本无“而”字，今据删。〖按〗《通鉴纪事本末》卷二四、《通鉴纲目》卷三四皆无“而”字。［20］小：原作“一”。据章钰校，十二行本、乙十一行本、孔天胤本皆作“小”，张敦仁《通鉴刊本识误》同，今据改。〖按〗《周书·韦孝宽传》《北史·韦孝宽传》皆作“小”。

【语译】

三年（辛卯，公元五七一年）

春，正月初五日癸丑，陈朝任命尚书右仆射徐陵为左仆射。

初九日丁巳，北齐派兼散骑常侍刘环俊到陈朝来通问修好。

十三日辛酉，陈宣帝在南郊祭天。二十三日辛未，在北郊祭地。

北齐斛律光在西部边境汾北地区修筑了十三座城堡，这些城堡都是斛律光在马背上用鞭子指画其规模形制而修起来的，一下子开拓土地五百里，却未曾夸耀过自己的功劳。他还与北周韦孝宽在汾北交战，打败了韦孝宽。北周齐国公宇文宪督率

拒齐师。

二月辛巳[561]，上祀明堂[562]。丁酉[563]，耕藉田。

壬寅[564]，齐以兰陵王长恭为太尉，赵彦深为司空，和士开录尚书事，徐之才为尚书令，唐邕为左仆射，吏部尚书冯子琮为右仆射，仍摄选[565]。

子琮素谄附士开，至是，自以太后亲属，且典选[566]，颇擅引用人，不复启禀，由是与士开有隙。

三月丁丑[567]，大赦。

周齐公宪自龙门渡河[568]，斛律光退保华谷，宪攻拔其新筑五城。齐太宰段韶、兰陵王长恭将兵御周师，攻柏谷城[569]，拔之而还。

夏，四月戊寅朔[570]，日有食之。

壬午[571]，齐以琅邪王俨为太保。

壬辰[572]，齐遣使来聘。

周陈公纯[573]等[22]取齐宜阳等九城，齐斛律光将步骑五万赴之[574]。

五月癸亥[575]，周使纳言[576]郑诩[577]来聘。

周晋公护使中外府[578]参军郭荣[579]城于姚襄城[580]南、定阳城西，齐段韶引兵袭周师，破之。六月，韶围定阳城，周汾州[581]刺史杨敷固守不下。韶急攻之，屠其外城[582]。时韶卧病，谓兰陵王长恭曰："此城三面重涧[583]，皆无走路，唯虑东南一道耳，贼必从此出。宜简精兵专守之，此必成擒[584]。"长恭乃令壮士千余人伏于东南涧口。城中粮尽，齐公宪总兵[585]救之，惮韶，不敢进。敷帅见兵突围夜走，伏兵击擒之，尽俘其众。乙巳[586]，齐取周汾州及姚襄城，唯郭荣所筑城独存。敷，愔之族子也。

敷子素[587]，少多才艺，有大志，不拘小节，以其父守节陷齐，未蒙赠谥[588]，上表申理。周主不许，至于再三，帝大怒，命左右斩之。素大言曰："臣事无道[589]天子，死其分[590]也！"帝壮其言[591]，赠敷大将军，谥曰忠壮[592]，以素为仪同三司，渐见礼遇。帝命素为诏书，下笔立成[593]，词义兼美，帝曰："勉之[594]，勿忧不富贵。"素曰："但恐富贵来逼臣，臣无心图富贵也。"

众将东出抵御北齐军队。

二月初三日辛巳，陈宣帝到明堂祭祀。十九日丁酉，陈宣帝举行亲耕籍田典礼。

二月二十四日壬寅，北齐任命兰陵王高长恭为太尉，赵彦深为司空，和士开录尚书事，徐之才为尚书令，唐邕为左仆射，吏部尚书冯子琮为右仆射，仍然兼管吏部选举事务。

冯子琮一向逢迎趋附和士开，这时，自以为是太后的亲戚，并且掌管选举事务，便擅自引进任用官吏，不再向和士开禀告，从此与和士开有了嫌隙。

三月三十日丁丑，陈朝大赦天下。

北周齐国公宇文宪从龙门渡过黄河，斛律光退守华谷城，宇文宪攻克了斛律光新筑的五座城堡。北齐太宰段韶、兰陵王高长恭领兵抵御周军，攻打柏谷城，把它攻下后才回师。

夏，四月初一日戊寅，发生日食。

初五日壬午，北齐任命琅邪王高俨为太保。

十五日壬辰，北齐派使臣到陈朝来通问修好。

北周陈国公宇文纯等人攻取了北齐宜阳等九座城，北齐斛律光率步骑五万赶往宜阳。

五月十七日癸亥，北周派纳言郑诩到陈朝来通问修好。

北周晋国公宇文护派中外府参军郭荣在姚襄城南边、定阳城西边修筑城堡，北齐段韶领兵袭击北周军队，打败了他们。六月，段韶围攻定阳城，北周汾州刺史杨敷坚守，没有攻下。段韶继续猛攻，攻破定阳外城，进行了屠杀。当时段韶卧病在床，他对兰陵王高长恭说："这座城的三面有重重溪涧，都没有适合逃跑的路，我所忧虑的只有东南一条路而已，敌人一定会从这里突围出来，我们应当挑选精兵，专门守候在这里，这样一定能抓获他们。"高长恭于是命令一千多名壮士埋伏在东南的涧水渡口。城中粮食吃完了，北周齐国公宇文宪统领军队来救，因为害怕段韶，不敢进兵逼近。杨敷率领城中现存的残余士兵乘夜突围逃走，北齐的伏兵截击并擒获了他们，这些人全都当了俘虏。二十九日乙巳，北齐攻占了北周汾州及姚襄城，只有郭荣所筑的那一座城堡独独没有被攻破。杨敷，是北齐杨愔的族子。

杨敷的儿子杨素，年少时就多才多艺，胸有大志，不拘小节，认为自己的父亲坚守节操而被北齐抓获，却没有蒙受朝廷的赠官加谥，于是呈上表文申诉。北周国主宇文邕没有答应他的请求，杨素就一而再、再而三地上表，周帝大怒，命令身边的侍从斩杀杨素。杨素提高声音说："臣侍奉无道天子，死是我的本分!"周帝觉得他的话说得很有气势，于是给杨敷赠官大将军，赠谥号为忠壮，任命杨素为仪同三司，此后逐渐受到礼遇。周帝命令杨素草拟诏书，下笔即刻成文，文辞内容都很出色。周帝说："好好努力，不要担心没有富贵。"杨素说："只怕富贵来逼臣，臣倒无心图富贵。"

齐斛律光与周师战于宜阳城下，取周建安等四戍[595]，捕虏千余人而还。军未至邺，齐主敕使散兵[596]，光以军士多有功者，未得慰劳，乃密通表，请遣使宣旨[597]，军仍且进。齐朝发使迟留，军还，将至紫陌[598]，光乃驻营待使。帝闻光军已逼[599]，心甚恶之，亟令舍人召光入见，然后宣劳散兵。

【段旨】

以上为第五段，写北周与北齐汾北争夺战，以北齐获胜而告终。

【注释】

[552]癸丑：正月初五日。[553]丁巳：正月初九日。[554]辛酉：正月十三日。[555]辛未：正月二十三日。[556]祀北郊：每年正月，皇帝于都城北郊设方坛，祀后土之神。北郊常与南郊隔年相祀。[557]西境：指汾北之地。汾北与邺城相比为西。[558]马上以鞭指画而成：斛律光在马上用马鞭比画城的建筑样式，即照此造成。[559]拓地：扩张领土。[560]伐功：夸耀自己的功劳。[561]辛巳：二月初三日。[562]明堂：古代帝王宣明政教的地方。凡朝会、祭祀、庆赏、选士、养老、教学等大典，均在此举行。[563]丁酉：二月十九日。[564]壬寅：二月二十四日。[565]摄选：兼任吏部选举事。[566]典选：掌管选举。[567]丁丑：三月三十日。[568]河：指黄河。[569]柏谷城：城名，故址在今河南宜阳南。[570]戊寅朔：四月初一日。[571]壬午：四月初五日。[572]壬辰：四月十五日。[573]陈公纯：即宇文泰之子宇文纯（？至公元五八〇年），传见《周书》卷十三、《北史》卷五十八。[574]赴之：奔赴宜阳救援。[575]癸亥：五月十七日。[576]纳言：官名，即纳言中大夫，北周天官府纳言司长官，掌出纳君命，天子出入则侍从左右。[577]郑诩：仕北周，官至邵州刺史。传附《周书》卷三十五《郑孝穆传》、《北史》卷三十五《郑道邕传》。[578]中外府：周晋公宇文护府邸。因其都督中外诸军事，故有

【原文】

齐琅邪王俨以和士开、穆提婆等专横奢纵，意甚不平。二人相谓曰："琅邪王眼光奕奕[600]，数步射人[601]，向者暂对[602]，不觉汗出，吾辈见

北齐斛律光与北周军队在宜阳城下交战，夺取了北周建安等四座戍军的城堡，俘获了一千多名周兵后退回。北齐军还没到达邺城，北齐国主高纬便敕令遣散军队，斛律光认为军士立功的人很多，他们还没有受到慰劳，便秘密上表，请求皇上派使臣宣布旨意进行慰劳，军队则继续前进。北齐朝廷派遣使者行动缓慢，军队快要到邺城附近的紫陌了，斛律光便扎营等待使者。皇上高纬听到斛律光率军逼近都城，心里非常厌恶斛律光的这种做法，赶快派舍人宣召斛律光入宫觐见，然后宣旨慰劳，遣散军队。

此名。579 郭荣（公元五四七至六一四年）：历仕周、隋，官至右候卫大将军。传见《隋书》卷五十、《北史》卷七十五。胡三省注云“郭荣”下有“筑”字，文意乃明。580 姚襄城：城名，在今山西吉县西北黄河东岸。581 汾州：州名，治所定阳城，在今山西吉县。582 屠其外城：攻陷了定阳外城，屠杀其军民。583 重涧：山涧重叠。584 成擒：一定能捉住。585 总兵：统领军队。586 乙巳：六月二十九日。587 敷子素：即杨敷之子杨素（？至公元六〇六年），字道虚，弘农华阴（今陕西华阴）人，历仕周、隋，官至尚书令。传见《隋书》卷四十八、《北史》卷四十一。588 赠谥：古代对有功或有地位的人死后所赠予官号和谥号。589 无道：无德政。590 死其分：谓死是其本分，应该的。591 壮其言：谓所言正大。壮，大。592 忠壮：《谥法解》：危身奉上曰忠，武而不遂曰壮。593 立成：即刻成稿。594 勉之：努力；尽力。595 戍：古代边防区域的营垒、城堡。596 散兵：将原来因战争征调的兵士遣还原地。597 宣旨：宣布慰劳之旨。598 紫陌：地名，在今河北临漳西南故邺县城西北。599 逼：逼近。

【校记】

［21］癸丑：原作“乙丑”。据章钰校，十二行本、乙十一行本、孔天胤本皆作“癸丑”，今据改。〖按〗《陈书·宣帝纪》《南史·宣帝纪》作“癸丑”。［22］等：原无此字。据章钰校，十二行本、乙十一行本、孔天胤本皆有此字，今据补。

【语译】

北齐琅邪王高俨认为和士开、穆提婆等专横跋扈，奢侈骄纵，心里感到不平。和士开与穆提婆两人商量说：“琅邪王目光炯炯，几步之外都感到逼人，不久前和他

天子奏事尚不然。”由是忌之，乃出俨居北宫[603]，五日一朝，不得无时见太后。

俨之除太保也，余官悉解，犹带中丞及京畿[604]。士开等以北城有武库，欲移俨于外，然后夺其兵权。治书侍御史[605]王子宜，与俨所亲开府仪同三司高舍洛[606]、中常侍[607]刘辟彊说俨曰：“殿下被疏，正由士开间构[608]，何可出北宫入民间[609]也?”俨谓侍中冯子琮曰：“士开罪重，儿[610]欲杀之，何如?”子琮心欲废帝而立俨，因劝成之。

俨令子宜表弹士开罪，请付[23]禁推[611]。子琮杂[612]他文书奏之，齐[24]主不审省而可之[613]。俨诳领军[614]库狄伏连[615]曰：“奉敕，令领军收士开。”伏连以告子琮，且请覆奏[616]，子琮曰：“琅邪[617]受敕，何必更奏?”伏连信之，发京畿军士，伏于神虎门[618]外，并戒门者不听[619]士开入。秋，七月庚午旦[620]，士开依常早参[621]，伏连前执士开手曰：“今有一大好事。”王子宜授以一函[622]，云：“有敕，令王向台[623]。”因遣军士护送。俨遣都督冯永洛就台斩之。

俨本意唯杀士开，其党因逼俨曰：“事既然，不可中止。”俨遂帅京畿军士三千余人屯千秋门。帝使刘桃枝将禁兵八十人召俨，桃枝遥拜，俨命反缚[624]，将斩之，禁兵散走。帝又使冯子琮召俨，俨辞曰：“士开昔来实合[625]万死，谋废至尊，剃家家[626]发为尼，臣为是矫诏[627]诛之。尊兄若欲杀臣，不敢逃罪。若赦臣，愿遣姊姊[628]来迎，臣即入见。”姊姊，谓陆令萱也，俨欲诱出杀之。令萱执刀在帝后，闻之，战栗[629]。

帝又使韩长鸾召俨，俨将入，刘辟彊牵衣谏曰：“若不斩穆提婆母子，殿下无由得入。”广宁王孝珩、安德王延宗自西来，曰：“何不入?”辟彊曰：“兵少。”延宗顾众而言曰：“孝昭帝杀杨遵彦[630]，止[631]八十人。今有数千，何谓少?”

帝泣启太后曰：“有缘，复见家家；无缘，永别!”乃急召斛律光，俨亦召之。

光闻俨杀士开，抚掌[632]大笑曰：“龙子[633]所为，固[634]自不似凡人!”入，见帝于永巷。帝帅宿卫者步骑四百，授甲，将出战，光曰：“小儿

短暂交谈，不知不觉出了一身冷汗，我们朝见天子奏事尚且不会这样。”因此忌恨高俨，便把高俨调出去到北宫居住，五天才朝见一次，不能随时去见胡太后。

高俨升任太保时，其他官职全都解除，仍然兼任御史中丞和京畿大都督两职。和士开等认为北城有武库，想把高俨调到外面去，然后削夺他的兵权。治书侍御史王子宜，与高俨所亲近的开府仪同三司高舍洛、中常侍刘辟疆劝说高俨：“殿下被疏远，正是由于和士开离间诬陷造成的，你怎么可以离开北宫到民间去呢？”高俨对侍中冯子琮说：“和士开罪孽深重，儿想杀掉他，姨父意下如何？”冯子琮心里想要废了皇上，拥立高俨为帝，于是劝说高俨办成这件事。

高俨让王子宜上表弹劾和士开罪恶，请求收押审问他。冯子琮把这份奏表混杂在其他的文书中一起上奏，北齐国主高纬没有仔细审阅就批准了。高俨欺骗领军库狄伏连说：“奉皇上敕令，命令领军抓捕和士开。”库狄伏连向冯子琮报告，并且请求再行上奏复核，冯子琮说：“琅邪王接受的皇帝敕令，何必再奏？”库狄伏连相信了，调发戍守京畿的军士埋伏在神虎门外，并且告诫守门卫士，不许放和士开进入宫门。秋，七月二十五日庚午清早，和士开依照常例，一早入宫朝参，库狄伏连上前握住和士开的手说：“今天有一件大好事。”王子宜交给和士开一封信，说：“有皇帝敕令，请淮阳王到御史台去。”库狄伏连派军士护送。高俨派都督冯永洛在御史台斩杀了和士开。

高俨的本意是只杀和士开一个人，他的党羽便逼他说：“事情已经这样了，不可半途而废。”高俨于是率领京畿军士三千多人屯驻在千秋门。皇上高纬派刘桃枝带领八十名禁军去宣召高俨，刘桃枝远远看到高俨就下拜行礼，高俨命令把刘桃枝两手反绑，准备斩杀他，禁军们吓得四散退走。高纬又派冯子琮宣召高俨，高俨推辞说：“和士开早就罪该万死，他企图废黜皇上，让我嫡母削发为尼，臣因此假称诏命，把他杀了。皇上兄长如果想要杀臣，臣不敢逃避罪责；如果赦免臣的罪过，请求派姊姊来迎接，臣立即入宫参见皇上。”姊姊，说的就是陆令萱。高俨想把陆令萱骗出来杀掉。陆令萱提着刀站在皇上背后，听到这番话，吓得直打哆嗦。

皇上又派韩长鸾去宣召高俨，高俨打算入宫，刘辟疆拉着高俨的衣服，劝阻说：“如果不杀掉穆提婆母子，殿下不能入宫。”广宁王高孝珩、安德王高延宗从西边走来，说：“为何不入宫？”刘辟疆说：“兵员少。”高延宗回头看了看周围军士，说：“孝昭帝杀杨遵彦时，只有八十个人，如今你们有数千人，怎么能说少？”

皇上哭着启奏胡太后说：“如果有缘分，还会见到母亲；如果没有缘分，就和母亲永别了！”便紧急宣召斛律光，高俨也宣召斛律光。

斛律光听说高俨杀了和士开，拍手大笑说：“龙子做的事，原本就不同凡人！”斛律光入宫，在永巷见到皇上高纬。高纬率领在宫中值宿警卫的步骑军士四百人，给他们发了甲胄，准备出战，斛律光说：“小孩子们玩弄兵仗，与他们一交战就乱了。

辈弄兵，与交手即乱。鄙谚[635]云：‘奴见大家[636]心死。’至尊宜自至千秋门，琅邪必不敢动。”帝从之。

光步道[637]，使人走出，曰：“大家来。”俨徒骇散[638]。帝驻马[639]桥上遥呼之，俨犹立不进，光就谓曰：“天子弟杀一夫，何所苦？”执其手，强引以前[640]，请于帝曰：“琅邪王年少，肠肥脑满[641]，轻为举措[642]，稍长自不复然[643]，愿宽其罪。”帝拔俨所带刀环，乱筑辫头[644]，良久，乃释之。

收库狄伏连、高舍洛、王子宜、刘辟彊、都督翟显贵，于后园支解[645]，暴之都街[646]。帝欲尽杀俨府文武职吏，光曰：“此皆勋贵子弟，诛之，恐人心不安。”赵彦深亦曰：“《春秋》责帅[647]。”于是罪之各有差[648]。

太后责问俨，俨曰：“冯子琮教儿。”太后怒，遣使就内省以弓弦绞杀[649]子琮，使内参[650]以库车载尸归其家。自是太后常置俨于宫中，每食必自尝之。

【段旨】

以上为第六段，写北齐琅邪王高俨诛杀奸邪权佞之臣和士开，引发一场未遂政变，一批忠良之臣遭杀害。

【注释】

⑩奕奕：光亮闪动貌。[601]数步射人：指眼光逼人，令人畏惧。[602]暂对：短时间的面谈。[603]北宫：在邺都的北城。[604]京畿：指高俨兼任京畿大都督，总京畿兵。[605]治书侍御史：官名，为御史中丞副贰，监察较高级别官员，北齐从五品。[606]高舍洛：为北齐宠幸之臣，天保、大宁间得以贵盛，后主武平时开府仪同三司。传见《北史》卷九十二《恩幸传》。[607]中常侍：官名，内侍之职，掌在内侍奉，出入宫掖，宣传制令。[608]间构：离间中伤之意。[609]入民间：被罢官为民。[610]儿：冯子琮为胡太后之妹夫、高俨之姨父，故俨自称儿。[611]禁推：收禁而加以审问。[612]杂：掺在；夹杂。[613]不审省而可之：没有仔细审查而批准了王子宜的上表。[614]领军：指领军大将军。[615]库狄伏连：仕北齐。初为武卫

俗语说：‘奴仆一见皇上，内心就崩溃了。’皇上应该亲自到千秋门，琅邪王一定不敢行动。”皇上高纬听从了。

斛律光步行给皇上做前导，派人走出官门说：“皇上来了。”高俨的党徒都惊骇而四散。皇上高纬在官门外护城河桥上停住马，远远地呼喊高俨，高俨仍然站在那里不向皇上走来，斛律光走近高俨，对他说：“天子的弟弟杀了一个人，有什么可困扰的？”斛律光抓着高俨的手，硬拉着他走到皇上面前，向皇上求情说：“琅邪王年轻，生活太优裕了而无所用心，不明事理，做事轻率，慢慢长大后自然就不会这样了，希望能宽恕他的罪过。”皇上拔出高俨带的佩刀，用刀把乱打他的头，过了好一阵，才放了他。

皇上高纬下令，抓捕库狄伏连、高舍洛、王子宜、刘辟彊、都督翟显贵，在官中后花园将他们肢解处死，扔到都城大街上示众。皇上想把高俨府中的文武下属全部杀光，斛律光说：“这些人都是勋贵人家的子弟，杀了，恐怕人心不安。”赵彦深也说：“《春秋》里写了，将士不服从命令，责任在主帅。”于是对他们治罪，而轻重各有不同。

胡太后责问高俨，高俨说：“是冯子琮教唆孩儿这样做的。”胡太后大怒，派人在官中用弓弦勒死了冯子琮，让宦官用库车装着冯子琮的尸体送回家。从此，胡太后经常把高俨安置在官中，每次吃东西一定要自己先尝一下。

将军、郑州刺史，武平间封宜都郡王，除领军大将军。传附《北齐书》卷二十与《北史》卷五十三《慕容俨传》。⑯覆奏：详审事情，重新上奏。⑰琅邪：指琅邪王高俨。⑱神虎门：即神武门。南北朝四史成于唐人之手，避唐讳，凡“虎”字皆改为“武”字，此独存旧。⑲不听：不允许。⑳庚午旦：七月二十五日天亮。㉑依常早参：遵照平日惯例，早晨入宫中朝参。㉒一函：一封信。㉓台：御史台。㉔反缚：反绑起来。㉕实合：应该。㉖家家：北齐诸王对嫡母皆称为“家家”。㉗矫诏：假称诏命。㉘姊姊：北齐诸王皆称其乳母（奶妈）为姊姊。㉙战栗：吓得发抖。㉚杨遵彦：杨愔字遵彦。孝昭帝杀杨愔事见本书卷一百六十八《陈纪》二文帝天嘉元年。㉛止：只；仅。㉜抚掌：拍手。表示高兴。㉝龙子：指高俨。因高俨为皇帝之子，故称其为龙子。㉞固：本来。㉟鄙谚：谚语。㊱大家：君主。一般臣妾称天子为“大家”。㊲步道：谓斛律光步行，做齐后主前导。道，同“导”。㊳骇散：惊骇而走散。㊴驻马：停马。㊵强引以前：指斛律光勉强把高俨拉到齐后主面前。㊶肠肥脑满：生活优裕而不用心，不明事理。㊷轻为举措：举止轻率。㊸稍长自不复然：年长以后，自然就不这样了。稍，渐渐。㊹筑辫头：

筑，击打。辫头，辫发，表示将要斩首。645 支解：分解四肢。古时酷刑之一。646 暴之都街：把库狄伏连等人的尸体暴露在邺城的街道上。647《春秋》责帅：《左传》宣公十二年云："彘子以偏师陷，子罪大矣。子为元帅，师不用命，谁之罪也！"赵彦深所述即本此。此指应惩治主要当事人，胁从者不问。648 罪之各有差：分别轻重，加以治罪。649 绞杀：勒死。650 内参：指宦官。

【原文】

八月己亥[651]，齐主如晋阳。

九月辛亥[652]，齐以任城王湝为太宰，冯翊王润为太师。

己未[653]，齐平原忠武王段韶卒。韶有谋略，得将士死力，出总军旅[654]，入参帏幄[655]，功高望重，而雅性[656]温慎，得宰相体[657]。事后母孝，闺门[658]雍肃[659]，齐勋贵之家，无能及者。

齐祖珽说陆令萱，出赵彦深为兖州刺史。齐主以珽为侍中。

陆令萱说帝曰："人称琅邪王聪明雄勇，当今无敌。观其相表，殆非人臣。自专杀以来，常怀恐惧，宜早为之计。"幸臣何洪珍等亦请杀之。帝未决，以食舆[660]密迎珽，问之。珽称："周公诛管叔[661]，季友鸩庆父[662]。"帝乃携俨之晋阳，使右卫大将军赵元侃诱俨执之，元侃曰："臣昔事先帝，见先帝爱王。今宁就死，不忍行此。"帝出元侃为豫州[663]刺史。

庚午[664]，帝启太后曰："明旦欲与仁威[665]早出猎。"夜四鼓[666]，帝召俨，俨疑之。陆令萱曰："兄呼，儿何为不去？"俨出，至永巷，刘桃枝反接其手。俨呼曰："乞见家家、尊兄。"桃枝以袖塞其口，反袍蒙头负出，至大明宫，鼻血满面，拉杀之，时年十四，裹之以席，埋于室内。帝使启太后，太后临哭，十余声，即拥入殿。遗腹[667]四男，皆幽死[668]。

【校记】

［23］付：原无此字。据章钰校，乙十一行本有此字，今据补。〖按〗《北齐书·琅邪王俨传》、《北史·琅邪王俨传》、《通鉴纪事本末》卷二五皆有此字。［24］齐：原作“帝”。据章钰校，十二行本、乙十一行本、孔天胤本皆作“齐”，张敦仁《通鉴刊本识误》同，今据改。

【语译】

八月二十四日己亥，北齐国主高纬前往晋阳。

九月初六日辛亥，北齐任命任城王高湝为太宰、冯翊王高润为太师。

九月十四日己未，北齐平原忠武王段韶去世。段韶富有谋略，将士愿为他拼死效力，出朝则统率军队征战，入朝则参与军国大事决策，功劳高声望重，而且品性温和谨慎，很有宰相的处事章法。侍奉后母尽孝，与家里的人相处和谐而庄重，北齐的勋贵之家，没有人能及得上段韶的。

北齐祖珽劝说陆令萱，让她劝说皇上外放赵彦深为兖州刺史。北齐国主高纬任命祖珽为侍中。

陆令萱劝说皇上高纬，说：“人们都说琅邪王高俨聪明而且勇猛威武，当今无人可比。看他的相貌，恐怕也不是甘为人臣的人。自从他擅自杀了和士开以后，内心常怀恐惧，陛下应该及早想出对付他的办法。”宠臣何洪珍等也请求皇上杀高俨。皇上还没最终决定，派人用装运食物的车子把祖珽秘密迎进宫来，询问他的意见。祖珽说：“周公诛杀了弟弟管叔，鲁国季友用鸩酒毒死了庆父。”皇上于是带高俨到晋阳，派右卫大将军赵元侃去诱捕高俨，赵元侃说：“臣早先侍奉先帝，见先帝很爱琅邪王。如今我宁愿去死，也不忍心干这种事。”皇上把赵元侃外放为豫州刺史。

九月二十五日庚午，皇上高纬禀告胡太后说：“明天天亮，我想与仁威一早出去打猎。”夜里四更时分，皇上宣召高俨，高俨起了疑心。陆令萱说：“兄长叫你，儿为何不去？”高俨出宫，走到永巷，刘桃枝反绑了高俨双手。高俨喊道：“请让我去见母亲和兄长。”刘桃枝用衣袖塞住高俨的嘴，把高俨的衣服翻转到头上把头蒙住，把他背了出去，走到大明宫，高俨的鼻血流得满面都是，刘桃枝把他击打致死，当时高俨只有十四岁。尸体用草席裹了，埋在宫中室内。皇上派人禀告胡太后，胡太后临丧哭吊，只哭了十几声，就被人簇拥着回到殿内。高俨有四个遗腹儿子，后来都被禁闭而死。

冬，十月，罢京畿府，入领军[669]。

壬午[670]，周冀公通[671]卒。

甲申[672]，上享太庙[25]。

乙未[673]，周遣右武伯[674]谷会琨[675]等聘于齐。

齐胡太后出入不节[676]，与沙门统昙献通，诸僧至有戏呼昙献为太上皇者。齐主闻太后不谨而未之信，后朝太后，见二尼，悦而召之，乃男子也。于是昙献事亦发，皆伏诛。

己亥[677]，帝自晋阳奉太后还邺，至紫陌，遇大风。舍人魏僧伽习风角[678]，奏言："即时当有暴逆[679]事。"帝诈云邺中有变，弯弓缠弰[680]，驰入南城[681]，遣宦者邓长颙幽[682]太后于北宫，仍敕内外诸亲皆不得与胡太后相见。太后或为帝设食[683]，帝亦不敢尝。

庚戌[684]，齐遣侍中赫连子悦聘于周。

十一月丁巳[685]，周主如散关[686]。

丙寅[687]，齐以徐州行台[688]广宁王孝珩录尚书事，庚午[689]，又以为司徒。癸酉[690]，以斛律光为左丞相。

十二月己丑[691]，周主还长安。

壬辰[692]，邵陵公章昭达卒。

是岁，梁华皎将如周，过襄阳[693]，说卫公直曰："梁主既失江南诸郡，民少国贫。朝廷兴亡继绝[694]，理宜资赡[695]，望借数州以资梁国。"直然之[696]，遣使言状，周主诏以基、平、鄀[697]三州与之。

【段旨】

以上为第七段，写北齐国主高纬杀害弟弟琅邪王高俨，幽闭太后。

冬，十月，北齐裁撤京畿大都督府，并入领军府。

初八日壬午，北周冀国公宇文通去世。

初十日甲申，陈宣帝到太庙祭祀祖先。

二十一日乙未，北周派右武伯谷会琨等到北齐通问修好。

北齐胡太后在宫内宫外都不守贞节，与和尚昙献私通，众和尚中甚至有人戏称昙献为太上皇的。北齐国主高纬听说胡太后生活不检点，起初不相信。后来高纬朝见胡太后，见到两个尼姑，很喜爱，就宣召她们，结果发现都是男人，于是昙献的事败露，这些人全都被处死。

十月二十五日己亥，皇上高纬从晋阳侍奉胡太后回邺城，到达紫陌时，遭遇大风。舍人魏僧伽通晓候风预测吉凶的方术，上奏说："立即会有凶暴叛逆之事发生。"皇上高纬谎称邺城中有变故，于是拉紧弓弦、缠好弓梢，驰马进入邺城的南城，同时派太监邓长颙把太后幽禁在北宫，还下达敕令，内外所有亲戚都不得与胡太后相见。有时胡太后为皇上准备好食物，皇上也不敢吃。

庚戌日，北齐派侍中赫连子悦到北周通问修好。

十一月十三日丁巳，北周国主宇文邕前往散关。

十一月二十二日丙寅，北齐任命徐州行台广宁王高孝珩录尚书事，二十六日庚午，又任命高孝珩为司徒。二十九日癸酉，任命斛律光为左丞相。

十二月十六日己丑，北周国主宇文邕返回长安。

十九日壬辰，陈朝邵陵公章昭达去世。

这一年，后梁华皎要到北周，路过襄阳，劝说卫国公宇文直说："梁国国主失去长江南岸各郡后，百姓少，国家贫。北周志在复兴已经亡了的国家，接续已经断了的世系，理应对梁国有所资助，希望贵国能借几个州的土地资助梁国。"宇文直认为他说得对，派使者向北周朝廷报告详情，北周国主宇文邕下诏把基州、平州、鄀州三个州的土地交给了梁国。

【注释】

㉛651 己亥：八月二十四日。652 辛亥：九月初六日。653 己未：九月十四日。654 出总军旅：出外则统率军队打仗。655 入参帷幄：回朝则参与军国大事。帷幄，设于内室的帷幕。656 雅性：美好的秉性。657 得宰相体：谓处事得体，符合宰相章法。658 闺门：内室之门。多指妇女住所。659 雍肃：和谐而庄重。660 食舆：专给大官运送粱肉的车。661 周公诛管叔：周武王灭商，仍封纣王子武庚于商都，统治商旧地，并以管叔等人监视。武王死，子成王即位，周公辅政。管叔同武庚叛乱，周公东征，杀管叔。事见《史记》卷三

十五《管蔡世家》。⑥⑥② 季友鸩庆父：春秋时，鲁庄公有病，安排后事。问叔牙，叔牙说庆父有才干。又问季友，季友说以死拥戴世子般。庄公于是鸩杀叔牙而立般。庆父使人杀般，季友立闵公，庆父又使人杀闵公，后逃到莒国。季友从邾国迎立僖公，并贿赂莒国，遣送庆父。庆父到了密地，季友让公子奚斯去杀他。左右让庆父自杀，他不肯。奚斯哭着去见庆父，庆父听到奚斯哭声，才自缢而死。后常以庆父比喻祸根。事见《史记》卷三十三《鲁周公世家》。⑥⑥③ 豫州：州名，治所上蔡县，在今河南汝南县。⑥⑥④ 庚午：九月二十五日。⑥⑥⑤ 仁威：高俨字仁威。⑥⑥⑥ 四鼓：四更，黎明前。古代以鼓声报时。⑥⑥⑦ 遗腹：妇孕夫死，儿称为遗腹。⑥⑥⑧ 幽死：囚禁而死。⑥⑥⑨“罢京畿府”二句：指撤销京畿大都督府，将其军并入领军。⑥⑦⓪ 壬午：十月初八日。⑥⑦① 冀公通：即宇文泰之子宇文通（？至公元五七一年），封冀公。传见《周书》卷十三、《北史》卷五十八。⑥⑦② 甲申：十月初十日。⑥⑦③ 乙未：十月二十一日。⑥⑦④ 右武伯：官名。北周置左、右武伯，掌内、外卫之禁令，兼六率之士。以左、右小武伯各二人为副。⑥⑦⑤ 谷会琨：人名。谷会，代北人复姓。据《周书》卷五《武帝纪》，谷会琨出使北齐，同行者还有御正蔡斌。⑥⑦⑥ 不节：不守贞节。⑥⑦⑦ 己亥：十月二十五日。⑥⑦⑧ 风角：古占候之术。谓候四方四隅之风，以占吉凶。⑥⑦⑨ 暴逆：凶恶的叛逆。⑥⑧⓪ 弰：弓的末端。⑥⑧① 南城：邺都的南城。邺都有南、北二城。⑥⑧② 幽：禁闭。⑥⑧③ 设食：陈设食品，请人食用。⑥⑧④ 庚戌：十月乙亥朔，无庚戌。〖按〗《北齐书》卷八《后主纪》云：武平“二年十一月，庚戌”。据此，庚戌日在十一月，下行“十一月”三字应移至“庚戌”二字前。庚戌，十一月初六日。⑥⑧⑤ 丁巳：十一月十三日。⑥⑧⑥ 散关：关名，故址在今陕西宝鸡西南。⑥⑧⑦ 丙寅：十一月二十二日。⑥⑧⑧ 行台：设在地方而代表朝廷行尚书省事的机构。⑥⑧⑨ 庚午：十一月二十六日。⑥⑨⓪ 癸酉：十一月二十九日。⑥⑨① 己丑：十二月十六日。⑥⑨② 壬辰：十二月十九日。⑥⑨③ 襄阳：郡名，治所襄阳，在今湖北襄阳。⑥⑨④ 兴亡继绝：古代指复兴衰败灭亡的诸侯国。⑥⑨⑤ 资赡：资助；供给。⑥⑨⑥ 然之：表示肯定的意思。⑥⑨⑦ 基、平、鄀：三州名。基州，治所丰乡县，在今湖北钟祥南。平州，治所当阳县，在今湖北当阳。鄀州，治所乐乡县，在今湖北宜城。

【校记】

［25］“壬午”至“享太庙”：原无此十三字。据章钰校，十二行本、乙十一行本、孔天胤本皆有此十三字，今据补。

【研析】

本卷所记公元五六七至五七一年间北齐、北周、陈三国政权内政与外交。下面我们就陈朝内部政治斗争所反映的南朝政治文化变迁，作一些分析。

陈朝经历了武帝陈霸先、文帝陈蒨两代人近十年的努力，才得以削平梁朝残余势力及割据一地的江南豪族，实现对南方的稳定控制。陈文帝去世，太子陈伯宗继

位，年仅十四岁。陈伯宗不仅年少，无政治历练，且性格懦弱。《陈书·废帝纪》说：“帝仁弱无人君之器，世祖（武帝）每虑不堪继业，既居冢嫡，废立事重，是以依违积载。及疾将大渐，召高宗谓曰‘吾欲遵太伯之事’，高宗（宣帝）初未达旨，后寤，乃拜伏涕泣，固辞。其后宣太后依诏废帝焉。”所谓“太伯之事”，是指传说中周太王有三子：太伯、仲雍、季历，而“季历贤”，且季历之子姬昌，更是聪明仁厚，太伯欲使周族复兴，有意让姬昌获得王位。但按嫡长子继承原则，太伯居长，理当继位，轮不到姬昌。太伯、仲雍为使太王不致为难，均出逃让位，于是季历得继太王之位，姬昌按嫡长子继承制，顺理成章地成为继承人，即后来的周文王。陈武帝的“遵太伯之事”的意思即传位给弟弟陈顼而不是太子陈伯宗。

陈顼“少宽大，多智略”，长相也俊，梁末与陈霸先之子陈昌一道入江陵，在梁元帝萧绎朝任职，至中书侍郎，在某种程度上也是梁元帝控制陈霸先的人质。西魏攻占江陵，陈顼与陈昌一道被俘入长安。陈霸先死后，侄儿陈蒨为诸将拥立，即文帝。西魏遣陈昌返国，欲影响陈朝政局，陈昌在返国途中被杀，其事已见于卷一百六十八及相关分析。文帝即位时，身在长安的陈顼被遥封为安成王，陈天嘉三年（公元五六二年），从长安归国，文帝委以重任，先后任命他为侍中、中书监、中卫将军，不久又任命他为使持节、都督扬南徐东扬南豫北江五州诸军事、扬州刺史。武帝死前，又让其兼任尚书令。陈伯宗即位后，陈顼以录尚书事、都督中外诸军事掌握军政大权，与中书舍人刘师知、尚书仆射到仲举辅政。“师知、仲举恒居禁中，参决众事，顼与左右三百人入居尚书省”。也就是说，刘师知、到仲举二人常在皇宫中小皇帝身边参与决策，而陈顼则用自己的亲信，全面控制了尚书省这一行政中心。刘、到二人显然与“地望权势为朝野所属”的陈顼相比，为了保护自己的利益，他们试图利用接近皇帝、掌握诏令的便利，“矫太后令遣高宗还东府，当时疑惧，无敢措言”。让陈顼离开尚书省，回到他的扬州刺史府，也就是将陈顼排挤出权力中枢。陈顼采用毛喜的意见，将刘师知骗出皇宫，“留之与语”，而毛喜则入宫面见沈太后与小皇帝。皇太后沈氏表示：“今伯宗幼弱，政事并委二郎。此非我意。”皇帝亦说：“此自师知等所为，朕不知也。”陈顼遂入宫，亲自拟定诏令，让皇帝签字盖印，将刘师知处死，让到仲举赋闲，“自是国政尽归于顼”。随后，陈顼处死到仲举，派兵镇压华皎在湘州、欧阳纥在广州的叛乱，通过陈霸先皇后章氏即慈训太后下令的形式，合法地取陈伯宗而代之，即陈宣帝。

陈宣帝在位十多年间，政局稳定，“江东狭小，遂称全盛”，其夺取帝位，未曾受到传统史家的指责，我们也不必对其行为给予道义上的评判。值得注意的是，宗王夺取帝位，只是南朝历史上常见的现象，与所谓“遵太伯之事”而让贤并无关系。魏晋而后，政治、经济以及文化共同作用的结果，士族特权阶层形成，他们按新的制度设计、凭父祖官爵，拥有当官的特权，且晋升迅捷，皇权受到抑制，以至于日本学者以“贵族政治”概括魏晋南朝政治的特征。而皇权应对这种特殊的政治形势，从西晋开始，放弃汉代以来一直奉行的削弱宗室封王政治权力的做法，让宗室子弟特别是皇帝的亲子弟出任中央权力机构长官，特别是地方军政首脑，以保证皇室对于政权的有效控制。东晋时，皇室力量弱小，王、庾、桓、谢几大家族遂轮流掌握政权的实际权力，与司马氏共治天下。南朝时，皇权复兴，采用的主要办法便是强化皇帝子弟对于中央与地方军政权力的控制，以底层寒人担任的低级官吏掌控中央权力机构的实际运作，剥夺门阀士族的政治军事实权。陈文帝死时安排辅政的中书舍人刘师知，只是个七品小官，但从刘宋开始，皇帝们正是利用这个中书省的低级小官，掌握中书省撰写诏令的权力，让门阀士族担任的五品的中书侍郎及三品的中书监、中书令失去实权，所谓“寒人掌机要”。这种办法一定程度上保证了皇权的行使，但皇帝子弟手握政治军事权力，使皇位的嫡长子继承制受到严重的挑战，皇室内部的皇位争夺史不绝书。陈宣帝夺取侄儿陈伯宗的皇位，正是南朝政治文化现象中的一个个案。

皇帝以子弟掌握军事权力的办法，还造成了另一种政治现象：两汉时期时常操纵皇权、影响皇位更替的外戚势力，在南朝不见踪迹，宋、齐、梁、陈相关史书，也都没有设立《外戚传》。据《陈书》卷七，陈顼杀刘师知，尽掌国政之后，皇太后沈氏“忧闷计无所出，乃密赂宦者蒋裕，令诱建安人张安国，使据郡反，冀因此以图高宗”。事无所成。吴兴沈氏本是东晋南朝江东大族，而沈氏之兄沈钦其时任尚书左仆射，陈文帝临死前并没安排其为辅政大臣以抑制陈顼，陈顼即帝位后，也没有处理沈钦，只是让他离开朝廷，出任陈氏家乡义兴郡的太守。陈顼以太皇太后章氏下令的方式即位，而章氏“亲属无在朝者”，章氏以太后的名义发号施令，也只不过走一个合法程序，并不意味她对朝政有何实质性的影响。

南朝皇室普遍与门阀士族通婚，借重其社会影响，但门阀士族并不需要通过与皇室通婚在政治上晋升，并不以外戚为荣，皇权也尽可能地防范门阀士族利用其社会地位干预皇权，在辅政大臣安排上，皇后、皇太后的亲属基本上被排除在外。这是南朝时门阀士族未能借通婚皇室影响政局的缘由。